S0-BSC-762

LES ETOILES DU SUD

JULIEN GREEN

DE L'ACADÉMIE FRANÇAISE

LES ÉTOILES DU SUD

roman

FRANCE LOISIRS

123, boulevard de Grenelle, Paris

Édition du Club France Loisirs, Paris,
avec l'autorisation des éditions du Seuil.

ISBN 2-7242-4766-3

A tous les soldats
du Sud et du Nord
tombés dans une guerre
fratricide.

1

LE PETIT CONSPIRATEUR

CHAPITRE I

L'enfant se tenait à quatre pattes aux pieds de sa mère et faisait semblant de cueillir les roses d'un tapis de Perse. Comme il l'expliquait tout bas à un compagnon invisible, il composait un bouquet pour la personne qu'il aimait le plus au monde. Minuscules, ses doigts, plus semblables à des fleurs vivantes que celles du jardin de laine multicolore, désignaient une rose, puis une autre, s'attardaient à bien choisir.

Elizabeth le surveillait du coin de l'œil, mais, depuis un instant, elle dirigeait son attention ailleurs, vers la porte ouverte du salon. Debout sur le seuil de la pièce vert et or, une femme gardait une attitude hésitante.

— Eh bien, fit Elizabeth, allons-nous rester longtemps à nous considérer sans rien dire ? Qu'attendez-vous, Miss Llewelyn ? Entrez et asseyez-vous.

La Galloise dans sa robe grise était coiffée d'un petit chapeau de paille noir à bords plats qui lui donnait un faux air de respectabilité bourgeoise.

Elle entra et s'assit sur le bord d'un fauteuil.

— Je vois bien, fit-elle, que ma visite est pour vous une surprise… je n'ose dire une bonne surprise.

Pendant quelques secondes, elle parut espérer une protestation qui ne vint pas.

Aux yeux d'Elizabeth elle surgissait comme l'apparition d'un passé dont une balle au cœur avait marqué la fin… La visiteuse ne semblait pas en avoir le soupçon.

« Après plus de quatre longues années de silence…, soupira-t-elle.

Ses prunelles couleur d'eau de mer s'attachaient au visage d'Elizabeth, mais celle-ci ne broncha pas. La Galloise reprit :

« J'ai dans le cœur des paroles qui ne montent pas à ma bouche.

— Excusez-moi, dit la jeune femme, mais si cela vous gêne de les dire, ne croyez-vous pas qu'il serait préférable qu'elles restent là où elles sont, jusqu'à une autre fois ?

Soudain elle se leva. Ne pouvant soutenir le regard de Miss Llewelyn, elle alla se tenir à la fenêtre comme pour observer les promeneurs. Elle les envia de se promener librement sous les arbres.

Intrigué, le petit garçon se dressa près d'elle et tira sur les plis de sa jupe :

— Mamma, fit-il.

— Laisse-moi, mon amour, murmura Elizabeth. Je suis avec cette dame.

— Je t'aime, fit-il.

Elle caressa la tête de l'enfant, puis se retourna vers Miss Llewelyn et fit un effort pour lui sourire.

— Je n'ai pas dit cela pour vous blesser, dit-elle d'un trait. Donnez-moi plutôt des nouvelles de Dimwood où je n'ai pas mis les pieds depuis toutes ces années. Mr. Charles Jones ne m'en parle presque jamais. On dirait qu'il ne veut pas.

Le ton naturel donné volontairement à ces paroles la rassura elle-même, rendait moins alarmante la présence de cette femme tout enveloppée de souvenirs intolérables.

Miss Llewelyn soupira :

— Depuis, Mr. Hargrove n'est plus le même avec personne, mais Dimwood n'a pas changé. Dimwood ne bouge pas. Miss Minnie s'est mariée et vit à La Nouvelle-Orléans. Vous vous souviendrez qu'elle s'était fiancée à ce gentleman de la Louisiane juste avant... avant l'événement...

— Je sais, fit Elizabeth avec impatience, cela suffit.

Elle reprit sa place dans son fauteuil.

— Terrible, terrible, marmonna Miss Llewelyn.

Toute pâle, Elizabeth serra contre elle son petit garçon.

— Et Susanna ? demanda-t-elle.

— Miss Susanna a déclaré qu'elle ne se marierait pas. On lui a demandé pourquoi. Elle a dit qu'elle avait ses raisons. Je connais ces raisons-là.

— Vraiment ? Et Mildred ? Et Hilda ?

— Toutes deux fiancées à de jeunes officiers, mais cela traîne, cela traîne. Les autres vont bien, mais ils s'ennuient. Vous seriez la bienvenue là-bas. On vous regrette, on parle de vous. Les jardins sont plus odorants que jamais. Des fleurs en masse jusqu'aux abords des bois.

Pendant l'espace d'une seconde, Elizabeth se revit là-bas, près des magnolias au bas des marches de la véranda, et elle ferma les yeux. Tout à coup elle se ressaisit comme si elle recevait un choc.

— Il y a quelqu'un dont vous ne parlez pas, dit-elle.

— En effet, Mr. William Hargrove. Vous a-t-on appris qu'il était malade ?

— Mr. Jones m'a mise au courant d'une façon un peu vague.

On eût dit alors que dans toutes les rides du visage qui l'observait se glissait une lueur de triomphe.

— Voilà trois jours, au réveil, le médecin de Mr. Hargrove lui a fait comprendre qu'il n'en avait plus que pour un mois.

— Oh ! Comment l'a-t-il pris ?

— Aussi mal que possible. Il a hurlé qu'on ne l'avait pas soigné comme on aurait dû, il a accusé son médecin de manquer de conscience et il a décidé de refaire son testament. Mr. Charles Jones a tenté de le calmer. Rien à faire.

— Je comprends que vous soyez émue, Miss Llewelyn.

— Si vous aviez été là, si vous pouviez imaginer ce que j'ai vu et entendu...

Tout à coup elle se leva et parut grandir comme si une force intérieure lui donnait les dimensions d'une géante et la pièce aux dorures délicates s'assombrit. Le sang de sa race parlait soudain chez cette femme avec l'inspiration violente de son pays natal. Elle se mit à discourir comme une visionnaire, le regard plongeant au loin, tout au-delà de la jeune Anglaise qui l'écoutait malgré elle, saisie par la magie d'une hallucination.

De son côté, l'enfant ouvrait des yeux brillants dans un visage extasié que cernaient en masse des boucles noires aux reflets roux. Toute son attention semblait concentrée dans un petit nez levé vers la Galloise devenue pour lui monumentale.

« Le Dimwood que vous avez connu n'a pas changé, car rien ne bouge à Dimwood, sauf dans le cerveau des habitants, et là, quel tumulte ! Vous souvenez-vous de la grande salle à manger où tout le monde se retrouvait à chaque repas ? Eh bien, voyez-y la longue table dépouillée de sa nappe. Tout au bout, un vieillard décharné assis sur une chaise dont le dossier dépasse largement son crâne chauve, car l'atroce maladie qui le ronge lui arrache ses dernières mèches blanches et sa taille est à présent celle d'un garçonnet. Vous voilà vengée de cet homme qui vous tourmentait de ses désirs. William Hargrove, hier maître de la maison à colonnes blanches qui échappe aujourd'hui à ses mains squelettiques.

Elizabeth eut un cri :

— Oncle Charlie ne m'avait pas dit que Mr. Hargrove en était là. Je le plains de tout mon cœur — malgré tout.

— Il redoute la mort et ne veut rien lâcher, poursuivit la narratrice d'une voix intraitable. Que de monde autour de lui ! Il n'a plus qu'un filet de voix, mais il y met toute sa rage, et il discute haletant avec des hommes en noir, avocats, notaires, banquiers. A sa droite et à sa gauche, ses deux fils aînés. Petites-filles et belles-filles se rangent épouvantées à l'autre bout de la salle. L'effroi que leur inspirait William Hargrove n'était qu'un recul instinctif devant la mort dont elles sentaient la présence, car cette présence régnait partout, du haut en bas de la maison, attendant son heure. Vous avez nommé Charles Jones. Il est là, en redingote grise, debout, tout près du malade, et devant eux, sur la table, dans une masse de papiers, un livre ouvert, un cahier relié en toile rouge. Ce livre, Mrs. Jones, c'était moi-même.

Elle porta ses deux mains aux doigts repliés comme des griffes à sa poitrine comme pour la déchirer. Pareille à une démente, elle fit peur à Elizabeth qui serra contre elle son petit garçon.

— Calmez-vous, Miss Llewelyn, s'écria-t-elle. Vous me direz tout cela plus tard.

La Galloise ne l'entendit même pas :

— Mon livre de comptes! rugit-elle dans un élan de fureur. Examiné pendant une grande demi-heure auparavant, feuille à feuille, ligne à ligne, épluché, moi présente, moi suant de colère et d'indignation, torturée...

Elizabeth courut fermer la porte du salon, quittant pour un instant son petit garçon qui demeurait immobile et comme fasciné par cette personne tonitruante. La bouche ouverte, il la contemplait ébahi avec un mélange d'étonnement et d'intérêt, mais sans frayeur. Revenue aussitôt vers lui, sa mère le serra contre elle.

« Eux aussi fermèrent la porte, ricana Miss Llewelyn, mais n'empêche que tous les Noirs de la maison s'y agglutinaient pour ne pas perdre une syllabe et j'étais contente de les savoir là. Soudain le chef comptable coupa la parole au vieux Hargrove qui répétait avec obstination que le livre de comptes ne valait rien, ne prouvait rien, qu'il y avait eu des extorsions : “ Au nom de mes collègues, j'affirme n'avoir jamais vu un livre de comptes tenu avec une telle rigueur. C'est un modèle de précision. ” Ce fut alors que Hargrove se mit à hurler, de son mieux, car sa voix ne portait plus. On n'entendit qu'un son rauque : “ Il y a eu pendant des années les exactions de cette femme... ” A ces mots, Mr. Charles Jones s'est emparé du livre de comptes qu'il brandissait d'une main tandis que de l'autre il frappait les pages où s'alignaient les chiffres. Oh! j'aurais embrassé cet homme! Il criait : " Où sont les extorsions dans ce livre, William? Vous l'avez eu tous les soirs sous les yeux pendant vingt ans et vous n'y avez rien vu d'irrégulier. Chaque page se revêtait dans le même coin en bas à droite de votre paraphe d'approbation. " La voix retentissait dans l'air étouffant. Il était superbe avec ses joues roses et ses beaux cheveux en désordre sur son front. " ... car vous étiez soupçonneux, William Hargrove, mais la loi vous interdit d'accuser sans preuves la plus dévouée des gouvernantes. " Mr. Hargrove a porté les mains à sa tête et s'est mis à gémir : " Vous ne savez pas, vous ne savez rien. Cette misérable a failli me ruiner. Les preuves, les preuves..., redisait-il. Quelles preuves? répétait-il, quelles preuves? — Vous délirez, William Hargrove! " lui ai-je lancé. On a vu alors ce monsieur si respecté jadis verser des larmes comme un enfant. Il m'a fait pitié. " Dieu vous pardonne ", ai-je dit avec douceur. Il a fait un effort pour lever la tête et m'a regardée. " Allez-vous-en ", a-t-il murmuré. Un grand silence se fit alors. Quel moment pour moi... Je me dirigeai vers la porte. Chassée de Dimwood, je sentais néanmoins au passage l'estime de presque tous et je la humais comme l'odeur exquise de nos camélias. Oh! la douceur de se savoir l'objet de la considération générale!

Elle proférait ces phrases avec une gravité presque religieuse, puis, changeant brusquement de ton :

« Arrivée à la porte, je la poussai avec force, dispersant une quinzaine de Noirs qui déguerpirent dans tous les sens.

Elle se tut et s'assit.

« Quel bel enfant vous avez, fit-elle au bout d'un instant.

— Son nom est Charles-Edouard, fit vivement Elizabeth comme pour couper court à des réflexions qu'elle pressentait. La ressemblance avec son père est déjà frappante. Vous paraissez fatiguée, Miss Llewelyn. Votre récit m'a fait une pénible impression.

— Mamma! s'écria le petit garçon avec la mine déçue d'un spectateur qui voit trop tôt finir une représentation passionnante.

— Chut! fit Elizabeth assise de nouveau dans son fauteuil.

Avec une agilité animale, il sauta sur ses genoux et tenta de la prendre dans ses bras.

— Tu m'aimes? demanda-t-il. La dame dit rien?

— Tais-toi, darling. Reste à côté de moi et sois sage.

Il se blottit contre elle et, tournant la tête vers Miss Llewelyn, il la gratifia d'un sourire. Du bout des dents, la Galloise le lui rendit.

S'enfermant dans un silence coupé de soupirs, elle ne semblait pas disposée à prendre congé d'Elizabeth et celle-ci cherchait en vain une manière à la fois courtoise et humaine de la faire partir.

Au bout de quelques minutes qui lui parurent interminables, elle demanda un peu gauchement :

« Je vous remercie de votre confiance, mais pourquoi me racontez-vous ces choses ?

Cette parole fut pour la Galloise comme le claquement d'un fouet annonçant la reprise de la course. Infatigable, elle releva la tête et continua sans transition :

— Montant à ma chambre, je fis mes valises, après quoi, je m'en fus trouver Azor — vous vous souvenez d'Azor le cocher ? Quelques pièces d'argent le persuadèrent de me mener en tilbury au monastère de Sœur Laura. Elle me reçut aussitôt et me garda une heure, m'exhortant à la patience et me prodiguant les conseils les plus pratiques pour me tirer d'embarras... Sur son insistance, je pris la résolution de venir sonner à votre porte.

— Et alors ? fit Elizabeth déjà en proie à l'alarme.

— Les paroles qu'un moment plus tôt je refoulais dans mon cœur...

La jeune femme ne put se retenir :

— Je vous en prie, Miss Llewelyn, parlons plus vite.

— Oh ! ne craignez rien, Mrs. Jones.

« Une demande d'argent », pensa la jeune femme.

Miss Llewelyn lut sur son visage la pensée d'Elizabeth.

« Oh ! n'ayez crainte, Mrs. Jones, la Providence m'a généreusement pourvue et j'ai mes économies, mais, n'étant plus la gouvernante de Dimwood, je suis libre de vous offrir mes services...

Elizabeth faillit reculer d'horreur et, d'une voix blanche qu'elle-même ne reconnut pas, elle répondit :

— J'ai déjà une gouvernante, Miss Llewelyn.

La phrase tomba dans un lourd silence, puis les yeux de la Galloise se plissèrent et la réplique vint en sourdine comme un secret :

— Il n'existe pas deux gouvernantes comme Maisie Llewelyn, Mrs. Jones.

— J'en suis sûre, croyez-moi, et je regrette...

— Moi aussi, fit Miss Llewelyn en se levant, je le regrette beaucoup pour vous comme pour moi. Je pense que nous nous reverrons.

Un grand sourire dérangea ses rides sans éclairer son visage et elle se dirigea vers la porte qu'elle ouvrit brusquement, par habitude, toute porte fermée étant pour elle suspecte, mais il n'y avait personne.

Elizabeth ne l'accompagna pas. Elle attendit que la porte d'entrée s'ouvrît et se refermât. Entourant alors d'un bras son petit garçon, elle le serra contre elle de toutes ses forces.

— La dame est pas contente ? demanda-t-il.

— Mais si, mais si. Elle est toujours comme ça. Tu ne dis à personne que tu l'as vue. Promis ?

— Promis.

Elle le couvrit de baisers et lui dit à l'oreille :

— Mon Jonathan.

— Zonathan ! Zonathan ! répétait-il à mi-voix, en riant.

Elizabeth mit le doigt sur sa bouche.

CHAPITRE II

Postée dans un coin de la fenêtre, elle dirigea la vue de tous les côtés, mais depuis un moment déjà la Galloise avait disparu, et puis à quoi bon essayer de la suivre des yeux ? Bonnes ou mauvaises, elle emportait avec elle ses intentions et son irritant mystère.

« Cette femme me hait », pensa-t-elle.

Elle sonna et attendit debout. L'enfant s'accrochait à sa jupe et elle lui caressait la tête.

Un domestique parut, vêtu de noir, grand garçon au visage de métis jaune pâle.

— Sam, va dire à Betty de venir me parler.

Restée seule avec son fils, elle le prit par les épaules. Son costume de toile blanche à col ouvert lui donnait un peu l'air d'un petit mousse, mais les culottes courtes et les bas rayés proclamaient le jeune citadin. Elle le regarda, l'embrassa, le regarda de nouveau avec attention. Ressemblait-il à son père autant qu'on le disait autour d'elle ? Par la rondeur des joues et l'écart des grands yeux marron peut-être. Ce qu'elle cherchait vraiment, c'était le reflet d'un autre visage qui hantait sa mémoire, mais là seule agissait une imagination malade. Ne le savait-elle pas elle-même ? A quel jeu étrange se livrait-elle avec la complicité d'implacables souvenirs ?

A mi-voix, elle lui parla :

« Tu es mon Jonathan, entends-tu, mais seulement tout bas, sans jamais dire Jonathan tout haut.

Il se jeta dans ses bras en riant :

— Oui, Mamma.

A ce moment la porte s'ouvrit et, coiffée d'un madras vert et rouge, Betty courut vers eux en s'excusant :

— J'étais avec Miss Celina dans le déba'ouas.

— C'est bien, ma petite Betty. Tu vas promener Charles-Edouard maintenant qu'il fait moins chaud. Mets-lui son grand chapeau de paille et qu'il ne lâche pas ta main.

— Non, Miss Lisbeth. Massa Cha'leddy est mon t'ésor.

Elle se jeta sur le trésor qui se débattit tout en caressant des doigts le masque noir que le temps fouillait impitoyablement comme pour lui ôter toute apparence humaine. Seules épargnées, les immenses prunelles sombres nageaient dans une tendresse insondable.

Charles-Edouard sautait de joie à l'idée de sortir et logea aussitôt sa main dans celle de Betty. En les voyant quitter le salon, Elizabeth ne put s'empêcher de sourire. Betty, dans son caraco rouge, n'avait pas besoin de se baisser beaucoup pour tenir la main du jeune gentleman confié à sa garde.

Déjà la lumière se faisait plus faible à travers les stores du salon, posant sur les murs de grandes taches d'or pâle et transformant la pièce qu'elle situait tout à coup dans un lieu sans rapport avec l'Amérique. C'était l'heure que la jeune femme redoutait parce qu'elle s'y sentait prise d'une mélancolie irrésistible qui détendait les liens avec la vie réelle. Le charme de ce moment lui faisait peur, mais elle l'attendait comme une évasion. Il lui fallait ensuite un effort pour secouer ses rêveries et reprendre le fil des événements insignifiants qui composaient son existence.

Comme elle quittait le salon, elle croisa Sam qui s'inclina et lui tendit une carte de visite sur un plateau. Elle lut : « Major Alexander Brookfield » et leva les sourcils.

— Je serai toujours sortie pour ce monsieur.

— *Yes,* M'am.

Le jeune métis la regardait. Elle lui jeta un coup d'œil qui l'obligea à baisser les yeux. Il s'inclina et disparut.

Un escalier en pas de vis menait à l'étage. Sur une des premières marches, elle s'arrêta, la main sur la rampe de bois poli. Le nom qu'elle venait de lire n'était pas du tout celui qu'elle eût souhaité voir sur ce carton où s'étalaient des lettres un peu trop grandes.

D'un pas rapide elle gagna sa chambre. Avec ses contrevents mi-clos, cette pièce baignée dans la pénombre se refermait comme un abri contre le monde extérieur et la jeune femme s'y tint un long moment, étendue sur un canapé d'acajou. Un grand miroir incliné renvoyait l'image de meubles sur le point de glisser comme à bord d'un navire aux approches de la houle. Bien malgré elle, le nom d'Alexander Brookfield se mit à tournoyer dans sa tête. Elle l'appelait, en effet, son fléau numéro un. Agé de quarante ans, bel homme et commandant d'artillerie, il se plaçait au premier rang de ses admirateurs. Reçu partout, il privait la jeune et trop jolie veuve de tout espoir de le fuir. Par le moyen d'une stratégie sournoise, il réussissait tôt ou tard à la cerner dans un coin de salon pour lui infliger le supplice de ses compliments dont il possédait un lot considérable. Il les lui administrait comme on offrirait des sucreries à une personne d'une intelligence modeste et sur qui on aurait des vues. La voix spéciale réservée aux femmes faisait entendre alors ses modulations qui mettaient sa victime en fureur et brusquement elle s'échappait. Cela lui valait de doux reproches aux soirées suivantes et il s'établissait entre eux une sorte de fausse familiarité belliqueuse, mais jamais encore il n'avait poussé l'audace jusqu'à se présenter chez elle.

Tout à coup elle se mit à penser à quelqu'un d'autre.

Le souvenir de Ned en promenade avec Betty la tira soudain de sa méditation et elle courut à la fenêtre dont elle repoussa les volets. Se penchant à droite et à gauche, elle le chercha dans l'avenue qu'il ne devait pas quitter et, ne le voyant pas, elle se sentit la proie d'une terreur subite.

Elle sonna. Presque aussitôt la porte s'ouvrit et une jeune femme blanche se présenta. Grande et mince, elle portait avec une certaine élégance une robe bleu de nuit aux manches longues. Un col amidonné ajoutait une note austère en accord avec un visage sérieux et bien dessiné. Le regard tranquille des yeux gris trahissait une bonne humeur naturelle qui rassurait sans effort.

— Madame, dit-elle.

— Miss Celina, je suis inquiète au sujet de Charles-Edouard.

— Pas moi, Madame. Il vient de rentrer.

— Mais il est sorti à peine un quart d'heure.

— Non, Madame, vous êtes restée ici près d'une heure. La nuit tombe. Du reste, ajouta-t-elle, je l'entends qui monte avec Betty. Il ne fallait pas avoir peur.

— C'est plus fort que moi. Quand il est loin arrive un moment où je ne vis plus ; je voudrais...

Des cris joyeux coupèrent cette phrase. Courant vers elle, Charles-Edouard essayait de lui bafouiller le récit de sa promenade devenue une aventure pleine de surprises. Son petit chapeau encore sur sa tête s'ornait de rubans noirs qui s'agitaient aux moindres gesticulations du narrateur.

Betty suivait, s'esclaffant, et fournissait le commentaire :

— Toutes les dames voulaient l'embrasser, mais Massa Cha'leddy voulait pas et se débattait.

Avec un élan sauvage, Elizabeth le saisit dans ses bras, le serrant presque à l'étouffer. Le petit chapeau roula par terre. Miss Celina le ramassa en riant et pendant quelques minutes il y eut une irruption de bonheur entre les quatre murs de cette pièce d'ordinaire vouée au silence. Sans cesse Elizabeth passait les doigts dans les boucles noires de son fils en lui murmurant dans l'oreille des paroles d'amour presque aussi désordonnées que celles du petit garçon.

Betty interrompit ce dialogue secret d'une voix ferme :

« Massa Cha'leddy, Betty va te donner ton bain.

— Il est en effet en nage, remarqua Miss Celina. Après quoi son bol de potage, et au lit. N'est-ce pas, M'am ?

Elizabeth le lâcha à regret :

— Je le borderai moi-même, fit-elle. Miss Celina, vous allez m'aider à m'habiller.

D'un air de tendresse passionnée, elle suivit des yeux l'enfant que Betty tirait par la main.

Seule avec Miss Celina, elle la regarda gravement.

« Qu'en pensez-vous, Miss Celina ? Peut-on adorer son enfant comme j'adore le mien ?

— Comment vous répondre, M'am ? Il faudrait que j'aie un enfant, mais ma mère m'aimait comme cela, à la folie. Elle m'appelait sa joie tremblante. C'est une expression de chez nous.

— Joie tremblante, fit la jeune femme pensivement. Ai-je jamais connu autre chose ?

— Quelle toilette choisissez-vous pour ce soir, M'am ? demanda Miss Celina d'un ton détaché.

— Ma robe en taffetas violet.

— Si vous me permettez une remarque, n'est-ce pas un peu triste ? Un peu deuil très prolongé ?

— Parme ou ce que vous voudrez. Ce soir tout cela m'est égal. Je m'ennuierai aussi bien dans toutes les couleurs de l'arc-en-ciel. Le dîner est chez les Steers.

La maison des Steers comptait parmi les plus anciennes de la ville et s'enorgueillissait aussi d'être des plus simples. Hautes et étroites, les fenêtres lui prêtaient une apparence austère qu'atténuait l'élégance de la porte aux fines colonnes ioniques.

Dès qu'Elizabeth parut, elle lut dans tous les regards que le choix de sa gouvernante tombait juste. Tout en blanc et sans un seul bijou, la jeune Anglaise éblouissait. La fraîcheur de son teint résistait au climat du pays, gardant encore l'éclat des premières années à Dimwood. Un examen plus attentif découvrait dans les yeux une ombre d'inquiétude qui faisait d'elle une autre personne que la petite demoiselle qui six ans plus tôt gravissait les marches de la plantation. Maintenant, sa chevelure, qui s'épanouissait autour de son visage avec une négligence très étudiée, achevait à elle seule de lui assurer une manière de suprématie. Non sans un léger sourire d'agacement, les beautés reconnaissaient en elle le charme de son pays d'origine — « charme un peu rustique » —, ajoutaient-elles tout bas derrière leur éventail. Les hommes ne faisaient aucune réserve de ce genre. Elle régnait sur leurs désirs plus encore que par un élan sentimental qu'ils prenaient pour une agitation du cœur.

Se sentir l'objet de cette gourmandise lui semblait indigne de l'idée qu'elle se formait d'elle-même. Aussi cultivait-elle un air d'indifférence polie devant ces messieurs qui se pressaient sur son passage. Elle avait l'impression que certains lui barbouillaient, de leurs regards langoureux, le visage et ce qu'ils devinaient de sa poitrine. Les plus âgés surtout. Serrés dans leurs uniformes, les jeunes officiers se montraient moins cyniques et se bornaient aux œillades éperdues lancées droit dans des yeux aussi muets que des saphirs.

La tyrannie des usages exigeait qu'elle acceptât enfin les invitations d'un certain nombre de familles et les Steers étaient au tout premier rang de celles-là. On admirait dans leurs salons des tableaux de peintres célèbres dans des cadres dorés où l'art baroque se livrait à ses contorsions les plus audacieuses. Des lustres énormes à pendeloques de cristal répandaient une lumière d'une douceur généreuse qui flattait le teint et donnait un éclat plus mystérieux au ruissellement des pierreries sur les mains et la gorge des femmes. Avec l'astucieux savoir-faire de leur sexe, celles-ci se glissaient vers la dangereuse rivale et l'isolaient de son rempart d'admirateurs qui cédèrent à cette force majeure de la grâce, et, pendant un moment, Elizabeth fut assaillie de compliments et de questions d'une indiscrétion subtile. On ne la voyait presque jamais et c'était une telle joie de l'accueillir, d'entendre à nouveau son délicieux anglais aux modulations si pures, n'est-ce pas... Elle répondait avec un reste de gaucherie — mais charmante — dont elle n'avait jamais pu se défaire depuis son arrivée en Georgie. N'était-ce pas cela même qui avait ensorcelé Jonathan d'abord, puis Ned ? A présent, prisonnière de ces femmes chamarrées de bijoux, dans la soie et le taffetas de leurs robes agressivement élégantes, elle se sentait nue et furieuse. D'un seul coup elle prenait le monde en grippe. Par les grandes portes aux moulures d'or sombre, elle voyait arriver des groupes d'invités, et, mettant le comble à son désarroi intérieur, parut Alexander Brookfield en uniforme. Non sans une énergie toute militaire, il se fraya un chemin vers elle, provoquant autour de lui des regards indignés. Il approchait néanmoins et elle distinguait l'œil tout pétillant de sottise qui visait sa proie.

Prise de panique elle se débattit, tout en s'excusant, contre les dames qui l'entouraient. Elles s'écartèrent, un peu choquées, lui permettant de gagner un espace libre qu'elle traversa sans hésiter. Ce n'était pas sans raison qu'elle se dirigeait de ce côté-là.

Elle venait, en effet, d'apercevoir la belle Mrs. Harrison Edwards, fort entourée elle aussi, mais se déplaçant en maîtresse femme dans un cercle d'admirateurs respectueux qu'elle tenait à distance du bout de son éventail. Sa tête orgueilleuse se relevait à tout moment comme pour affirmer son pouvoir sur le monde, mais elle n'en répartissait pas moins ces sourires dont le charme indéfinissable était devenu célèbre, car il signifiait à peu près tout ce qu'on était enclin à y voir, le oui, le non, le peut-être ou le rien, et elle en jouait comme un virtuose de son instrument. De loin, grâce à l'acuité du regard féminin en pareil cas, la jeune Anglaise remarqua que son visage, jadis menacé de rondeur, s'était si peu que ce fût aminci.

Sans être très attirée vers cette femme dont les manières royales la gênaient, elle décida qu'en cette minute difficile elle seule pouvait lui venir en aide, et, d'un pas agile, elle franchit les quelques mètres qui les séparaient l'une de l'autre.

En l'apercevant, Mrs. Harrison Edwards jeta un cri de salon, un cri bien élevé, car elle savait depuis un quart d'heure qu'Elizabeth se trouvait là et n'en éprouvait qu'un plaisir modéré :

— Elizabeth ! Quelle surprise et quelle joie ! Vous ici !... et plus belle que jamais.

D'une volte-face élégante, elle quitta ses admirateurs déçus et rejoignit Elizabeth qu'elle embrassa :

« Ma chérie, lui dit-elle, nous ne nous voyons presque plus depuis... depuis la chose terrible.

— Je sais, mais je n'ai jamais eu le goût des grandes soirées mondaines comme celle-ci.

— Comme celle-ci ! Mais il s'en donne sans cesse, à Savannah. Comment pourrions-nous vivre autrement ? On périrait ! Rester chez soi est un long martyre. La grande affaire, voyez-vous, est de tuer le temps en bonne compagnie. Mais qui est ce personnage qui semble aller droit vers vous ?

— Oh ! Lucile, à fuir ! Un épouvantable militaire qui me persécute de ses déclarations brûlantes. Faites quelque chose pour l'éloigner, je vous en prie.

— Je n'ai jamais fait fi des compliments d'un beau militaire, mais celui-ci est d'une laideur décourageante.

Comme il s'approchait, l'air déjà vainqueur, elle tourna brusquement vers lui un visage de souveraine qui l'arrêta net. Jamais cette femme qui la tirait d'affaire ne parut plus séduisante aux yeux d'Elizabeth. Le flot lourd de sa chevelure luisait en vagues sombres autour d'un petit front en arc de cercle et mettait en valeur le blanc délicatement velouté de la peau. D'une profondeur insondable, les grandes prunelles semblaient contenir tous les secrets de la nuit, et c'était ainsi qu'elle se présentait quand il lui plaisait de faire reculer un adversaire. Elle était alors aussi furieusement attirante et presque autant redoutable.

Interdit, le commandant resta un court moment sans voix. De toute évidence, son admiration vacillait entre la jeune Anglaise et la magnifique créature dont le regard brûlant se plantait sur lui. Elle ne lui permit pas de placer un mot.

« Commandant, fit-elle d'une voix ferme, nous n'avons pas été présentés et je suis en conversation avec madame.

Il s'inclina.

— Oh ! je ne me serais pas permis... Je voulais seulement...

— Pourquoi n'iriez-vous pas faire un tour au buffet ? Des dames exquises l'assiègent déjà.

En achevant ces mots, elle lui fit ce qu'elle appelait à part soi son sourire de tigresse, qui acheva de le foudroyer, et il battit en retraite.

« Voyez-vous, Elizabeth, fit-elle lorsqu'elles se furent éloignées, c'est ainsi qu'on doit dresser les hommes.

— Mais je n'ai jamais essayé, s'écria la jeune femme, ni même voulu le faire !

— Je crains que vous ne les surestimiez. Qu'ils soient parfois les bienvenus, d'accord, mais c'est une grandiose satisfaction que de les sentir à ses pieds.

— Franchement, je ne voyais pas ainsi l'amour du temps que j'avais mon…

— Chère Elizabeth, ne vous attardez pas aux souvenirs de ce qui ne reviendra pas. Moi, j'ai pris mon veuvage avec sérénité. Jouissez du présent, Elizabeth. La vie, regardez la vie…

Elle fit un geste vers le salon plein d'une foule d'invités bavards. Le gros murmure des conversations devenait assourdissant.

« Vous entendez, fit-elle avec une sorte de ravissement. Quelle musique pour l'oreille ! C'est la vie, la vie délicieuse du monde…

Elizabeth hocha la tête et tenta de lui sourire.

— Vous savez, dit-elle en haussant la voix pour se faire entendre, je crois que je vais rentrer, mais je vous remercie pour tout à l'heure.

— Toujours là pour vous aider, car, soit dit sans vous offenser, votre éducation de jeune veuve reste à perfectionner, ma chérie.

Un long sourire caressant atténua le piquant de cette remarque. Elizabeth n'en ressentit pas moins une légère blessure.

Ses yeux se mirent à briller d'un éclat subit et, croyant y voir des larmes, Mrs. Harrison Edwards la prit dans ses bras :

« Oubliez ce que je vous ai dit, fit-elle, je n'aurais pas dû… j'ai eu tort.

Du bout des lèvres, elle effleura la joue d'Elizabeth et lui serra les deux mains :

« Amies, dit-elle, n'est-ce pas ?

Pareil à un fantôme, un sourire passa sur ses traits, impossible à classer dans aucune catégorie, venu cependant des régions du cœur.

CHAPITRE III

Dans la voiture qui la ramenait chez elle, Elizabeth se livra tout entière à sa déception… Quelqu'un qu'elle eût souhaité voir ne s'était pas montré ou peut-être au milieu de cette multitude n'avait-elle pas su le découvrir, mais il lui semblait bien improbable que, vêtue de blanc, elle n'eût pas retenu et guidé son attention. Peut-être encore n'était-il pas venu, à moins que sa timidité, dont il se défendait si mal, ne l'eût empêché d'aller vers elle. Après tout, ils n'avaient jamais échangé dix mots, mais il aurait dû savoir, l'exaspérant jeune homme, il aurait dû deviner. D'impatience sinon de colère, elle soupirait en se rejetant dans un coin de sa voiture.

De cette soirée dans le monde, elle emportait une impression d'éblouissement et d'ennui. On suffoquait dans les hautes sphères... Mrs. Harrison Edwards et ses vues tant soit peu cyniques la déconcertaient malgré l'élan amical de la fin. Parmi les hommes dont la grande dame parlait avec un tel dédain, pas un visage qui fît rêver, puisque cela comptait encore pour elle, malgré le souvenir.

Sa maison l'attendait, ensevelie dans un silence qui la calma peu à peu. S'y prêtait surtout le décor familier du salon bleu pâle où elle passait des heures agréables avec des amies qui lui rendaient visite, pleines des papotages de la ville. Ce soir-là, une lampe sur une table basse éclairait avec une sorte de tendresse la petite pièce heureuse. Blottie dans un large fauteuil comme un oiseau échappé d'un orage, elle réfléchit qu'elle avait agi sottement au long de cette soirée... Sortie pour se montrer, ne parler qu'à une personne pendant quelques minutes et prendre la fuite, à quoi cela rimait-il ? De loin elle avait aperçu la maîtresse de maison qu'elle eût facilement pu joindre, mais qui, prisonnière aussi d'un groupe d'invités, lui tournait le dos. Enfin, pourquoi ne pas s'avouer honnêtement qu'elle n'était venue que pour un jeune gentleman qu'elle connaissait à peine. Un roux. Roux sombre, corrigeait-elle mentalement comme pour s'excuser, roux aux reflets de bronze. Timide avec ça... D'ordinaire les roux...

La méditation agitée fut coupée court par l'apparition d'une Miss Celina tranquille.

— Déjà de retour, fit-elle avec un sourire.

— Oui, je m'ennuyais. Le monde m'assomme, Miss Celina.

Miss Celina prit un air sérieux.

— Le petit a été long à s'endormir. Il a dit que vous aviez oublié de lui raconter une histoire avant d'éteindre. J'ai eu du mal à le consoler, il pleurait un peu.

D'un bond Elizabeth fut debout.

— C'est vrai, Miss Celina, pour la première fois j'ai oublié.

Oublié Jonathan, pensa-t-elle, à la fois irritée et honteuse, oublié que chaque soir, à mi-voix, elle lui racontait une histoire où figurait un personnage appelé Jonathan. Ce moment comptait dans sa vie quotidienne presque autant que dans celle de son fils. Le rite ne souffrait aucune variante.

Pour le déshabiller, le laver et le mettre au lit, Elizabeth cédait d'abord la place à Liza. Celle-ci, la nounou noire du garçon, était une vigoureuse personne encore jeune. Lourde et tout en rondeurs, elle restait attirante et se déplaçait en se dandinant ; dans son visage au teint de café, ses grands yeux qu'elle avait fort beaux roulaient à droite, roulaient à gauche en cadence avec sa démarche. Elle jouissait néanmoins d'une réputation de sérieux à toute épreuve. Charlie Jones lui-même l'avait recommandée à sa bru. Comme tant de femmes de sa race, elle respirait l'amour, concentrant sa passion sur le petit être qu'elle se persuadait lui appartenir, au point qu'elle l'appelait *my baby*. Cet amour lui était rendu. L'énorme masse noire qui s'abaissait sur lui dans des grognements d'ogresse amoureuse n'effrayait pas l'enfant, lui-même pétri d'affection par la tendresse débordante de sa mère.

Elizabeth n'assistait pas à ces épanchements un peu monstrueux, mais son tour venait ensuite, d'un style tout autre.

Il fallait qu'on la laissât seule avec le bien-aimé qui parfois devait attendre. Sage et patient dans son lit à colonnettes et à baldaquin de toile blanche, il se distrayait en se racontant tout haut des histoires où sa mère revenait sans cesse. Dans l'éclairage incertain de la veilleuse, la chambre lui paraissait plus grande, envahie par de larges coins d'ombre où son imagination logeait des personnages bizarres qui lui faisaient des grimaces et il avait un nom pour chacun d'eux, mais il aimait mieux surveiller la porte : bientôt elle allait s'ouvrir. Alors la personne merveilleuse viendrait près de lui avec tout cet or qui brillait doucement autour de sa tête. Et pendant de longues minutes elle le couvrirait de baisers en l'appelant son Jonathan. Il devait alors lui dire : « Oui, Zonathan ! » et elle le serrait dans ses bras. Ses baisers s'égaraient un peu partout sur le petit visage, pas sur les lèvres, mais souvent dans le cou, derrière l'oreille, ce qui le chatouillait et provoquait des fous rires. Cette gaieté une fois éteinte, arrivait le moment attendu avec une impatience voisine de la surexcitation, celui de l'histoire qu'on voulait toujours nouvelle, pleine de mystères, de géants, de poursuites, d'évasions, de voleurs... Suivait un bref silence, et, d'une voix qui n'était pas sa voix ordinaire, la mère faisait réciter à son fils une prière simplifiée à l'extrême où il demandait au *dear Lord* de faire de lui un *good boy* et de bénir sa Mom'.

Ce soir-là, pourtant, le soir de la réception chez les Steers, comme elle tardait beaucoup, il sentait ses paupières s'alourdir. Fatigué par sa promenade avec Betty, il glissa dans le sommeil sans en avoir conscience.

CHAPITRE IV

Un peu plus tard entra sans bruit Miss Celina. Elle alla vers le lit et posa sur l'enfant un long regard attentif comme si elle essayait d'y lire un secret. Il dormait une main sur la poitrine et les boucles de sa chevelure s'épandant autour de sa tête en grande tache noire sur la blancheur de l'oreiller.

Après avoir baissé un peu la lumière de la veilleuse, plongeant ainsi la chambre dans la pénombre, la gouvernante sortit aussi discrètement qu'elle était entrée.

Au salon, où elle descendit pour attendre le retour de sa maîtresse, elle s'installa dans un spacieux fauteuil garni de coussins et ramassa un journal traînant sur le tapis. Ornement de la cheminée haute et étroite, une ravissante pendule française fit tinter onze heures. Grêle et affairé, le timbre donnait l'impression d'une petite personne impatiente.

Miss Celina lut en première page : « Nouveaux désordres entre Noirs et Blancs dans le Kansas. » Elle bâilla. Tous les jours les mêmes nouvelles du Kansas. Pourquoi le gouvernement ne faisait-il pas quelque chose ? Des discours, toujours des discours... Elle croisa les doigts sur son ventre et s'assoupit, très digne jusque dans son sommeil.

Un cri la réveilla d'un bond. En moins d'une minute elle fut au premier dans la chambre de Charles-Edouard.

L'enfant s'était éveillé au milieu de la nuit.

La veilleuse ne répandait qu'une trop faible lueur pour dissiper la masse des ténèbres et l'épouvante s'empara de toute sa personne. Pour lui, le réveil c'était le jour ou la lumière d'une lampe. Jamais encore dans les limites d'un bref passé il n'avait ouvert les yeux dans le noir. La terreur était partout à la fois. De toutes ses forces il appela sa mère, et, ne la voyant pas arriver tout de suite à son secours, il cria de nouveau... La porte s'ouvrit enfin, mais la vue de Miss Celina ne fit qu'augmenter son trouble. Ce n'était pas elle qu'il voulait voir. Dans sa détresse il se mit à sangloter en appelant sa mère. La violence de son chagrin finit par inquiéter la gouvernante. Beaucoup plus qu'une explosion de tristesse, ce chagrin d'enfant rejoignait la douleur d'un adulte.

Elle fit de son mieux pour rassurer le petit être éperdu :

— Ta maman va revenir et tu la verras, elle a été obligée de sortir.

— Pourquoi elle est pas venue avant ?

— Elle était pressée, comprends-tu, très très pressée, on lui a dit que sa voiture l'attendait, alors...

Il s'arrêta de pleurer et elle sentit dans l'obscurité qu'il posait sur elle un regard terrible comme un regard d'homme.

— Alors ? demanda-t-il.

— Alors elle a simplement oublié... mais elle va venir.

— Oublié ?

— Enfin, oui, elle a pensé trop tard.

L'enfant qui s'était redressé à demi se laissa tomber, le visage dans l'oreiller, et elle crut qu'il allait suffoquer. Glissant son bras sous ses épaules, elle s'efforça de le relever, mais il se débattait en gémissant et elle eut peur. Des paroles étouffées parvenaient à ses oreilles, elle distingua les mots « oublié, Mamma » qui revenaient sans cesse et tout à coup, dans un murmure incompréhensible :

— Zonathan...

Elle crut s'être trompée, mais quelque chose lui dit que non, et la tentation l'effleura de l'interroger, mais elle eut aussitôt le sentiment impérieux qu'elle n'en avait pas le droit, que sa conscience le lui reprocherait plus tard.

Elle prit le parti de s'asseoir sur la chaise au chevet du lit et d'attendre que s'apaisât cette crise qui la consternait ; pour atténuer l'horreur de l'obscurité, elle remonta un peu la veilleuse, et tout en pleurant le petit désespéré se rendormit.

Lorsque Elizabeth se rendit compte qu'elle avait oublié d'embrasser son fils avant d'aller chez les Steers, elle demeura interdite et ne put que regarder Miss Celina en répétant :

— J'ai oublié.

— C'est tout naturel, il y avait cette soirée.

— ... cette soirée...

Elle répétait les mots comme pour mieux comprendre.

« Vous dites qu'il a pleuré...

— Oui, M'am.

Debout l'une en face de l'autre dans le petit salon, les deux femmes s'observaient, immobiles.

— Pleuré ? Il a dit quelque chose ?

— Il vous appelait.

— Rien d'autre ? Il n'a rien dit d'autre ?

Miss Celina était de ces femmes que la volonté de ne pas mentir mettait dans l'embarras pendant quelques secondes.

— Que voulez-vous qu'il fasse d'autre que d'appeler sa mère ?

A ce moment, Elizabeth comprit que Miss Celina lui cachait quelque chose. Elle savait aussi qu'il était impossible de la faire parler, mais elle lut une grande partie de la vérité dans ces yeux noirs qui ne cillaient pas. Elle avait rendu l'enfant amoureux et il lui en voulait de son absence comme d'une infidélité.

— Je vais monter l'embrasser.

— Il dort. Si j'étais vous, M'am, je le laisserais reposer, il a eu du mal à se calmer.

Devant le sérieux de ce regard, la jeune femme hésita. Elle eut l'impression que tout changeait dans le monde autour d'elle.

« Demain cela s'arrangera, fit Miss Celina comme si elle lisait sa pensée.

Et d'un trait elle ajouta :

« Si vous voulez, nous montons et je vous aide à vous déshabiller. Vous paraissez fatiguée.

— Fatiguée, oui.

Elle cédait. Cela valait mieux, pensa-t-elle. Elle n'osait s'avouer qu'elle se sentait coupable et qu'elle préférait ne pas affronter le bien-aimé déçu qui n'avait pas eu sa part de tendresse, ni son histoire, ni cet échange mystérieux du nom magique de Jonathan qu'elle lui disait à l'oreille et qu'il redisait à mi-voix, devenant du même coup un personnage fantastique dans un monde d'enchantement.

Soudain l'idée lui traversa l'esprit que sa vie se coupait en deux et que l'enfant ne la croirait plus. Il ne serait plus jamais celui qu'elle appelait secrètement son petit conspirateur.

Elle tourna vers Miss Celina un visage sans expression.

« Montons, dit-elle d'une voix lasse. Je vais essayer de dormir.

Avec un savoir-faire qu'Elizabeth ne put se retenir d'admirer, la gouvernante la déshabilla, puis l'installa dans son lit en moins de dix minutes. De sa voix raisonnable et rassurante, elle rendait la paix à sa maîtresse en réduisant la petite crise de Charles-Edouard à un banal caprice de croissance, et ces mots qui ne voulaient à peu près rien dire parurent à la mère la sagesse même.

Sans bruit, Miss Celina allait et venait, rangea les vêtements, éteignit la lampe, ouvrit toute grande la porte qui communiquait avec la chambre voisine où reposait l'enfant, puis, se mouvant dans la pénombre comme une fée, elle disparut.

Seule, Elizabeth resta les yeux ouverts, exténuée, prête à la longue insomnie. L'enfant dormait à côté et elle maîtrisa le désir d'aller sur la pointe des pieds tout près de lui pour entendre au moins son souffle, mais telle était la sensibilité du petit être qu'il eût deviné sa présence, et alors les larmes ne jailliraient-elles pas avec des reproches, déchaînant ainsi une nouvelle crise ?

De l'obscurité où d'abord elle ne distinguait rien, surgissaient l'un après l'autre les meubles familiers, tout ce qui constituait le décor de sa solitude, la commode ventrue, surmontée d'un miroir, le secrétaire où des femmes anglaises du temps de la reine Anne avaient griffonné sans doute des lettres d'amour, le fauteuil à bascule qui servait à balancer les rêves jusqu'à l'étourdissement. La brise nocturne venue du port gonflait doucement les rideaux de mousseline devant la fenêtre entrouverte.

De temps en temps arrivait jusqu'à elle le roulement lointain des calèches de l'autre côté des jardins où Ned s'était promené l'après-midi même avec la vieille Betty. A ce moment-là elle se sentait, sinon très contente de son sort, du moins en paix avec elle-même. Et maintenant cette inquiétude...

Heureusement, Miss Celina se trouvait avec elle dans cette maison bien grande pour une seule personne.

CHAPITRE V

Ce qu'elle pensait de Miss Celina, Elizabeth ne le savait pas aussi bien qu'elle l'eût souhaité. Assurément, elle la respectait, mais cette femme pratiquait l'art de se taire à un degré qui rendait sa présence quelquefois gênante.

Charlie Jones la connaissait depuis longtemps. Bien avant l'arrivée d'Elizabeth en Georgie, il explorait, sans jamais en rien dire, les parties les plus déshéritées de la ville. C'était un trait de sa nature de s'intéresser à ceux qu'on appelait avec un dédain qu'il jugeait atroce la balayure des Blancs pauvres. Sa fortune lui permettait d'en tirer beaucoup de la misère. Celina était la fille d'un petit artisan, fabricant de jouets, qui avait fait faillite. De religion protestante, il descendait de ceux que l'empereur très chrétien du Saint-Empire romain germanique avait chassé de ses Etats.

Prenant en main le sort de cet homme et de sa famille, Charlie Jones fit du père un employé dans un de ses bureaux et mit Celina en pension à Macon.

Agée de quinze ans et ayant eu faim, elle était, de plus, beaucoup trop fine pour ne pas saisir la chance que lui offrait la vie. Cela ressemblait à une gageure. Sans être issues de la haute société, ses compagnes de meilleure condition qu'elle pouvaient se demander d'où elle était sortie. Son origine étrangère facilita les opérations. Venir d'ailleurs lui donnait le droit de n'être pas tout à fait comme les autres. Moins jolie que plaisante, elle se rattrapait par un sourire dont elle n'abusait pas, mais qui pouvait séduire. Très tôt elle avait résolu de ne pas se marier.

Quand vint le moment de lui trouver une profession, Charlie Jones la plaça comme dame de compagnie chez des personnes vénérables qui mouraient d'ennui au sein d'un luxueux veuvage. Elle lisait à ravir avec une régularité de métronome qui inclinait à la somnolence, ce qui était louable, mais, une fois ce résultat obtenu, il ne lui restait rien à offrir. Elle n'avait pas de conversation. Au bout d'un an on la remerciait.

Charlie Jones lui fit faire le tour de la société de Macon, puis d'Atlanta, et elle se constituait discrètement un petit avoir, espérant un jour atteindre l'indépendance matérielle, mais elle en était loin.

Cependant, après le tragique duel qui lui avait ôté son fils, Charlie Jones n'éprouvait pas souvent le désir de rendre visite à Elizabeth. Tout en la plaignant au fond de lui-même, il la tenait secrètement pour responsable. Fidèle à Ned, elle l'eût gardé vivant auprès d'elle. Il la voyait punie d'une façon terrible et peu à peu la pitié fit son chemin.

Un jour de 1855, il était allé sonner à la porte de sa belle-fille.

Ce fut l'enfant qui gagna la partie pour Elizabeth. On eût dit qu'il le savait et que toutes les petites ruses infaillibles lui étaient inspirées. Quand il vit ce grand personnage en redingote noire se pencher vers lui, il commença aussitôt par lui tirer les favoris avec un large sourire. Son grand-père le saisit alors dans ses bras et le tint en l'air à une hauteur effroyable qui arracha au tout jeune Charles-Edouard des cris de ravissement inarticulés. Il n'en fallait pas plus, la victoire était sûre. Le reposant sur les genoux de sa mère, Charlie Jones dit d'une voix mal assurée :

— Il a déjà la gaieté de notre Ned... et les yeux.

Elizabeth baissa la tête pour qu'il ne la vît pas rougir.

— Oui, les yeux, fit-elle.

Sur-le-champ, la réconciliation faite, il revint sur terre et voulut savoir si Elizabeth avait un bon cuisinier. Le cuisinier était un chef. Des domestiques capables, dévoués ?

« Quatre en tout, très consciencieux, plus le valet qui vous a ouvert la porte.

— Bien stylé, m'a-t-il semblé. Et pour le petit ?

— Une magnifique nounou noire qu'il adore — et naturellement ma chère Betty.

— Bien, de ce côté je suis tranquille. Un gardien, j'espère ?

— Un Irlandais plus grand que vous, jardinier à ses heures, pugiliste quand il le faut.

— Tout cela me paraît bien. L'ordre avant tout. La gouvernante ?

— Je n'ai pas de gouvernante.

— Pourquoi ça ?

— Un principe...

Il lut dans sa pensée le souvenir de la Galloise.

— Oublions. J'en ai une pour toi. Je te demande de ne pas dire non sans l'avoir vue.

Suivit un portrait de Celina, élogieux bien que rapide.

« Elle a été élevée dans un état proche du dénuement. Que cela ne t'arrête pas.

— Pourquoi voudriez-vous ? Si vous croyez que j'ai oublié les mois d'hiver passés à Londres avec Maman… J'ai encore le goût de la pauvreté dans la bouche.

Elle crut revoir les rangées de maisons noires et rouges dans la brume, la chambre noire et glacée, le petit restaurant infâme…

Il se tut un instant et reprit :

— Un peu comme pour toi, les circonstances se sont montrées favorables à Celina et l'ont tirée d'affaire.

A ce moment, les circonstances, gênées, toussotèrent…

« Mise en pension chez des dames très bien, elle a reçu une éducation soignée et aujourd'hui la voilà plus que présentable. Etrangère…

— Etrangère ?

— Ne prends pas cet air inquiet. Ce qui n'est pas anglais n'est pas nécessairement suspect. Sa famille est originaire de Salzbourg en Autriche, mais protestante, protestante.

— Et alors ?

— Je la vois déjà ici comme gouvernante modèle.

— Vous avez de meilleurs yeux que moi. Pour ma part je ne l'y vois pas du tout.

— Je te demande seulement de la recevoir.

— Quel âge ?

— Dans les quarante, bien conservée.

Finalement elle céda par un mouvement instinctif.

— Envoyez-moi votre bonne femme, mais je ne promets rien…

Il la remercia d'un sourire et pendant quelques minutes ils gardèrent le silence.

— Tu la sauves, dit-il simplement.

Dans la douceur de cette fin d'après-midi, ses traits laissaient voir par éclairs l'homme au beau visage anglais qui l'avait reçue chez lui cinq ans plus tôt. Elizabeth eut un geste de la main comme pour écarter le tour moral que risquait de prendre la conversation. Il comprit aussitôt et déclara :

« J'admire ton goût dans le choix des couleurs pour ce petit salon. Ce moiré bleu azur fait merveille.

— Vous trouvez ? Je m'en fatigue un peu avec le temps.

— Il est vrai que l'habitude banalise à peu près tout, on ne voit plus les choses dans la fraîcheur de leur nouveauté.

Ce ton sentencieux rendit à la jeune femme le Charlie Jones des temps passés, mais ce qui suivit l'inquiéta.

« J'ai une question à te poser, fit-il, une question qui te semblera peut-être indiscrète et, alors, libre à toi de ne pas répondre.

— Eh bien, sautons les précautions oratoires. C'est comme les préfaces dans les livres. Qui a jamais l'idée de lire une préface ?

— Puisque tu me mets si confortablement à l'aise, voici de quoi il s'agit. D'une manière ou d'une autre, je me fais fort d'assurer honorablement l'avenir de Celina.

— Encore Celina ?

— Oui. Le jour viendra pour elle où s'évanouiront ses soucis et la crainte harcelante du lendemain.

— Vous comptez sur moi pour ce joli rêve.

— Sur toi ou quelqu'un d'autre, car enfin il y a la Providence, mais elle va connaître le moment délicieux où se poussera l'incomparable soupir de soulagement, le poids ôté de la poitrine. Sans vouloir comparer son sort au tien, tu as dû le pousser aussi, le grand soupir libérateur.

— Que je vous trouve bizarre, Oncle Charlie !

— Mais non, mais non, il y a eu une minute où tu as pu te dire : j'étais pauvre, je ne le suis plus ; je suis riche.

— Quelle vulgarité ! Je ne me suis jamais parlé sur ce ton.

— Ah ? Mon cas est différent. Adolescent, j'ai senti la dent de la pauvreté se planter dans le creux de mon estomac. Tu saisis bien ?

— N'étant pas idiote, oui.

— Les années ont passé comme le vent. L'Amérique, la jeunesse, le travail, l'ambition, les relations, les calculs tombant juste... Un jour est venu à trente-cinq ans, au sommet de la vie, je me suis rendu compte que je figurais déjà parmi les hommes les plus riches du pays. J'étais de ceux qui ont plus d'argent que tout le monde.

Elizabeth prit une mine indifférente :

— Et alors ? fit-elle.

— Alors j'ai eu peur. L'argent fait peur. D'une certaine façon, l'excès de richesse peut constituer une épreuve.

— J'ai connu des gentlemen qui supportaient cette épreuve avec un courage magnifique.

— Ironise tant que tu voudras, Anglaise incorrigible, mais, s'il t'était donné de voir un immense tas de pièces d'or, tu pourrais te demander d'où cela vient : de Dieu ou du diable.

— Des deux peut-être.

— Ma parole, voilà une réponse. Mais entrons dans le détail. Un jour ou l'autre, tu iras voyager dans la vieille patrie. On t'invitera dans les plus beaux palais du royaume. Leur luxe t'éblouira.

— M'éblouira, moi ? Vous me prenez pour une villageoise ?

— Mais non. Moi-même qui m'y connais, j'en suis toujours frappé. Le tas d'or est devenu un ensemble de meubles et de peintures à vous couper le souffle. C'est, si je puis dire, son aboutissement. Des lords peints par Raeburn ou Gainsborough vous regardent passer avec l'indescriptible dédain propre à vous faire rentrer sous terre et qui les situe à leur rang.

— Consolez-vous, ils sont presque toujours goutteux.

Il ignora cette remarque empoisonnée et poursuivit :

— Dehors, par les hautes croisées, s'aperçoivent des prés et des bois à l'infini, car on aime la nature en haut lieu.

— Je ne vous savais pas révolutionnaire, Oncle Charlie.

— Pas plus que Mr. Dickens qui a révélé au monde le scandale du travail des enfants dans les fabriques anglaises et jusque dans les mines.

Brusquement elle se leva, rouge d'une colère subite.

— Là, nous commençons à être d'accord, dit-elle, et vous savez comme moi que le Nord s'enrichit lui aussi du travail des enfants.

Dans son émotion, elle laissa glisser à ses pieds le petit Charles-Edouard qui se roula par terre en riant. Croyant à un jeu, il tenta l'escalade des jambes de son grand-père resté assis. Oncle Charlie le prit comme un objet précieux et l'installa sur ses genoux. Il se vit alors dans l'obligation de défendre ses favoris dont la vue fascinait le jeune garçon. Suivit une lutte silencieuse avec l'assaillant et Charlie Jones ne put s'empêcher de rire aux éclats.

— Ma chère Elizabeth, dit-il, je suis au courant de ces choses que le Nord n'a pu cacher, mais ce qui m'amuse, outre un conflit personnel avec ton fils, c'est de nous voir, toi et moi, si complètement d'accord alors que notre conversation l'est si peu avec le délicieux moiré azur de ton petit salon.

Loin de se joindre à sa gaieté, elle lui lança un regard chargé de colère :

— Croyez-vous que je n'en aie pas conscience à certaines heures ? Tout a commencé le jour où je suis venue ici pour la première fois et que j'ai vu dans un faubourg de Savannah des hommes, des femmes et des enfants presque en haillons et qui nous regardaient en silence passer devant eux dans notre calèche. La balayure des Blancs pauvres.

— Elizabeth, il y a des œuvres.

Ici, Charles-Edouard essaya de se mettre debout sur les genoux de son grand-père pour faciliter un dernier assaut aux prestigieux favoris. Saisissant des deux mains l'adversaire, Charlie Jones fit mine de l'offrir à Elizabeth. Celle-ci, agacée, prit l'enfant et le posa sur un fauteuil. Les yeux levés vers elle, il lui jeta un regard lourd de reproches. Ni elle ni Charlie Jones ne l'entendirent chantonner :

— Mamma... j'aime Mamma... à moi...

— Vous dites que l'argent vous fait peur, s'écria-t-elle. Moi, il me fait honte quand je vois les yeux des pauvres. C'est ce qui me tient plus ou moins éloignée de la vie du monde depuis la fin de mon deuil. Les bals surtout, tout ce qui brille.

— On peut très bien s'occuper des nécessiteux sans pour cela cesser d'aller au bal. Je puis te donner toutes les indications, si tu le désires.

— Merci, fit-elle, je connais les bonnes adresses.

D'une voix presque timide, il demanda :

— Cela te semblerait-il indiscret que nous en parlions ?

— Certainement. On doit garder ces choses pour soi (elle hésita)... comme des secrets d'amour...

Ces mots qu'elle prononçait avec une sorte de pudeur lui envoyèrent le sang aux joues et, l'espace de quelques secondes, elle fut la très jeune Anglaise d'autrefois, comme si toute son enfance lui remontait du cœur au visage.

Charlie Jones la considéra en silence, frappé d'admiration.

— Elizabeth, dit-il enfin, je ne me rendais pas compte... Tu n'es plus la même personne.

Il ajouta d'un ton de confidence :

« Ce moment efface un peu la tristesse du souvenir. J'en suis heureux, Elizabeth. Pour un peu je t'embrasserais.

— Je n'ai pas d'objection, murmura-t-elle avant de le quitter.

S'approchant d'elle, il toucha des lèvres une joue qui s'empourprait. D'une voix plus rapide, il reprit :

— Je repars tout à l'heure pour Dimwood où m'appellent d'assez vilaines affaires de testaments, mais Celina est prévenue et dès demain tu auras sa visite.

CHAPITRE VI

Maintenant, dans la solitude et l'obscurité de sa chambre, elle revivait toute cette scène de l'année précédente avec la perspicacité d'une mémoire impitoyable.

Pourquoi cet homme d'ordinaire si sûr de lui prétendait-il avoir peur de la richesse ? S'agissait-il d'une conscience à calmer comme chez William Hargrove qui, lui, faisait de la sienne sa marotte ? Absurde. On connaissait la générosité de Charlie Jones, mais, s'il avait sauvé des centaines de familles, il restait à pourvoir un nombre inquiétant de miséreux. Les œuvres n'y suffisaient pas. Toutes dépendaient de lui qui les avait fondées, mais il se manifestait une prolifération de la pauvreté apparemment irrésistible.

Restait le mystère de cette ruineuse construction de style Tudor. Presque achevée dans son ensemble, à la fois massive et précieuse, elle prenait bizarrement l'aspect d'une forteresse anglaise jusque dans le moindre de ses détails. S'il y avait une intention derrière cette architecture si peu coloniale, Charlie Jones la gardait secrète.

Lasse d'agiter ces questions arides, Elizabeth quitta son lit et sans bruit gagna la porte ouverte sur la chambre de son fils, mais n'osa aller plus loin. Un rayon de lune mince comme un trait coupait en deux une lame du parquet peint en noir. Dans cette lumière d'un autre monde, les rideaux blancs du petit lit prenaient un éclat troublant sans raison précise.

Elizabeth demeura immobile, se persuadant qu'elle entendait respirer celui que dans son cœur elle nommait Jonathan, mais, au bout de longues minutes d'attente, elle dut reconnaître que pas le plus léger souffle ne traversait les profondeurs du silence.

Elle ne voulait pas avoir peur. La rassurait un peu le fait que le lit était trop loin pour que son oreille pût saisir cette respiration minuscule. Cependant elle regardait avec horreur les rideaux d'une blancheur fantomatique.

De nouveau sous ses draps, elle se souvint de ce que Celina lui avait dit : « La crise est passée. » Il avait eu une crise. Une crise à cause d'elle, une crise d'amoureux. Ne devait-elle pas aller très doucement le tirer de son sommeil ? Le tour dramatique de son imagination lui fournit la réponse immédiate : « Tu risques de le tuer. Un choc est toujours possible. »

Elle le vit mort. Jamais elle n'avait été femme de prières, mais, dans les heures de danger, la terreur la rejetait d'un coup dans la foi. Son dévorant amour de l'enfant était adultère. Dieu allait lui prendre son Jonathan d'aujourd'hui comme il lui avait pris celui d'hier, parce que l'adultère continuait de vivre en elle. Ce monstrueux raisonnement lui apparut comme la révélation d'une vérité qu'elle s'était toujours cachée à elle-même.

Dans son affolement, elle se cacha la tête tout entière sous ses couvertures pour étouffer un hurlement :

— *O dear Lord, no!*

Le cœur lui battait trop fort et elle eut mal. Arrachant ses couvertures, elle écouta. Aucun son ne venait de la chambre voisine. Elle ne l'avait pas réveillé, mais aussi réveillait-on les morts ?

Se laissant glisser de son lit, elle se sentit devenir la proie d'une de ces forces instinctives qu'elle ne maîtrisait pas. Pareille à une bête, elle se mit à ramper vers le lit de son fils. De cette façon, il ne pouvait l'entendre s'il dormait. Toute sa chevelure en désordre lui tombait le long du visage et frôlait le parquet et les tapis comme une crinière où palpitaient des reflets d'or.

Au bout de ce voyage étrange, elle s'étendit à plat ventre, le front dans ses bras repliés, et elle attendit, croyant deviner le rythme du son léger, battement presque imperceptible de la vie. Ce qu'elle entendait surtout était le murmure continu du sang dans sa tête et qu'elle prenait pour la voix du silence.

Elle ne pleurait pas, mais elle désespérait. Soudain le sommeil l'engloutit.

Ce fut le soleil qui la réveilla, passant à travers les fentes des rideaux et balayant la moitié de la chambre. Des chants d'oiseaux saluaient le jour avec une sorte d'émulation hystérique. Immédiatement elle se redressa et fut à genoux au bord du lit. L'enfant dormait, le visage dans l'oreiller.

Enlevé d'un coup à ses rêves par la lumière, il vit sa mère et se jeta dans ses bras avec un cri de bonheur :

— Mamma !

Elle le serra contre elle en le couvrant de baisers. Tout en riant, il lui plongea les doigts dans les cheveux qu'il tira doucement :

« Faut p'us oublier Zonathan, lui dit-il en collant sa joue à la sienne.

Elle ferma les yeux.

— Jamais, dit-elle, mon amour.

CHAPITRE VII

Le lendemain effaça jusqu'au souvenir de cette nuit d'angoisse. D'un sourire l'enfant remettait tout en place. Le moyen de se croire malheureuse si Jonathan ne l'était pas ? Rendue à la vie normale,

Elizabeth eut d'abord tendance à voir tout en beau. Oncle Charlie savait ce qu'il faisait lorsqu'il avait introduit chez elle cette Celina de plus en plus rassurante, malgré le soupçon d'indéfinissable mystère qui flottait encore autour de sa personne.

Dans sa robe de coton bleu à collerette et manchettes blanches, elle se déplaçait avec une grâce naturelle au-dessus de sa condition, mais son bonnet à bavolets de dentelle la proclamait gouvernante. On eût désiré que son visage régulier se détendît quelquefois alors qu'il gardait presque toujours un sérieux d'une rigueur imperturbable. Seuls les yeux noirs s'animaient par moments avec une intensité subite pour un mot, pour un regard, trahissant alors un fond de violence secrète. Aux domestiques sous ses ordres, elle parlait avec la douceur de l'autorité qui ne souffre pas l'ombre d'une contradiction et par l'instinct ancestral de l'esclavage tous les Noirs le sentaient. Pour Elizabeth, elle avait le respect dû à sa maîtresse, sans plus. Sa principale vertu aux yeux de la jeune femme était de faire régner un ordre parfait du haut en bas de la maison, et surtout de ne se trouver jamais là quand il ne le fallait pas. On pouvait l'aimer ou ne pas l'aimer, au choix, mais c'était une personnalité en quelque sorte irréfutable.

Octobre s'avançait dans une tiédeur exquise encore pleine des odeurs rôdant le long de tous les jardins de la ville. Dans les avenues mêmes, l'air grisait par bouffées soudaines selon les caprices du vent. Ce n'était pas encore la saison des grandes soirées, mais les salons commençaient à s'ouvrir pour les premières réceptions de l'été finissant dont les Steers avaient donné le signal.

Son veuvage déjà loin, Elizabeth éprouvait une certaine attirance pour la vie mondaine qu'elle n'avait jamais sérieusement cultivée. La soirée chez les Steers avait été une expérience malheureuse. Son entretien avec Mrs. Harrison Edwards l'avait un peu déconcertée par son cynisme, et révoltée l'admiration de mauvais aloi qu'elle provoquait chez les hommes. Sans doute eût-elle dû se faire accompagner, mais, non, elle préférait être seule. Seule afin d'être plus libre de ses mouvements.

Cela n'avait servi à rien. Elle n'avait pas vu quelqu'un qu'elle espérait retrouver dans la foule. A vrai dire, elle n'y attachait pas beaucoup d'importance. Il ne s'agissait pas d'un coup de foudre. Le coup de foudre, elle n'en avait eu qu'un seul dans sa vie, au bout d'une véranda, dans les effluves d'une nuit d'été. Loin, trop loin tout cela, et cependant parfois si cruellement proche.

On n'était pas venu, tout simplement.

Cette petite phrase d'une vulgarité humiliante, elle se la répétait sans en souffrir autrement que dans son orgueil en revenant de chez les Steers, mais, dans la nuit d'épouvante qui avait suivi, l'absurde souvenir s'était détruit de lui-même.

Et maintenant que la paix régnait de nouveau dans la charmante maison d'Oglethorpe Square, et que son Jonathan lui souriait en lui faisant ses éternelles déclarations d'amour, pourquoi fallait-il que surgît avec une obstination impudente le visage de celui qui n'était pas venu ? Devant les sournoiseries d'une mémoire intraitable, Elizabeth se trouvait sans force. Elle n'oubliait jamais certains visages. Pour elle, tout l'homme se situait dans son visage. Idée qui résistait même à son expérience du mariage et à sa passion pour Jonathan, et cette idée ne bougeait pas, fixe et fausse, défiant le passage du temps.

C'était à la fin d'un jour de l'été dernier qu'elle l'avait rencontré dans un endroit peu encombré par la noblesse du Sud, au cours d'une réunion de personnes simples, mais d'un milieu intéressant. Charlie Jones l'y avait introduite avec l'arrière-pensée de favoriser chez sa belle-fille une tendance aux bonnes œuvres. Il ne s'agissait pas de faire, comme on dit, la charité. Ces gens vivaient modestement, mais un cercle autour d'eux restait à briser, car on ne les recevait point, comme si leur manque de fortune en était une mauvaise. Presque tous descendaient d'exilés protestants, et, sans être nécessiteux, ils ne possédaient pas les moyens de briller aux yeux du monde. Si quelques membres de la haute société leur rendaient visite, s'atténuerait peu à peu un ostracisme moral : tel était le raisonnement de Charlie Jones, alors qu'en réalité ces exilés conservaient un esprit de caste et n'eussent jamais admis qu'on vînt les voir par condescendance. Dans de désastreux bons mouvements, Charlie Jones s'imaginait pouvoir encourager une petite société qui finirait avec le temps par s'élever et être considérée socialement, comme si deux mondes aussi différents pouvaient s'amalgamer. Cela ne pouvait produire du côté des gens modestes qu'indignation muette et envie, et du côté des riches qu'une incompréhension profonde. Le fossé était plus difficile à combler que celui des anciennes fortifications de la ville.

Les protégés de Charlie Jones habitaient en groupe dans une assez grande maison peinte en ocre, située dans un quartier près de la rivière, jadis élégant, puis abandonné par les riches, près d'un des anciens forts de défense, au milieu de jardins dont les arbres maintenant se couvraient de poussière, comme si celle des maisons désertes y jetait l'ombre de la pauvreté. La grande bâtisse d'une architecture de la fin de l'autre siècle conservait une certaine allure. On l'appelait *The Old Schmick House.* Elle avait connu ses jours de grandeur. Des fêtes s'y étaient données, des files de calèches avaient attendu devant un imposant portail alors que par les hautes croisées se voyaient flamboyer les lustres à travers l'entrecroisement des rideaux aux plis lourds relevés par des embrasses d'or. La musique d'un orchestre s'entendait dans la rue avec les rires et tout le brouhaha joyeux de l'insouciance. Survint le krach financier de 1830, et le grand remous dans les fortunes vida ce quartier prospère. Du temps passa, des personnes vêtues sobrement s'installèrent dans la vieille maison, et, à la consternation des gens qui se souvenaient d'autrefois, une épicerie fit son apparition au rez-de-chaussée.

Un silence absolu régna dans les salons sur cette déchéance, d'autant plus que, par une ligne collatérale, l'épicier Schmick se trouvait lointainement allié à l'une des meilleures familles du Sud. Cinq ans passèrent, il fit faillite. La malencontreuse boutique disparut quelques semaines plus tard et le vieux Schmick en mourut, non sans avoir peuplé la maison d'une nombreuse progéniture. D'elle-même la tribu se constitua. La volonté de tenir tête et le goût du travail, avec la complicité généreuse et secrète d'Oncle Charlie, résolurent les plus urgents problèmes financiers.

Tout l'intérieur de la maison fut rénové dans un style sans prétention. Cependant, un visiteur pouvait juger harmonieuse la simplicité des meubles de bois clair, des nappes brodées à la paysanne, du gros bouquet de fleurs toujours au milieu de la longue table, de la pendule de marqueterie au tic-tac lent et grave, tout ce décor où parlait une tranquille confiance dans la vie.

Menée là un jour de septembre par son beau-père qui l'y avait laissée presque aussitôt, Elizabeth fut sensible au bonheur un peu rustique qu'elle y respirait. Le malaise que parfois lui donnait le luxe cédait ici la place à un sentiment de paix intérieure qui la ravissait comme la découverte imprévue d'un monde nouveau. Une dame âgée vêtue de noir et deux jeunes femmes l'accueillirent en souriant. Le sans-façon de leurs politesses ne les rendait que plus vraies. Les présentations furent vite faites : la veuve de Johann Schmick et ses deux petites-filles.

Frau Schmick s'enveloppait la tête d'un bonnet aux bavolets de dentelle si importants que, du fond de cette coiffure, elle avait l'air de vous regarder par une fenêtre. Peu de rides marquaient ses traits, mais d'immenses yeux noirs dévoraient ce vieux visage autoritaire. Flora, l'aînée des petites-filles, laissait voir une figure rose et ronde sous une chevelure brune peignée avec un soin jaloux, comme pour contenir des boucles toutes prêtes à se libérer, et la joie brillait dans ses prunelles d'un bleu vif. Fiancée depuis un mois, on la sentait résolue à paraître aussi sérieuse que possible, mais sa bonne humeur éclatait dans toute sa personne un peu forte. Elle ne cherchait pas à se retenir d'être d'avance heureuse, se projetait par l'imagination dans le paradis anticipé du mariage tel que son innocence le lui présentait.

Plus calme et plus jolie, Ida, sa sœur, avec ses tresses trop blondes sur ses épaules, souriait. Son petit nez retroussé était encore celui d'une fillette, bien qu'elle eût dix-sept ans, mais le regard observateur des yeux couleur châtaigne en disait plus long.

— Bienvenue, Mrs. Jones. (La voix de Frau Schmick était à la fois grêle et chaleureuse.) Nous attendons quelques amis qui viennent après leur travail féliciter notre Flora. Elle est fiancée à un brave garçon.

Les deux jeunes filles serrèrent la main d'Elizabeth, l'une et l'autre avec vigueur.

— Nous nous sommes aperçues, fit la cadette, au grand magasin de Broughton Street. Il y a déjà longtemps...

— Malheureusement, précisa sa sœur, nous n'étions pas aux comptoirs où vous vous êtes arrêtée avec Mr. Joshua Hargrove. Nous sommes vendeuses à la maroquinerie.

— Il guidait un peu votre choix, sauf pour les sous-vêtements, remarqua finement Ida.

Toutes deux se mirent à rire de si bon cœur qu'Elizabeth, éberluée, se joignit à elles.

— Je me souviens, fit-elle, il faisait chaud...

— Vous avez un joli accent anglais, dit Flora, nous ne parlons pas aussi bien.

— C'est que je suis anglaise », fit Elizabeth en souriant, et ne sachant pas que dire pour alimenter cet entretien d'un ton pour elle si nouveau, elle demanda : « Votre famille n'est pas d'ici, je crois ?

— Non, fit Ida, de Salzbourg, chassée de chez nous par l'évêque...

— ... l'évêque aux ordres de Rome, la femme écarlate de l'Apocalypse, ajouta Flora avec une force inattendue.

— Exact, fit Ida en relevant le nez, nous descendons des Frères moraves. Et vous, vous ne seriez pas méthodiste, par hasard ? demanda la jeune Ida dont les joues s'enflammaient.

— Non, anglicane...

— En tout cas, cela vaut mieux que romaine... catholique romaine, ajouta-t-elle avec force.

Frau Schmick frappa dans ses mains :

— Mes enfants, en voilà assez, fit-elle avec autorité. Mrs. Jones, elles deviennent enragées quand il s'agit de religion. Mais voici des invités et le fiancé n'est pas encore là.

Entrèrent alors cinq ou six jeunes gens dont les chaussures faisaient grand bruit sur le plancher. Vêtus de gris ou de noir, ils portaient tous une chemise blanche et une cravate. De toute évidence, leur journée finie, ils avaient mis du temps à s'habiller avec soin, sans oublier la raie dans les cheveux, tracée avec une précision rigoureuse. Une forte odeur de cirage et de gros drap s'exhalait du groupe. Le plus remarquable d'entre eux tenait au poing un bouquet de myosotis et, marchant droit sur Flora, le lui tendit. Sans doute avait-il été choisi comme étant le mieux de sa personne et il ne manquait pas d'une certaine beauté rude.

— Jamais su tourner un compliment, dit-il, mais ces fleurs... ces fleurs... elles donnent droit à un baiser ?

Flora prit le bouquet et le tint sur sa poitrine sans répondre.

La voix gouailleuse d'un des garçons lança aussitôt :

— Bravo, Willi. Profite pendant que le fiancé est pas là !

Il y eut un éclat de rire général et Flora présenta une joue rouge d'émotion. Willi lui appliqua les lèvres un peu partout sur le visage et dans le cou.

— Hé là ! s'écria Frau Schmick, tu t'arrêtes, non !

— Et nous alors ? firent en chœur ses compagnons.

— Tenez-vous tranquilles ! commanda la vieille femme.

A ce moment, Willi aperçut Elizabeth qui essayait de se tenir cachée derrière les deux sœurs, mais, cédant comme d'habitude à la tentation d'admirer un beau visage, elle avait imprudemment jeté un coup d'œil vers le jeune homme qui la considéra la bouche ouverte, et elle crut saisir dans ces prunelles devenues fixes et attentives la lueur d'avidité soudaine qu'elle connaissait bien, le furieux désir mettant l'homme tout entier aux fenêtres des yeux. Dans son trouble, elle dut s'appuyer contre Ida qui ne broncha pas.

— Willi, fit celle-ci d'un ton sévère.

Il ne l'entendit pas.

Par une de ces fulgurantes hallucinations qui lui étaient familières, Elizabeth eut le sentiment que les façades d'une rue entière se couvraient de milliers de visages où brillaient des yeux scrutateurs pareils à des fleurs monstrueuses. Il avait beau être jeune, l'idée se fit jour en elle que pour cet homme elle était moins une personne qu'une chose, un corps dont il avait envie, et elle en éprouva un dégoût subit, tant pour ce balourd que pour elle-même telle qu'il la voyait.

Elle décida de partir et se demandait comment elle pouvait prendre congé sans blesser personne, quand la porte s'ouvrit tout à coup et elle fut tirée d'embarras par l'arrivée du fiancé.

Grand, mince, il était habillé comme un monsieur. Une redingote lui battait les mollets à chaque pas, car il travaillait comme sous-chef de bureau dans la grande maison d'exportation cotonnière de Charlie Jones. Sans être un gentleman, il en prenait l'allure et les façons là où il ne risquait pas la rebuffade. Dans son visage bien nourri, le petit nez en l'air semblait partir à la conquête du monde. Un lorgnon au bout d'un mince ruban noir rectifiait un air de juvénilité excessive en désaccord avec sa situation, car il avait vingt-cinq ans et d'autres plus âgés guignaient sa place, mais sa rapidité d'esprit et son ambition l'avaient fait avancer vite parmi les favoris de Mr. Jones.

Répondant au petit chœur d'acclamations, il agita gaiement son haut-de-forme et alla serrer sa fiancée dans ses bras. Flora s'abandonnait sans retenue. Le lorgnon vola en l'air et le baiser, quoique légitime, fut jugé un peu long par Frau Schmick.

— Walter, fit-elle sèchement, nous n'en sommes qu'aux bans affichés dans l'église. Alors, un peu de modération !

Des rires goguenards accompagnèrent cette recommandation superflue, mais Frau Schmick ajouta :

« Tu ne te rends pas compte que Mrs. Jones, belle-fille de ton patron, nous fait l'honneur...

Du coup, il se tourna de tous les côtés, aperçut Elizabeth et fit dans sa direction le plongeon obligatoire.

Puis la porte s'ouvrit encore, et, dans une grande bouffée de rires et de petits cris, firent irruption une dizaine de jeunes filles très agitées. Sorties de leurs ateliers un peu plus tard que les hommes, elles tremblaient d'avoir manqué la première grande embrassade des fiancés, mais, comme le remarqua finement l'heureux élu, cela pourrait se recommencer pour le plaisir des aimables retardataires !

Ce badinage un peu lourd n'en diffusa pas moins une joie qui gênait Elizabeth. Parmi les nouvelles venues se montraient de charmants visages intrigués, malicieux, effrontés aussi, car il y avait du mariage dans l'air et les mains des garçons s'affairaient déjà beaucoup dans les rangs des demoiselles.

Aucune vraie élégance ; leurs robes toutes simples ne différaient que par les couleurs mais là triomphait un bariolage qui éclairait tout, jetant comme un énorme bouquet de fleurs entre ces murs austères. Seule une couturière du *Bon Ton de Paris* se distinguait par un soupçon de recherche dans une robe lilas à volants festonnés, mais elle était moins jeune que ses compagnes et se mêlait gauchement à la fête avec un rien de hauteur.

Vinrent enfin les parents inévitables, tous empreints de la gravité voulue, celle qui agit comme une nuit qui tombe et lance mentalement la jeunesse sur les barricades. Cependant, ils n'y pouvaient rien et, tout à coup, la gaieté mourut.

D'autres personnes entraient, vêtues sobrement toutefois, avec le sourire de circonstance, des inconnus de tout âge, et, non sans un certain effarement, Elizabeth assistait à cette invasion méthodique, emplissant la salle où l'air s'échauffait de minute en minute. Elle se sentait de plus en plus étrangère. Les portes restaient ouvertes.

A présent l'occasion était belle pour s'esquiver, d'autant plus que personne ne semblait remarquer sa présence, alors que faisait-elle là ? Tant bien que mal elle se frayait un passage vers la porte quand son chemin se trouva très inopinément barré par un jeune homme en velours noir.

Il parut aussi décontenancé qu'elle par l'imprévu du face-à-face. Avec un sourire à peine visible, il dit à mi-voix :

— Mademoiselle, je vois que nous allons en sens contraire. J'essaie d'entrer, vous de sortir... Puis-je vous aider ?

Un seul coup d'œil suffit à Elizabeth pour détailler ce qu'elle voyait de l'inconnu : visage d'une finesse extrême, beau assurément, et même très beau, roux sombre, noir par endroits, des yeux verts, plutôt aigue-marine, et sur tout cela, jusqu'aux cheveux, l'orgueil, le visage enduit d'orgueil.

Sans doute fut-il sensible à ce regard très attentif, car, à la surprise d'Elizabeth, il rougit.

« Je vous prie de m'excuser, fit-il.

Prise de court, elle protesta :

— Mais, pourquoi ? fit-elle.

Un peu lâchement, elle ajouta, car elle avait honte devant lui :

« J'avoue que je me sens légèrement étonnée de me trouver ici.

— Moi, non, mais je n'y suis que parce que Mr. Charles Jones me l'a demandé avec insistance. Ça semble assommant, non ?

Il rit doucement.

« Mr. Charles Jones a de ces idées ! fit-il d'un petit ton moqueur.

Pour le retenir d'aller trop loin, elle dit rapidement :

— Mr. Charles Jones est mon beau-père.

S'inclinant de son mieux, car la place manquait :

— Mrs. Edward Jones ?

— Oui, monsieur.

— Permettez-moi de me présenter : Algernon Steers.

Elle eut l'impression d'un petit choc. Le nom avait de l'éclat.

« Mr. Jones et moi sommes apparentés d'assez loin, ajouta-t-il. Par sa première femme, Miss Douglas, je suis moi-même un Douglas, et donc aussi par la seconde, comme vous savez.

A son tour, il lui rendit son regard curieux de tout à l'heure. Sans la moindre gêne, il l'admirait en connaisseur.

« Nous serions mieux pour nous parler du côté de la fenêtre, voulez-vous ?

Nous parler... Avec quelle assurance il disait cela. Elle fut sur le point de refuser.

— Mais oui, dit-elle.

Tous deux gagnèrent un coin de la salle où un filet d'air glissait comme une lame de couteau à travers la touffeur environnante.

« On respire un peu, reconnut-elle pour dire quelque chose, agacée d'avoir cédé au caprice de ce beau garçon.

— Un peu, oui, fit-il, mais pouvez-vous imaginer une façon plus ennuyeuse de tuer une soirée que de la passer parmi ces gens ?

— Non, dit-elle.

Elle mentait comme elle n'avait jamais menti. Elle mentait parce qu'il avait des yeux d'une transparence d'eau de mer, à la fois vides et profonds, que ces yeux la caressaient, mais sans passion. Elle lui semblait plaisante à voir, un peu différente des autres femmes à cause de cette chevelure qui donnait envie de plonger les mains dans tout cet or.

— Vous ne sortez pas beaucoup, dit-il. On ne vous voit pas au bal ni aux grandes réceptions...

— Oh ! fit-elle en se rebiffant, tout cela est peut-être aussi ennuyeux qu'ici.

— Si vous voulez, mais d'abord la vie est ennuyeuse avec tout ce temps dont on n'a que faire du matin au soir. Alors on fait semblant de s'amuser. On a quelquefois des surprises. Vous devriez essayer.

Tout à coup elle fut prise d'un désir fou de le gifler. Elle se retint. Que pourrait-il faire sinon se retirer avec sa gifle toute chaude sur sa joue de statue ? Mieux valait l'insulter autrement.

— En tout cas, fit-elle avec un sourire, je puis dire qu'aujourd'hui je n'ai pas été vraiment gâtée.

De nouveau il rougit un peu. La gifle avait été bien appliquée et ses longs sourcils noirs se froncèrent imperceptiblement... Son charme pourtant bien connu n'avait pas opéré cette fois. Elle vit un éclair de fureur dans ses yeux jusque-là vides. Soudain il semblait la vouloir avec rage.

— La saison prochaine s'annonce brillante, comme on dit, reprit-il d'un ton aimable. Elle s'ouvre chez nous, comme d'habitude au début d'octobre. Ils font assez bien les choses, les parents, ils peuvent tout, vous comprenez.

Cette allusion à la gigantesque fortune familiale parut à Elizabeth du dernier vulgaire. Du coup, il lui sembla un peu moins beau. « Parvenu », pensa-t-elle. Comment savoir ? Elle poserait la bizarre question à Oncle Charlie.

« Mr. Charles Jones m'a prié de faire acte de présence ici, dit Algernon en riant. Par amour de l'égalité, je suppose. C'est fait. J'ai tenu parole. On m'a vu, dois-je rester plus longtemps ?

— A vous d'en juger, fit-elle.

Un petit vieillard en noir venait de faire une apparition discrète et levait la main pour réclamer le silence.

« Je parie, dit Elizabeth, qu'il va y avoir des prières.

— Ah ça non ! s'écria Algernon. S'ils commencent à prier, je casse les carreaux et je saute par la fenêtre.

Elle eut un rire faux.

— C'est gênant, dit-elle, je suis d'accord.

Soudain la honte lui fit baisser le nez. Comme dans un éclair, elle revit la petite Betty à genoux devant une image *, mais ce soir, dans la Maison Schmick, elle mentait sans cesse à cause de ce garçon qui ressemblait à un modèle pour classe de dessin.

Tout à coup une pensée d'une violence irrésistible la foudroya : nu, il devait être comme tous les autres : horrifiant. Les phrases de Miss Llewelyn retentirent dans sa tête : « Le visage, le visage... et le reste, le supporterez-vous ? » Ne faisait-elle pas bien plus que de le supporter, maintenant qu'elle savait ? Mais le contraste ne lui en paraissait pas moins ignoble. L'âme était en révolte contre ce que voulait le corps.

— Qu'avez-vous ? fit Algernon Steers en lui saisissant la main. Vous êtes toute blanche.

— L'air, fit-elle, le mauvais air...

— Sortons, voulez-vous ? Ce monde-là est irrespirable.

* Dans *Les Pays lointains,* on découvre que Betty est catholique, à l'occasion de Noël.

Sortir, oui, elle voulait bien. Elle en avait assez de s'interroger sur elle-même, de chercher à savoir pourquoi ses répulsions se changeaient en désirs, et quelque chose en elle lançait un appel de détresse.

Dehors, il lui proposa de la ramener chez elle dans sa calèche, mais elle avait la sienne qui l'attendait plus loin et elle refusa.

Il parut déçu, insista d'un air presque timide qui surprit Elizabeth et de nouveau elle dit non, car depuis un instant elle ne se sentait plus la même femme, elle se méfiait.

Dans la rue pauvre et silencieuse, tous les carreaux des fenêtres étaient noirs. Plus personne n'habitait ces maisons qui se délabraient. Des rangées de façades s'écroulaient, et une végétation grise montait à l'assaut des briques et des auvents ruinés. Le soir atténuait la lèpre des murs, mais dans l'ombre même ils avaient l'air de cacher des plaies honteuses ; la débâcle financière s'était abattue sur cette partie de la ville comme une rafale de boulets de canon. Des rejets de chèvrefeuille faisaient sauter les planches des vérandas.

Ils se tenaient debout, l'un en face de l'autre, sous un réverbère de style néogothique, vestige des années prospères. A leurs pieds s'étalait une flaque de lumière jaune pâle, et, dans cet éclairage tombant droit sur eux, elle put le voir d'un œil plus nettement critique, mais là encore la guettait un piège, car dans la lumière à gaz se révélait un talent de sculpteur, soulignant les perfections de ce masque dédaigneux. Le grand arc des sourcils noirs donnait de la noblesse à tout le haut du visage jusqu'à la légère saillie des pommettes, mais l'ourlet d'une lèvre boudeuse se bordait d'un trait d'ombre comme pour indiquer une nature avide et cruelle, si admirable que fût le dessin de cette bouche. Manquait à l'ensemble des traits, d'une régularité sans défauts, ce quelque chose d'irremplaçable, la splendide autorité de la jeunesse. Agé d'à peine vingt-cinq ans, l'homme fascinait sans éblouir parce que en lui quelque chose était mort.

Elizabeth le pressentit et en éprouva une sorte d'horreur. Malgré tout, elle demeurait conquise, furieuse aussi et possédée tout à coup du besoin d'asservir cet être plein de lui-même ; tout en elle se révoltait contre cette suffisance.

Cependant, il voulait paraître aimable. De la voix de salon qu'elle exécrait, il demanda en souriant :

« Accepteriez-vous au moins une promenade sous les arbres ?

Avec un autre que lui peut-être eût-elle accepté, mais il ajouta avec une tentative de minauderie mondaine :

« La nuit est si belle... avec toutes ces étoiles.

La nuit, les étoiles ! Il n'avait pas le droit d'y toucher, la nuit était à elle, avec ses étoiles...

— Non, vraiment.

Elle devina qu'il rageait. D'ordinaire, quand il faisait le poète avec les femmes, cela donnait des résultats. A présent, il lui fallait cette petite Anglaise opiniâtre. Adoptant le ton doucereux :

— Laissez-moi espérer, dit-il, que nous nous reverrons.

Elle garda le silence comme pour réfléchir. Ensemble ils firent quelques pas et, dans la lumière adoucie, elle le regarda à la dérobée et retrouva dans ce visage tourné vers elle un peu du charme qui l'avait séduite un moment plus tôt.

— Je vous ai dit que je sortais peu, fit-elle. Une réunion ou deux par saison.

— Les saisons se succèdent. L'été indien s'annonce.

— Vous pensez bien que je ne resterai pas ici. Dans quelques jours je pars pour Warm Springs.

Tout près d'elle, il lui toucha la main et la regarda. La figure de dieu antique s'humanisait, devenait passionnante comme dans la salle de la Maison Schmick.

— Cela vous déplaît-il tellement qu'on vous aime ? murmura-t-il.

— Vous êtes fou, Mr. Steers. Je ne vous ai pas permis de me parler ainsi.

— Le cœur se passe de toutes les permissions, madame, je n'y peux rien.

Il dit cela avec une humilité si convaincante qu'elle se sentit fléchir.

— Je crois que vous feriez mieux de me reconduire à ma calèche, fit-elle doucement. Voulez-vous ?

— Me prometteriez-vous au moins de venir au prochain bal chez nous ? J'y serai, je vous y attendrai — dès la première minute.

La réponse tarda savamment : selon toutes les règles du jeu, il fallait le faire languir un peu. A pas lents ils se dirigèrent vers la calèche. Si profond était le silence de la rue déserte qu'ils entendaient le bruit de leurs souliers sur la pierre des pavés disjoints et par moments une sourde rumeur venant de la Maison Schmick.

« Répondez, je vous en supplie.

Elle attendit de se trouver devant la calèche.

— S'il n'y a pas d'empêchement, oui, je viendrai, je viendrai.

CHAPITRE VIII

Et elle était venue. Lui, non. Tout tenait dans l'impitoyable nudité de ces quelques mots. Or, c'était à cause de lui qu'elle avait, pour la première fois, oublié de monter d'abord souhaiter bonne nuit à... à qui ? A son fils Ned ou à Jonathan ? Dans son joli salon bleu, elle pouvait librement réfléchir au fascinant problème, mais au fond d'elle-même quelqu'un tremblait. Quelqu'un, elle-même, une Elizabeth qu'elle ne connaissait pas tout à fait.

D'abord il y avait ceci : Algernon Steers n'était pas venu, et pourquoi donc ? Elle s'était mise en blanc de manière à paraître plus belle, mais aussi plus facile à découvrir dans la foule des invités. Considération bien naïve. Il serait tout près de l'entrée pour l'accueillir, dès la première minute, comme il l'avait précisé lui-même. Mais non. Elle était restée au moins une heure dans ce salon que l'absence d'Algernon Steers transformait en désert. Sans doute ses assommants admirateurs de tout âge la cachaient comme derrière une haie d'habits noirs, mais elle s'était échappée et dans ses allées et venues avec Mrs. Harrison Edwards elle s'était fait voir, il ne pouvait pas manquer de remarquer cette robe blanche qui le cherchait... Finalement, elle s'était retirée, la honte au front. Il avait menti. Il n'était pas venu.

Exprès ? S'ouvrait ici le champ des suppositions, toutes douloureuses... Il se vengeait de sa froideur, de sa résistance à ses compliments et à ses supplications. De là cette leçon qu'il lui infligeait.

Elle tenta de se persuader qu'il y avait eu de son côté à lui un empêchement, mais quel empêchement ?

Des soupçons lui vinrent qu'elle écarta aussitôt. A ses pieds, Charles-Edouard jouait avec les soldats de métal empruntés à un jeu d'échecs venu d'Angleterre. Assez particulier, ce jeu d'échecs. A la place des pièces blanches et noires classiques, des cavaliers dorés s'opposaient à des têtes rondes gris sombre. Ainsi pouvait se reconstituer la guerre civile anglaise : les soldats du roi Charles Ier contre les soldats de Cromwell.

L'enfant ignorait tout de cette page d'histoire, mais il savait qu'il fallait une bataille et il préférait les cavaliers coiffés de chapeaux à plumes aux hommes bardés de fer qui lui semblaient méchants... D'un air affairé il poussait les combattants les uns contre les autres, pêle-mêle, sur les carreaux de l'échiquier, stratégie qui s'accompagnait de petits cris de victoire quand il renversait en tas les têtes rondes devant les beaux cavaliers.

De temps en temps, sa jolie tête bouclée se relevait dans un élan d'adoration vers sa mère. La question qu'il lui posait alors ne variait pas :

— Mamma, tu m'aimes ?

Dans cette petite voix claire, elle percevait un ton qu'elle connaissait bien. Une fausse inquiétude, ruse innocente destinée à obtenir le plus d'amour possible en réponse.

— Bien sûr, mon amour. Sois sage. N'envoie pas les soldats sous les meubles.

Il eut un sourire qui la bouleversa parce qu'il savait y mettre tout ce qu'il ne pouvait encore exprimer. Dans l'amertume de sa défaite chez les Steers, elle se demanda si elle ne se ferait pas tuer pour ce sourire pur de tout mensonge. Ce qu'il lui offrait était l'abandon total d'une âme de quatre ans.

Pressentait-il, lui aussi, une mystérieuse présence ? Jetant les yeux autour de lui pour s'assurer que les deux portes étaient fermées, il prit un cavalier doré et chuchota :

— Zonathan, Mamma.

Elle eut peur et mit un doigt sur sa bouche.

— Non, darling, pas ici, ce soir...

L'air entendu qu'il prit alors était bien au-dessus de son âge. Il secoua la tête.

— Bien, Mamma.

Brusquement elle se leva et courut à une porte qu'elle ouvrit d'un coup, puis de même l'autre, mais ses craintes étaient vaines. Du reste, elle était sûre que Celina n'écoutait pas aux portes. Presque sûre... Sam peut-être, mais il n'eût pas osé.

Elle sonna. Celina parut au bout d'un moment.

— Celina, dites à Betty d'emmener Charles-Edouard à la promenade, dans le parc devant la maison.

— Promener sans toi, Mamma ? fit une petite voix triste.

— Avec moi, une autre fois, mon amour.

Pliée vers lui, elle le saisit dans ses bras, le serra contre elle avec force, et, riant de bonheur, il lui caressait le visage des deux mains.

— Mamma, répétait-il, Mamma.

CHAPITRE IX

Seule, son premier soin fut de monter à sa chambre et de s'y examiner dans la grande glace rectangulaire qui à toute heure lui renvoyait l'image d'une Elizabeth parfois radieuse, mais le plus souvent inquiète.

Ce matin-là elle n'était pas venue pour s'admirer. Avec une sévérité anxieuse, elle fouillait du regard le détail de ses traits et jusqu'au grain de la peau, là surtout elle guettait l'apparition des rides annonçant la fin de la vraie jeunesse, mais le grand œil férocement scrutateur ne découvrait pas le plus fin coup de griffe que donnent les années.

Pourquoi donc se voyait-elle si différente de ce qu'elle était à son mariage ? Il fallait chercher ailleurs, et cela, elle ne l'osait pas. La glace pourtant le lui redisait avec une intraitable obstination. Le regard n'était plus le même. L'éclat des yeux gardait sa force. Il manquait malgré tout quelque chose. Quoi ? l'indéfinissable. Une fraîcheur de l'âme et du cœur, la sainte ignorance de la vie, tout ce qu'elle lisait dans les grandes prunelles marron de son enfant. C'était boire à une source que d'y plonger les yeux.

Au loin, elle entendit l'appel d'un steamer dans le port, ravivant en elle le nom de Jonathan. A quel moment du jour et de la nuit l'oubliait-elle jamais ? Souvent, auprès de son fils, elle prenait dans ses mains le petit visage amoureux avec l'espoir d'y découvrir un vestige de *l'autre*. Etait-il possible que la brève étreinte au bord de l'eau eût laissé une trace ? Elle comptait sur ses doigts le nombre de jours, mais l'honnête figure de Ned répondait en silence et disait : « Non ! »

Elle ne renonçait pas. « Chez mon petit garçon, la ferveur de l'amour est celle de Jonathan, il l'a reçue par moi. » A certains moments, quand déclinait le jour et qu'elle se trouvait seule, cette pensée la clouait sur place. Quel spectre avait-elle introduit dans leur vie à tous deux, à la mère et au petit ? Et comment l'éloigner maintenant ? Elle ne le pouvait pas parce qu'elle ne le voulait pas. La pensée l'effleura qu'elle perdait la raison. Le mot qu'elle détestait lui revint à l'esprit : adultère. Absurde. Il l'avait prise de force au bord de la rivière et elle l'aimait. Tout au plus eût-on pu lui dire que son cœur demeurait adultère. Qui allait l'en accuser ? Quelle femme avait jamais pu gouverner son cœur et l'empêcher de battre au seul nom de l'être aimé ? Et puis, à part son fils, son petit conspirateur, qui donc soupçonnait l'existence du mythe de Jonathan ?

Un bruit de voiture devant la maison brisa le fil de ses raisonnements et l'attira à la fenêtre. Elle vit un parasol rose dans une calèche.

« A onze heures du matin, se demanda-t-elle, qui cela peut-il être ? »

Au bout de quelques minutes, un coup discret fut frappé à sa porte et Celina parut avec cet air sérieux qui ne la quittait jamais.

— Mrs. Harrison Edwards désire voir Madame, elle attend au salon.

— Mrs. Harrison Edwards ! C'est bien, je descends dans un instant.

Une fois de plus elle se regarda dans la glace, mais sans arrière-pensée d'introspection. Le temps de se donner un coup de peigne et de jeter une écharpe sur ses épaules, elle descendait.

Debout au milieu du petit salon azur, la grande élégante promenait autour d'elle un regard curieux et resplendissait dans une robe de satin gorge-de-pigeon aux larges volants à dentelle. Comme pour corriger cette toilette de parade, une vaste capeline de paille fine aux bords artistement gondolés s'ornait d'un long ruban mauve et cachait son visage comme sous un toit. Elle faisait l'effet d'une jardinière devenue d'un coup folle et millionnaire.

Saluant Elizabeth d'un joyeux éclat de rire, elle s'écria :

— Oui, je le sais, c'est totalement inouï. Je viens chez vous sans prévenir et je vous enlève.

— Vous m'enlevez, Mrs. Edwards ?

— Parfaitement. Nous allons à Bonaventure pour nous changer les idées, car les journaux sont pleins de mauvaises nouvelles, mais laissons cela. Vous sembliez soucieuse chez les Steers et toute la sympathie que j'ai pour vous s'en est émue. Je me fais un devoir de vous rendre à la joie de vivre.

— Mais je ne suis pas prête, il faudrait que je m'habille...

— Vous êtes charmante telle que vous êtes. Jetez n'importe quoi sur cette glorieuse chevelure et faites-vous donner une ombrelle.

Prise de court, Elizabeth se laissa faire. Tout à coup elle se fit l'effet d'une écolière en vacances. Quelle occasion de bannir les funèbres pensées qui l'assiégeaient un moment plus tôt ! Oublier cela, oublier vite. Le sort lui offrait une récréation de choix avec cette grande dame quelque peu originale qui la menait dans un lieu dont le nom disait tout : Bonaventure.

Dans une calèche noire de grand style, elle prit place à côté de Mrs. Harrison Edwards, et les deux ombrelles, l'une blanche, l'autre rose, se penchaient déjà amicalement l'une vers l'autre quand le fouet claqua, enlevant un attelage de quatre chevaux de race qui foncèrent dans l'avenue comme pour charger.

Un peu effarés, les passants reculaient sur les trottoirs, mais on reconnaissait vite la calèche de Mrs. Harrison Edwards et, comme la noble excentrique était un des personnages les plus en vue de Savannah, on se contentait de sourire.

Soudain un petit cri s'échappa de la poitrine d'Elizabeth.

« Qu'y a-t-il donc ? demanda Mrs. Harrison Edwards.

— Est-ce loin, Bonaventure ?

— Je dirais un peu plus de trois *miles.*

Elizabeth eut la vision du petit, fou d'inquiétude, l'appelant à son retour de promenade avec Betty.

— Vous serez rentrée chez vous pour déjeuner, vers deux heures, fit Mrs. Harrison Edwards. Cela vous va ?

— Hélas, non. On m'attend chez moi. Comment vous expliquer ?

Une main chargée d'émeraudes se posa sur la sienne et une voix d'une extrême douceur murmura près de son oreille :

— N'expliquez rien, très chère, je comprends tout, surtout ce qui n'est pas dit, et je veux que vous soyez heureuse. J'annule donc. James, au grand parc. Sommes-nous d'accord, mon amie ?

— Tout à fait. Je crois connaître Forsythe Park.

Ce nom de parc évoquait pour elle le souvenir lointain d'une conversation avec Tante Amelia qui l'avait instruite d'un secret de famille dans un lieu de son choix, assez isolé.

— Il y a là des coins dont j'ai le secret, fit Mrs. Harrison Edwards comme si elle devinait les réticences d'Elizabeth. James, à fond de train.

James interpréta cet ordre à son idée, modérant son allure en longeant les squares, mais sa maîtresse avait trop de choses à dire à Elizabeth pour s'en apercevoir immédiatement.

« Vous devez vous douter, chère Elizabeth — vous permettez que je vous appelle Elizabeth ? Oui ? (fit-elle sans attendre la réponse). Cela fait tomber les barrières, n'est-ce pas ? Enfin vous pensez bien que, si je vous ai tirée de chez vous, c'était afin de pouvoir vous parler plus librement que dans votre adorable salon bleu qui n'a pas moins de deux portes, et je me méfie des portes…

« James ! s'écria-t-elle soudain, tu ralentis exprès et je sais pourquoi.

— Excuse, M'am, je vais aller plus vite.

— James, je te déteste, ajouta-t-elle.

— Oui, M'am, *Yes,* Ma', fit-il d'une voix naturelle.

Et il toucha du fouet la croupe des chevaux qui se mirent au grand trot.

— Il espère attraper un bout de conversation, fit Mrs. Harrison Edwards à mi-voix, cette race est si avide de potins, mais je ne me séparerais de lui pour rien au monde et il le sait, il conduit à ravir et il a trop bonne mine dans sa redingote rouge à boutons d'or. Vous ne trouvez pas ?

— Si », fit Elizabeth qui devint un peu rose sous le voile de mousseline dont elle s'était enveloppée la tête. Le visage de James ne lui avait pas échappé : un jeune Noir fortement métissé.

— On l'admire et c'est important à Savannah, mais nous arrivons. A propos, je m'appelle Lucile. Souvenez-vous-en, *dear.*

La calèche s'arrêta à l'entrée du parc, et, bondissant de son siège, James ouvrit la portière, le chapeau à la main. Sa maîtresse descendit d'abord, puis Elizabeth qui venait d'ôter son voile. Stupide d'admiration, le jeune métis ne put se défendre de la regarder dans les yeux, et elle baissa la vue.

Un soleil féroce léchait les rangées de petites maisons rouge sombre et les trottoirs pavés de brique rose, mais, dès qu'elles se furent engagées dans la grande avenue, les deux femmes eurent la sensation de plonger tout entières dans un bain de fraîcheur exquise. Par un geste d'une grâce un peu étudiée, Mrs. Harrison Edwards se libéra de sa capeline et jeta la tête en arrière comme pour mettre en valeur un profil altier célèbre dans tous les salons.

Sous la voûte des chênes géants qui se rejoignaient loin au-dessus d'elles, les deux femmes avançaient avec lenteur et la pénombre leur faisait baisser la voix. Si différentes l'une de l'autre, elles éprouvaient le même sentiment de se trouver hors du monde. La solitude favorisait cette agréable illusion, car ce n'était pas l'heure de la promenade. Des basses branches de tous ces arbres centenaires qui les regardaient passer pendaient les longs rideaux de mousse vert-de-gris aux franges sans cesse remuées par la moindre brise.

Elizabeth pouvait se croire de nouveau dans un des rêves du Sud qu'elle avait connus à Dimwood. Manquait seulement le chant des oiseaux, ils se taisaient aux approches de midi.

A peine disait-elle parfois quelques mots à sa majestueuse

compagne qui, elle, ne s'en privait pas, mais sur un ton de confidence. Le décor se prêtait aux effets qu'elle désirait produire… Ses bras nus sortaient de larges manches de dentelle. On les citait à Savannah comme des modèles de perfection et elle s'en servait à tout moment dans de grands gestes qu'on suivait des yeux, soit qu'elle voulût désigner quelque objet remarquable ou qu'elle exprimât une émotion subite, un étonnement, une joie.

« Elizabeth, fit-elle dans un grave murmure qu'elle estimait en accord avec la solennité du lieu, j'ai pour vous un message. Il me vient de la part d'une femme malheureuse. Mais allons plus loin, dit-elle d'un air mystérieux.

Elles firent en silence une vingtaine de pas encore, puis quittèrent l'avenue pour s'engager dans un sentier moussu.

« Personne ne vient par ici, dit alors Mrs. Harrison Edwards, c'est un peu ma découverte, j'aime à rôder dans la nature, il y a en moi une grande solitaire barbare et sauvage.

Elizabeth faillit éclater de rire, mais se contint. Un instant plus tard, elles se trouvèrent dans un endroit qui s'arrondissait autour d'une vasque d'où jaillissait un petit jet d'eau. La jeune Anglaise reconnut aussitôt le lieu isolé où Tante Amelia lui avait, cinq ans plus tôt, révélé un secret de famille, le mariage manqué de Tante Charlotte. Une fois de plus elle admira les saules dont les longues branches tamisaient les rayons du soleil en s'incurvant au-dessus des têtes des deux femmes. Les mêmes chaises de métal un peu rouillées s'offraient à elles, et, comme un voyageur égaré, un magnolia sauvage poussait tout près, répandant son parfum lourd et langoureux.

« N'est-ce pas charmant ? demanda Mrs. Harrison Edwards avec un geste fastueux de son bras sans défaut.

— Charmant, fit Elizabeth, le cœur plein de souvenirs, son Jonathan vivait alors…

Elles s'assirent.

— Oui, très chère, commença Mrs. Harrison Edwards, un message vous vient par moi d'une femme très malheureuse.

Elle ajouta vite comme pour écarter l'idée agaçante d'une démarche comportant une demande de fonds pour personne en détresse :

« Fort malheureuse bien que phénoménalement riche.

— La voilà déjà un peu moins malheureuse, remarqua Elizabeth.

— Holà, darling, l'argent ne fait pas le bonheur.

— Bien, bien.

— Belle comme une divinité de l'art antique, spirituelle, séduisante, et malgré tout mise au ban de la société, comme une lépreuse. N'est-ce pas horrible ?

— Horrible.

— Il s'agit, mais vous l'avez deviné, d'Annabel.

— Ah ! fit Elizabeth.

— Oui, et elle veut vous voir.

— En êtes-vous sûre ? Elle n'en a jamais exprimé le désir depuis... depuis quatre ans.

— Pour bien des raisons. Par délicatesse peut-être. Elle ne demande rien d'excessif. Simplement de vous rendre visite pour reprendre contact avec la société.

— Mais je ne suis pas la société ! protesta Elizabeth.

— Si, par votre naissance. Réfléchissez. Vous avez vos entrées partout. Alors que, devant elle, la société se dresse comme un mur. A cause d'une goutte de sang noir dont il ne reste de trace que dans un détail des mains, les portes se ferment.

— Mais la société, c'est vous, Lucile, vous qui la représentez aux yeux du monde avec une autorité qui n'est qu'à vous.

— Oh ! moi...

— Oui, vous, beaucoup plus que moi qui ne sors presque jamais. Recevez-la donc vous-même.

— Mais, très chère, entre elle et moi, il n'y a aucune ombre de parenté alors que chez vous...

— Chez moi ! s'exclama Elizabeth toute rouge. Lucile, vous faites erreur. Je n'ai rien contre Annabel, mais nous ne sommes pas de la même famille.

— Un peu, malgré tout, par les Hargrove.

— Non et non. C'est une parenté supposée, sans preuves.

Aussi émues l'une que l'autre, elles se levèrent et la discussion menaçait de tourner à la querelle. Les cris s'annonçaient dans leurs voix qui montaient trop vite, leurs profils en colère se défiaient, et, comme il arrive en pareil cas, elles évoquaient sans le savoir deux gallinacés prêts à donner du bec.

En vain le magnolia embaumait l'air autour d'elles et leur envoyait en bouffées le parfum des amours oubliées, en vain aussi dans l'entrecroisement des branches de saules la lumière jouait avec l'ombre sur l'herbe au bas de leurs jupes, elles continuaient à se déchirer avec des mots auxquels elles ne croyaient plus et soudain, par un de ces revirements imprévisibles de l'âme, Mrs. Harrison Edwards se cacha le visage dans les mains.

— Je renonce, dit-elle, parce que j'ai honte, je me bats pour une femme qui me fait pitié et je ne parviens pas à vous faire partager cette pitié.

Interdite, Elizabeth recula d'un pas.

— Lucile..., fit-elle.

Mrs. Harrison Edwards laissa tomber les mains et la regarda :

— Comment vous en vouloir, Elizabeth ? Vous êtes encore trop jeune. Vous ne dépasserez jamais l'enfance qui demeure en vous. Il faut souffrir pour comprendre.

— Mais, j'ai souffert, s'écria la jeune veuve indignée.

— Je sais, mais la souffrance peut vous enfermer en vous-même ou vous ouvrir le cœur, j'en ai assez dit, parlons d'autre chose et embrassons-nous, voulez-vous ?

Dans une stupeur qui la rendit muette, Elizabeth tendit son visage à cette femme devenue miraculeusement humaine, et elle sentit sur ses joues appuyer des lèvres encore tout échauffées par la fièvre de la discussion.

Elles échangèrent un sourire. Aussi impulsive qu'elle l'était à seize ans, Elizabeth dut lutter pour contenir un élan qui la jetait maintenant vers cette femme, mais celle-ci reprenait son attitude ordinaire avec une extraordinaire maîtrise d'elle-même.

« Puisque nous voilà réconciliées, parlons, dit-elle. Nous avons été un peu ridicules, c'est une question de nerfs sans importance. Ne vous trompez pas sur mon compte.

— Non, Lucile, je vous assure.

— Bah ! le personnage que je fais dans le monde est celui que le monde attend de moi. Vous n'échapperez pas à la règle du jeu. Mais ce qu'il y a de plus profond en moi se révolte contre les injustices de nos usages. Annabel est une victime. Son cas est exceptionnel. Le monde refuse de l'admettre. Quant à moi, je n'en peux plus de la voir souffrir dans la solitude de sa grande maison où personne ne vient. C'est vous qu'elle veut voir. Si vous refusez, je l'inviterai chez moi et le monde en pensera ce qu'il voudra.

— Il faut lui dire que je la verrai, Lucile.

— Voilà la réponse que j'attendais depuis une heure. A propos, j'ai l'impression qu'il se fait tard. Rejoignons la calèche.

— Tard, vous croyez ? » fit Elizabeth, prise d'inquiétude à la pensée de ce qui l'attendait à la maison : une scène, en vérité, qui ressemblait étrangement à une scène de ménage...

Elles quittèrent rapidement le parc.

CHAPITRE X

Il n'y eut pas de scène. Ce fut pire. Au lieu d'un petit garçon sautant de joie à son arrivée, elle vit un jeune Ned silencieux au regard profond, blessé. Connaissant déjà toutes les ruses, il savait comment l'atteindre. L'amoureux tenait bien son rôle. D'instinct il connaissait l'art de faire souffrir.

Il prenait comme d'habitude son déjeuner à table avec sa mère. Ce jour-là elle ne réussit pas à le faire parler, et elle en eut de la peine. Ce mutisme la troublait comme l'eût fait une leçon dure et vengeresse. Quel avenir se préparait pour elle comme pour lui ?

Au moment du dessert, excédée, elle fit mine de refuser une tarte aux mûres :

— Pas de dessert pour une Mamma que son petit garçon n'aime plus.

A ces mots, l'enfant sauta de sa chaise et courut à elle le visage inondé de larmes :

— C'est pas vrai, Mamma ! c'est pas vrai !

L'embrassade eut lieu, inévitable, passionnée.

« Je gagne, pensa Elizabeth, mais je suis perdue. Si nous en sommes déjà aux moyens déloyaux, il n'y a plus rien à lui apprendre. Des manigances sentimentales aux mensonges la distance est courte, et alors... »

Le soir venu, reprenant tous ses droits, il ne lui fit grâce de rien. Toutes portes fermées, dans le doux éclairage complice de la lampe, il exigea son Jonathan, un Jonathan de compensation, remplaçant celui de la veille mystérieusement disparu. De nouveau elle dut mettre son imagination au travail, faire cavalcader sur son cheval noir à travers des terres inconnues le fantôme de celui qu'elle avait aimé. Bien malgré elle, la gorge parfois serrée, elle se prenait à cette fabulation macabre. Le petit voulait savoir de quoi Jonathan avait l'air, des précisions étaient requises. Elle inventait comme on ment devant un juge, mais mal. Elle se coupait. Avec l'infaillible mémoire de l'enfance, Ned, féru de vérité littérale, rectifiait les contradictions et elle obéissait et, dans le vertige du souvenir, ressuscitait son Jonathan avec ses yeux flambant d'amour. Ned battait des mains. C'était celui-là qu'il voulait, le Jonathan au regard de feu, le vaillant, l'irrésistible, car ce Jonathan c'était lui-même.

Soudain, à bout de nerfs, elle s'effondra et se mit à sangloter dans les couvertures du lit, tout près de l'épaule de son fils étendu. Le corps secoué par le chagrin, elle s'abandonna sans retenue. Pris de peur, l'enfant lui posa la main sur la tête :

— Mamma ! gémissait-il, qu'est-ce que tu as ? C'est moi ? C'est moi ?

Elle fit effort pour se redresser.

— Mais non, darling, ce n'est pas à cause de toi, fit-elle d'une voix étranglée. Ta Mamma est très fatiguée, c'est tout.

Elle se moucha.

— Il faut dormir, Mamma, fit Ned en lui caressant le visage. Il ne faut plus pleurer. Tu m'aimes ?

— Je t'aime trop, mon amour. Mets tes bras autour de mon cou. Tu vas dire ta prière avec moi et puis dormir. Promis ?

Il promit et, à genoux dans son lit, posa la tête sur l'épaule d'Elizabeth qui s'était levée. Ensemble, ils récitèrent les phrases, dans la langue surannée qui en augmentait la splendeur du mystère. L'enfant bredouillait sans bien comprendre, mais avec sa mère il se trouvait tout à coup dans des régions encore obscures alors que le cœur de la jeune femme s'apaisait progressivement.

« C'est fini, pensa-t-elle, quand elle eut embrassé le petit et éteint la lampe. Je trouverai quelque chose. Je ferai partir Jonathan pour un long voyage, et Ned oubliera. Dès demain je cesserai. »

La porte refermée derrière elle, tout haut elle redit cette phrase qui la rassurait :

— Je cesserai dès demain.

Distinctement une voix lui répondit

— Non.

Elle tressaillit et demeura immobile. Elle eût juré qu'une voix avait parlé, tout près d'elle.

— Mais si, fit-elle, il le faut.

Celina vint vers elle à ce moment et demanda .

— Vous avez besoin de moi, Madame ? J'ai cru entendre

CHAPITRE XI

La journée du lendemain fut difficile. Le jeune Ned se montrait pourtant fort sage, trop peut-être. Elizabeth le soupçonnait de flairer quelque chose de ce qu'elle avait en tête et elle vivait dans l'appréhension du soir. Cela ressemblait par trop à une rupture, et aurait-elle le courage nécessaire ?

Laissant aux mains de Betty le petit garçon, qui la regarda gravement partir sans lui poser aucune question, elle résolut de consacrer la matinée à des courses en ville et fit l'achat de toutes sortes de choses dont elle n'avait nulle envie : des mouchoirs de dentelle française alors que chez elle un des tiroirs de sa commode en regorgeait, quatre ou cinq écharpes de soie qui ne lui plaisaient qu'à moitié, mais dépenser de l'argent l'amusait, ce matin-là. Elle savait que c'était un des caprices bien connus des riches, une façon de tuer le temps quand on n'a que faire.

Par un subit retour de conscience, elle fit l'acquisition d'un Indien en tissu pour Ned, avec l'espoir que dans une certaine mesure l'Indien le consolerait du très long voyage qui allait lui ravir Jonathan.

Elle tremblait déjà. Dans la voiture qui la ramenait à la maison, elle se demanda :

— Pourquoi suis-je née ?

Une surprise l'attendait chez elle. En noir de la tête aux pieds, Charlie Jones marchait de long en large dans le petit salon bleu.

Son visage rose brillait d'un regain de jeunesse qui frappa Elizabeth. Jamais encore il ne lui avait paru ressembler de plus près au portrait qu'elle avait tant admiré jadis.

Cependant, il ne souriait pas et vint vers elle les mains tendues, dans un nuage d'eau de Cologne de Russie.

— Oui, fit-il en l'embrassant, c'est encore moi. Le temps fuit. Notre petit monde change vite. J'ai à t'annoncer une nouvelle qui ne te surprendra pas.

— Oh ! quoi donc, Oncle Charlie ?

— Voici trois jours, le destin a touché du doigt le front de mon vieil ami William Hargrove. Son heure avait sonné. Le sombre moissonneur est passé à l'aube.

— Vous voulez dire qu'il est mort ?

— Dans un langage un peu brutal : oui.

— Ah ! fit-elle.

— J'ai voulu t'en informer moi-même pour toutes sortes de raisons. Si tu as un déjeuner, décommande-toi...

— Que voulez-vous dire ?

— Je veux dire que, dans certaines circonstances de cette vie si passagère et si courte, il faut être stoïque, continuer sa route le cœur lourd et le front serein. Alors je t'emmène déjeuner au De Soto, le seul restaurant des Etats-Unis où l'on serve un champagne digne de ce nom. Car il faut réagir, ma chère petite, réagir.

— Je ferai de mon mieux.

— Brave ! Brave, petite violette d'Angleterre !

— Ah, non !

— Qu'as-tu donc ? C'est ainsi qu'il t'appelait. J'aurai des choses à te dire là-dessus.

— Il faut que je prévienne Ned qu'il déjeunera seul. Il va avoir de la peine...

— Cher petit Ned.

— Je ne sais pas si je suis habillée pour aller au De Soto. Peut-être devrais-je...

— Chansons ! Tu es d'une élégance folle dans cette soie gris-bleu et cette toque sur la tête avec une plume d'autruche derrière l'oreille...

Celina parut sur le seuil de la porte restée ouverte. Elle tenait par la main un Ned récalcitrant.

— Il vous a entendue, fit Celina de sa voix froide. Si vous l'embrassiez, cela arrangerait un peu les choses.

— Tu t'en vas, Mamma ! cria l'enfant en courant vers Elizabeth.

Elle se jeta sur lui.

— Mon amour, je sors déjeuner avec ton grand-papa. Dis bonjour.

— Bonjour, grand-papa, fit Ned sans bouger.

— Bonjour, Ned. Ah, je comprends que tu l'adores tant, ton Ned, s'exclama Charlie Jones. Déjà le portrait de son père. C'est merveilleux de vous voir ensemble. Mais il pourra me tirer les favoris une autre fois. J'ai un bateau qui arrive d'Europe cet après-midi... Elizabeth, comme on dit à Paris, *filons !*

A présent, il avait l'air jovial et comme soulagé d'un poids énorme. D'une manière étrange, Elizabeth retrouvait l'Oncle Charlie qu'elle avait connu des années plus tôt, avant les jours terribles. Elle le suivit vaguement heureuse sans bien savoir pourquoi et monta dans la calèche qui attendait devant la maison.

Ned et Celina se tenaient dans l'encadrement de la porte. L'enfant regarda sa mère de cet air d'indicible détresse qui la troublait plus que ses cris. De la voiture, elle lui lança des baisers et tout à coup s'écria :

— Celina, il y a un Indien, donnez-lui l'Indien !

Le fouet claqua. Les chevaux partirent. Ni Celina, ni l'enfant ne firent le moindre geste.

Jamais encore elle ne s'était sentie plus coupable.

CHAPITRE XII

Dans Bull Street, la plus belle avenue de la ville, qu'elle traversait du nord au sud, du fleuve jusqu'au Forsythe Parc, le plus vaste de la cité, l'hôtel De Soto dressait une masse imposante de brique rouge foncé. Entouré d'une spacieuse véranda, il offrait le choix du déjeuner en plein air sous de gigantesques parasols ou à l'intérieur, dans une des salles que leurs plafonds peints et leurs dorures rendaient dignes d'un palais du vieux continent. A cause du soleil trop ardent, Oncle Charlie jugea que l'intérieur valait mieux, tant pour le teint d'Elizabeth que pour l'intimité de la conversation. Du reste, il ne consulta son invitée sur aucun de ces points. Par une nostalgie inconsciente du passé, il persévérait à voir en elle la toute jeune fille qui l'avait charmé jadis et il la menait poliment à sa guise, poliment, mais d'une main ferme.

Un coin quelque peu isolé fut déclaré le plus favorable. Ils s'assirent sur des banquettes résilientes et capitonnées à souhait. Pourquoi fallait-il si vite une ombre au tableau ? Un énorme bouquet de violettes ornait la table. Oncle Charlie le fit immédiatement remplacer par des roses, puis, regardant Elizabeth sans un mot, inclina le menton d'un air entendu pour souligner la délicatesse de son geste.

« Un peu lourd », pensa-t-elle, et elle eut le sourire qu'il attendait.

Le menu prémédité la veille par Charlie Jones fut accepté sans résistance par Elizabeth qui devait par la suite trouver tout délicieux. Le champagne était et ne pouvait être rien d'autre que le meilleur.

— Du Krug 1845, note-le, un nouveau champagne, mais qui sera mémorable.

Elle promit d'en prendre bonne note et l'entretien s'engagea pour dégénérer presque aussitôt en monologue dans la bouche de Charlie Jones :

« Ce que tu ne sais pas, commença-t-il, est que sous nos pieds s'étendent sur plus d'un *mile* d'interminables souterrains. Autrefois ils servaient contre les Espagnols, maintenant c'est là que dorment en rangs serrés les meilleurs vins du monde. Cette bouteille que nous buvons ne représente qu'une goutte dérobée à une mer enivrante ; mais laissons l'anecdote et abordons les problèmes. Rêveuse comme tu l'es — et tes rêveries ne sont pas étrangères à ton charme, si, si, ne proteste pas...

Elle ne protestait pas, le Krug agissait plus vite sur elle que sur lui. D'une voix déjà incertaine, elle marmonna (et on n'en était qu'aux truffes cuites sous la cendre) :

— Trop gentil, vraiment.

— Rêveuse donc, reprit-il, et prisonnière de tes rêves, tu ne connais presque rien du monde en général ni de Savannah en particulier. Maintenant que tu y as ta demeure et que tu fais partie de la ville, je ne t'ai pas invitée pour te faire subir, traquenard indigne, un cours d'histoire... Sache pourtant l'essentiel. En 1819 et 20, un triple fléau ravagea la ville. D'abord une crise financière telle que le Sud n'en avait jamais connu sema la panique, et, comme si cela ne suffisait pas, l'année suivante le feu balaya Savannah dont une bonne partie fut presque réduite en cendres, principalement le port. Venue peut-être de Cuba, la fièvre jaune se glissa ensuite parmi les décombres, frappant la population comme au hasard. On voyait des hommes se parler debout dans une rue et tomber morts d'un seul coup. Le corps prenait une teinte d'orange mûre semée de taches bleuâtres... Il fallait les enterrer au plus tôt.

— Oh ! fit Elizabeth horrifiée en posant une main sur la coupe de champagne. Je suppose que le pays tout entier vola au secours de la cité meurtrie.

La tournure éloquente de cette phrase qui lui ressemblait si peu la surprit elle-même et l'avertit de se modérer. Elle reposa sa coupe devant elle sans y avoir touché.

— Laissons cela, poursuivit Oncle Charlie. Savannah, ne comptant que sur elle-même, se mit immédiatement à l'œuvre pour réparer le désastre. Un jeune architecte, un de nos compatriotes,

William Jay, était venu en 1817 pour construire une merveille, Richardson House, qui fut heureusement épargnée par l'incendie. Cette fois, il aida la ville de la façon la plus intelligente, en donnant des indications d'un goût raffiné et d'un grand bon sens pour la reconstruction des demeures privées. Son idée, d'une audacieuse simplicité, connut un succès immédiat : style sobre, fenêtres peu nombreuses, ce qu'il en faut sans plus, aucune pour la symétrie, des façades sans ornements inutiles, la beauté triomphant dans l'équilibre et l'élégance. La splendeur des arbres, la profusion des fleurs feraient le reste. Après plus de dix ans d'efforts, cela donna la ville que tu vois. Toutefois, en 34, alors que Savannah présentait toutes les apparences de la prospérité retrouvée, un grand acteur irlandais rendit visite à la ville revenue, pensait-il, à sa splendeur première. Tu retiendras le nom de cet illustre artiste : Tyrone Power *.

— Je ne l'oublierai jamais, murmura Elizabeth dans une brume agréable.

— Bien. Il avait accepté de jouer pour quelques représentations et on le conduisit au théâtre, un des chefs-d'œuvre de William Jay, mais sa déception fut grande quand il vit le délabrement de la salle et de tout l'intérieur. Nonobstant, il ne refusa pas de paraître en scène et se fit applaudir dans plusieurs pièces, à la vérité par un public assez maigre, car les places coûtaient cher et l'argent était encore rare. Certaines des magnifiques maisons de la ville ne servaient encore à l'époque que de pensions de famille à prix modique... Merci, merci.

Il attendit que le sommelier l'eût servi, but à la santé du petit Ned et reprit :

« Après avoir, sur scène, dans un grand mouvement oratoire exprimé sa consternation devant les malheurs de la noble cité déchue qu'il compara à Niobé, Tyrone Power se ressouvint que la gloire l'attendait en Angleterre et se rembarqua. Ce fut vers ce temps-là que les grands marchands se ceignirent les reins pour un gros effort et, en trois ou quatre ans, relevèrent leur ville humiliée. En 38, Savannah resplendissait de nouveau. L'or se remit à rouler sur les comptoirs et la valse prit d'assaut les salons ayant recouvré tout leur éclat. Rien ne change. La guerre est à nos portes et le Sud valse. J'espère que tu aimes le gigot d'agneau qu'on nous sert ici à la mode de Londres, accompagné de laitues braisées.

Elizabeth se déclara enchantée de tout.

* Ancêtre du Tyrone Power que nous avons tous vu à l'écran.

Jetant les yeux autour d'elle, grande fut sa surprise de voir que la vaste salle à manger se trouvait à peu près vide. Deux ou trois clients dans des coins éloignés s'inclinaient légèrement sur leur assiette et le bruit de leurs fourchettes ne s'entendait pas. Cela ressemblait à un rêve. Séparés les uns des autres par une assemblée de tables aux nappes blanches, toutes dressées et ornées de bouquets de violettes, ils déjeunaient en silence sous un ciel d'azur où des troupes d'amours joufflus se pourchassaient en agitant des guirlandes à travers une profusion de neigeux cumulus. Déjà un peu absente, Elizabeth les considérait d'un œil vague.

Cependant, l'intarissable Oncle Charlie reprenait son discours sur un ton sournoisement confidentiel qui obligea la jeune femme à tendre l'oreille :

« Vois-tu là-bas, à travers les arbres, dans un angle de Madison Square, une maison rouge clair ?

— Mais bien sûr, Oncle Charlie, la vôtre.

— Des échafaudages l'entourent encore d'un côté et, comme tu le remarques, le toit est encore inachevé, mais d'ici dix-huit mois tout sera fini. Dans cette demeure se donneront alors des fêtes dont on parlera, je le jure, jusqu'à Londres. Et sais-tu bien à qui déjà je l'ai léguée dans mon testament ?

Instinctivement elle s'écarta de lui, mais il se rapprocha aussitôt et elle sentit l'odeur de son souffle :

« Mais à ton petit Ned, voyons. Ne l'avais-tu pas deviné ?

— Non, fit-elle, non, non.

Oncle Charlie la regarda, stupéfait.

— Mais c'est un fier cadeau que je fais à ton garçon !

— Merci, oh merci pour lui — et pour moi ! Je ne m'attendais pas.

Comme si l'enfant était devant elle, de l'autre côté de la table, elle vit les grands yeux qui la fixaient gravement, profonds, immobiles. « Si loin de moi ? disaient-ils avec une douceur intolérable, pourquoi ne reviens-tu pas près de ton Jonathan ? »

Pendant quelques secondes, elle fut en proie à l'illusion qu'il était vraiment présent et elle n'entendit plus du tout ce que disait Oncle Charlie. Une pensée étrange lui traversa l'esprit, impérieuse, pressante : il ne fallait plus que la Mammy donnât son bain à l'enfant. Les longues mains noires ne toucheraient plus le corps de son Jonathan, ce serait elle, elle-même qui le laverait, le savonnerait.

La voix de Charlie Jones l'atteignit tout à coup.

— Ma chère petite, qu'as-tu donc ? J'espère que ce n'est pas ce que tu as mangé. Tu es toute pâle et tu parais ailleurs...

Elle se ressaisit aussitôt.

— Je vous assure que ce n'est rien, un léger malaise... cela m'arrive quelquefois, tenez, versez-moi un peu de champagne...

Pour le rassurer complètement et couper court aux questions indiscrètes, elle se mit à dire n'importe quoi :

« Si peu de monde... dans un restaurant si réputé...

— Il est rare qu'on déjeune au restaurant dans le Sud, mais essaie de trouver une table le soir, tu n'y parviendras pas, c'est l'endroit le plus chic de la ville. Ailleurs, il n'y a que des tables d'hôte !

— Ah ! comme c'est intéressant !

— Oui, n'est-ce pas, mais je me demande si tu m'as suivi quand je t'ai parlé des origines de ma modeste personne. Que sais-tu de moi ? Ne réponds pas : rien. En deux mots comme en mille, je viens d'une honorable famille du Shropshire et de noblesse récente.

Elizabeth écoutait d'une oreille distraite en touchant les roses du bout des doigts. Des pétales tombèrent là où les reflets de son verre scintillaient sur la nappe.

Il reprit :

« Mon grand-père Josiah était — sais-tu quoi ? — corsaire !

Du coup elle devint attentive.

— Corsaire ! s'exclama-t-elle. Comme dans Lord Byron.

— Un vrai corsaire, moins romantique, au service de George II. Sa Majesté ne savait même pas l'anglais et laissa lui échapper l'Amérique. Mais il avait besoin de vrais corsaires et, pour les navires français et espagnols envoyés par le fond, il donna des lettres de marque, une terre et un titre à son fidèle marin. Avec bien sûr un blason. Fortune faite, mon grand-père rentra au pays, chargé d'honneurs.

— Au pays...

Ici, dans les yeux d'une rêveuse Elizabeth, Charlie Jones crut voir toute l'Angleterre.

— Mon père Joshua quitta la petite ville mi-anglaise, mi-galloise où je suis né et alla s'établir à Liverpool. Là prospéraient les importateurs du coton d'Amérique. Il décida de se joindre à eux et devint avec le temps presque aussi riche. Pour lui, comme pour beaucoup d'hommes de sa génération, l'Amérique, c'était l'avenir et il m'y envoya quand j'atteignis ma vingtième année. Je partis pour Savannah, le plus grand port d'exportation cotonnière des Etats-Unis. Pour m'apprendre à gagner durement ma vie, mon père ne m'avait donné qu'une très maigre somme d'argent. Arrivé là-bas, je me mis en route à pied vers les bureaux où je devais offrir mes services. Un pauvre m'arrêta en chemin. Il y en avait beaucoup dans le pays, la Georgie se remettant assez mal de ses désastres des années vingt : « Tiens, dis-je à l'homme, voilà la moitié de ma fortune. » Et je lui mis un dollar dans la main.

— Oh ! bravo ! s'écria Elizabeth.

— Il faut croire que je ne faisais pas une si mauvaise affaire avec le Ciel, car cette pièce d'argent m'a été rendue au centuple et en millions. Et c'est ainsi que le Seigneur fait les choses royalement.

— Parce que votre mendiant était Dieu, fit timidement Elizabeth.

Brusquement interdits, ils se regardèrent l'un et l'autre comme s'ils venaient d'échanger des inconvenances.

— Voilà que nous disons de drôles de choses, fit Oncle Charlie.

— C'est le champagne, fit Elizabeth pour dissiper la gêne qui s'installait entre eux.

— Avec ton ironie britannique, tu démolis une belle histoire, dit Oncle Charlie, un peu triste. Mais revenons sur terre. Où en étais-je ?

— En route pour je ne sais quels bureaux.

— Ah oui... Les bureaux ! Le port... Quelle misère ! Ce fut alors que notre chevaleresque voisine, la Caroline du Sud, jugea propice le moment de capter à son profit la richesse de notre ville. Les navires marchands, ne pouvant plus utiliser le port de Savannah, remontèrent le fleuve jusqu'à Augusta, centre distributeur de coton. Charleston saisit l'occasion pour s'entendre avec Augusta et construisit, l'astucieuse, un chemin de fer reliant les deux villes. Un vrai chef-d'œuvre, ce chemin de fer, le plus long de son temps. En 1833, il provoqua l'admiration du monde et fut appelé la merveille de l'époque. Ainsi fut-il permis à Charleston de supplanter le port de Savannah. Mais moi, où suis-je là-dedans ? Tu te le demandes avec anxiété.

— Pas du tout, Oncle Charlie. Fidèle à la ville qui vous a accueilli dans sa détresse, vous êtes resté vaillant auprès d'elle.

— Tu rêves. Comment diable aurais-je gagné ma vie ? En jeune homme de bon sens, je suis allé offrir mes services à Charleston où j'ai vécu quelque temps.

— *Très* chevaleresque !

— Tu m'agaces. La vie est la vie et les jolis sentiments sont autre chose. C'est à Charleston que fut peint le portrait que tu as vu dans ta chambre, chez moi, t'en souviens-tu ?

Si elle s'en souvenait ! Ce coquin de champagne lui jouait des tours. Elle retombait amoureuse du Charlie Jones de vingt ans, et, le retrouvant comme à travers un brouillard dans le Charlie Jones d'aujourd'hui, elle pardonnait tout.

— Très bien, fit-elle avec un sourire un peu triste.

— Alors cela t'intéressera d'apprendre que le jeune homme du portrait fit connaissance à Charleston d'une demoiselle écossaise, Miss Douglas, et, tombant amoureux fou d'elle, il l'épousa.

Comme il connaissait bien cette Anglaise encore si naïve et que martyrisait tout beau visage ! Jusqu'à quel point taquinait-il Elizabeth pour la faire souffrir ? Car, malgré sa bonté naturelle, il gardait au fond du cœur un reste de rancune. Cette femme sujette à tous les engouements avait causé la mort de Ned. Il avait fini par savoir la vérité sur cette mystérieuse provocation en duel à la lueur des flambeaux, ou du moins il le croyait. Cet aventurier de Jonathan n'avait pas été provoqué pour rien.

Subitement dégrisée, Elizabeth devina la pensée secrète au fond des yeux d'un bleu sombre et elle reçut ce discours muet comme un souffle de mépris en pleine figure. Etait-ce pour cela qu'il l'avait invitée à venir dans cette grande salle presque vide ? Pour se venger ? Elle ne pouvait le croire et tenta de se persuader qu'elle se trompait. D'un regard douloureux, elle le fixa en silence. Sur ces lèvres sensuelles, d'un dessin si ferme, elle lisait clairement le mot qu'il ne prononcerait pas et qui la hantait quelquefois la nuit : adultère.

Une à une roulèrent sur ses joues des larmes qu'elle avait honte de ne pouvoir retenir.

Que se passa-t-il dans le cœur de Charlie Jones ? Sans même s'en douter, elle le battait à son propre jeu, avec les armes les plus déloyales du monde et de mémoire d'homme les plus irrésistibles. Il prit sa main et la tint prisonnière dans la sienne. Qui fût passé alors près d'eux eût cru surprendre une scène d'amour.

« A quoi bon parler ? fit-il enfin d'une voix assourdie par l'émotion. Il arrive une minute où les mots ne veulent plus rien dire. J'ai souffert peut-être autant que toi. On te le dira. Ne pleure plus, Elizabeth. Tu seras toujours de ces êtres à qui la vie n'apprend rien et qui gardent jusqu'à la fin une âme inexpérimentée, j'allais dire innocente.

— Oh non ! s'écria-t-elle en secouant la tête.

— Eh bien, fit-il en lui lâchant la main avec un sourire, laissons cela et commandons le dessert.

Elle se moucha.

— Franchement, dit-elle, je n'ai pas envie de dessert.

— Moi non plus et je vais te reconduire chez toi, si tu veux. Il fait un peu trop chaud pour une promenade à cette heure-ci, mais avant de nous quitter, j'ai quelque chose à te dire qui te semblera peut-être un peu difficile à entendre.

— Encore ? fit-elle inquiète.

— Oh ! ce n'est rien de bien terrible. Comme tu sais, William Hargrove n'est plus de ce monde.

Elle garda le silence.

« Il avait une peur de la mort qui ne peut se décrire. Le ministre presbytérien venu pour l'assister ne réussit qu'à le jeter dans l'épouvante. Son fils, mon ami Josh, eut alors l'idée d'aller trouver à Savannah un prêtre anglican. La douceur et l'humanité anglicanes sont incomparables. On lui envoya donc une sorte de vieil ange qui entendit... — quel nom donner à cela ? — la confession de cet homme tourmenté, et il lui rendit la paix. Alors William Hargrove déclara qu'il voulait mourir dans l'Eglise d'Angleterre. La cérémonie funèbre aura lieu par conséquent dans l'église de Christ Church, la tienne.

Il s'arrêta un instant et ajouta :

« Tu es instamment priée d'y assister.

Elizabeth bondit :

— Ça, jamais ! Rien ne m'y oblige...

— La famille entière te le demande. Tu ne peux pas refuser. Ce serait presque un scandale.

— Quel étrange dessert vous m'offrez là, Oncle Charlie ! J'irai, mais à mon corps défendant.

— Un doigt de champagne pour chasser les idées noires ?

Elle fit signe que non.

Quittant le De Soto, ils montèrent dans la calèche qui attendait à la porte.

« Je te ramène chez toi, mais si tu le permets, nous prendrons par le plus long. J'ai encore des choses à te dire qui t'intéresseront sans avoir rien de sinistre, au contraire. Tommie, nous suivons Bull Street jusqu'au bout.

Blottie sous son ombrelle dans un coin de la voiture, Elizabeth se sentait méfiante, malgré la réconciliation du déjeuner. Jamais elle n'avait paru plus belle à l'ombre des hauts sycomores dont le feuillage épais filtrait une lumière éclatante. L'ombrelle que tenait la jeune femme lui posait un masque sur le visage jusqu'à la bouche, et les tresses de sa chevelure brillaient sur ses épaules.

Charlie Jones ne put cacher son admiration.

« Je ne sais comment tu fais pour défendre aussi bien toute ta jeunesse. Il me semble te voir comme au premier jour.

— Trop aimable, fit-elle.

— Trêve de compliments, dit-il comme si elle était prête à lui rendre la politesse. J'ai oublié de te demander des nouvelles de la réunion chez les Schmick. Sans vouloir le montrer, ils sont d'une sensibilité extrême. Ta présence les a touchés, ta simplicité, ton sourire.

— Voilà qui m'étonne. Ils ne m'ont pas dit un mot.

— C'est leur façon. A la fois fiers et pudiques.

— Eh bien, si tout le monde est content, j'en suis ravie.

— J'espère que ce garnement d'Algernon s'est bien conduit. C'est de lui que je veux des nouvelles. Il t'a fait la cour ?

Elle haussa les épaules, agacée.

— Les hommes sont tous les mêmes.

— J'ai compris et cela me suffit. Laisse-moi pourtant te faire un portrait du personnage. Le physique d'abord... C'est un objet d'art : joli comme une fille.

— Oh ! je vous en prie, ce monsieur ne m'intéresse pas du tout.

— Bien, mais tu vas comprendre. Il a brisé des cœurs à la douzaine. On appelle cela ici *assassiner :* assassiner les dames est son occupation principale, je dirais la seule. Ai-je besoin d'être plus clair ?

De toutes ses forces elle écarta les pensées qui l'assaillirent : se faire assassiner par Algernon...

— Oncle Charlie, de grâce, parlons d'autre chose.

— La fin est en vue. Comme il est très prudent, il évite de se montrer trop souvent en public, car il a une peur maladive des gentlemen en colère qui le recherchent pour le gifler devant tout le monde et lui lancer un cartel. Il a en effet la phobie des cartels. C'est ce qu'on nomme ici — tu excuseras la vulgarité du terme — un *cocktail.* Comprends-tu ?

Furieuse, elle pensa qu'il était jaloux, se détourna et dit :

— Non, et je n'ai aucune envie de comprendre.

— Un cocktail, poursuivit doctement Charlie Jones, est un monsieur qui a toutes les apparences d'un gentleman et n'en est pas tout à fait un. Algernon Steers avec son nom éblouissant n'en est pas moins du côté maternel l'arrière-petit-neveu de l'épicier Schmick.

Le cœur battant d'émotion, elle eut un sursaut d'orgueil.

— Eh bien, Oncle Charlie, fit-elle d'une voix glaciale, permettez-moi de vous dire que cela m'est égal et que vous devenez très ennuyeux.

— Je le sais, ma chère petite, fit-il humblement, mais il fallait te mettre en garde. Ce chenapan était à la Maison Schmick sur mes injonctions, car d'un autre côté il est parent de ma femme, pour représenter, tant bien que mal, celle qui se gratifie elle-même du nom de *Société*. Est-il resté présent jusqu'à la fin ?

— Je ne sais ce que vous entendez par « jusqu'à la fin ». Je n'étais pas là pour le surveiller.

— Pardonne-moi, Elizabeth. Je me suis cru obligé de te parler de lui pour ton bien.

— Moi, je vous serais obligée de me laisser telle que je suis. Nous arrivons, je crois.

— Oui, fit-il d'un ton pénétré, mais ce n'est pas tout.

— Quoi encore ? Oh ! Oncle Charlie !

Il fit arrêter la calèche à une vingtaine de mètres avant la maison d'Elizabeth.

— Je me confonds en excuses, très chère Elizabeth. J'allais oublier ceci.

Tirant une lettre d'une poche intérieure, il dit gravement :

« Une lettre pour toi. J'ignore tout de ce qu'elle contient, mais je la devine importante et digne de réflexion.

Elizabeth prit brusquement la lettre sans dire un mot.

« Ce n'est pas tout », ajouta Oncle Charlie, et, tirant d'une autre poche une boîte plate et longue enveloppée de soie violette, il dit simplement : « Ouvre-la quand tu seras seule, dans ta chambre.

Elle prit la boîte plus courtoisement, mais en silence.

« Maintenant, fit-il à voix basse, dis-moi que tu me pardonnes.

Otant son panama, il la regarda d'un air si affectueux qu'elle en oublia son irritation.

« Dis seulement oui.

— Oncle Charlie, oui, mais qu'ai-je à vous pardonner ?

— Tout. Tout ce déjeuner. J'ai été infâme. Pure méchanceté. C'est à cause de Ned — on te dira...

Elle ne put que faire un geste de protestation.

« Si. Toi, tu as été parfaite.

Il éleva la voix.

« Tommie, avance.

Devant la maison, il saisit Elizabeth par la main et lui mit un long baiser sur la joue. Et tout à coup, avec un rire de garçon souriant, il lui dit à l'oreille :

« Celui-là, ce n'est pas Oncle Charlie qui te le donne, c'est le jeune homme du portrait.

Elle rougit et s'efforça de rire.

CHAPITRE XIII

Celina lui ouvrit la porte, et, sans attendre, Elizabeth lui demanda :

— Le petit ?

— Pour le moment, il dort. La chaleur.

— Il fait pourtant frais dans la maison.

Celina demeura impassible.

— Silencieux toute la matinée, silencieux depuis... Très sage.

Elle prit le chapeau et l'ombrelle de sa maîtresse.

« J'espère que vous avez été contente de votre déjeuner, M'am.

— Très. Je monte me reposer. Que personne ne me dérange.

— *No,* M'am.

Seule dans l'escalier, elle s'appuya à la rampe. Algernon. Arrière-petit-neveu d'un épicier. Et après ? Est-ce qu'on est soi-même son ancêtre mort il y avait cent ans, ou un jeune homme vivant et très beau ?

Et si la lettre était de lui ? Et la boîte de soie violette ?

Pour faire durer la grisante incertitude, elle combattit avec vaillance l'envie folle d'ouvrir l'enveloppe. Une idée atroce lui vint : et si la lettre, et la boîte de soie violette, lui arrivaient de la part de Charlie Jones ? Il avait plaisanté si étrangement au sujet du portrait... Ce serait monstrueux, vraiment. Tandis qu'Algernon... Brutalement elle se l'avoua : elle avait envie d'Algernon.

C'était la première fois de sa vie qu'elle osait se dire à elle-même une vérité aussi nette. Elle eut l'impression indescriptible que tout en montant un escalier elle en descendait un autre.

« Plus la même personne », pensa-t-elle.

Sur la pointe des pieds, elle gagna sa chambre et très doucement referma la porte de celle où sommeillait son enfant.

Une odeur exquise flottait dans l'air autour d'elle, et sa gorge se serra. Un magnolia... Lourd de trop de souvenirs, ce parfum faisait revivre un moment à jamais aboli dans la suite des jours. A cause de cela, elle avait banni cette fleur de chez elle. Tous les domestiques étaient au courant. Celina, venue depuis un an, ne savait peut-être pas, car elle seule avait pu introduire l'ennemie trop aimée dans la chambre.

Les volets à demi clos assombrissaient la pièce et la jeune femme dut se laisser guider par la senteur si tristement familière pour trouver enfin, épanouie dans une coupelle de verre, la fleur aux pétales d'une blancheur de lait cernés de sombres feuilles pointues...

Celina ne savait pas. Elizabeth se redit plusieurs fois cette phrase pour se persuader. On ne lui avait pas dit — et pourquoi l'eût-on fait ? — que le jardinier irlandais avait deux ans plus tôt déterré sur son ordre un magnolia au fond du jardin. Scandalisé, Pat avait beaucoup grogné et pris à témoin tous les magnolias du Sud pour aller le reprocher à Madame.

Sonner la femme de chambre et faire disparaître cette fleur lui parut la seule décision intelligente. Elle ne le put. Debout près de la console, elle regardait encore et encore les pétales déjà largement ouverts et ses yeux se mouillaient. Elle expliquerait à Celina qu'il ne fallait plus... Peu à peu se faisait jour en elle la pensée qu'elle écartait en vain : Celina savait quelque chose et la fleur avait été mise là exprès.

Soupçon absurde, se dit-elle pour calmer son trouble. Il n'y avait qu'une personne au monde qui eût pu informer la gouvernante : la Galloise, mais Celina ne connaissait pas Miss Llewelyn.

La Galloise, ou Annabel, mais là elle risquait de tomber dans le délire de l'imagination et se contint.

— Impossible, fit-elle tout haut.

Ce mot lui rendit la paix.

Chassant les soucis de sa tête, elle ouvrit la lettre qu'elle avait gardée à la main et se jeta dans le fauteuil à bascule pour la lire plus agréablement.

D'abord elle ne comprit rien. Deux lignes seulement tracées d'une main hâtive lui parurent à peu près indéchiffrables, mais elle lut assez facilement une signature qui la glaça :

William Hargrove

La lettre lui tomba des doigts et elle se mit à se balancer en gémissant. Que faire? Un homme qu'elle ne pouvait souffrir lui écrivait, et cet homme était mort. Un subit dégoût la prit d'avoir touché cette feuille de papier sur laquelle la main d'un cadavre s'était appesantie. C'était ainsi qu'elle voyait la chose qui de minute en minute devenait plus répugnante. Mort de quelle maladie ? Elle ne savait pas au juste. La mort n'était-elle pas en elle-même contagieuse ? Elle eut envie d'aller se laver les mains. Un scrupule la retint. Si le mort la voyait...

Cependant la lettre était là, à ses pieds. Elle quitta son fauteuil à bascule. Il fallait lire la lettre, maintenant elle voulait savoir. Dans le tiroir de sa commode, elle prit une paire de gants qu'elle se passa aux mains, et ramassa la feuille ouverte sur le tapis rouge.

Les lettres ne formaient qu'une phrase et tous les mots se liaient les uns aux autres de façon à n'en former qu'un seul, interminable. En s'appliquant, on devait finir par deviner au moins le sens général. Une main sur la bouche pour ne pas absorber les miasmes émanant peut-être de ce papier venu d'un autre monde, elle réussit à déchiffrer le message et, dans un chuchotement d'horreur, elle ânonna :

> *Pour celle que j'ai aimée plus que mon âme et qui n'en a jamais rien su.*

La violence du choc faillit la faire tomber. Elle courut vers son lit et s'y étendit à plat ventre, le visage enfoui dans l'oreiller pour étouffer ses gémissements.

Elle se refusait à comprendre. Il y avait erreur. La lettre n'était pas pour elle... Mais l'enveloppe disait que si. Dans une sorte de tumulte mental, elle revit les moments les plus étranges de ses années à Dimwood. Plus effrayante que les autres, l'heure passée avec le disparu dans sa bibliothèque, les phrases mystérieuses qu'il lui avait dites avec des attitudes surprenantes, les alternatives de la douceur et de l'irritation, et tout à coup la façon brutale dont il l'avait mise à la porte, et plus tard son refus de lui parler, ses efforts pour ne pas la voir, ces immenses bouquets de fleurs qu'on avait cru bien d'installer pour la lui cacher pendant les repas. Fou, pensait-elle. Fou méchant.

Comme elle le détestait ! Dans sa rage et son dégoût, elle se mit à ruer sur son lit, les talons en l'air, les poings martelant le traversin. N'avait-il pas voulu se moquer d'elle, la punir en essayant de lui faire peur avec cette déclaration d'outre-tombe ? Et quelles intentions y avait-il de la part d'Oncle Charlie dans cette comédie funèbre ?

Soudain elle se demanda : « La boîte. La boîte violette. Où l'ai-je posée ? »

D'un bond, elle fut à bas du lit et sur la pointe des pieds alla entrouvrir les volets. Son regard fit le tour de la pièce, et, négligemment laissé sur une chaise, elle aperçut l'objet enveloppé avec tant de soin dans de la soie violette. D'abord elle n'avait pas pris garde à la couleur, mais à présent le choix de cette nuance était clair et elle en fut exaspérée.

— Votre petite violette d'Angleterre, marmonna-t-elle ; eh bien non, Mr. Hargrove !

Des rubans entouraient le paquet. D'une main furieuse, elle les arracha et s'apprêtait à faire subir la même violence à l'étoffe précieuse, quand elle s'arrêta. Que contenait cette boîte ? Quelle surprise ? Quel piège ? Elle ne croyait pas du tout à cette macabre déclaration d'amour de la lettre. Cet homme qui la haïssait sans doute et peut-être se moquait d'elle au-delà de la mort, que pouvait-il avoir dissimulé dans cette boîte ?

De ses mains encore gantées, elle la secoua et crut entendre un bruit à peine perceptible. Son imagination lui suggéra mille choses. Une nuée de guêpes... Une bête qui lui sauterait à la figure...

Pour se calmer, car elle avait honte de ses craintes enfantines, elle s'assit sur un petit canapé et mit la boîte à côté d'elle. Dans un sursaut de bon sens, elle se rendit compte que les émotions successives lui faisaient voir tout dans un renversement général du monde autour d'elle. Il n'y avait pas de bête dans cette boîte. Oncle Charlie veillait à tout et n'aurait pas permis qu'on la fît mourir de peur.

Sans ôter ses gants, elle défit les plis de la soie qui laissa paraître un écrin en bois de cèdre dont l'odeur exquise lui monta au visage, comme pour la rassurer, et, d'un geste précautionneux, elle souleva le couvercle armorié.

La stupeur lui arracha un cri qu'elle étouffa aussitôt.

De ses yeux écarquillés, elle vit resplendir un collier de lourdes émeraudes auxquelles s'ajoutait en pendentif une émeraude plus grosse que les autres et sertie de diamants. D'abord, elle n'osa y toucher, contemplant la royale parure comme s'il se fût agi d'un prodige qui pouvait cesser d'une seconde à l'autre et disparaître. Chaque pierre était taillée en arrondi à facettes qui en multipliaient l'éclat, mais le pendentif l'emportait sur tout le reste tant par ses dimensions que par la fine couronne de lumière dont le cernaient les diamants. Enfin, jetant ses gants sur le tapis, Elizabeth saisit de ses dix doigts l'incroyable collier, lequel se mit à vivre et à ruisseler dans les paumes de ses mains qui ne se lassaient pas de les remuer dans tous les sens et de leur faire lancer des éclairs.

La tête lui tournait un peu et elle se mit à rire sans pouvoir se maîtriser. La joie et une sourde inquiétude s'emparaient d'elle tour à tour. Elle se demanda si elle ne perdait pas la raison, car rien dans son esprit ne pouvait expliquer l'apparition de cette magnificence digne d'une reine. Jamais elle n'avait vu rien de comparable au cou des dames les plus riches de Savannah. Brusquement, elle saisit le collier et se l'attacha derrière la nuque.

Et maintenant, debout devant la grande glace au-dessus de la cheminée, elle vit quelqu'un qu'elle hésita à reconnaître tant le scintillement de ces pierres modifiait l'Elizabeth de tous les jours. L'orgueilleux pendentif descendait jusqu'à l'entre-deux des seins. Oserait-elle sortir aussi fastueusement parée ? Portait-on avec simplicité de tels bijoux ? Altière et méprisante, mécontente comme une tête couronnée, c'était là ce qui convenait. Elle fit une tentative dans ce sens et soudain éclata de rire : elle ne pouvait pas, mais elle ne voulait pas non plus ôter ce collier, elle rêvait déjà de l'avoir du matin au soir autour du cou et de ne même pas s'en séparer pour dormir, et elle considéra son reflet d'un air fier et résolu.

Doucement affleura à sa mémoire le nom de William Hargrove. D'une façon inexplicable, lui aussi changeait d'aspect. Comment dire ? Cherchant bien, elle trouva : moins horrible.

C'était peu. Sa conscience se mit au travail, et, tout en jouant avec le pendentif, elle se demanda si oui ou non elle avait mal agi dans ses relations avec William Hargrove, mais ne découvrit rien. Il disait fort bien dans sa courte missive qu'elle ne l'avait pas compris. Elle n'avait rien compris. En silence, il l'avait aimée d'un amour impossible.

Ce fut alors, par un soudain reflux des années, qu'elle se sentit prise d'une immense pitié pour cet homme grisonnant rendu à demi fou d'un désir cruellement sans espoir.

D'un geste machinal, comme pour le consoler, elle caressait les émeraudes et murmurait :

« Pauvre Mr. Hargrove.

CHAPITRE XIV

Un coup frappé dans le bas d'une porte la tira violemment de ses méditations. Le jeune Charles-Edouard flairait sa présence.

D'une main rapide elle saisit une écharpe et se la passa autour du cou pour cacher la stupéfiante parure, puis laissa entrer le petit garçon. Il aperçut immédiatement l'écrin et l'étoffe violette, et alla droit les toucher de ses petites mains curieuses.

— Laisse, mon amour, dit Elizabeth.

— Tu as froid ? demanda-t-il. Tu as froid ? Pourquoi ça autour de ton cou ?

Très affairé, il courait d'un coin à l'autre d^ la chambre. Tout l'intéressait dans ce domaine de sa mère. Elle lui appartenait. Même présente, il semblait la chercher et la trouver dans les objets dont elle se servait, dans des vêtements sur un fauteuil, dans son nécessaire de toilette, sur sa coiffeuse. L'écrin de cèdre fut ouvert et refermé dix fois. Il fallut qu'elle le lui prît des mains. Ce qui l'intrigua plus que tout fut le magnolia dans la coupelle de verre.

Le parfum lui en était familier depuis toujours. C'était l'odeur du Sud. Dès les premières semaines de sa vie, il l'avait respirée dans les parcs où Betty l'emmenait en promenade, mais jamais encore dans la maison. D'ordinaire, ce qui dérangeait si peu que ce fût l'ordonnance des choses dans la chambre maternelle le troublait et les questions arrivaient en foule, mais la fleur épanouie dans sa collerette de grandes feuilles sombres lui fit pousser des cris :

« Mamma, fit-il, transporté de joie, la grosse fleur !

Un peu inquiète de cet enthousiasme, elle lui répondit aussitôt :

— Très belle, mon chéri, mais ta Mamma ne peut pas la garder ici. Celina va l'emporter.

Il prit un air consterné :

— Oh ! pourquoi ?

— Eh bien... parce que ce parfum me donne mal à la tête. Tu ne veux pas que j'aie mal, n'est-ce pas, darling ?

Les yeux de l'enfant se fixèrent sur elle avec une gravité qui la gêna.

— Alors dans ma chambre, fit-il.

— Oh ! non, c'est mauvais pour les petits garçons. La nuit, cela les empêche de dormir.

— Pas moi. Donne-moi la fleur, Mamma.

Elizabeth sonna sans répondre.

Il y eut un bref silence pendant lequel elle se sentit observée par le jeune Charles-Edouard. Dans tout ce visage attentif et jusque dans ses boucles brunes, elle croyait lire déjà une obstination dont elle ne viendrait pas à bout.

On frappa à la porte et la femme de chambre parut.

— Demandez à Miss Celina de venir me parler.

De nouveau seule avec l'enfant, elle remarqua qu'il se tenait devant elle dans une attitude qu'elle appelait son air de petit homme et qui d'ordinaire la touchait, mais aujourd'hui il la gênait. Ni l'un ni l'autre ne disaient mot. Elizabeth sourit sans succès, mais les grands yeux marron ne la quittaient pas. Un instant plus tard, Miss Celina était là, tranquille, les mains croisées sur le ventre.

« Miss Celina, vous ne saviez pas que je ne veux pas de magnolia chez moi ?

— *No,* M'am.

— Qui a mis là cette fleur ?

— Moi, M'am. C'est votre voisine, Miss Rumboldt, qui m'a permis de la cueillir à l'arbre qui pousse à sa porte. Il y a tant de fleurs...

— Oui, mais pourquoi est-elle là ?

— Je pensais qu'elle vous plairait, firent les lèvres minces et serrées.

Elizabeth s'assit.

— Je vous remercie, dit-elle, mais je vous prie malgré tout de l'enlever d'ici et de la faire disparaître.

Un hurlement de détresse et de colère la fit tressaillir.

— Mamma, non !

Miss Celina demeura impassible alors même qu'Elizabeth lui lançait dans un coup d'œil un appel au secours.

— Que faire ? Peut-être la lui laisserai-je pour un soir. Elle va devenir toute brune et il n'en voudra plus.

— Z'en veux toujours, insista l'enfant.

— Darling, on ne peut t'en cueillir une chaque jour. C'est défendu.

— Celina l'a fait, gémit-il.

— Plus jamais, fit Miss Celina. On ne me l'a permis que pour une fois.

Cependant, comme l'enfant lui faisait pitié, elle ébaucha une manière de sourire qu'il ne remarqua pas.

Tirant sur la jupe de sa mère, il dit d'une voix près du sanglot :

— Tu m'aimes plus.

Sans attendre la réponse, il courut vers sa chambre et de là elles l'entendirent marmonner tout seul un instant, puis se taire.

— Me permettez-vous un conseil ? demanda Miss Celina. Si vous cédez à ce caprice, vous n'aurez jamais fini de céder sur tout.

— Sans doute avez-vous raison, fit Elizabeth, les mains à son cou.

Elle avait, en effet, l'impression que les yeux de la gouvernante fouillaient les plis de l'écharpe dissimulant les émeraudes.

« Je me rends compte qu'il ne faut pas le gâter, ajouta-t-elle humblement, mais c'est dur.

— J'emporte la fleur ? demanda Miss Celina.

— Oui, au nom du Ciel.

De nouveau seule, elle fut frappée de la profondeur du silence. Pas un murmure n'arrivait de la pièce voisine où se brisait un cœur de quatre ans.

« Je n'aurai jamais le courage de lui dire que Jonathan est parti », se dit-elle.

Comme une coupable qui va mendier un pardon, elle se dirigea à pas lents vers la chambre de Ned.

CHAPITRE XV

La scène de réconciliation fut de part et d'autre baignée de larmes délicieuses. Le jeune tyran n'en exigeait pas plus dans l'immédiat... Loin de lui annoncer le départ de Jonathan, Elizabeth avala son amour-propre et inventa sur-le-champ de nouvelles prouesses récemment découvertes dans la carrière aventureuse de l'énigmatique personnage. Tout cela, sans préjudice du récit obligatoire qui ornerait le dernier quart d'heure avant la prière du soir et les souhaits de bonne nuit... Car le soleil brillait encore et Betty allait bientôt venir chercher l'enfant sage pour le mener à la promenade.

La journée s'acheva donc comme à l'ordinaire. Elizabeth capitulait sur tout. Elle n'eut même pas l'énergie morale de stipuler qu'à l'avenir, et dès maintenant, ce serait elle, et non Mammy noire, qui laverait son garçon.

« Je suis battue, pensa-t-elle, et même je le sais, je le sens, perdue. Je lis mon avenir comme dans un livre ouvert. Je ne sais pas dire non à un homme. Honte sur toi, Elizabeth Jones ! Le petit m'a tout révélé. »

Cette nuit-là, son sommeil fut troublé de phantasmes qui la terrifièrent et elle se réveilla au petit jour, trempée de sueur, les mains plaquées sur sa gorge. Par-dessus sa chemise, la parure n'avait pas quitté son cou.

« Prix de la passion d'un homme grisonnant », pensa-t-elle avec horreur.

Mais là, tout son être se révolta. Dans les lueurs indécises de l'aube, elle arracha sa chemise qui lui collait à la peau et alla se placer nue devant la grande glace. Les émeraudes ne lui avaient jamais paru plus belles, ni elle...

— Tu ne vis pas, dit-elle à mi-voix, tu rêves que tu vis.

Au bout de quelques minutes, elle ôta le collier et le replaça dans son écrin.

CHAPITRE XVI

Dans un de ses moments de haute ironie, la vie appelée réelle lui procura un réveil de choix.

Alors qu'elle prenait son petit déjeuner avec Charles-Edouard, redevenu tranquille malgré la subtilisation de la fleur de magnolia, Elizabeth se demandait ce que la journée lui réservait. Assez lâchement, mais pour avoir la paix, elle avait promis à l'enfant qu'une autre fleur de magnolia lui serait offerte un jour...

La pièce où ils buvaient le thé du matin, presque ronde, gardait un certain charme d'autrefois : les chaises à dossier haut et étroit se détachaient sur le fond vert pâle des boiseries et sur la nappe blanche de la table brillait une lourde théière d'argent à poignée d'ébène. Une lumière encore douce passait à travers un store jaune et rendait plus sensible une ambiance de tranquillité heureuse.

Avec une obstination instinctive, Elizabeth écartait des choses que Charlie Jones lui avait dites au sujet d'un enterrement auquel, c'était certain, elle n'assisterait pas, mais la grosse théière d'argent et les chaises où tant de ladies et de gentlemen s'étaient assis au temps de la reine Anne lui disaient :

« Si, petite Mrs. Jones, vous irez avec toute la *society* parce que la *society* le veut. »

A ce moment, une main gantée de blanc lui tendit sur un plateau d'argent le courrier matinal auquel se joignait le journal quotidien jamais déplié.

Deux lettres... La première dont elle reconnut aussitôt l'écriture : Tante Charlotte lui annonçait une visite prochaine pour l'entretenir de questions importantes. Gentille Tante Charlotte, elle venait une ou deux fois par an à Savannah et les questions importantes tournaient invariablement à des considérations religieuses et d'utiles conseils sur la lecture de la Bible.

La seconde lettre se trouvait déjà entre les mains de Charles-Edouard. Il s'en était rendu maître et s'extasiait sur les dimensions de l'enveloppe qu'il offrait d'ouvrir avec le couteau à beurre. Brusquement, Elizabeth la lui arracha. Elle savait déjà, elle savait tout. Déchirant avec le doigt la fermeture de l'enveloppe, elle en tira un bristol qui la glaça d'horreur. L'invitation aux funérailles de William Hargrove était formelle, le 12 octobre prochain, en l'église épiscopale, Christ Church, à onze heures précises. Conviée également à l'inhumation dans le cimetière de la ville, sa présence y était instamment requise selon les vœux exprès du défunt dans ses dernières volontés.

Ces derniers mots, ajoutés à la main, sautèrent aux yeux d'Elizabeth comme des griffes de chat sauvage. Elle avait reconnu l'écriture impérieuse de Charlie Jones et savait qu'il ne lui restait plus qu'une chose à faire : mourir avant jeudi prochain.

Repoussant sa tasse de thé à demi pleine, elle sonna et fit appeler la gouvernante. Celle-ci se présenta presque aussitôt. D'un geste et sans ouvrir la bouche, Elizabeth lui désigna la page somptueusement gravée avec le consternant post-scriptum calligraphié.

Un coup d'œil suffit à la gouvernante.

— Triste nouvelle, fit-elle d'un ton calme. Toute la ville est au courant, mais ne vous faites pas de souci, M'am. Je connais votre garde-robe. Vous avez exactement tout ce qu'il vous faut en toilettes noires. Je me charge de tout. Ce ne sera rien...

Sa voix plate articulait ces phrases avec une précision qui les rendait insupportables à entendre, mais Elizabeth ne la suivait pas. Seuls l'avaient frappée les mots « toilette de deuil n'a servi qu'une fois ». Elle regarda la gouvernante au visage de Parque et pensa confusément :

« Maintenant, tu ne rêves plus... tout ceci est vrai... »

L'enfant assistait à cette scène sans comprendre et gardait le silence, mais ses grands yeux inquiets demeuraient attachés au visage d'Elizabeth. Tout lui paraissait étrange dans le discours de Celina. Il s'agissait, pensait-il, de quelque chose qui faisait peur, mais il ne se formait pas la moindre idée de ce qu'était la mort. Plus troublant que les paroles de Miss Celina étaient pour lui le regard fixe de sa mère et surtout le léger tremblement de ses lèvres muettes.

Pris d'effroi, il étendit la main vers elle et dit :

— Mamma, ze suis là.

Elle lui caressa la joue et murmura :

— Sois sage, mon amour, tout est bien.

Elle se crut sur le point d'éclater en sanglots, mais dans un sursaut d'énergie se domina et d'un ton bref dit à la gouvernante :

« C'est bien, Miss Celina, nous verrons cela tout à l'heure.

Mais Celina inclina la tête et sortit.

Les événements suivirent leur cours avec une mise au point parfaite des usages et de leur inhumaine logique. Ce n'était plus Elizabeth qui rêvait. Dans un de ses moments de haute ironie, ce fut la vie appelée réelle qui se mua en rêve noir.

L'après-midi même, Elizabeth reçut la visite de Miss Charlotte. Le temps avait épargné la vénérable demoiselle qui gardait le même visage aux pommettes d'un rose vif surmonté du grand bonnet éternellement de travers, et de toute sa personne émanait la vieille innocence. Un trousseau de clefs s'agitait dans les plis de sa robe, et d'ordinaire elle caquetait d'une voix aiguë, mais bienveillante.

Ce jour-là, cependant, Elizabeth eut l'impression qu'une ombre presque imperceptible se glissait entre elles.

— Ma chère petite, fit Miss Charlotte, dans ce joli salon couleur de ciel bleu on hésite à parler de choses trop graves. La vie de l'homme est comme la fleur des champs : le vent souffle et elle n'est plus là, psaume 102.

— Je sais, dit Elizabeth un peu impatientée. Le sinistre moissonneur. Mr. Hargrove est mort.

— Tu ne crains pas qu'un entretien trop sérieux n'effarouche ton garçon ?

L'enfant, qui n'avait pas quitté des yeux la visiteuse, leva les bras vers elle avec un grand sourire.

— Vous voyez bien qu'il vous adore, fit Elizabeth, et ce qu'il ne peut comprendre ne l'intéresse pas. Du reste, Betty va venir l'emmener en promenade.

— Miss 'Lotte, fit Ned, un bonbon.

Miss Charlotte plongea la main dans une poche de sa robe et en tira une boîte qu'elle ouvrit :

— Un bonbon au miel pour l'enfant sage.

Le grand bonnet s'inclina vers lui et elle l'embrassa, puis lui donna le bonbon.

« Tu te souviendras que le miel était, avec le lait, la bénédiction du peuple d'Israël... ta maman t'expliquera.

— Ce soir, fit Elizabeth. En attendant, mon amour, assieds-toi là, tout près, et jette les cavaliers à l'assaut des têtes rondes, sans faire de bruit.

Il s'installa derrière le fauteuil de sa mère.

— Brave petit bonhomme, commenta Miss Charlotte en se hissant dans le fauteuil à bascule. Il va sur ses cinq ans, non ?

— Il y va, oui, doucement.

— Tu ne te rends pas compte à quel point là-haut, dans notre cher Grand Pré, nous sommes ignorantes de ce qui se passe. Ni Amelia ni moi ne lisons les journaux. Les nouvelles deviennent trop embrouillées et nous n'y comprenons plus rien.

— Ni moi, et cela m'est égal.

— Tu as peut-être tort. Moi, j'aimais mieux lire ma Bible, mais, quand je suis arrivée ici, j'ai reçu un choc. Tout ce que je vais te dire me vient tout droit d'Oncle Charlie. Quand je suis chez lui — mais je reviendrai chez toi quand Amelia sera là cet hiver —, Charlie veut absolument me tenir au courant de la politique du pays...

— En ce qui me concerne, il a renoncé, il sait trop bien que ces choses m'assomment.

Nullement découragée, Miss Charlotte reprit :

— C'est dommage. Il arrive un moment où la politique vient jusqu'à notre porte et, s'il le faut, entre par les fenêtres. Deux nouveaux Etats doivent entrer dans l'Union.

— Comment ! Il n'y en a pas assez déjà ? Quel bizarre pays qui change sans cesse de forme.

— Oui, c'est un peu comme la Terre promise, quand les Juifs y sont entrés. Un bout ajouté par-ci, un autre ajouté par-là, mais c'était la Terre promise.

— Mais, nous ne sommes pas en Terre promise.

— Erreur. Beaucoup d'immigrants viennent de partout, d'Amérique et du vieux continent, pour s'établir et s'enrichir. Et comme les Juifs en Palestine, les Blancs s'installent comme chez eux dans des territoires qui ne leur appartiennent pas. Le Kansas comme le Nebraska sont terre indienne — et les Indiens, entre parenthèses, ont des esclaves. Ma chère Elizabeth, je me sens tellement savante que la tête m'en tourne.

— Nous pourrions parler d'autre chose si cela ne va pas.

— Non, tu auras ta leçon d'histoire. Donc le Kansas et le

Nebraska. Ce dernier au nord de la ligne qui sépare le Nord et le Sud sera par conséquent admis comme Etat libre. En revanche, dans le Kansas, la population votera et choisira si elle veut ou non des esclaves.

— Et les Indiens, ils voteront ?

— Que tu es naïve ! Les Indiens ne comptent pas, on finira par les expulser et les parquer dans un territoire réservé, ailleurs...

— Mais c'est indigne !

— Tu penses comme Oncle Josh. En attendant, des Fils du Sud envahissent le Kansas et s'assurent le plus de terrain possible dans la région la plus favorable à la culture du coton... Tout sera prêt pour les planteurs qui voudront venir avec leurs esclaves. Mais tu penses bien que le Nord ne se croise pas les bras. Il envoie le plus de monde possible occuper le terrain pour s'y trouver en majorité quand on votera. Les affrontements commencent, les injures, les bagarres, la guerre civile.

— Et l'accord du Missouri, Miss Charlotte ?

La narratrice redressa sa taille :

— Il a volé en éclats, petite. Wakarusa, un village indien, a été rebaptisé Lawrence par les Nordistes. Les Fils du Sud s'en emparent, brûlent la poste et quelques bâtiments. Alors — ici elle baisse la voix — apparaît le diable.

— Ah ! s'écria Elizabeth.

Le petit garçon, qui s'était tenu silencieux pendant cette instructive et mystérieuse conversation, s'appuya contre la jambe de sa mère et serra sur son cœur son Indien de chiffon en écarquillant les yeux. Betty lui avait parlé de ce méchant bonhomme.

— Un énergumène, un maniaque religieux qui se croit chargé par le Ciel de libérer les Noirs par la force. A Pottawatomie — encore un nom indien, remarque —, avec une bande de dix-huit malfaiteurs, il pénètre à nuit tombée chez des Blancs, s'empare de cinq Fils du Sud, les traîne dehors dans les ténèbres, les taille en morceaux et les mutile au coutelas. En s'enfuyant, il tue aussi des Indiens sous prétexte qu'ils ont des esclaves. Il s'appelle John Brown. Le Nord va arranger cela à sa façon et en faire un héros.

Dans le petit salon azur, cet effarant discours produisit un effet d'horreur. L'enfant jeta un cri et s'accrocha à la robe de sa mère. Toute pâle, celle-ci déclara :

— C'était en mai dernier, on en a déjà parlé, Tante Charlotte, on en a déjà beaucoup trop parlé, et vous ne devriez pas faire peur à un enfant.

— Tu as peut-être raison, mais il est toujours dans tes jupes et j'ai cédé à l'inspiration du moment, je me suis sentie contrainte de répandre la vérité. Tu sauras bien le rassurer.

Des larmes coulaient sur les joues rondes de Charles-Edouard qui regardait sa mère comme on appelle au secours.

— Tu n'as rien à craindre, lui dit-elle en l'embrassant, ne pense plus à tout ça, c'est loin, c'est fini.

— Tu crois ? demanda-t-il.

— Bien sûr, darling. Tante Charlotte, voulez-vous appeler Betty ?

Dans le balancement énergique du fauteuil, les jambes courtes de Miss Charlotte battaient l'air, mais d'un bond elle se trouva debout et courut tirer le cordon de la sonnette.

Le petit Charles-Edouard était grimpé sur les genoux d'Elizabeth et la serrait convulsivement dans ses bras. Miss Charlotte eut un rire affectueux.

— Vous vous aimez trop, tous les deux, tu sais ?

— Il n'y a pas de limites à l'amour, Tante Charlotte.

— Je le sais aussi bien que toi, moi aussi j'ai connu l'amour, mais il faut faire un homme de ce petit.

A ce moment, Betty parut, la tête prise dans un madras vert.

— Emmène Ned à la promenade sous les arbres de Bull Street, et puis, écoute : ne lui parle plus jamais du diable...

— Oh ! non, M'am ! s'écria Betty en faisant ce signe qui paraissait si bizarre à Elizabeth, comme si elle s'enveloppait le visage d'un voile invisible. Moi, je pa'le au t'ésor de son ange ga'dien.

— Quelle bonne idée ! Allons, Ned, sois gentil et va avec Betty prendre l'air.

Il y eut une courte lutte et de grands soupirs, puis le trésor céda, attrapant par un pied l'Indien en étoffe qu'il secoua d'importance comme s'il était le diable.

— Tu le déchires, ton Indien, fit Miss Charlotte.

Betty leva les yeux au plafond.

— Betty passe son temps à le 'ecoud', l'Indien de Massa Ned.

Quand tous les trois eurent disparu, Miss Charlotte monta de nouveau à l'assaut du fauteuil qui reprit son galop.

— Je vais peut-être t'étonner, fit-elle, mais l'épouvantable John Brown me fait pitié... Il a en lui un démon comme les possédés du Nouveau Testament. On sait tout sur sa famille. Sa mère et sa grand-mère maternelle sont mortes folles. Egalement frappés de démence cinq de ses cousins. Il a vingt enfants dont deux sont morts fous. Comment veux-tu qu'il en réchappe ? Il n'est pas responsable.

— Alors qu'on l'enferme dans un asile.

— Il faudrait d'abord se saisir de sa personne, mais il a sous ses ordres une troupe de fanatiques qui lui obéissent comme des soldats. Il faut dire qu'il leur donne beaucoup d'argent (elle eut un léger rire). Pour le Nord, c'est une aubaine.

— Que va faire le gouvernement ?

— Le gouvernement attend le résultat du vote, car on vote furieusement dans le Kansas et des deux côtés on triche.

— Vous êtes sans illusions, Tante Charlotte.

— Sans ! s'exclama Miss Charlotte qui se balançait à en perdre le souffle. A présent te voilà instruite sur le climat du pays.

Une angoisse cruelle prit Elizabeth à la gorge et elle se demanda si elle aurait le courage de formuler la question insupportable qui lui séchait la langue.

— Croyez-vous qu'il y aura la guerre ?

Miss Charlotte saisit le coin d'une table près d'elle pour arrêter le fauteuil emballé et ses yeux perçants se plantèrent dans les grandes prunelles bleues où se lisaient encore les indicibles frayeurs de l'adolescence.

— Ma fille, dit-elle gravement, tu retardes. Au point où nous en sommes, il est malséant de poser la question. On en sait trop bien la réponse. Alors il faut faire comme si tout allait bien. D'après Charlie Jones, on n'a jamais donné autant de bals, ni reçu plus fastueusement. Le monde craque et le Sud dîne, valse et joue de la guitare. Tu as lu *Les Derniers Jours de Pompéi ?* Non ? C'est un chef-d'œuvre. Tu devrais le lire. Il est dans la bibliothèque de Charlie, au Grand Pré. Je pourrais te l'apporter un jour, à mon prochain voyage.

Elizabeth eut un geste comme pour éloigner un monstre pestilentiel.

« Tant pis, fit Miss Charlotte. Pour une fois que je te propose une distraction... Aujourd'hui j'ai été poussée à te dire toute la vérité. Une inspiration d'En Haut. On ne doit pas résister. Mais je t'aime beaucoup et alors un conseil : si ta mère revient ici et qu'elle te propose... Pourquoi pas ? L'Angleterre est ton pays.

Elizabeth secoua la tête. Toute une partie d'elle-même vivait et respirait en Angleterre, et pendant une seconde elle se vit là-bas, la chevelure ébouriffée par le vent dans une prairie rouge de coquelicots, près de la mer, mais fuir lui faisait honte. Elle crut entendre la voix plaintive de Ned mourant : « Reste avec nous... »

« Tu es jeune, tu es très belle, reprit Miss Charlotte. J'ai raté ma vie, Elizabeth. Ne rate pas la tienne.

CHAPITRE XVII

La journée qui suivit fut rendue difficile par le jeune Charles-Edouard qui se remettait mal du récit de Miss Charlotte. Bien malgré elle, sa mère fut obligée de lui expliquer que tout cela n'était pas vrai et que John Brown n'était autre que l'ogre des contes de fées sous un nom de fantaisie. Restait le personnage du diable. Celui-là ne se montrait jamais, selon Elizabeth, qu'aux petits garçons très désobéissants, mais l'enfant avait été si troublé qu'il le voyait, comme Miss Charlotte, dans tous les coins. L'Indien en chiffon qu'il soupçonnait fortement d'être une de ses créatures devint son souffre-douleur de prédilection. Il se servait de lui pour passer sa rage et frapper le sol et les meubles, ou, par un caprice de son imagination déchaînée, il l'appelait John Brown et le martelait de ses poings. Le soir, Betty pansa les plaies de la victime avec une aiguille et du fil.

Elizabeth observait avec inquiétude le comportement de son Ned. Elle ne connaissait de lui que sa douceur et elle découvrait chez cet être encore si jeune une violence voisine de celle de l'âge adulte. Seul avantage, pensait-elle, de cette découverte troublante, elle se crut libérée du sempiternel Jonathan du soir, mais fut rappelée à l'ordre. Il fallait que la fantasmagorie fût complète dans ce jeune cerveau en ébullition. Le cavalier sur son cheval noir dut galoper comme à l'ordinaire, bravant des dangers imprévus, toujours vainqueur, toujours beau. Se débarrasser de lui en le faisant voyager au loin n'était pas pensable.

Vaincue, elle mesura la folie du jeu qui l'avait ensorcelée comme il avait ensorcelé l'enfant. N'avait-elle pas voulu rappeler à la vie son bien-aimé avec la complicité d'un innocent à peine capable de dire un mot, mais qui avait grandi et mûrissait vite ?

On eût dit qu'il pressentait le désarroi de sa mère. Le soir même, en effet, alors qu'il se couchait, il lui posa une question aussi déroutante qu'elle paraissait simple.

— Mamma, le zour ze suis Ned ? Et maintenant ?

Comme dans un éclair, Elizabeth comprit qu'il fallait se jeter dans le gouffre.

— Maintenant, darling, tu vas faire semblant avec moi d'être quelqu'un d'autre qui s'appelle Jonathan.

Il poussa un cri et lui saisit le bras.

— Mais ze suis Zonathan, Mamma, ze veux, ze veux.

— Bien sûr, mon amour, et, cette nuit dans tes rêves, tu monteras sur ton cheval noir et tu galoperas dans les bois et tu seras Jonathan.

— Avec mon épée ?

— Naturellement, pour chasser les brigands. Mais tu sais, c'est notre secret, tu n'oublies pas ?

— Oh non, mais le zour avec Betty, ze suis touzours Zonathan.

Elizabeth se ressaisit de son mieux.

— Pour Betty, tu es Massa Ned. Est-ce que ça n'est pas gentil ?

— Alors pas Zonathan ?

— Pour elle non, elle ne connaît pas notre secret, comprends-tu ? Ned c'était le nom de ton Papa qui est parti.

— Parti, répéta l'enfant. Où ?

— Je t'ai déjà dit, darling. Au Ciel.

— Pas Zonathan. Z'aime mieux Zonathan. Moi, ze suis là, ze suis Zonathan.

— Eh bien oui, fit-elle épuisée, c'est toi, c'est toi, mon...

Quelque chose la retint de dire : *mon Jonathan.*

« Mon amour, s'écria-t-elle en le serrant tout à coup dans ses bras, mon amour ! Jonathan est loin sur la route et je ne le vois plus. Ta mamma est très fatiguée, mon petit garçon, il faut dormir, dormir.

— Zonathan reviendra ?

— Mais bien sûr, darling.

Un dernier baiser fut échangé et la lumière de la veilleuse fut réduite à une faible lueur.

Seule dans sa chambre dont elle avait poussé la porte, elle se laissa tomber sur son lit.

« Qu'ai-je fait ? se demanda-t-elle. Mon Dieu, qu'ai-je fait ? »

A cette minute seulement elle se rendit compte qu'elle avait oublié la prière.

CHAPITRE XVIII

Le lendemain matin, Miss Celina vint lui souhaiter le bonjour avec un air de circonstance qui tendit aussitôt un voile de crêpe sur la lumière dorée d'octobre.

— Madame, je me permets de vous rappeler que l'enterrement de Mr. Hargrove a lieu demain.

— Demain déjà ? Mais j'ai le temps d'y songer.

— Une robe noire ?

— Certainement pas. Je ne suis pas de la famille.

— Alors nous avons un choix très varié de toilettes sombres.

— Je verrai, Miss Celina.

— Une très belle robe de soie violette.

— Non, cela vieillit et fait demi-deuil.

— Alors peut-être une magnifique robe de taffetas prune.

— Taffetas prune... Mais je verrai, je verrai plus tard. Dites à la mammie noire de Ned de venir s'occuper de lui.

Miss Celina s'inclina et disparut.

Quand *Black Mammy* parut, Elizabeth ne trouva plus les mots qu'elle voulait pour lui parler. Nounou se tenait debout, encore plus énorme que d'habitude aux yeux d'Elizabeth, encore plus noire et comme gonflée d'amour dans son immense tablier blanc qui faisait d'elle un nuage. La jeune femme aurait voulu lui dire que désormais elle-même donnerait son bain au petit Ned, mais le sourire extatique dans la face d'ébène empêchait tout.

— Moi vais laver Massa Ned, fit Nounou en brandissant un gros savon mauve. Massa Ned aime beaucoup ça.

— C'est bien, chère Mammy, va bien le laver, derrière les oreilles et tout.

— Oui, Mam' Lisbeth, moi tout fai' t'ès bien.

Elizabeth lui rendit son sourire et, le cœur un peu serré, suivit le nuage blanc qui parut flotter jusque dans la chambre de Ned encore endormi.

Tout la faisait souffrir ce matin-là. Il lui semblait ne plus rien comprendre à sa vie. Pourquoi n'osait-elle pas dire à *Black Mammy* ce qu'elle désirait ? Elle ne se l'avouait pas. Jamais elle n'avait vraiment bien regardé le corps de son fils, la nudité de son fils, et tout à coup elle le voulait, elle voulait lui caresser ses petites épaules, sa poitrine et, en même temps, elle en avait peur. Peur de quoi ? Là, elle se gardait d'aller plus loin.

— Je ne veux pas faire de peine à Mammy, dit-elle tout haut.

Cette raison devait suffire, arrangeait tout, mais elle cachait la vérité.

Les heures passèrent l'une après l'autre, et maintenant elle était assise à table dans la salle à manger verte, à côté de son petit garçon tout habillé, plus joli que jamais dans son costume de marin en toile blanche. Ses belles jambes brunes sortaient de la culotte courte et elle se sentit fière de lui. Un jour ce serait un grand garçon superbe, mais elle était bien résolue, si jamais il y avait une guerre, de ne pas permettre que l'armée le lui prenne. Déjà elle avait son plan.

Pour le moment il bavardait confusément, les yeux sans cesse tournés vers sa mère. Des affres de la veille, il ne restait rien. Si pourtant. Tout à coup, une tartine de pain grillé à la main, il s'écria :

— Mamma, ze ne veux plus qu'on parle de Zohn Brown, ze veux des histoires de personnes zentilles.

Dans leur innocence, ces paroles faillirent tirer des larmes à Elizabeth, mais elle se jugea d'une sensiblerie très ridicule et se contenta de caresser la joue veloutée de l'enfant.

La pièce autour d'elle lui plaisait par l'impression de bonheur que donnaient les murs vert clair et, d'un vert plus soutenu, les rideaux dont se drapaient les fenêtres. De même la table, où brillait l'argenterie sur la nappe blanche et dans un ordre immuable les tasses à fleurs et les pots de marmelade autour de la lourde théière noire venue droit d'Angleterre. Assise à côté d'un petit garçon babillard, elle trouvait dans ce décor amical l'oubli des idées sombres qui la harcelaient depuis quelques semaines. Elle avait le sentiment de tricher avec les menaces de l'avenir en les abolissant de sa mémoire. Rien n'existait plus que le bruit d'une cuiller contre une soucoupe et la voix claire d'un enfant qui s'embrouillait dans les mésaventures de son Indien de chiffon.

Le cœur plus léger, elle décida, le déjeuner achevé, d'aller faire un tour au jardin. Ned battit des mains. Au jardin il entrait dans un autre monde.

Beaucoup plus long que large, le jardin paraissait étroit et produisait l'effet d'un tunnel de verdure. Des massifs de fleurs aux parfums délicieusement agressifs bordaient une allée d'herbe qu'on suivait sous une voûte de jeunes sycomores élancés jusqu'à un mur où s'alourdissait un épais rideau de chèvrefeuille. A cet endroit, s'élevait dans un coin un pavillon d'un blanc cru. Les volets verts donnaient un aspect champêtre à cette habitation modeste dont une bonne partie s'étendait hors des murs et sur la rue. De dimensions surprenantes, la porte d'entrée eût fait honneur à une grange et ne manquait pas d'intriguer.

Parvenue là avec Ned, Elizabeth appela d'une voix impérieuse :

— Pat !

Aucune réponse. Le jeune Charles-Edouard joignit sa voix à la sienne pour appeler de nouveau :

— Pat !

De l'intérieur de la maison se fit entendre alors un remue-ménage de meubles renversés accompagné de jurons qu'on étouffait assez mal, puis la grande porte s'ouvrit et parut un colosse à chevelure de cuivre, mais on avait d'abord l'impression de voir un immense sourire, et derrière ce sourire il y avait l'Irlande. L'Irlande avec son visage semé de taches de rousseur et des yeux où triomphait une gaieté irrésistible dans un bleu céleste plein de malice.

— *Yes,* M'am, dit-il, beau temps, vous ne trouvez pas ?

— Pat, je trouve, moi, que le jardin s'ennuie parce que le jardinier dort, ne dites pas non.

Pat leva un bras énorme qui sortait d'une chemise à carreaux.

— M'am, le Ciel m'est témoin que j'étais dehors et que je parlais aux populations, et voilà la vérité.

— Les populations ! Vous vous moquez de moi.

— J'aimerais mieux mourir. Il y a des gens qui passent et on se dit bonjour, c'est indispensable, il faut rester amis avec les voisins pour la paix du monde, M'am.

— C'est justement à ce propos que j'ai à vous parler. J'ai reçu une plainte de notre boucher qui ne veut plus nous livrer parce que vous avez roué de coups son garçon.

— Ce n'est pas ma faute, M'am. Dès qu'il m'a vu à la porte, il a déposé la viande par terre et il a voulu détaler. C'est un froussard. Je l'ai attrapé par la jambe et je lui ai dit : « Relève-toi et en garde ! Défends ton honneur », car je suis loyal, M'am. Tous les saints anges peuvent témoigner. Je préviens toujours, et jamais un coup bas. D'abord un bon crochet à la mâchoire.

— Pat, vous me fatiguez avec votre héroïsme, il va falloir nous séparer si vous me brouillez avec mes fournisseurs.

— M'am, ils n'ont qu'à m'envoyer des livreurs capables de discuter d'homme à homme avec les poings.

Se redressant tout à coup, Elizabeth se mit à parler d'une voix si forte que Pat en leva les sourcils d'étonnement :

— Je veux votre parole d'honneur que vous m'obéirez, Pat, ou nous allons nous séparer aujourd'hui même : plus d'histoires avec les livreurs, plus de batailles. C'est entendu ?

— M'am, je vous le promets sur la tête de mon patron saint Patrick qui a chassé les serpents d'Irlande comme il en chassera un jour les Anglais.

Elizabeth ne put s'empêcher de rire et déclara :

— Les Anglais n'ont pas peur de saint Patrick, mais je laisse cela de côté et je retiens la promesse qui est formelle.

Le vaste sourire enjôleur fit de nouveau son apparition :

— M'am, je le jure sur la tête de votre petit garçon. Si vous me permettez de vous le dire, je le vois déjà à quinze ans capable de se battre avec n'importe qui, avec ses jambes de boxeur et ses bras...

— Taisez-vous, Pat. Je ne suis pas très contente de vos fleurs et la pelouse a besoin d'être arrosée.

La semonce continua, coupée de « *Yes,* M'am », « *No,* M'am » d'un Irlandais provisoirement assagi, et les fleurs furent passées en revue. Il y en avait beaucoup, mais la jeune femme exigeait la profusion.

« Il est ennuyeux votre jardin, mettez-moi un peu de folie dans tout cela, assez ne suffit pas, je veux trop de tout, il faut qu'on meure de plaisir en passant, comprenez-vous ?

— *Yes,* M'am, qu'on meure de plaisir...

— Encore plus d'héliotropes, de seringas, de lys tigrés, de jasmin à vous en étourdir l'odorat et de la couleur encore et encore. Qu'on ait l'impression d'une émeute.

De ses mains puissantes, Pat ébouriffa sa chevelure épaisse comme pour y mettre aussi de l'émeute.

— *Yes,* M'am, fit-il. Quand vous parlez comme ça, je vois mieux ce qui vous plaît, M'am.

En disant ces mots, il se rapprocha d'elle et dans ses yeux se glissa une douceur suspecte.

Elizabeth s'éloigna vivement.

— C'est bien, Pat, nous en resterons là pour aujourd'hui.

— Je regrette, M'am.

Elle fit semblant de ne pas comprendre.

— Ne vous excusez pas, mais sachez bien que je vous surveille.

Je veux du travail et un jardin qui me fasse honneur. Viens, Charles-Edouard.

Elle se dirigea vers la maison, puis se retourna tout à coup : « Et vous laissez le garçon boucher tranquille.

— *Yes,* M'am, c'est promis.

— Et tous les autres. Plus de raclées dans mon jardin.

— *Yes,* M'am, foi d'Irlandais.

La main dans celle de sa mère, Ned avait suivi cette scène sans ouvrir la bouche, mais en ouvrant les yeux aussi grands que possible. Pat dérangeait toutes ses idées sur le monde des hommes qu'il voyait ou bons ou méchants. Le jardinier était inclassable. Sa taille, la rudesse de son aspect faisaient peur, mais son sourire arrangeait tout d'une manière que Ned ne comprenait pas, car sa mère paraissait mécontente, aussi Ned préférait-il se taire.

« Cet homme est insupportable, pensait Elizabeth. A un moment j'ai cru qu'il allait me faire ce que ma mère appelle les yeux de veau, le regard des amoureux. Je ne voudrais pas le mettre à la porte, c'est un gardien idéal et puis... »

Et puis elle n'osait reconnaître que même chez cette brute elle sentait vaguement le « damné charme irlandais ». Elle lui avait plu et il était à deux doigts de le lui dire. A cause de cela elle était furieuse, moins contre lui que contre elle-même.

De retour dans le joli salon azur, elle prit tout à coup en horreur cette pièce où déjà elle avait souffert et elle ne voulait plus souffrir, pas là en tout cas. Par habitude, elle jeta un coup d'œil dans la glace au-dessus de la cheminée. En colère, comme cela lui allait ! Des mèches d'or un peu en désordre sur son front semblaient l'effet d'une coquetterie étudiée. Dans les pires moments, ce qui demeurait intact, c'était le simple bonheur d'être belle, et même très belle.

— Tu m'aimes touzours, Mamma ? demanda Ned en lui tirant la main.

— Oh toi, oui, mon amour, mais va jouer un peu avec ton Indien.

— Betty l'a pris pour l'arranger, ze l'ai déchiré en deux.

— Pourquoi, Ned ?

— C'est Zohn Brown.

Elle dut lui expliquer de nouveau que John Brown n'existait pas. A ce moment parut Miss Celina qui lui tendit une enveloppe sur un plateau.

— Un gentleman s'est présenté tout à l'heure, M'am. J'ai cru que vous étiez sortie.

— J'étais au jardin... C'est bien, Miss Celina.

— Vous pensez à demain matin, M'am ? Il faudrait essayer la robe prune.

— Absolument inutile. Je n'ai pas changé. Laissez-moi, je vous prie.

Miss Celina s'inclina et sortit.

L'enveloppe contenait la carte d'Algernon Steers avec quelques mots tracés d'une grande écriture aristocratique :

> *Terriblement désolé de mon absence tout à fait involontaire. Excuses à vos pieds...*

Elle éclata d'un rire nerveux. Après ce que lui en avait dit Oncle Charlie, elle n'avait plus grande envie de se faire assassiner par Algernon. Avec une ironie féroce, elle imagina une rencontre impossible entre Algernon et Pat, la mise en morceaux de l'aristocratie... Et pourtant, quel beau visage que celui d'Algernon !

— Mamma, pourquoi tu ris ? Tu es contente ?

— Contente d'avoir un gentil petit garçon comme toi, oui, darling.

— Ce soir, tu me raconteras Zonathan ?

Elle mit le doigt sur la bouche.

— Chut ! Pas si haut, mais bien sûr, je te le raconterai.

CHAPITRE XIX

Et il y eut le soir et il y eut un Jonathan galopant comme un fou dans des forêts sombres où ululaient des hiboux, randonnée épuisante pour la narratrice qui dormit comme elle put, poursuivie dans des cimetières par le spectre barbu et piquant de Mr. Hargrove, et les hiboux dans les bois ululant : « Petite violette d'Angleterre ! »

Et comme à l'ordinaire, le jour se leva en toute simplicité.

L'aube la vit debout, impatiente d'en finir avec la journée atroce qui l'attendait. Effacées les horreurs de la nuit, elle était aussi rose que jamais, par ce miracle indéfiniment prolongé que les dames de Savannah ne s'expliquaient pas. Elle-même tremblait parfois à l'idée que viendrait pour elle comme pour tant d'autres beautés le mélancolique moment de la poudre et des fards.

Aujourd'hui cependant, elle ne tremblait plus devant rien. Sa résolution était prise de considérer l'événement du jour comme une sorte de solennité, solennité à la vérité d'une gravité incontestable, mais quoi, quelqu'un était mort et elle était vivante. Qui n'éprouvait une satisfaction secrète à des pensées de ce genre ? Elle n'allait pas se rendre ridicule en simulant du chagrin. Entre elle et Mr. Hargrove, quelle parenté authentique ? Elle niait tout.

Dès huit heures, elle avait achevé sa toilette et sonna sa gouvernante.

— J'ai réfléchi, Miss Celina, la robe de soie prune ne me dit rien. Sortez-moi ma robe de taffetas zinzolin.

— Oh ! M'am, pour un enterrement ?

— Miss Celina, je ne suis pas d'humeur à discuter. Trouvez-moi ma robe de taffetas zinzolin dans la grande armoire, vous l'étalerez soigneusement sur mon lit, je la mettrai seule après le déjeuner.

Miss Celina fit le petit salut de tête habituel et disparut.

Par haine du débraillé, Elizabeth prit son breakfast dans son plus élégant peignoir de soie bleu de nuit. La robe de zinzolin pouvait attendre, étendue comme une princesse évanouie dans sa chambre.

Charles-Edouard, assis près d'elle, commença par lui faire un récit de visions nocturnes et disait avoir reconnu Jonathan. Gentiment elle le fit taire :

« Darling, tu sais bien que tout cela, c'est notre secret, il ne faut en parler que là-haut quand tu te mets au lit.

Peine perdue. L'enfant semblait surexcité :

— Mais ze l'ai vu, Mamma, ze l'ai vu.

— Bien sûr que tu l'as vu : dans ton rêve.

Ned attendit un instant. Tout dans son visage parut se figer, la bouche entrouverte, les yeux immobiles ne regardant rien.

— Non, dit-il, pas dans mon rêve, Mamma. Il était là.

Dans la douceur de la lumière matinale qui baignait la pièce, ces paroles prenaient une résonance dont Elizabeth fut troublée. Elle s'efforça de dissiper cette impression désagréable.

— Mon amour, ce qu'on croit voir dans les rêves n'existe pas, n'y pensons plus, ou alors je ne pourrai plus te raconter d'histoires. Voilà, ajouta-t-elle en riant, c'est fini.

La petite voix claire s'obstina :

— Il était dans la chambre, Mamma.

Jetant sa serviette sur la table, Elizabeth déclara :

— Mon petit garçon me fait de la peine, il ne faut plus parler comme cela, je ne peux plus déjeuner.

Toute tremblante, elle lut à ce moment dans le visage de Ned une inquiétude qui annonçait l'effroi, et, le prenant tout à coup dans ses bras, elle le couvrit de baisers :

« Ce n'est rien, darling, dis à ta Mamma que tu l'aimes.

Ned pleura sans pouvoir parler. Alors elle but les larmes qui coulaient sur les joues roses d'émotion.

« Moi, je t'aime, je t'aime pour deux, mon amour.

Il finit par sourire, puis demanda tout bas :

— Ze suis toujours ton Zonathan, Mamma ?

Elle sentit comme un souffle froid sur sa nuque.

— Oui, dit-elle en se maîtrisant, oui.

De retour dans sa chambre, elle se mit à marcher de long en large, la tête inclinée pour mieux réfléchir. Pour la première fois, son erreur lui apparut dans toute son énormité. La frénésie d'un amour que la mort n'éloignait pas de son cœur avait introduit dans la vie d'un enfant une manière de présence qui refusait de partir comme si elle se trouvait bien dans cette âme encore intacte.

Pendant une minute, la jeune femme eut peur : des souvenirs de contes fantastiques se lancèrent à l'assaut de sa mémoire. Toute son enfance lui criait : « Et si c'était vrai ? Si Jonathan était revenu ? » Les contes étaient pleins de cavaliers morts qui revenaient…

De rage elle tapa du pied, puis alla se planter devant la grande glace.

— Idiote ! s'écria-t-elle.

Ce jugement proféré sur elle-même la soulagea, comme s'il replaçait tout au centre de la réalité. Elle agirait, elle guérirait son enfant de ce mensonge absurde où elle l'avait plongé et du coup (mais ici quelle incertitude…) elle retrouverait elle-même tout son bon sens britannique.

Tournant la tête, elle aperçut, au fond de sa chambre, la robe de taffetas zinzolin et poussa un léger cri de plaisir. A la fois sobre et fastueuse, la couleur prune aux reflets rougeâtres s'offrait à son admiration, les manches étendues, les volants dépliés avec soin.

A dix heures, s'étant coiffée et habillée toute seule, elle était prête, les cheveux non tressés en couronne comme il eût peut-être fallu, mais un peu bouffants et presque en liberté sous une charmante petite toque de velours violet sombre qui jetait une note discrètement funèbre.

Du temps lui restait encore. Elle ferma à clef la porte de sa chambre, puis monta sur une chaise pour prendre l'écrin caché derrière une rangée de livres sur le haut d'une étagère.

Deux minutes plus tard, la parure d'émeraudes était à son cou, et, devant la grande glace, la jeune Anglaise se livrait sans retenue à une adoration de sa personne. Le ton sérieux du zinzolin servait à ravir la magnificence de ces pierres orgueilleuses où la lumière du jour se multipliait en éclairs. Devant cette image que la glace lui présentait d'elle-même, Elizabeth ne put que dire : « Oh ! » et se sentit tout à coup du sang royal lui circuler dans les veines de la cervelle aux orteils. Semblable en cela à plusieurs femmes en ce monde, les pierres précieuses lui portaient à la tête. Cette extase durait depuis un moment, lorsqu'un coup frappé à la porte fit tressaillir la contemplative énamourée. La première fois qu'elle avait essayé la magique parure ne lui semblait rien auprès de celle qui, ce matin, la transportait vers des sommets.

On frappa de nouveau.

« Un instant ! s'écria Elizabeth arrachée à son rêve. Qui est-ce ?

— Miss Celina, dit alors une voix derrière la porte. Mr. Charlie Jones fait savoir qu'il vous mènera lui-même à l'église dans sa calèche. Dans vingt minutes il sera là.

— C'est bien, Miss Celina.

Oncle Charlie, l'église, la pénible cérémonie, le monde, tout cela continuait, il fallait ôter ces pierres et, toute désenchantée, se remettre à vivre comme ceux qu'elle appelait les autres. Malgré tout, elle était sensible à l'attention du seul homme qui pût la dégriser poliment.

CHAPITRE XX

L'intérieur de l'église ne recevait un peu de jour que d'un grand vitrail aux couleurs éteintes couvrant presque tout le mur du fond. Des lampes rondes pendues à des chaînes de chaque côté de l'autel répandaient une lumière sans éclat qui incitait au silence. Le bedeau en robe noire conduisait les arrivants à leurs places, mais pour Elizabeth ce fut Charlie Jones qui se chargea de cet office.

Tout d'abord, elle ne vit presque rien, puis distingua les rangées de longs bancs fermés à droite et à gauche de l'allée centrale. Assise au bout d'un de ces sièges de bois polis, elle se demandait qui pouvait être sa voisine quand une main fine et gantée de noir se posa sur la sienne qu'elle avait laissée nue. Tournant les yeux vers la gauche, elle reconnut Susanna en grand deuil.

— Gentil d'être venue, chuchota celle-ci.

Elizabeth répondit par un sourire. Déjà mal à son aise, elle se sentit habillée comme pour un bal, mais une demi-obscurité enveloppait tout et elle eut l'impression de s'y cacher comme dans une cave.

La chaleur était forte, car à présent l'église était pleine, mais pas le moindre murmure de paroles ne s'y percevait. Seul frémissait dans le silence le léger bruit de battement d'ailes que faisaient les éventails en feuilles de palmes discrètement agités.

Cinq ou dix minutes encore s'écoulèrent dans cette immobilité de tous lorsqu'on entendit s'ouvrir à deux battants les portes de l'église ; l'assemblée entière se leva, et, dans une lumière qui lui parut aveuglante, Elizabeth, se retournant, vit entrer un prêtre en noir de la tête aux pieds, marchant derrière une grande croix de cuivre uni qui brillait comme du soleil alors que d'une voix lente aux sonorités profondes l'ecclésiastique récitait :

JE SUIS LA RÉSURRECTION ET LA VIE, DIT LE SEIGNEUR,
CELUI QUI CROIT EN MOI, QUAND MÊME IL SERAIT MORT, VIVRA,
ET CELUI QUI VIT ET CROIT EN MOI NE MOURRA JAMAIS.

Ces paroles retentirent dans les oreilles de la jeune femme avec la force d'un coup de tonnerre. Elle crut en une seconde revoir toute sa vie et ferma les yeux. Un bruit de pas les lui fit rouvrir et elle vit passer tout près d'elle le lourd cercueil drapé de noir où gisait le corps de William Hargrove que six hommes portaient vers le chœur.

Prise d'une faiblesse insurmontable, elle se laissa tomber en arrière, mais deux bras vigoureux et galonnés la retinrent dans sa chute, et elle s'évanouit. Des sels lui furent aussitôt passés sous les narines qui la firent revenir à elle brutalement, jetant la tête en arrière comme un cheval qui encense. Encore sous le choc des paroles qu'elle venait d'entendre, toute la religion de son adolescence l'envahit d'un coup, porteuse de terreur bien plus que d'espérance.

« Perdue, pensa-t-elle, perdue à cause du petit que j'ai rendu fou. »

A quelques pas de l'endroit où elle se trouvait se dissolvait dans une caisse la chair d'un homme qui l'avait aimée sans pouvoir le lui dire. Pareilles à des rubans dans des gravures anciennes, les phrases d'un psaume se déroulaient tout autour de lui comme pour lui raconter son aventure sur la terre des vivants :

« Je me suis servi de ma langue pour dire à Dieu :
Faites-moi connaître, Seigneur, quelle est ma fin,
et quel est le nombre de mes jours,
afin que je sache ce qui m'en reste encore. »

Elle eut froid malgré la chaleur qui pesait autour d'elle.

« Perdue parce que je n'ai pas assez fortement cru que j'étais sauvée... A cause du petit. »

A la fois énorme et très douce, la voix des orgues emplit l'église de son chant d'amour triste. C'était l'hymne préférée du défunt : « *Reste avec moi, voici que le jour tombe...* »

— C'est la fin, souffla Susanna dans l'oreille d'Elizabeth, l'adieu et les longues prières sont pour l'inhumation, mais tu n'y vas pas.

Ses vêtements de deuil dégageaient une légère odeur de naphtaline. Elle se pencha vers Elizabeth et lui donna un rapide baiser. Cependant, le prêtre, se retournant vers la porte, marchait vers la sortie, derrière la grande croix de cuivre, en récitant les prières pour les morts, et les six hommes le suivaient portant le cercueil avec une lenteur et des précautions qui le faisaient paraître immense.

Dans un vaste chuchotement de souliers, sur les dalles, les assistants quittèrent l'église après avoir jeté les palmes sur les bancs.

Dehors, beaucoup s'arrêtèrent sous le portique et sur les marches du perron. Les hommes en redingote et tuyau de poêle, les femmes drapées dans des châles dont les longues franges couvraient les volants de leurs robes, tous en noir de la tête aux pieds, faisaient de loin l'effet d'une tache d'encre démesurée sur la blancheur des six colonnes grecques. Pendant qu'on chargeait le corbillard empanaché et que la famille disparaissait dans des voitures funéraires, les voix, toutes contentes de pouvoir frapper l'air alors qu'une autre voix se trouvait à jamais muette dans un cercueil, échangeaient des vues sur les dernières rumeurs politiques :

— On aura beau dire, au Kansas, c'est déjà la guerre...

— Il y a un mouvement contre les étrangers, contre les catholiques, vous avez vu, on les soupçonne tous d'être aux ordres de l'Espagne.

— C'est un complot qui remonte à la fondation de la Caroline du Sud...

— N'écoute pas, dit Charlie Jones, qui avait pris Elizabeth par le bras pour la conduire jusqu'à sa calèche. Tu vas rentrer chez toi et te mettre au lit. Je passerai plus tard. Moi, il faut que j'aille là-bas avec le pauvre Willy Hargrove.

— Le Sud n'acceptera jamais, dit une voix un peu traînante, mais le ton ne trompait pas.

L'animation fut aussitôt très vive, l'objet des violences verbales se trouvant être le trop célèbre journaliste Garrison, une grande fripouille comme il en surgit toujours dans des moments de troubles. Avec la rage persistante d'un fou, il menait contre le Sud, dans son journal le *Liberator,* une campagne où il entrait du délire et beaucoup de l'éloquence infatigable du temps. John Brown semeur d'épouvante était comme la personnification de ses rêves pour activer sa haine et il se rangea résolument derrière lui. Libérer les Noirs en massacrant les propriétaires des plantations, cette vaste entreprise nécessitait des fonds.

Malheureusement pour Garrison, s'il était haï dans le Sud, il était méprisé dans le Nord. Les riches lui refusaient les grosses sommes qu'il quémandait. Cependant, il savait parler. C'était sans doute son arme la plus puissante. Là où sa plume échouait, sa langue finissait par emporter le morceau. Wendell Phillips, multimillionnaire idéaliste, se laissa séduire sans peine. Comme beaucoup d'hommes du Nord, il était contre la Constitution qui déclarait légitime de posséder des esclaves, mais, remarquait en plus le vertueux compère Phillips, la conscience est au-dessus des lois, et, en vertu de ce principe, les dollars finissaient par trouver le chemin des poches de John Brown.

Devant le portique aux blanches colonnes, Garrison passait en jugement du haut du perron, devant un tribunal de tuyaux de poêle indignés.

— Le diable est dans toute cette affaire, proclamait un monsieur au long visage devenu pâle de colère. Son dernier article du *Liberator* est un appel au meurtre. Qu'attend-on pour interdire ce journal ?

— Il y a, hélas, la liberté de la presse qui s'y oppose. On n'a aucune prise sur cette canaille.

Doucereuse comme un appel de flûte, une voix s'éleva.

— Il est, dit-on, cocaïnomane.

— Un péché plutôt qu'un délit, ce n'est pas encore par là que vous l'attraperez, fit un petit vieillard au regard malicieux.

C'était le vénérable Mr. Robertson dont les boucles d'argent encadraient un visage lisse et rose, et qui respirait une candeur admirable malgré le pétillement du regard dans les yeux d'un gris bleuté.

« Vous vous acharnez sur ce réprouvé qui au moins ne cache pas son jeu infernal. Que diriez-vous de ce que j'ai vu dans une église à Brooklyn un jour de grande affluence : monte en chaire le très révérend Beecher...

Des voix s'écrièrent en chœur :

— Beecher ! Le chef de bande des Beecher, Stowe et compagnie !

— Lui-même, en surplis et, sur les lèvres, le fameux sourire angélique dont vous avez peut-être entendu parler.

Des rires goguenards et des cris de « silence ! ».

« Aux pieds de ce ministre de l'Evangile, ou plutôt, au bas de la chaire, une vierge.

— Une quoi ? lança une voix gouailleuse de jeune homme.

Sans relever l'impertinence, le vieux Robertson poursuivit :

— D'une beauté rare, coiffée de longs voiles blancs comme pour garantir l'authenticité du titre de vierge, une jeune mulâtresse assise, les yeux baissés, les mains jointes : à vendre.

— A vendre ! une vierge, une jolie mulâtresse !

A cet endroit, un conflit de sentiments divers produisit une sorte de mugissement sourd.

Le vénérable Robertson attendit, puis continua :

— Ceux qui parmi les fidèles désiraient contribuer au rachat de cette créature si dangereusement belle et la rendre à la liberté des enfants de Dieu pouvaient déposer leur obole dans le grand plat de cuivre posé à côté d'elle, sur une chaise. Et il y eut alors ce que le révérend Beecher lui-même qualifia de sainte procession de généreux donateurs... La somme globale ainsi rassemblée fut jugée stupéfiante et reçut du haut de la chaire une bénédiction accompagnée de larmes reconnaissantes. A partir de ce moment, l'histoire devient obscure. Il y eut une disparition simultanée de la mulâtresse et des dollars. Silence, messieurs, tout n'est pas fini. Du temps passa et le révérend reparut, cette fois avec une autre vierge de couleur sous des voiles blancs. On suppose que le saint homme avait à sa disposition plusieurs beautés dont il faisait un roulement et qu'il cédait chacune au plus offrant pour une somme considérable. La même religieuse mise en vente eut lieu, je dois le préciser, dans une autre ville, mais avec le même succès grâce aux talents oratoires du célèbre prédicateur. Ne jugez pas, mais si l'on vous dit que tout cela est faux, envoyez-moi vos contradicteurs. Tout le monde sait où j'habite. Au revoir, messieurs.

D'un geste ferme, il enfonça dans sa tête son chapeau plat à larges bords. Tous s'écartèrent avec respect sur son passage, et, dans le plus profond silence, il descendit les marches et disparut.

D'ordinaire si volubiles, ses auditeurs se séparèrent sans un mot et, cinq minutes plus tard, la place devant l'église se trouva parfaitement déserte, semblable à quelqu'un qui aurait perdu la mémoire.

CHAPITRE XXI

Elizabeth entendait à peine ce qu'on lui disait. Dans un état de semi-hébétude, elle prit une main qui lui était tendue de l'intérieur de la calèche par une femme qu'elle ne reconnut pas. Jamais encore une frayeur aussi étrange ne l'avait dévastée dans toute sa personne. Affalée dans un coin de la voiture, elle tâchait de comprendre ce qui venait de se passer, mais sa mémoire butait à la seconde même où elle avait perdu connaissance. La terreur de l'enfer l'avait arrachée au monde.

Revenue à elle sans savoir comment, elle ne pouvait qu'agiter dans sa tête la certitude de sa réprobation, et sans cesse reparaissait le petit visage de Ned.

Une ombrelle s'ouvrit au-dessus d'elle, puis, longtemps après, elle eut conscience qu'une voix cherchait à l'atteindre, mais entre elle et ce bruit de paroles s'étendaient comme à l'infini des distances infranchissables. Là où elle était, l'espace était sans limites et s'anéantissait, n'était plus rien.

Quelqu'un la secouait si fort qu'elle se sentit de nouveau vivante, vivante dans son corps, mais inerte, puis on la giflait et de ses yeux entrouverts elle voyait le geste et sa tête allait dans un sens et dans l'autre, et brusquement elle sursauta. Les joues lui brûlaient et une voix cria :

— Enfin !

D'une stupeur à l'autre, elle crut reconnaître Miss Llewelyn.

— Je ne comprends pas, bafouilla Elizabeth.

— Vous ne comprenez pas ? A la bonne heure ! C'est déjà bien que vous compreniez que vous ne comprenez pas. Vous m'avez fait peur. Une syncope de plus et je vous conduis à l'hôpital.

— A l'hôpital...

— Ne répétez pas tout ce que je vous dis. C'est agaçant. Vous êtes Mrs. Edouard Jones et votre calèche vient de s'arrêter devant votre maison.

La Miss Llewelyn qui lui parlait portait un grand chapeau noir qui la rendait presque aussi imposante qu'une duchesse. Mais c'était bien Miss Llewelyn.

« Allons, disait-elle, du cran, Mrs. Jones. Ne nous donnons pas en spectacle.

Elizabeth fit un effort et parvint presque à se tenir debout, mais elle tremblait.

« Allons, fit Miss Llewelyn, descendez, Mrs. Jones.

Cet ordre agit sur la jeune femme comme une nouvelle tempête de gifles et l'orgueil la dressa sur ses pieds.

Le cocher avait sauté de son siège et, se découvrant, tendait un avant-bras respectueux à Elizabeth, mais celle-ci l'écarta.

— Seule, merci, dit-elle.

Malgré tout il fallut la soutenir quand elle voulut gravir les marches du perron. Ce fut la Galloise qui s'en chargea avec une énergie impérieuse.

A Miss Celina qui ouvrait la porte, elle ordonna d'une voix brève :

— Va préparer le lit de Madame et fais-lui servir un thé bien fort. Compris ?

En haut de l'escalier, Ned se cramponnait à la rampe et criait :

— Mamma ! Qu'est-ce qu'il y a, tu t'es fait mal ?

Elle lui fit signe de la main et murmura :

— Mon amour, sois sage, laisse-moi, je n'ai rien.

— N'essaie pas de descendre, fit Miss Llewelyn, tu vas tomber.

Lorsqu'elles passèrent enfin près de lui, il saisit la jupe de sa mère et demanda :

— Tu es à moi ?

— Plus que jamais, darling, mais il faut me laisser.

Il refusa net.

— Ze me cacherai, ze ne dirai rien.

— Il s'assiéra au pied du lit et ne bougera pas, dit Elizabeth. Laissez-le entrer.

La Galloise ne fit pas d'objection. Otant son grand chapeau qui s'arrondissait comme un toit autour de son crâne, elle se mit aussitôt à déshabiller Elizabeth avec une rapidité qui étonna la jeune Anglaise, et, moins de trois minutes plus tard, celle-ci était sous ses draps, la tête sur un oreiller, sinon heureuse, du moins vaguement rassurée par la douceur inattendue et presque maternelle d'une personne qu'elle avait crue jusqu'alors d'une rudesse de paysanne. Maintenant, elle la voyait aller et venir dans la chambre qu'elle plongea tout d'abord dans la pénombre en abaissant les stores des fenêtres.

Ned s'était déjà emparé d'un tabouret sur lequel il prit place avec une gravité d'adulte qui a saisi la situation, mais il gardait sur ses genoux son Indien de chiffon. Ses yeux grands ouverts ne quittaient pas le visage d'Elizabeth qui lui souriait sans rien dire.

— Ce n'est pas un petit garçon que vous avez là, fit Miss Llewelyn à mi-voix, c'est un amoureux.

Elizabeth regarda Ned et sourit.

— En tout cas, dit-elle, un amoureux au cœur pur.

— Je ne dis pas non, je regrette seulement qu'il n'ait pas eu un frère avec qui échanger de bons petits coups de poing.

— Hélas ! soupira Elizabeth.

La Galloise, qui rangeait les vêtements d'Elizabeth, revint près d'elle et, la main devant la bouche en un geste de comédie, chuchota gaiement :

— Remariez-vous, Mrs. Jones.

— Oh ! fit Elizabeth.

Tout à coup sérieuse, Miss Llewelyn reprit :

— Avec tout le respect que je vous dois, laissez-moi vous dire que cela me rend malade de vous voir seule dans votre charmante maison. Vous auriez toute la jeunesse de Savannah à vos pieds, si vous vous montriez un peu plus.

— Miss Llewelyn, je vous remercie de vos bons conseils, mais je crois que nous en resterons là.

— C'est bien, j'obéis, mais je laisse la parole à cette belle glace que je vois là-bas et qui vous dit à sa manière, savez-vous quoi ?

Ici Elizabeth ne se défendit plus, sa curiosité naturelle céda :

— Dites toujours, vous m'amusez.

— Elle dit tous les jours : « N'attends pas. »

Un grand silence accueillit cet avertissement proféré d'une voix déférente, car Miss Llewelyn ne perdait jamais le sentiment des distances. Immédiatement surgit dans la mémoire d'Elizabeth la terreur des premières rides qu'elle avait connue le matin même devant cette grande glace, et elle hocha la tête avec un sourire forcé.

« Peut-être ne savez-vous pas, reprit la Galloise, que, dans les salons les mieux fréquentés, on vous appelle gentiment la belle Anglaise.

Elizabeth rougit un peu.

« Puis-je aller plus loin ?

Levant les sourcils, Elizabeth attendit d'un air d'indulgence.

« Vous brisez des cœurs, Mrs. Jones.

Pendant quelques secondes, Elizabeth chercha follement la réponse qu'il convenait de faire et laissa enfin échapper une phrase qu'elle voulait ironique, mais qui touchait singulièrement à sa vie passée :

— Miss Llewelyn, la conversation avec vous est toujours instructive... Je crois que je vais essayer de me reposer un peu.

— Déjeunerez-vous ? Il n'est pas loin de deux heures.

— Je ne sais pas. Plus tard peut-être.

Pendant tout cet entretien, Ned était resté immobile, écoutant avec une attention qui lui faisait à la fois écarquiller les yeux et garder la bouche entrouverte. Sur ce petit visage cerné de boucles brunes se lisaient la perplexité et un désir passionné de comprendre. Sans doute pressentait-il que dans cet obscur langage de grandes personnes il s'agissait parfois de lui. Cela le troublait aussi de voir Elizabeth couchée comme pour dormir, alors qu'en bas il avait vu qu'on mettait la table. Déjeuner avec sa mère était pour lui un des meilleurs moments de la journée et un tel accroc donné à la trame de la vie ordinaire l'inquiétait comme un fâcheux présage.

Dès que Miss Llewelyn eut disparu, il courut au chevet d'Elizabeth. Commença aussitôt l'éternel dialogue d'amour, mais chez Ned sur un ton d'alarme :

— Mom', ze suis là.

Elle le rassura comme d'habitude, mais, ne pouvant supporter la vue de ce regard douloureux, elle ajouta malgré elle :

« Rien n'est changé, darling, ta maman va fermer les yeux quelques minutes et nous descendrons déjeuner tout à l'heure.

Il agita son Indien avec une soudaine impatience :

— Tout à l'heure ! Pas maintenant ?

Elle s'efforça de le calmer, mais il se doutait qu'on lui cachait quelque chose qui mettait le bonheur en péril, et, comme dans une bataille contre les forces mauvaises, il lança dans un chuchotement éperdu l'appel au ralliement secret :

« Zonathan, Mamma, Zonathan !

— Oh ! tais-toi, supplia-t-elle, je t'ai déjà dit...

L'enfant n'était plus en état de se taire. Presque hors de lui, il dit tout haut :

— Mais, Mamma, ze suis toujours Zonathan.

Elizabeth sentit son sang se glacer. La main sur la bouche de Ned, elle lui ordonna :

— Je te défends, je te défends...

En même temps elle put saisir des mots qui se formaient en elle-même :

« Le cœur adultère te crie son nom. »

Déjà elle avait cru entendre la phrase étrange pendant la cérémonie à Christ Church, mais confuse, et n'arrivant pas tout à fait jusqu'à elle, et maintenant elle était d'une précision redoutable.

Sans forces, elle se laissa retomber sur son oreiller, alors que Ned sanglotant allait se cacher sous son lit. Elle ne put bouger, mais voulut l'appeler : en vain, aucun son ne sortait de sa bouche et elle restait comme frappée de stupeur. De dessous le lit résonnaient des gémissements de chagrin qui la terrifiaient.

« ... pour avoir trop aimé, se répétait-elle, trop aimé. »

Revenant à elle tout à coup, elle glissa hors du lit, puis étendit le bras vers l'enfant replié sur lui-même comme un oiseau blessé, et elle tenta de le tirer jusqu'à elle.

— Non, disait-il, non.

— Pardonne-moi, darling, je t'ai fait peur sans le vouloir. Ned, mon Ned, ne fais pas de peine à ta maman.

— Zonathan, répétait-il.

Contre un entêtement de cette force, elle comprit qu'elle ne pouvait rien, dans l'immédiat tout au moins. Honteuse et désespérée, elle capitula :

— Bien, Jonathan, viens, Jonathan.

Il reparut aussitôt et se tint devant elle tout ébouriffé alors qu'elle était à genoux, près du lit. Dans ce garçon qui la regardait en silence, elle eut du mal à reconnaître son amoureux de tous les jours. L'air non pas vainqueur, mais décidé, il attendait qu'elle se levât... Les élans tumultueux dont elle se lassait parfois, où étaient-ils aujourd'hui ? Simplement il paraissait autre, comme si, d'une manière indéfinissable, quelque chose l'avait mûri. A son poing pendait l'Indien de chiffon qu'il tenait par le pied, comme un reste d'enfance chez le petit homme que le Ned habituel était en passe de devenir tout à fait.

Elle se releva. Envahie soudain par une bouffée d'indignation, elle lui dit d'une voix qui tremblait un peu :

« Tu vas te tenir tranquille dans ta chambre pendant que je me rhabille ; alors nous descendrons déjeuner. Compris ?

Il fit signe que oui.

« Mais tout d'abord, rappelle-toi que tu m'as promis le secret sur Jonathan. Nous ne dirons jamais ce nom que lorsque nous serons seuls. Te souviens-tu ?

— Mais ze suis Zonathan, fit-il buté.

— Seul avec moi, pas devant les autres. Tu as promis.

Sans répondre, il la quitta pour gagner sa chambre, et ce fut en le suivant des yeux qu'elle put mesurer l'étendue du désastre et son cœur se serra. Elle sentait trop vivement qu'elle l'avait perdu. Avec cette petite personne qui s'éloignait d'un pas si résolu s'en allait à jamais de l'irremplaçable, une tendresse dont son cœur à elle était plein et dont peut-être le petit garçon ne voulait plus. La vie changeait à cette minute même. Sans le savoir, Ned emportait son enfance avec lui en passant d'une pièce dans une autre.

Elle remit ses vêtements, mais remplaça la robe par le peignoir bleu nuit qu'elle portait à l'heure du breakfast.

CHAPITRE XXII

Comme il l'avait annoncé, Charlie Jones passa voir Elizabeth après l'enterrement, mais beaucoup plus tard que prévu. En fait, il arriva au moment du dessert, une glace à la fraise de nature à réjouir le cœur d'un petit garçon. Il n'en fut rien cependant. Le repas avait eu lieu dans un silence exceptionnel dont il errait encore quelque chose, si tant est que le silence puisse laisser après soi des vestiges pareils à des traînées d'invisible brouillard.

Charlie Jones flaira vite ce je ne sais quoi de mystérieux qui flottait dans l'air. Lui-même, en grand deuil, n'en montrait pas moins cette mine ragaillardie des hommes qui viennent de porter un de leurs semblables à sa dernière demeure.

— Ma chère Elizabeth, dit-il en s'asseyant, je devine que cette cérémonie t'a frappée peut-être outre mesure. L'Eglise anglicane a le sens de la pompe et du drame. Chez nous les presbytériens, tout est plus simple. Tu m'offres un peu de dessert ?

La jeune femme sonna et un couvert fut placé devant Charlie Jones :

« Il faut reconnaître que les prières dites sur la tombe sont interminables. Pourquoi rappeler au Seigneur que Willy est mort et qu'en bon protestant une place de choix lui est due au Paradis ? Ton garçon me paraît bien silencieux. Bonjour, Ned.

L'enfant ne répondit pas. Elizabeth prit vivement la parole :

— Il a été bouleversé de me voir étendue sur mon lit comme si j'étais malade.

— Sensible, sensible comme son cher papa à qui il ressemble de plus en plus.

— N'est-ce pas.

— Je ne sais si tu te rends compte, fit Charlie Jones en se servant largement de glace à la fraise, que tout Dimwood était à Christ Church, tous jusqu'à la bonne Souligou en serre-tête violet sombre aux cornes menaçantes comme celles d'un diable. Attends-toi à quelques visites, dont une au moins t'éblouira. A propos, j'espère que tu as mis en sécurité le paquet que je t'ai donné l'autre jour dans la calèche.

— Bien sûr, Oncle Charlie.

— Je ne veux pas faire le curieux et ne demanderai pas si tu l'as ouvert, mais sais-tu que personne n'a la moindre idée de ce que Willy Hargrove t'a légué, moi pas plus que les autres. Je brûle d'envie, comme tout le monde...

Prise de court, car elle voyait le désir de savoir étinceler dans les yeux de Charlie Jones, elle répondit au hasard :

— Vous le saurez bientôt, j'aurai des conseils à vous demander...

— Toujours là pour te servir.

Suivit une pause qui la gêna. Du coin de l'œil, en effet, elle surveillait son fils qui, les mains sur la table, semblait attendre le moment de se lever et de quitter la pièce. Jamais encore elle ne l'avait vu aussi sage ni, pensa-t-elle, aussi beau et elle dut maîtriser un terrible élan d'amour vers ce petit être devenu grave et renfermé en lui-même depuis deux heures à peine. Elle remarqua que Charlie Jones observait également son petit-fils et paraissait aussi intrigué qu'elle.

Etourdiment elle déclara :

— Je pense si souvent à la plantation que j'ai l'impression de m'y promener comme autrefois, le long de la rivière en bordure des pins.

— Tu serais reçue à bras ouverts. Bien sûr il y a quelques manquants, Minnie mariée en Louisiane...

Un nom revint aux lèvres d'Elizabeth qu'elle ne put retenir :

— Fred ?

— Oh ! celui-là, mystère... Officier de cavalerie dans le lointain Colorado, jamais aucune nouvelle, pourtant on l'aimait bien, mais son accident l'a changé.

La jeune femme baissa la tête. Un coup en pleine poitrine lui eût semblé moins pénible, elle revit le visage mince et passionné qui lui disait si bravement son amour.

Un petit cri lui échappa :

— Oh !

— Qu'y a-t-il ?

— Rien, fit-elle, les souvenirs... La grande maison avec tous ses salons, ses longs couloirs, les bals...

Elle disait n'importe quoi parce que tout à coup elle avait peur. Ned la regardait trop attentivement depuis quelques secondes comme s'il voulait se promener lui aussi dans la vieille demeure inconnue.

— Rien n'a changé, tout est pareil. A mon avis, quelques bons coups de pinceau pourraient rafraîchir les murs qui s'assombrissent...

— J'espère qu'on n'a pas touché aux jardins...

— Tu n'y penses pas, les fleurs sont d'une exubérance monstrueuse, gardénias, oléandres, rhododendrons et les...

Elle l'arrêta en se levant ; Charlie Jones et Ned firent de même. Soudain, elle avait eu le sentiment qu'elle allait trop loin dans ses souvenirs et qu'il valait mieux en rester là. Du reste, la glace à la fraise avait disparu.

Sa curiosité se réveilla pourtant alors qu'ils se dirigeaient vers le vestibule. Elle rit toute seule et dit :

— Avant de nous quitter, cela m'amuserait de savoir si la pièce ronde, interdite, est toujours là, au dernier étage, cette chambre où l'on n'ose même pas demeurer une minute.

Charlie Jones éclata de rire :

— La pièce où parlait la conscience ? Murée, elle en savait trop.

Il en riait encore en mettant son grand chapeau noir dans la rue.

2

L'AMOUR EST À RÉINVENTER

CHAPITRE XXIII

Vers la fin de cet après-midi, alors que Betty menait en promenade un jeune Charles-Edouard taciturne, Elizabeth s'étendit dans sa chambre et allait s'endormir quand Celina vint lui annoncer une visite. Pour la première fois, le visage de la gouvernante s'animait un peu en précisant que cette personne « préférait ne pas donner son nom », mais insistait pour voir Madame sans attendre.

« C'est Annabel, pensa Elizabeth, mais pourquoi ce mystère ? »

Tout haut elle répondit :

— Vous demanderez à cette « personne » de bien vouloir patienter quelques minutes.

— Dans le petit salon azur, Madame ?

— Bien sûr, fit-elle d'un ton résigné.

« Va pour mon petit enfer azur, pensa-t-elle, en arrangeant sa coiffure devant la grande glace. Si c'est Annabel, cela sera peut-être pénible, mais émouvant. Elle ne peut me porter dans son cœur, mais elle a besoin de moi pour forcer le barrage de la société. »

Sa robe de taffetas zinzolin, qu'elle avait remise, lui seyait à ravir comme le lui déclara la glace une dernière fois interrogée, et, d'un pas plein d'assurance, la jolie veuve descendit.

Au salon, elle crut devenir folle.

Devant elle se tenait le plus bel homme qu'elle eût jamais vu — pensa-t-elle. Grand et large d'épaules, le torse pris dans une tunique rouge clair barrée d'impressionnants brandebourgs, alors que des galons tressés grimpaient à l'assaut des manches (elle reconnut les manches), et les longues jambes serrées dans un pantalon de drap bleu de nuit, et, tout en haut de cet édifice humain, une tête un peu ébouriffée qu'elle reconnut dans un cri de joie.

« Oh ! Billy ! C'est toi !

Et, se jetant sur sa poitrine, elle l'entoura de ses bras et s'accrocha à lui comme à un arbre. Sans une seconde d'hésitation, il lui prit la tête dans les mains et posa la bouche sur la sienne... Laissant tomber ses bras, elle se sentit prête à défaillir.

« Que tu es devenu beau ! balbutia-t-elle enfin en riant.

— Le prestige de l'uniforme agit toujours sur les dames, fit-il avec une fausse modestie. Tu ne m'as pas oublié ?

— T'oublier, jamais tout à fait, mais quelle histoire que ma vie ! Tu ne m'en as pas voulu de la gifle que je t'ai donnée dans l'escalier ?

— Elizabeth, quand un garçon reçoit une gifle d'une jolie fille, il ne bouge pas, il attend celle qui va suivre. Et puis, tu es venue m'arranger ma cravate pour faire la paix, te souviens-tu ?

Brusquement, elle interrompit le délicieux torrent d'imbécillités :

— Billy, j'ai des raisons de ne pas aimer cette pièce où nous sommes et dont chaque porte me fait l'effet d'une oreille. Suis-moi.

Quittant le petit salon azur dans un grand chuchotis de taffetas, elle le guida dans un couloir qui traversait la maison jusqu'au bas d'un escalier intérieur assez raide. Une trentaine de marches les mena à une longue véranda protégée des jardins avoisinants par un treillage de bois peint en vert. L'entrecroisement de milliers de baguettes laissait filtrer une lumière adoucie et tout au fond, voyant sans être vu dans ce lieu à l'écart, on pouvait être sûr de n'être entendu de personne.

Ne manquaient pas les fauteuils à bascule, mais instinctivement Elizabeth et Billy préférèrent rester debout.

— Admirable décor pour entretiens secrets, fit Billy avec un rire d'étudiant blagueur. Mais je n'y retrouve pas notre Sud.

— Cela nous vient d'Espagne par la Caroline.

— Alors, disons-nous des choses espagnoles, des paroles de feu, très passionnées. Qui commence ? Moi, je me sens tout à coup pris d'une timidité idiote.

— Moi, je sens que je vais dire ce que je ne devrais pas dire, mais si je ne le dis pas, mon cœur éclatera.

— Laisse-le éclater tout de suite pour tout simplifier.

De nouveau elle se jeta sur sa poitrine, comme dans le petit enfer azur, et, le visage caché dans les brandebourgs :

— Billy, gémit-elle, pourquoi n'est-ce pas toi que j'ai épousé ?

A sa grande surprise, il répondit avec douceur en ramenant le visage d'Elizabeth à la hauteur de sa bouche rouge :

— Mon adorée, c'est qu'il y avait déjà deux hommes dans ta vie.

Elle se débattit pour se libérer.

— Billy, que veux-tu dire ? Il y avait Ned, seul au Grand Pré, qui a demandé ma main.

Avec une grâce inattendue, Billy mit soudain un genou en terre :

— Crois-tu que je sois venu faire autre chose aujourd'hui ?

Elle se pencha vers lui et lui couvrit le visage de baisers.

— Mon Billy, ne parle plus d'autre homme, j'en ai trop souffert.

D'un coup ils se relevèrent et s'étreignirent de toutes leurs forces comme si chacun avait peur que sa proie ne lui fût enlevée. Négligeant les fauteuils à bascule, ils furent s'asseoir sur une banquette appuyée au mur.

— Au point où nous en sommes, fit-il avec une gravité subite, nous nous devons toute la vérité l'un à l'autre. Peut-être n'as-tu jamais pensé que j'étais seul au monde à savoir la vérité sur ce duel qui garde encore tout son mystère à Savannah. Quand celui dont je ne te parlerai plus a prononcé ton nom, je me trouvais si près que j'ai pu l'entendre, mais personne d'autre, et personne d'autre que moi n'a pu comprendre.

Sans répondre, elle le regarda d'un air si triste qu'il en resta lui-même confondu pendant un moment, cherchant ce que pouvaient cacher ces yeux clairs d'où la joie avait disparu.

« Il y a quelque chose ? demanda-t-il enfin à mi-voix comme si un sort menaçait déjà le bonheur entrevu.

— Sauve-moi, dit-elle.

Il la prit aussitôt dans ses bras et lui dit d'une voix qu'elle ne lui connaissait pas encore :

— Je suis là pour te protéger contre n'importe quoi. Qui oserait...

— Quelqu'un sait le nom que tu ne veux pas prononcer, et ce nom lui fait du mal, l'enfant, mon petit Ned. C'est moi qui le lui ai dit. Je n'ai pas pu m'en empêcher. Voilà, c'est fait. Tu sais maintenant.

— Mais pourquoi ?

— Est-ce que je sais ? La mort ne peut rien contre l'amour. Je voulais que le petit prenne la place de l'autre.

Elle fut sur le point de se laisser glisser à ses genoux, mais il la redressa avec énergie.

— Ça, jamais ! Tu es à moi. Tu m'aimes et je t'aime. Le reste ne compte plus. L'enfant oubliera et toi, mon Elizabeth, tu verras que dans mes bras je te ferai oublier le monde entier et ses fantômes. Quand nous marions-nous ?

A la fois stupéfaite et ravie, elle balbutia :

— Mais je ne sais pas, Billy.

— Pas d'hésitations à cause de mon deuil. Pour moi, il ne compte pas beaucoup. Entre mon grand-père et moi s'élargissaient des abîmes. Rien en commun, mais il y a la société et son attachement sauvage à la tradition. Mettons dans deux mois. Pourquoi pas Noël ?

Ce nom plein de lumière la fit sourire.

— Noël, Billy, Noël !

Elle eut tout à coup douze ans et revit Noël en Angleterre. A perte de vue la campagne toute blanche, le carillon des petites églises normandes perdu dans le vaste silence de la neige.

Billy se tenait devant elle avec un sourire qui effaçait tout et l'arrachait à elle-même. Irrésistibles l'impertinent nez batailleur et ces lèvres rouges, de même que cette chevelure en coup de vent, rousse et brune à la fois ; enfin tout cet être magnifique dans ce diable d'uniforme moucheté d'or par le soleil passant à travers le grillage. Quelque chose en elle saluait le vainqueur de tous ses effrois, l'exterminateur des cauchemars, et, comme un gage de tout cela, elle remarqua, un peu au-dessous de sa taille, une courte épée qui parlait de bravoure...

Avec une candeur étudiée, elle dit tout à coup :

« En tout cas, rien ne nous empêche d'annoncer nos fiançailles, car il va de soi que nous sommes fiancés, n'est-ce pas ? Aucun délai n'est prévu pour cela, je pense.

— Quelques jours, peut-être, tu oublies que l'enterrement est de ce matin.

— Alors une semaine, pas plus. Je ne veux plus attendre.

— Ni moi, fit-il dans un furieux élan. Dire qu'un peu de drap et de taffetas nous séparent comme une muraille du plus grand bonheur de la terre...

— Beaucoup de taffetas, précisa-t-elle en riant.

— Ne m'en parle pas. Toute la nuit je vais rêver du bruit provocant de ta jupe.

Soudain, il la prit des deux mains par la taille et l'éleva au-dessus de lui en riant :

« Dis que tu es à moi, fit-il.

— Es-tu fou, tu n'as pas encore compris ? Dès que je t'ai vu tout à l'heure j'en étais sûre.

— Moi je ne pensais qu'à cela depuis la gifle dans l'escalier, il y a six ans déjà. Nous avions seize ans l'un et l'autre...

— Nous avons seize ans de nouveau, mais tu feras bien de me poser sur le sol. Tu n'entends pas ? Il vient quelqu'un.

— Il vient toujours quelqu'un, fit-il en la remettant sur ses pieds. Comme dans les comédies !

Célina parut en haut de l'escalier.

— Je ne vous ai pas appelée, Miss Celina, fit Elizabeth, d'une voix froide.

— Je m'excuse, M'am, mais Ned est dans un état d'agitation comme le soir où vous êtes sortie.

— Il faut lui dire que je reçois une visite. Vous le saviez, du reste. Il était inutile de monter.

— Excusez-moi, M'am, mais Ned nous a fait peur.

— C'est bien, vous lui direz que j'irai le voir dans un moment.

Miss Celina disparut aussitôt.

« Elle a tout entendu, chuchota Elizabeth, mais cela m'est égal. Tout m'est égal depuis que tu es là.

— Qu'est-ce qu'il a, ton garçon ?

— Billy, je l'adore, mais il m'inquiète. Je compte sur toi pour le calmer. Il est tout simplement jaloux. Il a peur que je ne m'en aille. Sauve-moi, Billy.

Elle dit les derniers mots un peu au hasard, sans bien savoir pourquoi. Ils rejoignaient ces propos qui lui sortaient parfois de la bouche inopinément. Billy ne les releva pas.

Ils descendirent au salon où Charles-Edouard attendait sa mère, son Indien qu'il tenait par un pied la tête en bas.

Le sourcil froncé, il ne disait mot, mais, quand il vit tout à coup l'officier s'avancer vers lui, une transformation immédiate s'opéra. L'enfance parut quitter ce visage émerveillé. Dans une sorte de ravissement secret, il savourait sa stupeur. On devinait qu'autour de cette petite tête bouclée le monde changeait de dimension par le seul fait de cette présence qui agrandissait le salon azur comme pour livrer passage à une armée entière. Il demandait toujours des soldats, on lui en offrait un dont il crut voir le crâne toucher le plafond.

Semblable en cela à sa mère, il vit d'abord l'uniforme et se laissa aller à l'éblouissement causé par les brandebourgs sur la tunique rouge et les galons dorés serpentant sur les manches, et découvrit ensuite tout en haut de ce monument de splendeur le sourire qui s'adressait à lui personnellement et reconnaissait son existence. Du coup il lâcha son Indien.

— Mr. Charles-Edouard Jones ? demanda la colossale présence d'une voix suave.

Et une main lui fut tendue dans laquelle il logea gravement la sienne.

A ce moment, il aperçut sa mère qu'il n'avait pas remarquée tout d'abord et lui fit un léger sourire qu'on eût pu qualifier de correct et même de viril. Les grandes exclamations amoureuses ne convenaient pas devant le déploiement des forces armées. Cependant, Elizabeth s'inclina vers lui et, d'une voix très douce, lui dit à l'oreille comme un secret — encore un secret :

— Sois bien gentil avec le lieutenant William Hargrove qui te fait l'honneur de te serrer la main. Un jour, il va être ton papa.

Charles-Edouard la fixa des yeux dans un effort pour comprendre et, pour faciliter cette opération, il fronça le sourcil, devenant tout à coup quelqu'un avec qui il ne convient pas de badiner.

— Papa est parti, dit-il tout bas.

Comme prise au piège, Elizabeth rougit.

— Quand le papa d'un petit garçon s'en va, la maman demande à quelqu'un d'autre de se mettre à sa place, comprends-tu ? Afin que le petit garçon ne soit plus sans un papa. Seule la maman ne se remplace pas, mais tu seras fier d'avoir un papa en uniforme. La plupart des petits garçons ont un papa en civil, tandis que toi, un officier...

— Ze le verrai tous les jours ?

— Peut-être pas tous les jours, mais souvent.

L'aparté dut sembler long au lieutenant Hargrove, car il vint se placer debout, les jambes écartées et les mains derrière le dos, tout près de ces deux personnes chuchotant comme des conspirateurs.

— Je suis accepté ? demanda-t-il narquois.

De nouveau les yeux marron se mirent à briller d'admiration et un sourire acheva d'éclairer le petit visage volontaire. Le prestige de l'uniforme agissait une fois de plus et fortement.

Elizabeth eut un petit rire joyeux :

— Cela m'a tout l'air d'un oui inconditionnel, fit-elle en se redressant. Dis oui, Charles-Edouard, et fais honneur à ta maman.

— Oui, fit-il.

— Oui qui ? demanda Billy.

A leur surprise à tous les deux, il répondit :

— Oui, lieutenant Hargrove.

— Bien répondu, fit Billy. C'est ainsi qu'on se parle entre hommes.

Il prit son shako et sa badine posés sur une chaise.

— Je retiens l'armée à dîner, fit Elizabeth.

Mais elle avait beau faire : l'usage voulait que le lieutenant Hargrove fût présent à la réunion familiale chez Charlie Jones où devait avoir lieu, en mémoire du défunt, un de ces repas funèbres qui tournent presque toujours à un joyeux rassemblement de rescapés.

Sur le pas de la porte, ils s'étreignirent éperdument.

— Demain matin, à dix heures, je viens te chercher en tilbury et je t'emmène en promenade, veux-tu ?

Si elle voulait... De nouveau des baisers sans retenue devant un Charles-Edouard observateur et attentif.

La porte refermée, Elizabeth se retourna et vit son fils immobile, ses grandes prunelles brillantes pleines de questions.

— Ze ne serai plus Ned Jones ? demanda-t-il.

— Tu seras Ned Hargrove-Jones, darling. C'est un joli nom, tu ne trouves pas ?

Une fois de plus, il prit l'air sombre qui aide à réfléchir, puis d'une voix résolue il déclara :

— Mais ze suis touzours Zonathan.

CHAPITRE XXIV

Avant dix heures, le lendemain matin, le tilbury était devant la maison, attelé à un trotteur gris pommelé. Billy eut à peine le temps de sauter de son siège qu'Elizabeth se trouvait au bas du perron. Folle d'impatience et folle d'amour, elle attendait dans une robe de taffetas gorge-de-pigeon qui faisait tout autant de bruit que sa robe de la veille.

— En retard, misérable ! lança-t-elle gaiement.

— En avance, atroce petite Anglaise adorée !

— Au premier rendez-vous, être en avance, c'est être à l'heure, fit-elle lorsqu'elle fut à ses côtés. Vite, en route, vers quel paradis ?

— Bonaventure.

— Voilà des années qu'on me fait luire ce nom devant les yeux.

— Le nom est de bon augure.

Un soleil de fête brillait dans l'azur et jamais Elizabeth ne s'était senti le cœur plus léger. Elle se serrait contre Billy, lui disant n'importe quoi, et il répondait de même.

— Pour nous deux, la vie commence, fit-elle. Tout ce qui est derrière nous n'existe plus

— Dans mon cas, c'est très facile, j'oublie des années de bonheur stupide.

— Dorcas ? fit Elizabeth en pouffant de rire.

— Comment ? Tu t'en souviens ? Un millionnaire de la Louisiane me l'a enlevée un soir dans une calèche à blason.

Ils riaient si fort que le trotteur lui-même sembla prendre part à leur gaieté, car il dressait les oreilles et ne demandait qu'à prendre le galop. En moins d'un quart d'heure, ils se trouvèrent à l'entrée des jardins de Bonaventure. Le tilbury fut confié à des Noirs, gardiens de voitures, et deux amoureux de plus sur la terre allaient s'enivrer de romantisme sous des arbres d'un siècle passé.

D'interminables allées de chênes verts se croisaient au bord d'un petit fleuve tranquille dont les eaux brunes se mêlaient plus loin à celles de la Savannah River.

Dressés comme des rangées de titans les uns en face des autres, ces piliers gigantesques allongeaient des branches puissantes qui s'enchevêtraient au-dessus des promeneurs pour former une voûte épaisse d'où pendait en rideau vert-de-gris la tenture fragile de la mousse espagnole ; on eût dit des haillons aux franges déchirées, et cette végétation étrange remuait au moindre souffle venu de l'Océan, offrant un aspect funèbre dont on finissait par sentir le charme. Ailleurs le soleil dévorait les pavages dallés le long de la rivière, mais, dans la fraîcheur des tunnels de verdure, les plus bavards baissaient naturellement la voix et se laissaient gagner par la magie de l'ombre.

A cette heure du jour, les jardins étaient vides, alors qu'ils étaient courus la nuit de couples aventureux.

— Seule ici avec toi, murmurait Elizabeth. Si c'est un rêve, qu'on ne se réveille pas !

— Je t'en ferai faire de plus beaux, répliqua Billy sur le même ton. Tu vas voir.

Parvenus au bout de l'avenue, ils en prirent une autre qui allait à rebours sous un égal enchevêtrement de branches et de feuillages, et la mousse espagnole leur frôlait parfois les oreilles. A un endroit, Billy s'arrêta.

« Regarde en bordure du chemin ces briques alignées tout droit ; à l'intérieur tu ne vois qu'un énorme fouillis d'arbres sauvages mais, là, s'élevait jadis une vaste demeure, un palais, dont ces briques marquent la limite. L'histoire de tout cela est amusante. Si tu veux, je te la raconte.

Elle voulait bien tout ce qui plairait à l'ensorcelant narrateur.

« Vers 1760, un certain colonel anglais venu de Charleston se promène dans ces parages déserts, mais il y a le site. Il voit, il a le coup de foudre, il achète. Un grand ruissellement de pièces d'or, et Bonaventure sort de terre. Que de fêtes, que de banquets ! Je ne sais pas décrire, mais imagine, quand le colonel marie sa fille. L'aristocratie de tout le pays, le torrent d'inepties sous les lustres dans le charivari des danses, bijoux, beautés, intrigues, la grande parade des dindes et des paons, enfin tout, le monde, la société quoi ! Tu imagines ? Superbe ! Tu suis ?

— J'y suis, Billy, va toujours.

— Un soir que tout cela dîne et pérore, un laquais vêtu comme un amiral vient dire quelques mots à l'oreille de Tattnall, le gendre : « Sir, je vous supplie de m'excuser, le feu a pris aux greniers. — Eh bien, c'est tout simple. Fais porter la table sur la pelouse, en bordure de la rivière. Nous achèverons de dîner là-bas. » Se levant alors, il fait part à ses invités de l'idée qui lui est venue de continuer le repas au bord de l'eau, sous le ciel étoilé, et tous, un peu surpris, le suivent en devisant. Des serviteurs en livrée placent la table et la dressent avec une rapidité foudroyante, et, le temps qu'il faut pour le dire, ils dînent sous la lune d'été à la lumière des flambeaux. Ce caprice leur paraît d'une fantaisie mirobolante et ils en rient et plaisantent, lorsqu'ils voient soudain les flammes se pencher par les fenêtres du dernier étage, comme pour les regarder dîner. Etant tous fort légers et fort courageux, et beaucoup trop loin de la maison pour être en danger, ils rendent un hommage vibrant au sang-froid de leur hôte. Les flammes, paraît-il, brillaient sur les verres tandis qu'ils lui portaient toast sur toast. La maison flamba très convenablement jusqu'au petit jour et il n'en resta rien. Allons voir les jardins fleuristes, ils sont renommés pour leurs japonicas.

Elizabeth ne put répondre tant ce récit l'avait frappée, mais elle fit oui de la tête et il la prit par la taille pour la mener doucement vers un coin isolé du parc où des fleurs tombaient en avalanche du haut d'une petite terrasse.

« C'est de là, expliqua-t-il, qu'on a la vue la plus souvent remarquée des voyageurs.

Ils s'arrêtèrent un instant, et le silence autour d'eux leur parut si beau qu'ils hésitèrent à le troubler. De là où ils se tenaient, ils apercevaient au loin, au-delà de vastes étendues d'eaux et d'herbages, la ville entière blottie dans ses arbres avec ses maisons blanches, et qui respirait la joie de vivre sous ce ciel d'octobre radieux.

Ce fut Elizabeth qui parla la première, d'une voix semblable à un murmure :

— Ici, dit-elle en s'appuyant contre Billy, comme on se sent loin de tout... Je voudrais ne pas oublier cette minute.

— Tu n'arriveras jamais à compter celles qui t'attendent avec moi, beaucoup plus intéressantes encore. Laisse arriver l'avenir que je te prépare, fit Billy d'un ton viril. Allons voir le pays du haut de la terrasse. Tu n'en croiras pas tes yeux.

Comme ils avançaient vers l'angle du parc où se dissimulaient quelques marches derrière des murailles de fleurs, elle eut le sentiment que le froissement de sa robe de taffetas griffait et cisaillait le précieux silence et que cela agaçait l'oreille de Billy.

Il eut, en effet, un petit rire :

« Cette jupe et ce bruit, si tu savais ce qu'ils éveillent en moi, ma chérie, tu aurais peur !

— Peur !

— Oh ! ne crains rien, c'est pour rire, mais avec quel furieux plaisir, un soir, je te l'arracherai pour la faire taire.

— Oh ! Billy, je ne la porterai plus.

— Si, mon amour, porte-la, elle m'a mis en rage la nuit dernière, parce que dans mes rêves tu étais là et j'étreignais du vide, mais je mourais de bonheur. Comprends-tu ?

— Non.

— Peu importe, mais je t'expliquerai, je t'expliquerai tout. Allons toujours. A présent tu vois quelque chose sur la terrasse ?

— Une sorte de pavillon grillagé...

— Un pavillon de style oriental, avec un toit arrondi.

— C'est très joli, un peu bizarre.

— Une fantaisie de Tattnall qui venait y prendre son café et lire son journal. Nous allons y passer un petit moment, tu verras comme nous y serons bien pour admirer la vue dans tous ses détails.

Le souvenir de la sapinière du Grand Pré passa comme un trait dans l'esprit d'Elizabeth, elle se revit dans les bras de Ned.

— J'aimerais mieux rentrer maintenant à cause du petit qui m'inquiète toujours un peu.

Il lui prit les deux mains et la regarda dans les yeux :

— Dis la vérité, Elizabeth, tu te méfies de ton Billy ?

— Pas du tout, ce serait plutôt de moi...

— A quoi penses-tu ? Dans un lieu public ? Moi en uniforme...

Ils firent encore quelques pas et soudain, lui saisissant la tête des deux mains, il appliqua sa bouche sur la sienne avec la même voracité que Ned et comme dans le petit bois, six ans plus tôt, et elle eut l'impression que tout entière elle s'anéantissait, corps et âme, dépossédée d'elle-même, dans ces bras qui la retenaient de tomber.

Cette sensation étrange, elle ne l'avait eue qu'une fois avec cette intensité effrayante et délicieuse. Avec Ned, les fois suivantes n'étaient plus qu'une répétition affaiblie de la première. Le vertige manquait… et plus tard avec Jonathan, mais elle écarta ce souvenir.

— Faudra-t-il attendre encore longtemps ? demanda-t-elle lorsqu'il l'eut libérée.

— Non. J'ai réfléchi. Je n'admets pas que les conventions mondaines fassent obstacle à la nature et à l'amour… J'arrangerai tout, mais n'aie pas peur de moi dans le petit pavillon.

Ils montèrent une dizaine de marches qui s'arrondissaient autour d'un monceau de fleurs dont le parfum, d'une douceur lourde et capiteuse, tournait déjà la tête à la jeune femme plus impérieusement qu'à son amoureux. Elle s'accrochait à son bras et, fermant les yeux, titubait de désir. La voix qu'elle entendait si distinctement aux instants difficiles lui répétait avec insistance de ne pas s'attarder, mais elle n'était plus maîtresse d'elle-même.

Le pavillon qu'ils atteignirent était plus grand qu'il ne semblait d'en bas. Construit à l'imitation des kiosques dans les jardins du Sérail, il comportait cinq ou six petites fenêtres dont les grillages s'ouvraient ou se refermaient selon qu'on voulait s'abriter du soleil ou décourager la curiosité des promeneurs. Coiffé d'une coupole en forme d'oignon, il était orné à l'intérieur de guirlandes de roses sur un fond vert sombre et de larges banquettes capitonnées faisaient le tour des parois en octogone.

Dès qu'Elizabeth eut mis le pied dans ce petit salon exotique, elle pensa : « Je suis perdue. »

Mais, contrairement à ce qu'elle redoutait, Billy se tint debout devant une des fenêtres et d'une voix tranquille lui désignait tous les édifices de la ville qui se cachaient dans l'océan de verdure.

« Savannah, la ville-forêt, dit-il. Es-tu sûre que tu t'y plairas, ma chérie ? Car nous habiterons là, pour toujours.

— Avec toi, Billy, où ne serais-je pas heureuse ?

— Vois-tu le port, là où les mâts des grands vaisseaux se balancent ?

Elle fit signe que oui et, le saisissant par le bras, elle lui dit d'une voix altérée :

— Billy, c'est plus fort que moi, je sens qu'il faut nous en aller d'ici.

Il l'attira contre lui et lui caressa le visage :

— Qu'y a-t-il ? Pourquoi es-tu si pâle tout à coup ?

— Fatiguée, murmura-t-elle.

Il lui donna un baiser et demanda :

— Tu as encore peur de moi ? Tu ne m'aimes pas ?

— Oh ! Billy !

Elle se sentit prise d'un étourdissement et mit les deux mains autour du cou de Billy pour se retenir.

« Je ne t'aime que trop, mais il faut partir.

— On n'aime jamais trop. Mais, tu as peut-être raison. Il faut partir.

Et il ajouta simplement :

« Je brûle.

Presque sans effort, il la souleva du sol et la porta dans ses bras jusqu'à l'escalier dont il descendit les marches avec une agilité d'acrobate. La tête sur son épaule et les deux mains derrière son cou, Elizabeth pouvait se croire dans un de ces rêves qui hantaient sa solitude.

« Heureuse ? lui demanda-t-il à l'oreille.

Elle ne répondit pas. Dans la griserie des fleurs qu'elle frôlait en descendant, elle se sentait incapable d'ouvrir la bouche, mais, quand Billy la posa sur le sable du jardin, elle revint de son étourdissement et dit en riant :

— Encore une minute à ne jamais oublier !

— Et sur les marches d'un escalier comme jadis chez Charlie Jones, répliqua-t-il.

Ils riaient encore et se dirigeaient vers la sortie quand une voix très distinguée les héla d'une des grandes allées de chênes verts. C'était Mrs. Harrison Edwards qui venait vers eux en agitant un bras nu jusqu'au-dessus du coude. Vêtue de mauve et coiffée d'un large chapeau bergère à rubans noirs, elle marchait d'un pas rapide avec un sourire mutin sur un visage illuminé de curiosité.

— Quelle miraculeuse surprise ! s'écria-t-elle de loin. Notre délicieuse Elizabeth à qui j'avais promis de lui montrer Bonaventure succombant au prestige militaire ! Lieutenant Hargrove, je vous en veux à mort, mais je vous trouve superbe dans tout ce rouge.

A chaque pas, elle multipliait les reproches et les compliments. Soulagée d'avoir suivi ses prémonitions, Elizabeth s'efforça de faire bonne figure et tendit la joue à la reine de la société qui fonçait sur elle, agitant un petit doigt moqueur.

« Traîtresse, je vous y prends, et j'en suis ravie pour vous. Lieutenant, que dois-je supposer ? Mes félicitations viendraient-elles trop tôt ?

— Madame, supposez ce qu'il y a de plus simple et vous serez tout près de la vérité, mais gardez-la pour vous, s'il vous plaît.

— Sur mon honneur, mystérieux jeune homme. Je me faisais une telle joie de faire voir à Elizabeth le délicieux kiosque turc à deux pas d'ici, mais peut-être déjà...

Elizabeth lui coupa la parole :

— Hélas ! on m'attend déjà chez moi et je dois rentrer.

— Ah ! quel dommage ! Nous prendrons rendez-vous pour une autre fois. Miss Furnace raconte à merveille l'histoire de ce bijou architectural. Elle a été pendant un mois l'invitée du Sultan, qui a tenu à lui montrer lui-même les féeriques jardins de Topkapi et les fabuleux petits pavillons d'où l'on voit couler les eaux du Bosphore. C'est un morceau de choix de cette grande voyageuse qui a séduit la ville par ses talents et l'incroyable richesse de ses souvenirs. Sa description des harems est par-dessus tout un régal. Mais je vous retiens. A bientôt, très chère, et vous, lieutenant, ayez soin de notre belle Anglaise.

Avec un beau geste de bras, elle dit adieu et disparut. Elizabeth et Billy se regardèrent.

— Elle a tout vu, dit-elle.

— Tout, fit-il. Du fond de cette sombre avenue, elle nous a aperçus alors qu'en plein soleil nous sortions du pavillon et que je te portais dans mes bras, comme un enfant. Et ce qu'elle n'a pas vu, elle le reconstituera.

— Billy, demain, la ville entière saura.

— Non, ma chérie, pas demain : ce soir.

— Quel désastre !

— Au contraire : cette dame me force la main. A présent, tu vas écouter Billy sans essayer de comprendre. Je ne te demande que d'obéir.

— N'importe quoi, pourvu que nous soyons l'un à l'autre.

— Alors je te ramène immédiatement chez toi et je quitte Savannah au grand galop... Il faut gagner de vitesse. Ne dis rien, ne pose pas de questions. Tais-toi. T'en sens-tu capable ?

— C'est cruel.

— Notre bonheur est à ce prix...

— Entendu, mais je ne vivrai pas.

— Pas de tragédie, mon amour. Fais confiance à Billy.

D'un grand pas martial, il l'entraîna vers le tilbury. Elle ne pouvait le suivre qu'en s'accrochant à son bras et, plutôt qu'elle ne marchait, elle sautillait.

En quelques minutes, ils atteignirent la maison d'Elizabeth, et là ils se séparèrent, mais, devant son visage inquiet, il eut un élan et lui dit :

« Regarde-moi, mon amour, ai-je l'air d'un homme incertain, tourmenté, battu ?

Elle vit alors ses yeux et tous ses traits s'éclairer, puis le sourire de joie radieuse d'une jeunesse triomphante. Sans un immense effort pour se retenir, elle se fût jetée dans ses bras.

« Tu verras, dit-il, avec un rire d'écolier. Le bonheur vient à tire-d'aile.

Les yeux mouillés de larmes, elle riait aussi.

CHAPITRE XXV

Chez elle, tout allait de travers. C'était toujours la même chose quand elle s'absentait, malgré les efforts de Celina. Une fois de plus, le garçon boucher s'était vu meurtri de coups de poing par le jardinier et, le nez en sang, avait juré de ne plus revenir.

Quant à Charles-Edouard junior, il inquiétait la gouvernante par son mutisme et ses airs farouches. Elizabeth put le constater elle-même dans la salle à manger où il attendait la coupable. Il boudait à ravir avec les roueries d'une grande personne. Sans aller jusqu'à détourner la tête quand sa mère parut, il baissa un petit visage renfrogné.

— Qu'est-ce que tu as ? lui demanda-t-elle exaspérée.

— Moi, rien du tout, Mom'.

La voix était nette et calme, l'enfance n'y était plus, ni la tendresse. Elizabeth eut l'impression d'un effondrement : entre elle et son fils disparaissait la complicité de l'amour.

Elle souffrit. Prendre le petit garçon dans ses bras n'eût rien arrangé, rien... elle avait affaire à un jaloux. Jaloux du militaire qu'il avait pourtant admiré.

Deux heures sonnèrent. Un domestique noir dressait la table pour le déjeuner.

— Un couvert, fit-elle doucement. Mr. Ned déjeunera et je m'assiérai à ma place, mais je ne déjeunerai pas.

Debout à la fenêtre, l'intéressé surveillait les allées et venues dans le square. Avec une sorte de violence il tourna la tête et regarda Elizabeth. Le coup avait porté et elle lut sur sa petite bouche entrouverte la phrase qu'il allait prononcer : lui non plus ne déjeunerait pas, mais elle déjoua aussitôt la manœuvre :

« Vous servirez d'abord les beignets au maïs.

Ned se tut. Les beignets au maïs étaient une de ses faiblesses majeures.

Quelques minutes s'écoulèrent dans le silence encore un peu lourd d'un orage qui s'éloigne ; enfin, Ned put s'asseoir à côté de sa mère qui, très droite devant une assiette vide, observait du coin de l'œil le comportement de l'adversaire. Un beignet, puis deux furent expédiés. Elizabeth fit signe d'en servir un troisième et un timide sourire vint creuser les fossettes dans les joues rondes et roses du vaincu.

— Tu n'as pas faim, Mom' ?

— Non, darling, tu vois je te donne le beignet qu'on devait me servir.

Ned garda pour lui ses réflexions et fit disparaître le beignet supplémentaire, après quoi, se profila l'ombre d'un armistice. Elizabeth, toujours impassible, entendit, poussé à mi-voix, l'appel de détresse :

— Zonathan, Mom'.

Elle ne bougea pas. Sa résolution était prise. Le cœur battant, elle porta enfin un doigt à la bouche et chuchota d'un ton ferme :

— Il est parti et ne reviendra plus.

Un silence massif suivit cette formidable nouvelle. Elle attendit un instant, mais n'obtint pour réponse qu'un regard de défi.

CHAPITRE XXVI

Partagée entre le souci que lui causait Ned et la joie qu'elle devait à son amoureux, elle ne savait que faire de sa personne, de son temps. Ned, de moins en moins son petit garçon et de plus en plus son fils, se trouvait pour le moment aux mains de Betty qui l'emmenait à la promenade. De ce côté, elle pouvait se croire tranquille, et puis le souvenir des heures passées avec Billy effaçait tout, malgré les langueurs du désir, supplice affreux et merveilleux. Vers la fin de l'après-midi, elle décida de prendre l'air dans l'interminable Bull Street. Seule, elle ne s'y rendait pas souvent, car au déclin du jour ce lieu favori de la société se muait progressivement en salon. Elle s'y risqua pourtant.

Une brise légère venue de l'Océan remuait le feuillage des grands sycomores et la lumière plus douce éparpillait sur le sol de petites taches d'or pâle. Le nombre des promeneurs augmentait, et cela tournait à une parade de minuscules ombrelles et de chapeaux en tuyau de poêle ; tout ce qu'Elizabeth redoutait, car elle restait sauvage, mais elle allait bravement pour ne pas demeurer en compagnie d'elle-même, pour ne pas réfléchir trop, seule chez elle.

Dans sa robe vert clair qui mettait en valeur sa chevelure riche et dorée, elle se savait très belle et feignait d'admirer la splendeur des arbres séculaires penchés au-dessus du monde élégant de la ville, mais elle ne put s'empêcher de voir que plusieurs personnes la saluaient d'une façon plus marquée qu'à l'ordinaire. Parmi les agréables, Algernon Steers se permit de lui faire au passage un plongeon où elle crut détecter un soupçon d'ironie, ou l'avait-elle rêvé ? Elle remercia d'un imperceptible geste de la tête.

« Quelle insolence ! », pensa-t-elle. Mais comme il était beau.

Elle en fut frappée et chassa aussitôt cette constatation inopportune comme si le diable la lui soufflait. Néanmoins, elle se sentait de plus en plus troublée par l'intérêt que provoquait sa présence, et brusquement rebroussa chemin pour quitter l'avenue et rentrer chez elle.

A peine eut-elle fait dix pas qu'elle se trouva nez à nez avec Mrs. Harrison Edwards. Plus fastueuse que jamais dans une robe de tussor jaune clair, elle remontait l'avenue en sens inverse et poussa une exclamation :

— Vous ! Quelle joie inattendue ! Figurez-vous qu'à l'instant même je pensais à vous et ô surprise ! vous apparaissez.

— Oh ! je ne fais que passer, je rentrais chez moi. J'avoue que tout ce monde...

— Pas si vite, chère Elizabeth. Vous m'accordez quelques minutes ?

Par un geste d'une familiarité discrète elle lui passa un bras sous le bras.

« Tout ce monde, dites-vous ? Qu'il ne vous gêne pas si son attention se dirige vers vous.

— C'est justement...

— C'est justement quoi, très chère ? On vous remarque, on vous sourit, on est heureux que vous soyez heureuse, car on a tout deviné.

— Oh ! s'écria Elizabeth indignée, votre parole d'honneur ?

L'admirable bras rond se retira un peu, mais pas tout à fait.

— Que voulez-vous dire ? J'ai trop d'amitié pour vous pour me vexer, mais votre naïveté m'effraie un peu. Ne savez-vous pas que Savannah est la ville la plus curieuse et la plus attentive du Sud et croyez-vous pouvoir passer inaperçue en tilbury avec un fringant jeune officier, une fois à l'aller vers Bonaventure et une fois encore au retour ?

Le rouge monta d'un coup au visage d'Elizabeth.

— Je ne vois pas ce que cela peut avoir d'extraordinaire. Billy et moi, nous nous connaissons depuis l'âge de seize ans.

— C'est ce qui rend la chose si touchante, ma chère Elizabeth, le mot de fiançailles est sur toutes les lèvres. La société entière soupirait de tristesse à vous voir prolonger le veuvage. Pour un peu, on vous aurait applaudie dans la rue ! Tous deux jeunes et beaux et si romantiques !

Encore toute rose de confusion, Elizabeth cherchait follement quelque chose à dire. Elle aurait voulu planter là Mrs. Harrison Edwards avec la société tout entière et s'enfuir à toutes jambes, mais le bras sculptural qui la retenait était d'une vigueur insoupçonnée.

— Je vous remercie, murmura-t-elle.

— Me remercier ! Vous voulez rire. Qu'ai-je fait ? Vous permettez que je vous embrasse. Je veux être la première.

Et, sans attendre la permission, elle saisit les deux mains d'Elizabeth et, du bout de ses lèvres peintes avec art, toucha la joue qui gardait encore miraculeusement un peu de sa fraîcheur adolescente.

Elle savait parfaitement qu'on s'arrêtait autour d'elle et d'Elizabeth et qu'en les observant comme sur la scène d'un théâtre on comprenait tout, mais elle n'avait rien dit. La parole d'honneur à peine endommagée pouvait encore servir.

CHAPITRE XXVII

De retour chez elle, la jeune femme se sentit perplexe comme elle ne l'avait jamais été. Tour à tour très heureuse et consternée, elle allait et venait dans ce qu'elle appelait toujours son petit enfer d'azur, essayant de comprendre la mystérieuse conduite de Billy. Où était-il ? Quand reviendrait-il ? Allait-il vraiment l'épouser ? Et tout à coup elle revoyait le merveilleux sourire qu'il lui avait fait en la quittant, et elle riait de bonheur.

Elle sonna la gouvernante :

— Où est Billy ? demanda-t-elle.

Celina ne répondit pas, mais dans ses yeux au regard d'ordinaire absent monta comme une vague de douceur humaine. Avait-elle connu, elle aussi, les anxiétés de l'amour ? Quels secrets l'habitaient ? On ne savait presque rien d'elle sinon qu'elle venait d'une région connue d'Europe centrale et que, pour des raisons politiques, on l'avait chassée de son pays. Comme tant d'autres persécutés, elle s'était réfugiée en Amérique. Quoi qu'il en fût, elle feignit d'avoir mal compris :

— Mr. Ned est avec sa *Black Mammy* qui va lui donner son bain.

Prise de court, Elizabeth déclara d'une voix brève :

— A partir d'aujourd'hui, c'est moi qui lui donnerai son bain. Montez le dire à Mammy, Miss Celina. Je serai là-haut dans un instant.

Celina fit un signe de tête et se retira, laissant sa maîtresse tout étonnée de ce qu'elle venait de dire. Bien des femmes tenaient à baigner elles-mêmes leurs enfants encore tout jeunes. D'une main soigneuse et un peu rude, sa mère ne l'avait-elle pas lavée jusqu'à l'âge de sept ans ? Sans bien savoir pourquoi, Elizabeth se refusait à agir de même. Elle ne voulait pas s'avouer qu'elle n'osait pas, et puis cette fois-ci, cédant à une impulsion venue du plus profond d'elle-même, elle avait donné cet ordre à Celina.

« Sottement », se dit-elle.

Elle monta.

Attenante à la chambre de Ned, la salle de bains était une petite pièce dallée de rouge sombre. Elle prenait jour sur le jardin par une fenêtre aux rideaux de toile blanche. Des plaques de porcelaine ornée de fleurs protégeaient les parois jusqu'à mi-hauteur. Rien de triste entre ces murs où la lumière tombait sur une baignoire aux gros robinets de cuivre et sur un tub et un porte-serviettes.

Elizabeth entra d'un air résolu.

A genoux, tout enveloppée de blanc, l'énorme mammy noire était en train d'ôter à Ned son costume marin. Levant vers sa maîtresse son visage d'ébène où brillaient le blanc des yeux et les dents que découvrait un large sourire, elle fit entendre sa voix d'une douceur irrésistible :

— *Yes,* M'am, Miss Celina m'a dit, mais Mammy sait mieux laver les petits.

— Mammy, il faut m'obéir, répliqua Elizabeth en souriant. Qu'on me donne un grand tablier blanc.

Celina qui se tenait près de la porte disparut aussitôt.

— Massa Ned aime bien quand Mammy le lave avec le savon, reprit la nounou noire en ôtant sa culotte à l'enfant.

Celui-ci gardait le silence, mais observait sa mère avec une attention qui la gêna. Les beaux yeux marron semblaient poser des questions que la bouche ne formulait pas. Dans ce petit visage sérieux, la jeune femme ne discernait pas la flamme amoureuse qui lui avait si souvent fait battre le cœur.

A présent, débarrassé de tous ses vêtements, il était nu devant elle et, saisie d'une impatience nerveuse, subite, elle détourna la tête et demanda :

— Pourquoi Miss Celina ne vient-elle pas ? Ce petit va attraper froid.

— Oh ! *no,* M'am », fit la nounou noire en jetant une grande serviette-éponge autour de son « t'éso' » qu'elle serra aussitôt contre elle avec force.

Celina revint presque au même instant et tendit à Elizabeth un vaste tablier blanc à la taille de la mammy noire. Tant bien que mal, la jeune femme le passa sur ses épaules, mais Celina dut nouer les cordons aussi haut que possible, car le tablier tombait trop bas.

La gouvernante devina sans peine le désarroi de sa maîtresse et s'efforça de lui venir en aide. Une éponge plus grosse qu'un melon attendait dans l'eau tiède du tub où Ned, libéré, prit sa place. Debout dans la lumière, son petit corps parfait rayonnait d'innocence et de beauté au point que sa mère en demeura interdite. Il y avait un an qu'elle évitait de le voir autrement qu'habillé, car le jeune corps se formait en se virilisant et elle préférait passer la main à la nounou noire.

— Peut-être si vous vous mettiez à genoux..., proposa Miss Celina.

Mais Elizabeth semblait ne pas comprendre. Ses yeux, malgré elle, se dirigeaient vers cette partie du corps masculin qu'elle ne voulait pas voir parce qu'elle en éprouvait un invincible malaise.

Le moment qui suivit fut pénible. Ned regardait Elizabeth et, si jeune qu'il fût, ne put s'empêcher de lire dans le visage de sa mère une expression de dégoût qui la défigurait. Dans son effroi, il se tourna vers sa *Black Mammy* qui, elle aussi, observait la jeune femme. Sans hésitation, la nounou noire plongea l'éponge dans le tub et fit ruisseler l'eau tiède sur les épaules et le dos du garçon.

Se redressant tout à coup, Elizabeth appela la gouvernante.

— Aidez-moi à sortir de ce tablier, lui dit-elle avec un rire forcé. Je crois que Mammy a raison, elle fait mieux ces choses que moi.

Plongée et replongée dans l'eau, la grosse éponge se promenait sur toute la peau d'un brun rosé qui luisait comme du marbre.

— Mammy sait, fit la nounou avec un bon sourire d'ogresse, les ladies savent pas comme Mammy.

A présent, un savon couleur de miel dans ses grandes mains, elle revêtait de mousse la chair tendre et lisse.

Délivrée de son tablier blanc, Elizabeth s'enfuit.

Dans sa chambre, elle se jeta sur son lit et se cacha le visage dans son oreiller. Devant ces deux femmes, elle s'était couverte de ridicule et elle étouffait de honte. Pourquoi avait-elle cédé au désir stupide de montrer son autorité ? Que pensaient d'elle Mammy et Miss Celina ? Et Ned ? Là, elle ne voulait pas s'interroger. Elle lui avait fait peur. Comment pouvait-il deviner ce qui, dans sa personne, déplaisait si fortement à sa mère ? D'un seul coup, elle blessait, elle tuait l'amour.

Ce soir-là, elle alla malgré tout lui souhaiter bonne nuit et lui faire réciter sa prière comme d'habitude, mais il ne la retint pas pour avoir des nouvelles de Jonathan. Après l'avoir serré dans ses bras et couvert de baisers, elle était sur le point de le quitter quand tout à coup elle se mit à pleurer sur sa propre bêtise et son manque de cœur. Alors seulement il eut un élan qui ressemblait un peu à autrefois.

— Pourquoi tu pleures, Mom' ? demanda-t-il en lui caressant le visage, tu m'aimes un peu toujours ?

— Mais, darling, plus que jamais... Maintenant il faut dormir.

A la lueur de la petite lampe, elle le vit sourire avec la bonne humeur qui la consola, parce qu'elle y retrouvait l'enfant de toujours, et elle s'en alla rassurée, mais quelque chose en elle lui disait qu'un monde secret se refermait à jamais derrière eux. En éloignant des rêves de Ned le Jonathan du soir, ne l'éloignait-elle pas aussi de son propre cœur ?

Dans sa chambre, elle hésita à se déshabiller, reculant le moment où elle se glisserait dans ses draps pour affronter l'insomnie. De temps à autre, elle allait à la porte de Ned et guettait son souffle. Elle l'entendit enfin, léger et régulier.

Un peu soulagée, elle s'assit devant son miroir pour se décoiffer et se livra tout entière au souvenir de sa matinée avec Billy. Là, son cœur s'épanouissait dans une joie qui effaçait toutes les ombres. Sans cesse revenait la minute exquise où il l'avait portée dans ses bras, descendant avec elle le petit escalier du pavillon turc. Sa tête était si près de la sienne qu'elle sentait l'odeur de sa chair. Soudain, dans le silence de la nuit, elle entendit le heurtoir de la porte d'entrée frapper deux coups.

Elle attendit un instant, puis descendit juste à temps pour voir le domestique ouvrir la porte.

Une femme entra vêtue de noir et la tête sous une mantille de dentelle également noire. D'assez haute taille, elle se tenait très droite et de toute sa personne émanait une grandeur presque royale.

— Elizabeth, dit-elle simplement.

Stupéfaite, celle-ci reconnut la voix d'Annabel ; dans son trouble, elle ne put qu'aller vers elle les mains tendues et la conduire au petit salon. Là seulement, Annabel souleva sa mantille, et, à la lumière des lampes à globe, Elizabeth put enfin voir un visage qu'elle eut peine à reconnaître immédiatement et d'où la jeunesse avait fui. Restaient la noblesse des traits, les grands sourcils arqués, le nez droit, la belle bouche dédaigneuse, mais au fond des prunelles sombres une tristesse effrayante. Les joues avaient perdu leur galbe et se creusaient sous les pommettes. Il manquait à cette figure l'éclat qui l'avait rendue célèbre. Autre chose s'y était installé que les mots ne pouvaient définir, une certaine lassitude de la vie, adoucissant la fierté naturelle d'un soupçon d'humanité.

D'un geste, elle fit tomber sa mantille, découvrant ainsi des épaules encore belles et une gorge qui laissait deviner que le corps était resté intact.

Elles s'assirent.

D'une voix calme aux modulations de la politesse mondaine, elle commença :

« Quel nom donner à cette visite que je vous fais sans crier gare ? Visite d'amies ? Qu'en pensez-vous, Elizabeth ?

— Donnez-lui le nom qu'il vous plaira. Elle est si soudaine que je n'ai pas eu le loisir d'y songer.

— Puis-je vous aider ? Voyons les choses comme elles sont, n'ai-je pas toutes les raisons de vous haïr ? Vous êtes-vous demandé quels liens d'amour me liaient à cet homme dont vous étiez éprise ? Qu'il fût mon mari ne vous empêchait pas de lui écrire soit de votre main, soit d'une main complice qui me reste encore inconnue. Ces lettres, il les déchirait, mais il les déchirait mal. M'avez-vous comprise ou dois-je aller plus loin dans les détails ?

— Madame, fit Elizabeth dont le visage pâlissait, puis-je savoir où vous voulez en venir ?

— A quelque chose de très simple : que votre amour fût réel et sincère, bien qu'impossible, je n'en doutais pas. A cause de cela j'avais pitié de vous.

— Pitié de moi ?

— Oui, parce que vous souffriez. Avez-vous eu pitié de moi quand par votre faute mon mari est mort dans ce duel absurde ?

En proie à une émotion déchirante, la jeune femme voulut parler, mais les mots s'étranglaient dans sa gorge. De toutes ses forces, elle se redressa et inclina la tête.

Un léger sourire se dessina sur les lèvres d'Annabel, et elle dit presque à mi-voix :

« Toutes les protestations du monde n'égaleraient pas ce simple geste.

Comme elle se penchait en avant en disant ces mots, le regard d'Elizabeth fut attiré par un rubis qui ornait sa gorge entre ses seins. La pierre, d'un éclat magnifique, était d'une forme étrange qui ressemblait à une goutte de liquide. Elle resplendissait au bout d'une fine chaîne d'or sur la peau délicate de la visiteuse.

« Elizabeth, dit celle-ci, voulez-vous que nous fassions la paix ?

— De tout mon cœur, Annabel.

La phrase fut jetée d'un trait comme dans un élan de joie. Tout ce qui demeurait d'enfance chez la jeune Anglaise était dans ce cri. Elle ne put manquer de voir dans les yeux d'Annabel l'insondable tristesse qu'elle avait remarquée plus tôt, confinant au désespoir.

Assises sur le même canapé, elles se trouvaient à présent si près l'une de l'autre qu'Elizabeth pouvait sentir le souffle d'Annabel. L'odeur en était amère.

Une répulsion subite envahit Elizabeth sans qu'elle en laissât rien paraître. Tout à coup, cette femme en grand deuil prit à ses yeux un nouvel aspect qui lui fit peur. L'Annabel d'autrefois cédait la place à une sorte d'apparition. Elle n'osait aller plus loin, mais au fond d'elle-même les mots y étaient, elle avait l'impression de se trouver devant la mort. Un sursaut de bon sens lui vint en aide. « Ne sois pas ridicule, se dit-elle, Annabel est simplement souffrante et elle se montre pleine de bonnes intentions. »

— Puisque le nuage est dissipé, fit Annabel avec un sourire qui ne montait pas jusqu'aux yeux, nous pouvons nous parler librement, mais j'ajoute : sous le sceau du secret. Puis-je m'assurer d'abord que ces deux portes n'ont pas d'oreilles ?

— Prenez-en une, je me charge de l'autre.

Baissant la voix, Annabel murmura :

— Vous approchez sans bruit, puis vous ouvrez très vite.

— Je connais la méthode, fit Elizabeth. Je serai rapide.

— Soyez soudaine.

Chacune se dirigea vers une porte. Elizabeth fut frappée par la majesté d'Annabel dans sa robe funèbre dont la traîne de taffetas chuchotait dans une langue inconnue sur les lames du parquet.

La jeune femme ouvrit sa porte d'un seul coup et ne vit personne, mais Annabel fut plus heureuse. D'une main experte, elle tira sa porte avec une rapidité foudroyante, et vit tomber à ses pieds le laquais Joe en livrée rouge. Sans un mot, il se ramassa comme il put, jeta un coup d'œil sur Annabel et prit la fuite, le visage décomposé par l'horreur.

— Il est incorrigible, déclara Elizabeth, mais à présent nous sommes certaines d'être tranquilles.

— Allez-vous garder cet homme à votre service ?

— Je vais d'abord l'envoyer dès demain matin s'expliquer avec mon jardinier, c'est lui qui assure l'ordre chez moi.

Annabel leva les sourcils, ce fut son seul commentaire. De nouveau elles prirent place sur le canapé.

CHAPITRE XXVIII

Pendant que se déroulait cette scène dans le salon azur, un entretien d'un tout autre ordre avait lieu au premier étage. Assis sur le bord de son lit, Ned refusait de se recoucher malgré l'insistance de Celina qui se tenait debout près de lui. La faible lueur de la veilleuse les laissait tous deux dans une demi-obscurité où ne se voyait que le pyjama blanc du jeune garçon. Il paraissait ainsi étrangement seul, la robe noire de la gouvernante engloutissait celle-ci dans la pénombre.

Ned secouait sa tête bouclée.

— Non, disait-il. Ze vais rester là comme ça tant qu'elle sera pas à côté.

Et il agitait en même temps deux petits pieds nus qui faisaient penser à des fleurs.

— Votre maman va être extrêmement fâchée si vous ne dormez pas, fit la robe noire.

— Ze dormirai quand elle sera là. Pourquoi est-elle en bas ?

— Je vous ai dit qu'elle avait une visite.

Suivit un long silence.

— Pourquoi restez-vous là, Miss Celina ?

— Pour que vous n'ayez pas peur tout seul.

— Ze n'ai pas peur. Quand elle n'est pas là, ze ne peux pas fermer les yeux. Il faut d'abord que Mom' me raconte une histoire.

— Une histoire ? Je peux très bien vous en raconter une moi-même. J'en connais beaucoup.

— Pas mon histoire. Quand Mom' ne la raconte pas, elle vient toute seule et ce n'est plus la même chose...

— Qui vient, Mr. Ned ?

— Mais l'histoire, dès que ze suis couché, vous ne comprenez rien, Miss Celina.

— Mais si vous vous couchez et que je reste près de vous ?

— Alors elle ne viendra pas.

— Mais d'où vient-elle ?

— De là-bas, derrière, du côté du grand couloir.

Il se tut et continua de balancer les pieds dans le vide. Celina regardait autour d'elle, distinguant à peine les colonnettes du lit.

Au-delà, elle ne voyait rien que la nuit. Un léger malaise la gagnait, causé par la bizarrerie de la situation et le mystère dont s'enveloppait le petit bonhomme. A présent, elle n'osait le laisser seul.

— Racontez-la-moi, votre histoire, Master Ned.

— Non, l'histoire, c'est notre secret, z'ai promis.

— Vous dites qu'elle vient du fond de la chambre. C'est quelqu'un l'histoire ? Dites-moi seulement ça et je ne demanderai rien d'autre.

— Ze ne dirai rien. Vous ne pouvez pas comprendre. C'est notre secret.

Miss Celina fit un pas vers la table de nuit et prit la veilleuse, qu'elle promena autour d'elle jusqu'à ce qu'elle eût vu une chaise au pied du lit. Elle l'approcha, remit la veilleuse en place et s'assit.

Quelques minutes s'écoulèrent en silence.

« Allez-vous-en, fit Ned.

— Non, Master Ned, je n'ai pas le droit de vous laisser seul si vous ne dormez pas.

— Allez-vous-en, Miss Celina, supplia-t-il.

— Je ne peux pas.

Tout à coup, il se mit debout sur son lit et trépigna de colère.

— Si vous restez, il ne viendra pas, cria-t-il. Ze n'ai pas peur. Allez-vous-en !

— Je n'ai pas le droit, Master Ned, je resterai tant que votre maman ne sera pas là.

Alors il se laissa tomber sur son lit, et, la tête dans l'oreiller, se mit à pleurer avec de grands cris de rage... Celina ne bougea pas, ne sachant que faire, mais persuadée qu'elle ne devait pas quitter son poste.

La crise de larmes dura un long moment. Dans cet éclairage que rendait sinistre cette bruyante explosion de chagrin, la gouvernante se sentait prise d'effroi quand tout à coup le silence se referma tout autour d'elle et du lit. Epuisé, Ned avait glissé dans le sommeil.

Elle attendit pendant de longues minutes jusqu'à ce que le souffle du dormeur se fît plus profond. Se penchant alors au-dessus de Ned, elle réussit à tirer doucement à elle la couverture afin de l'en recouvrir jusqu'aux épaules.

Des scrupules la retinrent encore un peu plus longtemps, puis, d'un pas précautionneux, elle gagna la porte et se retira.

CHAPITRE XXIX

Dans le salon azur, Annabel concluait le récit du grand affront qu'elle avait eu à subir quelques jours après son mariage avec Jonathan Armstrong. Sa voix qui se faisait plus basse, mais n'en demeurait pas moins précise, résonnait comme un long chant de colère sourd et violent.

— Je vous demande, Elizabeth, de vous imaginer le vaste salon modérément éclairé aux bougies, et la société de la région défilant devant mon mari et moi avec des sourires hypocrites et toutes les singeries de leur politesse surannée. Il ne me fallut pas une minute pour comprendre que dans cette mascarade de courtoisie elle me faisait savoir qu'on ne voulait pas de moi, et j'eus l'impression de me tenir dans les abords de l'enfer. Ai-je besoin de dire que je ne reçus pas le moindre mot de remerciement ni la moindre visite. La porte que j'espérais voir s'ouvrir me fut jetée au visage. Elizabeth, vous avez devant vous une révoltée. Mon mari ne souffrit pas comme moi de cet outrage, parce qu'il se savait par sa naissance beaucoup plus haut placé que ces petits aristocrates de province, mais il comprit mon indignation, et, quand je l'informai de la décision que j'avais prise d'aller vivre en Europe, il accepta sans hésiter.

Cette phrase fut pour Elizabeth un coup de couteau et elle laissa échapper un cri :

— Sans hésiter !

Ce cri resta sans écho, mais Annabel appuya sur la jeune femme un regard où se lisait une compassion muette.

— Dois-je continuer ? demanda la visiteuse.

Elizabeth fit signe que oui.

« Je ne vous apprendrai pas que nous vécûmes quelque temps à Vienne, vous l'avez su par je ne sais quel moyen et notre adresse vous a permis de l'encourager à me trahir. Non, ne protestez pas, je suis décidée à passer là-dessus. Dans cette ville, la plus brillante de l'Europe centrale, j'ai eu mon heure de célébrité et j'ai connu un semblant de bonheur jusqu'au jour où il a réussi à faire annuler notre mariage. Tout cela, vous l'avez su. Chez lui, quel délire de joie, quel triomphe. Et chez vous ?

La bouche d'Elizabeth s'entrouvrit, mais pas un mot ne s'en

échappa. Annabel se contenta de la regarder et ses lèvres s'étirèrent en un long sourire sardonique.

« Comme j'aime ce silence, fit-elle enfin, et que vous dites des choses sans rien dire ! A cette époque, c'était l'été de 1851, vous gardiez encore les élans et les naïvetés d'une écolière. Je finis par vous pardonner, sans oublier toutefois. A présent, me permettez-vous de faire une petite remarque sur la personne que vous êtes aujourd'hui ?

— Mais oui, Annabel, dit tout bas Elizabeth.

— Depuis le début de notre entretien, vous n'avez cessé, de temps à autre, de jeter un coup d'œil sur le rubis que je porte sur ma poitrine. C'est un cadeau de l'infidèle. La pierre, qui est d'une beauté sans rivale, lui venait de sa mère. Il me la donna le lendemain de son divorce en signe de repentance, car il savait très bien qu'il avait manqué à l'honneur. Je l'acceptai et en ornai ma gorge dont j'avais lieu d'être encore très fière. Notre séparation fut tenue secrète. La vue de ce rubis sur ma personne ne manquait pas de le gêner. Ce fut ma seule vengeance. Je portai le rubis en toute occasion. Vienne entière l'admirait. Par Vienne, j'entends l'aristocratie de là-bas, l'incontestable. Où sont les terres, où sont les titres, où est le souverain de la nôtre dont je fais partie comme vous ? Elle n'est que la touchante expatriée qui se souvient de ses origines comme on rêve d'une patrie perdue, et elle vit de ce rêve. Mais en voilà assez sur ce point.

Avec une solennité de cour, elle se leva et détacha le rubis de son cou.

« Je vous le donne, fit-elle. L'acceptez-vous en gage de réconciliation ?

La jeune femme se leva aussi et connut une minute cruelle. Tout en elle lui criait de dire non, mais un furieux élan de convoitise l'empêcha de refuser.

« Qui ne dit mot consent, fit Annabel en lui passant la chaîne autour du cou. Vous ne serez jamais plus belle que vous ne l'êtes aujourd'hui. C'est une grâce du Ciel. Jouissez-en. Là. Le voilà bien attaché. Allez vous regarder dans la glace.

Elizabeth ne bougea pas.

— Je ne sais si j'aurais dû..., murmura-t-elle.

— Belle enfant, calmez vos scrupules et laissez-moi vous embrasser. Vous me soulagez d'un poids terrible : en délivrant mon cœur d'un ressentiment indicible.

Comme elle disait ces mots, elle se pencha vers Elizabeth et posa ses lèvres froides sur les joues qu'incendiait la honte.

« Faites-moi un sourire, dit Annabel d'une voix presque suppliante. Ne voyez-vous pas que j'essaie de vous aimer ? C'est si triste, la haine. Asseyons-nous encore un instant.

Trop bouleversée pour répondre, Elizabeth obéit.

« Quand j'ai appris que je ne le reverrais plus en ce monde, reprit Annabel d'une voix douce, que j'ai enfin compris qu'il m'était ôté pour toujours, je me sentis du même coup — quel mot employer ? — détruite... Quand je revins à Dimwood, je lus dans les yeux de tous une hésitation à me reconnaître, mais terminons là cet entretien. Nous nous reverrons sans doute. Portez ce beau rubis, il vous va si bien.

Elles se levèrent toutes deux.

— Annabel, dit Elizabeth.

— Non, dit Annabel en lui prenant les deux mains qu'elle serra dans les siennes. Non.

D'un pas rapide elle gagna la porte et disparut. Par la fenêtre, la jeune femme vit la grande silhouette hautaine se diriger vers une calèche qui l'attendait au coin de la rue.

CHAPITRE XXX

A présent, seule dans ce petit salon qu'elle prenait de plus en plus en horreur, Elizabeth, dévorée de honte, fut sur le point d'arracher le rubis de sa personne quand l'irrésistible désir lui vint de se regarder d'abord dans la grande glace de la cheminée comme pour savourer son humiliation.

Là, sa fureur fit place à une admiration qu'elle ne prévoyait pas. Sur la peau terne et pâle d'Annabel, il était d'une beauté incontestable, mais entre les seins couleur d'ambre de la belle Anglaise il vivait, il flamboyait, heureux de retrouver son éclat et son magique pouvoir.

Emerveillée, elle se regarda avec passion, amoureuse de l'image qu'elle découvrait dans le cadre d'or. Des deux mains elle étala sa chevelure sur ses épaules, se tournant un peu d'un côté, puis un peu de l'autre, jouant du bout des doigts avec cette pierre d'une mystérieuse attirance. On pouvait la regarder encore et encore, car elle changeait selon sa position dans la lumière, et la jeune femme ne fut pas longue à découvrir que dans ses profondeurs mystérieuses certaines clartés translucides pareilles à du vin léger disparaissaient devant un rouge épais, à la fois riche et lourd. Elle ne se lassait pas de suivre les caprices des couleurs dans les rayons de la lampe, quand, tout à coup, ses mains s'écartèrent et elle poussa un cri. Ce qu'Annabel venait de déposer sur sa poitrine était une goutte de sang.

L'intention lui parut évidente. Le rubis que Jonathan avait offert à Annabel rappelait la mort de l'infidèle. Entre les deux femmes, il y avait cette goutte vermeille, le sang de Jonathan.

Affolée, elle s'arracha le rubis du cou et le jeta sur le tapis.

Dans sa chambre, elle prévit une nuit exécrable. Elle hésitait même à se déshabiller et envisagea de remplacer l'impossible sommeil par une promenade solitaire dans les rues, mais là ne courait-elle pas le risque de se voir aborder par des « individus » ? Restait le laudanum, mais, nouvelle incertitude, c'était la solution de détresse et elle se souvenait de la toute première et si fâcheuse expérience qu'elle en avait faite.

Dans le doute, elle appela la gouvernante. Peut-être celle-ci dormait-elle à cette heure un peu tardive. Elle sonna malgré tout et se livra ensuite au remords, mais elle avait besoin de voir quelqu'un, de ne plus être seule avec elle-même, ne fût-ce qu'un instant, et elle lui dirait n'importe quoi, elle trouverait.

Cependant, elle eut la bonne surprise de voir paraître Miss Celina au bout de quelques minutes et tout habillée comme à l'ordinaire, mais le bougeoir à la main, car il n'y avait plus aucune lumière en bas.

— Il est un peu tard pour vous appeler, Miss Celina, fit Elizabeth à voix basse.

— Tout à fait normal, Madame.

— Ned a été sage ?

— Non, Madame. Il a pleuré.

— Parce que je n'étais pas à côté. Il faut qu'il s'y habitue.

— Je suis restée près de lui jusqu'au moment où il s'est endormi.

— Très gentil de votre part, mais rien ne vous y obligeait, Celina.

— Si, Madame.

— Comment cela ?

— Il se figure que, lorsqu'il est seul et que vous n'êtes pas couchée, quelque chose ou quelqu'un vient du fond de la chambre.

Un frisson d'horreur parcourut le dos d'Elizabeth.

— C'est bien, Miss Celina, fit-elle d'une voix qu'elle voulait calme... L'important est qu'il se soit endormi.

Elle se coucha plus tranquille. L'objet maléfique avait été banni. De son lit, et tout oreilles, elle se persuadait qu'elle pouvait entendre la respiration égale de son petit garçon. Tout rentrait dans l'ordre, et, pensant à Billy et au bonheur qui selon lui arrivait à tire-d'aile, elle se sentit glisser dans un sommeil bienheureux.

Cependant, peu avant l'aube, elle se réveilla en sursaut, prise d'une inquiétude si forte et si soudaine que, sans hésiter, elle se leva et descendit au salon. Qui pouvait dire si, bougeoir au poing, la gouvernante n'avait pas lancé un coup d'œil de ce côté-là en regagnant sa chambre au rez-de-chaussée ?

La petite pièce azur était plongée dans l'ombre, mais Elizabeth ne prit pas la peine d'allumer la lampe. Après avoir buté contre un ou deux meubles, elle se laissa tomber à quatre pattes et se mit à palper le tapis dans tous les sens quand tout à coup sa main s'aplatit sur le rubis qu'elle tint ferme comme s'il pouvait lui échapper, et, tout au fond d'elle-même, elle eut honte d'avoir secrètement redouté que Miss Celina ne le lui volât.

De retour dans sa chambre, elle le cacha au fond d'un placard et se rendormit.

CHAPITRE XXXI

Le courrier du matin lui apporta une lettre qui lui arracha un cri de joie. Datée du 5 décembre 1856, elle venait de Fort Pulaski et contenait ces lignes :

> Trois hourras pour le commandant, mon Elizabeth ! Je sors de son bureau où j'étais allé l'informer de notre mariage,

comme je devais le faire d'après les usages de l'armée. Il nous donne son accord avec toutes sortes de bénédictions. Tu ne sais pas, en effet, que je suis son favori grâce à mes talents de joueur de whist dont il raffole. Tu peux choisir l'église que tu voudras. Pour ma part, cela m'est égal. Toutes sont bonnes qui m'unissent à toi pour toujours. Mon adorable commandant te supplie, toutefois, de ne pas te marier dans la « *romish church* »*, parce qu'il soupçonne tous les catholiques d'être payés par les Espagnols. Je fais de lui ce que je veux, mais sur ce point il est de granit. Alors nous irons dans une chère petite église de campagne et personne n'en saura rien qu'en temps voulu. Il y a la société avec ses idées sur les bienséances, le temps prescrit pour la durée d'un deuil… Je reviens demain après-midi (il y a des formalités à remplir, comprends-tu ?) avec une permission extensible selon les exigences de circonstances imprévues. Je me roule dans ta chevelure d'or.

Ton Billy fou de bonheur.

Elizabeth s'assit et ferma les yeux, prise d'un étourdissement qui la tint immobile pendant plusieurs minutes. Elle eut l'impression d'être foudroyée par le bonheur. Ce qu'elle désirait si follement depuis des années, elle l'avait. Tout un passé d'échecs, de drames, de terreur disparaissait dans un grand trou noir. Seul demeurait, tantôt lumineux comme une apparition, tantôt pareil à une ombre, une petite ombre envoyée par cette ombre venue des régions nocturnes : l'enfant.

Dégrisée, elle se leva et fit un geste comme pour écarter quelqu'un, mais son cœur se serra douloureusement.

— Billy arrangera tout, dit-elle, il saura lui parler.

Mais que pouvait un homme ?

Le sourire de Ned lui rendit la paix. Il lui dit bonjour avec ce regard plein d'amour qui la réconfortait dans les moments les plus sombres. Rien ne trahissait chez lui le moindre trouble intérieur. Sans doute l'exubérance n'était-elle plus comme jadis, il fallait tenir compte du fait qu'il grandissait, mais chaque jour, comme à

* C'est-à-dire l'Eglise de Rome, appellation péjorative.

l'ordinaire, elle se laissait aller à la séduction de ce petit visage radieux.

Elle lui demanda s'il avait passé une bonne nuit, et sans hésiter il l'assura qu'elle avait été excellente... Pas un mot ne sortit de sa bouche sur la crise de larmes dont Miss Celina avait informé Elizabeth. De toute évidence, il était résolu de ne rien révéler. L'Indien, qu'il tenait par le pied comme à l'ordinaire, semblait aujourd'hui n'avoir plus de sens. La jeune femme n'osa pas poser de questions. Elle dut se contenter du mensonge de cet air angélique. Après tout, mieux encore que Billy n'eût su le faire, cela ne remettait-il pas les choses en place dans leur univers ? Elle eût été bien maladroite d'insister. La joie revenue dans sa vie demeurait intacte.

Avec les premières fraîcheurs de la saison, Noël n'étant pas loin, un costume bleu marine remplaçait le costume blanc du jeune garçon. Ses jambes disparaissaient dans des bas noirs, et un col marin plus important donnait de la carrure à ses épaules. Ce matin-là, il étrennait ce semblant d'uniforme et il s'en montrait si fier qu'il se tournait un peu de côté et d'autre dans l'expectative de compliments. Ils ne vinrent pas vite. Encore soucieuse, sa mère fut longue à comprendre ce qu'on attendait d'elle, quand tout à coup elle retrouva dans ces coquetteries innocentes le petit garçon qu'elle craignait d'avoir perdu, et, se jetant sur lui, elle l'enleva du sol et le serra contre elle, semant les baisers au petit bonheur sur ses joues, sur sa bouche, dans ses cheveux et dans son cou. Il avait beau se débattre, elle épanchait sur lui un énorme regain de tendresse. En vain il la repoussait des poings, et dans cette lutte inégale ils se mirent à rire aux éclats :

— Mon col, Mom' ! gémissait-il de temps en temps.

— Mon amour, répliquait-elle, mon amour !

A table et pendant tout le déjeuner de deux heures, il se montra parfait. Elle l'aurait souhaité plus bavard, mais il était dans une de ces humeurs de silence qui le prenaient depuis quelque temps. Qu'il s'enfermât dans son petit monde de mystère, elle l'acceptait aujourd'hui comme une faveur céleste puisque ainsi elle avait la paix. Sa curiosité naturelle l'inclinait malgré tout à se poser des questions. Lorsqu'elle le regardait, il lui souriait gaiement. Dans ces moments-là, il ressemblait à son père d'une manière troublante. Elle avait fugitivement l'impression que le disparu l'observait par les yeux de son fils, avec la même douceur que dans les premiers temps, quand il n'avait pas encore osé lui dire qu'il l'aimait.

Alors qu'on attendait le dessert, le petit lui posa une question qui la fit tressaillir :

— Mom', où est l'officier ?

— Il est avec son régiment, mais tu le verras demain.

La nouvelle fut accueillie par un nouveau sourire.

« Tu l'aimes bien, darling ?

— Beaucoup.

— Dieu soit loué, fit-elle spontanément.

Avec quelle délicatesse la Providence aplanissait les difficultés jusque dans les détails... Elizabeth en fut tout émue.

CHAPITRE XXXII

Nonobstant, il fallait attendre jusqu'au lendemain après-midi pour revoir Billy, et attendre était insupportable. D'autres le pouvaient, elle, non. La seule chose à faire était de s'agiter.

Elle fit atteler son buggy et décida de rendre visite à Oncle Charlie pour lui dire la nouvelle et lui demander conseil sur la conduite à suivre, car elle soupçonnait Billy de manquer de monde. Elle l'adorait tel qu'il était, mais d'avoir si longtemps vécu à Dimwood, autant dire la campagne, lui valait un je ne sais quoi d'un peu rustique, délicieusement rustique, bien sûr, mais enfin...

Dans un état voisin de la surexcitation, elle fouetta son cheval et en moins de cinq minutes atteignit la maison de Jasper Square.

Elle arrêta sa voiture devant le sycomore où Charlie Jones, lui rappelant qu'il était son tuteur, avait plusieurs fois renouvelé sa promesse de veiller sur elle et sur son bonheur. Un gros soupir et elle monta sonner à la porte. Ce fut un vieux Noir à cheveux gris qui lui ouvrit pour lui apprendre que Massa Jones était parti pour son bureau. De déception, Elizabeth faillit trépigner sur le seuil de marbre, mais elle se contint et laissa simplement un message : « Mrs. Edward Jones désirerait voir Mr. Charles Jones le plus tôt possible. »

A présent, que faire ? Des heures et des heures à tuer. Pourquoi Billy ne revenait-il pas tout de suite puisque l'armée était d'accord ? Elle fouetta son cheval et le lança au galop jusque chez elle.

Pour passer sa rage, elle décida d'aller porter la terreur dans le cœur de Pat. A cause de lui, la cuisinière devait aller elle-même chercher la viande chez le boucher.

Comme une furie, elle traversa le vestibule où un miroir l'arrêta au passage, le temps de lui dire que jamais elle n'avait été aussi belle. La colère lui seyait à ravir. Dommage que le lieutenant Billy Hargrove ne fût pas là pour apprécier...

A peine eut-elle mis le pied dans le jardin qu'elle fut saisie par la merveilleuse abondance de cette verdure qui bravait l'hiver, saison, il était vrai, fort bénigne à Savannah. Le grand chêne-liège tendait ses branches au-dessus de cette tête d'or échevelée et lui disait : « Calme-toi, le bonheur arrive, l'attendre c'est déjà du bonheur... »

Mais elle n'écoutait pas, elle cherchait Pat et, comme d'habitude, il n'était pas là. Alors elle courut vers sa petite maison dont elle ouvrit la porte, et elle l'entendit qui bavardait avec les passants dans l'avenue. Sa voix gouailleuse d'Irlandais dominait les intonations un peu traînantes du Sud. De toutes ses forces, elle appela :

— Pat !

Il parut enfin, chapeau de paille à la main, hilare dans sa chemise à carreaux.

— *Yes,* M'am. Vous n'avez qu'à dire Pat et Pat est là !

— J'en ai assez, Pat. Le garçon boucher a la figure tout enflée et cette fois ne viendra plus. Je vous chasse.

— Non, M'am.

— Comment « Non M'am » ! Quelle insolence ! Vous partez demain matin.

— Non, M'am, parce que vous ne trouverez jamais un jardinier comme Pat.

— Erreur. Je prendrai un Noir bien obéissant.

— Un Noir ne sait pas distinguer un palmier d'un sapin.

— Je refuse de discuter. Faites vos bagages.

— Alors vous renvoyez Pat en Irlande et il y a la famine là-bas, M'am.

— La famine ! La grande famine de 40 est finie !

— Non, M'am. Chez nous, quand une famine s'en va, il y en a une autre qui la remplace. Celle d'aujourd'hui est la pire.

Avec un geste dramatique il jeta son chapeau à terre. L'inspiration gaélique se mit en action aussitôt :

« Les pommes de terre pourrissent. Tout le bétail a été dévoré depuis longtemps. Les gens mangent de l'herbe — là où il en reste —, ou bien ils arrachent l'écorce des arbres et la mâchent en essayant de se figurer que c'est du pain. Le Bon Dieu et les saints vous pardonnent, M'am. Vous envoyez Pat au pays de la faim.

Ce discours, débité d'une voix sourde et sinistre, frappa Elizabeth par son accent de sincérité et elle se sentit vaciller sous le choc.

— Je trouve curieux que les journaux n'en parlent pas, dit-elle faiblement.

L'homme se redressa de toute sa taille et enfla le ton comme un prophète :

— Qu'est-ce que ça peut faire au monde que l'Irlande crève de faim ?

— C'est bien, Pat, fit Elizabeth atrocement gênée, cela suffit pour aujourd'hui.

Elle ajouta brusquement :

« Vous allez avoir bientôt un nouveau maître qui saura vous parler.

— Un nouveau maître ? fit-il, pris d'inquiétude.

— Vous le verrez assez tôt. En attendant, nettoyez-moi un peu ce jardin et cessez d'aller bavarder dehors. Je vous surveille.

— *Yes,* M'am, fit une voix tranquille.

Elle rentra le plus vite possible, consciente d'une défaite humiliante, mais elle comptait sur son Billy.

CHAPITRE XXXIII

Mais que se passe-t-il donc à la caserne de Fort Pulaski ? Un coup de force ? Une sédition ? Une tentative de sécession ? La nuit tombe. Les échos d'un étrange tumulte arrivent de la salle réservée au mess des officiers, des cris sauvages, de formidables hourras. Sous-lieutenants, lieutenants, capitaines, ils sont trente en dolmans rouges autour de la longue table où debout un superbe lieutenant gesticule. Qu'ont-ils tous à hurler :

— A mort ! A mort ! Il nous vole la belle Anglaise !

Sans aucun doute, c'est le lieutenant Hargrove qu'on veut mettre en pièces, celui qu'on surnomme Beau Billy, dans un uniforme coupé par Slaughter and Carver, les premiers faiseurs de Savannah, de manière à faire valoir des épaules de héros et une taille parfaite.

— Gare à celui qui la touche, la belle Anglaise, hurle-t-il d'une voix puissante.

— On pourra au moins la contempler, ta déesse, non ? demande une voix aussi forte.

— Peut-être, mais j'interdis le regard appuyé et les yeux de veau mourant d'amour.

— Canaille ! On lui porte tout de même une santé, à Beau Billy ?

Des poings chargés de verres se lèvent au plafond dans une tempête de clameurs à faire trembler les murs.

— A toi, Billy, et à ta belle ! Fais-lui de beaux enfants pour le Sud. Vive la Sécession !

Un hurlement unanime :

— *Speech ! Speech !*

Coup de théâtre. La porte s'ouvre : le commandant.

Trapu, le teint rouge et les jambes arquées, il affecte un sourire féroce et d'un coup le silence est là.

— Gentlemen, fait une voix cuivrée, j'admets qu'on se réjouisse, mais je ne veux pas de désordre. On vous entend jusque dans la cour et la troupe commence à s'agiter. Lieutenant Hargrove, descendez de cette table.

Billy saute à terre et le commandant prend sa place avec une agilité d'athlète. Ses yeux noirs se promènent dans la salle :

« Tous le col ouvert, fait-il. Boutonnez-vous, gentlemen. Nous ne sommes pas dans le Nord. Voilà pour la consternante discipline. Elle m'agace, mais je l'ai dans le sang. A présent, revenons à la joie. Vous avez tous bu à la santé du lieutenant Hargrove, moi pas encore. Qu'avez-vous à m'offrir ?

Un sous-lieutenant ébouriffé s'écrie :

— La meilleure bière du pays, elle vient...

— Tout droit du Nord ! Je n'en veux pas.

Tout à coup, c'est un autre homme. Il éclate de rire et frappe du pied de toutes ses forces. La porte s'ouvre. Quatre Noirs apportent des caisses de champagne. Ils sont suivis de deux autres Noirs chargés de grands plateaux où brillent des coupes de cristal.

« Servez le champagne et servez-le vite, qu'il ne tiédisse pas. Il vient de France et l'empereur n'en boit pas d'autre.

Une vague de gaieté déferle dans la salle. Les bouchons sautent de tous les côtés dans le fracas victorieux d'une fusillade. Comme par enchantement, les coupes se trouvent presque ensemble dans toutes ces mains étonnées.

« Billy, ordonne le capitaine, remonte.

Eberlué, le jeune homme obéit, on lui tend sa coupe, le commandant a la sienne.

« Gentlemen, au lieutenant Hargrove !

Un vivat énorme. Les coupes de cristal se lèvent et presque aussitôt se vident. Soudain, au milieu de cette fête qui bat son plein se glisse une note étrangement sérieuse : le commandant se tourne vers Billy, resté debout comme lui sur la table.

« Lieutenant Hargrove, j'ai un discours à vous faire et je vais essayer d'être bref. Vous allez épouser la plus jolie femme de Savannah. Soyez-lui fidèle !

— Je le jure ! s'écria Billy.

Suit un court, mais profond silence, déjà nous sommes à l'église.

— Sans être secret, poursuit le commandant, ce mariage n'en est pas moins privé. Vos camarades n'y assisteront pas.

Sourd murmure de déception dans l'assistance.

« Personne ne franchira le seuil de l'église sauf les mariés et leurs témoins.

Nouveau silence, désapprobateur, cette fois.

« Lieutenant Hargrove, dit le commandant d'une voix grave, donnez de beaux enfants au Sud et ne tardez pas à les faire. Le temps est court et la paix est malade.

De même qu'on peut crier de plus en plus fort, est-il possible de se taire et se taire encore plus dans un silence ajouté à du silence ? Qui fermerait les yeux pourrait se croire seul dans la salle.

« Souvenez-vous de ceci, continue l'orateur : quand viendront les batailles, et les batailles viendront, vous chargerez l'ennemi, le sabre au poing, tout droit sur votre cheval, sans vous pencher sur son encolure, comme derrière un bouclier. Un gentleman du Sud charge droit et les épaules en arrière. Compris ?

De la salle tout entière, un rugissement acclame ces paroles :

— Debout, le sabre au poing !

Va-et-vient dans la cour où les soldats cherchent à savoir ce que veut dire ce vacarme dont il ne leur parvient qu'un écho à travers les vitres du mess, et du fond d'un ciel noir un croissant de lune en son dernier quartier répand des ondes de silence.

CHAPITRE XXXIV

Au même instant, Charlie Jones entrait dans le salon azur où se morfondait Elizabeth. Il avait le sourire habituel dont il revêtait son visage comme d'un masque, mais la fatigue marquait ses traits. Une ombre noire lui charbonnait le coin des yeux. Peut-être la journée avait-elle été dure dans les bureaux du port. Néanmoins il adoptait le ton joyeux.

— Navré d'arriver si tard, Elizabeth. C'est la première fois que j'aurai fait attendre une aussi charmante personne, mais tu désirais me voir au plus tôt et me voilà. Je suppose qu'il s'agit de Billy Hargrove.

— Comment savez-vous, Oncle Charlie ?

— Innocente ! La rumeur publique, ma belle. Je suis ravi. Mon rêve s'accomplit sans que j'aie à lever le petit doigt. Je voulais que tu te maries et que tu donnes un frère au garçon de celui que j'ai perdu. J'avoue que je n'avais pas pensé à Billy, mais pourquoi pas ? Il va t'adorer.

— J'espère qu'il m'adore déjà, mais je reçois de lui une lettre bien courte de Fort Pulaski. Il était ici en permission, mais il a fallu qu'il retourne là-bas.

— Si tôt ?

— Il paraît qu'il doit informer son commandant et il ne revient que demain après-midi.

— Tiens !

— Oui, à cause de formalités à remplir.

— Le coquin ! Il appelle ça des formalités !

— Mais oui ! Pourquoi riez-vous ?

— Pour rien, parce que je suis stupide de bonheur, de bonheur pour toi et pour lui...

— Nous allons nous marier — tout de suite.

— Malheureusement il y a ce deuil qui impose un délai.

— Non, ce sera un mariage presque secret.

— Presque est adorable, mais on peut toujours s'arranger.

Il s'arrêta et dit tristement :

« Comme pour toi et mon pauvre Ned.

Soudain il eut l'air inquiet :

« J'espère que vous n'avez pas déjà fait des bêtises.

Un peu mélancolique, elle secoua la tête.

« Ah ! tant mieux. Nous n'avons pas à brusquer les choses. Tu dis qu'il t'a écrit une lettre un peu courte, mais passionnée, bien sûr, chaude, amoureuse… Non ?

— Comme ça. Il me dit des choses gentilles sur mes cheveux.

— Ah ? Exquise timidité du jeune amant.

Elle éclata en sanglots.

— Il m'a dit qu'il voulait se rouler dedans, c'est tout.

— Mais c'est le grand amour, s'écria Charlie Jones, petite nigaude, c'est Roméo.

— Vous croyez vraiment ? fit-elle en se tamponnant les yeux.

— Je sais ce que je dis. Pas de larmes. Une Anglaise ne pleure pas.

— Si. Nous sommes humains, malgré tout.

— Passons. Il vous faut deux témoins. Je me présente pour Billy. Et toi ?

— J'ai pensé à Mrs. Harrison Edwards, si elle veut bien.

— Si elle veut bien ! Elle compte dessus. Elle se voit comme le plus bel ornement de la société. Où vous mariez-vous ?

— Je ne sais pas. « Dans une chère petite église de campagne… », écrit-il.

— Qu'est-ce que c'est que cette idiotie ? Vous vous mariez ici. Dans quelle église ?

— Je suis anglicane, comme Maman.

— Il est de famille presbytérienne. Aucune importance. Il se fera anglican. Ce sera à Christ Church. Très bon chic. Ce qu'il y a de mieux selon la *society*. Moi, cela m'est totalement égal. J'ai d'autres idées. Mais dépêchez-vous, mes enfants. La vie est belle, jouissez-en. A présent moi j'ai quelque chose à te dire. Mais pourquoi restons-nous debout comme des personnages de tragédie ?

— Oh ! pardon, fit-elle en s'asseyant sur le canapé bleu.

— Tu permets que je prenne place à côté de toi ? Je sais que cela ne se fait pas…

— Cela se fait en Angleterre, dit-elle en souriant.

Il s'assit.

— Entre nous, fit-il, cet usage du Sud suppose qu'on doit tenir en respect le fougueux tempérament de notre jeunesse, mais laissons cela. Je suis revenu de mon bureau vers six heures, harassé de fatigue, m'apprêtant à dîner… quand on me dit que tu es venue et que tu veux me voir. Je saute le dîner…

— Comment ! Vous n'avez pas dîné ? Voulez-vous…

— Non, rien. L'envie en est passée avec l'heure du repas. Je remets mon chapeau pour aller vers toi et, à ce moment précis, on sonne. Sais-tu qui ?

— Aucune idée.

— Annabel.

Elizabeth eut un très léger mouvement de recul.

« Tu ne l'aimes pas, fit Charlie Jones.

— Pas beaucoup, non. C'est difficile à expliquer.

— Je reconnais que son aspect a quelque chose qui crée un malaise, surtout quand on l'a vue jadis, si parfaitement belle, mais la mort de l'homme qu'elle aimait lui a dévasté le cœur.

— Elle me hait, Oncle Charlie.

Il ne répondit pas et poursuivit :

— C'est précisément à cause de toi qu'elle est venue. Elle ne voulait pas dîner. J'ai dû m'enfermer avec elle dans le fumoir où personne ne vient. Tout en noir et coiffée d'une mantille pour cacher des cheveux gris, elle m'a fait un récit de sa visite chez toi.

— Je ne l'ai peut-être pas reçue comme je devais.

— Si. Au contraire. Tout ce que tu lui as dit l'a émue, mais tu l'inquiètes. Elle te croit très vulnérable.

— Cela ne veut rien dire.

— Elle parle sans ménagement. Selon elle, ton premier mariage ne t'a rien appris de la vie et tu restes dans une ignorance dangereuse de tous les pièges de l'amour. Il est trop facile de te séduire.

Indignée, Elizabeth se leva.

— Je voudrais bien savoir de quoi elle se mêle.

Charlie Jones, immobile, la regarda tristement.

— Ecoute, fit-il avec douceur, quand je t'ai vue mariée à mon cher Ned, j'ai connu une des plus grandes joies de ma vie, mais j'ai tremblé pour vous deux. Ned, le jeune étudiant sans aucune expérience des femmes, et toi... J'ai vu d'un œil anxieux deux enfants s'engager dans la vie, ensemble, à cause d'une maladresse de mon fils.

— Mais nous nous aimions...

— D'un amour bien tranquille après les premiers élans. Crois-tu que je ne vous observais pas ?

— Oncle Charlie, je vous en prie.

— Non, il faut que tu saches. La vraie passion, l'amour sauvage, c'était pour un autre. De la fenêtre de mon bureau, alors que la foule attendait l'arrivée du *Bonaventure*, vous étiez l'un près de l'autre. Un seul coup d'œil m'a suffi. Je n'ai rien voulu en savoir de plus et me suis retiré. J'avais compris.

— Mais je n'étais pas encore mariée ! s'écria la jeune femme enflammée de colère.

— Je sais, je sais, fit Charlie Jones d'un ton calme. Le mariage est venu plus tard. Puis il y a eu le duel.

— Je ne veux plus rien entendre, fit-elle avec fermeté. Permettez-moi de vous dire que je vous trouve cruel de me rappeler ces choses.

Sans changer de ton, il poursuivit comme s'il ne l'avait pas entendue :

— Te souviens-tu qu'en déjeunant avec toi au De Soto je t'ai dit que j'avais vu Ned alors qu'il allait mourir et que tu venais de lui dire adieu ?

Soudain Elizabeth fut immobile et ses traits se durcirent :

— Je me souviens, fit-elle d'une voix blanche.

— Je le soutenais d'un bras et il a fait un grand effort pour parler, je l'entendais à peine : « Mon Elizabeth… veille sur elle, Papa… C'est une enfant… je l'aimais… dis-lui… » C'est tout. Il n'a rien dit d'autre, il est parti.

D'un pas hésitant, Elizabeth traversa la petite pièce et s'assit dans un fauteuil assez loin de Charlie Jones, comme si elle avait froid, elle tremblait légèrement et le sang s'était retiré de son visage.

— Je voudrais être seule, dit-elle à voix basse.

— Je le comprends, chère petite Elizabeth, je vais te laisser, mais il y a autre chose que je suis obligé de te dire. Cela concerne Annabel. Je te demande de m'écouter. Tu n'en auras aucune peine.

— J'en ai assez déjà, Oncle Charlie.

— Jamais je n'oublierai le moment où relevant sa mantille elle m'a fait voir des yeux où se lisait l'horreur d'être en vie. Pourtant je l'avais vue à Dimwood peu de temps auparavant, après le duel, et le changement qui s'était opéré en elle faisait peur, mais ce soir elle donnait l'impression de revenir d'un autre monde.

— Je sais, dit Elizabeth, hier j'ai cru voir la mort.

— Oh ! non, il brillait au fond de ces prunelles une flamme terrible. Sous la lumière crue de la lampe à gaz, les ombres impitoyables striaient les joues de rides verticales. Muet devant le désastre, j'écoutai ce qu'elle voulait me dire. D'une manière étrange, sa voix gardait quelques-unes des intonations d'autrefois, pareilles à un chant sourd. Elle s'est mise à parler de toi avec beaucoup plus de tristesse que de sévérité : « Je devrais détester cette jeune femme qui m'a pris le seul être que j'aurai aimé sur cette terre, mais je ne peux pas. C'est une victime inconsciente des hasards de la vie, mais qui me trouble et j'ai pitié d'elle. Quel destin l'attend dans un pays où rôdent les premières ombres d'une guerre absurde ? »

Il s'arrêta.

« Là, je ne suis plus d'accord avec elle. La guerre est encore loin d'être inévitable et j'ai bon espoir, mais Annabel parlait comme une femme en proie au délire. Tout à coup elle s'écria : “ Je lui ai donné ce que je possédais de plus précieux et c'était comme si je me l'arrachais du cœur : un rubis qu'il m'avait offert alors qu'il m'aimait et que je portais toujours sur moi. J'ai vu qu'Elizabeth le regardait, fascinée par la beauté magique de cette pierre mystérieuse. Pourquoi la lui ai-je donnée ? Mais sait-on toujours pourquoi on accomplit certains gestes ? Peut-être l'instinct violent et subit qui me vient parfois de me dépouiller de tout. Je ne sais. Je devinais pourtant que ce rubis la ferait souffrir autant qu'il la ravissait par son éclat... Je lui ai demandé de le porter toujours... Elle le fera, je la connais, mais ce sera sa pénitence. ”

— Je ne le porterai pas, fit Elizabeth.

— Nous verrons, fit Charlie Jones avec un sourire.

Il y eut un silence et il reprit :

« Ayant achevé son discours, elle a remis sa mantille et déclaré tranquillement : “ C'est fini. Je me suis libérée d'un grand poids et vous avez été patient. Je m'en vais, on ne me verra plus souvent à Savannah. Dites à Elizabeth qu'Annabel l'embrasse. Je ne vous dis pas adieu, bien qu'un au revoir soit improbable... Mais sait-on jamais ? La vie est si drôle — quelquefois... ” Elle me fit un léger salut un peu cérémonieux, à l'ancienne mode, et se retira. Et voilà l'explication de mon retard. A présent, c'est moi qui t'écoute, Elizabeth. Tu avais quelque chose à me dire, je crois.

— Non, fit-elle, rien, plus rien. Je voulais vous parler du rubis.

— Eh bien, je te conseille de le porter. On ne le voyait jamais parce qu'elle le dissimulait sous son châle, mais il est connu, ancien, presque légendaire. On l'appelle le rubis Armstrong. A bientôt chère Elizabeth. Je me sens las et rentre me coucher

CHAPITRE XXXV

Ce soir-là, elle ne dîna point. Elle n'en avait aucune envie et monta à sa chambre. A son grand soulagement, elle put entendre le souffle tranquille et régulier de son petit garçon endormi. Sans bruit, elle ferma la porte et se déshabilla. Elle se plut à imaginer qu'avec sa robe glissaient sur le tapis tous les soucis de la journée. Avec les propos inquiétants de Charlie Jones et d'Annabel. Quel besoin de lui révéler les derniers mots de son mari sur son lit de mort ? Et ce discours dramatique d'Annabel s'arrachant du cœur un rubis pour lui en faire don à elle, Elizabeth, qu'elle embrassait... S'étaient-ils entendus, tous les deux, pour la tourmenter dans sa conscience ? Elle décida de se montrer ferme, et, maintenant dans son peignoir de soie blanche, elle allait et venait d'un coin à l'autre de sa chambre, ouvrit et referma un tiroir, mit du désordre dans les brosses et les flacons sur sa coiffeuse, puis alla se pencher à la fenêtre. L'air était un peu frais, mais d'une grande douceur qui caressait le visage. Qui se serait cru à quinze jours de Noël ? Sous les grands sycomores du square, elle remarqua un homme et une jeune femme se promenant à pas lents, la main dans la main, peut-être des amoureux... Au loin brillaient les lumières du port là où Charlie Jones l'avait vue dans la foule avec Jonathan. Elle détourna la tête.

De nouveau elle traversa sa chambre. Des pensées s'agitaient en elle sans qu'elle pût les écarter ni s'arrêter à l'une plutôt qu'à l'autre. L'idée lui vint de s'assurer une nuit de vrai repos en prenant un peu de laudanum. Elle avait tout ce qu'il fallait pour cela dans un placard qui fermait à clef, mais elle craignait que le lendemain, au retour de Billy, elle ne parlât d'une façon confuse, comme cela lui était arrivé une fois, et elle renonça.

Dans ce même placard se trouvait, cachée sous du linge, la parure d'émeraudes, trésor dont elle ne savait que faire pour le moment. Encore fallait-il être certaine que le joyau y était toujours. Elle y tenait et en avait peur. En parler à Charlie Jones lui paraissait hasardeux. Qui était cet homme ? Etrange question. Ne le connaissait-elle pas depuis des années ? Mais parfois le soupçon lui venait qu'on ne pouvait bien connaître personne et qu'on vivait jusqu'à la mort parmi des étrangers au langage double.

Elle jeta les yeux vers son lit et pensa : « Je ne vais pas dormir. » Brusquement elle s'assit sur une chaise et, le visage dans les mains, elle soupira : « Si seulement Billy était là pour me serrer contre lui... » Elle imagina la chose et tout son corps eut faim de cette étreinte, de cette suffocation. Fermant les yeux, elle s'abandonna au vertige et soudain se leva et courut vers le placard. La clef, elle l'avait prise un instant plus tôt dans un tiroir, sans vouloir s'avouer pourquoi, comme une voleuse.

A présent toutes ses allées et venues idiotes dans sa chambre prenaient un sens. Ce qu'elle redoutait, elle l'avait fait. Le rubis au fond de ses mains brillait d'un éclat victorieux. Avec de petits cris de joie, elle l'appuya à sa bouche. Jonathan avait tenu, tourné et retourné cette pierre magique entre ses doigts. La posant sur sa poitrine, elle frissonna de joie et de terreur. Dans une hallucination de tout son être, elle sentit une main de feu sur sa chair.

Comme une femme grisée, elle gagna son lit et, le rubis attaché à son cou, elle s'enfouit sous ses couvertures et ne sut plus rien jusqu'au jour.

CHAPITRE XXXVI

Elle se réveilla avec le sentiment confus de s'être aventurée dans des régions interdites, mais le souvenir en était si vague qu'elle n'eût su dire où elle était allée et ce qu'elle y avait vu.

Quelques secondes lui furent nécessaires pour s'apercevoir d'une présence tout près de son lit. Debout dans son pyjama blanc, son petit garçon la regardait en souriant. Ses boucles s'emmêlaient sur son front. L'amour éclairait ses grands yeux marron, et elle en fut bouleversée comme si le père de l'enfant se fût tenu devant elle tant la ressemblance entre eux était forte. D'un geste rapide, elle se couvrit la poitrine. Le rubis avait glissé entre ses seins. Ned ne l'avait pas vu.

— Bonjour, Mom', dit-il simplement.

Elle prit sa tête dans les mains et le couvrit de baisers.

— Darling, dit-elle, que fais-tu debout si tôt ?

— Pas si tôt, Mom', regarde le soleil.

Des rayons de lumière, en effet, passaient entre les lattes des volets qu'ils couchaient sur le tapis.

« Tu criais, ajouta-t-il.

— J'ai dû rêver, fit-elle inquiète.

Ned reprit gravement :

— Tu disais quelque chose, et tu as crié. Moi aussi, z'ai rêvé...

— Oh ! raconte, dis-moi ton rêve, fit-elle pour l'empêcher d'en dire plus sur ce qu'il avait entendu.

Il la regarda d'un air malicieux :

— Dis-moi d'abord ton rêve, Mom', et ze te dirai le mien.

— Mais, darling, je ne m'en souviens plus.

— Alors, ze te dirai pas mon rêve.

— Tu n'es pas gentil avec ta maman.

— Comme toi avec moi, fit-il en chantonnant. Mom' a son rêve et Ned a son rêve.

— Dis au moins à Mom' si tu as eu peur.

— Non... maintenant ze n'ai plus peur.

— Avant tu avais peur ?

— La première fois qu'il est venu, oui.

— Qui est venu, Ned ?

— Le rêve, Mom'.

Elle soupira. Jamais elle ne pourrait rien tirer de ce petit être obstiné. Prenait-il plaisir à la taquiner, ou cachait-il un mystère ?

Elle caressa les joues rondes de ce visage qui respirait l'innocence.

— Darling, fit-elle avec douceur, retourne dans ta chambre jusqu'à ce que Betty vienne s'occuper de toi.

— Oui, Mom'.

Il lui sourit gentiment et disparut avec une promptitude qui ne fit qu'augmenter le trouble d'Elizabeth. Ses pieds nus qu'elle eut le temps de voir courir sur le tapis lui remplissaient le cœur de tendresse, mais elle demeurait soucieuse.

Quittant son lit, elle se sentit gênée de voir le désordre suspect qui régnait dans sa chambre et racontait sa nuit... Sa robe en tas sur un canapé, sous-vêtements, bas et souliers jetés n'importe où... Quelle précipitation à se mettre au lit... Elle espérait que le petit n'avait rien remarqué, mais elle savait aussi que les enfants voyaient tout, retenaient tout, même s'ils ne comprenaient pas. Honteuse et préoccupée, elle s'efforça de rendre à la pièce son aspect ordinaire.

Chassant les idées noires, elle fit sa toilette avec un soin particulier. Aujourd'hui était un grand jour. Le temps galopait vers le bonheur avec le retour de Billy. Une robe d'un vert franc et résolu lui sembla celle qui convenait à une jeune dame perdant la tête à la seule idée des premières étreintes. Le rubis qu'elle portait disparaissait dans les profondeurs du corsage.

Le déjeuner eut lieu selon le rite quotidien. A tout hasard, obéissant à un espoir fou, elle avait fait mettre trois couverts bien que Billy eût déclaré qu'il serait là dans l'après-midi.

Ned se montra un peu agité par l'annonce qu'Elizabeth lui fit de la prochaine arrivée du militaire et il posait des petites questions très méditées sur les brandebourgs, les galons et sur l'armement défensif et offensif du personnage.

Vers la fin de l'après-midi, la maison, jusque-là tranquille, se remplit soudain de cris et de bruits de pas dans un tumulte qui pouvait faire croire à l'irruption d'un corps d'armée, mais c'était simplement Billy qui affirmait sa présence. Effleurant à peine les marches du bout des pieds, Elizabeth vola vers lui dans sa robe verte comme une perruche géante et toute balbutiante de bonheur.

Billy l'attrapa dans ses bras et l'éleva au plafond pendant qu'elle agitait les jambes et feignait la terreur, et lui sans un mot lui barbouillait ensuite le visage de baisers humides.

Dans la lumière déclinante, il arrivait comme un rayon de soleil attardé qui se réfugiait en grand uniforme dans la maison stupéfaite, et les domestiques surgissaient de tous les coins pour assister à cette scène qui perdait tout caractère d'intimité, tandis que Charles-Edouard junior observait ces effusions avec une attention pleine d'étonnement et un vif désir de comprendre qui lui agrandissait les yeux. Celina se tenait assez loin et l'on eût dit qu'un fantôme de sourire passait sur sa face immobile alors que Joe, le laquais noir, pointait sur la belle Anglaise échevelée le tir de ses regards voraces. En haut de l'escalier, Betty, toute petite, restait immobile et sérieuse.

— Billy, fit Elizabeth haletante, nous nous conduisons d'une façon bizarre devant tous les domestiques, passons au salon.

Il éclata de rire :

— Montons à ta chambre.

— Vilain garçon ! s'écria-t-elle. Pas encore. Je t'emmène au salon et nous fermerons les portes.

Dans le salon azur à l'aspect guindé, si convenable, si peu dans le ton, il promena autour de lui un œil de fauve qu'on fait entrer dans une cage, foudroyant le canapé trop court.

— Elizabeth, dit-il.

— Je sais... Je souffre comme toi...

Elle revit la chambre d'enfant et le lit trop court, là elle s'était donnée à l'étudiant Ned, mais la porte se fermait à clef. A voix basse elle reprit :

« Si on entrait... tu imagines ?

— Alors, allons dans les bois, allons n'importe où, dans le cimetière colonial...

— Es-tu fou ? Dans un lieu public... Une dame et un gentleman...

— Ah ! non, fit-il exaspéré, pas cette chanson-là, mon adorée : « Souviens-toi que tu es un gentleman... » On m'en a bassiné les oreilles depuis ma première culotte. Je te choque ? Je te parle en soldat...

— Tu ne peux pas me choquer, darling. La *society* m'agace autant que toi. Quand nous marions-nous ?

— Mais après-demain matin seulement. Quel temps perdu pour une formalité qui dure dix minutes...

Elle ne put s'empêcher de rectifier :

— Une petite cérémonie religieuse.

— Comme tu voudras, ça m'est égal. Ce qui compte, c'est que tu es à moi. Dis-le-moi, méchante fille !

Elle se jeta contre lui et il la serra comme pour lui broyer le corps.

— Etouffe-moi, dit-elle.

CHAPITRE XXXVII

Le temps, dans sa course vertigineuse bien connue vers l'abîme, a des ralentissements sadiques pour les amoureux qui attendent le mariage.

Finalement le grand jour fut là. Veuve, Elizabeth ne pouvait s'habiller en blanc, mais elle se décida pour une robe d'un rose pâle et recouvrit sa tête d'une mantille de dentelle blanche.

A onze heures juste, elle se trouvait debout à côté de Billy devant le pasteur de Christ Church orné de son étole. Tout près d'eux, Oncle Charlie et Mrs. Harrison Edwards tenaient leur rôle de témoins avec une gravité impressionnante. Tout cela fut très simple ; seule note de magnificence : l'uniforme de Billy et la fastueuse aigrette fièrement piquée dans le chapeau de Mrs. Harrison Edwards. Dans la lumière indécise de cette église vénérable flottait l'ombre du grand Wesley et il y eut une minute d'émotion quand l'officiant prononça les paroles décisives et que les anneaux furent échangés. On entendit discrètement renifler la belle Mrs. Harrison Edwards, et soudain Elizabeth songea à sa mère — Lady Fidgety eût fait de même.

Des vœux de bonheur conjugal élégamment tournés par le pasteur, et ce fut tout. Une Elizabeth tremblante de joie s'appuyait sur le bras de son nouvel époux pour gagner la sortie.

Un beau soleil d'hiver éblouit la jeune femme dès ses premiers pas sur le perron de l'église et elle crut distinguer quelques dizaines de personnes sur la place, quand tout à coup une voix puissante retentit et la fit bondir :

— Sabre au clair !

Au bas des marches, deux rangées d'officiers en dolmans rouges brandissaient les lames d'acier où la lumière accrochait des étincelles. Un prodigieux hourra accompagna ce geste. Toute frémissante, elle serra fortement le bras de son mari.

— Tiens-toi droite, Elizabeth, lui dit-il, c'est l'armée qui te salue.

De la place montaient des acclamations, et, le cœur battant, elle descendit les marches dans un rêve.

Lorsqu'elle s'engagea sous cette voûte fulgurante, elle se sentit envahie de fièvre belliqueuse, mais, bien plus que ces sabres levés au soleil, l'intimidaient tous ces regards d'hommes qui la suivirent par un mouvement simultané des prunelles de gauche à droite jusqu'au bout… Atroce et délicieux parcours ! Il lui parut interminable et cependant trop bref tant était grand le désordre des idées sous la mantille de dentelle blanche.

A l'issue de cette épreuve aussi troublante que glorieuse, elle eut la surprise de voir Charlie Jones en conversation avec le commandant.

Les sabres remis au fourreau, Charlie Jones prit la parole d'une voix forte :

— Commandant, un vin d'honneur chez moi. Qu'en pensez-vous ?

— Messieurs, vous entendez ? Mr. Charlie Jones nous invite chez lui. En route pour Jasper Square.

Un nouveau hourra fut poussé alors que la foule des curieux faisait pleuvoir le riz sur les nouveaux mariés.

« Et n'oubliez pas, reprit le commandant d'une voix tonnante, qu'il s'agit d'un mariage secret. Vous écarterez la presse.

Un rire homérique salua cette recommandation.

— Fuyons », fit Billy en entraînant Elizabeth vers un tilbury qui les attendait à deux pas de là, car Oncle Charlie pensait à tout.

CHAPITRE XXXVIII

Dans le grand salon blanc et doré, les trente officiers en dolmans rouges faisaient une impression étrange sur l'esprit d'Elizabeth.

« La guerre, pensa-t-elle, c'est déjà comme la guerre… »

Tous étaient jeunes. Plusieurs avaient cette beauté du Sud où la bonne humeur n'exclut pas une légère hauteur inconsciente dans le port de tête et une lueur de défi dans les yeux.

La jeune femme se sentait trop troublée pour bien comprendre ce qu'ils lui disaient d'aimable avec la discrétion qu'imposait la présence d'un mari qu'on devinait féroce.

« Ils vont mourir », se disait-elle…

Déjà le même présage en passant sous les sabres dressés au-dessus d'elle. En vain elle entendait leurs rires et l'insouciant bavardage de ces voix un peu traînantes, elle ne pouvait se défaire de la certitude que des champs de bataille les attendaient d'où ils ne reviendraient pas.

L'un d'eux surtout, un très jeune sous-lieutenant, la frappa par son air d'innocence et ses yeux bleu clair étonnés. Son charmant visage se colorait de rose comme le sien, aussi ne fut-elle pas très surprise quand, se poussant vers elle entre ses compagnons, il lui dit naïvement :

— Je suis anglais, comme vous.

Ayant risqué cet aveu en rougissant un peu plus, il lui fit un sourire qui ressemblait singulièrement à une déclaration d'amour. A coup sûr, il ne se rendait nullement compte de son audace.

Emue, elle bafouilla :

— De quelle région ?

— Haworth, une petite ville, ajouta-t-il, comme pour s'excuser.

— Célèbre néanmoins », fit derrière Elizabeth une voix mondaine qu'elle reconnut aussitôt avec stupeur : la voix de Mrs. Harrison Edwards.

Son aigrette victorieuse dépassant les têtes de tous ces hommes, Mrs. Harrison Edwards arrivait à temps pour mettre fin à une situation qui menaçait de tourner mal.

« Jeune homme, fit-elle, vous n'avez pas l'accent du Yorkshire.

— On me l'a fait perdre à Eton, dit-il en riant.

— Eton ! Intéressant... Chère Elizabeth, vous avez l'air fatiguée, déclara-t-elle en se glissant entre elle et son imprudent admirateur. Qu'en pense votre *mari ?*

Comprenant aussitôt, le jeune Anglais s'éclipsa.

Interdite, Elizabeth regarda Mrs. Harrison Edwards comme si elle ne l'avait jamais vue.

« Cela vous étonne que je sois là, fit celle-ci en souriant. Dès la sortie de l'église, j'ai pris mon cabriolet et suis venue ici après quelques courses... Mr. Jones m'a un instant prise à part pour me parler de vous. Un problème assez délicat se pose... Vous direz que je me mêle de tout, mais laissons cela, nous y reviendrons.

D'autorité elle la prit par le bras et la conduisit au petit salon déserté. Cette pièce, tendue de vert amande, donnait sur un jardin où triomphaient des massifs d'azalées et de camélias.

Les deux femmes s'assirent sur un canapé de chintz à fond noir qui évoquait toute une Angleterre de conversations tranquilles. Mais, depuis un moment déjà, Elizabeth se sentait loin de tout. Les gens et les choses autour d'elle perdaient un peu de leur réalité dans une sorte d'étourdissement. Elle fit cependant un effort pour comprendre ce que lui disait Mrs. Harrison Edwards et n'y parvint pas. Le visage de cette grande élégante retenait son attention plus que les paroles qui en sortaient comme une source d'une fontaine.

En la regardant bien, on retrouvait la jolie fille qu'elle avait dû être avant de devenir la très belle femme d'à présent. La vie était passée là. Aux approches de la trentaine, les joues se faisaient légèrement pleines, mettant en péril l'ovale du visage qui de charmant se faisait noble. Sa prime jeunesse se retrouvait dans son sourire, alors, dans ses yeux couleur de violette dansait une petite flamme de gaieté irrésistible.

Parfois Elizabeth saisissait un bout de phrase. Douce, raisonnable, la voix continuait et tout à coup, avec un léger rire, laissa tomber ceci qui réveilla la jeune Anglaise :

« ... sans tomber dans la vulgarité, je vous rappelle qu'une première nuit de noces n'est jamais de tout repos...

— Oui... non..., fit Elizabeth.

— On vous entendra. Y songez-vous ?

— Ah ? Vous croyez ?

— L'enfant.

Subitement Elizabeth comprit tout.

— La porte fermée...

— ... ne suffira pas... J'ai eu plusieurs fois l'occasion d'observer votre petit Ned. Il est réfléchi, attentif, curieux... Plus jeune, c'était sans importance, mais aujourd'hui, il est déjà un petit homme. Il voit ce magnifique soldat s'enfermer avec vous...

Prise de court, Elizabeth se leva :

— Je pense que vous avez raison, fit-elle, mais que faire ?

— Ne vous affolez pas, chère Elizabeth. Charlie Jones propose que vous habitiez ici quelques jours. Un bel appartement vous est réservé au deuxième étage avec une vue sur le jardin. On dira à l'enfant que vous êtes en voyage.

— Il tombera malade, il ne le croira pas, je le connais, il devine tout.

— Deux anges noirs veilleront sur lui : Betty et sa *Black Mammy*. Plus tard, vous changerez la disposition des pièces, Ned dormira à un autre étage.

— Il ne s'y fera pas, ce sera terrible.

Comme elle disait ces mots, Charlie Jones entra doucement.

— Vous excuserez mon irruption, ladies, mais Billy cherche son adorée comme Orphée son Eurydice.

— Il n'avait qu'à pousser la porte pour nous trouver, fit Mrs. Harrison Edwards en riant. Votre Billy n'est pas très malin.

— Pauvre cher, il perd la tête quand il s'agit de toi, dit Charlie Jones d'un ton sarcastique. J'espère que Mrs. Harrison Edwards t'a mise au courant de ma suggestion.

— Comment voulez-vous que je n'accepte pas ? demanda la nouvelle mariée avec un soupir. Merci, bien sûr.

— Vous serez parfaitement tranquilles chez moi. Je donnerai des ordres terrifiants pour qu'on ne vienne pas rôder de votre côté et tendre des oreilles coupables.

— Leur chambre sera un lieu sacré.

Charlie Jones regarda Mrs. Harrison Edwards et éclata de rire.

— Qu'est-ce qui vous prend, Lucile ?

La reine des élégances continua sur un ton vaticinateur :

— Un ange souriant veille à la porte des nouveaux mariés, un doigt sur la bouche.

— Etes-vous folle ? Où avez-vous trouvé cela ?

— Je ne sais pas. Je l'ai cueilli dans l'espace des temps à venir. Une inspiration...

— Quel mystérieux et gigantesque imbécile citez-vous ? Un poète, bien sûr. Il faut être poète pour être aussi platement sublime.

Soudain, Elizabeth, se tournant vers Charlie Jones, donna de la voix avec énergie :

— Si vous me permettez de faire une observation, puisqu'il s'agit de moi comme de mon mari, vous dites des choses de plus en plus gênantes. Billy et moi ne sommes pas des animaux, nous n'allons pas mugir, ni bêler, ni rugir.

Derrière elle, Mrs. Harrison Edwards secouait la tête en même temps que son aigrette pour faire « Si, si, si ! », ce qui ne l'empêcha pas d'éclater de rire avec Charlie Jones.

— Elle a raison, dirent-ils ensemble. Nous nous conduisons très mal. Pardon, Elizabeth.

Désarmée, celle-ci se mit à rire aussi.

— Accordé, fit-elle, comme disent les gouvernantes anglaises, mais allez rassurer mon Billy.

— Ton Billy au désespoir se console au buffet le plus prodigieux du siècle. C'était une merveille architecturale avant que l'armée n'en eût entrepris la démolition : des pyramides de sandwiches et des colonnades de gâteaux fourrés, du caviar servi à la louche, le champagne qu'on boit aux Tuileries...

Mais la jeune Anglaise secouait ses boucles d'or. Elle n'avait envie que de Billy.

Des sourires complices furent échangés entre les deux personnes qui veillaient sur son bonheur, puis Charlie Jones la prit par la main comme une enfant et la mena au premier étage où elle retrouva sa chambre d'autrefois, pleine de souvenirs, de rêves et de langueurs. Rien n'avait changé, sauf le lit étroit remplacé par un vaste lit double recouvert de soie blanche.

« Voilà, fit Charlie Jones, un peu gêné sans bien savoir pourquoi. (Les circonstances avaient peut-être quelque chose de bizarre pour un homme comme lui.) Je vais aller voir ce que fait Billy, repose-toi ici en attendant, ajouta-t-il en désignant une chaise longue surchargée de coussins.

Il prit conscience de jouer le rôle d'une personne complaisante qui arrange les amours de deux jeunes nigauds inexpérimentés et sentit vivement le ridicule de la situation. Ce n'était pas du tout cela, mais cela en avait l'air.

« Un peu de patience », dit-il avant de disparaître dans l'escalier, mais là encore c'était un mot malheureux... Cela lui rappelait les maisons de La Nouvelle-Orléans... horreur !

Restée seule, Elizabeth souffrait d'une façon différente. Il faisait encore grand jour et elle se rappelait le moment où elle avait voulu donner elle-même le bain à son petit garçon et le recul insurmontable devant la nudité masculine ; elle ne supportait pas l'idée de ce qu'elle aurait à voir tout à l'heure dans la personne de Billy. Fermer les yeux comme elle le faisait avec son premier mari qui comprenait... La nuit eût facilité les choses.

Du temps s'écoula avant que Billy parût.

Ebouriffé, la face rouge et joyeuse d'un homme qui a bien mangé et bien bu, il s'écria : « Enfin ! » d'une voix forte.

Par la porte qu'il avait laissée ouverte arrivait jusqu'à eux le vacarme des rires et des exclamations entremêlés de propos de plus en plus hardis et tout à coup, pareil à l'explosion d'un obus, un hourra sauvage qui fit tressaillir Elizabeth.

Elle ferma la porte et se tourna vers Billy. Pendant quelques secondes, elle se demanda si elle ne perdait pas la raison. Debout, les jambes écartées, il lui parut magnifiquement beau dans cet uniforme qui avantageait des formes puissantes, mais elle ne le reconnaissait pas. Etait-ce le regard, l'expression sérieuse et avide de tout le visage ? Elle chercha en vain l'amour, la tendresse des premiers jours dans ces yeux fixes et elle eut peur. Quelque part au fond d'elle-même avait lieu une sorte de déroute. Elle voulait comprendre et n'y réussissait pas. Seul un mot revenait dans sa tête avec insistance : erreur. Elle murmura :

— Billy, écoute, attendons la nuit.

— Pourquoi ? fit-il.

Et sans attendre la réponse, il la saisit dans ses bras et lui prit la bouche de force, car elle se débattait faiblement.

« Pourquoi résistes-tu ? demanda-t-il. Le jour comme la nuit, tu es à moi, non ? Tu ne m'aimes plus ?

Il se mit à dégrafer son corsage et ses doigts rencontrèrent le rubis qu'elle cachait entre ses seins. Stupéfait, il le logea dans la paume de sa main et le considéra :

« Qui t'a donné ça ?

— Annabel.

— Elle est folle, la mulâtresse ! Ça vaut une fortune, ces machins-là !

— Laisse, supplia-t-elle.

Elle ôta le rubis et le serra dans sa main. Le rubis, c'était Jonathan.

— Pourquoi fais-tu ça ? demanda-t-il. C'est beau sur une femme, les pierres précieuses.

Une inspiration subite vint au secours d'Elizabeth.

— Je ne te suffis pas sans ça ?

Il eut une seconde d'ébahissement ravi dont elle profita pour glisser le rubis dans une des poches de sa robe.

— Je t'adore, Elizabeth.

Cette parole dite avec ferveur rendit la paix à la jeune épouse et elle acheva d'ouvrir elle-même son corsage. Fou de désir, il arracha son uniforme sans la quitter des yeux. Elle détourna la tête.

CHAPITRE XXXIX

A la maison, l'enfant se taisait. La gouvernante avait fait mettre la table comme d'habitude avec deux couverts, et, Madame tardant, le déjeuner fut retardé aussi de quart d'heure en quart d'heure pour être enfin servi à un moment proche du goûter.

Ned mangea très sagement son assiettée de *hominy* d'une blancheur neigeuse. De temps en temps il levait les yeux vers Celina qui lui parlait d'une voix douce, mais il ne l'écoutait pas, faisait semblant par gentillesse.

— Ce matin, répétait la gouvernante, comme je vous l'ai expliqué, votre maman s'est mariée avec le bel officier que vous avez vu l'autre jour au petit salon ! Vous souvenez-vous ? Ce splendide uniforme rouge... Non ? Pourquoi ne dites-vous rien, Ned ?

La cuiller à la main, il la regardait, avalait son *hominy* et ne sortait pas de son mutisme... Ce silence obstiné frappa Celina : ce n'était pas le silence d'un enfant, mais bien celui d'un adulte résolu de se taire après avoir réfléchi. A cause de cela, elle éprouvait un certain malaise en sa présence, mais ne pouvait retenir des élans d'affection pour cette petite personne sans malice dont le sourire la touchait par sa gentillesse. La gênait seulement le mauvais souvenir de la nuit où il lui avait révélé que du fond de sa chambre à coucher venait quelqu'un ou quelque chose qu'il appelait le rêve. Elle préférait ne pas y songer. Après tout, ce n'était pas à elle de veiller sur le sommeil de Ned et elle s'était trouvée là seulement parce que Elizabeth était absente.

Pour le moment, assis près de son Indien qu'il avait posé sur la chaise à côté de la sienne, il torturait des doigts la poupée de chiffon en attendant le dessert. Tout en lui respirait l'innocence, une innocence dans une aura de mystère, mais quel enfant ne cachait de petits secrets qu'il ne livrait pas aux grandes personnes jugées incapables de comprendre ?

La journée s'acheva selon le mode habituel. Un peu écourtée, la promenade avec Betty eut lieu sans aucun changement et à l'heure prévue *Black Mammy* donna son bain à un petit garçon qui se laissa savonner et frotter sans dire un mot. L'ange noir, dans son gros nuage blanc, lui chantonna de petits airs sur un lapin plus malin que ses frères et qui échappait à tous les dangers.

Enfin, la nuit s'installa dans la maison et la chambre d'Elizabeth resta vide. Sans demander conseil à personne, la vieille Betty vint s'asseoir près du lit de Ned. Entre elle et lui, depuis de longs mois de promenades quotidiennes, existait un lien d'amour silencieux, une sorte de complicité de cœur qui ne s'exprimait pas. Il sentait qu'avec elle rien de terrible ne pouvait arriver. Elle avait pris place sur un tabouret et, à la lueur de la veilleuse, il voyait ce visage noir sillonné de rides mais rayonnant de tendresse, écartant la peur.

— Betty, dit-il au bout de plusieurs minutes de silence, où est Mom' ?

— Massa Ned, je sais pas, mais elle va r'veni'.

— Sûr ?

— Oui, elle s'est ma'iée aujou'd'hui et quand on se ma'ie on 'este deho' toute la jou'née.

— Pourquoi ?

— Pa'ce qu'on est content, qu'on a beaucoup de choses à se di'.

Cette explication dut paraître obscure à l'enfant curieux, car un instant plus tard il dit :

— Reste là, Betty, ne t'en va pas.

— Non, Massa Ned, Betty ne s'en i'a pas.

Et presque aussitôt, il s'endormit.

CHAPITRE XL

Vers neuf heures du soir, on sonna à la porte, non pas une fois, mais deux, avec impatience. Légèrement inquiète, Celina courut ouvrir.

C'étaient Elizabeth et son mari, tous deux souriant de la mine étonnée que faisait la gouvernante.

— Vous ne nous attendiez plus », dit Elizabeth, et aussitôt elle demanda : « Ned ?

— Je crois qu'il dort. Betty est avec lui, dit Celina.

Elizabeth fit un pas vers l'escalier, mais la gouvernante l'arrêta : « Pardon, Madame, mais si vous le réveillez il va être difficile à rendormir.

— Savez-vous s'il a pleuré ?

— Non, je l'aurais entendu, j'étais ici, mais il est nerveux et il pose des questions.

— A ta place, fit Billy, je le laisserais tranquille, tu le verras demain matin.

— Je ne le réveillerai pas, je veux seulement le regarder, je veux...

Ecartant Celina d'un geste, elle monta l'escalier, sa jupe relevée d'une main, ses pieds touchant à peine les marches. Dans sa chambre, elle s'arrêta avant de passer à la chambre voisine où dormait l'enfant.

Un instant elle se tint immobile, jetant les yeux autour d'elle pour redécouvrir le décor familier. Un réverbère dans l'avenue lui permettait de distinguer la commode et les poignées de cuivre des tiroirs qui luisaient doucement, et plus loin la grande tache vert pâle que faisait la couverture de son lit. Tout le reste disparaissait dans l'ombre.

Sur la pointe des pieds, elle gagna la chambre de Ned. Juchée sur une chaise, Betty la vit aussitôt et agita les mains en l'air pour lui recommander le silence, et la lumière de la veilleuse projetait l'ombre de ses bras sur les rideaux blancs, agrandissant ses gestes qui devenaient dramatiques.

— Chu..., M'am, souffla-t-elle, Massa Ned do'..

Elizabeth inclina la tête et se pencha sur l'enfant. Par un geste qui lui était habituel, il tenait une main sur le cœur, à moitié repliée, et de sa bouche entrouverte s'échappait le bruit à peine perceptible de sa respiration. Sur l'oreiller, ses boucles s'emmêlaient, noires, querelleuses.

Elizabeth dut briser l'élan qui la poussait à couvrir de baisers la petite tête pleine de rêves. Elle s'inclina vers la vieille femme noire et chuchota :

— Je vais avoir de la peine de ne plus dormir près de lui.

— *Yes,* M'am, fit Betty.

Elle eut un sourire qui découvrit les quatre ou cinq dents qui lui restaient.

« Je se'ai là, M'am.

— Pas toute la nuit ?

Betty hocha vigoureusement une tête serrée dans un madras vert strié de rouge.

Pendant un moment les deux femmes se regardèrent sans rien dire, puis Elizabeth se retira.

En bas, Billy attendait debout, l'air patient, avec la gouvernante.

— Eh bien, demanda-t-il, quelles nouvelles ?

— Rien. Il dort.

— C'était bien la peine de rester si longtemps, fit-il en riant.

— Tu ne peux pas comprendre, Billy.

— Si, si, bien sûr. Le cœur d'une mère — mais si nous voulons dîner au De Soto comme tu me l'as demandé, nous n'avons que le temps de sauter dans mon tilbury pour aller là-bas. Nous n'avons pas retenu de table... et le soir, c'est plein.

En moins d'une minute, ils furent dehors. Celina referma la porte sur eux et, dans la maison rendue au silence, elle se livra au plaisir austère de la réflexion.

Dans le vestibule, elle resta un instant debout, pensive, comme si elle venait d'assister à un spectacle inhabituel. L'idée qu'elle se formait d'Elizabeth venait de changer brusquement. Toujours belle de cette beauté un peu trop sûre d'elle-même, elle avait perdu sa mine soucieuse qui prêtait du mystère à la fraîcheur de sa persistante jeunesse. A présent, tout épanouie et riant de bonheur, elle donnait l'impression troublante d'être non plus Elizabeth, mais le sosie d'Elizabeth.

CHAPITRE XLI

Le soleil brillait dans un ciel bleu clair quand ils reparurent le lendemain, l'air très affairé de gens qui viennent de prendre des décisions et entendent ne pas perdre de temps pour en assurer l'exécution. Elizabeth surtout. Tout en elle proclamait l'état de mariage. Ce qui lui manquait hier, elle le possédait aujourd'hui, ce quelque chose d'indéfinissable : l'autorité... Elle ne s'appuyait plus contre son mari, mais avançait chez elle d'un pas fier comme dans son territoire que, du reste, nul ne lui contestait. Evaporée à tout jamais, la timidité non sans charme de la veille. Elle était maintenant Mrs. William Stevens Hargrove.

Suivie de son mari, elle entra au salon et déclara aussitôt :

— Tout ceci doit être changé. J'en ai assez de ce banal azur. Je veux quelque chose qui ait du caractère, de l'audace.

— Du rouge, suggéra Billy.

— Bravo. Plus de mièvreries. Mais quel rouge ?

— Sang.

— Sang ! fit-elle comme un écho. Darling, tu es merveilleux.

— Militaire, ma chérie.

— La *society* va hurler.

— Oh ! non, pas aujourd'hui.

— Vraiment ? Alors, un damas vermeil, par exemple.

— Je te laisse le soin du détail.

— Oh ! je le vois notre salon rouge, s'écria-t-elle, je le vois ; tu ne le vois pas ?

— Ma chérie, je le verrai mieux quand tout sera en place. Passons à la nouvelle affectation des pièces telle que nous l'avons décidée hier soir. Toi et moi, nous prenons à Ned sa chambre qui n'en fera qu'une avec la tienne.

— Oh ! Billy, gémit Elizabeth, comment le lui annoncer ?

— Il va avoir la belle chambre du rez-de-chaussée avec sa salle de bains à lui. C'est bien ce que nous avons décidé ensemble au De Soto.

— Je sais bien, mais je me sens très lâche... Oh ! si tu pouvais, toi... Tu feras tout passer avec ta présence, ton uniforme... Si tu savais comme il t'admire...

— Ça va, je cède, mais vite à l'attaque ! Où est-il ?

— Dans sa chambre, hélas.

Elle s'arrêta tout à coup et se frappa le front :

« Une idée ! Si cela pouvait se faire au jardin ! Tout en bavardant gentiment avec lui. Ce serait moins dur que chez lui, dans cette chambre qui est son domaine...

— Eh bien, c'est entendu. Je cède encore, parce que c'est fête aujourd'hui...

— Je vais chercher le pauvre amour... Tu verras mon jardin que tu ne connais pas bien, et par la même occasion si tu pouvais dire un mot à Patrick, le jardinier, il est insupportable, je t'expliquerai... il se bat avec les livreurs, parle-lui un peu.

— Appelons cela la corvée numéro 3. Y en a-t-il d'autres ?

— Oh ! Billy...

— Oh ! Elizabeth... Monte vite chercher ton garçon, moi je vais au jardin.

Un instant plus tard, il descendait les marches du perron et faisait quelques pas dans le jardin étroit et long, mais, élevé dans une des plus belles plantations de Georgie, il lui suffit d'un coup d'œil pour reconnaître que le laisser-aller apparent du jardin d'Elizabeth cachait une intention de jardin soigneusement sauvage. De là ce gros désordre de buissons touffus qui avaient l'air de se bousculer dans les coins, de là ces arbres poussant au hasard et dont les branches trop longues s'élançaient par-dessus des allées d'herbes folles et au hasard, isolées comme des reines en exil, des fleurs magnifiques tout étonnées de se trouver là où personne ne les avait plantées, alors que le jardinier le savait fort bien ; mais dans l'ensemble tout cet éden arrangé avait du charme et le jardin étroit, long comme une rue, invitait au bonheur simple de la paix et d'une rêveuse fainéantise.

Aussi peu d'accord que possible, dans son uniforme d'une élégance précise, avec ce fouillis végétal, Billy traversa d'un pas martial cette sorte de fausse jungle sur toute sa longueur et s'arrêta devant la porte restée ouverte de la petite maison. Là, il appela d'une voix forte :

— Y a-t-il quelqu'un ici qui réponde au nom de Patrick ?

Silence. De l'autre côté du mur, dans l'avenue, les fouets claquaient, les voitures roulaient et des gens parlaient.

Il attendit. Enfin parut un homme de haute taille, vêtu de toile d'un blanc terreux.

— *Yassum* (*Yes,* Sir), dit-il simplement.

En même temps il regarda Billy des pieds à la tête.

— C'est toi Patrick ? demanda celui-ci.

Ses yeux clairs brillants d'admiration et de curiosité, l'Irlandais répondit de nouveau :

— *Yassum.*

— Alors tu es mon jardinier et je suis ton nouveau patron. Je suis le mari de Mrs. Jones devenue Mrs. Hargrove.

Toutes les rides du visage de Patrick dessinèrent un large sourire et sa grande bouche s'ouvrit annonçant un grand discours, mais Billy dit rapidement :

« Merci pour les félicitations, et parlons jardins. Le tien est tout à l'envers. Tu vas me refaire tout cela.

Brusquement, il se retourna et vit Elizabeth qui se hâtait vers lui tenant Ned par la main.

Billy saisit l'enfant et l'éleva à bras tendus. De petits cris de frayeur et de ravissement lui répondirent du haut des airs.

« Tu reconnais ton nouveau papa ? fit Billy en le reposant à terre. Nous sommes déjà de vieux amis depuis l'autre jour, non ?

Ned leva vers lui un visage rayonnant.

— Oui, oui !

— Oui, Papa, rectifia Billy

— Oui, Papa.

— Alors, je vais te faire un beau cadeau. Comme tu n'es plus un bébé, tu vas avoir une chambre à toi, comme un homme. Es-tu un homme ou un bébé ?

Incertain de ce qui allait suivre, Ned répondit sans grande assurance :

— Un homme...

— Alors, je te donne pour toi tout seul la belle chambre d'en bas avec une belle grande fenêtre pour regarder dans le jardin.

Quelque chose se passa dans le visage de Ned comme si le bébé se réveillait tout à coup.

— Et Mom' ? demanda-t-il.

— Et Mom'... Ce n'est pas comme ça que parle un homme, mon garçon.

Elizabeth se pencha vers Ned et le serra contre elle.

— N'aie pas peur, mon petit Ned, ta porte sera ouverte et la mienne aussi, tu n'auras qu'à appeler Mom' et Mom' sera là.

— Ze serai plus tout près de toi, insista-t-il au bord des larmes.

— Mais si. Je vole dans l'escalier plus vite qu'un oiseau et j'arrive. Si tu ne veux pas que Mom' soit malheureuse, tu dis : oui, Mom'.

Il ne répondit pas, mais il gardait les yeux attachés au visage de sa mère et elle lut dans les grandes prunelles la détresse d'un amoureux qu'on sépare de sa bien-aimée.

Prise d'effroi, elle murmura à son oreille :

« Je viendrai dormir près de toi.

Le temps d'un éclair, elle imagina tout, se vit couchée près de Ned jusqu'à ce qu'il s'endormît, puis le quittant pour regagner sa chambre, et son mari.

Sans répondre, il leva les mains pour lui caresser le visage et elle le prit tout à coup dans ses bras, puis posa la bouche sur chacun des beaux yeux humides. Rassuré, le petit garçon sourit.

Billy s'approcha et, d'un ton légèrement narquois, lança :

— Je ne veux pas troubler une si charmante scène d'amour maternel, mais, le problème étant réglé, passons à l'horticulture, ma chérie : ton jardin.

Elle posa l'enfant et lança un regard sévère à Billy :

— Essaie de comprendre, dit-elle.

— C'est fait, dit-il gaiement. J'ai tout compris la première fois que je vous ai vus ensemble.

— Tu n'as rien vu que de très normal.

— Disons exceptionnellement normal et laissons tomber. Ton jardin, Elizabeth, comment le veux-tu ?

— Anglais, fit-elle d'un air de défi.

— A merveille. Ce sont les plus beaux. Pat, arrive ici.

Pat avança de trois grands pas.

« Ton jardin ressemble à un débarras, lui dit Billy les mains derrière le dos et les jambes écartées, nous allons en faire un paradis. Alors, je veux de la couleur, comprends : roses, azalées, hortensias, et pour l'odeur seringas, chèvrefeuille, jasmin, héliotrope à vous étourdir, des camélias et surtout des magnolias. Je n'en vois pas un seul, c'est fou, tu vas m'en planter quatre pour enivrer le cœur de tendresse. Elizabeth, tu es d'accord ?

La jeune Anglaise, toute droite, était devenue blanche comme si elle attendait un coup.

— Naturellement, fit-elle d'un ton froid.

— Te souviens-tu des deux grands magnolias au bas du porche à Dimwood ? Tu les aimais tant.

— Je les aime encore, fit-elle.

— Alors, des magnolias pour le souvenir.

— Cela va demander du travail, observa Pat.

— Beaucoup, et je double tes gages.

Se tournant vers Elizabeth, il la prit par la main pour la mener vers la maison et lui dit à mi-voix :

« Tu arrangeras le jardin selon ton goût, mon adorée, mets-y seulement de la couleur comme à Dimwood. Mais tes mains sont froides, qu'y a-t-il ? Tu es toute pâle.

Dans ses yeux comme dans sa voix parlait tant d'amour qu'elle chassa la pensée terrible qui assaillait son esprit. Il ne pensait pas à Jonathan. Qui, du reste, lui eût révélé l'épisode de la véranda ? Mais elle avait eu peur.

— Ce n'est rien, fit-elle. Une minute d'émotion à cause du petit, mais il s'est calmé, tout va bien. J'allais oublier de te rappeler qu'il faut parler au jardinier, il nous cause des ennuis avec nos fournisseurs.

— Comment ça ?

— Il boxe et met à mal les livreurs pour le plaisir, c'est sa manie, il adore se battre, alors on ne nous livre plus rien. D'autre part, je tiens à le garder parce qu'il veille sur la maison comme un molosse. Et puis, je l'aime bien, malgré tout.

— Je vais tout de suite arranger cela.

— Oh ! je reste, fit Elizabeth tout à coup amusée. Darling, dit-elle à Ned qui se tenait près d'elle, sois sage, ne bouge pas.

Souriant à l'avenir qu'il voyait dans des reflets d'or, l'Irlandais regagnait sa maison quand la voix impérieuse de Billy l'arrêta net :

— Patrick, arrive ici.

L'homme revint sur ses pas, la face encore épanouie, l'œil finaud calculant déjà.

— *Yassum.*

— Il paraît que tu démolis les livreurs.

— Tous les saints d'Irlande sont témoins que je ne le fais pas exprès. Ils ont des poings, ils n'ont qu'à se défendre, mais on ne m'envoie que des mauviettes.

— Tu n'as aucune raison de les boxer.

— Ce n'est pas ma faute, je ne peux pas m'en empêcher. C'est le noble art, vous savez ?

Son visage prit soudain une mine chafouine :

« Si j'osais..., fit-il. Une supposition que ça vous amuse, vous et moi, comme ça, tout de suite...

— Avec plaisir, fit Billy.

Il se mit en garde. Pat, ravi, fit de même. Avec une adresse incroyable et une vigueur de jeune homme, il porta de son long bras musclé un coup que Billy n'esquiva que de justesse, mais à la seconde même, non sans une affectation de nonchalance, celui-ci atteignit la mâchoire de l'Irlandais d'un poing d'acier qui l'étendit tout de son long.

Ned poussa un cri de terreur et courut vers Pat en criant :

— Méchant ! Il a tué Pat !

Courant vers le vaincu étendu dans l'herbe, il se pencha sur lui et, d'une main timide, toucha le visage rugueux. Quelques secondes passèrent, puis l'Irlandais revint à lui et sans bouger fit un clin d'œil à l'enfant.

Cette fois, Ned poussa un cri de joie :

« Mom', il n'est pas mort.

Le jardinier se releva en riant.

— Alors, c'est fini, Pat ? fit gaiement Billy. On laisse les livreurs tranquilles ?

— Promis, fit Pat, à moins qu'on ne me provoque.

— Je donnerai des ordres, fit Billy d'une voix brève.

Pat le regarda s'éloigner avec Elizabeth et Ned. Peut-être fut-il frappé d'admiration par la silhouette de son vainqueur, car il dit à mi-voix :

— Tout de même, quel boxeur il aurait fait...

Avec Billy, les opérations prévues se faisaient selon les méthodes particulières à l'armée : rapides, sommaires et définitives.

Pris d'affolement par ce grand remue-ménage dont la raison profonde lui échappait, Ned s'accrochait aux jupes de sa mère énervée en l'implorant de tout empêcher. Surtout le départ de son lit et son voyage dans l'escalier le remplirent d'horreur.

— Regarde, Mom' ! criait-il en le voyant disparaître dans une pièce qu'il connaissait à peine.

Betty, qui revenait du marché avec la cuisinière, arriva à temps pour le calmer. Tout en essuyant ses larmes, elle lui parlait de cette voix d'une douceur sauvage qui semblait venir d'un monde où régnait l'enfance, et ses modulations pleines de tendresse berçaient le chagrin de celui qu'elle appelait son trésor. Elle se tenait près de lui dans sa nouvelle chambre et le serrait contre elle à chaque fois qu'arrivait un meuble de la chambre abandonnée. Tables, chaises et fauteuils prenaient un air dépaysé et le décor familier ne se retrouvait pas.

La tendresse de la femme noire finit par rendre la paix au petit garçon et il partit en promenade avec elle, le cœur un peu moins gros.

CHAPITRE XLII

Le nouveau mode de vie s'organisa sans retard dans la maison. Au moins en apparence tout allait pour le mieux. La gaieté donnait le ton général, Billy savait imposer sa bonne humeur de collégien qu'il n'avait jamais perdue et se montrait intarissable en anecdotes divertissantes. Ned écoutait attentivement et comprenait tout de travers d'une façon passionnante.

A l'heure du coucher, le subterfuge d'Elizabeth faisait ses preuves et réussissait à merveille. Il suffisait de quinze minutes pour qu'installée au bord du lit en feignant de dormir elle entendît le petit souffle de Ned se rythmer pour la nuit entière.

Au début, elle s'en voulut un peu de tromper aussi facilement l'innocence, mais Billy se moquait gentiment de ses scrupules et applaudissait à sa trouvaille. Se doutait-il que ce jeu de mensonge et d'amour ressemblait bizarrement à un cours préparatoire d'infidélité conjugale ?

Mais, pour le moment, il s'agissait de tout autre chose au premier étage de la jolie maison d'apparence un peu prude qui faisait l'angle de la rue. Il était hors de doute que les affirmations véhémentes de Mrs. Harrison Edwards et de son aigrette : « Si ! si ! » s'avéraient justes et précises. Presque sans retenue, Elizabeth se livrait à la passion si patiemment réprimée depuis la mort de Jonathan. Persistait néanmoins le dégoût étrange qui lui faisait fermer les yeux au moment voulu.

Billy n'en revenait pas et sa vanité d'homme en souffrait, car le labyrinthe psychologique de la femme demeurait pour lui un mystère. Il se réconfortait en se disant qu'il possédait le principal et ne s'aventurait pas plus loin dans ses réflexions.

Betty n'avait pas encore eu l'occasion de voir de près le lieutenant Hargrove depuis son arrivée chez Elizabeth. Un jour et une nuit seulement s'étaient écoulés, mais par instinct la vieille servante se montrait le moins possible. Elle semblait avoir à cœur de se faire oublier, toute au service du petit Ned et moins souvent de sa mère qui pourtant lui vouait une affection sans réserve.

Il se trouva que, se rendant à la salle à manger pour le petit déjeuner, Billy l'aperçut dans l'antichambre. Devant ce personnage qui lui parut énorme et d'une splendeur intimidante, Betty fit entendre un cri pareil à la minuscule vocifération d'une souris.

— Massa Billy ! fit-elle.

— Quoi donc ? fit le géant chamarré, en jetant les yeux à ses pieds.

— Massa Billy, c'est Betty.

A ces mots, il se plia en deux et saisit dans ses deux mains la petite vieille noire, puis la souleva jusqu'à la hauteur de son visage.

— Ma chère Betty, dit-il, Elizabeth ne m'a rien dit, je te croyais encore là-bas, en Virginie ou chez Charlie Jones, mais je vois que tu n'as pas oublié ton petit Billy à qui tu donnais son bain il y a vingt ans.

L'idée qu'elle avait pu jadis promener ses mains sur le corps de ce géant remplit Betty de confusion, et elle s'écria :

— Oh ! Massa Billy, j'ai honte...

— Pourquoi ? Mais cela me fait plaisir de retrouver ma *Black Mammy*.

Il la posa très doucement à terre. Elle venait à hauteur de son ceinturon.

« Et ici, que fais-tu, Betty ?

— Je p'ends soin de Massa Ned, je le mène à la p'omenade.

— Et maintenant tu es ici chez toi pour toujours. Tu es libre, comprends-tu ? Plus esclave, n'est-ce pas ?

— Oui, Massa Billy, me'ci, Massa Billy. Miss 'Lisbeth m'a dit aussi : « Tu es lib'e. »

— Elle a bien fait ; moi je vais t'habiller de neuf, de la tête aux pieds.

— Oh ! no, Massa Billy, j'aime mieux ma vieille 'obe 'ouge et noi' et mon bandana ve't...

— A ta guise, petite Betty.

— Me'ci, Massa Billy. Je m'en vais voi' Massa Ned.

Elle fit une tentative maladroite pour l'honorer d'une petite *curtsey* comme les dames et déguerpit. Il la regarda courir sur ses courtes jambes un peu torses. Avec l'âge et l'usure du travail, elle ressemblait à présent à une très vieille poupée, mais le grand regard noir était toujours plein de cette bonté presque surhumaine qui le subjuguait déjà petit garçon.

3

TROUBLES

CHAPITRE XLIII

Noël approchait discrètement. A Savannah, cette fête était observée avec une piété soutenue dans le *Prayer Book* par des invocations d'une beauté littéraire sans égale. C'était correct, voire émouvant, mais c'était tout. Il n'y avait pas encore, comme cela commençait à se voir dans le Nord sous l'influence de la Mère patrie, de sapins illuminés de petites bougies, ni surtout de longs et joyeux festins où triomphaient la dinde et le plum-pudding, suivis de folles équipées en traîneaux dans des campagnes toutes blanches. A Savannah, le décor gardait la féerie à peine modifiée de ses feuillages et de ses fleurs. Les cloches tintaient, les *carols* célébraient les anges, les vergers, l'Enfant dans sa crèche. Manquait la neige, manquait la magie du froid.

Trois jours avant Noël, en fin d'après-midi, les jeunes mariés reçurent la visite de Charlie Jones, tout sourire comme d'habitude. Rose et fleurant l'eau de Cologne, le corps pris dans une redingote noire et d'une élégance étudiée, il donnait l'impression d'être extrêmement satisfait de la vie en général, comme de lui-même, et une bonne humeur un peu convenue entrait bruyamment avec lui. Après avoir embrassé Elizabeth et gratifié Billy d'une sorte de bourrade amicale, il annonça :

— Mes enfants, ma chère Amelia arrive demain à Savannah pour y passer les fêtes avec la petite fille et les deux garçons qu'elle m'a donnés là-haut dans notre chère vieille demeure du Grand Pré. Nous célébrons Noël à la maison de la façon la plus tranquille, en toute intimité. Vous êtes l'un et l'autre invités à déjeuner.

Billy et Elizabeth inclinèrent deux visages résignés, armés cependant du sourire attendu.

— Trois enfants, déjà, fit poliment Elizabeth. Le temps passe si vite... J'ai peine à le croire !

— La petite Mathiwilda est encore si jeunette que vous ne la verrez pas, mais je tiens beaucoup à vous montrer mes deux fils, Emmanuel et Johnnie, très remuants déjà. Jusqu'ici j'envoyais Amelia et tout mon petit monde passer l'hiver à Warm Springs. Le reste du temps, ils ne quittent pas notre Grand Pré. La Virginie ne te manque pas un peu, Elizabeth ?

— Si... souvent, fit-elle sans conviction.

— Cette année, ma chère Amelia a bien voulu faire une exception et venir passer la mauvaise saison à Savannah. Il a fallu pour cela un effort à cette âme si droite, car elle juge sévèrement notre ville qu'elle soupçonne d'être dépravée.

Billy éclata de rire.

— Elle confond avec la Louisiane, c'est à La Nouvelle-Orléans qu'on s'amuse vraiment.

Charlie Jones leva les sourcils.

— Je ne reconnais pas là le langage d'un mari sérieux, fit-il avec une sévérité pour rire, mais passons. La rectitude morale d'Amelia s'alarme de tout. Vous le constaterez vous-même. Si profonde est devenue sa vie intérieure que son visage à lui seul, sans bouger, sans parler, vous fait entendre un sermon.

Elizabeth et Billy se regardèrent.

« Je comprends votre surprise, continua Charlie Jones... Il y a dans cette femme admirable un mystère dont je sens la présence et que je ne comprends pas, mais cela concourt à une sorte de bien-être moral qui me rend la vie agréable et assure la paix du foyer. Saisissez-vous ?

— Oh ! oui, Oncle Charlie, firent-ils d'une seule voix.

— Vous mangerez, comme en Angleterre, pour la naissance du Sauveur, une dinde à la sauce d'airelles. Cela ne se fait pas beaucoup dans le Sud, mais chez moi vous êtes en Angleterre.

— Vive l'Angleterre, dit doucement Elizabeth.

— Bravo, Elizabeth. Toujours fidèle. J'ajoute, et ceci est un plaisir que vous ne me refuserez pas : que, le matin de Noël, ce qu'il y a de mieux dans la société de Savannah vous voie à Christ Church, l'église qui donne le ton. Cela est important pour vous, mes enfants. Le déjeuner est à deux heures.

Rentrés dans leur chambre, Elizabeth et Billy ne firent aucun commentaire sur ce qui les attendait, mais, par un de ces insondables caprices de la nature, ils se jetèrent l'un vers l'autre dans une exaspération des sens.

Le matin de Noël, obéissant au vœu si formellement exprimé d'Oncle Charlie, ils se rendirent à Christ Church où ils firent l'un et l'autre bonne figure à côté d'un des premiers personnages de la ville et de sa très imposante épouse Amelia, vêtue de soie prune.

On regardait beaucoup le bel officier et la belle Anglaise, dont le rubis qui pendait à son cou n'échappa à l'attention de personne.

A vrai dire, la présence d'Elizabeth à l'église était en soi une sorte d'événement, car elle n'y paraissait presque jamais. Sur ce point, nul ne l'interrogeait et en vérité qu'eût-elle pu dire ? Elle n'en savait rien elle-même, sinon qu'être vue en train de faire ses prières la gênait à l'égal d'une inconvenance. Cet aspect de sa vie devait demeurer, selon elle, tout à fait secret. Ne devait le connaître personne, même pas et surtout pas Billy. Aussi, à Christ Church, ce matin de Noël, éprouvait-elle un profond malaise.

Le déjeuner se passa mieux qu'elle ne le prévoyait. Oncle Charlie découpa lui-même la dinde, volaille surestimée qui n'a de goût que par tout ce qu'on y fourre, mais tous se persuadèrent qu'elle était succulente. Un grand vin de France acheva d'obscurcir leur jugement. Amelia se déclara satisfaite et consentit à tremper ses lèvres dans un verre de saint-julien. Les années avaient à peine marqué son visage immobile qui frappait par la noblesse de l'expression et une dignité n'incitant pas aux propos frivoles ni à la confidence.

Elizabeth, qui l'observait de temps à autre, admirait la profondeur des grands yeux pensifs qui se tournaient parfois vers elle, de sorte que leurs regards se croisant esquissaient un début de conversation muette.

Aussi bavards l'un que l'autre, et tous deux sous l'action du vin, Charlie Jones et Billy dialoguaient avec une animation joyeuse. Oncle Charlie retrouvait sa jeunesse en écoutant les plaisanteries du militaire au teint tout enflammé par la bonne chère.

Comme le repas s'achevait, Charlie Jones dit à Elizabeth :

— Je ne vous montrerai pas mes petits aujourd'hui. Ils dorment, assommés par un excès de plum-pudding, mais je vous amènerai bientôt mon Emmanuel qui va attraper ses cinq ans et demi dans quelques semaines. Il pourra s'amuser avec votre Ned. Celui-ci a besoin d'un compagnon avec qui batailler. Vous et moi, lieutenant, nous allons dans le fumoir où j'ai de vrais cigarillos de La Havane à vous offrir. Mesdames, j'ai le ferme espoir de vous retrouver dans le petit salon vert où vous attendent de grands fauteuils. L'on est bien pour se reposer des fatigues de la digestion en fermant les yeux — par exemple...

Cette façon cavalière d'expédier les politesses ressemblait assez peu au Charlie Jones ordinaire, mais les trois bouteilles de son précieux saint-julien 1835 partagées avec le vaillant hussard faisaient docilement leur effet.

Dans le salon vert et or qui donnait sur les jardins, les deux femmes s'assirent, non dans les grands fauteuils préconisés par Charlie Jones, mais sur un canapé de satin mauve. Amelia se tenait un peu trop droite pour qu'Elizabeth osât se laisser aller un peu dans les coussins qui ne manquaient pas. Il y eut d'abord un assez long silence. Amelia regardait un petit carré de ciel au-dessus des chênes verts du jardin, comme si elle y cherchait une inspiration, puis elle se tourna vers Elizabeth et lui demanda :

— Ma chère petite, te souviens-tu de cette conversation que nous avons eue jadis dans un coin du cimetière colonial ?

— Oui, mais c'est un souvenir déjà lointain. Je crois que vous m'avez parlé de votre sœur Charlotte.

— C'est cela. Ces tristes fiançailles rompues qui ont failli la rendre folle...

— Je me souviens maintenant. Pauvre Tante Charlotte.

— Ne la plains pas trop, Elizabeth. Elle a bien fait de ne pas se marier. Aujourd'hui elle connaît au moins la paix.

— Elle est très bonne.

— Avec un cœur d'enfant. Ecoute, mon expérience de la vie a été très différente. Tu vois devant toi la plus malheureuse des femmes de cette ville.

De stupeur, Elizabeth redressa la tête.

« Comprends-moi bien, reprit Amelia. Charlie est le meilleur homme du monde, mais si profonde est entre nous la mésentente qu'elle est à tout jamais irréparable. En deux mots, j'ai la foi et il ne l'a pas.

— Et à cause de la foi...

— Tu ne peux savoir quel fossé cela creuse à la longue. Bien qu'il tienne à observer quelques usages de piété conventionnelle, assistance à l'église à certains jours, il ne croit vraiment à rien. Lui-même n'en a pas conscience. Il me prend simplement pour une bigote... C'est le mot qu'il ne dira jamais, mais que je lis dans ses yeux et son sourire indulgent, amusé quand il loue ce qu'il appelle mon âme sereine. Qu'il m'aime, cela ne fait pas le moindre doute. Je suis pour lui la femme très caressée qui lui donne des enfants. Sa santé s'en trouve à merveille et selon toute apparence la mienne en bénéficie... Mais je voudrais être morte.

— Oh ! Tante Amelia !

— Laisse, j'ai fini. Je pourrais aller beaucoup plus loin, mais tu me jugerais ennuyeuse. Parler de religion est presque impossible. Toute ma vie je n'ai voulu que me cacher en Dieu.

A ces mots, Elizabeth se leva d'un coup, comme si en elle une Elizabeth inconnue faisait un bond vers cette femme qui la regardait d'un air calme. Elle voulait dire quelque chose et n'y parvint pas. Du reste, Amelia levait la main comme pour l'en empêcher.

« Il faut nous quitter, dit-elle simplement. Je me sens très lasse, je veux monter à ma chambre. Nous nous sommes dit beaucoup de choses. Si. Ne crois pas que je plaisante, toi aussi tu m'as parlé et du plus profond de toi-même, peut-être. A présent, veux-tu avoir la gentillesse de tirer le cordon de la sonnette, tout près de toi ?

La jeune Anglaise obéit et un domestique noir parut bientôt.

« Va dire à Mr. Jones que je suis prête.

Le domestique s'inclina et sortit.

« Charlie sait ce que cela veut dire, fit Amelia. Il va venir dans un instant. Je dois reconnaître qu'il est très obéissant.

En disant ces mots, son visage prit un air d'autorité souveraine qu'elle n'avait pas, un moment plus tôt. Elizabeth reconnut aussitôt la fierté provocante des *Highlands* d'Ecosse, fruit d'une guerre sans merci avec l'Angleterre, alors que cinq minutes plus tôt cette même femme se montrait d'une modestie charmante. Cette transformation subite venait d'un changement d'humeur dont Elizabeth ne pouvait saisir le sens, mais de toute évidence c'était Amelia qui régnait dans la maison.

— Nous sommes partis un peu vite, dit Billy à Elizabeth sur le chemin du retour. Je commençais à m'amuser. Charlie Jones n'a pas été du tout choqué par mes histoires de régiment. Au contraire, il en attendait d'autres. Enfin nous voilà débarrassés d'un Noël de plus. Ces fêtes m'assomment.

Elizabeth ne releva pas cet aveu d'une franchise toute militaire. Elle se sentait beaucoup trop perplexe pour songer à autre chose qu'aux étranges confidences d'Amelia. D'une manière indescriptible, elles dérangeaient toutes les idées de la jeune Anglaise sur la vie. A cause de cela, elle eût préféré n'avoir rien entendu de l'étonnant monologue qu'Amelia appelait, pour des raisons d'elle seule connues, une conversation. A quoi servirait la décision de ne plus la voir ? Quel malheur qu'il ne fût pas possible d'oublier à volonté... Certaines phrases, certains mots s'implantaient dans la mémoire pour longtemps. On n'avait pas le droit...

« Folle, pensa-t-elle. Mon Billy remet tout en place. Lui au moins est sans détour. Le bonheur efface tout. »

Elle se serrait contre lui dans le tilbury.

— Patience, fit-il gaiement, j'ai compris.

CHAPITRE XLIV

Pendant tout le temps de leur absence, Ned était resté à la maison. Servi par la tyrannique mémoire de l'enfance, il n'avait rien oublié du Noël précédent. L'amour de sa mère veillait alors sur son bonheur presque à chaque minute. Aujourd'hui le monde avait changé autour de sa petite personne d'une manière étrange. Sans doute y était-il lui-même pour quelque chose. Sa mère voulait l'emmener avec elle chez son grand-père Charlie et il avait dit non. A ce moment, le bel officier était venu lui dire avec un grand sourire :

— Petit Ned, on ne dit jamais non à sa Mom', on dit oui Mom', et on obéit.

— Ze ne veux pas aller chez grand-père.

Ainsi avait-il parlé sans détourner les yeux des yeux de l'officier.

— Tu sais que je suis ton papa et que tu dois m'obéir si je te le demande, moi.

Là, Ned n'avait rien répondu, parce qu'il n'avait rien compris à cette histoire d'un autre papa remplaçant le premier, lequel avait disparu.

Elizabeth et Billy s'étaient mis à hocher la tête en se regardant :

« Après tout, fit Billy, s'il ne veut pas... C'est une complication en moins ; les enfants à table... ce qu'ils peuvent être assommants.

— C'est pourtant triste de le laisser seul à la maison un jour de Noël.

— Il ne sera pas seul, il a la gouvernante.

— Tu ne te rends pas compte qu'il ne l'aime pas.

— Alors, Betty.

— Ah oui, Betty, mais c'est un peu absurde, malgré tout.

— Nous serons rentrés après le déjeuner, et puis il a tous ces jouets que tu lui as achetés.

— Je crois que tu as raison, mais j'ai de la peine. Sincèrement, j'ai de la peine.

Ces paroles lui firent du bien et elle les répéta. Elle alla ensuite donner des indications à la cuisinière et à Miss Celina. Il fallait servir à Ned un bon petit déjeuner très soigné. Des patates douces le consoleraient dans sa solitude, et une bonne tranche de gâteau au chocolat.

Après quoi, elle fut trouver Ned qu'elle combla de marques de tendresse. Il accepta tout avec cette patience un peu suffisante des êtres qui sentent qu'être aimé leur est dû, mais il lui fit promettre que dès l'heure du coucher elle viendrait dormir auprès de lui.

Légèrement honteuse de ce mensonge qu'elle installait dans sa vie, elle promit à l'enfant tout ce qu'il voulait et se sauva pour rejoindre Billy qui l'attendait dans son tilbury devant la porte.

Le repas de Ned fut rapide. Selon la gouvernante qui le surveillait de temps à autre, il mangeait beaucoup trop vite, mais ce jour-là il était pressé... Obéissant aux ordres d'Elizabeth, elle insista pour qu'après déjeuner il restât étendu un quart d'heure sur son lit, mais il refusa. Sa mère et l'officier absents, il pouvait tenir tête à tout le monde.

Dans sa nouvelle chambre, un régiment de soldats de plomb, les uns en rouge, les autres en bleu, remplaçait les têtes rondes et les cavaliers dont il se lassait. Les soldats en rouge représentaient les fameux « homards » de l'armée anglaise, les bleus étaient les soldats républicains de la révolution de 1776. Billy avait choisi ce qu'il y avait de mieux dans le genre, mais l'enfant, ce matin-là, leur jeta un regard désabusé et les laissa en paix. De même l'étonnant petit chemin de fer avec ses trois wagons et sa locomotive dont la cheminée vomissait un petit nuage de fumée en coton noir. Le tout bien en évidence sur une table basse au milieu de cette chambre où Ned ne se retrouvait pas. En vain la gouvernante faisait-elle mine de s'extasier sur ces cadeaux de choix. Elle n'eut pas plus de chance quand elle l'engagea une fois de plus à s'étendre sur son lit. Il lui tourna le dos et, agacée, elle disparut. Il attendit un court moment, puis sortit après elle pour gagner l'étroit escalier qui menait au premier étage.

Trente marches à monter, fort raides. Sans perdre de temps à réfléchir, il se hissa sur la première en agrippant de ses doigts minuscules les cannelures de la colonnette qui marquait le point de départ. La marche suivante se montra moins ardue grâce au mince barreau qui offrait une meilleure prise à une courageuse main de quatre ans et demi. Dès la troisième marche, ses jambes encore un peu courtes eurent raison de l'escalier désapprobateur, mais, parvenu au sommet de son ascension, Ned s'assit et souffla.

A peine entré dans sa vieille chambre, il eut un mouvement de recul en la voyant si brutalement modifiée par d'autres meubles que les siens. Il l'avait pressenti, mais le choc fut là dès le premier coup d'œil. De chagrin son cœur se serra. On lui ôtait son pays perdu.

D'un pas précautionneux comme chez un ennemi, il marcha de côté et d'autre, remettant par l'esprit l'ordre ancien et ses mystères ; car sa chambre de naguère, il l'avait chargée de trop de rêves avec les histoires ténébreuses dont sa mère avait peuplé les minutes d'avant le sommeil, chaque soir, pendant de longs mois... Tout s'évanouissait dans ce nouveau décor. Les mots n'existaient pas pour le dire. A présent, il avançait dans un désenchantement cruel, jusqu'au fond de la pièce, vers un coin mal éclairé. Là, rien n'était changé et là, il s'arrêta. De ce clair-obscur partait la chose que l'enfant ne désignait par aucun nom. Elle ne faisait pas peur, il l'attendait.

Bientôt il se mit à marmonner tout seul. Sait-on dans quel monde inconnu s'égarent les enfants, à qui ils parlent et ce qu'ils voient ? L'éducation effacera le souvenir de ces explorations interdites à l'adulte, gardiennes peut-être du secret de notre destin. Comme un chuchotement à l'oreille, les syllabes indistinctes d'un nom s'échappaient de la petite bouche aux lèvres humides.

Une prudence instinctive l'empêcha de s'attarder.

Lorsque Elizabeth et Billy revinrent à la maison, ils le trouvèrent dans sa nouvelle chambre, regardant par la fenêtre le jardin où les arbres jetaient les premières ombres du soir sur les allées vides.

Debout près de lui, Betty lui faisait des reproches d'une voix triste et douce :

— Betty malheu'euse quand elle a che'ché Massa Ned pa'tout et Massa Ned pas là…

L'enfant la regarda avec un sourire :

— Tais-toi, Betty.

Il mit son doigt à sa bouche. La porte d'entrée venait de s'ouvrir et déjà la voix d'Elizabeth l'appelait.

Ned fronça les sourcils et, sans quitter Betty des yeux :

« Ne dis rien, fit-il très vite.

Au même instant parut sa mère. Dans sa robe rose, elle semblait une irruption du bonheur. L'or flambait dans sa chevelure, et toute sa personne rayonnait de jeunesse en une sorte d'exubérance muette. Quand elle vit Ned avec Betty près de la fenêtre, elle s'écria :

— Une belle promenade, j'espère ? Vous êtes rentrés bien tôt.

— Pas so'tis, fit Betty.

— Je l'aurais parié. On aimait mieux rester avec ses jouets, mais il faut sortir. Dans un moment il sera trop tard. Vite, Betty.

Elle courut embrasser le petit garçon.

« Billy t'expliquera la guerre avec les Anglais. Dis à Mom' que tu l'aimes.

— Oui, Mom'.

Pressée de partir, de bondir dans l'escalier jusqu'à sa chambre, elle ne remarqua pas l'air grave de l'enfant.

« Tu reviendras ce soir ? demanda-t-il tout bas.

Ce murmure suppliant parvint à elle confusément. A tout hasard, elle répondit :

— Bien sûr, darling.

— Promis ? cria-t-il.

Mais déjà elle était loin.

CHAPITRE XLV

Il n'y eut pas de dîner ce soir-là. Le repas fut décommandé par Elizabeth qui fit savoir à la gouvernante, à travers la porte de sa chambre, qu'elle et son mari désiraient simplement se reposer.

Revenu de sa promenade avec Betty, Ned ne sut rien de cette décision. Sa *Black Mammy* en nuage blanc s'empara de sa petite personne et lui donna son bain avec ses roucoulements d'amour accoutumés. Après quoi, on installa l'enfant à une petite table dans sa chambre où lui furent servis un potage et une compote avec un verre de thé froid léger. Miss Celina crut bon de le faire dîner près de la fenêtre où la vue du jardin nocturne pouvait le consoler de sa chambre perdue. La lune en effet de sa lumière froide transformait en rêve d'un autre monde un décor sans mystère. L'enfant s'y laissa prendre un moment, porté par sa nature au charme de l'irréel.

La gouvernante lui tint compagnie jusqu'à la fin du repas et là elle cédait la place à Betty, toujours bien accueillie. Celle-ci tenta, avec un zèle un peu maladroit, d'intéresser son « t'éso' » aux soldats de plomb rouges et bleus et au petit chemin de fer tout à fait moderne. Ned ne les avait pas touchés. A ses yeux ils faisaient partie de sa nouvelle chambre qu'il n'aimait pas, mais il gardait toujours près de lui son Indien de chiffon comme le fétiche des jours heureux.

Vint le moment du coucher, quand Betty allumait la veilleuse. D'ordinaire, paraissait alors celle dont la seule présence donnait une dimension différente à tout. Il n'avait même pas besoin de la voir distinctement, c'était elle et cela suffisait. Il l'aurait reconnue à l'odeur de ses cheveux ou au froissement de sa robe quand elle en rassemblait les volants pour s'asseoir au bord du lit, mais surtout à l'élan du cœur qu'il ressentait comme la chaleur d'une flamme.

— Mom' va venir tout à l'heure, répétait-il à Betty qui voulait le voir s'endormir, car il commençait à se faire un peu tard. Mom' vient toujours.

— Je sais, Massa Ned, faisait-elle un peu inquiète.

Pour la tranquilliser, il ajouta :

— Elle a promis.

Dans l'obscurité au fond de la pièce, il essayait de retrouver les masses d'ombre de la chambre qu'on lui avait prise, mais celle-ci, la nouvelle, semblait vide, rien ne pouvait en venir du fond jusqu'à lui, tout se cachait là-haut : la cavalcade à travers la nuit, sur un cheval noir. Mom' était seule à savoir, avec lui.

La voix timide de Betty rompit le silence :

— Miss Celina a dit que Miss 'Lisbeth était t'ès fatiguée.

— Elle vient toujours, Betty.

— Elle do', Massa Ned.

— Elle viendra, Betty.

— Massa Ned, Betty va aller do'mi' aussi. Miss 'Lisbeth vient pas.

— Ne t'en va pas, Betty.

— Bien, Massa Ned. Betty va do'mi' pa'tè'. Miss 'Lisbeth vient pas ce soi'.

Frappant le lit des deux poings, Ned cria :

— Elle a promis.

Et soudain, recevant la vérité comme un coup en pleine poitrine, il éclata en sanglots. Dans l'espace d'une seconde lui fut révélée toute l'amertume d'une trahison d'amour.

Il ne voulait pas y croire et se roulait en boule sur le lit, la tête enfouie sous l'oreiller pour hurler à son aise.

Epouvantée, la vieille Noire multipliait signes de croix et prières pour que prît fin la crise horrifiante, mais il fallut que s'épuisât le chagrin mêlé de colère dans un orage de cris étouffés...

Pendant de longues minutes, Betty vit les petites épaules tressaillir à chaque sursaut de douleur et elle dut attendre que la fatigue vînt mettre un terme à cette détresse en jetant d'un coup le petit garçon dans le sommeil.

Le lendemain matin, Elizabeth, encore en peignoir blanc, descendit embrasser son fils comme à l'ordinaire. La gouvernante se tenait près de lui pour l'aider à mettre ses bottines.

— Bonjour, Miss Celina. Bonjour, darling.

Ned la regarda et lui répondit d'un sourire.

« On ne dit pas bonjour à Mom' ?

— Bonjour, Mom'.

— Comment a-t-il dormi ?

— Bien, je suppose, Madame, j'ai eu du mal à le réveiller.

— Bon signe, fit Elizabeth en caressant les boucles de l'enfant.

Penchée vers lui, elle lui parsema les joues et les cheveux de baisers lourds de toute cette tendresse qui lui était naturelle. Elle ne soupçonnait pas avec quels efforts il se dominait pour ne pas lui lancer les mots qui lui brûlaient les lèvres : « Tu avais promis... »

Il se taisait, cependant, pour une raison qui l'eût mise à genoux devant lui en lui demandant pardon : il l'aimait trop pour lui faire honte, mais des larmes brillaient dans les yeux marron.

« Mon amour, fit-elle devant ce regard mouillé. Tu n'es pas content ? Tu n'aimes pas tes cadeaux ? Mom' t'en donnera d'autres. Moi, cela m'amuserait de faire combattre des soldats anglais et américains, et je sais à qui je donnerais la victoire... Et ce drôle de petit chemin de fer... on le remonte et il marche tout seul.

Personnellement, j'ai horreur de voyager en chemin de fer.... toute cette fumée qu'on reçoit... Miss Celina, je remonte m'habiller. Le déjeuner dans une heure, comme d'habitude. Pour Mr. Hargrove des œufs au bacon et un café bien fort. Darling, Mom' te fera une belle surprise pour le Nouvel An.

CHAPITRE XLVI

Une nouvelle arriva vers la fin de la matinée, et, bien qu'elle n'eût rien d'alarmant, elle fit peur à Elizabeth comme si un avenir dangereux faisait un pas vers elle. Par une de ces taquineries dont la vie est coutumière, une circonstance inattendue rendit la chose plus troublante. Ce fut le jeune sous-lieutenant anglais qui portait le message. Il le remit à Billy alors que celui-ci bavardait avec Elizabeth au salon.

Avec un froncement de sourcils, Billy déplia la lettre et se retira dans un coin près de la fenêtre.

— Vous m'excuserez, dit-il, c'est un peu long.

Elizabeth alla s'asseoir à l'autre bout de la pièce dans un fauteuil. D'un geste accompagné d'un sourire elle indiqua au messager une chaise en face d'elle, mais il restait debout, son shako à la main. Elle insista. L'air vaguement coupable, il s'assit sur le bord de la chaise. Sa timidité jurait avec tout ce que sa mise avait de martial. Son teint même avouait tout. On eût dit que ses joues, de plus en plus roses, rivalisaient avec le rouge batailleur de son dolman à brandebourgs.

Etait-ce la magie de l'uniforme qui agissait sur Elizabeth comme sur tant de femmes ? Mais son mari ne lui en prodiguait-il pas du matin au soir, de cette magie-là ? Alors une flambée de loyalisme envers *Mother England* faisait-elle sans doute palpiter le cœur à la trop émotive jeune femme ?

Elle le fixa des yeux. Il baissa les siens.

« Virginal », pensa-t-elle.

Et, à mi-voix, elle risqua :

— Mal du pays quelquefois ?

Stupeur. De même que bravant la mort on monte à l'assaut, il leva vers elle le regard de la tendresse irrépressible communément appelé *l'œil de veau mourant.* Avec une grâce exquise, elle inclina la tête en la détournant un peu, ce qui voulait dire ceci ou cela, au choix de l'intéressé.

La voix sonore de Billy brisa net ce dialogue muet qui tournait à l'idylle.

— Du nouveau. Nous quittons Pulaski. Le fort était là pour défendre la côte, mais nous allons occuper le fort Beauregard, en Caroline du Sud, non loin de Charleston et de Fort Sumter. Cela nous éloignera un peu l'un de l'autre, Elizabeth, mais trois heures de cheval me ramèneront ici.

— Malgré tout, se lamenta Elizabeth complètement dégrisée, tu seras plus loin. Je n'aime pas ce genre de nouvelle, cela sent la stratégie et les préparatifs de guerre.

— Tu rêves. Pulaski ne sert plus à rien et on déménage. On se demande du reste à quoi servent Beauregard et Sumter. Ils avaient un sens du temps que l'Angleterre et l'Espagne menaçaient encore, mais le gouvernement fédéral y tient. Qui va attaquer Charleston ? Et puis, si tu veux me rendre visite à Beauregard, il y a le chemin de fer.

— Le chemin de fer me rend malade.

— Eh bien, on trouvera autre chose. Tu sais bien qu'avec moi tout s'arrange. Ce qui m'ennuie un peu, c'est que je dois être là-bas dès le 2 janvier.

Elizabeth poussa un cri :

— Le 2 janvier ! Mais c'est tout de suite !

— Il nous reste encore quatre jours, mais ne crains rien, je sais l'art d'obtenir du commandant des permissions à élastiques. Tu saisis ?

Tout à coup folle de terreur, elle s'écria :

— Jure-moi qu'il n'y aura pas la guerre !

Il éclata de rire et la prit par les épaules, faisant mine de la secouer.

— N'écoute pas les rumeurs et ne lis pas les journaux, parce que tu n'y comprends rien. Il y a des troubles très loin d'ici à la frontière du Kansas et du Missouri, où des fanatiques anti-esclavagistes agressent les maîtres de plantation et même les Indiens, parce que eux aussi ont des esclaves. Appelons cela des escarmouches. Ça se calmera.

Elle appuya les deux mains sur sa poitrine.

— Tu me rassures, fit-elle, je mourrais s'il t'arrivait quelque chose.

— Ça t'ennuie qu'on me mette dans un fort ? Il est vrai que je vais me battre, mais ce sera au whist avec le commandant !

Elizabeth sourit.

— Je déteste les forts parce que pour moi les forts c'est la guerre et que je déteste la guerre.

— Ne recommence pas. Il y a des points où il en faut. Dans l'Ouest à cause des Indiens, dans le Texas à cause du Mexique, mais c'est si loin. S'il y a un coin où tu peux être tranquille, c'est ici en Georgie.

— Darling, murmura-t-elle.

Pour un peu, elle se fût jetée sur sa poitrine en pleurant de joie dans ses brandebourgs, mais la présence du jeune sous-lieutenant la retint.

Pour la taquiner, il lui chuchota à l'oreille :

— Je croyais que les Anglaises n'avaient peur de rien.

Les yeux pleins de défi, elle le regarda :

— Les Anglaises n'ont peur de rien, mais elles sont humaines et elles tremblent pour ce qu'elles aiment.

— Lieutenant Charlton, fit Billy prévoyant des attendrissements, mes respects au commandant et dites-lui que je serai à Beauregard avant le clairon du couvre-feu.

Le sous-lieutenant avait remis son shako et, saluant, il disparut.

« Tu vois comme c'est simple, fit Billy.

— Darling, tu es parfait.

CHAPITRE XLVII

Le Nouvel An fut accueilli comme les précédents. Les inquiétudes inavouées furent noyées dans le champagne et le whisky, et les tournées de cartes de visite se firent avec l'exactitude des bons usages. Naturellement personne n'était chez soi parce que tout le monde accomplissait le même devoir et les absents saluaient les absents à coups de bristols cornés.

Quant à Elizabeth et à son mari, ils décidèrent d'oublier le monde entier dans l'intimité des joies conjugales.

Restait le petit Ned, qui eût vécu des heures de solitude étrange si son grand-père ne se fût soucié de son sort. Pour fêter le Nouvel An, Elizabeth avait fait mettre à son fils un très élégant costume de velours rouge foncé paré d'une collerette de dentelle qui lui donnait, pensait-elle, tout à fait l'air d'un petit prince. Transformé de cette façon, l'enfant se sentit très mal à son aise, mais ce n'était là qu'un aspect d'une journée de cauchemars auxquels il ne comprenait rien et qu'il acceptait néanmoins avec la patience du désespoir.

Dès la fin de la matinée, après une promenade mortifiante en compagnie de Betty dans la grande avenue où le suivirent des regards amusés et les narquoises exclamations de gamins malappris, une voiture vint le chercher et le mena chez Charlie Jones.

Celui-ci le reçut avec une gentillesse délicieuse, car il avait la passion des enfants, et il voulut sans tarder le présenter à ses deux fils, mais d'abord à sa petite Mathiwilda, minuscule personne âgée d'un an. Portée par sa nounou noire, elle ne put qu'agiter les bras et rouler des yeux d'ange avant de disparaître.

Il n'en alla pas de même des deux garçons. Agé de trois ans et demi, Johnnie, le plus jeune, avec ses longs cheveux blonds tout droits, semblait déjà l'être de charme qu'il allait devenir. Son regard bleu se posa doucement sur le visage du visiteur à qui il offrit une main délicate, un peu molle. Ned la prit, puis la laissa tomber comme un objet sans intérêt.

Jusque-là régnaient encore la paix et un semblant de civilité puérile. Avec Emmanuel éclata le gros malentendu. D'un an l'aîné de Ned qui se trouvait être son neveu, ce garçonnet solide aux cheveux roux coupés court se campa devant le petit prince et l'observa des pieds à la tête. Etait-ce le costume de velours ou simplement la collerette de dentelle en point de Bruges ? Quelque chose le provoqua comme le rouge exaspère le taureau. Fonçant sur lui avec une joie furieuse, il l'envoya sur le tapis où il le bourra de coups de poing.

Devant cet assaut barbare, Johnnie, impuissant, prit peur et se mit à pleurer. Ned, cependant, se remit aussitôt de sa stupeur et, dans un sursaut de rage, martela de ses deux poings le visage de son agresseur qui se releva avec un cri de douleur. Un filet rouge lui coulait du nez jusque dans sa bouche entrouverte.

Debout, jambes écartées et les mains dans les poches, Oncle Charlie avait surveillé en connaisseur ce petit pugilat qu'il attendait.

— Un peu bref, déclara-t-il, mais dans l'ensemble satisfaisant. Ned, tu t'es bien défendu, le sang de ton père a parlé ! Emmanuel, tu devrais savoir qu'une attaque brusquée peut être déloyale si rien ne la justifie. Va dire à ta nounou noire de t'essuyer le nez, mais auparavant, je veux qu'on se serre la main. Allons !

Une incertitude, et les garçons se tendirent la main. Elles furent serrées sans conviction, puis Emmanuel s'éclipsa.

« Quant à toi, Johnnie, fit Oncle Charlie, cesse de pleurnicher comme une demoiselle : tu me fais honte. Tâche d'être un homme.

Johnnie avala ses larmes et fit un effort pour être un homme, mais ses longs cheveux avaient l'air de pleurer sur ses épaules.

Le déjeuner clarifia la situation. Tante Amelia parut en robe de satin violet, son visage impassible emprisonné dans un monumental bonnet de toile fine orné d'une plume d'autruche gris fumée. Le regard indulgent de ses grands yeux se posa sur les uns et sur les autres et fit ensuite l'impression de s'en retourner vers l'intérieur. Elle n'en témoigna pas moins d'un noble appétit et fit honneur au jambon de Virginie accompagné de patates roses.

Oncle Charlie se montra jovial, comme l'exigeait le personnage qu'il s'était façonné dès sa jeunesse. Pour hâter la réconciliation entre l'oncle et le neveu, tous deux d'âge tendre et qui s'entretuaient une heure plus tôt, il fit rougir leur eau d'un médoc léger qui leur monta discrètement à la tête, et des sourires furent échangés.

Sous les apparences d'une tour crénelée, le dessert se présenta, fait de couches superposées de chocolat, de fruits confits, de caramel, d'amandes, de marrons glacés, cette stratification était revêtue d'un manteau de sucre qui dissimulait ses richesses. L'édifice croula sous le couteau du serviteur noir et chacun reçut dans son assiette une tranche imposante qui disparut vite. Tante Amelia, elle-même, se montra incapable de résister à une gourmandise naturelle qui la rattachait encore à la terre.

Suivirent bientôt une lourdeur générale et un ralentissement des idées qui annonçaient une torpeur invincible. L'ennui planait, Tante Amelia dut se lever et se retira dignement, le foie déjà en révolte.

Ce fut alors qu'Oncle Charlie connut un bref moment de perplexité en se voyant seul avec les trois garçons, car il pouvait envoyer promener Emmanuel et Johnnie, mais son petit-fils, l'invité, attendait peut-être qu'on s'occupât un peu de lui, qu'on l'amusât. Grand fut son soulagement quand Ned, après l'avoir remercié en petit gentleman, lui demanda s'il pouvait rentrer chez lui.

Rentrer chez lui ? Charlie n'en croyait pas ses oreilles. Rien de plus facile. Le tilbury serait prêt dans cinq minutes. Saisissant le petit garçon des deux mains, il l'embrassa dans une bouffée d'eau de Cologne et le mit lui-même en voiture.

A Oglethorpe Square, le cocher fit descendre Ned du tilbury et alla sonner à la porte, ce fut Miss Celina qui ouvrit.

— Déjà de retour, Master Ned ? Je ne vous attendais pas avant l'heure du dîner et il fait encore jour.

L'enfant sourit et l'écarta sans répondre. Depuis le moment où il s'était trouvé chez son grand-père, il mûrissait un projet en cachette. Sans hésiter, il courut au jardin.

La lumière reculait doucement devant les premières ombres du crépuscule hésitant au fond du ciel. Les massifs de verdure devenaient noirs, mais les arbres le long des murs recueillaient encore un dernier rayon de soleil.

La tranquillité du lieu ne manqua pas d'agir aussitôt sur l'enfant, qui s'arrêta comme au seuil d'une région inconnue. Que de fois pourtant il était venu là, mais jamais seul ni si tard. Dans l'éclairage de cette heure incertaine, tout devenait mystère et il se mit à regarder autour de lui dans un ravissement mêlé d'une passionnante inquiétude, car il retrouvait dans ce jardin désert quelque chose de son ancienne chambre, et il se mit à suivre le chemin d'herbe, comme s'il eût mené au pays où tout est possible. Bien sûr il arriverait à la maison du jardinier, mais cela ne dérangerait rien dans ce qu'il avait en tête. Une intuition le guidait et tout bas il marmonnait des histoires qui devaient rester secrètes...

Devant la porte du jardinier, il eut de grands battements de cœur. Immobile, il hésitait, puis il frappa. Pas de réponse. Il frappa de nouveau, sans succès, mais le loquet qu'il saisit enfin n'offrit aucune résistance et la porte s'ouvrit comme d'elle-même.

La pièce était sombre et dans un si grand désordre que d'abord on n'y distinguait rien, un désordre de longue date, installé pour durer. Quatre ou cinq chaises de paille empilées les unes sur les autres défendaient l'accès d'une fenêtre aux volets clos. Placée de travers au centre de ce lieu indescriptible, une longue table couverte de bouteilles vides compliquait les allées et venues, si l'on ne connaissait pas le chemin, d'une porte qui donnait sur la rue à celle qui s'ouvrait sur le jardin.

Quelque chose qui ressemblait à une énorme boîte longue et profonde occupait un coin plus obscur, et dans cette boîte un matelas déchiré avait été contraint de s'y loger de force sous une mince couverture de laine grise rapiécée de rouge et de vert.

A part tout cela, la pièce était vide. Ned attendit, puis appela. Aucune réponse. Pris d'impatience, il se mit à crier :

— Patrick !

Presque aussitôt la porte du fond s'ouvrit et le jardinier poussa son cri de zèle en quelque sorte mécanique :

— *Yassum !*

Après quoi il regarda à droite et à gauche, ne voyant personne, jusqu'au moment où Ned répéta :

— Patrick !

Cette fois, baissant les yeux, l'Irlandais découvrit l'enfant debout près de la boîte oblongue.

— C'est toi, petit *lad ?* s'écria-t-il. Bienvenue chez Patrick, mais que viens-tu faire ici ?

Ned, pris de court, resta muet.

« Tu ne dis rien, fit Patrick, mais moi je sais : tu es venu faire un tour en Irlande. Par exemple, tu es debout là, sais-tu à côté de quoi ?

— De ton lit ? suggéra Ned.

— Bravo, mais tout d'abord ça n'était pas un lit. Tu te demandes ce que ça pouvait être. Je vais te le dire. Quand j'ai dû quitter le pays à cause de la famine, ma grand-mère qui me voyait partir les poches presque vides, ma grand-mère qui doit se trouver quelque part au Paradis avec les saints de chez nous, eh bien, elle m'a donné ce qu'elle avait de plus précieux au monde, sa belle armoire, « parce qu'on ne sait pas, disait-elle ma grand-mère, s'ils ont là-bas seulement des armoires »...

— Et alors ? fit Ned un peu étourdi par les effluves du whisky qui s'épandaient généreusement jusqu'à lui.

— Alors j'ai gardé longtemps mon armoire, par respect pour ma grand-mère, maintenant au Paradis, et je fourrais dedans, dans l'armoire comprends-tu, tout ce que j'avais et je dormais par terre et puis je me suis mis à mettre mes affaires un peu partout et dans tous les coins, parce que je m'y retrouvais mieux, mais un soir que j'avais bu un verre de trop, j'ai vidé l'armoire et j'ai commis un sacrilège, que les anges me pardonnent, je l'ai renversée sur le dos et j'ai arraché la porte. Après quoi, je l'ai bourrée de grands ballots de chiffons, je me suis couché dedans, et j'ai dormi comme jamais encore, et j'ai rêvé que j'étais là-haut.

— Rêvé ? fit Ned.

— J'ai rêvé comme on rêve chez nous, tu ne peux pas savoir, puis, un jour, j'ai trouvé dans le repaire d'un chiffonnier un vieux matelas encore pas mal et j'ai repoussé les ballots dans les coins avec le matelas dans l'armoire, et je dors, et je rêve.

— Tu rêves ? dit l'enfant.

— Je suis en Irlande, l'Irlande est plus du rêve qu'un pays, mais ça tu ne peux pas savoir.

— Tu vois des choses qui font peur aussi ?

— Splendides, mon petit *lad.* Là, c'est vraiment le plus merveilleux.

Ned avala sa salive.

— Des chevaux qui galopent dans la nuit ?

A ces mots, l'homme se redressa et parut immense dans la pénombre qui s'épaississait.

— Toi, dit-il, tu parles comme on parle chez nous, dans le pays. Ta Mom' n'est pas irlandaise ?

— Ze sais pas. Ze vois un cavalier sur un cheval noir.

— Et qui galope dans la nuit ? Oh ! brave petit *lad !*

— Mais il faut pas le dire, fit Ned subitement pris d'effroi, c'est un secret, Mom' l'a vu aussi, tous les soirs quand nous étions là-haut dans la maison.

— Là-haut, petit ?

— Maintenant ils m'ont mis en bas et Mom' ne vient plus. Ne dis jamais tout ça à personne !

— C'est juré, Massa Ned, parole d'Irlandais.

Ce serment, proféré d'une voix dramatique, fit perdre la tête à l'enfant qui ne résista plus au vertige de la confidence :

— Il arrivait du fond de ma chambre, là-haut, sur un grand cheval noir, noir...

— Tu avais peur ?

— Oui, quelquefois, mais pas touzours, et puis le cavalier, c'était moi. Mom' me l'a dit.

Du coup, l'Irlandais, ravi, poussa une exclamation de surprise.

— Quelqu'un de chez nous t'a fait un cadeau, petit, dans le monde qu'on ne voit pas.

— Qu'est-ce que tu dis ? fit Ned de nouveau inquiet.

— N'aie pas peur, c'est magnifique.

Sans ajouter un mot, il tira de sa poche une boîte d'allumettes et bientôt luisit dans les ténèbres la lumière d'une lanterne que Patrick tenait au poing. Il se pencha vers Ned, pliant en deux son corps gigantesque, pour voir de plus près le petit visage rose cerné de boucles en désordre. Ned ne recula pas, mais ferma les yeux quand la lanterne descendit à la hauteur de son crâne, et, les rouvrant pour ne pas avoir l'air d'un peureux, il vit les prunelles de l'Irlandais qui le fixaient, bleues comme une mer sans limites sous un ciel gris. Il en sentit si fort l'attirance qu'elles l'empêchèrent de voir les traits rudes et les joues creuses hérissées de poils roux...

« Toi, dit Patrick, avec lenteur, toi, petit *lad,* tu n'es pas comme les autres.

— Les autres ?

— Tous les autres, si tu vois galoper vers toi dans la nuit un second Ned.

— Non, pas Ned, fit l'enfant, ze m'appelle autrement, le vrai nom...

Soudain terrorisé par ce qu'il allait dire, il se mit les deux mains sur tout le bas du visage.

— Qu'est-ce que tu as ? Je te fais peur ?

Ned laissa tomber les mains.

— Non, mais z'ai promis à Mom' de ne pas dire le nom.

— Alors, il faut le garder pour toi, fit à côté de la lanterne une bouche aux lèvres épaisses, mais chez nous on écouterait tes histoires, parce que tu vois ce que les autres ne voient pas, tu te promènes comme au fond des bois dans un autre monde.

Ned le regarda, la bouche ouverte, partagé entre la crainte et le désir d'en savoir plus.

« Allons, fit Patrick, il fait nuit, je vais te reconduire à la maison, on va finir par s'inquiéter.

Il le mena à la porte et tous deux s'engagèrent dans le chemin d'herbe qui traversait le jardin. La lune ne s'était pas encore levée et il faisait noir. Patrick tenait d'une main la lanterne et de l'autre la main du petit garçon.

« Tu serais content chez nous, fit Patrick.

Cette voix qui tombait d'en haut ensorcelait l'imagination de Ned.

— Emmène-moi là-bas, Pat.

— Si je pouvais, petit... Mais quand tu t'ennuieras, viens me trouver, je te raconterai des histoires de chez nous et tu te croiras là-bas, dans le pays.

Au bas du perron, ils se quittèrent.

En haut des marches, dans l'encadrement de la porte, Betty agitait les bras, gémissant d'anxiété.

CHAPITRE XLVIII

Elizabeth ne sut rien de cette équipée. Ses pensées étaient ailleurs. Elle et Billy durent s'arracher l'un à l'autre quand sonna l'heure du départ, le lendemain du jour de l'an, et cette nuit-là elle ne put dormir. Sans courage devant cette épreuve, elle pleura, cherchant le corps absent dans le grand lit désert.

Cependant la vie devait reprendre son cours normal et la jeune femme, si elle était malheureuse, fit par orgueil semblant de ne l'être pas.

Au sujet de Ned, elle se posait des questions qu'elle préférait garder pour elle. Comment avait-il pris l'absence de sa mère pendant un jour entier ? Apparemment il était le même petit garçon qu'elle chérissait. L'élan d'amour y était toujours de part et d'autre. Il l'embrassait avec la ferveur qu'elle lui avait toujours connue et dont elle avait besoin. Rien n'avait changé — mais elle ignorait tout.

Elle ne savait rien de la nouvelle vie que menait son enfant plus ou moins en secret. Le jour, quand on ne s'occupait pas de lui, il courait au jardin. Elle approuvait, elle n'aimait pas le voir dans un coin du salon avec son Indien, jouant à bousculer cavaliers et têtes rondes. Maintenant il allait et venait en plein air, souvent seul, mais pas toujours. Il arrivait que Patrick apparût avec un râteau ou une pelle. Ned se mettait alors à lui parler, même à bavarder avec lui. C'était charmant à voir, le petit bonhomme et l'immense Irlandais. Elle approuvait. Elle se demandait avec un sourire ce qu'ils pouvaient bien avoir à se raconter, mais elle n'en soufflait mot.

L'essentiel lui échappait. Elle ignorait que la nuit, alors que Betty ou la gouvernante qui se relayaient avaient quitté le chevet de Ned qu'elles croyaient endormi, il se levait au bout d'un moment pour aller se tenir à la fenêtre et, là, il attendait. Bientôt, tout au fond du jardin, se mettait à briller discrètement la lanterne de Patrick dans l'angle d'une fenêtre. Alors, de son côté, Ned allumait une bougie posée dans son bougeoir de cuivre sur le rebord de sa fenêtre à lui ! Elle ne devait pas brûler longtemps, parce que c'était défendu et on finirait par s'apercevoir qu'elle diminuait vite, mais enfin, c'était le signal. L'enfant et l'Irlandais se saluaient de loin, dans la nuit. Au bout de quelques minutes, ils éteignaient simultanément.

Elizabeth vivait elle aussi dans des rêves, mais d'un genre très différent. Ils se traduisaient par des lettres d'amour. Elle excellait dans cet exercice auquel tout dans sa nature la disposait depuis longtemps. Pour s'y livrer tout entière, elle avait adopté un style qu'on eût pu nommer le style torrentiel, qui exigeait pour se déployer dans toute son énergie un minimum de quatre pages, mais il faut reconnaître que le premier mot livrait l'ensemble en son entier : « Mon adoré... »

Penchée sur son papier à lettres qu'elle couvrait presque de ses longs cheveux, elle s'enivrait de phrases qui remplaçaient pour un temps l'irremplaçable.

Billy, n'étant pas aussi furieusement doué que sa femme pour la littérature épistolaire, ne la récompensait que de brefs billets mâles et martiaux. « Patience, ma belle, et tiens bon. Les renforts arrivent. J'ai une permission pour nouveau marié tout chaud. Dans quatre jours tu auras ton Billy. »

Car les permissions étaient fréquentes. Le commandant était humain, il ménageait aussi un inégalable partenaire aux cartes. Celui-ci arrivait donc soit par chemin de fer, soit à cheval, et le délire des sens reprenait avec une frénésie nouvelle. Une fois encore, le train ordinaire de la maison basculait dans une sorte de désordre qu'il fallait accepter. Les époux paraissaient au repas de deux heures, jamais à dîner. Dès l'après-midi, ils disparaissaient jusqu'au lendemain. Ned observait ces changements sans poser de questions. C'était cela même qui intriguait le plus la gouvernante, mais, depuis qu'elle était entrée au service d'Elizabeth, elle avait appris à se taire.

Un jour, cependant, les amoureux dérobèrent une heure de leur précieux temps pour faire une inspection au jardin. Les ordres donnés par le lieutenant Hargrove à Patrick avaient été exécutés. Sans doute le jardinier s'était souvenu de la magistrale leçon donnée par son nouveau maître, et quatre jeunes magnolias se dressaient maintenant les uns en face des autres tout près de la maison. Billy en eut plus de plaisir encore que sa femme, qui les considéra d'un air étrange et se borna à hocher la tête en signe d'approbation.

— Tu verras, dit-il, dès les premiers jours de printemps, ils vont se mettre à grandir et en été ils se feront beaux avec de lourdes fleurs blanches... comme à Dimwood. Tu te souviens, pour sûr.

— Comme à Dimwood, fit-elle mécaniquement.

Malgré tous ses efforts, elle n'arrivait pas à avoir l'air heureux. Elle l'aimait pourtant, son jardin, et ce n'était pas tant le souvenir de Dimwood qui la gênait, que la présence de Ned trop content de se trouver près d'elle.

— C'est joli, Mom' ! lui disait-il en la tirant par sa jupe.

Comment pouvait-il mettre tout cet amour dans des mots si simples ? Elle abaissait les yeux vers lui avec un sourire. La troublait alors sa ressemblance avec son père. Par un phénomène qu'elle ne s'expliquait pas, cette ressemblance s'accusait à certains moments plus qu'à d'autres, surtout quand elle devinait en lui un élan plus spontané.

De ce mystère elle se donnait une explication qu'elle jugeait subtile et qui la tranquillisait : il était jaloux de Billy qui lui ôtait sa mère chaque fois qu'il venait à la maison. Sans le savoir, elle côtoyait une vérité beaucoup plus sérieuse. Comment pouvait-elle comprendre que la ressemblance ne variait pas, mais qu'elle la percevait plus ou moins forte selon qu'elle voyait Ned seul ou en présence de Billy ? Dans le second cas, le mari défunt apparaissait dans le visage de son fils.

Cependant elle ne s'attardait pas à réfléchir au-delà de certaines limites. Elle aimait mieux regarder Billy aller et venir dans le jardin en se pavanant. Très fier de sa personne, il donnait l'impression de la promener comme une idole. Cette vanité ne choquait pas Elizabeth. Bien au contraire, il n'avait pas d'adoratrice plus fervente et elle le lui témoignait sans retenue.

La permission finie, venaient les moments qu'elle supportait si mal, le terrible « au revoir » devant la maison. Le mouchoir agité sans fin n'arrêtait pas le tilbury qui emportait le bonheur. La vie normale reprenait son cours.

CHAPITRE XLIX

Non loin de chez elle, cependant, se passaient des choses intéressantes. Elizabeth ne l'ignorait pas, mais, prisonnière de ses obsessions amoureuses, elle avait tant soit peu oublié tout cela.

Un mystérieux petit complot s'ourdissait dans une des plus fastueuses demeures de la ville. Grandiose ornement de Chippewa Square, la maison de Mrs. Harrison Edwards prenait des allures de palais les jours de réception. Au lieu d'un porche, elle en comptait trois. Deux latéraux se distinguant par l'élégance de leurs colonnettes jumelées tandis que le porche central, aux vastes dimensions, s'arrondissait en terrasse derrière de hautes colonnes à chapiteaux ioniques.

Epousant la forme de la terrasse, le salon vert et or était d'une rondeur parfaite. Là se donnaient les bals les plus étincelants, les fêtes où il fallait être vu si l'on tenait à garder son rang dans l'aristocratie. Les plus beaux bijoux du pays jetaient des éclairs et, comme des bâtiments en escadre, les crinolines naviguaient sous un gigantesque lustre aux mille pendeloques.

Loin de ce lieu d'orgueil, cependant, un petit salon tout en satin gris perle réunissait un soir six personnes assises en rond dans des fauteuils à grands dossiers droits. On devinait sous les mines sérieuses le plaisir secret de jouer les conspirateurs. De toute évidence, Mrs. Harrison Edwards, en taffetas changeant parme et les bras nus, présidait, comme le proclamaient et ses attitudes et son siège un peu plus élevé que les autres. A sa droite, Charlie Jones portait un habit noir largement ouvert sur un gilet blanc. Elizabeth, assise à côté de lui, avait choisi de paraître en vert clair, couleur qu'elle estimait la plus flatteuse, dans les grandes occasions.

Etait-ce exprès ? On l'avait placée à la droite d'Algernon. Celui-ci, en habit vert chasseur pincé à la taille, était l'image du *beau* idéal, et son visage émergeait d'un important jabot de dentelle comme d'un dessert d'œufs à la neige. Ses yeux se coulaient sans cesse sur les joues, les oreilles, le cou, la gorge de sa voisine qui se laissait adorer avec une patience très étudiée. A eux deux, ils représentaient la jeunesse et ses manigances traditionnelles.

Par un vigoureux contraste, le major Crawford, au visage bruni par ses campagnes au Mexique, se tenait raide et sévère dans un habit noir boutonné haut. Ses cheveux grisonnants étaient plaqués autour d'un front têtu et encadraient un masque de militaire aux traits formidablement énergiques. Gardant une immobilité parfaite, il n'avait pas encore desserré les dents et semblait attendre les premiers coups de feu.

Près de lui, l'honorable juge Pilgrim présentait un aspect plus amène dans sa gravité. Rose et calme sous ses belles boucles blanches, il souriait parfois sans qu'en fût en rien tempéré le regard d'acier des yeux bleus.

De sa voix la plus mondaine, Mrs. Harrison Edwards ouvrit l'entretien avec un charmant sourire qui fit le tour de la table pour que chacun en eût sa part.

— Puisque j'ai la joie de vous voir réunis chez moi à l'insu de tout le monde, nous allons pouvoir discuter librement dans cette petite pièce où nulle oreille curieuse ne peut nous entendre. Et tout d'abord, si vous le voulez bien, pas de politique.

D'un seul accord, tous répétèrent avec force :

— Pas de politique !

— Bien et même très bien ! fit-elle. Il s'agit d'un problème délicat, celui de la situation de Mrs. Jonathan Armstrong, tenue injustement à l'écart de la société et qui en souffre.

— La tradition est malheureusement inflexible, dit le juge Pilgrim. Il faut veiller à la pureté du sang qui coule dans nos veines.

— Si vous l'aviez vue dans la splendeur et l'orgueil de sa jeunesse, dit tout à coup le major Crawford, vous auriez été convaincu qu'elle faisait honneur à la race blanche.

De la part du major Crawford, cette parole humaine surprit agréablement.

— Les mains, dit le juge.

— Oh ! les mains ! Les mains étaient ravissantes, affirme-t-on..., répliqua le major. Je n'ai fait qu'apercevoir Mrs. Jonathan Armstrong du temps que j'étais capitaine. Elle était belle à tourner la tête, même aux plus graves dans leurs jeunes années.

— Major Crawford, votre admiration pour le beau sexe n'est pas un secret, mais vous n'avez fait, dites-vous, qu'apercevoir Mrs. Jonathan Armstrong alors que je fus, moi, parmi les invités de cette réception désastreuse qui fit du bruit dans la région. J'ai tenu cette main métissée dans la mienne...

— Pauvre femme ! s'exclama Elizabeth.

— Non, pas pauvre femme, fit vivement Mrs. Harrison Edwards, c'est une grande dame consciente de sa noblesse héréditaire.

— Il faut réparer cet affront, fit Charlie Jones, et je m'y emploierai. Ce n'est pas notre ville qui l'a répudiée.

— C'est en effet la mienne, répliqua le juge Pilgrim, mais la cause nous est commune et nous sommes solidaires.

— Que d'histoires pour un peu d'ombre au bout des doigts! s'écria soudain Algernon.

Fort inattendue dans la bouche d'un jeune homme qui paraissait pour le moins indifférent, cette protestation fit lever les sourcils à l'honorable juge Pilgrim.

— Mon jeune ami, fit-il, avant de nous favoriser de vos opinions, étudiez un peu les lois et les usages de l'Etat de Georgie.

A la surprise générale, Algernon se rebiffa :

— Il n'empêche que l'opinion publique s'émeut au sujet d'un malheureux Noir qui réclame sa liberté devant les tribunaux parce qu'il a séjourné avec son maître dans un Etat libre.

— Aucun rapport, fit le juge. Sa revendication ne vaut rien.

— Il n'empêche que malgré les lois et les usages de l'Etat de Georgie…

— C'est de ce Dred Scott que vous nous parlez? coupa le major Crawford, on nous en rebat les oreilles depuis des mois, et quel rapport avec Mrs. Jonathan Armstrong?

Par un sursaut d'amour-propre, Algernon brava le major en le fixant des yeux :

— L'un et l'autre sont persécutés pour une hérédité dont ils ne sont pas responsables.

— Algernon, dit gravement Charlie Jones, tu n'es pas un imbécile, mais ce soir tu parles comme un imbécile, tu embrouilles tout.

— Dred Scott n'aurait jamais songé à en appeler aux tribunaux, fit le major, si les abolitionnistes du Nord ne l'y avaient poussé.

Comme elle craignait qu'Algernon ne répliquât, Mrs. Harrison Edwards coula un regard ensorceleur au major puis supplia doucement :

— Au nom du Ciel, cher Algernon, ne rouvrons pas la querelle raciale qui nous a déjà menés au bord de la guerre.

Algernon ne répondit que par un sourire.

A ce moment, l'honorable Pilgrim leva la main pour demander le silence :

— Le cas de Dred Scott n'est pas sans intérêt pour un homme de loi. Le Nord s'évertue à en faire un martyr des esclavagistes du Sud. Examinons les faits d'un peu plus près.

Elizabeth et Algernon se regardèrent, consternés.

Le juge continuait, comme au prétoire :

« Né en Virginie en 1795, il est devenu l'esclave domestique d'un planteur de cet Etat. De mémoire de planteurs, on n'a jamais entendu parler d'un domestique noir martyrisé. J'en appelle à toutes les personnes présentes.

Charlie Jones répondit aussitôt :

— La situation de domestique est privilégiée et c'est celle que tout Noir convoite lorsqu'il est acheté comme esclave.

— Tôt ou tard, ajouta Mrs. Harrison Edwards, ils finissent par faire partie de la vie de famille s'ils sont obéissants et travailleurs. Je crois entendre un chœur de *Black Mammies* et d'*Old Black Joes* me donner raison.

— Et de beaucoup d'autres jeunes et vieux, mâles et femelles, continua le juge Pilgrim, mais poursuivons (et il poursuivit sans prêter attention au silence pesant des autres), le maître de Dred Scott l'emmena en voyage avec lui dans le Missouri et le vendit à un chirurgien militaire comme esclave domestique. Son nouveau maître l'emmena à Rock Island dans l'Illinois, puis à Fort Shelling dans le Wisconsin. Dans l'un et l'autre de ces Etats l'esclavage était interdit. Dred Scott avec son maître y passa quatre ans pour retourner ensuite dans le Missouri. Vous me suivez ?

— Parfaitement, firent plusieurs voix.

— Cela vaut mieux car c'est ici que déraille notre Dred Scott. Il déclare, en effet, qu'ayant vécu quatre ans dans des Etats libres il est maintenant citoyen libre du Missouri. Cette idée lui a été soufflée par des anti-esclavagistes du Nord qui l'encouragent à se présenter devant les tribunaux pour faire légaliser sa nouvelle situation...

— Vous nous faites retourner en 46, coupa le major Crawford, et la Cour suprême...

Le juge Pilgrim sauta par-dessus cette interruption comme un homme habitué aux incidents d'un tribunal.

— ... Scott a soixante et un ans, il est hors d'état de travailler, son maître est mort et la veuve qui en a hérité est dans l'embarras, elle ne demande qu'à se débarrasser du malheureux esclave dont elle ne sait que faire. La justice elle-même est perplexe. Un Noir citoyen libre ?

— Raisonnement absurde, dit le major.

— Pourquoi pas ? demanda Elizabeth.

— Elizabeth ! fit sévèrement Charlie Jones.

Elle se tut.

— Perplexe ? Mais un éminent juriste a décidé..., commença le major Crawford.

— Oui, l'attorney général Taney a déclaré au Conseil fédéral que l'esclave Dred Scott devait être rendu à son maître.

Le juge Pilgrim continuait, imperturbable :

« Sa thèse a prévalu, et, avant que l'arrêt ne soit rendu, le Nord s'est déchaîné contre Taney. Il avait dit qu'un esclave appartenait à son maître où qu'il se trouvât avec lui ! Nous en sommes là. L'arrêt sera public dès que le nouveau président sera en place.

Mrs. Harrison Edwards se lança dans la mêlée avec un fin sourire :

— Le plus piquant de l'histoire, si j'ose dire, car elle aurait pu tourner au tragique et prendre des proportions grandioses, c'est que le pauvre Dred Scott se croyant, pour un moment, libre dans un Etat du Nord a compris tout à coup que les Nordistes allaient exiger de lui qu'il se mît au travail pour leur compte en gagnant sa vie. Il fut alors pris d'une soudaine nostalgie de la vieille plantation...

Le juge s'inclina gravement, comme pour s'excuser de lui reprendre la parole :

— Par un des imprévisibles caprices de la loi dans ces grandes affaires politiques, sa libération fut suspendue et il fut rendu à son maître. Dred Scott se déclara malgré tout heureux de retourner dans le Sud. Tout plutôt que la liberté captieuse que lui offrait le Nord. J'ai simplifié pour vous épargner le détail fatigant.

— Elizabeth, demanda Mrs. Harrison Edwards, vois-tu maintenant plus clair dans l'imbroglio des idées où se débat notre pays ?

— Non, fit-elle, mais il me paraît sinistre.

Le major Crawford, qui ne quittait pas des yeux la belle Anglaise, déclara galamment :

— Quel besoin d'inquiéter une dame aussi charmante qui n'a que faire de nos querelles, étant d'ailleurs que de chez nous ?

— Oh oh ! major, fit Mrs. Harrison Edwards, vous oubliez que son mari est lieutenant de hussards dans l'armée des Etats-Unis.

— Ah ! diable, grommela le major, cela m'était sorti un instant de l'esprit.

Algernon saisit l'occasion de s'affirmer après l'affront qu'il avait reçu un peu plus tôt, et, pour montrer qu'il n'avait pas peur, il se tourna vers le major et dit avec une pointe de malice :

— Voilà, major Crawford, à quoi nous exposent nos élans vers les grâces du beau sexe.

La voix tonnante du major fit alors tressaillir tout le monde :

— Jeune homme, pour moins de chose que cela j'ai envoyé en duel mon sabre à travers la poitrine d'un freluquet de votre genre et elle lui est ressortie de l'autre côté.

D'un seul coup, Algernon devint blanc comme sa cravate et faillit glisser de son fauteuil jusque sous la table si Elizabeth ne l'eût saisi par le bras.

— Essayez d'être un homme, lui souffla-t-elle.

L'honorable juge Pilgrim sauva la situation d'un geste de la main comme à la cour. D'une voix lente et profonde, il lança quelques paroles massives :

— Laissons pour un moment nos différences d'opinions personnelles et, pour éclairer les idées de Mrs. Hargrove, apprenons-lui que ce procès, qui ne dura pas moins de quatre ans, a favorisé la soudure du parti républicain, lequel prétend planer au-dessus des partis en soutenant l'autorité du gouvernement central et consolider l'Union. Un nommé Lincoln, Abraham, s'il vous plaît, se place en tête de ce mouvement.

— Il est de l'Illinois, coupa Mrs. Harrison Edwards pour faire diversion, et ce n'est pas un Adonis ! Un peu rustaud, à ce qu'il paraît !

— Tout cela a ravivé les grandes querelles au sujet du droit de chaque Etat de se gouverner comme il l'entend. Et des partis surgissent et étalent leurs revendications. Les *Know Nothing* ne veulent pas des étrangers, catholiques surtout. D'autres réclament avec violence l'Amérique aux Américains, et à eux seuls. Vous pensez bien que les républicains vont essayer de récupérer tout ce ramassis...

— Ah ! s'exclama Mrs. Harrison Edwards, que ne peut-on garder comme président notre cher Franklin Pierce... Il est la droiture et le bon sens mêmes, on ne l'a jamais entendu mentir, lui. C'est l'honneur du Sud. Il veut la paix du pays et aurait trouvé une solution à nos problèmes, car il n'est pas contre l'autorité du gouvernement central, si cela compte. Hélas, dans quelques semaines, il va céder la place à ce Buchanan qui ne m'inspire aucune confiance.

— Il semble pourtant favorable au Sud, remarqua Charlie Jones, il a droit au respect comme chaque président, au début de...

— Il se passera du mien, fit Mrs. Harrison Edwards en jetant la tête en arrière d'un air de défi, c'est un indécis, horriblement influençable, sans autorité, un ridicule vieux beau, comique dans son comportement. Comment fera-t-il face aux démocrates du Nord, puisqu'il y a maintenant des démocrates du Nord !

— Voilà, en tout cas, fit Charlie Jones, un éclatement du monde politique dont ce malheureux Noir aura été sinon la cause, du moins le prétexte.

A ce moment, Algernon voulut effacer sa honte et, selon le conseil d'Elizabeth, manifester une fermeté virile :

— La voilà qui éclate en morceaux, cette Union tyrannique. Pour ma part, je m'en réjouis. Elle se disloque, leur Amérique !

Du coup, le major se leva :

— Mon garçon, cria-t-il, si vous ne voulez pas tâter de l'acier, vous allez ravaler ces paroles indignes. C'est mon pays comme le vôtre que vous insultez. Il existe à cinq minutes d'ici un endroit appelé cimetière colonial. C'est là que nous pourrons nous expliquer, tout en ferraillant, sur votre intéressante conception de l'idée de patrie.

— Major, fit alors Charlie Jones avec calme, je prends sur moi les opinions de notre ami Algernon et vous pouvez considérer comme faites toutes les excuses d'usage.

Algernon, qui s'était levé muet d'horreur et blême comme un condamné à mort, se rassit d'un coup et s'épongea le front avec un ravissant mouchoir de dentelle qu'il avait tiré de sa manche. Haussant furieusement les épaules, le major couvrit le jeune homme d'un regard de mépris et se rassit avec un grand rire insolent.

« Remarquez, poursuivit Charlie Jones d'un ton doctoral, que ses opinions sur l'état actuel de l'Union contiennent des éléments de vérité formulés sans égard pour le langage de la diplomatie, mais que l'Amérique se disloque, nous en avons la preuve dans les menaces de sécession. L'Union n'est pas solide parce qu'elle repose sur une Constitution mal faite, déjà raccommodée tant bien que mal par une bonne dizaine d'amendements. A moins qu'on ne la modifie sérieusement, et il le faudra tôt ou tard, l'Union restera vulnérable.

Le major se mit à souffler des naseaux comme un dragon et allait rugir de nouveau, quand Charlie Jones l'arrêta d'un geste plein d'autorité.

« Ecoutez plutôt ceci que vous ignorez peut-être. Quand les pères de la patrie eurent à discuter la question de l'esclavage et le principe de cette institution, un des auteurs de la Constitution se déclara contre l'esclavage. Il était du Sud et s'appelait Thomas Jefferson. Un autre membre de cette assemblée soutint avec force que l'esclavage devait rester permis. Il était du Nord, son nom : Benjamin Franklin.

— Correct, fit l'honorable Pilgrim.

— Ah ! fit Algernon qui recommença dangereusement à jubiler.

— Algernon, tais-toi, dit Charlie Jones.

Le jeune homme obéit et fit un effort pour reprendre bonne contenance. Par un de ces élans quasi maternels si fréquents chez les femmes, Elizabeth lui serra la main sous la table :

— L'honneur est sauf, chuchota-t-elle.

Cependant, Charlie Jones ayant pris la parole ne la lâchait pas :

— Tout cela nous éloigne de l'objet même de cette réunion. Nous perdons de vue Mrs. Jonathan Armstrong dont le nom seul garantit la noblesse. Naguère une des beautés de ce temps, aujourd'hui dans la splendeur d'un bel été mourant.

— Charlie Jones, comme vous parlez bien, fit Mrs. Harrison Edwards.

Algernon brûlait de dire son mot :

— Je suis pour elle ! clama-t-il.

Ses gros sourcils levés d'étonnement, le major tourna les yeux vers sa victime de choix et dit avec un rire sarcastique :

— Eh bien, mon garçon, pour une fois nous voilà d'accord... Je salue en Mrs. Jonathan Armstrong celle qui incarnait hier toute la beauté du Sud et nous en offre aujourd'hui les prestigieux vestiges.

— Ma parole, s'écria Mrs. Harrison Edwards, nos attraits à nous faibles femmes font des hommes des poètes diablement inspirés.

Grisé par ce compliment, le major se lança :

— Madame, si vous le permettez, par vote d'acclamation, vous êtes l'ornement de ce qu'on appelle si justement le beau sexe. Y a-t-il une objection ?

— Pas une, fit la voix flûtée d'Algernon.

Elizabeth se détourna un peu de lui. L'honorable Pilgrim, qui avait gardé un lourd silence, s'empara à son tour de la parole d'une voix forte :

— Sans être inspiré comme ces messieurs, je me plais dans la compagnie des grands poètes, et au sujet de Mrs. Jonathan Armstrong et de cette fichue goutte de sang métis, je vous citerai une phrase célèbre : « Tous les parfums d'Arabie... »

— Ah non ! s'écria Charlie Jones, pas ça !

— « ... n'effaceront pas cette petite tache », continua l'imperturbable juge.

— Je proteste ! s'écria Charlie Jones, Mrs. Jonathan Armstrong n'est pas Lady Macbeth et il n'y a aucun rapport possible.

— Moi aussi, fit le major, je proteste, je ne connais pas cette noble dame dont parle notre ami Charlie Jones, mais je proteste, il n'y a pas de rapport. Allons, mon garçon, protestez aussi.

— Oh ! je proteste, je proteste, fit Algernon.

— Cher et très honorable ami, dit Charlie Jones en se tournant vers le juge, faites voir au monde que la justice a du cœur lorsqu'il le faut. Vos principes n'en souffriront pas et la pauvre Annabel qui ne songe pas à se remarier s'en ira sans laisser de descendants, et qui se souviendra de la couleur de ses ongles ?

— Vous êtes avocat dans l'âme, répondit le juge Pilgrim, et, présentée ainsi, votre thèse est acceptable. Je fais violence à mes opinions et je cède, je cède à un bon mouvement, ce qui est toujours à déconseiller comme dangereux, mais je demande qu'il ne reste aucune trace légale de ce débat qui ne devra jamais être invoqué comme ayant force de précédent.

— Accordé ! Accordé ! s'écria Mrs. Harrison Edwards, tous et toutes d'accord, n'est-ce pas, chère Elizabeth qui êtes la plus belle Anglaise du monde ?

Comme une fleur trempée dans de l'eau, la belle Anglaise s'épanouit sous l'effet de cet hommage qu'elle jugea cependant tardif :

— Accordé, bien sûr.

Mrs. Harrison Edwards se leva :

— Il faut que cet accueil de la société soit une fête et je demande qu'elle ait lieu chez moi, dans le grand salon qui donne sur la terrasse. Tous d'accord ?

Tous d'accord, elle poursuivit avec une autorité grandissante :

« Je veux que cela soit mémorable comme un événement dans l'histoire de notre ville, que nos petits-enfants s'en souviennent avec émotion.

— Dansera-t-on ? demanda Algernon.

— Cela va de soi, jeune homme. Un orchestre de vingt, trente musiciens, la place ne manque pas.

— Et le buffet ?

— Algernon, fit Charlie Jones, tiens-toi tranquille.

— Laissez, fit Mrs. Harrison Edwards, je trouve charmantes ces naïvetés, mais rassurez-vous, cher Algernon, ces savoureux détails sont prévus.

— Permettez-moi, fit Charlie Jones, de vous rappeler que la malencontreuse petite tache doit son origine à un mariage dans l'île d'Haïti en révolution et que, la mère d'Annabel s'étant retirée du monde, une seule personne pourrait nous éclairer sur les circonstances de cette union.

— Quelle importance, s'il vous plaît ? Ce qui nous soucie est le regrettable résultat.

— Pour l'honneur d'Annabel, il est nécessaire d'établir que sa mère a cru épouser un Blanc. Une seule personne, je le répète, est au courant : Mrs. Llewelyn qui éleva Annabel.

— La Galloise ? Cher Charlie Jones, je n'arrive pas à voir cette femme témoigner dans mon salon. Mes invités ne le souffriraient pas. Songez-y : une femme du peuple...

— Vous ne la connaissez pas comme moi. Elle a le don de la parole qu'elle tient de sa race et qui vous plongera dans la stupeur. En quelques minutes, elle transportera votre salon tout entier à Haïti.

— Cela pourrait être curieux, fit le major.

— Simplement le clou de votre soirée, dit Charlie Jones. Que risquez-vous ? Un instant de stupeur, suivi d'une heure d'émerveillement passionné. Je prends sur moi ce coup d'audace. C'est moi qui présenterai Mrs. Llewelyn.

— Dans ces conditions, je ne puis reculer. A vous seul, vous êtes une armée en bataille.

L'armée en bataille s'inclina, non sans un soupçon de fatuité :

— Trop aimable.

— Reste à fixer la date de cette soirée que je veux éblouissante. L'hiver prend fin, je propose en avril. Sommes-nous d'accord ?

L'accord fut unanime.

— Peut-être, fit l'honorable Pilgrim, faudrait-il s'assurer que Mrs. Jonathan Armstrong consentira à venir, sans oublier Mrs. Llewelyn.

— Je m'en charge, dit Charlie Jones avec son aplomb des moments difficiles. Elles viendront.

— Apparemment les femmes ne vous résistent pas, fit Mrs. Harrison Edwards avec un rire malicieux.

— Je ne force la volonté de personne, répondit-il avec un grand sourire.

— Eh bien, conclut Mrs. Harrison Edwards, sans chanter trop tôt victoire, nous pouvons nous séparer dans la joie. Très chers amis, la séance est levée et des rafraîchissements vous attendent dans la salle à manger du nord, excusez l'expression, c'est la plus fraîche.

La ruée générale vers la salle à manger se fit dans une sorte de bousculade courtoise et la petite pièce désertée se mit à ressembler à un cerveau absolument vide, à peine dérangé par le bourdonnement de paroles bientôt englouties par le silence !

CHAPITRE L

Dans le jardin d'Elizabeth, Patrick appuyé sur une bêche et Ned les mains derrière le dos échangeaient des vues sur le monde et les hommes.

Un beau ciel de février prodiguait sa lumière sur les grosses masses de verdure et sur les jeunes magnolias tout frais plantés dans la terre couleur de rouille. L'air vif jouait avec les boucles brunes du garçonnet et Patrick clignait des yeux en regardant le soleil.

— Mon petit gars, disait-il, tôt ou tard il faudra que tu apprennes à te défendre avec les poings.

— Me défendre ?

— Oui, contre les gens, parce que les gens, c'est tout bon ou tout mauvais... Quand ça ne va pas, pan dans la mâchoire, ça remet tout en place. Kek'fois même entre copains. L'autre jour, par exemple, ton papa militaire m'a étendu raide comme un macchabée et on reste amis. Ton papa militaire est un rude boxeur.

— C'est pas mon vrai papa. Mon vrai papa est parti.

— Compris. N'empêche que le remplaçant a un fier coup de poing. Il t'apprendra. Moi aussi, quand tu voudras.

— Z'ai fait pleurer mon cousin comme une petite fille avec mon poing chez grand-père.

— Tu m'as raconté ça, mais il t'a d'abord étendu par terre. Attaque brusquée : c'est défendu. Viens en Irlande. On t'apprendra tout. Tout le monde se bat avec tout le monde, pour rien, pour le plaisir.

Le nom d'Irlande agit sur Ned comme une parole magique. Grâce à Patrick, il avait la tête déjà pleine de fées, de géants, de sorcières et de fantômes.

— Z'irai au galop, la nuit, sur mon cheval noir.

— Ton cavalier te prendra derrière lui sur son cheval.

— Non, tu comprends pas. Le cavalier vient au galop dans ma nouvelle chambre, mais plus du fond, comme là-haut... du reste, ze sais pas très bien comment il arrive... peut-être par la fenêtre, mais ze suis pas sûr...

— Ça ferait beaucoup de bruit, hein ?

Ned se mit un doigt dans la bouche et demeura un instant pensif :

— Ze crois qu'il vient par le plafond, dit-il.

Patrick ne put s'empêcher de rire.

— Tu as raison, fit-il, c'est plus vraisemblable, elle n'est pas très claire ton histoire, mais ça ne fait rien : viens chez nous.

— Maintenant, ze n'ai qu'à fermer les yeux et il arrive... Cette nuit, ze galoperai là-bas quand z'aurai fermé les yeux, parce que, la nuit, c'est moi le cavalier et ze me sauve de la maison, alors z'entends les gens qui m'appellent par mon nom dans les bois. Mom' sait mon nom, personne d'autre à la maison, mais Mom' ne m'appelle plus.

— Quelque chose s'est cassé ?

— Oui, quand l'officier est venu.

— Ah ! les femmes sont comme ça, vois-tu, mais elle t'aime toujours, va.

— C'est pas la même chose.

— Je connais ça. Fais pas attention, Ned, c'est la vie.

Ned leva vers lui un regard douloureux.

— C'est quoi ?

Le jardinier ôta son chapeau à larges bords et se gratta la tête.

— Je ne sais pas au juste, mais surtout ne pleure pas, petit, un homme ça ne pleure pas, ça cogne.

— Ze comprends pas...

— Ça ne fait rien. Rentre à la maison, il faut que je bêche, mais tu verras, ta Mom' t'aime toujours.

— Ze reviens demain, Pat.

— Demain, sans faute, mais cette nuit, chez nous, en Irlande.

L'enfant sourit.

— Cette nuit en Irlande.

A ce moment, la voix d'Elizabeth l'appela. Elle venait de rentrer et se tenait sur le perron.

« Mom' ! cria-t-il.

A toutes jambes il courut vers la maison.

Patrick éclata de rire et se mit à bêcher.

— On est tous pareils, fit-il.

CHAPITRE LI

Huit jours plus tard, le 5 mars 1857, Buchanan faisait son entrée à la Maison-Blanche. Attendu depuis quatre mois, cet événement n'en provoqua pas moins des remous dans l'opinion publique. Ami du Sud, bien qu'il fût natif de la Pennsylvanie, on était d'accord pour dire qu'en temps ordinaire il eût fait un excellent président pour la forme, une potiche, mais on sentait que ce n'était pas l'homme qu'il fallait dans la crise que traversait le pays. Redoutable s'annonçait le jeu des influences qui se préparait autour de lui.

Toutes affaires cessantes, dès le 28 février, Charlie Jones avait pris le train pour Washington. Ses revenus lui permettant tout, il occupait un wagon uniquement réservé à son usage personnel, son wagon. Sur les banquettes de cuir fauve des spacieux compartiments triomphait le capiton. Des fenêtres vitrées bannissaient le cauchemar de la fumée qui faisait gémir et tousser les voyageurs moins privilégiés. Ni le lit ni la table n'avaient été oubliés dans cette réalisation du confort idéal. Cuisiniers et serviteurs en veste blanche étaient logés tous ensemble dans un compartiment plus modeste, mais, selon les vues de Charlie Jones, magnifiquement adéquat. Obéissance et propreté corporelle étaient exigées et à l'effet de cette dernière tout était prévu en détail. Charlie Jones ne souffrait pas le nauséabond. Aussi ne flottait autour de sa personne qu'une odeur d'eau de Russie. Il s'interdisait le tabac pendant la durée du voyage, mais s'offrait une compensation non négligeable qui se présentait sous l'aspect d'un grand coffre d'acajou garni intérieurement de métal. Là reposaient dans la glace quarante bouteilles de champagne, « du Krug, naturellement », disait-il.

Tout cela n'allait pas sans un rien d'ostentation, mais on se gardait de lui en vouloir, car il savait être généreux, et ses serviteurs noirs, loin de se plaindre de leur sort, considéraient un voyage avec Massa Charlie comme une récréation. Il voulait, en effet, ne voir autour de lui que des esclaves aussi heureux que dévoués et les gâtait en conséquence.

Cependant, comme il goûtait peu la solitude, il choisissait un ou deux compagnons de voyage. Cette invitation ne se refusait pas, mais il se montrait difficile. D'une façon générale il comptait les hommes politiques parmi les plus ennuyeux habitants de la terre à l'exception des pasteurs.

Cette fois, l'élu n'était autre que Robert Toombs le tonitruant. Auparavant un accord avait été conclu entre les deux amis, à cause du personnel noir : le mot d'esclavage ne serait pas prononcé. Le remplacerait le terme officiel et pudique d'institution particulière. Vêtu de noir et le gilet blanc barré d'une chaîne d'or, le colosse du Sud serra chaleureusement les deux mains de Charlie Jones avec de retentissantes protestations d'amitié. Sa réputation de beauté apollonienne le suivait fidèlement malgré quelques mèches argentées autour des tempes, mais son visage de dieu en colère paraissait à peine touché par une large quarantaine. Partisan de la fin de l'esclavage, mais à sa façon, il eût déconcerté un auditoire non prévenu si son fanatique attachement au Sud n'eût fait de lui une célébrité. A peine assis devant Charlie Jones, ses yeux noirs se mirent à fulgurer et il lança quelques-unes de ses phrases vengeresses pour se soulager :

— Quand nous aurons renvoyé chez elle l'institution particulière du diable, nous serons plus à l'aise pour retrousser nos manches et régler leur compte aux hypocrites moralisateurs du Nord.

— Du calme, cher Robert, les choses ne sont pas aussi simples. Il y a eu une forte opposition aux Noirs dans certaines parties du Nord et on rosse tous les jours des abolitionnistes... Comment voir clair dans tout cela ? L'affaire Dred Scott traîne en longueur. Ce petit Noir qui voulait devenir citoyen du Missouri aurait fait osciller l'Union sur sa base comme une pyramide à l'envers. Dans le Kansas c'est déjà la guerre civile. Tournons les yeux vers l'homme qui monte : Abraham Lincoln.

— Ce républicain ! Il sera balayé dans six mois.

— Rien de moins sûr. J'ai eu l'occasion de le voir. Il a le physique et la solidité d'un paysan ; des mains énormes et avec cela le regard clair et direct d'un homme qui a l'air de ne pas vouloir mentir.

Un grand éclat de rire salua cet éloge.

— Quel dommage, Charlie, qu'il ne puisse pas s'asseoir à la Maison-Blanche à la place de Buchanan !

— Toombs, il est des cas où un allié douteux est plus dangereux qu'un adversaire intelligent.

— Tu doutes déjà du président qui commence à gouverner avant qu'il soit en place ?

— Oui. Son intégrité n'est pas en question, il a l'air digne et sérieux d'un homme d'études, mais il manque totalement de confiance en lui-même, il est irrésolu, il écoute les conseils des uns, puis des autres. Nous avons un président fragile.

— En somme, si j'ai bien compris, tu verrais plutôt un président du Nord dans la personne d'Abraham Lincoln !

— Lincoln ne s'est pas présenté.

— Tu crois que ce coquin n'y songe pas avec ses airs finauds ?

— C'est possible.

Toombs se mit à s'agiter.

— Et tu le verrais en président de l'Union ?

— Je ne le souhaite pas, mais cela me paraît possible.

— Lincoln président ! rugit Toombs. Cet escogriffe à la Maison-Blanche... Pourquoi pas un grand singe d'Afrique ?

Charlie Jones s'échauffait à son tour.

— S'il faut un président décoratif, présente-toi donc, mon cher Robert !

— Tu m'en donnes l'idée. J'agirais, crois-moi bien. Et tout d'abord, tous les Noirs en Afrique !

— Pas si fort, Robert, ce n'est pas la peine de les exciter !

Toombs baissa la voix :

— Les gens de chez nous ne cessent de répéter qu'ils ne se soulèveront pas, pour se rassurer eux-mêmes... Le nom de John Brown te dit quelque chose ?

— John Brown est un énergumène dont la place serait dans un asile.

— Bon. Toussaint Louverture à Haïti, tu te souviens ?

— Il est de nouveau question d'Haïti, mais grâce au Ciel nous n'y sommes pas. Ici un nouveau Louverture n'aurait aucune chance.

— Moi, je crois qu'il passe dans les rêves de tous les Noirs et dort au cœur de chacun d'eux. Il y a un terrible : « Pourquoi pas moi ? » dans la tête de ces hommes.

En disant ces mots, il se leva et prit un ton de prophète, l'index levé vers le plafond.

— Ma parole, Robert, on jurerait qu'ils te font peur.

Le fameux tonnerre de Toombs éclata d'un coup :

— Je n'ai peur de rien et je défie le monde, clama-t-il, mais je les veux dehors, tous jusqu'au plus petit *pickaninnie.* Au premier cri de Liberté ! je réponds par Liberia ! et s'il le faut, une flotte entière les portera là-bas.

— Tu pourrais souffler ce programme à Lincoln, fit Charlie Jones d'une voix très calme. Sur ce point il est d'accord avec toi. Moi, j'use d'une méthode différente devant le casse-tête de l'institution particulière. Je parle aux Noirs non comme à des égaux, ce qu'ils ne comprendraient pas, mais comme à des êtres sinon de la même race, du moins de la même espèce, et ils sentent alors que je les aime.

— Mais je les aime, hurla Toombs, je les aime autant que toi, mais au loin, loin, loin ; je les veux aussi heureux que possible avec l'Atlantique entre nous.

— Finissons-en, cela devient ennuyeux. J'ai soif.

Charlie tira le cordon d'une sonnette.

« Toi aussi d'ailleurs, ajouta-t-il.

Le front olympien de Toombs se rasséréna subitement.

— J'avoue..., commença-t-il.

Il n'eut pas le temps d'en dire plus, la porte s'entrouvrit et laissa passer une tête de jeune Noir. Charlie Jones sourit et le Noir sourit, puis Charlie Jones leva une main dont il tint deux doigts bien écartés... La tête noire disparut et la porte se referma.

« Télégraphie, commenta Toombs.

— Télépathie, corrigea Charlie Jones.

— Oreille collée à la porte, peut-être ?

— Tradition remontant à l'invention des portes. Sans portes et sans oreilles, que de chapitres manqueraient dans l'histoire universelle ! Tiens-en compte.

Deux juleps leur furent apportés un instant plus tard et ramenèrent la bonne humeur.

« Je ne sais si tu aimes Washington, dit Charlie Jones. Pour moi, c'est la capitale de l'ennui comme toutes les capitales sérieuses, avec ses avenues toutes droites, partant en étoiles du Capitole ou de la Maison-Blanche. Je la trouve d'une morne splendeur. Même ses ombrages ne la rachètent pas à mes yeux. Il manque un certain désordre, celui de la vieille Europe...

— Elle est encore inachevée, et puis on ne va pas à Washington pour s'amuser.

— Où vas-tu, toi ?

— Pour me dissiper ? A La Nouvelle-Orléans.

— Quand j'étais plus jeune, j'allais me dissiper à New York. N'ouvre pas ces yeux ronds. C'est la ville la plus passionnante, et puis, je suis Anglais, je vais où cela me chante, dans le Nord aussi bien que dans le Sud. Depuis mon mariage avec Amelia — une sainte femme, entre parenthèses — mes allées et venues ont pris un tour plus sérieux et j'ai vu toutes sortes de choses très utiles. Là-haut, ça sent la guerre aussi fort que dans le Sud. Ce sont les civils qui la préparent et les jeunes gens qui la font.

— Tu m'intéresses, fit Toombs entre deux gorgées de julep.

Un grand nuage de fumée noire déferla sur le train et, pendant une minute, plongea les voyageurs dans l'obscurité.

— Je plains nos compagnons de route qui toussent et gémissent dans leurs wagons ouverts à tous les vents.

La voix de Robert Toombs retentit dans le noir :

— Qu'attendent-ils pour se révolter ?

— Le bon plaisir de l'Etat, ou des compagnies de chemin de fer.

— Sans vouloir te critiquer, ton luxueux wagon n'est-il pas un défi jeté à la face du public ?

— C'est ma façon à moi de me révolter. Ça ne te fait pas plaisir de te révolter avec moi ?

— Mettons que je n'aie rien dit. Il me semble que le nuage se dissipe. Parle-moi donc de ce que tu as vu dans le Nord.

— Beaucoup de choses qui me font trembler pour notre insouciance, surtout en ce qui concerne nos armements. Pas une usine dans tout le Sud. Le Nord en regorge.

— Cela n'empêche que la jeunesse de chez nous est toute prête à se battre. Et celle du Nord ?

— Elle est loin d'être unanimement pour la guerre, beaucoup sont contre, mais tous partiraient de gré ou de force. Souviens-toi de ceci : tu es contre l'esclavage des Noirs. Toute guerre est d'abord une levée générale d'esclaves blancs. Chaque soldat est un esclave armé d'un fusil... S'il se sauve, il est pris, pendu ou fusillé.

D'un bond, Toombs fut debout.

— Voilà du nouveau ! s'écria-t-il.

— Erreur. Cela remonte à la préhistoire. On élève l'enfant dans un idéal d'héroïsme. Les politiciens trouvent les prétextes, journalistes et prédicateurs chauffent l'atmosphère et les multitudes d'esclaves bien entraînés marchent à la boucherie sous les acclamations des hommes et des femmes qui resteront chez eux.

— Et alors toi ? que fais-tu si la guerre éclate ?

Charlie Jones répondit d'un ton calme :

— En ma qualité de sujet britannique, je me rends à l'étranger et j'agis par tous les moyens pour aider le Sud.

— Et si les esclaves en uniforme se révoltaient ?

— C'est improbable. Ils ont la guerre dans le sang, c'est aussi fort que l'instinct charnel, mais je propose une solution. Seraient mobilisés tous les responsables, dont le nom est légion... Tous ces messieurs sans limite d'âge seraient armés et menés vers les responsables du pays ennemi. Les pertes seraient lourdes et ce serait la fin de toute guerre. Mais ce n'est là qu'un joli rêve. N'aie aucune illusion, Robert. L'absurde conflit se prépare et il sera atroce... Ce que veut le Nord, c'est la sujétion totale du Sud.

— Et l'abolition de l'esclavage ? Ils n'ont que cela à la bouche. *La Case de l'oncle Tom,* cette stupidité, bat tous les succès de librairie de notre temps.

— Tout cela n'est qu'un écran. Il est de taille pour masquer le véritable objectif d'une politique inavouée. Le Nord veut le Sud. C'est aussi simple que ça. Il est servi par l'énorme naïveté du public qui avale les fabulations de Mrs. Beecher-Stowe comme un gamin des histoires de brigands. J'ai eu l'occasion de m'entretenir avec la dame en question. Ma qualité d'Anglais facilitait la confidence. Elle ne connaît du Sud que le Kentucky. Son information lui vient de personnes qu'elle *estime sérieuses,* elle-même n'a jamais mis les pieds dans le vrai Sud. Exaltée et stupide, voilà la dame !

— Elle avoue modestement qu'elle n'est pas l'auteur de ce livre : « C'est Dieu qui l'a écrit », déclare-t-elle.

— Intéressante mise au point, mais laissons cela. Le Nord veut à tout prix fortifier l'Union par la conquête. Votre grand Henry Clay avait affirmé avec force que la véritable Union ne se ferait que par l'Union des cœurs. Nous n'en prenons pas le chemin. A propos, que voit-on par la fenêtre ?

— Rien de très remarquable. Des champs en friche et tout au loin une succession de marais.

— Le détail, Robert, le détail qui anime le paysage : tout là-bas, un petit vieux dans une carriole traînée par un âne, là, dans un sentier.

— Tu as des yeux qui feraient la fortune d'un espion.

— Le Sud et le Nord en sont pleins. Ce sont les pétrels qui annoncent la tempête... et comme toujours en temps de troubles, Washington est plein de cartomanciennes et de voyantes appréciées des hommes politiques qui vont subrepticement les consulter.

La conversation prit un tour frivole et les juleps se succédèrent jusqu'à l'heure du déjeuner qui leur fut servi dans un compartiment voisin où de l'argenterie de famille brillait sur la nappe blanche d'une table ronde. L'exiguïté même du lieu favorisait l'illusion d'un cabinet particulier dans un restaurant de grand luxe et le repas, délicieux, fut si généreusement arrosé de champagne qu'il fut aussitôt suivi d'une sieste prolongée dans l'après-midi, en sorte que le charme austère du paysage leur échappa. Comme ils suivaient de loin le littoral, ils n'auraient vu, du reste, que les vastes marais se rejoignant en bordure de l'Océan d'un vert profond sous un ciel gris.

Le jour commençait à tomber lorsqu'ils se réveillèrent, à temps pour admirer à l'horizon les contreforts d'une chaîne de montagnes.

Un peu honteux d'avoir si longtemps dormi, ce fut à qui des deux s'extasierait le plus sur les splendeurs de la nature, mais la nuit venant coupa court à la banalité de leurs exclamations. La lumière indécise des lampes à huile les calma et les rendit à l'échange de leurs vues politiques, et ils finirent secrètement par se trouver l'un et l'autre légèrement obstinés. Aussi la soirée fut-elle le plus possible abrégée. Le champagne coula de nouveau, puis chacun regagna son divan transformé en lit d'un confort savamment étudié.

CHAPITRE LII

Le lendemain, ils traversaient la Caroline du Nord où les plantations de tabac leur apportèrent, en l'enrichissant de thèmes nouveaux, de quoi ranimer une conversation de plus en plus languissante, car ils découvraient peu à peu qu'ils s'étaient dit le principal.

Des journaux achetés en masse à la gare de Salisbury leur fournirent à chacun le refuge classique derrière une muraille de papier. Juleps et coupes de champagne achevaient de leur rendre la vie tolérable. Les repas apportaient une sorte de trêve, un effort vers la camaraderie des premières heures. Charlie tenta de dérider son compagnon par le secours d'une plaisanterie qui courait les bars de Savannah :

— Sais-tu ce que disait le gouverneur de la Caroline du Nord au gouverneur de la Caroline du Sud ?

Toombs secoua la tête de droite à gauche. Alors Charlie Jones se pencha au-dessus de la table et prit un ton confidentiel :

« " C'est long, le temps entre deux *drinks.* " *(It's a long time between two drinks.)*

Toombs éclata de rire et la gaieté se raccommoda plus ou moins bien, par petits morceaux.

Très différente fut la dernière journée de voyage. Assis devant leur café du matin, ils tournaient les yeux vers la fenêtre et leur cœur se dilatait. A gauche les crêtes neigeuses du Blue Ridge semblaient reculer dans le ciel pour se fondre dans l'azur, alors qu'à droite une immense vallée se frayait un chemin à travers les collines ondulant comme des vagues.

— Virginie, finirent-ils tous deux comme dans un murmure d'amour.

Devant la calme magnificence de ces grands espaces qui redisaient la beauté du monde et parlaient de paix et de joie, ils se demandaient en silence pourquoi ils choisissaient d'aller vivre ailleurs.

A Richmond, le train s'arrêta dix minutes et ils firent quelques pas dans la gare. Les journaux annonçaient sans longs commentaires l'entrée en fonctions de Buchanan. Nulle part ne se manifestait la nervosité de Savannah. Les voix mêmes, plus tranquilles et moins chantantes que celles de Georgie, créaient une atmosphère rassurante.

Il ne devait plus y avoir d'arrêt avant Washington, mais, à la hauteur de Charlotteville, ils purent apercevoir de loin le dôme de la bibliothèque, et le souvenir de son fils tué en duel vint attrister Charlie Jones.

— Tu ne l'as pas connu, dit-il à Toombs, c'était un bon garçon sérieux et plein de cœur. Un mari modèle. Je ne saurai jamais exactement pourquoi il est mort. On m'a caché quelque chose. Il n'était pas d'humeur à chercher querelle à personne, mon pauvre Ned. Seule Annabel Armstrong pourrait nous dire, mais elle ne parlera jamais.

— Je connais Mrs. Armstrong. Grande dame et veuve inconsolable.

— En quelques mots, tu as tout dit. Mais parlons d'autre chose. Dans un moment nous allons passer près de Manassas. C'est à quelques *miles* de là que se trouve notre propriété où ma femme va se reposer en été. Je voudrais beaucoup que tu viennes nous y voir.

— Avec joie.

Mis en humeur de confidence, Charlie Jones ne résista pas au désir complexe d'assassiner sa femme tout en l'adorant.

— Tu connais bien Amelia ?

— Mon cher Charlie, je la connais et la respecte, si l'on peut dire, jusqu'à terre, car c'est une dame d'une dignité imposante.

— C'est une sainte.

— Ah ?

— Oui.

— Charlie, ne me dis pas qu'elle est catholique.

— A quoi songes-tu ? Personne de la famille n'est descendu aussi bas. Par sainte, j'entends une sainte femme.

— Tu veux dire pieuse.

— Pire que cela, mon bon. Je la vénère, je ne puis la voir que je ne tombe amoureux à chaque fois, comme un jeune homme. Sans entrer dans les détails, elle m'a déjà donné deux garçons et une fille.

— Irréfutable.

— Mais cela n'empêche que cette femme que je crois posséder m'échappe.

— Bigre, Charlie, as-tu des doutes ?

— Tu n'y es pas du tout, mais pas du tout, du tout. Elle se ferait percer le cœur et trancher la gorge plutôt que de regarder un autre homme… C'est bien autre chose. Si j'osais dire…

— Ose, ose, Charlie. Je suis une tombe et tu as ma parole d'honneur.

— Elle respire la religion par tous les pores de son être.

— J'entrevois le supplice.

— Tu n'en as aucune idée. Elle plonge dans sa Bible comme une loutre dans son lac et elle en sort ruisselante de citations parfois troublantes.

— C'est bien pour cela que je n'ouvre plus ma Bible depuis mon enfance. On s'y trouve visé à chaque page, si l'on y croit.

— Tu touches du doigt la difficulté. Elle croit, mais à un point qui dépasse la raison. Elle est folle.

— Du moment qu'elle se tient tranquille, qu'as-tu à craindre ?

— Il ne s'agit pas de cela. Elle est d'une immobilité effrayante. Toujours prête à s'abandonner, mais restant ailleurs.

— Où ça ? Sois plus clair, mon vieux.

— Si je le pouvais, si je le savais, mais je la sais, je la sens ailleurs. Je n'arrive pas à la saisir, comprends-tu ? Eternellement consentante, éternellement absente.

— Il y a là comme une ombre d'infidélité morale.

— Métaphysique, Robert.

— Diable, je te plains.

— La sainte femme dans toute son horreur, mais ce n'est pas tout. Je devine, je flaire autre chose.

— Comme si cela ne suffisait pas.

— Elle n'aime pas ça.

— Ça ?

— Oui, essaie de comprendre.

— N'en dis pas plus, j'ai compris, mais tu ne te rends pas compte que la majorité des femmes mariées en Amérique ont la même répulsion. Innombrables sont les mères de famille qui n'ont jamais connu le plaisir.

— C'est différent avec elle parce que tout est différent avec elle. J'ai l'impression qu'elle considère cela comme une profanation qu'elle doit subir.

— C'est le mariage. Je ne veux pas critiquer ta femme, mais elle est compliquée.

— Les femmes qui croient peuvent être impossibles à comprendre. Est-ce que tu crois, toi ?

— Oh ! je vais à l'église à Pâques, parce que c'est l'usage dans la société, mais n'en tire aucune conclusion, je ne suis pas un fanatique.

— Moi non plus. Il y a tout un amas d'abstractions et de légendes que je n'accepte pas. Le plus sage est de laisser cela aux femmes parce que cela en fait des épouses modèles, sauf la mienne qui a avalé trop de religion comme on avale trop de laudanum. Ça ne peut plus s'arranger. Elle est à un autre.

— Mystère !

— Tu ne crois pas si bien dire, elle ne m'empêche pas d'être heureux, mais elle empoisonne mon bonheur. Mais, oublie ce que je t'ai dit et ne parlons plus d'elle. Nous venons de passer à Manassas, gros village sans intérêt. Washington n'est plus loin : une dernière coupe de champagne peut-être ?

— Tout à fait d'accord.

Charlie Jones sonna. Le domestique parut presque aussitôt.

— Champagne, dit Charlie Jones.

— Massa Charlie, fit le Noir consterné, plus de champagne.

Vides les quarante bouteilles. Quarante bouteilles de rires, de bons mots, de confidences, d'imprécations, de bonne humeur...

— Qu'à cela ne tienne, dit Charlie Jones. A Washington, je connais toutes les bonnes adresses.

Cette parole vivifiante leur rendit courage jusqu'à la minute où la cloche de la locomotive annonça dans des clameurs de triomphe l'entrée en gare de Washington.

CHAPITRE LIII

En route pour le Capitole dans la calèche qui les attendait, Charlie Jones prodiguait des éclaircissements à Toombs sous prétexte qu'il n'aimait pas mettre les pieds à Washington, même pour les séances du Sénat.

— On ne finit pas de le construire, alors quel intérêt ? disait le colosse du Sud.

— Dickens l'appelle la ville des intentions sublimes, mais il ne manque pas une occasion de se moquer de l'Amérique où il a été reçu pourtant comme un prince. Cette magnifique avenue bordée de grands arbres, tu ne peux nier qu'elle soit belle ?

— Laisse-moi rire... Belle d'un côté, d'accord, mais de l'autre, ce n'est qu'un chantier. Je regrette, mais j'ai des yeux pour voir : de grands tas de mortier, un amoncellement de briques, d'innombrables tronçons de colonnes dans cet indescriptible désordre. Bravo ! Eh bien, bravo ! c'est ça, Pennsylvania Avenue !

— Cesse de grogner et admire les belles proportions du Capitole. Tu ne peux pas dire que la colonnade du porche n'est pas imposante !

— Et ces échafaudages, là-haut, en long, en large, partout...

— Il faut bien construire le dôme.

— En somme, tout cela essaie de se mettre debout comme l'Union elle-même !

Charlie Jones faillit perdre patience, mais se contint.

La calèche s'arrêta au bas des marches qu'ils montèrent dans le tumulte des jours de fête. La foule, bourdonnante et surexcitée, se ruait au spectacle avec des rires et des exclamations, à tue-tête, braillant en agitant des bouquets et des drapeaux de papier, tout entière en proie à l'énorme retour collectif des instincts anarchiques de l'enfance, grisée d'une joie proche de l'émeute. Au milieu du débraillé populaire, des hommes en bras de chemise et des femmes coiffées en chignon, quelques habits noirs contrastaient avec une sorte de violence discrète comme pour garder à ce rassemblement un caractère officiel.

« Allons-nous-en, cria Toombs dans l'oreille de son compagnon.

— Pas encore, tu vas voir, cela vaut la peine d'un effort. L'Histoire se fait dans le désordre.

Aussi vigoureux l'un que l'autre, ils se frayèrent à coups d'épaules un chemin jusqu'au hall où de gigantesques statues se dressaient entre des colonnes. D'un regard aveugle, la Force, la Loi, la Fraternité, drapées dans le marbre, considéraient de haut la multitude lâchée au sein même du pouvoir. Là, un service d'ordre bon enfant contenait la masse par un cordon défendant l'accès à la Rotonde. L'œil critique de Toombs fit rapidement le tour de ce grand espace ceinturé de hautes colonnes à chapiteaux corinthiens. L'effet eût été grandiose sans les bâches de toile verte dissimulant les travaux en cours dans la coupole inachevée. Pourtant, ce plafond improvisé ne gâtait pas tout. Il y avait dans l'ensemble une majesté qui fit baisser tant soit peu le ton à la foule vociférante.

Debout au milieu d'un vaste cercle de personnages en habit noir, Buchanan lisait son discours inaugural. La rumeur persistante montant de l'extérieur assourdissait une voix sans vigueur et seuls arrivaient, comme de faibles jappements, des bouts de phrases incolores. L'homme était banal. Tout le monde le sentait. Il faisait partie de ces infortunés qui ne parviennent jamais à se faire entendre quelle que soit l'autorité dont on les pare. Le bout des doigts sur le pupitre comme pour chercher un appui, il souffrait visiblement de son incapacité flagrante. Assis à sa droite, le président Pierce tenait modestement son rôle de grand homme cédant la place à un esprit inférieur. Il se sentait admiré et jouissait de son retour à la vie privée auquel la nullité de son successeur donnait une fausse allure de victoire.

Pendant ce temps, Buchanan se débattait dans ses périodes laborieuses et goûtait l'amertume d'une gloire factice que la présence de son gênant voisin achevait de démolir.

Charlie Jones et son compagnon se regardèrent et hochèrent la tête. Pour une fois ils étaient du même avis.

Déjà les groupes de curieux, déçus par l'ennui de cette inauguration sans éclat ni coup de théâtre, commençaient à se disperser. Des applaudissements polis saluaient la fin du discours quand Charlie Jones dit à Toombs un seul mot en français :

— *Filons !*

Ils regagnèrent au plus vite la calèche.

— Avant de partir, lança ironiquement Toombs, constate au moins la présence de ces deux ailes achevées à droite et à gauche. Dans l'une le Sénat où beaucoup de mes collègues viennent dormir ou se lancer des boulettes de papier pour passer le temps, dans l'autre la Chambre des représentants. Elles se rejoignent sous la Coupole par de spacieux souterrains, le public adore s'y promener.

Ça promet pour les grands jours ! Et maintenant, à bride abattue vers la Maison-Blanche ! Nous arriverons avant la populace qui va y courir à toutes jambes, car si le Capitole c'est la corvée, White House, c'est la fête. Du moins, espérons-le !

Ils arrivèrent, en effet, avant la « populace », et grande fut la satisfaction de Charlie Jones quand il entendit Toombs pousser un grognement d'admiration.

— Restaurée enfin, mais avec art.

Basse et tout en longueur, cette construction à un étage eût fait songer à une maison de campagne sans le très majestueux portique soutenu par dix colonnes grecques et orné d'un fronton triangulaire, mais un certain aspect champêtre n'en persistait pas moins à cause d'une prairie qui s'étendait derrière elle avec une sorte d'innocence.

Ils entrèrent, déjà les invités en habit entouraient les deux présidents, celui d'hier et celui d'aujourd'hui, dans un salon où les glaces gigantesques renvoyaient comme à l'infini des lustres aux innombrables pendeloques. Les murs semblaient disparaître sous la profusion des dorures et un peu partout des fauteuils Louis XV jetaient la note ultime d'un luxe accablant, car il y en avait trop, trop brillants, trop dorés.

— Un peu des *Mille et Une Nuits* mêlé d'un peu de Versailles, fit Charlie Jones.

Mais Toombs regardait sans répondre.

Le public entrait à son tour, très différent de ce qu'il était au Capitole, visiblement intimidé. Des policiers en civil, reconnaissables à leur regard inquisiteur, circulaient à l'entour des portes.

Toombs prit Charlie Jones par le bras et le guida vers un coin du salon où le nouveau président recevait ses invités.

— Observe la comédie qui se joue maintenant, lui glissa-t-il.

Buchanan et Pierce se tenaient debout l'un et l'autre et se dépensaient en politesses avec une grâce à peu près égale, mais d'une façon indéfinissable Buchanan excellait à ce jeu alors que Pierce souriait avec un peu plus de discrétion. A présent Buchanan se carrait dans son rôle de maître du logis, se rengorgeait et de temps à autre dirigeait vers le président sortant un regard plein de bonté voilée de mélancolie, car enfin le moment de se dire au revoir n'allait plus tarder.

Il ne fallait pas beaucoup d'intuition à Pierce pour saisir ces exquises finesses et tout à coup, faisant fi du protocole, pendant que le Buchanan tout neuf bavardait éperdument avec des dames, il s'éclipsa comme une ombre.

— Bien joué, murmura Toombs à Charlies Jones.

Quelques minutes plus tard, tous deux décidèrent de s'en aller aussi.

Toombs remarqua :

« Quelles ombres derrière ces amabilités et ces grimaces de politesse !

Comme ils descendaient les marches, ils s'entendirent appeler par quelqu'un derrière eux :

— Jeff Davis ! s'écria Charlie Jones en se retournant.

Jefferson Davis éclata de rire :

— Retrouver Charlie Jones et Robert Toombs d'un coup, c'est une compensation après cette mortelle séance, mais que faites-vous ici ?

— Ce que fait le peuple américain : nous assistons à un moment historique.

— Pas très réussi, fit Jefferson Davis, mais ce n'est pas moi qui ai choisi l'acteur principal. Du reste, vous remarquez la débandade : le public attendait autre chose... Toombs, je t'ai entendu à Savannah quand tu as parlé de l'esclavage. Nous sommes d'accord sur presque tous les points, mais en tout cas, toi, tu es la Voix du Sud.

Charlie Jones rectifia doucement :

— Le Tonnerre du Sud.

— Alors, trois hourras pour le Tonnerre du Sud ! fit Jefferson Davis.

Du même âge que Charlie Jones, il portait l'habit de cérémonie taillé avec un souci d'élégance manifeste, et une épaisse cravate de soie soulignait d'un trait noir un visage fin et régulier où l'extraordinaire regard jetait du feu, malgré un œil qui le faisait souffrir. On sentait que la fureur pouvait monter d'un coup dans ces yeux clairs, quelle que fût la courtoisie de son ton habituel.

Il proposa aux deux visiteurs de Georgie de faire quelques pas sous les arbres.

« Je quitte sans regret cette Maison-Blanche, leur confia-t-il, maintenant que Franklin Pierce n'y est plus. Le Sud ne remplacera pas facilement un tel défenseur de nos droits.

— Alors Buchanan ? fit Charlie Jones.

Jefferson Davis haussa les épaules.

— Inoffensif, dit-il.

— Dans la bouche d'un ministre de la Guerre, un tel jugement peut faire trembler pour l'avenir, fit Toombs.

— Je ne suis plus ministre de la Guerre depuis le départ de Pierce, et il n'y a pas de quoi trembler, mais je ne dévoile aucun secret en vous apprenant, si vous ne le savez déjà, que, dans le Nord, les gouverneurs de plusieurs Etats font entreposer d'importants stocks d'armes dans les arsenaux.

— Buchanan doit le savoir, fit Charlie Jones.

— Buchanan préfère ignorer tout ce qui pourrait troubler son sommeil. Il y a assez de personnages dans son entourage dont l'intérêt est de le persuader que tout va bien.

Tout le long des avenues, le vent de mars tourmentait le sommet des grands sycomores sans atteindre les promeneurs. Bientôt, ceux-ci rebroussèrent chemin vers la Maison-Blanche. Charlie Jones prit la parole :

— Les yeux de tous se tournent vers le Capitole et sur toutes les lèvres du Sud se pose la même question : « Est-ce la guerre ? »

Une flamme brilla dans les yeux de Jefferson Davis, mais, d'une voix qu'il voulait très calme, il répondit :

— Je ne suis pas prophète, Charlie Jones, mais chaque jour vient du fond de l'avenir une voix qui dit au Sud : « Tiens la main sur la garde de ton épée. »

Et comme pour atténuer la grandiloquence de cette déclaration, il ajouta avec un grand sourire :

« Soyez sûrs, mes amis, que si nos voisins du Nord veulent nous rendre visite en uniforme et le fusil en main, nous serons là pour les recevoir.

— A mon tour d'applaudir ! s'exclama Toombs. Tu devrais monter sur une marche de la Maison-Blanche et redire ça de toutes tes forces. Tu aurais les vivats de la foule.

— A Washington ? Peut-être bien, dit Jefferson Davis, mais nous n'en sommes pas encore là. Ce qui arrangerait tout, ce serait une véritable Union.

— Tu rêves, fit Toombs.

— Peut-être, mais c'était le rêve de Henry Clay : l'Union des cœurs...

— Ah oui, fit Charlie Jones, avec un soupir... Calhoun a trouvé la formule naïve ; mais Clay avait raison. Il n'y aura jamais d'Union, entends-tu, jamais et quoi qu'il arrive, guerre ou paix, si l'on ne parvient pas finalement à l'Union des cœurs.

— Alors c'est à toi de monter sur les marches pour annoncer ça à la foule, fit Jefferson Davis.

— Mille regrets, je suis anglais, je n'ai pas le droit.

— Anglais, toi ? reprit Jefferson Davis, tu es gallois comme moi.

— Là, parfaite union des cœurs, répliqua Charlie Jones, mais mon passeport me rappelle que je suis sujet de Sa Majesté Victoria, et je t'assure que c'est très utile.

Toombs se mit à tonner :

— Tu es du Sud, Charlie, le Sud t'a adopté.

— Et c'est en fils du Sud que je veux servir ma patrie adoptive, mais je veux travailler pour la paix en défendant les grands principes de Henry Clay.

Emporté par son éloquence, il enflait la voix de plus en plus fort et les promeneurs s'arrêtaient pour l'entendre : loin d'en être gêné, il trouva bon de haranguer cette audience de fortune :

« La paix par l'union des cœurs, clamait-il, l'union sincère, profonde, la fraternité triomphante sans quoi l'Amérique s'effondre dans le sang et les ruines.

Jefferson Davis le prit par le bras :

— Calme-toi, Charlie, lui dit-il, avec ton accent anglais tu vas te faire prendre pour un agent provocateur de Victoria.

— Victoria est pour le Sud, reprit Charlie Jones, c'est cet Allemand, le prince Albert, qui est pour le Nord...

— Allons, viens ! fit Jefferson Davis.

Lui et Toombs le firent passer à travers le groupe de curieux de plus en plus attentifs.

— Vous au moins, lui lança au passage une femme du peuple, vous parlez pour dire quelque chose alors que le nouveau président...

Plus forte, un voix goguenarde s'éleva tandis qu'ils s'éloignaient :

— ... Le président avec sa Constitution comme une poêle attachée à la queue d'un chat !

— Admirable ! Subversif ! s'esclaffa Toombs. Charlie, tu es en train de déclencher une émeute ! Aux calèches, aux calèches !

Jefferson Davis rit avec lui :

— Primo, il n'y aura pas d'émeute parce que je suis toujours sénateur et que la foule respecte le Sénat. Secundo, je n'ai pas de calèche et suis venu à pied, démocratiquement.

— Bah, fit Charlie Jones un peu assagi, je n'ai aucune envie de créer du désordre, mais ce nigaud de Buchanan m'a mis en rage avec ces mots de justice et de constitution qu'il a sans cesse à la bouche.

— Doucement, fit Jefferson Davis, le Sud serait tout prêt à se battre pour cette Constitution — mais oublions cela. Toombs, tu restes à Washington ?

— Oh ! non, je retourne à Savannah.

— Charlie, toi bien sûr, tu rentres aussi chez toi ?

Charlie Jones prit un air grave :

— Non, je vais dans le Nord.

— Mystérieuse réponse, mais je ne pose pas de questions.

— C'est très simple. Je veux m'instruire, car je suis curieux, moi aussi, et j'ai la passion de savoir.

— Sois prudent, ils commencent à se méfier.

— Un Anglais va où il veut et agit comme il l'entend ; un Anglais, mon cher Jeff, est in-tou-chable.

Sur ces paroles énigmatiques, les trois amis jugèrent que le moment était venu de se serrer la main et de se séparer...

— Juste un dernier coup d'œil sur cette Maison-Blanche, fit Toombs. Elle ne me fera jamais battre le cœur, mais je reconnais qu'elle est assez jolie, d'aspect heureux, pimpante même.

— Elle n'avait pas l'air très pimpante, le jour de 14 où les Anglais y mirent le feu, pour apprendre aux indigènes à gêner le Blocus continental de Sa Majesté en essayant de reprendre sans son assentiment leurs relations commerciales avec l'Europe. En fait, de blanche elle devint toute noire, votre maison.

— Oui, mais quand les Anglais s'en allèrent, on la repeignit, fit Toombs... Comme elle peut être agaçante, ton Angleterre !

— Très, dit Charlie Jones. Elle le sait et elle continue, et elle continuera !

Quelques éclats de rire, puis ils se quittèrent.

CHAPITRE LIV

Les jours qui suivirent, les discours déferlèrent et il devint très vite évident que le président Buchanan serait un homme qui ne ferait rien, une sorte de président de transition comme s'il fallait à l'Histoire un moment de calme, un temps d'arrêt pendant lequel tout allait fermenter. Les orateurs s'en donnèrent à cœur joie et les belles périodes fleurirent, aussi bien sur les lèvres des politiciens de tous bords que sur celles des prédicateurs, et ces mêmes phrases entortillèrent leur rhétorique et leurs mots grandioses sur les pages des journaux du Nord. Cependant, parfois on accusait discrètement le nouveau président d'être acquis au Sud et d'avoir dans son entourage des conseillers prêts à toutes les conciliations. C'était jouer sur sa susceptibilité ; homme politique, et il n'était rien de plus, à plusieurs reprises il mit en place des adversaires résolus de la fameuse Union des cœurs, pour rétablir un équilibre.

Le sénateur Douglas s'agitait déjà dans l'Illinois en vue de l'élection future, le Nordiste Garrison à New York soufflait toujours ses paroles enflammées par la discorde ; et sur tout le pays, jour après jour, les grandes phrases, échappées de toutes ces bouches, formaient au-dessus des forêts silencieuses, des marécages, des fleuves et des champs de coton, du damier immense des blés, des bois, des villes, les lettres qui se rassembleraient bientôt sur les mêmes paysages d'Amérique pour devenir des chants de guerre.

CHAPITRE LV

A Savannah, le printemps éclatait comme un chant de victoire. Dans tous les jardins des maisons rouges et blanches en bordure des squares, les fleurs s'épanouissaient dans une sorte de mêlée générale.

Dans le jardin d'Elizabeth, le goût passionné de Billy pour les magnolias triomphait des réticences voilées de sa femme qui proposait timidement un peu de modération, car il en voulait partout, des magnolias !

— Tu ne te souviens pas du magnolia à l'entrée de la véranda, à Dimwood ? Tu en raffolais, tu t'arrêtais tout près comme pour lui parler...

Mais oui, elle s'en souvenait, elle s'en souvenait très bien. Elle se demandait seulement si, dans leur jardin à eux, on ne pourrait pas les espacer, par exemple ?

Alors Billy, dans l'uniforme qui lui allait si bien, qui l'embellissait d'une façon presque gênante, la prenait doucement dans le creux d'un bras et lui disait avec un grand sourire :

« Ma chérie, tu me laisses faire ce que je veux ?

Elle comprenait ce que cela voulait dire, il savait trop bien comment la mettre à la raison, et, sans répondre, elle souriait, indignée au plus profond d'elle-même d'une faiblesse où elle ne se reconnaissait plus. Et ces arbres tendaient vers elle leurs fleurs, ces arbres aux sombres feuilles luisantes tendaient dans leur splendeur sensuelle les larges fleurs alourdies de parfum et de souvenirs. Jeunes encore ils se touchaient presque. Un jour, ils cacheraient le mur jusqu'au haut et sur toute sa longueur jusqu'à la maison de Patrick, absent comme à l'ordinaire.

Billy observait le visage d'Elizabeth qui demeurait silencieuse.

« Contente ? demanda-t-il.

— Très contente.

— Tu as l'air si pensive et tu ne dis rien, insista-t-il.

— J'admire, Billy. Il y en a vraiment beaucoup, des magnolias ! J'en ai parlé un jour à Patrick, mais il avait reçu tes ordres et je n'ai pas voulu compliquer les choses, alors...

Il la regarda dans les yeux.

— Voilà l'Elizabeth que j'adore, fit-il avec la douceur pleine de tendresse qu'il réservait à certains moments de leur intimité.

Elle tenta de se révolter et lui dit d'une voix taquine :

— Il y a donc une Elizabeth qui n'est pas toujours adorable.

A sa grande surprise, il cessa de sourire et relâcha lentement son bras.

— Tu sais très bien ce que je veux dire, fit-il.

Elle faillit crier, mais se contint et se redressa :

— Non, dit-elle.

Ce mot lui rendit sa force comme s'il ranimait en elle la jeune Anglaise d'autrefois, fière et toute prête à la révolte, mais des pensées tournaient dans sa tête et lui donnaient une sensation de vertige.

« Allons-nous-en d'ici, veux-tu ? dit-elle.

— Mais oui, fit-il d'une voix raisonnable comme pour calmer un enfant. C'est le parfum de ces fleurs qui t'incommode sans doute.

Elle le brava d'un regard dédaigneux, mais sentit les battements de son cœur dans sa poitrine.

— Je veux simplement me reposer, fit-elle.

Non sans une légère affectation de galanterie, il lui offrit son bras et ils gagnèrent le perron en silence.

Selon leur habitude, un goûter dînatoire leur fut servi à la salle à manger. Elizabeth n'y toucha qu'à peine, se contentant de deux tasses de thé, mais Billy dévora. Pas un mot ne fut échangé pendant ce bref repas que la tombée du jour rendait encore plus sérieux. Seule vint l'éclairer un moment l'apparition joyeuse de Ned rentrant de sa promenade avec Betty. Il s'élança vers sa mère en poussant les cris d'amour dont elle avait ce jour-là grand besoin. Vêtu de toile blanche, sa tête ébouriffée sortait d'un large col marin et il riait en essayant de parler, de raconter une histoire :

— Mom', ze t'ai pas dit mon rêve de cette nuit…

— Tu ne dis pas bonjour à ton papa ? fit-elle.

Il regarda Billy et dit simplement :

— Bonzour.

— Papa viendra plus tard, quand nous nous connaîtrons mieux, fit Billy avec un sourire amer.

— A-t-il été sage ? demanda Elizabeth à Betty.

Celle-ci s'approcha, un grand sourire sur son visage qui semblait ne plus changer depuis longtemps, avec le sillon des rides s'approfondissant dans ses joues maigres et luisantes.

— Massa Ned fait g'ands voyages quand il do't, dit-elle avec un rire d'enfant.

— Non, Betty, s'écria Ned, moi ze raconterai à Mom' mon rêve de cette nuit.

Elizabeth le saisit dans ses bras et, les larmes aux yeux, lui couvrit le visage de baisers.

— Oh ! pourquoi tu pleures, Mom' ? demanda-t-il en lui caressant la figure.

— Je ne sais pas, mon amour, mais va dîner et couche-toi, tu me raconteras tout demain. Betty, emmène-le.

L'enfant disparut avec la vieille servante.

Elizabeth se leva.

« Montons, dit-elle, je suis fatiguée.

Dans la chambre aux volets clos, la lampe à huile brillait doucement sur le guéridon et le grand lit double au drap sagement rabattu en équerre attendait. Ce décor familier semblait prendre patience dans l'expectative du grand désordre amoureux qui ne manquait jamais de suivre quelques minutes plus tard. Cependant, rien de tel ne se produisit ce soir-là. La nuit fut exemplaire.

Elizabeth se coucha la première alors que Billy se déshabilla posément, puis, sans précipitation, sans fougue, accomplit son devoir conjugal. Après quoi il souhaita bonne nuit à sa femme et, lui tournant le dos, s'endormit.

Elizabeth fut beaucoup plus longue à trouver le sommeil. D'abord il lui fallut un grand quart d'heure pour s'y disposer et, une fois la lampe éteinte, elle resta étendue, les yeux grands ouverts dans ce qui naguère encore était le lieu d'amours éperdues. Quelque chose de très simple s'était passé : deux amants hors d'eux-mêmes étaient devenus mari et femme. L'ordre matrimonial régnait, on ne peut plus respectable, sans convulsions tumultueuses, sans rugissements tels que Mrs. Harrison Edwards les connaissait.

Dans la chambre éclairée seulement par un réverbère de l'avenue, la belle Anglaise domptée suivait le cours de pensées toutes nouvelles.

« Il savait. J'aurais pu m'en douter, puisqu'il se trouvait au bal sous les arbres de Dimwood quand Jonathan est apparu. Minute inoubliablement horrible. La coupe de champagne en pleine figure... Comment n'aurait-il pas tout compris ? Mais il est si sournois, si faux. Il me voulait, il m'a eue, mais jaloux, jaloux d'un mort, jaloux de ce fantôme que mon pauvre petit Ned fait revivre dans ses rêves d'enfant pleins de sinistres galopades. Et la grossièreté de cette invasion de magnolias dans mon jardin... Là, mystère. Qui lui a dit ? Personne ne pouvait savoir... Nous a-t-il espionnés ? Cela seul est possible. Le petit a loyalement tenu parole et gardé secret ce nom qui me fera toujours battre le cœur... Honte, honte sur moi... Qu'est devenu mon rêve d'amour ? Allongée près d'un troupier qui ne se tourne même pas de mon côté... »

Et le troupier ronflait.

Tout à coup, un nom flamba dans la mémoire d'Elizabeth : Miss Llewelyn. Des paroles de la Galloise tintaient encore à ses oreilles. La voix précise, la voix trop intelligente qui demandait : « Savez-vous ce que c'est que le désir, Elizabeth ? — Oui, l'amour. — Pas nécessairement. » Tout tenait dans ces deux mots. Elle croyait aimer cet homme, elle ne faisait que le désirer.

Instinctivement elle s'écarta de lui. Elle ne l'aimait plus. Mais à quoi bon tricher avec elle-même ? Elle ne l'aimait pas, comment nier qu'elle le désirait pourtant avec une violence qu'elle ne maîtriserait jamais ?

La nuit passa. Le réveil du matin fut difficile. Il se leva et fit sa toilette avec une hâte qu'elle ne comprit pas tout de suite. Comme il achevait de se raser, il laissa tomber distraitement :

— J'ai oublié de t'en parler hier. Je pars tout à l'heure.

Sans broncher, elle reçut le coup et ne dit rien. Il ajouta :

« On m'attend là-bas. Je t'enverrai un mot pour t'annoncer ma prochaine visite.

— Fort bien, dit-elle.

Etait-il déçu de la voir si calme ? Il boutonna sa tunique et prit un air bon enfant :

— Il faudra être patiente, ma petite Elizabeth.

Comme il était sûr de lui dans sa fatuité de beau militaire... Elle trouva vite la réponse.

— A Savannah, on découvre toujours de quoi se distraire, fit-elle en riant.

Il eut un sourire d'indulgence. Si quelqu'un la connaissait bien, c'était lui : elle allait souffrir.

CHAPITRE LVI

Dès qu'il fut parti, après le petit déjeuner — copieux pour lui, pour elle fort léger —, elle courut au salon. Là, dans l'encoignure de la fenêtre et à moitié cachée derrière un rideau, elle le regarda s'en aller, bien qu'elle se fût promis de ne pas le faire, mais déjà elle se sentait lasse de lutter et l'enfance lui rendait ses grands yeux de petite fille déçue. Ce qu'il emportait avec lui de son pas vainqueur, c'était son bonheur, tout son bonheur à elle... Qu'il était beau ! Comment avait-elle pu le laisser partir ? En se jetant dans ses bras il était si facile de le reconquérir, de le faire céder, il n'était pas de force à lui résister, elle savait les paroles qu'il fallait dire, il brûlait comme elle du même feu, des mêmes convoitises.

Appuyée au mur pour ne pas tomber, pour laisser passer le plus dur du désespoir, elle risqua enfin quelques pas dans le salon. Comme elle le haïssait maintenant, ce petit salon azur... Il lui portait malheur avec ses parois d'un bleu si bête... Billy avait raison : il fallait un rouge sanglant, mais elle avait envoyé chercher partout chez les meilleurs tapissiers de Savannah, on ne trouvait pas le tissu qu'elle désirait. On lui avait fait comprendre que mieux valait voir dans le Nord — puisque tout venait du Nord... Et Oncle

Charlie s'en chargeait. Quittant cette pièce, elle gagna l'escalier et monta en tenant la rampe.

Sa chambre avait été faite pendant qu'elle déjeunait avec Billy. Ici tout était en ordre, effaçant le souvenir de la nuit affreuse. A présent, elle se retrouvait elle-même, bien décidée à ne plus gémir. Après avoir fermé à clef la porte de sa chambre, elle se rendit à la salle de bains, ouvrit la petite armoire aux médicaments et sans avoir à tâtonner mit la main sur le flacon bleu avec son étiquette jaune portant toutes les indications qu'elle connaissait par cœur : dosage… recommandations de prudence… !

Dans le placard de Billy, elle découvrit le porto. Rien ne manquait.

Elle sentit tout à coup la présence de sa mère, comptant les gouttes avec elle.

Quelqu'un frappa à sa porte, sans doute la gouvernante.

Elizabeth eut un geste d'impatience :

— Qu'on ne me dérange pas de la journée, cria-t-elle, je me repose.

Le son de sa propre voix impérieuse la réconforta.

CHAPITRE LVII

Ce même jour, vers trois heures de l'après-midi, on sonna à la porte d'entrée. Instruite avec force des dispositions de sa maîtresse, ce fut la gouvernante qui ouvrit.

D'instinct elle recula en voyant Miss Llewelyn franchir le seuil. A contre-jour, la Galloise, vêtue de noir, paraissait encore plus imposante qu'en pleine lumière. Néanmoins, Miss Celina tenta de s'interposer :

— Madame est seule à la maison et désire se reposer.

D'un bras vigoureux, Miss Llewelyn l'écarta.

— Seule à la maison veut dire que son mari est absent, je suppose.

— Oui, Madame, il est parti ce matin.

— Compris, fit Miss Llewelyn, je monte chez Madame.

— Mais, Madame a donné des ordres pour que...

— Cela suffit, Celina, retournez à votre travail.

En moins de trois pas, elle franchit le vestibule et monta l'escalier dont les marches grincèrent sous son poids. Arrivée à la porte d'Elizabeth, elle frappa et, n'obtenant pas de réponse, elle dit à haute voix :

« Mrs. Hargrove, il faut m'ouvrir. Je suis Miss Llewelyn et ce que j'ai à vous dire est important.

Silence.

« Je sais très bien ce qui s'est passé. Il est parti, mais si vous abusez du flacon bleu, vous tomberez malade.

Une voix indistincte parvint jusqu'à elle :

— Je veux être tranquille.

— C'est bien, je descends au jardin, mais je reviendrai. Vous êtes totalement inexpérimentée. Souvenez-vous du jour où vous êtes revenue du port.

Du plat de la main, elle frappa sur la porte :

« Vous m'entendez parfaitement... Quand vous êtes revenue du port, le jour où il est parti pour l'Europe.

Silence. Miss Llewelyn attendit un instant, puis haussa les épaules et descendit.

Sur le perron, elle s'arrêta et poussa un soupir :

« Avec tous ces magnolias, le jardin a perdu sa forme.

Debout près de sa maison, Patrick bavardait avec Ned qui agitait une pelle minuscule en essayant de raconter une histoire, mais, dès qu'il vit Miss Llewelyn, il jeta sa pelle et regarda la visiteuse qu'il reconnut aussitôt. Ce visage blême, mais souriant, sous un drôle de chapeau de paille noir, lui rappela une scène passionnante, car il sourit à son tour et marcha rapidement vers la Galloise.

Au bas du perron, elle se pencha en deux, prit Ned dans ses mains, l'éleva d'un coup jusqu'à son visage et dit en riant :

« Petit, je ne suis plus assez belle pour qu'on m'embrasse, mais ça me ferait plaisir.

Quelques secondes furent nécessaires à Ned pour comprendre, et brusquement il lui tendit ses joues rondes. Du bout des lèvres, elle les effleura, si émue qu'une larme trembla dans ses yeux verts.

« Je vois qu'on n'a pas oublié la dame qui est venue parler très fort chez ta maman. Tu n'as pas eu peur ?

— Non, ze n'avais pas peur, fit-il.

Elle le posa doucement sur le sol.

— Toi, fit-elle, tu es un gentil bonhomme.

Il la remercia d'un sourire.

« C'est le jardinier, bien sûr, là-bas près de la maison ?

— Oui, c'est Pat.

— Irlandais, fit-elle, ça se voit de loin...

Ned prit un air informé :

— L'Irlande, fit-il. Tous les deux, on se promène en Irlande.

Miss Llewelyn le considéra un instant et dit :

— Tiens !

Il secoua ses boucles et répondit :

— Oui.

Ebahie, elle demanda :

— Tout à l'heure, je te voyais agiter ta pelle en lui parlant, c'était peut-être de l'Irlande ?

Ned se sentit tout à coup très important.

— Oui. La nuit dernière, z'avais fait le voyage.

Avec quelle attention elle l'écoutait maintenant. L'intense plaisir d'étonner une grande personne monta à la tête du petit garçon. Il expliqua sans trop expliquer, comme un vrai narrateur.

— Ze voyage en Irlande, mais, ajouta-t-il d'un air supérieur, vous pouvez pas comprendre, alors...

Ainsi remise à sa place, elle sourit et dit en s'inclinant vers lui :

— Ned, je sens que nous allons être amis, parce que tu dis des choses très intéressantes. Et comment as-tu fait ce beau voyage ?

Un peu suffisant, il dit :

— A cheval.

De surprise, elle dut s'appuyer sur le mur du perron, mais, trop fine pour en rien laisser paraître, elle décida de contre-attaquer en jetant la stupeur dans l'âme de cette petite personne mystérieuse :

— Dans mon pays, fit-elle, nous autres les femmes, nous prenons le manche à balai pour faire nos voyages.

— Oh !

— Comme je te le dis. C'est très pratique, mais si tu veux, je vais m'asseoir là sur une marche du perron et nous allons nous raconter nos voyages. Ici, je ne trouve pas les manches à balai qu'il me faut, mais là-bas, j'avais tout et j'allais où je voulais. J'ai sillonné les airs dans ma jeunesse.

— Z'aime mieux mon cheval, fit-il.

Avec des lenteurs précautionneuses, elle s'installa sur la deuxième marche du perron et rajusta son chapeau.

— Je t'écoute, dit-elle sagement. Tu sais beaucoup de choses. Il est de quelle couleur, ton cheval ?

— Noir.

— Noir, c'est magnifique. Et on va le chercher pour toi dans son écurie, bien sûr.

— Mais non. Il arrive tout seul quand la lampe est éteinte. Mais il faut d'abord que ze ferme les yeux.

— Et alors ?

— Alors, il arrive au galop.

— Au galop ! Mais d'où ça, petit ?

— Mais du fond de la chambre.

— Bien sûr, que je suis bête ! Ned, j'aime beaucoup ta belle histoire.

— Ze la raconte pas à tout le monde, fit-il, seulement à Pat, parce que ze vais là-bas le voir et il me montre l'Irlande.

Miss Llewelyn inclina la tête comme pour cacher sa joie et sa dévorante curiosité.

— Et tu trouves que c'est beau, l'Irlande ?

La réponse fut inattendue et vint d'un trait.

— C'est comme le Ciel.

— Le Ciel, fit-elle interloquée. Tu connais le Ciel, Ned ?

— Pat dit que c'est comme le Ciel.

Miss Llewelyn ne put réprimer un sourire.

Cédant à la tentation de livrer encore une parcelle de son secret qui le rendait lui-même si intéressant aux yeux de cette dame attentive, il ajouta :

« Mom' aussi connaît l'histoire du cheval noir, mais elle ne veut plus que ze lui en parle, alors c'est défendu. Vous dites rien, il faut pas.

La Galloise sentit qu'elle posait le pied sur la piste qu'elle devait suivre.

« D'abord, continua l'innocent narrateur, le cheval n'était pas à moi, mais à l'autre cavalier qui s'appelle comme moi.

— Ned ?

Il rit d'un air sournois.

— Mais non, voyons, plus beau que ça.

— Alors dis-le-moi.

— Non, zamais, personne ne doit savoir, z'ai promis à Mom' de ne zamais le dire, zamais, zamais.

Les yeux de la Galloise se rapetissèrent comme s'ils cherchaient à voir au loin quelque chose de curieux... Dans la vie d'Elizabeth, il n'y avait qu'un nom à jamais défendu et ce n'était certainement pas celui de son mari.

Elle sentit l'injustice qu'il y aurait à pousser plus loin cet interrogatoire et pendant quelques secondes elle hésita. Ned la regardait en souriant d'un air taquin, s'amusant de sa curiosité déçue.

— En somme, fit-elle, tu t'appelles comme le cavalier.

— Oui. Alors ze suis le cavalier.

— Et ta maman t'appelle du même nom ?

— Seulement quand nous sommes seuls elle me dit bonne nuit...

Une ombre passa sur son visage, il ajouta tristement :

« Mais maintenant, plus... C'est quand le soldat est venu.

— Pourtant il doit être gentil avec toi, le soldat...

— Oui, très gentil — mais c'était mieux avant.

— Tu veux dire qu'avant ta maman te donnait le nom du cavalier, et maintenant le soldat ne veut pas ?

— Oh ! il sait pas. C'était le secret à Mom' et à moi... mais le soldat sait pas, Mom' ne veut pas... zamais, zamais...

Aguerrie par l'existence comme elle l'était, la Galloise n'en sentit pas moins ses yeux se mouiller de nouveau et elle se tut. « Maisie Llewelyn, pensa-t-elle, tu es une mauvaise femme. Avec des roueries de juge d'instruction ou de policier, tu arraches tous ses petits secrets à un ange. Maintenant tu sais tout. Elizabeth pressent que Billy est jaloux d'un mort. Cela s'est vu, j'en connais des exemples. Que Jonathan pourrisse sous une dalle ne change rien. Ce qui l'a tué, c'est son amour pour elle, à cause de cela elle l'aimera toujours. Elle ne serait pas femme si elle ne se trahissait pas sans le savoir. Même un garçon aussi simple que Billy finit par flairer quelque chose. Silence là-dessus à tout jamais. »

Péniblement elle se leva. Ses jointures craquaient et elle se mordit les lèvres avec une grimace de douleur.

— Petit, fit-elle, allons voir Patrick... Moi aussi je connais l'Irlande.

Elle prit Ned par la main et ils s'avancèrent à pas lents vers la maison du jardinier. Comme elle passait le long des massifs de fleurs blanches, sa silhouette noire prenait une allure monumentale à côté de son jeune compagnon qui lui venait tout juste au-dessous de la taille, et ils marchaient suivis des lourds parfums, ceux qui troublaient encore une Anglaise incapable d'oublier.

Patrick alla droit vers Miss Llewelyn et tira son chapeau de paille avec respect.

« Pat, lui dit-elle familièrement, je suis une vieille amie de

Mrs. Hargrove et je vous ramène son petit garçon qui vous a quitté, si j'ai compris, alors que vous lui parliez de votre pays. Je connais l'Irlande et je suis galloise, comme vous pouvez le deviner à mon accent.

— Vive le Pays de Galles ! fit-il.

— Vive l'Irlande sans les Anglais ! répondit-elle. Vous trouvez votre pays beau comme le Ciel, paraît-il.

— Madame, fit-il, quand vous irez au Ciel — mais vous êtes peut-être protestante ?

— Non, catholique.

— Alors, fit-il rassuré, quand vous irez au Ciel, vous regarderez autour de vous et vous direz : « Tiens, mais c'est l'Irlande... »

— Et moi ? s'écria Ned. Je ne vais pas au Ciel ?

Miss Llewelyn fit un clin d'œil à Patrick.

— Anglican, dit-elle entre ses dents.

La réponse vint aussitôt :

— Bien sûr que tu iras au Ciel, dit-il à Ned. Mais d'abord dans la salle d'attente.

— Elle est ravissante, précisa Miss Llewelyn. Un grand, grand jardin avec des fleurs.

Le visage anxieux du petit garçon s'éclaira un peu.

— Mais ze serai au Ciel ? demanda-t-il.

— Mon bonhomme, lui dit Patrick d'un air sérieux, écoute, tu iras au Ciel plus vite que nous si tu restes toujours comme tu es : cœur pur et mains propres.

— Je suis plus sûre du cœur que des mains, fit Miss Llewelyn avec un sourire malicieux, elles sont toujours noires.

— Il va les laver et tout ira bien, fit Patrick. N'aie pas peur, Ned.

— Betty a les mains noires, fit Ned.

Patrick et Miss Llewelyn se regardèrent.

— Nous aurions mieux fait de ne pas parler du Ciel, murmura la Galloise.

Elle s'inclina vers l'enfant et lui dit avec douceur :

« Betty a les mains noires, mais elles sont très propres, parce qu'elle n'a jamais rien fait de mal, toi non plus et je suis sûre que tu n'en feras jamais. Sois tranquille, sois heureux.

Le regard qu'il leva vers elle la bouleversa par la profonde innocence des grands yeux marron. Pour la première fois de sa vie, il lui fut donné, à cette femme, de lire dans une âme que le mal n'avait jamais visitée et elle éprouva soudain une inquiétude mortelle du sort qui l'attendait elle-même au sortir de ce monde. La peur lui fit détourner la tête et elle posa la main sur le bras du jardinier.

« Pat, je n'aime pas les choses que nous disons à ce petit bonhomme. Je vais le ramener à la maison. Il doit être l'heure de sa promenade avec Betty.

Avec brusquerie elle ajouta :

« Ton jardin a l'air absurde avec tous ces magnolias debout côte à côte comme des soldats. Ce n'est pas Mrs. Hargrove qui t'a dit de les planter dans cet ordre.

Il haussa les épaules.

— Bien sûr que non, mais elle ne sait pas dire non à son mari qui veut que ce soit comme ça.

Une brève hésitation et il ajouta :

« Il a son idée, je ne sais pas quoi, mais il y tient. C'est un rude gaillard tout de même. J'en sais quelque chose.

— Nous verrons ce qu'il vaut, Pat, s'il y a la guerre.

— Il y aura, fit-il laconiquement.

Grimaçant au soleil qui le frappait de face, il rabattit son chapeau de paille sur un nez batailleur coloré de rouge.

— Pat, dit la Galloise, suis mon conseil : retourne en Irlande.

— Chez nous, pour dire bonjour à la famine ? Pas si bête. Je reste ici, M'am, et je marche avec eux.

— Ce sera une sale guerre.

— Toutes les guerres sont sales. On ne va pas à la guerre comme à une noce.

— Le Sud n'est pas prêt. Dans tout le pays, pas une seule usine ! Allons, viens Ned, tu rentres à la maison.

La main dans la main, ils s'en allèrent mais, au bout de quelques pas, elle se retourna et dit à Patrick :

« Remarque bien qu'à ta place je ferais exactement comme toi. Je partirais en chantant.

CHAPITRE LVIII

Sortie des brumes du laudanum, Elizabeth était retombée dans un lourd sommeil qui la délivra de son angoisse, sinon d'une tristesse de femme en deuil. A présent, il fallait accepter l'indifférence d'un mari qui ne voulait plus d'elle, et elle dut faire appel à tout son amour-propre pour tenir convenablement aux yeux du monde son rôle d'épouse délaissée. Elle commença dès les premières heures de la journée.

Assise à côté de Ned, elle prit avec lui son petit déjeuner comme à l'ordinaire quand Billy était absent. Le garçonnet, qu'elle écoutait d'une oreille un peu distraite, lui parlait mystérieusement d'une grande dame en noir, et, se figurant qu'il s'agissait d'un de ses rêves très embrouillés, elle hochait la tête avec un sourire sans répondre à ses questions.

Cependant, Miss Celina lui remit son courrier comme à l'ordinaire. Il s'y trouvait une lettre sans timbre qui la rendit d'un coup et tout entière à sa lucidité. Sur l'enveloppe, en effet, elle reconnut l'écriture de Miss Llewelyn et lut ceci :

> Chère Mrs. Hargrove,
>
> Ce mot vous sera remis demain matin par votre gouvernante en même temps que votre courrier. A ce moment, je suppose que vous serez de nouveau en état de comprendre un message important qu'il m'a été impossible de vous transmettre aujourd'hui. Pour des raisons que je n'ai pas à connaître, mais que je devine assez bien, vous étiez sous l'empire de la drogue et la dose a dû être forte. Libre à vous, mais ne passez pas si jeune à côté de la vie. Il est indispensable, il est urgent que je vous voie mardi matin et je me présenterai chez vous à dix heures. Au nom du bon sens, revenez à vous et croyez-moi votre humble servante.
>
> Maisie Llewelyn.

— Ce ton ! fit Elizabeth en glissant la lettre dans son enveloppe. A la fois respectueux et autoritaire : « Au nom du bon sens... » Comment ose-t-elle ! Mais elle sera toujours la même et comment refuser de la voir ?

Il était presque neuf heures et demie. L'idée d'un entretien avec la Galloise dans le petit salon maléfique l'indisposait plus que tout. Elle sonna sa gouvernante.

« Miss Celina, lui dit-elle, quand cette dame viendra ce matin, vous la conduirez au second étage où je l'attends dans la véranda.

Laissant sa tasse encore pleine, elle décida de gagner sa chambre, poursuivie dans le vestibule par Ned qui lui demandait avec insistance si elle l'aimait comme avant.

« Plus que jamais, mon amour ! lui cria-t-elle de l'escalier, mais ta maman est pressée. Va vite finir ta crêpe au sirop d'érable !

Installée à présent devant son miroir, elle examina son visage avec l'attention scrupuleuse d'un portraitiste qui étudie son modèle. Restait-il des traces de sa crise ? La drogue l'avait-elle marquée, flétri son teint, tiré ses traits, dessiné peut-être une ride, ce cauchemar de la femme ? Enfin était-elle toujours la belle Anglaise que les années n'atteignaient pas ? Seule la jeunesse rendait la vie tolérable.

Elle se leva, rassurée. Tout demeurait en ordre. Cependant, quelque chose d'indéfinissable lui avait échappé. Comment l'aurait-elle vu alors que c'était cela même dont elle se servait pour se voir ? Venu du plus profond des splendides yeux bleus, le regard. Une certaine inexpérience de la vie ne s'imitait pas, le charme troublant de l'innocence prolongée.

Coiffée avec un soin presque maniaque — infatigables le peigne et la brosse —, elle ne se quitta que bien satisfaite et redescendit pour gagner la véranda.

Tamisée par le grillage de bois, la lumière s'y répandait avec douceur, et de larges fauteuils d'osier garnis de coussins à fleurs groupés en demi-cercle attendaient les visiteurs.

Protégée du soleil par les sycomores du square, Elizabeth marchait de long en large en agitant avec nonchalance un éventail de palme, qui servait surtout l'attitude légèrement détachée de tout qu'elle avait choisie pour la circonstance. Malgré quoi, elle se sentait impatiente de savoir quel pouvait être ce message urgent que lui portait la Galloise. Bientôt, elle entendit un pas lourd et très lent qui lui fit jeter son éventail et courir en haut des marches de la véranda.

Pareille à une grande masse sombre d'où sortait une main agrippée à la rampe, Maisie Llewelyn montait vers elle sans lever la tête, et, soudain, Elizabeth eut honte :

— Oh ! Miss Llewelyn, s'écria-t-elle, combien je regrette de vous avoir étourdiment infligé cet effort...

Rouge et ruisselant de sueur, un visage parut enfin, comme un message de souffrance et de colère.

Il y eut un bref silence pendant lequel s'entendit un souffle haletant.

— Heureuse que se manifeste enfin un peu de cœur, Mrs. Hargrove. Quant au mien, il bat à se rompre, vous m'excuserez.

Elizabeth descendit vers elle et lui tendit une main pour l'aider à gravir les dix dernières marches, mais la Galloise la refusa.

« Seule, dit-elle.

Toutes deux prirent place dans les fauteuils et, soudain, Elizabeth se leva pour aller ramasser l'éventail de palme qu'elle tendit à Miss Llewelyn ; sans un mot, celle-ci le prit et l'agita devant son visage écarlate avec une sorte de fureur. Courte et entrecoupée de sifflements, sa respiration faisait dans le silence un bruit étrange qui inquiéta Elizabeth, mais elle ne put prendre sur elle de poser aucune question, se sentant trop manifestement responsable.

Ce fut Miss Llewelyn qui parla la première quand elle eut retrouvé son souffle, et sa voix manquait de la douceur qu'elle savait y mettre quand il le fallait :

« Puisque je me trouve ici pour vous délivrer un message, le voici sans préambule.

Elizabeth l'interrompit :

— Ne puis-je d'abord vous faire servir quelque chose à boire ? C'est si facile. Il y a un gong pour appeler.

Miss Llewelyn secoua la tête pour refuser.

— On m'a mise au courant du petit complot en faveur de Mrs. Jonathan Armstrong que vous désirez voir rentrer dans le sein de la société. Celle-ci, en effet, n'avait pas voulu d'elle, il y a six ou sept ans. Mrs. Armstrong en personne avait organisé une soirée dans sa propriété près de Macon. L'échec fut mémorable.

— Je sais tout cela, fit Elizabeth un peu impatiente, mais il ne s'agissait que d'un groupe de familles provinciales.

— Vous vous intéressez donc tant à Mrs. Armstrong malgré...

— J'ai de bons rapports avec Annabel, fit sèchement Elizabeth, elle m'a fait une visite amicale que je n'oublie pas.

— Et vous pensez qu'elle réussira mieux à Savannah qu'elle ne l'a fait dans l'aristocratie de campagne ? L'affront sera moins direct, moins grossier, mais l'aristocratie dite de la côte est d'une rigidité proverbiale.

Ici la voix de Miss Llewelyn se fit plus conciliante et s'accompagna d'un imperceptible sourire de pitié. Elle ajouta :

« Permettez-moi de vous dire que je vous découvre aussi peu informée de la nature humaine que vous l'étiez avant vos deux mariages. Quittons notre mine renfrognée, voulez-vous, et tâchons de nous parler comme autrefois, du temps que vous m'appeliez au secours quand il fallait écrire certaines lettres...

Elizabeth se leva d'un coup, le visage enflammé :

— Miss Llewelyn, je ne permets...

— Mais si, mais si, fit la Galloise très calme en se carrant dans son fauteuil, vous permettez tout à Maisie Llewelyn au moment où sa présence devient indispensable.

— Indispensable ? Je ne comprends pas.

— C'est très simple. Mrs. Jonathan Armstrong essuiera un nouveau refus si je ne suis là, près d'elle, quand elle paraîtra au salon.

La tranquille assurance de la Galloise exaspéra Elizabeth, qui s'assit de nouveau et dit d'une voix froide :

— Sauf erreur, c'est de Mrs. Armstrong qu'il s'agit, non de vous.

La réponse arriva, lente et préparée de longue date.

— Pensez-vous, Mrs. Hargrove, que j'aie jamais nourri l'espoir de m'introduire dans votre société ? Sachez qu'il n'y aurait pas une goutte de mon sang qui ne se mît à bouillir à la seule idée de faire un pas vers vous. A quel titre, au nom du Ciel, franchirais-je le seuil de votre aristocratie ? J'aurais pour blason une machine à coudre et un balai en y joignant peut-être la fourche et la pioche dont se servent encore mes cousins, là-bas, dans le pays.

Stupeur et consternation se lurent sur le visage de la belle Anglaise.

— C'est bien, fit-elle avec toute la dignité qu'elle put tirer d'elle-même dans son désarroi. Mettons que je me suis mal fait comprendre.

— Très mal, Mrs. Hargrove. A présent, écoutez-moi et tâchez de bien comprendre. Il n'y a qu'une personne au monde qui sache comment les choses se sont passées à Haïti où s'est déterminé le sort de Mrs. Jonathan Armstrong. Je dis bien une seule personne, car l'autre, la première et principale victime, est maintenant hors d'atteinte du monde et de son carnaval nobiliaire, Laura, la meilleure, qui ne parlera jamais. C'est moi, Maisie Llewelyn, fille du peuple, qui saurai ouvrir à Lady Jonathan Armstrong la porte de votre *société*.

Avec quel sifflement de mépris elle lançait ce mot à la face d'Elizabeth qui chaque fois tressaillait et faisait un geste de la main comme pour endiguer le torrent verbal... Mais la Galloise poursuivait :

« A vous le plus difficile sans quoi rien n'est possible : obtenir que soit admise dans le grand salon blanc et or de Mrs. Harrison Edwards l'irruption — coup de théâtre — de la grosse Maisie devant ces rangées de personnes droites et dédaigneuses, empalées sur l'orgueil ancestral.

Devenue d'un coup toute pâle, Elizabeth se redressa :

— Miss Llewelyn, vous allez trop loin, fit-elle d'une voix qui tremblait un peu.

— Je sais, fit Miss Llewelyn sans s'émouvoir, je passe les bornes.

C'est si agréable... Mais je vois à votre mine que vous n'oserez rien faire.

— Mr. Charles Jones se chargera de tout, répliqua Elizabeth.

— Je n'ignore pas la toute-puissance de Charlie Jones dans la ville de Savannah, mais il y a des frontières qu'on ne franchit que par la force. J'agirai seule et de ma propre autorité.

— Dans ce cas, fit Elizabeth d'un ton radouci, puis-je considérer que notre conversation a pris fin ?

Debout, elle attendait la réponse de Miss Llewelyn, mais celle-ci se contentait de la regarder et le silence devenait gênant. Dans les yeux de la Galloise ne se voyait plus qu'une immense tristesse.

— Savez-vous pourquoi j'ai quitté Dimwood ? demanda-t-elle doucement.

Cette question inattendue plongea Elizabeth dans l'embarras.

— Je suppose, dit-elle enfin, qu'après la mort de Mr. Hargrove qui vous avait engagée...

Miss Llewelyn l'interrompit aussitôt :

— Me feriez-vous la gentillesse de vous asseoir ?

C'était une autre femme qui lui parlait maintenant et refuser ne semblait pas possible. Sans un mot, Elizabeth s'assit.

« L'absence de Mr. Hargrove ne changeait rien, fit la Galloise. J'aurais pu rester. On ne remplace pas facilement une Maisie Llewelyn. La vraie maîtresse de maison, c'était moi. Tout marchait à merveille quand je me trouvais là pour tout surveiller. Je savais tout, j'en savais presque trop.

Elle s'arrêta un instant pour reprendre son souffle.

« Vous souvenez-vous de Miss Pringle ?

— Mais oui. Je n'avais pas de rapports avec elle, mais nous nous croisions dans les couloirs. Elle ne m'intéressait pas.

— En revanche, vous l'intéressiez et même beaucoup.

— Par exemple !

— Vous parliez de l'Angleterre. Elle notait, elle notait tout. C'était une espionne du Nord. Ce qu'elle pouvait saisir de tout ce qui se disait, elle le notait. Mr. Stoddard, qui était tombé amoureux d'elle, était un instrument entre ses mains. Quand elle a flairé que je perçais à jour ses petites activités, elle a annoncé son départ pour Gettysburg où elle possédait, disait-elle, une modeste maison de campagne.

— L'ignoble créature !

— D'accord, mais ce n'est pas tout. Arrivée chez elle, il lui fallut faire état de ce qu'elle avait appris aux gens qui l'employaient et lui payaient ses services. A cet effet, elle écrivit une lettre, non pas à

Mr. Hargrove devenu presque irresponsable, mais à un de ses fils avec l'espoir d'une réponse qui serait un satisfecit pour ses employeurs.

— Et alors ? fit Elizabeth de plus en plus attentive.

— La lettre de Miss Pringle était adressée à Joshua Hargrove. Celui-ci la lut et en homme d'honneur la déchira et la jeta au panier, sans y répondre. J'ai cette lettre.

— Vous excuserez ma curiosité, mais comment avez-vous pu...

— Me la procurer ? C'est si simple. Vous connaissez la curiosité des Noirs. Ecouter aux portes, explorer les corbeilles leur offre la plus puissante distraction de leur vie monotone. L'un d'eux mit la main sur cette lettre déchirée en deux. Il la lut et y vit mon nom... Etre en bons termes avec la gouvernante est une excellente politique chez les Noirs. Il me la donna moyennant une récompense.

— Est-il question de moi dans sa lettre ? demanda Elizabeth.

— Pas un mot. Mais, quant à moi, j'y suis dénoncée comme une dangereuse espionne des Espagnols. Elle a appris, en effet, que j'étais catholique, donc à la solde de l'Espagne. C'est l'idée fixe du Nord et malheureusement du Sud. Du reste, la voici, sa lettre. Lisez l'en-tête et la date.

Tirant de sa poche le papier en deux morceaux recollés ensemble, elle le tendit à Elizabeth. L'écriture était fine et soigneuse. Elizabeth lut :

Gettysburg, Pennsylvania. 10 septembre.

La jeune Anglaise rendit aussitôt la lettre à Miss Llewelyn.

— Reprenez-la, dit-elle, cela me dégoûte même de la toucher et je n'ai pas l'habitude de lire des lettres qui ne me sont pas adressées.

— Toujours aussi fière, fit Miss Llewelyn, mais je vous comprends. L'adresse ne vous semble pas intéressante ?

— Non, pourquoi ?

— Joshua Hargrove situait Gettysburg dans le Massachusetts, parce qu'il n'aimait pas Miss Pringle et qu'instinctivement il l'envoyait le plus loin possible. Il faut dire que Gettysburg est une petite, très petite ville dont le nom ne dit pas grand-chose à la plupart des gens et rien du tout à Joshua Hargrove. Je me gardai bien de souffler mot de toute cette affaire, ma situation de catholique me rendant tant soit peu vulnérable, sinon aux yeux des esclaves de la maison presque tous convertis par Sœur Laura, peut-être aux yeux des Hargrove.

— Pas aux miens, dit vivement Elizabeth.

Devant le regard étonné de Miss Llewelyn, elle ajouta d'une voix rapide :

« Mon point de vue s'est modifié à cause de Betty, mais continuez, s'il vous plaît.

— Je n'ai presque plus rien à dire. Joshua Hargrove, qui est un homme de cœur et de bon sens, ne prononça plus jamais le nom de Miss Pringle et rien ne changea à Dimwood jusqu'à la mort de William Hargrove, suivie de la lecture qui fut faite de son testament. Vous savez la suite : je saisis cette occasion pour me justifier des accusations du défunt et quittai la plantation. Je n'ai pas le goût de l'espionnage et je n'ai rien contre les Espagnols, mais je ne supporterai jamais de passer pour suspecte.

S'appuyant de toutes ses forces aux deux bras de son fauteuil, elle se leva et se tint debout devant Elizabeth qui dit aussitôt :

— Laissez-moi appeler Celina qui vous aidera à descendre.

Les yeux verts de la Galloise l'immobilisèrent d'un regard aigu :

— Seule, fit-elle. Montée seule, je descendrai de même. A ce sujet, j'ai une question à vous poser. Je vieillis, Mrs. Hargrove, vous le savez. Alors, me voyant gravir péniblement les deux étages qui mènent à votre véranda, n'avez-vous pas réfléchi qu'il eût été plus simple et en quelque sorte plus humain de m'épargner cette lourde fatigue en me recevant dans votre joli salon azur au rez-de-chaussée ?

Interdite, Elizabeth bredouilla :

— Pour des raisons personnelles, je hais ce salon azur.

Alors, d'une voix lente et ferme, sans la quitter des yeux, la Galloise répondit :

— C'est faire payer bien cher un caprice, ne trouvez-vous pas ?

Ces mots achevèrent de bouleverser la jeune Anglaise qui s'écria :

— J'ai eu tort, Miss Llewelyn, je reconnais que j'ai eu tort et je le savais en vous voyant monter. Je vous demande d'oublier... de...

La Galloise lui coupa la parole :

— C'est fait. J'oublie, je retiens seulement cette minute qui me rend l'Elizabeth d'autrefois que j'aimais. Alors quittons-nous bonnes amies, si vous ne jugez pas cela contraire aux usages...

Elizabeth poussa un cri :

— Les usages ! Il faut faire semblant d'y croire, mais je me refuse à voir une différence entre nous.

Saisissant la main de la Galloise, elle la serra dans les siennes.

Plus un mot ne fut échangé. Maisie Llewelyn détourna la tête et se mit à descendre l'escalier comme elle l'avait annoncé, toute seule, précédant une Elizabeth assagie qui faisait vaguement figure de suivante.

Au bas des marches, elles se retinrent l'une et l'autre de s'embrasser. Un regard remplaça cet élan.

CHAPITRE LIX

Elizabeth se réfugia dans sa chambre, honteuse de tout ce qu'elle avait dit et fait ce matin-là. Avec la fuite des années, il lui paraissait de plus en plus évident que ses maladresses se multipliaient parce qu'elle ne savait pas comment se conduire avec les êtres humains. Peu à peu elle se rendait compte qu'elle n'arrivait pas à sortir de son enfance. Dès que par un sursaut d'énergie elle agissait en femme, le désastre était sûr. Tout s'arrangeait par la suite, car la vie arrangeait tout, mais mal.

Rude et parfois grossière, la Galloise la dépassait par le cœur. Devant elle, Elizabeth se sentait incapable de bien jouer le rôle qu'exigeait son rang dans la société. Tantôt elle faisait la dame arrogante, tantôt elle s'abaissait avec une humilité indigne comme cela s'était produit sur la véranda dans sa conversation avec Miss Llewelyn. Le rouge au front, elle revivait la scène entière et devinait que la Galloise la méprisait tout en lui gardant une amitié condescendante. L'affront était dur à avaler, et, malgré tout, cette grosse femme violente, sournoise et avide, elle l'aimait pour son courage et ce perpétuel défi aux puissances du monde.

L'heure était difficile à subir. Une seule personne eût pu la réconforter dans son humiliation, mais là aussi elle était battue. Billy ne voulait plus d'elle. L'échec était si grave qu'elle se demanda s'il ne valait pas mieux aller rejoindre sa mère en Angleterre. Là-bas, en tout cas, elle serait à l'abri du sanglant désordre qui s'annonçait en Amérique. Elle finissait par avoir peur, elle n'était plus l'Elizabeth qu'elle se figurait être. La fière Anglaise était tout à coup penaude de s'être menti si longtemps à elle-même. Un jour elle allait peut-être découvrir qu'elle était lâche. Avait-elle jamais entendu un coup de canon ?

Dans son désarroi intérieur, elle fit ce qu'elle faisait toujours dans des cas d'incertitude extrême, elle alla s'asseoir devant son miroir pour s'admirer en se peignant, et se peigner devenait un geste de désespoir. Cent fois les petites dents d'écaille mordaient dans les épaisseurs d'or qui semblaient ruisseler autour de ce visage anxieux. Dans cette chevelure parcourue de lumière, Billy aimait à plonger les mains, s'en couvrir le front, les joues, la bouche comme pour s'en débarbouiller, il raffolait de cette odeur, il raffolait de tant de choses naguère, quand il s'emparait d'elle et de son corps avec une sorte de sauvagerie barbare. Naguère... C'était cela qu'elle voulait, rien d'autre. A quoi bon maintenant se jeter sur son lit en hurlant dans son oreiller ?

La crise passa. Elle se recoiffa, descendit, déjeuna comme à l'ordinaire et comme à l'ordinaire Ned à côté d'elle lui parla de toute sa petite vie dans le jardin aux magnolias et des histoires que lui racontait Patrick. L'inexorable ennui de l'existence se refermait sur elle, l'arrachant à la turbulence de ses désirs, la ramenant de force au calme, pareille à une bête furieuse qu'on réduit à l'obéissance dans une jolie cage.

CHAPITRE LX

Cet après-midi-là, elle mit sa robe vert pâle qui lui seyait le mieux et fit atteler sa calèche. Assise la tête haute sous un petit parasol blanc, elle donna ordre au cocher de la mener en promenade n'importe où, sauf du côté du port.

Réagir, il fallait réagir, se disait-elle, retrouver un peu d'amour-propre, de *self-respect,* dans les débris de son orgueil saccagé ! Même si elle avait tout perdu, elle restait l'indestructible belle Anglaise. Les grands coups de chapeau qui eussent honoré une reine lui redisaient la fervente admiration des hommes de goût, et elle apprenait de nouveau à sourire.

Son cocher noir, un peu perplexe et dépourvu d'imagination, lui fit faire le tour d'un square après l'autre. Elle laissa errer ses regards sur les rangées d'élégantes maisons blanches ou certaines rouges d'une simplicité exquise. Derrière des massifs de fleurs où le grenat, le bleu de nuit, l'azur, le pourpre, le mauve, le réséda se livraient bataille dans le vert profond du feuillage, elles avaient l'air indéfinissable de tenir le monde à la distance voulue. Non sans un soupçon de dédain, elles gardaient une dignité tranquille, un peu intimidante pour l'humanité extérieure.

La sortie de Miss Llewelyn contre la société revenait à la mémoire d'Elizabeth dans toute sa brutalité. Quelle vraisemblance qu'elle eût raison contre cette muraille de respectabilité patricienne ? Pourtant, derrière ces fenêtres croisées muettes, qui pouvait dire s'il n'y avait pas des femmes qui souffraient comme elle des longues solitudes de la nuit ? Elle se souvint d'une phrase laconique de sa mère : « On s'arrange. » L'ombre des sycomores balayait doucement les façades hautaines comme pour leur prêter un semblant de vie naturelle, mais elles demeuraient impassibles, en retrait de tout.

Finalement, Elizabeth ordonna au cocher de remonter le long de Bull Street où la vue des promeneurs pouvait la distraire. Ce n'était pas encore l'heure de la grande affluence, mais on remarquait déjà des dames en robes de linon rivalisant de tons clairs et variés. Les accompagnaient les gentlemen dans l'invariable tenue de toutes saisons, la queue-de-pie. De sa calèche, la jeune Anglaise ne pouvait reconnaître que peu de personnes, elle avait en effet choisi de suivre l'avenue parallèlement à l'allée cavalière.

Des hommes passèrent au trot, la plupart sur des chevaux de race aux jambes fines, à seule fin de se faire voir. Les jeunes surtout... Fiers et cambrés dans leurs vestes grises à basques flottantes, certains poussaient l'audace jusqu'à saluer la belle dame blonde même s'ils ne la connaissaient que de vue, car il y avait en elle ce quelque chose d'irrésistible qui leur brûlait le sang. Elle-même en avait nettement conscience depuis son mariage avec Billy. On eût dit que le fougueux hussard avait réveillé en elle ces énergies dormantes.

Quel sort la poursuivait sans trêve ? Un cavalier passa. D'une beauté singulière, il fit mine en la voyant de diriger son alezan vers la calèche d'Elizabeth. Par un geste instinctif, celle-ci abaissa son parasol de manière à dérober son visage au regard plein d'assurance qui lui fut lancé.

C'était Algernon, l'*assassin* des belles de la ville. D'une main experte, il balaya l'air de son haut-de-forme gris souris. Elle releva son parasol et dit :

— Bonjour.

Il n'en voulait pas plus pour le moment, mais en profita largement, et bientôt l'imprudente le vit trottant à côté de sa calèche.

— Cela me touche que vous vous souveniez de l'abominable soirée dans la Maison Schmick. Je n'ai pu vous le dire l'autre soir.

— J'essaie de ne plus y penser, car j'ai cru y mourir d'ennui...

— Votre serviteur en garde, cependant, un souvenir ému : quelques mots échangés un peu plus tard...

— Oh ! dans la rue, monsieur, fit-elle, flairant le danger d'aller plus loin.

— Le lieu n'importe guère quand certaines paroles me viennent de vous.

Il n'était que sourires en débitant ses écœurantes banalités, mais de nouveau elle subit l'attrait magique d'un beau visage. Elle se débattit un peu cependant.

— Aucun souvenir de ce que j'ai pu vous dire.

La régularité des traits était parfaite, sublimes l'écart des yeux et le modelé de la bouche, quant à la douceur du regard et à ses insinuations secrètes, mieux valait détourner la tête avec grâce pour n'y pas succomber. Elle découvrait qu'Algernon était dix fois plus agréable à voir aujourd'hui, en plein soleil, qu'à la lueur d'un réverbère ou dans un salon. Dans son affolement, elle lui dit :

« Monsieur, je rentre chez moi, je suis obligée de vous fausser compagnie.

— Ah ! qu'il me soit au moins permis d'aller un jour prochain vous présenter mes respects.

Ses respects..., sa carte de visite sans doute, qu'avait-elle à en faire ?

— Mais oui, et... au revoir. Cocher, à la maison.

Tout le long du trajet jusqu'à Oglethorpe Square, elle rumina le mystérieux conseil de sa mère : « On s'arrange. » Que voulait-elle dire ? Elizabeth ne le savait que trop. A présent que pratiquement Billy la négligeait, elle ne demandait pas mieux que de « s'arranger » avec Algernon, mais cela, elle n'osait se l'avouer. Dans son esprit vivait encore l'image du fer rouge dont on marquait jadis l'épaule des épouses adultères. Difficile problème, trop difficile pour une jeune femme encore insuffisamment informée de l'évolution des mœurs. En dernier recours, elle imagina ce que Miss

Llewelyn eût répondu au sujet de la *lettre écarlate,* et presque aussitôt il lui sembla l'entendre :

— Bon sang, Elizabeth, les temps ont changé !

Un peu plus tranquille, elle atteignit sa maison et sonna. La gouvernante lui ouvrit et lui tendit une lettre qu'un jeune officier venait de déposer pour elle.

Son cœur se mit à bondir. Tout d'abord elle eut peur comme si, par une intuition fulgurante, Billy lui communiquait son opinion des épouses adultères. Elle écarta cette invraisemblable supposition et, folle d'impatience, ouvrait déjà l'enveloppe du bout du doigt lorsqu'elle entendit des voix dans le salon bleu. Elle s'y rendit tout droit et poussa un cri :

— Minnie !

Sa cousine, perdue de vue depuis cinq années, se tenait devant elle à côté d'un très élégant jeune homme en gris clair. Minnie se jeta dans les bras d'Elizabeth.

— Mais oui, c'est Minnie venue de La Nouvelle-Orléans pour revoir la famille. Mon mari, Antonin de Siverac, qui meurt d'envie de te connaître. Nous allons vivre à Charleston désormais.

Les présentations faites, suivit le petit tumulte de questions et de rires qu'on pouvait attendre. Minnie rayonnait de bonheur. Elle n'avait presque pas changé. Son visage, un peu plus arrondi, gardait toute sa vivacité d'autrefois, les yeux noirs brillaient toujours de la même gaieté douce et tranquille et elle souriait sans cesse, montrant des dents d'une blancheur dont elle était visiblement fière.

Beau brun de haute taille et carré d'épaules, son mari portait de gros favoris noirs qui avaient l'air de mettre entre parenthèses un long visage aux jolis traits fins, et, comme pour achever de rendre plus virile une physionomie délicate, les yeux, d'un noir profond, brillaient d'audace.

Elizabeth avait glissé dans son sac à main la lettre de Billy et simulait une joie débordante pour se mettre au diapason de ces visiteurs un peu inopportuns. Pourtant, elle aimait sa cousine Minnie et les souvenirs affluaient.

— Cette robe bleue que tu m'as prêtée dès le lendemain de mon arrivée à Dimwood, tu te rappelles ?

— La robe de Mildred, je la revois, elle était, tiens, de la couleur de ton adorable salon azur.

Elizabeth fit une grimace qu'elle transforma aussitôt en sourire.

« Et cette nuit d'été, continua Minnie, où nous sommes montées à trois debout sur un vieux banc de pierre pour saluer la nouvelle lune de trois révérences...

— Et à la troisième nous avons roulé dans l'herbe, toi, Susanna et moi, toutes trois d'un coup...

— Quelle mémoire !

— Et Susanna pleurait...

— Peine de cœur — mais tout cela est loin... Il faut absolument que vous veniez nous voir à Charleston, toi et ton mari. Où est-il, Billy ?

— A Beaufort, assez près d'ici, pas si loin de chez vous. Il est lieutenant de hussards...

— De hussards, tu entends.

Elle se tournait vers son mari.

— Les hussards ! Bravo ! fit Siverac d'une voix vibrante. J'ai servi deux ans dans les hussards à Bâton Rouge. Tout prêt à les rejoindre à la première alerte.

Minnie éclata de rire :

— Antonin est un vrai sabreur qui ne pense qu'à se battre — mais il n'y aura pas de guerre, n'est-ce pas, Elizabeth ?

— Bien sûr que non. Billy est sûr que non.

— Tu vois. Surtout il ne faut pas lire les journaux qui racontent n'importe quoi. Charleston est plein de jeunes surexcités qui crient très fort et insultent le gouvernement de Washington. Ils n'ont que le mot de sécession à la bouche... J'espère que Billy n'oublie pas sa cousine Minnie. Il ne m'écrit pas.

— Il n'écrit jamais, dit Elizabeth en tâtant son sac d'une main nerveuse pour s'assurer que sa lettre y était toujours. Il est comme ça dans la vie.

Minnie la regarda d'un air curieux.

— Il t'aime... beaucoup, j'en suis sûre, fit-elle sans conviction.

— Mais naturellement, Minnie.

— Alors, tout est parfait. Nous sommes ici pour un mois. Quand vous viendrez nous voir, notre maison vous intéressera. Antonin l'a héritée de son grand-père maternel. Nous avons pour voisins les Low qui vous sont apparentés, je crois.

— Peut-être... Je ne sais pas. La généalogie n'est pas mon fort.

— Dans le Sud, fit Antonin gravement, tout le monde est apparenté à tout le monde — à partir d'un certain monde...

Minnie coupa court à la tirade qui s'annonçait du genre nobiliaire :

— Elizabeth, nous avons encore tant de choses à nous dire, mais nous allons nous revoir souvent, je l'espère. Ce soir, nous avons encore des visites à faire, Antonin et moi. Notre adresse est toute simple : nous sommes chez Oncle Charlie, qui doit revenir ces jours-ci. Alors tu nous fais signe, non ?

Tendrement elle l'embrassa.

— A bientôt, Minnie darling, tu es toujours comme à Dimwood, aussi charmante... Au revoir, Antonin.

Antonin fit un grand salut.

Sur le seuil de la porte il y eut une nouvelle embrassade.

— Toi, tu seras toujours la plus belle, fit Minnie.

La porte refermée, Elizabeth s'effondra sur une chaise dans le vestibule et soupira :

— Enfin !

Fuyant le salon azur, elle monta sans tarder à sa chambre. C'était là, toute seule, qu'elle voulait lire la lettre de Billy. Elle la tira de son sac à main et se laissa tomber dans le fauteuil à bascule.

« Si c'est la rupture, pensa-t-elle, en ouvrant l'enveloppe, je n'hésite pas. J'ai Algernon. »

La grande écriture maladroite couvrait la première page :

> Mon Amour, oublie tout, je ne suis qu'un imbécile, dès mon retour ici j'ai compris que je m'étais conduit comme un fou, ne me demande pas pourquoi : je n'en sais rien. Il y a des moments où je perds la tête alors que je suis bouillant de désirs furieux. Oublie, oublie tout. Je me roule dans tes cheveux, j'ai pensé à des choses toutes nouvelles, tu verras. Tu me pardonnes, et puis tu arrangeras le jardin à ton idée, on arrachera les magnolias et on les replantera où tu voudras, et on déjeunera en bas, comme tout le monde, on vivra comme tout le monde sauf là-haut, dans notre chambre, où on fera des choses pas comme tout le monde...

Suivait la liste des choses en question. Dès la première ligne, elle en lut qui la firent bondir. Jamais encore elle n'avait eu sous les yeux, noir sur blanc, de tels détails avec des précisions aussi crues, et la stupeur lui fit lâcher le papier.

La pensée lui traversa l'esprit qu'il était devenu fou. Elle se souvint du ton bizarre qu'avait pris Minnie pour parler de son cousin Billy et de son amour. On eût dit qu'elle n'y croyait pas. Et, par un brusque retour vers un passé lointain, Elizabeth revit Billy dans la salle à manger, chez Oncle Charlie, seul devant un grand bol de crème et de fraises, s'en barbouillant la bouche et les joues dans sa hâte de tout avaler. Entre cette gloutonnerie et le contenu de cette lettre, le rapport lui parut clair. Elle-même était pour lui une autre sorte de gourmandise.

Malgré tout, elle ramassa la lettre et en lut encore quelques lignes, puis la replia sans achever sa lecture.

— Un goinfre, dit-elle à mi-voix. Voilà ce que j'ai épousé.

Elle eut l'impression étrange que, pour lui, elle n'était pas quelqu'un, mais quelque chose.

Soudain elle revit Jonathan. Avec toute sa violence, sa frénésie amoureuse laissait intacte l'image qu'elle gardait de lui, et, dans cette minute indescriptible, elle se sentit retomber follement éprise de cet homme, par-delà tous les espaces de temps qui la séparaient de lui.

Elle avait donné son cœur une fois pour toutes.

CHAPITRE LXI

Les heures qui suivirent furent difficiles. Comme dans un rêve éveillé, elle entendit le petit Ned lui parler et ne put que l'embrasser, le serrer contre elle sans rien dire, et sans dîner se retira dans sa chambre.

Pour la première fois, elle éprouva le dégoût de la vie. La lettre de Billy déchirait un voile. Tous les gestes, tous les élans du corps, elle les lui faisait voir sous un aspect qui l'en éloignait, lui levait le cœur. L'étonnement l'avait calmée, et c'était à froid qu'elle recevait maintenant la description brutale de tout ce qu'elle avait pu faire dans le vertige du désir. Les mots tuaient quelque chose. Elle ne savait quoi. Il ne s'agissait pas de pudeur ni de morale : ces expressions lui semblaient ridicules dans la circonstance. Autre chose disparaissait, l'enchantement, le tour de clef donné à la porte, le secret, la fascination de ce dont on ne parlait jamais, jamais, comme d'un crime, et ce n'en était pas un, d'un acte interdit, et il n'y avait pas d'interdit, de tout ce qui entourait de mystère une action d'une banalité animale.

Après un temps de réflexion, elle déchira la lettre avec lenteur, d'une main à la fois rageuse et appliquée, en petits morceaux qui s'éparpillèrent sur le tapis.

Elle se déshabilla vite et se coucha tôt, lasse et désenchantée, dans le lit qu'elle appelait, la veille encore, son désert. De l'avenue arrivait la lumière parfois hésitante du réverbère placé devant la maison voisine. Si faible que fût cet éclairage, il dissipait l'épouvante de l'obscurité totale, de cet élément que les enfants appellent le noir et qu'Elizabeth ne supportait pas. Le rayon jaunâtre filtrait à travers les volets mi-clos et lui permettait de distinguer le contour de l'armoire et de la commode, d'un fauteuil aussi, et cela suffisait pour écarter l'horreur. Le sommeil la prit tout à coup, alors qu'elle écoutait sonner les heures au clocher d'une église voisine.

Un peu avant l'aube, au plus profond de l'obscurité, un grand bruit la réveilla en sursaut. En bas, une porte claquait, puis dans l'escalier un pas rapide la jeta dans une terreur d'enfant. Elle cria. Quelqu'un entra.

Billy, mais un Billy qu'elle ne connaissait pas. A la lueur du réverbère dans la rue, elle distingua la grande silhouette élancée, puis une voix brève l'appela :

— Tu es là, Elizabeth ?

— Mais oui. Qu'y a-t-il ?

— Il y a que je veux cette lettre. Réveille-toi et donne-la-moi.

— Cette lettre ?

— Mais oui, la mienne naturellement. Tu en as reçu d'autres ?

Elle sentit monter la sourde colère qui grondait en elle depuis des heures.

— Pas aujourd'hui, fit-elle sèchement.

Un court silence suivit, puis, d'une voix changée, il dit :

— Mon amour, rends-moi ma lettre.

Stupéfaite, elle ne sut que répondre, elle eut le sentiment que ces paroles résonnaient dans une immobilité subite de tout, du temps, de la nuit, des choses.

Enfin elle dit avec douceur :

— Si tu allumes ma lampe de chevet, nous verrons plus clair pour la retrouver.

Il s'approcha du lit, fit flamber une allumette et ralluma la petite lampe à huile. Dans la lumière parurent d'abord ses mains puissantes, puis son visage aux pommettes rouges et ses mèches blondes ébouriffées qui lui donnaient l'air d'un écolier.

Elizabeth attendit un instant. D'émotion sa gorge se serrait.

« Regarde un peu, dit-elle, du côté du fauteuil à bascule.

Il crut qu'elle se moquait de lui.

— Je ne plaisante pas, tu sais, fit-il sans bouger.

Levant la tête vers lui elle le regarda, et leurs yeux se rencontrèrent.

— Billy, fit-elle gravement, je ne plaisante pas, moi non plus. Pourquoi ne fais-tu pas ce que je te dis ?

Il hésita, honteux comme un enfant qui ne veut pas croire ce qu'on lui dit et craint le ridicule, mais va tout de même, à contrecœur, et il alla se placer devant le fauteuil.

— Eh bien, fit-il avec humeur, où veux-tu que je cherche cette lettre ? Il n'y a rien.

— Regarde tout autour sans bouger, regarde partout.

Les sourcils froncés, il promenait la vue de tous les côtés de la pièce quand tout à coup ses yeux s'abaissèrent et il poussa un cri :

— Par terre !

— Oui, c'est ta lettre.

— Tu l'as déchirée en mille morceaux !

En deux bonds il fut au chevet du lit et se jeta à genoux devant elle. De nouveau elle vit et revit l'amour rayonner dans son visage et il se mit à parler avec précipitation, les deux mains d'Elizabeth captives entre les siennes et, dans les minutes de surexcitation, les serrant à les broyer.

« Tu as bien fait. Oh ! tu as bien fait, mon Elizabeth ! J'ai galopé plus de trois heures dans la nuit pour venir t'arracher cette sale lettre, espérant que tu ne l'aurais pas encore lue...

— Je ne l'ai pas lue tout entière, seulement la première page.

— Pas la fin, oh ! Dieu merci. Ecoute. J'ai écrit ces pages dans un moment de folie. Tu ne sais pas ce que peut être le supplice d'un homme privé de ce qu'il appelle de toute la force de son corps. Ecrire alors certaines choses est une sorte de compensation illusoire, il y a des mots qui produisent une hallucination... J'ai honte, je meurs de honte devant toi, je ne suis pas du tout comme dans cette horrible lettre, il ne faut pas me juger, Elizabeth. Ne jugez pas. C'est une phrase qu'on cite quelquefois. Je ne sais pas qui l'a dite le premier, mais il avait raison, celui-là...

Muette de surprise, Elizabeth tira sur ses mains pour les dégager, mais n'y parvint pas. Une voix venue du fond d'elle-même lui criait : « Dis-lui qui ! Dis le nom ! Ne résiste pas. » Elle laissa aller sa tête en arrière et toute sa chevelure lui roula dans le dos.

— Lâche-moi, fit-elle, je t'en supplie.

— Qu'est-ce que tu as ? Tu ne penses pas comme moi ? Tu me juges, tu crois qu'on doit ?

— Mais non, mais non, seulement celui qui a dit ça...

Le nom, elle ne pouvait pas le dire, le dire pouvait tout changer, changer sa vie, changer Billy... On ne pouvait pas savoir, mais la voix ne se taisait pas : « Dis seulement le nom, Elizabeth... »

« Celui qui a dit ça..., fit-elle, et elle s'arrêta.

— Mais qu'importe qui l'a dit ! Ce qu'il a dit reste vrai. On ne doit pas me juger parce qu'on ne me connaît pas et c'est vrai pour tout le monde, tu ne le crois pas ? Dis-moi que tu le crois, mon amour.

— Mais oui, fit-elle, bien sûr que c'est vrai.

Au-dedans d'elle-même, le silence se fit.

Desserrant son étau, Billy prit la tête d'Elizabeth dans ses mains et appliqua sa bouche sur la sienne. Elle fermait les yeux, toute à l'extase du bonheur retrouvé.

CHAPITRE LXII

Quand ils furent en état de parler d'autre chose que de leur plaisir, il lui révéla qu'il avait arraché au commandant ce bout de permission exceptionnelle en se laissant battre deux fois par lui au whist et à l'écarté. Dix jours encore, et une permission plus longue lui serait accordée.

Elle fut sensible au soin qu'il prit dans la journée de se montrer plus courtois et plus facile. Ensemble ils firent un tour au jardin, et il donna l'ordre à Patrick d'obéir à toutes les fantaisies de Madame en matière d'horticulture.

De même, il entreprit de faire la conquête de Ned en l'étourdissant de contes fantastiques.

Il partit le lendemain soir, la laissant plus amoureuse que jamais. Elle l'aimait d'autant plus, en effet, qu'elle s'était crue sur le point de le perdre.

De petits événements l'aidèrent ensuite à supporter les tortures de l'absence. Un jour, elle reçut la visite de Mrs. Harrison Edwards hors d'elle-même d'inquiétude. Toujours fort élégante et le chapeau à plumet en bataille, elle n'en avait pas moins la panique au fond des yeux. La scène eut lieu dans le salon azur qui de lui-même, selon Elizabeth, respirait le désastre.

— Ma chère, fit la visiteuse, nos projets s'effondrent.

Elle se laissa tomber dans un fauteuil et d'impatience jeta son sac à main sur le tapis et continua :

« Tout était prêt pour la grande soirée du 16 avril, les invitations lancées, reçues et acceptées toutes. Les musiciens avertis avaient pris leurs dispositions pour être présents à la date indiquée. Enfin, le détail de tout se trouvait mis au point, jusqu'au buffet le plus inimaginable qu'on puisse rêver, vous comprenez, vous saisissez, vous voyez ?

— A merveille, si l'on peut dire.

— En effet, Annabel ne paraîtra pas.

— Ne paraîtra pas !

— Dans une lettre et en des termes d'un bon ton déjà suranné, elle me dit qu'un affront lui suffisait et que, réflexion faite, elle ne sentait pas l'inspiration de s'exposer au risque d'en essuyer un second, et celui-là plus magistral et même sanglant.

Elizabeth se déclara consternée. Mrs. Harrison Edwards se leva :

« Vous seule pouvez me sauver, sauver ma soirée.

— Moi ? fit Elizabeth la main sur la poitrine, car le tour un peu théâtral que prenait la scène la gagnait. Moi qu'elle désigne comme la femme responsable de son malheur...

— Juste Ciel ! gémit Mrs. Harrison Edwards en faisant mine de se tordre les mains, ce qui était difficile, car elles étaient gantées de suède lilas. Qu'allons-nous faire ? Sans avoir accepté d'une façon formelle, elle m'avait laissé le ferme espoir qu'elle serait là à condition que tout cela se ferait discrètement, avec tact. Avec tact, la misérable !

— Non pas ! fit Elizabeth, il vous reste encore de faire appel à Oncle Charlie qui d'ordinaire arrange tout.

— Faites-le pour moi, Elizabeth. Vous avez devant vous une pauvre femme désemparée.

Désemparée n'était pas tout à fait vrai. Mrs. Harrison Edwards gardait toujours la tête froide, mais l'amour-propre lui défendait de faire certaines démarches qu'elle jugeait humiliantes. Déjà elle n'avalait pas le refus d'Annabel. Elle savait qu'avec un peu d'émotion elle toucherait le cœur de la naïve Elizabeth qui se chargerait de la corvée de supplication.

La jeune Anglaise n'avait jamais encore vu ainsi la grande dame de la *society* et elle eut pitié :

— Tranquillisez-vous, fit-elle noblement, je parlerai à Oncle Charlie. Son intérêt est qu'Annabel soit présente puisque c'est lui qui a organisé avec vous cette *party* exceptionnelle.

Elles s'embrassèrent et se quittèrent, puis, Mrs. Harrison Edwards revenant sur ses pas, s'embrassèrent de nouveau, éperdument, comme deux âmes sœurs. Et soudain, dans un élan de reconnaissance, la visiteuse eut ce cri du cœur :

— Vous *sauvez* ma *party !*

CHAPITRE LXIII

De retour le surlendemain, Oncle Charlie se montra beaucoup plus simple. Elizabeth alla lui rendre visite dès que cela fut possible et il la reçut dans son petit salon particulier. Cette pièce, d'un charme recherché, était meublée de fauteuils dorés aux formes généreuses et d'un vaste sofa de velours coquille d'œuf à capitons, trop voluptueux pour être honnête, mais, dans deux niches haut placées, deux bustes d'Aristote et de Lycurgue semblaient là pour mettre le holà aux suspicions douteuses et faire taire les mauvaises langues.

Dans ce décor aimablement ambigu, il accueillit Elizabeth avec une affection toute paternelle, car à ses yeux elle demeurait toujours sa pupille. La beauté d'Elizabeth y était pour quelque chose. Dès qu'il la vit dans son petit salon particulier, lui prenant les deux mains, il l'attira à lui et sans façon lui donna deux baisers, un sur chaque joue, à la villageoise.

— Bonne nouvelle, ma chère enfant, lui dit-il. J'ai trouvé dans un magasin de New York le tissu qu'il te faut pour ton salon. Trente rouleaux de brocart rouge clair sont en route pour ta jolie maison. Tu vas avoir un salon dont on parlera dans toute la ville, un vrai salon pour femme d'officier : furieusement héroïque. Comment va-t-il, ton Billy ?

Elle lui répondit brièvement sur un ton de bonne humeur et lui soumit sans plus tarder l'objet de sa visite. L'émotion la rendit volubile et maladroite, mais elle vint à bout de lui décrire les inquiétudes de Mrs. Harrison Edwards et Charlie Jones l'écouta patiemment d'un air pénétré.

« Pauvre chère Lucile, fit-il avec un bon sourire, toujours sensible et compatissante, mais le problème n'est pas très ardu et j'ai pour m'inspirer une longue habitude du barreau. Dès demain elle aura une lettre, non pas la lettre d'argumentation massivement persuasive, mais la lettre qui fend le cœur, celle qui ne rate jamais. A présent, ma charmante Elizabeth, un navire s'annonce dans le port et je suis obligé de te quitter. De toute façon nous sommes de revue le soir du 16 avril. Ce sera un grand événement dans l'histoire de Savannah, c'est moi qui te le prédis.

Lorsqu'il fut seul, il murmura :

— La lettre qui fend le cœur, c'est vite dit... Essayons tout de suite, le bureau m'attendra.

Se rendant à son cabinet de travail, il s'assit à une lourde table d'acajou surchargée de papiers et de livres. Sur une grande feuille blanche, plusieurs lignes tracées d'une main fine furent barrées, récrites et barrées de nouveau. Finalement il obtint ceci :

> Vous qui pour tant de raisons nous êtes si chère, Annabel, ce soir je pense à vous comme un homme qu'une dure expérience de la vie a délivré de bien des illusions et guéri de tous les mensonges de la société. Aussi, à la clarté tranquille de ma lampe... (le soleil brillait dans un ciel sans nuages)... je vous vois telle que vous êtes : pure de cœur, noble de race et noble de visage, forte d'une beauté qui brave le temps. Votre refus du monde, oh ! je le comprends et je l'approuve, mais, dans le silence de cette nuit d'avril, j'en appelle à votre amour filial. Songez à votre admirable mère, victime elle aussi de l'inhumanité des hommes et qui s'est vue chargée d'une faute imaginaire et traitée en femme coupable jusqu'à ce que le dégoût la chassât dans la solitude. Paraissez, Annabel, paraissez devant une société confuse de son erreur, parce que mieux instruite de la vérité, prête à vous accueillir avec le respect qui vous est dû, et vous lavez votre mère d'un soupçon ignoble, vous vengez son honneur. Pour l'amour de votre mère, venez, je

me porte garant de l'accueil que vous réserve notre aristocratie, émue et impatiente de réparer les égarements de quelques nobliaux de village.

Charles Jones.

« Je me suis peut-être un peu avancé, pensa-t-il en pliant sa lettre, mais il suffit qu'Annabel soit présente, je me charge du reste. »

Ce fut un coursier du bureau qui, une heure plus tard, porta cette lettre à l'adresse de Lady Jonathan Armstrong. La réponse ne tarda pas. Dès le lendemain soir, la poste la déposa chez Charlie Jones qui l'ouvrit et lut ces mots :

A cause de Maman, je serai là, bien sûr.
Mais vous manquez de simplicité, cher Charlie. Vous n'aviez pas besoin d'un grand orchestre pour chanter tout bonnement : « Venez. » On vous aime bien malgré tout.

Annabel.

CHAPITRE LXIV

Huit jours avant la grande *party* chez Mrs. Harrison Edwards, eurent lieu des pourparlers d'importance chez Charlie Jones. Celui-ci, en effet, comme Mrs. Harrison Edwards elle-même, se sentait pris d'une inquiétude grandissante à mesure que se rapprochait le 16 avril. Tous les deux avaient accepté que l'arrivée de Lady Armstrong fût précédée de l'apparition de Miss Llewelyn porteuse d'un témoignage capital, il est vrai, mais d'une longueur qui semblait peut-être excessive. Encore cela n'était-il rien comparé à l'audace de laisser paraître une femme de condition ordinaire, pour ne pas dire une femme du peuple, dans une réunion strictement mondaine. Le principe de cette intervention inouïe avait été admis avant même que ne fussent lancées les invitations, à la fin du mois de mars. Vu de loin, l'événement semblait alors un peu difficile, mais possible. A présent qu'il devenait imminent, Mrs. Harrison

Edwards passait de l'appréhension à la terreur, n'en dormait plus et ne tenait qu'avec le secours du laudanum. Charlie Jones, lui, se dominait, mais souffrait à l'idée que se préparait peut-être une manière de scandale.

Dans un moment de lâcheté qu'ils ne s'avouaient pas l'un à l'autre et qu'ils préféraient appeler un sursaut de bon sens, ils se concertèrent pour demander à Miss Llewelyn de renoncer à ce qui avait été convenu et de rester chez elle ce jour-là. On la pria donc de passer à Jasper Square, et la rencontre entre ces trois personnes se fit dans le petit salon particulier de Charlie Jones.

La discussion fut vive et se fit bientôt si bruyante qu'au moins quatre oreilles noires vinrent se coller à la porte. Le risque était grand, mais le plaisir exceptionnel. Miss Llewelyn refusa tout net, soutenant qu'elle avait des révélations à faire qui seules pouvaient venir à bout des préventions de la *High Society* contre l'admission d'une métisse, fût-elle de la plus haute aristocratie anglaise. Son autorité, sa fureur même firent trembler Mrs. Harrison Edwards qui voyait sa *party* tourner au désastre, mais Charlie Jones, maître de lui, produisit une objection qu'il tenait pour décisive : comment une femme sans l'expérience nécessaire de l'allocution en public pouvait-elle pendant un grand moment captiver l'attention d'une quarantaine de dames et d'autant de gentlemen venus pour passer une soirée agréable ?

— Raconter une très longue histoire est un art difficile, dit-il enfin, qui exige un entraînement méthodique.

A ces mots, Miss Llewelyn éclata et, d'une voix assourdissante, lança cette phrase qui eût traversé des murailles de pierre :

— Demander à une Galloise si elle est capable de mener une longue histoire d'un bout à l'autre sans hésitation, c'est demander à un rossignol s'il sait chanter.

— D'accord, fit Charlie Jones écarlate, mais Mrs. Harrison Edwards peut vous faire interdire sa porte.

— D'accord aussi, Mr. Jones, mais il me reste la rue et là, je vous le promets, je la clamerai mon histoire, et je l'aurai mon rassemblement dans les trois minutes.

Affalée dans un fauteuil, Mrs. Harrison Edwards respirait un flacon de sels.

— Charlie, murmura-t-elle, il me paraît impossible de refuser.

Il hocha la tête en signe d'approbation.

— Donc, fit-il, Miss Llewelyn se présente chez Mrs. Harrison Edwards le 16 avril. A quelle heure ?

— La réunion est pour sept heures, gémit Mrs. Harrison

Edwards, mais il faut compter avec les retardataires. Alors, à sept heures et demie.

— A sept heures et demie juste, Maisie Llewelyn sera là, dit la Galloise d'une voix ferme.

Presque au bord d'un sanglot, Mrs. Harrison Edwards demanda :

— Puis-je savoir — ô mon Dieu — en quelle toilette ?

La réponse vint d'un trait, non sans hauteur :

— En harmonie avec la circonstance.

Elle fit un geste de la tête, satisfait, qu'on pouvait prendre pour un salut et se retira.

CHAPITRE LXV

En ville, il n'était plus question que de la grande soirée du 16 avril chez Mrs. Harrison Edwards, soirée qui d'avance engloutissait toutes les nouvelles politiques. De porte à oreilles, on finissait par savoir les noms de tous les invités. La liste complète eût pu faire figure d'armorial de l'aristocratie de la côte *in toto*. Quelques familles fières, mais obscures, souffraient d'avoir été oubliées et les intrigues pour recevoir le prestigieux carton se multipliaient et s'entrecroisaient dans une guerre sourde et secrète qui atteignait parfois au tragique. Les déceptions se noyaient dans des larmes de rage, car Mrs. Harrison Edwards s'était montrée impitoyable. Il fallait à tout prix que le compte des quartiers de noblesse y fût, rien d'autre.

Sûr de son autorité personnelle, Charlie Jones s'était remis de la scène orageuse avec Miss Llewelyn, mais Mrs. Harrison Edwards ne sortait pas des affres de l'incertitude. Elle qui se croyait courageuse, la Galloise lui faisait peur. Chaque jour elle allait se faire rassurer par Charlie Jones, en vain : chaque nuit ramenait le cauchemar de sa *party* tournant au désordre et à la déroute. Dans sa détresse, elle en venait à supplier la Providence d'intervenir et de lui épargner la honte d'un trop cuisant échec. Or, le Ciel ne répondait pas. Elle se disait en préparant son laudanum que, si le pire se produisait, elle quitterait le pays et s'exilerait quelque part en Europe. A Londres, évidemment.

Bien entendu, Elizabeth ignorait tout de ce drame intérieur. Pour elle c'était tout simple. Un carton lui était parvenu l'invitant à la réception du 16 avril, et elle y pensait de temps à autre non sans plaisir et beaucoup de curiosité.

Des soucis d'un tout autre ordre venaient parfois l'assombrir. En s'admirant devant sa glace, elle constatait bien malgré elle que sa taille s'arrondissait, et bientôt elle se rendit à l'évidence. Les furieux assauts d'amour de Billy portaient leur fruit et elle allait donner un frère ou une sœur au jeune Ned. A Noël, peut-être avant, les grandes douleurs un peu oubliées viendraient la torturer dans sa chair. Sans fin, elle s'interrogea sur l'inéluctable événement. Souffrir lui faisait horreur, et d'autre part quel serait le comportement de Billy ? Jamais il n'avait manifesté le désir d'avoir un enfant. Ce qu'il réclamait avant tout, c'était le plaisir ; l'amour, pour lui, n'avait d'autre sens que celui-là.

Des jours passèrent, et un soir elle eut une visite inattendue qui la bouleversa. Annabel, en deuil, parut après le dîner et demanda à lui parler dans sa chambre.

Le jour tombait vite à la fin d'un après-midi éblouissant et le bec de gaz était allumé dans l'escalier.

Dans la chambre d'Elizabeth, la lampe de chevet répandait une lumière paisible, aussi l'arrivée de cette femme en robe noire avait-elle quelque chose de dramatique qui dérangeait.

— Elizabeth, fit Annabel sans préambule, ne soyez pas trop surprise de me voir, mais nous voici à cinq jours de la réunion à laquelle je me suis engagée de paraître. Vous avez en votre possession un objet qui m'appartient et que je vous prie de me rendre.

— Un objet ? fit Elizabeth troublée.

— Ne cherchez pas à éluder mes questions, vous savez parfaitement de quoi il s'agit : ma parure d'émeraudes, elle est à moi et je la veux.

Ce ton fit rougir la jeune Anglaise d'une indignation subite.

— Je vais vous la rendre immédiatement, mais elle m'a été léguée par William Hargrove et remise entre mes mains par Charlie Jones.

— Je n'en doute pas un instant, mais mon père l'avait donnée à ma mère en cadeau de mariage et celle-ci en quittant le monde pour devenir religieuse l'avait rappelé à son père, William Hargrove, qui devait me la léguer à sa mort. Son testament qu'il fit alors portait bien que la parure d'émeraudes me serait remise comme venant de ma mère. Entre-temps il eut ce qu'il appelait une crise de conscience et, au nom de la morale, il décida que cette parure venue d'une pécheresse — ma mère selon lui — ne pouvait être transmise à une autre pécheresse qui n'était autre que moi. Le testament fut donc modifié en votre faveur. Acceptez-vous cette trahison ?

Pour toute réponse, Elizabeth chercha dans un tiroir de sa commode la clef du placard à linge qu'elle ouvrit et d'où elle tira de dessous une pile de chemises la parure d'émeraudes. Toujours muette, elle la tendit à Annabel qui la prit dans ses deux mains, la regarda un instant et la mit dans son sac.

« Je ne me crois pas tenue de vous remercier, fit-elle plus doucement, mais j'apprécie le fait d'avoir été crue sans hésitation. Je me rends compte aussi que j'ai paru dure. Si. De cela seul, je vous prie de m'excuser. Bonne nuit, Elizabeth. Vous êtes bien telle que je l'espérais.

Comme elle se dirigeait vers la porte, Elizabeth la retint :

— Pardonnez-moi, j'ai une question à vous poser.

Annabel sourit :

— Je crois deviner ce que vous allez me demander. A votre place j'en aurais fait autant — et plus tôt.

Elle s'assit et dit simplement :

« Je vous écoute.

— Eh bien, fit Elizabeth en s'asseyant à son tour, n'y allons pas par quatre chemins : comment saviez-vous que cette parure se trouvait ici, dans ma chambre ?

— J'aime beaucoup votre style direct qui nous fait gagner du temps. Vous avez dit tout à l'heure que cette parure vous a été remise par Charlie Jones.

— Parfaitement.

— Cet objet on ne peut plus précieux aux yeux du monde, il vous l'a donné dans un écrin, lequel écrin se trouvait dans une boîte.

— Tout cela est exact.

— Lui-même ne savait pas ce que contenait cette boîte et sa curiosité en était éveillée.

— C'est le moins qu'on puisse dire. Il brûlait d'envie de savoir ce que William Hargrove m'avait légué.

— Et vous ne le lui avez pas dit… Je sais cela parce qu'il s'en est un jour ouvert à moi. Il voulait savoir mais, trop bien élevé pour insister auprès de vous, il m'a demandé si je savais.

— A présent, je comprends tout. Vous le lui avez dit.

— Pas tout à fait. Je ne pouvais décrire un objet que je n'avais jamais vu, mais cette parure d'émeraudes, qui avait disparu dans la révolution d'Haïti, avait laissé derrière elle une sorte de légende. On la disait revendiquée tantôt par la reine d'Espagne, tantôt par la reine d'Angleterre. Tout est possible, même l'invraisemblable. Deux personnes vivantes pouvaient donner une description exacte de cette parure. La première était Maman, qui aujourd'hui ne pense plus à ces vanités bien qu'elle n'oublie pas, j'en suis certaine, l'homme qu'elle a aimé de tout son cœur. L'autre était William Hargrove qui avait simplement mis la main sur la parure au moment de leur fuite d'Haïti et l'a tenue secrète jusqu'à sa mort.

— Pourquoi ?

— Je n'en sais rien, mais, quand on a appris qu'il vous léguait un objet dont il ne dévoilait pas la nature, plusieurs personnes, dont Charlie Jones et moi, moi surtout, ont eu la même pensée : la parure d'émeraudes.

— C'était là une supposition.

— En ce qui me concerne, c'était une certitude intérieure. Je ne pouvais fournir aucune preuve, mais je me souvenais de ce que ma mère m'avait dit des années auparavant. Cela non plus on ne le savait pas, mais je gardais mes secrets. Cela dit, un souvenir n'est pas une preuve. Quand je suis venue chez vous tout à l'heure, je ne pouvais rien affirmer d'une façon formelle. J'ai joué d'audace. Je vous connaissais. D'un mot vous pouviez me clouer le bec : « Quelle preuve ? » quand je vous ai dit que l'objet était ici.

Elizabeth se leva et dit d'une voix très calme :

— J'ai donc cédé à l'intimidation.

Annabel, qui avait déjà la main sur le bouton de la porte, se retourna vers Elizabeth :

— Mais oui.

— Et vous trouvez cela juste ?

— Non, mais il y a des serrures qu'on a le droit de forcer pour réparer une injustice.

— Voilà une morale toute nouvelle que je ne connaissais pas. Soit dit sans vous offenser, elle eût fait l'admiration du défunt William Hargrove.

Annabel la regarda longuement avant de répondre, puis elle dit avec douceur

— Viendront le jour et l'heure où vous regretterez cette parole, Elizabeth, mais vous avez été provoquée et j'aime que vous ayez réagi.

Elizabeth garda le silence et descendit avec elle, l'accompagnant jusqu'à la porte de la maison. Sur le perron, Annabel s'arrêta comme pour écouter le rappel des oiseaux, dans les sycomores, saluant la nuit.

« Vous aimez le Sud, Elizabeth ? demanda-t-elle.

— Mais oui... beaucoup. Ne le saviez-vous pas ?

— Si. Un lien nouveau vous y attache, tout aussi fort que le mariage. Comprenez-vous ?

— Mais...

— Vous allez donner un autre enfant au Sud.

Troublée par le ramage étourdissant des oiseaux, Elizabeth ne répondit pas. Annabel se contenta de sourire et dit encore :

« Je vois que vous portez toujours le rubis de mon Jonathan... Cela vous ennuierait-il de m'embrasser ?

Sans hésiter, Elizabeth posa les lèvres sur la joue froide qui se tendait vers elle. Annabel lui serra les mains.

« Au 16 avril, dit-elle en descendant les marches.

Sa grande silhouette obscure se perdit bientôt dans des ombres.

De retour dans sa chambre, Elizabeth tomba dans une de ces crises de désespoir qui chez elle se faisaient de plus en plus fréquentes parce qu'elle ne comprenait plus bien la direction que prenait sa vie. Elle se souvenait en tremblant des jours heureux où rien ne lui semblait menacer son avenir personnel. On l'avait persuadée qu'il n'y aurait pas la guerre, mais loin, très loin au fond d'elle-même vivait l'idée d'une fuite en Angleterre si les choses tournaient mal, rêverie absurde inspirée par une peur qu'elle ne s'avouait pas. Et voici qu'Annabel la bouleversait d'une phrase qui faisait d'elle une prisonnière du Sud. Un lien nouveau l'y attachait, aussi fort que le mariage. L'enfant qui allait naître, un jour de l'hiver prochain.

Et ce nom de Jonathan jeté dans les dernières minutes de cette conversation étrange. Comment Annabel avait-elle pu lui enlever la parure d'émeraudes d'une façon si impérieuse ? « Je ne suis pas tenue de vous remercier... », pas plus qu'on n'est tenu de remercier une voleuse qu'on prend la main dans le sac.

Rouge de colère et d'anxiété, elle ne parvint à se calmer qu'en se souvenant de la douceur subite de la grande dame en noir qui lui avait demandé, sur le perron, de l'embrasser. Le doute n'était plus permis : Annabel était devenue folle. De douleur peut-être. L'allusion au rubis parut à Elizabeth pleine de sous-entendus sinistres.

Elle regrettait de s'être laissé dépouiller de la parure d'émeraudes par une démente. Elle aurait dû dire : « Non, non et non ! » Mais elle avait perdu la tête. « J'ai joué d'audace », avait osé dire cette femme moins jeune, elle avait usé d'intimidation parce qu'elle se savait imposante. Ses belles émeraudes, Elizabeth les regardait quelquefois, toute seule, sans jamais les montrer à personne, pas même à Billy, et tout à coup cette métisse entrait dans sa chambre et lui disait que les émeraudes ne lui appartenaient pas, mais qu'elles étaient à elle et qu'il les lui fallait sur-le-champ. Et sans un mot, comme une simple d'esprit, elle les lui avait données.

Elle se redisait ces choses comme pour se convaincre de leur réalité.

A présent la lumière du réverbère se glissait, d'un jaune cru, dans la chambre.

Elizabeth s'assit devant sa glace et se mit à se peigner avec application, fascinée par les reflets de cuivre qui coulaient le long des tresses. Et les cheveux crépitaient sous le peigne.

CHAPITRE LXVI

Mrs. Harrison Edwards n'y pouvait rien, par la force des choses le 16 avril se présenta, baigné d'une lumière victorieuse, embaumé de parfums qui l'assaillaient de tous les jardins en effervescence printanière. On n'aurait pu rêver une journée aussi bien disposée à la fête.

Sur la terrasse comme au salon, des rangées de fauteuils de bois doré attendaient en arc de cercle une centaine d'invités. Un gigantesque store de toile crème protégeait les personnes qui préféraient le grand air.

Armés d'énormes éventails de plumes, des Noirs, en livrées bleu de roi à galons d'argent, se tenaient tout prêts à combattre la touffeur d'une fin d'après-midi chaude.

Dans Chippewa Square, les calèches se rangeaient tant bien que mal au fur et à mesure des arrivées. Les portières claquaient avec insolence et les grandes roues brillaient au soleil dans un déploiement de magnificence désordonnée. Les voitures, venant de tous les côtés de la ville, se plaçaient comme elles pouvaient dans les espaces libres. Les cochers en haut-de-forme gris juraient et se disputaient, mais cela faisait partie du tumulte général dont s'accompagnent les festivités de grande classe.

A l'intérieur de la maison, des festons de feuillage ornés de fleurs et de fruits s'arrondissaient d'une colonne à l'autre tout autour du somptueux vestibule, et d'une pièce voisine s'échappaient les caressants murmures d'une sérénade. Malheureusement, le charme de cet accueil se perdait dans le joyeux brouhaha des ladies qui faisaient leur apparition dans des toilettes d'une élégance trop recherchée pour ne pas frôler l'ostentatoire. Aux soies couleur de champagne se mêlaient le taffetas changeant et le satin parme ou rose indien. Les dames plus âgées se réfugiaient dans les violets sombres chatoyant de reflets d'or, ou rouges, mais le noir pur tranchait çà et là avec une autorité fière et tranquille. Battaient comme des ailes d'oiseaux captifs des éventails de plumes ou de tissus peints, alors que, pareille à une héroïne au cœur d'une émeute, Mrs. Harrison Edwards, en satin mauve, tentait d'obtenir un semblant d'ordre dans cette fastueuse confusion. Elle voyait avec désespoir toutes ces dames s'asseoir n'importe où alors que des places d'honneur étaient réservées aux personnes d'une noblesse plus vénérable, mais rien ne ressemble autant à une horde d'écolières déchaînées qu'une foule de dames du monde n'entendant plus que la rumeur de son babillage.

Enfin, tous les fauteuils furent occupés et les tard-venues furent courtoisement dirigées vers la terrasse où des sièges on ne peut plus confortables leur firent oublier les blessures d'amour-propre. Comme une nuée de corbeaux, les hommes en habits noirs furent placés tout au fond avec des égards, des salutations et des compliments.

Vue à présent au grand complet, l'assemblée entière étincelait de pierres précieuses. Les diamants ruisselaient sur des poitrines plates ou rondes et, en colliers de chien, par un processus de strangulation lente, aidaient des septuagénaires à lever la tête et bien narguer la mort. Un peu partout saignait le rubis, parfois sur des mains exquises ou, comme chez Elizabeth, en une seule goutte écarlate mal cachée à dessein dans l'entre-deux d'une gorge splendide. Ailleurs sur tant de cous, de doigts, de bras, d'oreilles, de fronts, là où toute cette noble peau le souffrait triomphait le saphir. L'orgueilleuse richesse familiale venait respirer l'air des salons.

Dehors, autour de la terrasse, dans un crépuscule rose, les oiseaux s'égosillaient à raconter une autre histoire et volaient de branche en branche comme si les conversations en bas les troublaient.

Ce fut à ce moment que parut Charlie Jones. Avec l'assurance d'un ténor en renom, il s'avança jusqu'au milieu du désert de parquet luisant qui s'étendait devant cette foule assise. Avec un teint rose de jeune homme bien nourri, il se déplaçait dans des vapeurs d'eau de Cologne qu'on sentait de loin. Son habit, coupé à Londres, lui donnait à la taille un semblant de cambrure.

— Mesdames, dit-il d'une voix chaude et sonore, et vous là-bas, mes amis de toujours, la perle de notre cité, Mrs. Harrison Edwards, qui nous fait l'honneur de nous rassembler ce soir, me demande de vous dire quelques mots : au cours de cette soirée qui promet d'être intéressante et fertile en surprises, paraîtra d'abord une personne dont l'amitié nous est chère, mais qui par le fait de sa condition n'a pas coutume de fouler nos tapis... L'accueil que vous lui réserverez sera pour moi la preuve de votre estime que j'espère avoir toujours méritée.

Un murmure poli lui donna à entendre qu'il n'avait jamais démérité et qu'on s'attendait à tout avec fortitude.

Charlie Jones fit un salut et se retira dans le fond, sur la terrasse, près d'Algernon.

La porte du vestibule s'ouvrit alors à deux battants, et Miss Llewelyn entra d'un pas rapide pour ne s'arrêter qu'à peu de distance des premières rangées de dames, celles-ci déjà à l'abri derrière leurs éventails déployés.

Vêtue d'une robe gris de fer qui laissait visibles ses bottines noires à bouts pointus, elle avait fait une seule concession au caractère mondain de cette soirée... Ayant relevé en chignon sur le haut de la tête sa chevelure grisonnante, elle y avait piqué une grosse fleur exotique rose et blanc qui intrigua l'assemblée entière, pourtant férue d'horticulture, et ce fut cette fleur qui coupa court aux grognements de protestations possibles. On voulait savoir d'où elle venait et les éventails s'agitaient avec vigueur dans un énervement général, mais aussi l'aspect de cette grande femme corpulente avait quelque chose d'agressif et de dominateur qui ne manquait de créer un certain malaise. Ses petits yeux vert clair balayèrent d'un regard de défi cette foule parée comme pour un bal et dont les bijoux miroitaient sous l'éclat d'un grand lustre. Dans cette lumière tombant droit sur elle, les traits de la Galloise, dessinés avec énergie, se soulignaient d'ombres noires comme au fusain : le nez colère aux narines largement ouvertes et la bouche carrée, toute prête à l'invective.

Sans doute n'avait-elle pas conscience de l'impression qu'elle pouvait faire sans même avoir dit un mot, mais elle était imbue et pour ainsi dire gonflée de son importance et elle savourait la joie de braver la société au cœur même de son lieu de rassemblement. Elle se sentait étrangement la plus forte bien qu'elle fût seule, mais, trop intelligente pour céder à l'orgueil, elle se rappelait qu'elle était là pour gagner par la persuasion une cause presque impossible à défendre.

D'une voix retentissante qu'elle s'efforça d'adoucir, ignorant la présence des hommes sur les côtés et dans le fond, comme quantité négligeable, elle commença :

— Mesdames, vous êtes étonnées de me voir parmi vous. Moi aussi. Je le suis par l'idée que je me fais de l'honneur qui n'est peut-être pas la vôtre, mais laissons cela. Depuis un an déjà et plus, on s'est remis à parler à Savannah d'Haïti, de Soulouque Ier et des troubles dans l'île, et cela remue d'anciens et sombres souvenirs. Mais savez-vous ce que c'est qu'Haïti ? Eh bien, je vais vous le dire. Haïti, c'est l'azur, c'est l'émeraude, c'est la passion, l'amour, la violence, c'est le sang.

4

LAURA
OU
LE PARADIS PERDU

« Pa'adis d'amou'
Pa'adis pe'du. »

CHAPITRE LXVII

Aux dernières minutes de ce crépuscule qui semble figé, le soleil noie tout dans des flots rougeâtres. Comme pris de panique devant la nuit, des oiseaux de toutes tailles volent et s'égosillent autour des arbres : geais bleus, cardinaux écarlates, perroquets, colibris, dans un tourbillon éperdu, fuient l'ombre qui va tomber presque d'un coup.

Deux hommes et une femme se tiennent debout dans la prairie qui domine une vaste plantation : William Hargrove s'entretient avec Anatole de Siverac. Un grand drapeau américain flotte sur une longue maison à un étage dont la façade s'orne d'une véranda au toit incliné.

Près des hommes, la femme, robuste et pleine d'assurance, écoute et parfois se mêle à la conversation : Maisie Llewelyn, galloise. Bien qu'elle soit jeune, elle est surintendante de la maison depuis la mort de Mrs. Hargrove en 1816.

— Je n'arrive pas à croire qu'un nouveau malheur menace le pays… Le temps de Rigaud et de Dessalines est si loin. Cette île était un paradis et le reste encore.

Cette naïveté de Hargrove semble agacer Anatole de Siverac. Agé de trente-huit ans, le maître de la plantation regarde au loin d'un air rêveur. Grand et large d'épaules, son panama laisse voir un visage encadré de favoris noirs taillés avec soin et des traits d'une belle régularité, mais les yeux noirs manquent de douceur.

— Là-bas, dit Anatole de Siverac, vous ne voyez pas cette fumée qui monte, de l'autre côté de l'Artibonite ? C'est une fois de plus chez les Espagnols qu'on met le feu aux propriétés. Ils vont se faire massacrer comme les Français en 1804.

De dessous le bord de son panama, William Hargrove lui jette un coup d'œil :

— Vous, en tout cas, vous n'avez plus rien à craindre, maintenant que vous avez un passeport américain.

— Pas plus que vous depuis que j'ai fait hisser sur votre maison ce seul drapeau vraiment respecté des Noirs.

— Bah ! je crois malgré tout que le pire est passé. On a vu Christophe l'esclave se rendre maître d'Haïti et gouverner l'île en despote.

— Il était empereur. Un Noir empereur ! Cela finit tragiquement comme pour les autres. Il s'est tué avec une balle en or. Maintenant Saint-Domingue et Haïti ne font qu'un, nous avons un président et une république.

— Mr. Boyer vous semble plus solide que Christophe ?

— Un président de la République, c'est plus rassurant qu'un empereur.

— Ne vous y fiez pas, dit Maisie Llewelyn. Le sang appelle le sang. Et les atrocités ne varient pas. Mais le courage non plus. Il y en a eu tellement d'exemples. Au temps de l'empereur Christophe, c'était la terreur. Les femmes de couleur furent admirables. Vous connaissez l'histoire du Blanc blessé qui s'était réfugié chez l'une d'elles. Elle le cache. Un groupe de soldats noirs le poursuivait et veut entrer de force chez elle pour le reprendre et l'achever. Elle se cache dans un coin obscur derrière la porte et, quand ils pénètrent dans la maison, elle en tue quatre à coups de machette. Avec l'aide d'une vieille mulâtresse, elle jette les corps du haut de sa véranda dans la rue. La foule admire et applaudit, mais se borne à cela. Et les massacres continuent plus loin.

— Maîtresse femme ! fit Anatole de Siverac.

— N'est-ce pas ! Les assaillants, bien sûr, ont fui comme s'ils avaient le diable aux trousses.

Suit un silence. Le jour à son déclin se revêt d'une beauté qui serre le cœur. Devant ces trois personnes devenues subitement attentives, la plantation tout entière brille d'un dernier éclat avant le naufrage dans la nuit. Dans un enchevêtrement de feuilles claires et longues, les bananiers verts dissimulent leurs fruits, tout près de l'immense tache rouge de flamboyants vainqueurs de la pénombre. Plus loin s'étalent les gigantesques feuilles de tabac décorant l'espace qui descend en pente douce vers des champs de coton, et celui-ci jette ses flocons de neige contre un bois de mancenilliers d'un rouge ardent. Des manguiers traînent tous leurs fruits d'or dans les derniers rayons. Le grand bariolage sombre doucement jusqu'aux berges du torrent, soudain assagi dans une anse paresseuse, en contrebas, où les palétuviers emmêlent leurs monstrueuses racines ; un peu partout dans ce coin de terre délirant, des palmiers fous de lumière se tendent aux reflets mourants du soleil que va engloutir l'horizon. Tout à coup les oiseaux font silence.

— Quel chant d'amour se tait, murmura William Hargrove, quand triomphe le crépuscule !

— Vous voilà poète, fit la Galloise sarcastique. A votre place je m'occuperais sérieusement de nos moyens de défense en cas d'insurrection.

— La bannière étoilée nous protège. Et puis nous traitons trop bien nos Noirs pour qu'ils se révoltent. Ils nous adorent.

— Ce serait à voir, fit Maisie Llewelyn.

— William, il faut tenir compte de la fièvre révolutionnaire qui gagne peu à peu.

— Pas chez nous. On ne touche pas aux propriétés américaines ici. Nous sommes tranquilles...

Il y a une dernière vibration du soleil et la nature entière, les arbres, le ciel et ceux qui parlent, tout devient rouge. Soudain, une nuée de chauves-souris envahit l'ombre autour de ces trois personnes immobiles, passant entre elles, leur frôlant presque le visage comme des mains noires et curieuses.

Des serviteurs portant des flambeaux viennent au secours de leurs maîtres et les reconduisent à la maison.

La grande pièce où ils se réunirent pour dîner donnait une surprenante impression de vide et de raffinement. Elle n'était meublée, en effet, que d'une table et de quelques chaises de style hollandais à dossier sculpté. Sous une nappe blanche, la table, chargée d'une lourde argenterie et de verreries de cristal, étincelait dans la lumière des candélabres.

Contrairement sans doute à tous les usages du vieux monde, Maisie Llewelyn s'assit entre les deux hommes, occupant ainsi la place qui eût jadis été celle de Mrs. Hargrove.

Des domestiques en blanc servirent aussitôt un potage froid et les verres furent remplis de vin d'un admirable grenat foncé.

— Sans vouloir faire le pessimiste, fit Anatole de Siverac, je dois reconnaître que cette invitation de don Diego de Serra y Atalaya qui nous avait enchantés il y a huit jours me paraît ce soir moins attirante.

— Un déjeuner d'adieu, dit William Hargrove. Leur propriété se trouve à vingt kilomètres d'ici à vol d'oiseau, derrière le *morne* de

San Raphaël. Ils ne sont pas encore menacés, mais ils préfèrent quitter le pays. Ce ne sera pas triste, au contraire. Ils reçoivent magnifiquement.

— Oh ! le risque n'est pas grand, mais, comptant l'aller et retour et le temps passé là-bas, cela fait trente-quatre heures d'absence d'ici.

— Que craignez-vous ? demanda Maisie Llewelyn. Je serai là avec Miss Laura et les garçons — sans compter les domestiques.

— Miss Llewelyn a tout à fait raison, fit William Hargrove. Douglas et Joshua ont dix-sept et dix-huit ans et savent parfaitement se défendre. Même Frank est en âge de tenir un fusil. Et puis, à quoi pensez-vous ? Avec ce grand drapeau qui claque au vent... Votre drapeau, mon cher !

— C'est bien. Quand partons-nous ?

— Après-demain matin, à neuf heures, peut-être.

— C'est un peu juste pour arriver à l'heure — mais il y aura sûrement du monde en retard.

— Partez sans inquiétude, fit Maisie Llewelyn. Je ne suis pas galloise pour rien.

CHAPITRE LXVIII

Le surlendemain à l'heure fixée, la calèche à quatre chevaux emportait William Hargrove et Anatole de Siverac sur des routes sablonneuses qu'ombrageaient parfois des palmiers. Tout au loin, sur la mer, flottait comme un rideau une buée de chaleur. Malgré les lianes qui encombraient souvent les chemins, le voyage s'annonçait facile jusqu'au moment où se dressa devant eux un morne dont il fallut suivre les flancs au risque de verser, puis ils franchirent un col rocailleux. Dans les mornes, les bouquets de palmiers verdoyants cachaient toujours des cases solitaires. De grands rapaces tournaient dans le ciel vide. Après quoi le pays leur offrit un trajet plus tranquille, mais ils roulaient au chaud du jour et de larges parasols se déployèrent. Bientôt ils longèrent des bois si touffus qu'ils semblaient impénétrables, et une heure ne s'écoula pas que les voyageurs eurent l'heureuse surprise de passer à quelques mètres d'une cascade tombant tout droit d'une hauteur boisée. Elle les fit agréablement frissonner et les revigora, en sorte qu'ils parvinrent débarrassés de leurs fatigues au bois de pins géants entourant la résidence de don Diego de Serra y Atalaya dont la noblesse remontait au temps du roi Boabdil.

Entourée de fraîcheur par ces arbres immenses, la demeure de don Diego ne différait pas beaucoup de celle qu'ils avaient quittée, mais elle était infiniment plus spacieuse et plus riche. A l'intérieur, sur une table dont on ne voyait pas le bout, des plats et des couverts d'or brillaient d'un éclat mystérieux dans la salle volontairement plongée dans la pénombre depuis l'aurore.

Venus des jardins dont les odeurs assaillaient la maison, les invités firent bientôt leur entrée dans le bourdonnement sonore de la langue castillane. Des laquais allumèrent quelques bougies aux quatre coins de la pièce. William Hargrove et Anatole de Siverac, accueillis par don Diego et sa Duquesa, furent menés à des places d'honneur et le déjeuner commença dans un joyeux vacarme. Les voyelles tintaient haut et fort dans le roulement torrentiel des *r* et des *h,* on parlait de tout sauf de politique et vers le dessert la gaieté était à son comble, quand on aperçut, par la véranda ouverte sur la plantation, un jeune Noir assez peu vêtu qui gambadait. Il dégoisait d'une voix fort claire des chansons dont les paroles firent légèrement rougir les dames, mais bientôt les rires fusèrent de tous côtés, car le drôle ne manquait pas d'esprit et dansait avec la grâce enfantine de sa race.

— C'est le « loustic » de l'endroit, fit don Diego. Il est plaisant, mais à la longue insupportable.

Les invités s'écrièrent qu'ils le trouvaient amusant et regrettaient seulement qu'il se tînt à distance. Tous se levèrent, quittant la table sans cérémonie, pour se grouper sous la véranda. Certains, plus hardis, n'hésitèrent pas à s'aventurer dehors et bientôt, dans un irrésistible élan de curiosité, tous les convives se trouvaient devant la maison pour observer les pitreries du « loustic ». Il se surpassait en cabrioles et en culbutes, montrant dans ce genre une agilité surprenante.

Les messieurs donnèrent la main aux dames pour les conduire dans l'avenue et se rapprocher du danseur, et sous leurs parasols elles se livraient sans retenue à des crises de gaieté folle qui gagnaient même les plus sérieux des invités.

Pendant ce temps, les domestiques desservaient la table et peut-être eût-on bien fait de les surveiller un peu, mais, à présent, tout le monde était dehors.

A mesure que la troupe avançait vers lui, le « loustic » reculait. Puis soudain il disparut derrière un arbre pour reparaître aussitôt de l'autre côté complètement nu. Il y eut quelques protestations, mais il se mit à chanter en se trémoussant :

O la Madame, la Madame qui canaille
Faut cassé feuille, faut couvri ça !
Ah ! Ah ! cassé feuille, la Madame
Et pas servi, la Madame
Pas servi ça et couvri ça !

Il imitait leurs révérences et tout à coup, alors que la petite troupe était figée, il se retourna pour s'exhiber de dos en clamant des obscénités.

Don Diego, indigné, tira en l'air deux coups de pistolet pour lui faire peur et il prit la fuite en gambadant. Un instant plus tard, il reparut dix mètres plus loin. Un peu éberlués, les hommes n'en avançaient pas moins vers lui, tandis que les dames s'arrêtaient dans un rond-point de l'avenue, intriguées et feignant de trouver cela drôle ; par bravade, le loustic se retournait et jetait de nouvelles insultes, mimant des gestes indécents. Les invités se prirent au jeu et commençaient à s'éloigner pour le chasser, quand, tout à coup, de grands cris s'élevèrent. Derrière tout ce monde, au milieu de la plantation, la noble demeure de don Diego flambait dans un énorme crépitement qui ressemblait à une fusillade en désordre. De gigantesques langues de feu perçaient des nuages de fumée noire, la maison éclatait.

Aussitôt se déchaîna une panique où se perdaient toutes les exigences des belles manières et les impératifs du rang et des préséances. En vain don Diego s'efforçait de maîtriser les nerfs détraqués de ses nobles convives. On l'eût piétiné pour se ruer plus vite aux calèches qui par bonheur se trouvaient au large, mais là rengrègement de terreur. Les chevaux, rendus fous par l'incendie, se dressaient tout droits comme des bêtes héraldiques, et les cochers, pendus à leurs rênes, se voyaient sur le point d'être entraînés avec les voitures dans une cavalcade d'épouvante.

Dans ces circonstances difficiles, William Hargrove ne se révéla pas héroïque. Son compagnon, Anatole de Siverac, dut le secouer d'importance pour l'obliger à se tenir debout et à ne pas se laisser haler comme un mourant jusqu'à sa voiture où le cocher luttait intrépide avec quatre chevaux écumant de peur. Les efforts conjugués du cocher et de Siverac réussirent à dominer la folie des bêtes dansant d'horreur, et William Hargrove, déposé assez rudement dans la voiture, put s'asseoir directement sur le plancher. Trois minutes plus tard, la voiture roulait tant bien que mal vers des régions plus calmes. Voyant William Hargrove pelotonné dans un coin, Anatole de Siverac lui jeta simplement :

— Remettez-vous, mon cher. Vous êtes hors de danger.

CHAPITRE LXIX

Pendant que se déroulait ce drame, des choses d'un ordre tout différent se passaient, à vingt kilomètres de là, dans la maison de William Hargrove.

A peine la calèche était-elle partie que Maisie Llewelyn se rendit à la chambre de Miss Laura Hargrove, qu'elle trouva en train d'écrire une lettre. La jeune demoiselle comptait un peu plus de quinze ans et, sans être ce qu'on appelle une beauté, elle se contentait d'être délicieuse avec des yeux marron sombre trop grands pour un si petit visage et une masse de cheveux châtain roux qui se répandaient de tous côtés, couvrant des épaules bien rondes et une gorge qui s'annonçait généreuse. Dans sa robe de mousseline blanche, elle séduisait aussitôt par la tendresse de son regard et la grâce naturelle qu'elle mettait dans chaque mouvement des bras et de toute sa personne.

— Eh bien ? dit-elle dès qu'elle vit la Galloise.

— Réjouissez-vous, ma fille. Les voilà partis pour une journée. Vous allez pouvoir envoyer votre nounou chercher le bel officier que vous recevrez dans un coin du salon. Cela sera plus convenable que d'aller vous faire voir avec lui dans le parc.

Laura battit des mains.

— Merci, Miss Maisie, vous arrangez tout si merveilleusement. Seule au salon avec lui, bien sûr ?

— Mais voyons. Tout le monde est d'accord. On l'adore votre Régis, mais pas d'imprudences, pas d'élans avant le mariage ?

Laura fronça les sourcils en signe d'indignation.

— Je lui écrivais une lettre quand vous êtes entrée. Voulez-vous demander à Betty de la lui remettre ? J'ajoute un mot pour lui dire de venir tout de suite.

— S'il est libre...

— Il se rendra libre. Un lieutenant...

Elle se jeta sur sa lettre et y griffonna deux mots, puis la tendit dans son enveloppe à la Galloise.

— Vite, Miss Maisie, vite ! suppliait-elle. Chaque minute compte en l'absence de Papa. Oh ! je meurs...

Ce fut tout juste si elle ne poussa pas la grande femme dehors pour la faire aller plus vite, et, restée seule, elle ne savait plus que faire d'elle-même, de sa personne bien plus petite et nullement imposante. Dans sa chambre où tout était blanc, les moustiquaires du lit et les rideaux des fenêtres, et jusqu'aux murs couleur de neige à peine bleutée, elle courait sans raison, pareille à un oiseau égaré dans une pièce d'où il ne peut sortir. Un immense miroir incliné la regardait voleter ainsi, éperdue de joie et d'inquiétude. Accrochée dans un cadre ovale où elle pouvait la voir de son lit, une grande image de la Madone montant au Ciel lui souriait d'un air grave. Cette peinture espagnole, de couleurs délicates, avait été posée là par Maisie Llewelyn après la mort de Mrs. Hargrove. La jeune fille avait si souvent regardé cette toile qu'elle ne la voyait plus. Elle savait seulement qu'elle était là.

Maintenant, elle courait de la fenêtre à la porte, comme si son amoureux allait arriver d'une minute à l'autre. Parfois elle se jetait, l'espace de dix secondes, dans un large fauteuil à bascule en précieux bois des îles noir et luisant, comme tous les meubles de cette chambre. Laura se balançait, lançant en l'air de tout petits pieds chaussés de rouge, puis sautait à terre, puis se précipitait à une fenêtre et se penchait dehors au bruit d'un cavalier qui montait l'avenue vers la maison — c'étaient toujours des régisseurs ou des mulâtres travaillant pour leur voisin. Enfin ce fut lui. Elle bondit vers l'escalier dont elle descendit les marches en les effleurant à peine et fut au salon avant l'adoré en tunique bleu sombre et en pantalon blanc.

De taille moyenne, il la dépassait de toutes les épaules, mais paraissait grand à côté d'elle. Aussitôt dans ses bras, elle dut jeter la tête en arrière afin de contempler le visage, pour elle le plus beau du monde, et peut-être ne se trompait-elle que d'assez peu. On n'imaginait pas, en effet, des traits plus fins, dessinés, eût-on dit, avec amour par un peintre inspiré. Seul le regard fougueux des yeux d'un vert profond rendait virile cette délicatesse extrême. Frappait surtout l'éclat de la peau d'une blancheur mate. Des cheveux noirs en « coup de vent » s'embroussaillaient avec de légers favoris autour de petites oreilles.

Se dégageant, il la prit par la main, la mena vers un fauteuil et s'assit devant elle sur une chaise.

Dans la longue pièce aux hautes fenêtres, la lumière du soleil filtrait à travers les stores orangés, et les meubles de bois sombre, entre des parois blanches, perdaient de leur austérité comme pour rendre un peu plus accueillant ce grand salon solennel.

— Eh bien, que se passe-t-il, Laura? demanda-t-il d'une voix calme.

— Je t'aime, fit-elle.

— Moi aussi, mais tu me fais venir tout à coup, comme s'il s'était passé quelque chose.

— Rien. Il fallait que je te voie.

— Laura, cesse de me regarder avec des yeux qui bougent comme si j'étais un paysage et parle-moi sérieusement.

— Je te regarde parce que chaque fois je te trouve plus beau.

Il eut un rire nerveux comme si l'agaçait ce genre de compliment dont il avait l'habitude :

— Si on pouvait me dire autre chose : tu as l'air si intelligent, ou : tu as l'air si brave. Et puis, ma petite Laura, écoute, je vais t'expliquer, tu sais bien que je t'aime.

Elle eut un cri :

— Embrasse-moi, si tu m'aimes !

Quittant sa chaise, il alla vers une fenêtre.

— Tu me fais souffrir, en me faisant venir ici alors que je t'avais suppliée d'être patiente. La décision de nous marier a été prise. Pour le moment ce n'est pas facile.

— Pourquoi ? demanda-t-elle au bord des larmes.

— Tu le sais très bien. Ton père s'y oppose parce que je suis catholique et il hait les catholiques, comme presque tous les Anglais.

— Mais j'ai été convertie il y a six mois par Maisie Llewelyn.

— Cela, il ne le sait pas. Nous ne pouvons nous marier que secrètement. De mon côté, la permission a été difficile à obtenir. Tu es encore si jeune... Pour éviter un scandale, il faut attendre que ton père s'absente.

— Mais aujourd'hui, aujourd'hui même !

— Tu n'y songes pas, il peut revenir d'un moment à l'autre.

— Oh ! je meurs d'amour et l'amour ne veut pas de moi.

Cette fois il prit un ton sévère qui la consterna.

— Laura, quand te conduiras-tu comme une grande personne ?

Tu me forces à te dire qu'en ce moment même je lutte contre le désir fou de te serrer contre moi. J'ai le sang chaud des hommes de mon pays. Si nous faisons une imprudence, la partie est perdue. L'Eglise d'ici est inflexible. Je ne dis pas qu'elle ait raison, mais je suis forcé d'obéir.

A son tour, elle se leva et le regarda en face.

— Tu ne m'aimes pas, dit-elle.

Sans bouger, il lui dit d'un ton impérieux :

— Viens ici.

Stupéfaite, elle avança, comme dans un rêve, de quelques pas. L'homme ne semblait plus être le même qu'un instant plus tôt. Une lueur brillait dans ses yeux verts qui faisait peur et le rendait à la fois plus attirant. Lorsqu'elle fut près de lui, elle sentit la chaleur qui se dégageait de son corps.

« Laura, dit-il d'une voix changée, redis-moi que je ne t'aime pas.

Elle se tut. Un désir étrange l'envahit tout à coup et elle n'osa rien dire, mais son visage s'empourpra.

« Tu as voulu me faire tomber dans un piège. Tu ne sais pas qu'il est dangereux de jouer à ce jeu-là avec un homme comme moi ?

Brusquement elle fut prise d'inquiétude devant ces yeux où elle crut lire de la colère, et elle se détourna, mais il la saisit par la taille et la renversa en arrière. Ce fut alors que pour la première fois elle éprouva la terreur de la faim qu'elle provoquait et elle voulut crier, mais il lui ferma la bouche avec la sienne. Tout en elle défaillit sous cette voracité.

Pendant une minute, il la tint serrée contre lui, prisonnière du premier baiser qu'elle eût reçu d'un homme, épouvantée.

Lorsqu'il la relâcha, elle s'écarta de lui et s'essuya la bouche avec la main.

D'une voix plus douce, mais les yeux toujours enflammés de cette incompréhensible fureur, il lui demanda :

« Laura, n'est-ce pas là ce que tu voulais ?

Elle ne put répondre, toute sa personne se révoltait contre cet homme et elle le regardait avec horreur, bien que jamais encore il ne lui eût paru plus beau. Elle ne pouvait comprendre qu'un visage aussi parfait se fût rendu capable d'une telle grossièreté.

Soudain il eut l'intuition de ce qu'elle éprouvait et sa physionomie changea d'un coup. Elle eut alors devant elle un être d'une douceur indescriptible qui lui souriait avec une tristesse pleine d'amour.

« Je t'ai scandalisée, ma petite Laura, j'ai cédé à un élan dont je n'étais pas le maître, c'était cela même que je redoutais quand je me suis vu seul avec toi dans ce salon, mais l'amour ne connaît pas d'obstacle.

— L'amour..., fit-elle.

— Oui, l'amour, c'est cela, cet élan terrible, ce premier baiser sauvage, dévorant... me dévorant moi aussi...

D'instinct elle recula devant lui.

— Je ne savais pas, dit-elle.

Il s'approcha et, avec une timidité d'enfant, elle lui caressa les yeux et murmura :

« Reste comme tu es maintenant, beau et tranquille. Ne me fais plus jamais peur.

Du bout des doigts, elle effleurait son front, son nez, enfin les lèvres de cette bouche qui l'avait meurtrie, et là elle s'attardait sans fin quand brusquement il lui prit les poignets :

— Non, dit-il.

Elle ouvrit de grands yeux étonnés :

— Pourquoi ? fit-elle.

Le visage adouci par une immense tendresse, il dit en baissant la voix :

— Je ne peux pas te dire pourquoi, mais cela, ne le fais pas.

Elle le regarda éblouie comme si elle voyait un ange et resta muette. Il reprit sur le même ton :

« Tu es comme une petite fille, plus encore que je ne le pensais. Mais nous nous marierons et tu verras comme nous serons heureux.

— Sois toujours comme tu es maintenant, murmura-t-elle encore.

Il ne répondit pas et le silence qui suivit leur dit tout ce qu'ils avaient à se dire ce jour-là.

Un léger bruit leur fit tourner les yeux vers la porte qui s'ouvrit avec une lenteur précautionneuse. Maisie Llewelyn parut.

— Je dérange ? fit-elle.

— Pas le moins du monde, dit Régis avec bonne humeur. Du reste vous voyez.

Ils se tenaient, en effet, debout et face à face, l'un et l'autre intimidés, mais chacun pour des raisons différentes. Miss Llewelyn n'y comprenait rien. Elle avait pourtant consciencieusement tendu l'oreille avant d'entrer, comme il se devait selon elle, et s'attendait à une aimable scène d'amour, au lieu de quoi...

« Enfin, j'espère que vous êtes contents.

Cette phrase, d'une banalité irréprochable, lui parut inexplicablement malséante et elle eût préféré ne pas l'avoir dite. Pour la première fois de sa vie elle était troublée, déçue. Le bel et jeune officier lui apparaissait comme un parti on ne pouvait plus sortable pour Laura. A l'armée comme en ville, sa droiture et la fermeté de son caractère étaient quasi proverbiales. On eût même compris qu'il se montrât un peu mauvais sujet comme l'y autorisaient sa jeunesse et son aspect d'une beauté saisissante, mais là encore on ne découvrait rien à dire ni, hélas, à redire... Il restait aussi charmant qu'énigmatique. Ce qui le rendait malgré tout intéressant était sa fortune personnelle, héritée d'un parent défunt soucieux du bonheur d'un garçon qu'il estimait d'avenir et qui lui était cher. Or, l'argent comptait aux yeux de Maisie Llewelyn. Il exerçait sur elle un mystérieux prestige comparable à de la magie. Là où elle en flairait la présence, elle était présente aussi.

Comment savoir s'il avait toujours l'intention d'épouser Laura ? Il ne fallait pas poser de questions abruptes. Des élégances de langage lui parurent nécessaires.

« Je gage, fit-elle d'un ton badin, que nous nous sommes dit des choses importantes.

— Très, dit Régis.

— Très, très, fit Laura.

— S'il y a des difficultés, ajouta la Galloise, je suis là.

— Mademoiselle Laura n'a pas seize ans. Qu'y pouvons-nous ? Elle est sous tutelle.

Ces mots, prononcés d'une voix triste, eurent le don d'exalter la nature combative de Miss Llewelyn. Ses petits yeux verts pétillèrent d'audace.

— La tutelle fléchira si je le veux, mais votre décision est-elle prise ?

— Elle n'a jamais changé. J'épouserais Laura demain matin si cela était possible, mais je ne crois pas aux miracles.

— Laissez les miracles tranquilles. Vous verrez ce que peut faire une Galloise quand elle s'y met. Mais, lieutenant, souvenez-vous de ceci : il faudra venir au premier appel.

Il s'inclina.

— Vous avez ma parole, Miss Llewelyn.

— Maisie ! s'écria la jeune fille.

Elle ne put en dire plus, l'émotion lui serrant la gorge.

— Je sais, fit Miss Llewelyn d'un air supérieur. J'ai connu tout cela dans la fleur de ma jeunesse, mais abrégeons. Lieutenant, le jour tombe et vous avez un bon bout de chemin à faire.

De nouveau il s'inclina, et, après un dernier regard d'amour à Laura, il disparut.

CHAPITRE LXX

Un peu avant trois heures du matin, un bruit de roues et de sabots de cheval tira de son sommeil Maisie Llewelyn qui dormait mal. Elle regarda par la fenêtre et ne remarqua rien. Dans la nuit d'avril, la lune répandait sur la plantation sa lumière laiteuse, donnant à ce paysage familier l'aspect irréel d'une vision de rêve malgré l'extraordinaire précision des détails. Chaque feuille se dessinait comme avec un trait d'encre noire et brillait comme du verre.

La Galloise n'admira pas longtemps ce paysage. Enfilant une robe de chambre d'un rose tirant sur le rouge, elle descendit au rez-de-chaussée et sortit. Derrière la maison, elle vit la calèche et un Noir réveillé en sursaut qui s'occupait de l'attelage.

M. de Siverac vint vers elle, nu-tête et son habit déboutonné.

— Vous allez m'aider à porter votre maître à l'intérieur, nous entrerons par la petite porte de la véranda.

Ayant dit ces mots, il ouvrit la portière de la calèche et saisit par les épaules William Hargrove gisant sur la banquette et le tira dehors. La Galloise le prit par les jambes.

— Evanoui ? demanda-t-elle.

— Je ne crois pas, simplement assommé par la fatigue et la peur. San Miguel a flambé.

Sans poser de questions, elle aida M. de Siverac à porter le voyageur inerte jusque dans la maison, puis dans sa chambre à la clarté de la lune qui inondait cette pièce à travers la mousseline des moustiquaires.

Lorsqu'ils l'eurent couché dans son lit, M. de Siverac dit à voix basse :

« J'espère que personne ne nous a vus. Dans l'état où il est, il me fait honte. Aucun courage.

— Il n'en a jamais eu, fit la Galloise avec mépris.

— En tout cas, le voilà chez lui et il dort. Il a vomi sur la route et dans la voiture.

— Il sent très mauvais. Tout à l'heure, je le laverai un peu, mais vrai... ! Les Noirs ont mis le feu ?

— Toujours la même chose. Ils attirent tout le monde hors de la maison et des complices jettent des torches au salon. Nous avons mis des heures, le col à San Raphaël était encombré de calèches. Le feu attire toujours les badauds. Je vous laisse. Veillez sur lui. Dites qu'il se repose et qu'il va bien. Dites ce que vous voudrez. Je crève de fatigue et rentre chez moi me jeter dans mon lit.

Restée seule avec William Hargrove, Maisie Llewelyn décida de le laisser dormir jusqu'au matin. Auparavant, elle le déshabilla, lui ôtant son habit et son pantalon sans qu'il en eût conscience et ne lui laissant que sa chemise et ses sous-vêtements, puis, avec une mine de dégoût, le recouvrit d'un drap et d'une légère couverture de laine. Prise malgré tout de pitié, elle lui essuya avec une éponge la bouche et ses favoris souillés de vomissures.

Cependant, elle ne quitta pas la chambre sans avoir fouillé les poches de l'habit et du pantalon étalés sur des chaises, et n'y trouva que le trousseau de clefs et le portefeuille qui ne contenait rien qu'elle ne connût déjà. C'était là ce qu'elle appelait surveiller son maître. Après quoi, elle se retira pour se reposer un peu jusqu'au matin.

Alors qu'on servait le petit déjeuner, elle parut de nouveau, cette fois tout habillée, dans la chambre de William Hargrove. Il dormait toujours. Elle le secoua par l'épaule. Péniblement il ouvrit l'œil et dit :

— Quoi ?

— Debout ! fit-elle.

Il répéta :

— Quoi ?

Dans sa robe de coton lilas sombre, elle se tenait près de lui et le dominait comme une statue du destin tandis qu'il se débattait dans sa couverture.

— Si vous dites encore « Quoi ? », fit-elle menaçante, je vais perdre patience. En bas, on ne comprend pas que vous ne soyez pas encore descendu.

— Le feu chez les Espagnols, bafouilla-t-il.

— On est au courant, mais Siverac, lui, est là comme tout le monde.

Il se tira hors du lit et se leva en s'appuyant contre une des minces colonnes. Son visage avait perdu toute dignité. Avec ses cheveux embroussaillés et ses yeux encore mi-clos, il faisait songer à un vagabond qui se sent déjà pris au collet par un gendarme.

— Je veux m'en aller, gémit-il.

Intraitable, elle lui dit :

— Nous verrons ça plus tard. Pour le moment vous allez vous laver comme il faut à la salle de bains. Je reviens dans un quart d'heure.

— Maisie, supplia-t-il.

Elle ne répondit pas et sortit en claquant la porte.

Dans la salle à manger, elle trouva à table les fils de William Hargrove, Douglas et Joshua, grands garçons de dix-sept et dix-huit ans qui buvaient leur thé avec leur sœur Laura, puis Frank, le plus jeune, le visage rose comme une fleur, et Anatole de Siverac.

Elle s'assit près de ce dernier. Tout au contraire de William Hargrove, il paraissait frais et reposé et sa mise trahissait un souci d'élégance.

— Content de vous voir, Miss Llewelyn. J'ai quelque chose à vous dire qui vous intéressera. Hier, ayant quitté San Miguel dans les circonstances que vous savez, j'ai fait arrêter la voiture avant le morne qu'il fallait contourner. La longue-vue se trouvait comme à l'ordinaire dans la calèche. Par les temps qui courent il est indispensable d'avoir l'œil sur l'horizon. Il faisait encore assez clair et j'ai pu observer au loin, dans un coin de savane où ne se dressait qu'un bouquet d'arbres, un groupe de papas-lois. Vêtus de chemises en lambeaux pendant comme des rubans sur le corps et garnis de plumes de coq, ils avaient l'air en transe. Piquées dans leurs cheveux, d'autres plumes en touffes. Ils dansaient frénétiquement et agitaient en l'air des queues de vache destinées à écarter d'eux je ne sais quel danger.

— Tout cela est on ne peut plus clair, fit Miss Llewelyn d'une voix tranquille. Ils se livrent à la danse annonçant une menace sur le pays.

— Tiens, fit M. de Siverac. Je vois que vous êtes bien informée. Il est heureux que William Hargrove ne soit pas présent pour nous entendre. Ce récit l'épouvanterait.

— Pas du tout, fit vivement Joshua. Papa est très courageux.

— Je puis vous dire, reprit Maisie Llewelyn, que sa décision est déjà prise : il veut s'en aller.

— Quitter Haïti ? s'écria Laura.

— Lui-même vous le dira. Je dois remonter le voir dans un instant... Il vous expliquera son point de vue, ajouta-t-elle d'un ton sarcastique.

— Réflexion faite, déclara M. de Siverac, je ne peux pas lui donner tout à fait tort.

— Sir, fit Joshua, que faites-vous du drapeau américain qui flotte sur la maison ?

— L'Amérique est puissante et relativement proche, dit M. de Siverac, mais, quand l'esprit révolutionnaire gagne un pays, la violence passe toutes les bornes et les drapeaux ne servent qu'à...

A ces mots, Laura poussa un cri et se cacha le visage dans les mains.

— Ne crains pas, Laura, fit Douglas en l'entourant d'un bras, nous serons là pour te défendre.

Sans même finir sa tasse de thé, Maisie Llewelyn s'éclipsa.

De retour dans la chambre de William Hargrove, elle le trouva en train de passer son pantalon.

— Nous sommes bien lent, fit-elle d'un ton sévère.

Il lui jeta un regard mauvais sans répondre.

« Propre, en tout cas, j'espère, fit-elle.

— Vous ne sentez pas l'eau de Cologne ?

— L'eau de Cologne ne prouve pas qu'on s'est bien lavé. Elle masque tout au plus les odeurs.

— Maisie, il y a des moments où je vous déteste.

— Il y en a d'autres où il vous la faut, votre Maisie. Allons, peignez-vous, mettez votre habit et descendez. Tâchez de vous conduire comme un homme.

Cinq minutes plus tard, ils étaient en bas.

— Eh bien, William, bonjour, dit Anatole de Siverac, il paraît que vous méditez de partir.

— C'est tout réfléchi, fit Hargrove en s'asseyant. J'en ai assez d'un pays où les plantations se mettent à flamber dans tous les coins.

— Pas par ici, Sir, dit Joshua. Le drapeau américain...

— La bannière étoilée, Papa, fit Douglas d'un ton pénétré.

Toute une colère accumulée gonfla le torse de William Hargrove et il prit un ton énergique :

— Boys, dit-il, faites vos valises. Nous partons demain pour Port-Haïtien et de là pour l'Amérique.

— Voilà qui est parlé, commenta Maisie Llewelyn.

Les deux garçons se levèrent.

— Sir, fit Douglas, je ne comprends pas.

— Je vous mène en Louisiane et de là en Virginie, à l'Université. Vous avez l'âge.

Du coup, les deux garçons se regardèrent.

— L'Université de Virginie ! firent-ils d'une voix, la mine extasiée.

— Jeune université, mais déjà célèbre dans toute l'Amérique. Une université de gentlemen, remarqua Anatole de Siverac.

— C'est du moins sa réputation, dit Maisie Llewelyn.

— Et combien de temps penses-tu être absent ? demanda Siverac.

— C'est selon.

— Incertitudes et précipitation, fit Maisie Llewelyn, voilà ce qui ressort de votre projet.

— Miss Llewelyn, je vous prie de vous taire, dit William Hargrove.

Elle s'inclina.

— Mr. Hargrove, mes excuses, fit-elle hypocritement.

Hargrove se tourna vers Siverac.

— Comptez deux bons mois, deux mois et demi, dit-il. Miss Llewelyn, occupez-vous de mes bagages. Je veux que tout soit prêt dès ce soir. Boys, préparez-vous et n'oubliez rien. Nous quittons la plantation demain à l'aube pour éviter la chaleur.

La précision avec laquelle il donnait ces ordres lui conférait une autorité qui surprit les personnes présentes, à l'exception de Maisie Llewelyn.

— Cela vous fera une nuit bien courte, déclara-t-elle, et je prévois qu'elle sera blanche. Vous aurez beaucoup de travail.

— Miss Llewelyn, je n'ai pas de directives à recevoir de vous, dit-il, et il la foudroya d'un regard qui fut accueilli d'un fin sourire.

— Mr. Hargrove, je fais mon devoir.

Cette passe d'armes amusa beaucoup Siverac qui depuis longtemps voyait clair dans la situation.

— Les esclaves ont parfois des instincts de révolte, commenta-t-il d'un air sagace. Ici même, ils sont à surveiller.

— Oh ! s'écria l'innocent Joshua, puisque vous ne partez pas, nous comptons bien que vous saurez défendre la plantation.

— Et notre chère Laura, fit Douglas en se penchant vers sa sœur dans un élan d'affection.

— Soyez sans inquiétude, les garçons, dit Siverac, prises à temps, ces petites velléités d'insubordination, cela se mate, se calme.

Dans un éclair, William Hargrove eut la certitude qu'il s'agissait de lui dans ces propos sournois, et, blême de rage, il quitta brusquement la salle à manger.

— Et moi ? dit tout à coup le jeune Frank.

Agé de quatorze ans, son joli visage pensif sous une masse de cheveux noirs ne trahissait aucune émotion, seuls ses grands yeux sombres allaient de l'un à l'autre avec une curiosité tranquille.

— Toi, tu restes avec moi, lui dit Laura à mi-voix. Frère et sœur, on sera ensemble. Ne t'en va pas.

En disant ces mots, elle lui jeta un coup d'œil plein de détresse. Il sourit et lui serra la main sous la table.

CHAPITRE LXXI

Jusqu'à l'après-midi, la vie continua plus ou moins comme à l'ordinaire, mais, ce soir-là, la maison fut sens dessus dessous. Les Noirs allaient et venaient dans l'affolement des grands départs, chargés de valises, de paquets, parfois de costumes sur des porte-habit qu'ils tenaient d'un doigt. Des repas circulaient sur des plateaux et des portes s'ouvraient sans cesse pour lancer d'impatients appels.

Maisie Llewelyn s'enferma dans la chambre de William Hargrove, encore tout ému des incidents de la matinée. Elle lui adressa quelques bonnes paroles :

— Remettez-vous, mon ami. Vous avez l'air tout égaré. Laissez faire. On s'occupe de vous, de votre voyage, de votre confort. Les domestiques ont reçu des ordres.

Il se laissa tomber sur une chaise.

« Ce voyage, dit Maisie Llewelyn, je l'avais prévu, je sentais venir chez vous ce désir de fuite...

— Mais je reviendrai, je reviendrai... c'est pour mes garçons, ils seront mieux là-bas qu'ici.

— Bien sûr, bien sûr. Mais le temps passe et nous avons beaucoup à faire.

Il maugréa quelque chose qu'elle ne comprit pas et subitement un retour de colère s'empara de lui :

— Je n'aime pas la façon dont me parle Siverac, fit-il en serrant les poings.

— Oh ! ne recommencez pas, oubliez, oubliez tout cela. Dans vingt-quatre heures vous serez loin l'un de l'autre.

— Son insolence. Monsieur se prend pour un grand seigneur...

— ... parce que son grand-père avait la particule qu'il a laissée tomber à la Révolution. Quelle importance ? Il vous a taquiné un peu ce matin, mais au fond il vous aime bien.

— Charmé de l'apprendre.

Il fit quelques pas, les mains croisées dans le dos. La chambre était haute de plafond et si vaste que les meubles de grandes dimensions y semblaient perdus entre les murs peints en vert clair : le très majestueux lit à colonnes drapé de voiles blancs, le fauteuil à bascule en bois noir et garni de paille tressée, enfin, au milieu de la pièce, une énorme table de travail entourée de chaises au dossier hors de toutes proportions, sculpté dans le style hollandais qui faisait fureur en Angleterre cent ans plus tôt. Toutes les croisées étaient emprisonnées dans des moustiquaires de mousseline blanche. Seul un dallage de tomettes roses jetait une note de couleur vive et heureuse dans ce décor d'une austérité voulue. Rien n'y suggérait en effet, même de loin, que ce fût là un nid d'amour.

— Avez-vous faim ? demanda-t-elle. Voulez-vous que je vous fasse monter un plateau ?

— Oh ! non, Maisie. Je ne me sens pas d'appétit.

— Moi non plus, du reste. Et puis nous avons à travailler cette nuit, toute la nuit peut-être.

— Travailler ! fit-il avec horreur.

— On ne part pas comme ça, sur un coup de tête, sans mettre d'abord ses affaires en ordre.

— Mes affaires ? Je ne comprends pas.

— Vous comprendrez dans un moment.

Il s'écarta d'elle comme si elle devenait dangereuse et alla se réfugier à une fenêtre derrière le voile de mousseline.

Pareille à une vision subite, la plantation lui apparut dans la lumière de la lune et jamais ne lui sembla d'une beauté aussi prenante, aussi impérieuse dans sa force de séduction. Tout au loin, entre deux mornes dans leur manteau de verdure, la mer se voyait d'une blancheur d'argent alors que tout à l'horizon scintillaient faiblement de vagues petits points rouges : Port-Haïtien.

Le cœur de William Hargrove se serra. Il se rendit compte qu'il s'attachait à cette île aujourd'hui chargée de menaces, ensorcelante aussi.

— Misère ! s'exclama-t-il.

— Qu'avez-vous donc ? demanda la Galloise.

Se dégageant des rideaux de mousseline, il vint vers elle.

— Je n'y peux rien, cela me rend triste de m'en aller.

— Bah ! vous allez revenir.

La tête penchée de côté, il murmura :

— Séparé de vous pendant des semaines. Cette nuit est la dernière, Maisie.

Il tenta de l'embrasser, mais elle le repoussa fermement.

— Non, mon ami, fit-elle avec un sourire impitoyable. Plus tard, peut-être.

— Plus tard ? Quand plus tard ? Pourquoi pas tout de suite ?

— Pas question.

— Oh ! méchante Maisie !

— Le devoir d'abord, les tendres aveux après. Suivez-moi, paresseux.

Elle lui saisit le bras d'une main vigoureuse et le mena à la grande table, où elle le fit asseoir tout près d'elle.

Etait-ce pour le rendre plus docile en narguant le désir ? Elle portait un peignoir lilas qui, très discrètement, s'ouvrait sur sa gorge.

Quoi qu'il en fût, ils travaillèrent. D'un profond tiroir de la table, elle fit sortir une, puis deux, puis encore une chemise, toutes trois bourrées de documents sur papier du format dit légal. L'un après l'autre seulement, pour ne pas démoraliser le malheureux, ils furent soumis à sa signature.

Une petite lampe à huile munie d'un abat-jour vert foncé diffusait une lumière studieuse sur des colonnes d'additions à vérifier. Dehors, les cigales grinçaient dans les branches des arbres. Indifférente à ce bruit agaçant, la voix raisonnable de Maisie Llewelyn chatouillait l'oreille du propriétaire de la plantation.

« Ici vous avez le compte d'Oreste Lepou à qui vous vendez soixante balles de coton et qui ne vous en a réglé que trente-cinq... Vous attendez le règlement. Il y a une formule à cet effet.

Elle lui tendit une plume trempée dans l'encre, et il signa d'une main moite.

Vint ensuite une vente de terrain. Signature.

Plus grave, suivait la protestation d'un voisin qui refusait d'abattre un mur gênant la culture d'un plant de tabac, tout au fond de la plantation. Donc sommation à Népomucène Tuvache de se conformer à la loi en usage dans le pays. Signature.

De sa main patiente, elle enlevait les grandes feuilles chuintantes et les posait méthodiquement près d'elle sur la table. Il y en avait des douzaines.

William Hargrove accordait à chaque feuille un regard assez bref, car, depuis la mort de sa femme, plus attentive que lui à la gestion des biens de famille, il s'en remettait à Miss Llewelyn dont les capacités financières étaient connues, mais cette nuit elle ne s'était jamais encore montrée à ses yeux aussi soucieuse de ses biens et l'idée troublante lui vint à l'esprit qu'elle le croyait en danger de disparaître. Malgré cela, il admirait sa rectitude, sa manie du détail quand il s'agissait de sauvegarder les intérêts de la plantation.

Feignant de se prendre à ce jeu de vérification, il avançait la tête et promenait la vue sur ces colonnes de chiffres suivies de paragraphes en lettres moulées, puis, l'examen terminé, Miss Llewelyn demandait : « Vu ? » et la feuille disparaissait.

Une lassitude grandissante alourdissait les paupières de William Hargrove et il en arrivait à dire « Vu » presque en même temps que la Galloise qui, elle, demeurait droite, mais peut-être un peu plus rapide dans sa façon de tourner le poignet à chaque nouveau document.

La première chemise vidée, la deuxième fut entamée avec un regain d'application comme si un nouveau souffle animait la surintendante de la plantation.

A un moment, William Hargrove poussa un petit gémissement et déclara :

— Je trouve que cette opération a quelque chose de funèbre. J'ai l'impression de m'enterrer moi-même sous ces papiers.

— Ce sont là des rêveries, fit-elle avec un sourire, mais tenez-vous bien éveillé, à partir de maintenant je vais vous demander quelques signatures. Nous abordons des problèmes plus sérieux.

— Ah oui ? dit-il d'une voix indistincte.

— Ceci, par exemple, émane des Etats-Unis.

— Qu'ai-je fait ?

— Rien. Etes-vous d'accord comme sujet britannique sur les lois américaines concernant la propriété des biens ?

— Mais oui, oui !

— Signature.

Il signa. La feuille fut posée de côté.

« En cas de différend, vous avez recours au consul des Etats-Unis.

— Oui.

— Signature.

D'autres documents de ce genre furent soumis à la signature de sa main lasse. Miss Llewelyn, prenant pitié de son état, lisait d'une voix de plus en plus rapide, mais toujours très distincte : elle articulait à ravir. Les textes se faisaient très embrouillés dans un triomphe de jargon légal. Cependant, la formule de Miss Llewelyn ne variait pas.

« Vu ? Signature.

— Vu, signature, répétait-il mécaniquement en gribouillant son nom au bas de chaque page.

— C'est bien, approuva-t-elle en repliant la deuxième chemise. Vous travaillez comme un ange. Attaquons la troisième et dernière chemise. Cette fois je veux des signatures plus lisibles. Appliquez-vous, mon ami.

Il promit de s'appliquer et elle se remit à lire avec une diction qu'eût enviée une grande comédienne ; aussi, étant si précise, se permettait-elle de précipiter son allure.

« Vous me suivez ? demanda-t-elle, tout à coup scrupuleuse.

— Très très bien.

En réalité il ne la suivait plus depuis longtemps : les textes qu'elle lui soumettait se brouillaient dans une sorte de nuage grisâtre, et il signait.

— Li-si-ble-ment, commandait la voix autoritaire.

Des gouttes de sueur perlaient au front de William Hargrove, et, serrant la plume avec la rage d'en finir, il arrivait à produire une signature exemplaire. Dehors, les cigales s'étaient tues et de tous les côtés montait le sourd beuglement des crapauds-buffles.

Encore et encore il signa de son mieux, mais la Galloise ne prenait plus la peine d'accélérer. Cela n'était plus nécessaire. Les dernières feuilles étaient sans importance. Elle les laissa dans leur chemise privées de signature. William Hargrove, affalé sur la table, dormait.

CHAPITRE LXXII

Les dernières étoiles s'effaçaient dans le ciel. C'était l'heure la plus noire, celle où l'aube hésite encore devant la nuit qui ne veut pas mourir. La Galloise rouvrit la dernière chemise pleine de documents signés et en tira un qu'elle relut avec soin à la clarté de la petite lampe. Un grand sourire rendit au visage de Maisie Llewelyn un peu de la jeunesse que la fatigue lui avait fait perdre.

Sans hâte, elle traversa la pièce et alla enfermer à double tour le précieux papier dans un tiroir de sa commode.

Une lueur blafarde rampait au bas des rideaux et s'étalait comme un lac sur le dallage rose. La femme alla poser la main sur l'épaule du dormeur qui frissonna et leva vers elle un visage hagard.

— Allez vite vous débarbouiller, mon ami, lui dit-elle. J'entends déjà de la rumeur dans la maison. Vos fils sont debout. Vous n'avez que le temps de vous apprêter pour sauter en voiture.

— Maisie ! s'écria-t-il.

Ses mains tentèrent de s'accrocher à elle, mais elle se dégagea sans peine.

— Ce sera pour plus tard, quand vous serez de retour, dit-elle en riant aux éclats. Consolez-vous, Willy, et partez la conscience tranquille. Vous avez bien fait votre devoir.

CHAPITRE LXXIII

Quand le soleil se leva, les voyageurs étaient déjà loin de la plantation. A présent, libre d'agir à sa guise, Maisie Llewelyn mena les choses tambour battant.

Un mot de sa part fut envoyé au lieutenant Régis, le priant de venir au plus vite, et, le lendemain matin, il était là. Elle s'enferma aussitôt avec lui et Siverac dans un petit salon et leur tint le discours suivant :

— Après de patients efforts et de longues discussions avec William Hargrove, aujourd'hui en route pour la Louisiane avec Douglas et Joshua, j'ai obtenu sa signature au bas du document que je vais vous lire :

> Je soussigné, William Hargrove, propriétaire de la plantation dite du Nouveau Monde dans la république d'Haïti, étant obligé de m'absenter pour une période indéterminée,

mais qui peut être longue, délègue à Anatole de Siverac, mon ami et voisin, ainsi qu'à Miss Maisie Llewelyn, surintendante de mes biens, le pouvoir et les droits de tutelle sur la personne et les biens de ma fille Laura née en 1809 d'un mariage avec défunte Lady Escridge. Ils auront pour devoir de faire célébrer son mariage dans l'Eglise catholique, avec le lieutenant Régis de Lavaur, à la date choisie d'un commun accord.

Signé le 8 avril 1824 à la plantation dite du Nouveau Monde à Haïti.

William Hargrove.

« Il ne nous reste plus qu'à signer à notre tour ce document que M. Siverac et moi porterons à la connaissance de M. le curé de Saint-Michel, l'église paroissiale de Dondon.

Sur ce, elle tendit le document au lieutenant Régis, qui le prit d'une main que l'émotion faisait légèrement trembler. Ses yeux se dirigèrent vers Siverac, muet d'admiration pour cette façon d'agir.

Le visage du jeune officier rayonnait d'un bonheur qui le rendait encore plus séduisant qu'à l'ordinaire, au point que la Galloise elle-même en fut frappée. Il avança un peu vers elle :

— Comment vous dire..., commença-t-il.

D'un mot elle coupa court à ces remerciements qui s'annonçaient éperdus :

— Abrégeons, dit-elle... Il faut faire vite. Un mariage régulier ne s'improvise pas, même s'il se fait discrètement. Les bans ne sont pas indispensables, mais il y a des préparatifs. Il ne faut pas que cela ait l'air d'être fait à la sauvette. D'autre part, je connais Hargrove. Il est capable de revenir laissant ses fils se débrouiller tout seuls, les poches bien garnies. Et il essaiera de tout empêcher.

— Il fera du scandale, dit Siverac.

Elle lui jeta un regard qui lui fit battre des paupières.

— Du scandale ! fit-elle indignée. Je voudrais bien l'y voir. Je le fais rentrer sous terre comme je veux, d'une phrase. Comprenez-moi, dit-elle d'un ton radouci au lieutenant Régis, je veux que cela se fasse dans la décence et la simplicité avec un rien de mystère. Mr. Hargrove saura quand je le jugerai bon. Est-ce clair ?

Le lieutenant s'inclina.

« Vous connaissez M. le curé ?

— Un peu. Je le vois tous les dimanches à la messe.

Baissant un peu la voix comme par un scrupule de pudeur, il ajouta :

« Puis-je oublier qu'à la messe du dimanche je vis Miss Laura pour la première fois... Chaque dimanche elle est là avec sa nounou noire, la gentille Betty.

Le temps d'un éclair, Maisie Llewelyn sembla prise de court et se rattrapa aussitôt :

— Oh... Ah... A la messe tous les dimanches, mais c'est très bien. Pour ma part, j'y vais aux grandes fêtes.

— Moi aussi, fit Siverac.

— M. le curé nous connaît, ajouta Maisie Llewelyn. D'autant plus qu'à la quête nous faisons bien les choses. Ces détails ont leur importance dans les rapports avec...

Elle n'osa achever la phrase. Siverac lui vint en aide :

— ... les autorités ecclésiastiques, vous avez raison, que diable... On est catholique ou on ne l'est pas. Ma famille depuis vingt générations...

— Monsieur Siverac, nous nous égarons, fit la Galloise, le temps presse. Lieutenant Régis, nous allons travailler à votre bonheur. Dès qu'il le faudra, vous serez alerté. J'ose vous dire à bientôt.

Le lieutenant s'inclina de nouveau et se retira.

Sans délai, Miss Llewelyn se rendit avec Siverac à la petite église catholique d'une grosse bourgade voisine de la plantation. M. le curé Chautard les reçut dans une assez modeste maison blanche tenue en ordre de façon exemplaire par une vieille domestique et dont les murs étaient couverts de clématites d'un rouge violet.

L'air à la fois saint et matois, le vieil abbé Chautard, natif du Périgord, examina le document derrière ses besicles.

— Un mariage par délégation de pouvoirs tutélaires, dit-il enfin, c'est tout à fait inhabituel, mais puisqu'il y a la signature de M. « *Argrove* »...

La phrase resta en suspens et les deux visiteurs attendirent dans un silence patient. Le vieux prêtre continua :

« Je n'ai pas le bonheur de compter M. “ *Argrove* ” parmi mes paroissiens, mais le document n'en garde pas moins sa validité.

— N'est-ce pas ! fit Maisie Llewelyn.

Dans son français suranné, le vieux prêtre poursuivit :

— En récompense, j'ai l'avantage de bien connaître Mlle Laura Argrove et le lieutenant Régis, l'un et l'autre d'une piété assidue.

Maisie Llewelyn et Siverac tournèrent distraitement les yeux vers les arbres qu'on voyait par la fenêtre.

« Le mariage ne pourra se célébrer avant trois semaines, même sans la publication des bans, puisque l'auteur de ce document n'en veut pas.

— Bah ! les amoureux prendront patience, fit Siverac d'un ton badin. Ces vénérables formalités ont leurs exigences.

— Faites excuse, monsieur, il s'agit d'un sacrement.

La mise au point fut faite d'un ton net qui fit tressaillir la Galloise.

— M. le curé a raison, fit-elle en lançant un regard épouvantable à l'étourdi.

La visite eut pour conclusion la remise d'une somme importante destinée aux pauvres. Le prêtre remercia dignement.

— Ce sont les pauvres qui vous recevront au Paradis, dit-il en les raccompagnant à la porte.

CHAPITRE LXXIV

Pour Laura et le lieutenant Régis, informés de la nouvelle, les trois semaines s'écoulèrent dans de mortelles lenteurs. Ils se voyaient le plus souvent possible, des permissions de faveur étant accordées au jeune officier modèle. Le pont emporté par les pluies était rétabli sur la Grande Rivière et on lui confiait une autre tâche qui le rapprochait encore de la plantation : la route de Marmelade coupée par un torrent en plusieurs endroits.

Dans ses entretiens avec l'adorée, Régis avait à cœur de l'assurer que jamais plus il ne se conduirait avec la sauvagerie qui l'avait scandalisée. Elle le croyait, elle ne demandait qu'à voir en lui un ange. Lui eût-on fait malicieusement remarquer que les anges n'ont pas de sexe qu'elle eût fait effort pour le croire. Le peu qu'elle savait de l'anatomie masculine lui inspirait de l'effroi mêlé de dégoût. Entre le visage éblouissant de pureté et l'indescriptible horreur située plus bas et mal dissimulée, elle ne voulait pas admettre qu'il y eût un rapport de communication. Pour se tranquilliser elle-même et ne pas ternir l'image qu'elle se faisait de Régis, elle se persuadait que de toute manière il lui épargnerait les brutalités barbares dont certaines de ses compagnes de classe lui avaient parlé un jour avec des mines d'extase.

— Reste toujours comme tu es, disait-elle parfois à son fiancé perplexe.

De son côté, Maisie Llewelyn vivait des heures d'inquiétude, se jetant aux fenêtres quand elle entendait le bruit d'une voiture devant la maison. L'idée que William Hargrove pouvait revenir inopinément la tenait éveillée une partie de la nuit. Elle était résolue, s'il reparaissait avant le mariage, de le réduire au silence en le terrorisant. Capon comme il l'était dans l'âme, il tremblait qu'elle ne révélât ce que le monde ne devait jamais savoir sur leurs relations inavouées depuis la mort de Lady Escridge, sa femme. Ce moyen déshonorant de coercition, la Galloise espérait malgré tout ne pas être obligée d'y avoir recours.

Ses craintes étaient vaines. Un matin, la cloche de la petite église tinta doucement et le mariage fut célébré presque à l'insu des habitants. Assez pauvre d'aspect, ses murs blanchis à la chaux, l'édifice s'ornait à l'intérieur de statues peintes en couleurs vives. On voyait la Madone couronnée d'étoiles et l'archange Michel en cuirasse pointant sa lance dans le vide, le démon, même vaincu, n'ayant pas accès au lieu saint. Sur l'autel, un beau Christ de cuivre doré brillait entre de grands cierges dans de lourds candélabres d'argent. L'ensemble faisait une impression indéfinissable de magnificence modeste et par cela même émouvante. Régis portait son uniforme de parade, mais avait laissé son épée à la caserne. Vêtue simplement de mousseline blanche — où se fût-elle, en effet, procuré une robe de satin ? —, Laura s'était recouvert la tête d'un voile, mais ce qui provoquait la stupeur était sur sa poitrine une parure d'émeraudes d'une splendeur royale. Retenue autour de son cou par une chaîne d'or, elle étincelait dans les rayons de soleil et la jeune mariée devait en éprouver une gêne, car elle s'efforçait de la dissimuler sous une légère écharpe de soie blanche dont elle croisait les bouts sur sa gorge.

Les fiancés s'avancèrent, la main dans la main, vers l'autel, et, devant la beauté presque surnaturelle de ce jeune couple rayonnant de joie et de jeunesse, le vénérable abbé Chautard lui-même ne put cacher son émerveillement. Il les connaissait bien cependant, mais, ce matin-là, ils lui semblèrent venus d'un autre monde.

Derrière ces deux êtres parés d'une grâce étrange, Maisie Llewelyn dans une robe mauve et Siverac en costume de bal faisaient, sans du tout le savoir, assez pauvre figure, alors que la petite Betty, épanouie de bonheur, suivait timidement et se fit encore plus petite dans un coin, sur un prie-Dieu.

La cérémonie ne fut pas longue. L'abbé Chautard adressa aux nouveaux mariés un discours bref, mais ému, car il les aimait beaucoup. Il était impossible qu'il n'eût pas remarqué la parure d'émeraudes, pourtant il s'abstint de poser aucune question. Il n'en fut pas de même de Siverac et de la Galloise. A peine l'abbé Chautard avait-il disparu dans la sacristie qu'ils voulurent savoir…

Le lieutenant, tout à la griserie de cette heure unique, demeura interdit de se voir interrogé alors qu'ils étaient tous encore dans l'église.

— C'est, dit-il rapidement, mon cadeau de mariage à ma femme. Viens, Laura.

Seuls dans le bas de la nef, avec Betty qui ne pipait mot, Siverac et Maisie Llewelyn se regardèrent.

— Je saurai bien faire parler la petite, murmura-t-elle en trempant le bout des doigts dans le bénitier.

Et elle se signa.

CHAPITRE LXXV

Pendant les quelques jours de permission accordés au lieutenant Régis, les nouveaux mariés occupèrent la chambre de William Hargrove. Laura ignorait tout des relations de ce dernier avec la Galloise, mais, devant le grand lit à colonnes, elle dit à son mari :

— C'est dans ce lit que je suis venue au monde. Maman l'aimait beaucoup, elle l'avait fait venir de Virginie.

Il la saisit dans ses bras et l'étreignit à l'étouffer.

« Oh ! tu me fais mal, dit-elle en riant, ce sont ces belles émeraudes…

Il la libéra, lui aussi riant de bonheur.

— Sont-ils curieux, fit-il, ces deux-là à l'église !

— Oh ! je sais, Miss Llewelyn surtout.

— Ecoute, s'ils te tourmentent pour tout savoir, tu leur diras que j'ai hérité ces bijoux de ma grand-mère qui les avait reçus en cadeau d'un vice-roi du Pérou alors qu'elle habitait Madrid.

— Un vice-roi au Pérou !

— Mon amour, je ne peux pas t'en dire plus parce que c'est tout ce qu'on m'a dit. Je sais seulement qu'elle passait pour belle, d'une beauté étourdissante — moins étourdissante que toi ! s'écria-t-il tout à coup.

Et avec des gestes d'une douceur extrême, il lui ôta la parure et lui déboutonna son corsage.

Elle prit peur aussitôt et supplia :

— Non, pas maintenant.

Et, cherchant une raison dans son affolement subit :

« Ils préparent le déjeuner, fit-elle.

— Je ne vois pas bien le rapport, dit-il avec un sourire triste, mais cette nuit, ma bien-aimée...

— Tu promets que tu seras gentil et que tu ne me feras pas peur... comme au salon ?

— Il faut oublier, Laura, tu verras comme je sais être gentil.

La table, ce jour-là, était jonchée de fleurs blanches, jasmins entrelacés d'iris et d'amaryllis, qui exhalaient de lourds parfums sournoisement capiteux. On servit du champagne que William Hargrove avait fait venir de Paris... Maisie Llewelyn avait pensé à tout pour donner à ce déjeuner un air de fête... Des stores d'un rose passé ménageaient une agréable pénombre et les pankas remuaient mollement au-dessus des convives comme s'ils ramaient dans l'air tiède.

A la prière de son mari, Laura portait la parure d'émeraudes dont Maisie Llewelyn ne pouvait détacher les yeux, et, le moment du dessert venu, comme une sorte de gourmandise de surcroît, le lieutenant Régis en donna brièvement l'histoire.

— ... du vice-roi du Pérou ! s'exclamèrent en même temps Siverac et la Galloise.

Leur admiration touchait avec indécence à une convoitise mal dissimulée. Au fond de leurs prunelles avides se supputait la valeur énorme de ces joyaux éblouissants.

— Madame votre grand-mère devait être belle à étourdir des monarques, fit Siverac d'un ton sentencieux.

— Un vice-roi en tout cas, fit Régis en levant les sourcils avec un sourire modeste.

Laura mourait de honte tout en affectant de tripoter avec sa cuiller une glace à la pistache... Elle souffrait de voir qu'on lui enviait sa parure et soupirait intérieurement après la minute où elle pourrait caresser encore et encore le beau visage de son Régis.

Vint enfin cette nuit si ardemment désirée, mais l'un devant l'autre ils se sentaient pris d'une gaucherie d'enfants. On eût dit qu'ils avaient peur de l'amour. En réalité, Régis était gêné par la passion mêlée d'effroi qu'il inspirait. Par un geste inattendu, au lieu de porter la main au corsage de Laura, comme il l'avait fait le matin même, il dégrafa son dolman et elle se sauva.

— Reste comme tu es, suppliait-elle derrière le fauteuil à bascule.

Le comique de la situation le fit rire malgré lui :

— Mais, mon amour, dit-il, pourquoi penses-tu que nous sommes là ? Je ne vais pas te faire de mal, je t'adore.

Elle courut à la porte fermée à clef et voulut l'ouvrir, mais il la rejoignit d'un bond, haletante comme un animal pris de terreur. Dans un effort pour l'apprivoiser, il lui parla avec douceur tout en lui tenant les mains :

« Nous allons simplement nous mettre au lit comme deux personnes fatiguées qui veulent dormir. Tu ne veux pas dormir près de celui qui t'aime tant ?

— J'ai peur du noir. Tu n'éteindras pas la lumière ?

Il promit tout ce qu'elle voulut. Après un long dialogue plein de ruse et de tendresse chez l'un, d'amour et de méfiance chez l'autre, ils se déshabillèrent chacun de son côté. Elle se glissa la première au lit et se cacha la tête sous les draps pour ne pas voir ce qu'il faisait. Bientôt il fut près d'elle.

« Tu n'éteins pas, dit-elle.

— Puisque je te l'ai promis...

Le cœur débordant de tendresse, elle lui passa la main sur la joue, heureuse et rassurée, quand tout à coup elle sentit le corps de Régis tout entier le long du sien et se mit à hurler, mais il la réduisit au silence en posant sa bouche sur la sienne et passa les deux bras amoureusement autour d'elle comme autour d'une enfant.

A l'aube, il lui parla. Son long silence l'avait surpris d'abord, puis inquiété.

— Tu as un peu souffert, Laura, mais c'est fini.

Elle chuchota :

— Oui, c'est fini.

Par un geste de petite fille, elle lui caressa le visage comme pour le consoler de la douleur infligée.

— Et ensuite, cela t'a fait plaisir, non ?

Elle ne voulut pas répondre.

« Tu verras, dit-il enfin, la prochaine fois, tu seras contente.

Le plaisir, elle l'avait reçu d'une façon foudroyante, dans un émerveillement des sens qui ne s'y attendaient pas, mais elle ne pouvait rien à la révolte que provoquait au fond d'elle-même ce choc de la volupté. A cause de cela, elle avait tenu les yeux fermés pour ne pas voir. La nuit suivante, cependant, quand il eut quitté le lit, elle l'aperçut dans une grande glace, traversant la pièce, et, devant la grâce de ce corps jeune et souple, elle eut la révélation de la lutte qui s'engageait en elle contre un asservissement total. Elle ne voulait pas de ce qu'elle voulait de tout son corps et de tout son cœur.

« Il ne le saura jamais », se dit-elle quand la lampe s'éteignit et qu'épuisé de bonheur il tomba dans le sommeil. « Il ne le saura pas parce que je l'aime trop... »

L'enfant avait vécu. C'était maintenant la femme qui parlait. « Je l'aime trop, se redisait-elle, je l'aime trop... »

Au moment où elle allait glisser elle-même dans l'abîme, une voix inconnue lui souffla :

— Qui n'aime pas trop ne connaît pas l'amour.

CHAPITRE LXXVI

Au bout de quelques jours, sa permission achevée, il partit et elle se mit à souffrir.

« Amoureuse, se dit-elle. Désormais toute ma joie dépend de la présence d'un seul être, toute ma vie. »

Elle se défendait toutefois de rien laisser paraître de sa tristesse. A la voir sourire lorsqu'elle se trouvait en compagnie de M. Siverac et de Miss Llewelyn, on ne pouvait soupçonner qu'elle se sentît malheureuse. Sans prendre part à leur conversation aux repas, elle écoutait avec attention ce qu'ils avaient à dire. Lui importaient surtout les nouvelles.

Le jeune Frank, lui aussi, prêtait une oreille de plus en plus avide d'entendre des bouts de récits parfois alarmants. Avec son petit nez retroussé et ses yeux marron grands ouverts, il était l'image de l'innocence aux aguets et, de temps en temps, il donnait de la voix, mais l'ordre de se taire lui fermait aussitôt la bouche.

— Je vous avoue, dit un matin M. Siverac, que si notre vaste drapeau américain ne claquait pas dans la brise au-dessus de nos têtes, j'aurais déjà quitté cette région.

— De nouvelles plantations qui flambent ? demanda Miss Llewelyn. Cela finit par devenir banal.

— On chasse et on pourchasse l'Espagnol dans la partie de Saint-Domingue, mais il y a du nouveau : on a vu un prêtre-savane accompagné de papas-lois diriger les incendiaires, des bandes de mulâtres maintenant.

— On ne peut pas avoir peur de tout. Moi, ces Noirs en longues soutanes flottantes couvertes de gris-gris me semblent comiques. Il y en a qui ajoutent un surplis de dentelle blanche en lambeaux, comme si un chat y avait fait ses griffes. Ridicule.

— Peut-être, mais ils fanatisent Noirs et mulâtres.

— Et après ? Les navires anglais qui croisent au large, c'est pour voir du pays peut-être ?

— Je voudrais voir un prêtre-savane, ça doit être tordant ! s'écria Frank tout à coup.

— Silence, fit Miss Llewelyn. Et mange ta compote. Laura, dit la Galloise qui observait la mine plus sérieuse de la jeune mariée, n'écoutez pas trop notre ami. M. Siverac se plaît à faire frissonner son auditoire. Nous sommes ici en parfaite sécurité.

— Je ne pense pas seulement à moi, fit Laura.

— Si c'est à Régis, là encore soyez sans inquiétude. Grande-Rivière n'est pas menacée, ni Dondon, ni Marmelade. Du reste, votre mari est là avec des soldats qui travaillent sous ses ordres et qui nous viendraient en aide, au besoin.

— Vous croyez, fit M. Siverac en veine d'ironie, qu'ils planteraient là leur pont en réfection pour accourir chez nous avec leurs fusils ?

— Si leur lieutenant le leur commandait, à coup sûr. Ils l'adorent.

— Laura, croyez-moi. Comptez plutôt sur la bannière étoilée.

— Monsieur Siverac, je trouve que vous allez loin, fit sèchement la Galloise, les yeux pleins d'éclairs.

Laura devint pâle et, se levant soudain, quitta la salle à manger.

« Siverac, s'écria Miss Llewelyn, vous lui devez des excuses ou vous êtes un sans-cœur.

A son tour, il se leva.

— Bon ! fit-il, on y va, mais qu'elle est agaçante avec sa sensibilité à fleur de peau, la petite dame !

Restée seule avec Frank, Miss Llewelyn lui dit gravement :

— Tu ne dis pas un mot de ce qui vient de se passer, Frank. Je veux ta parole d'honneur.

— Parole d'honneur, fit-il abasourdi, mais fier qu'on lui parlât comme à un homme.

Miss Llewelyn le regarda tout en tournant sa cuiller à café dans sa tasse.

— As-tu peur, ici ? demanda-t-elle.

— Oh ! non, fit-il, la poitrine gonflée d'un héroïsme tout neuf.

Il laissa passer un moment et demanda :

« M. Siverac a peur ?

— Je n'ai pas dit cela, fit-elle vivement. M. Siverac est très courageux, mais il craint pour Laura. Il a dû apprendre quelque chose qu'il garde pour lui.

La conversation en resta là. Frank alla s'occuper de son poney de cette race légère et vigoureuse de l'île, qui grimpait comme une chèvre, alors que Maisie Llewelyn gagna sa chambre aux volets et aux moustiquaires bien tirés. Dans une agréable pénombre qui la reposait des disputes, elle fit d'abord sauter en l'air ses grands souliers et se jeta sur le lit double, bras et jambes écartelés en X, puis elle soupira et se mit à marmonner :

— Ce gamin voit juste, bien sûr M. Siverac a peur. C'est évident. Moi aussi j'ai peur. Tout le monde a peur, mais on ne bronche pas en public bon sang, on fait semblant de rester crâne surtout quand on a ce qu'ils appellent de la race. La particule de grand-papa, M. de Siverac, savez-vous ce qu'elle fait ? Je vais vous le dire : elle bourdonne dans l'espace comme une grosse mouche charbonneuse sur des ancêtres en décomposition. Maisie Llewelyn, félicite-toi d'être née d'une femme de ménage et d'un maréchal-ferrant. Tu t'es imposée au monde grâce à ton aplomb et ton refus de t'en laisser accroire par une aristocratie en toc. Laura au moins a de la tenue. Elle crève d'inquiétude pour son légitime à la frimousse de séraphin. Je me demande ce que ce nigaud de Siverac a pu lui dire, à la pauvrette...

La chaleur aidant, elle se mit brusquement à ronfler sans même se rendre compte qu'elle perdait conscience.

CHAPITRE LXXVII

Le soir venu, après dîner, elle eut affaire à un M. Siverac très différent du personnage un peu badin et un peu sinistre qui l'avait scandalisée le matin même. Elle avait pris le parti de ne pas lui adresser la parole pendant tout le repas. Laura n'avait pas reparu et gardait la chambre. Il était près de dix heures, et la lune répandait sur la plantation sa lumière à la fois éclatante et morte. Les cigales crissaient dans les profondeurs des arbres.

Alors que Maisie Llewelyn descendait les marches de la véranda pour prendre le frais dans les grandes allées, M. Siverac la rejoignit et lui dit avec une simplicité qui supprimait d'un coup toutes les différences sociales entre eux deux :

— Miss Llewelyn, votre silence pendant le dîner m'a atteint et fait réfléchir. Je vous demande pardon pour l'intempérance de mes propos ce matin à déjeuner.

— Accordé *, fit-elle avec hauteur. Qu'avez-vous à me dire ?

— Si vous permettez que nous nous écartions un peu de la maison, je serais plus à l'aise pour vous faire part de ce que j'ai appris hier soir.

Ils firent sans parler quelques pas jusque sous les chênes-lièges. Des rayons filtraient à travers les arbres et de petites pièces d'argent parsemaient le sol sous leurs pieds.

« Il y aura toujours des difficultés, commença-t-il, entre la France du roi Louis XVIII et Haïti.

— Monsieur Siverac, fit-elle avec impatience, cela n'est pas neuf.

— Alors, allons vite. Les Noirs vivent dans la terreur d'un débarquement de troupes françaises. Pris de rage, ils font la chasse aux Français et voici trois jours, près de Port-au-Prince, ils ont mis

* En anglais : *granted,* ce qui tient du langage des gouvernantes avec les enfants.

le feu à une maison habitée par des Français, lesquels sont morts brûlés vifs.

Miss Llewelyn s'arrêta, interdite.

— Je comprends votre émotion, fit-elle.

— Ce n'est pas tout. Je continue, voulez-vous ? Sur un écriteau, devant la maison, se lisaient ces mots en grosses lettres rouges, maladroites :

LI SOUVENI MAUREPAS

Comprenez-vous ?

— En souvenir de Maurepas, je suppose. Et qu'est-ce que cela veut dire, si vous savez ?

— Cela date de vingt ans. Maurepas, un Noir, était dans le Nord le commandant des troupes de Toussaint Louverture contre les Français. Ceux-ci l'achetèrent et le firent commandant de Port-de-Paix, mais les Français furent battus par la fièvre jaune. Maurepas, craignant les représailles de Dessalines, gagna en barque, avec sa famille et ses adjoints, un bâtiment français qui allait prendre le large. Dans le canal de la Tortue eut lieu la scène d'horreur. Un des compagnons de Maurepas, poignardé, est jeté aux requins ; Maurepas, terrorisé, dépouillé de ses vêtements, attaché nu au grand mât. Alors, sa femme lui donne l'exemple du courage. On la pend à la grande vergue au milieu de ses enfants. Des épaulettes de général de division sont enfoncées avec de longs clous dans les épaules du malheureux. A partir de ce moment, sa conduite est admirable, comme pour racheter l'honneur de sa race. Il ne pousse pas un cri. Parachevant la dérision diabolique, on lui cloue sur le crâne un chapeau galonné d'amiral « pour lui donner de l'ombre ». Puis son corps est jeté à la mer. Voilà.

Miss Llewelyn écouta ce récit jusqu'au bout en s'éventant avec de petits gestes tranquilles.

— Cette histoire est atroce, remarqua-t-elle, et ne fait pas honneur aux Français, mais votre Maurepas a commis l'erreur de passer d'une loyauté à l'autre en pleine guerre, et c'est ce qui s'appelle généralement trahir.

— Je vous laisse vos définitions, fit Siverac, cela ne change rien au fait que les Noirs en font un martyr, et le pouvoir d'un martyr est considérable. Il peut devenir le meneur de tout un peuple.

— Sur ce point, vous avez raison, mais dans le cas qui vous émeut si noblement, mettez martyr entre guillemets.

— Puis-je vous demander pourquoi ?

— Parce que votre martyr est un traître.

— Oh ! je vous trouve injuste.

— Navrée, je n'aime pas les traîtres.

— A cause de lui et d'autres cas semblables, le pays devient de plus en plus dangereux pour tout ce qui est d'origine française.

— Alors sauvez-vous pendant qu'il en est encore temps.

M. Siverac réprima un sursaut d'indignation et répondit d'un ton froid :

— Mon devoir est d'attendre ici le retour de William Hargrove et de veiller avec vous sur la sécurité de Frank et de Laura.

— Alors, restez.

L'ironie perfide de cette repartie fit regretter à Siverac d'avoir présenté ses excuses à Miss Llewelyn et il aurait voulu pouvoir les lui reprendre. Mieux valait se taire, pensa-t-il, et retrouver la Galloise sur un terrain où elle fût vulnérable.

L'air fraîchissait délicieusement et ils arrivaient au bout de l'allée de chênes-lièges. Entre deux mornes, dans l'air transparent et frais, ils apercevaient les feux rougeoyants de Port-Haïtien et rien ne troublait la paix nocturne, sinon le timide chant des grenouilles, mais l'oreille s'y faisait si vite qu'on ne l'entendait plus… Un instant ils se prirent à rêver, moins sur le charme du paysage que sur les moyens de s'atteindre l'un et l'autre dans la petite guerre secrète qu'ils se faisaient depuis des années. Cette fois, Maisie Llewelyn pressentait que Siverac admirait sans espoir la jolie Laura. Lui-même avait surpris la Galloise en train de lorgner furtivement le très beau Régis.

Il se dirigea instinctivement de ce côté.

— Voulez-vous, proposa-t-il, que nous refassions le chemin vers la maison ? Cela ne nous oblige nullement de rentrer, du reste.

Elle s'amusa de la douceur du ton et ne put s'empêcher de rire :

— Monsieur Siverac, j'adore nos petites réconciliations après nos perpétuelles brouilleries. Qu'avez-vous à me dire ?

— Il s'agit du lieutenant Régis.

— Tiens donc ! fit-elle sans broncher.

Il marqua un temps pour savourer par avance le plaisir de lui démolir son idole.

— Vous n'ignorez pas qu'il a du sang noir ?

— C'est tout ? fit-elle. Mais une révélation en vaut une autre : savez-vous qu'il a une sœur ?

Il n'en savait rien.

— Vaguement entendu parler, dit-il.

— Je vous croyais mieux informé. Elle est carmélite au fond d'un monastère d'où elle ne sort jamais.

Pris de court, il bredouilla :

— Très bien, admirable.

— Café-au-lait.

— Que dites-vous ?

— Je dis qu'elle est café-au-lait.

— Ah ! fit-il décontenancé, voilà une preuve irréfutable.

Espérant malgré tout attiser sa convoitise, il eut recours aux indiscrétions les plus déloyales :

« Des camarades qui l'ont vu se baigner nu à Grande-Rivière, un jour de chaleur, assurent qu'il est blanc comme neige de la tête aux pieds.

— Voyez-vous ça ! fit-elle. Vous auriez pu aussi bien interroger notre petite Laura qui doit en savoir là-dessus plus long que n'importe qui.

Il demeura bouche bée, ce que, dans l'ombre, elle ne vit pas. D'un ton neutre elle poursuivit :

« Il est, du reste, d'une excellente famille où ne figure aucune autre marque de sang noir que chez cette carmélite.

Battu sur tous les points, il fit un effort pour jeter le trouble dans la conscience de l'adversaire :

— Laura soupçonne-t-elle qu'un sombre doute plane sur la personne de son adoré ?

— Enfin une question intelligente. Il ne s'agit plus maintenant de faire le malin, mais d'avoir du cœur.

— Je ferai de mon mieux. Essayez de votre côté.

— Bien répondu ! De deux choses l'une : ou elle sait ou elle ne sait pas. Mettons qu'elle sache — et qui diable le lui aurait dit ? Cela lui est égal. Elle prend le garçon tel qu'il est. Amoureuse, vous saisissez ?

— D'accord.

— Ouf ! Ou elle ne sait pas et quelqu'un aura le triste courage d'aller désenchanter la jeune amoureuse. Sera-ce vous ?

— Plutôt mourir, naturellement.

— Ma parole, à vous entendre on vous croirait humain, mais, supposition numéro trois : elle sait qu'elle court le risque de donner le jour à un bébé noir, et ce risque, dans un galop d'enfer, elle le court.

Hors de combat, il répondit :

— Miss Llewelyn, vous avez raison.

— Les femmes ont toujours raison, parce que le cœur l'emporte victorieusement sur ce que vous avez la faiblesse d'appeler votre intelligence. Mais, nous voici tout près de la maison : voulez-vous que nous allions de nouveau admirer les feux lointains de Port-

Haïtien, dernier aller et retour avant de nous dire bonsoir?

— Non, merci, fit-il mélancolique. Je me sens un peu las.

— Alors, bonne nuit, monsieur Siverac, et que les problèmes amoureux de notre Laura ne vous tiennent pas éveillé trop longtemps!

— Bonsoir, Miss Llewelyn.

CHAPITRE LXXVIII

Deux ou même trois fois par semaine, Régis trouvait le moyen de venir passer la nuit à la plantation. Laura ne vivait que pour ces moments de bonheur, troublée cependant par l'obsession singulière de les voir, à peine commencés, se hâter déjà vers leur fin.

De cela, elle ne disait rien à Régis, tout à la joie de l'avoir à elle dans l'enivrement des sens et du cœur. Dormir leur eût semblé gaspillage d'un temps trop court et des bouts d'entretiens désordonnés alternaient avec le plaisir. C'était alors qu'elle lui confiait quelques-uns de ses soucis. La discussion entre Siverac et Miss Llewelyn qui l'avait chassée de table, un matin, ne lui sortait pas de l'esprit : les plantations étrangères flambant les unes après les autres, le pays en révolte.

— Cela se calmera, disait-il. N'essaie pas de comprendre, c'est de la politique.

— Ils persécutent les Français.

— Parce que la France réclame au pays une somme énorme comme prix de sa liberté, et des vaisseaux français croisent au large de nos côtes. Des vaisseaux anglais aussi, du reste, mais tout s'arrangera, tout s'arrange toujours.

— Tes soldats restent tranquilles?

— Mes soldats sont de braves Noirs qui m'obéissent toujours. Mon amour, ne pense plus à tout cela. La nuit est à nous. Tu n'entends pas les rainettes dans les arbres?

— Et après les rainettes, le silence de l'aube vient si vite...

— Non, Laura, il y a maintenant et rien d'autre ne compte, entends-tu?

Le jour venait, malgré tout, comme un malfaiteur, lui prenant son mari, et les craintes renaissaient en elle, plus vives. Elle ne gémissait pas, il n'était pas dans sa nature de se plaindre, mais on devinait qu'elle avait peur des menaces qui grandissaient à l'horizon de semaine en semaine. A cause de cela, on la ménageait, mais elle ne pouvait empêcher les mauvaises nouvelles de sourdre à travers la muraille des conversations chuchotées. Dans le Sud, à Jacmel, des émeutes éclataient. Dans le Nord, à Cap-Haïtien, des partisans de l'ex-roi Christophe se soulevaient et tenaient tantôt une ville, tantôt une garnison.

A d'autres moments, elle entendait le nom du président Boyer. Celui-là était contre tous les Blancs sans discrimination de nationalités. En vain, elle suppliait Régis de lui expliquer ces choses.

« Laura, lui dit-il une nuit, d'un ton presque sévère qu'elle ne lui connaissait pas, jamais on ne touchera à une plantation américaine. La France et l'Angleterre sont loin, mais l'Amérique est beaucoup plus proche et elle est forte. Dis-toi bien que le drapeau étoilé dans le coin de terre où nous sommes a la puissance d'une armée. Et puis, ton Régis sera toujours là pour te défendre, lui et ses Noirs. Le crois-tu ou non ?

— Je crois tout ce que tu me dis, mon amour.

CHAPITRE LXXIX

Laura s'efforçait de croire que Régis ne pouvait se tromper, et, tant qu'elle se trouvait près de lui, rien ne troublait son bonheur sinon l'arrière-pensée que chaque seconde les rapprochait du moment où il se rhabillerait pour partir...

Comme si cette hantise ne suffisait pas, un détail risquait de gâter sa joie. Elle s'interdisait d'y songer, mais ce détail lui revenait à certaines minutes imprévues et devenait alors un détail considérable : le lit où elle goûtait les délices de l'amour était le grand lit double où s'installait ordinairement Maisie Llewelyn lorsque William Hargrove était en voyage et qu'elle leur cédait les nuits où Régis était là. Facilement dégoûtée, la jeune femme avait l'impression de boire dans le verre de la Galloise. Qu'eût-elle pensé si elle avait connu toute la vérité ? A la rigueur, elle aurait pu coucher dans sa propre chambre avec son mari, mais là deux objections : le lit était trop étroit pour plus d'une personne et d'autre part, pendue au mur, la monumentale peinture de la Madone eût paru les observer, et cela, elle n'eût pu le souffrir.

Tout autour d'elle, cependant, la vie quotidienne changeait peu à peu... Réconciliés une fois de plus, M. Siverac et Miss Llewelyn en avaient assez de traiter la jeune mariée en petite fille et ne se gênaient plus pour discuter devant elle les nouvelles du jour, toutes mauvaises. C'était un des plaisirs du petit déjeuner. Il y avait les journaux et il y avait les rumeurs.

— Cette fois, l'armée bouge, disait Siverac en dépliant sa serviette.

— Vous mettez du temps à vous en apercevoir. On en est au deuxième pronunciamiento, hier soir à Port-de-Paix. Un général noir a fait un coup de force pour s'emparer du pouvoir. S'il reste en place plus de trois jours il aura de la chance.

— Sans doute un ancien du roi Christophe. Cela s'arrangera comme d'habitude.

— Je l'espère, s'exclama-t-elle ironiquement.

— Tranquillisez-vous. Le général insurgé arrive, coiffé d'un grand chapeau garni d'un bouquet de plumes. Il règne en maître sans effusion de sang. Paraît tout à coup l'armée régulière. La rencontre a lieu, pacifique. Le général des rebelles reçoit un nouveau bouquet de plumes à ajouter à son chapeau, plus un grade supérieur à celui qu'il s'est déjà donné, et se retire.

— Le pronunciamiento de Port-Haïtien a fait plus de tapage.

— Quoi ! On a beaucoup crié. Vive Christophe ! A bas Boyer !

— Le président ne fait rien pour rétablir l'ordre en tout cas.

— Le président s'en moque. Ce n'est pas un méchant homme, mais il est trop sarcastique. Vous savez ce qu'il dit à chaque fois : « Enco' un insu'gé ! J'ai déjà t'ois adve'sai', quand j'en au'ai un quat'ième en même temps, ils pou'ont fai' une pa'tie de ca'tes. »

— Alors, tout ça n'est pas sérieux, fit Miss Llewelyn un peu déçue.

— Non, mais cela devient trop fréquent, le désordre s'installe. Les *congos tout nus* s'agitent.

— Les congos tout nus ! s'écria Frank.

— Les congos tout nus, mon jeune ami, sont redoutables. Ils enduisent leurs machettes de graisse de cervelle que leur fournissent les cadavres de leurs ennemis. Ces armes empoisonnées font des blessures épouvantables.

— Dites mortelles, suggéra Maisie Llewelyn. Septicémie. C'est très ingénieux. La cruauté de ces Noirs est proverbiale. Et où peut-on en voir, de vos congos tout nus ?

— Il m'est difficile de vous donner des indications précises. Les congos tout nus se dispersent dans la nature. Ils se cachent derrière les chutes d'eau, quand il y a des cavernes.

Se tournant vers Frank, il demanda :

« Es-tu content, mon jeune ami ?

— Oui, dit Frank, un peu pâle.

— Eux, du moins, remarqua Miss Llewelyn, ont plus de caractère que ces généraux à plumes !

Emporté par son sujet, Siverac crut bon de l'enrichir d'un détail :

— Savez-vous ce que c'est qu'un maringouin ?

— Un taon ? fit la Galloise.

— Exact, mais un taon dont le dard s'enfonce dans la chair et y reste, causant d'insupportables douleurs. Nos congos tout nus passent à travers des nuées de maringouins et ne s'en portent pas plus mal. Les maringouins les laissent tranquilles, comme s'ils flairaient des êtres infernaux...

— Il faut reconnaître, dit Miss Llewelyn, qu'en déjeunant avec vous on s'instruit.

Avec un sourire aimable, il s'inclina pour remercier.

Laura réussit à vaincre la répugnance que lui inspiraient ces propos et, pour montrer à quel point elle demeurait calme, reprit de la marmelade. Ce geste suffit à dissiper une atmosphère d'horreur plus ou moins voulue, mais, tout au fond d'elle-même, la jeune femme se sentait mourir d'effroi. Son imagination lui faisait voir Régis aux prises avec les sauvages... Cependant, il était convenu que son mari viendrait passer la nuit avec elle, et cette pensée la réconforta.

CHAPITRE LXXX

Comme un mauvais rêve, ce fut William Hargrove qui apparut à la chute du jour. Surprise énorme. Personne ne l'attendait et sa mine satisfaite contrastait avec un désarroi à peu près général dans toute la maison.

Laura, qui guettait à la fenêtre l'arrivée du bien-aimé, dut s'accrocher aux rideaux pour ne pas tomber quand elle reconnut une calèche de voyage de laquelle son père sauta comme un faux jeune homme. Sa terreur fut d'autant plus vive qu'elle se trouvait dans la chambre au lit double, mise une fois de plus à sa disposition par Miss Llewelyn.

Celle-ci entra brusquement :

— Alerte ! dit-elle. Il revient. Regagnez votre chambre et souvenez-vous qu'il ne doit rien savoir. Je vais vous aider à remporter vos affaires.

Cette opération se fit en moins de deux minutes pendant que retentissait en bas la voix de théâtre, jugée sans doute en harmonie avec la situation du voyageur qui revient de loin :

— Holà quelqu'un ! Où est tout le monde ? J'arrive chez moi et personne pour m'accueillir !

D'un petit salon où il faisait un somme, Siverac se montra, encore ébouriffé :

— Calmez-vous, William, fit-il. Vous voyez bien qu'on se rue à votre rencontre.

Et pris d'un désir de le faire un peu trembler, pour le plaisir, il ajouta :

« Vous êtes chez vous, personne ne le conteste. Puissiez-vous ne pas souhaiter d'être resté là-bas, ailleurs...

Devant la mine déconfite de William Hargrove qui l'écoutait bouche bée, il ne put s'empêcher d'éclater de rire et poursuivit :

« D'où sortez-vous donc ? Ignorez-vous qu'Haïti est devenu le pays de la peur, où le feu fait rage et la terre boit le sang ?

Hargrove avait posé à terre une petite valise qu'il tenait à la main. Instinctivement il la reprit.

— Il faut partir ? bégaya-t-il.

— Oh ! pas ce soir ni demain matin, peut-être, mais il sera sage d'y songer.

Hargrove ôta son panama et se laissa tomber sur une chaise sans lâcher sa valise.

— Si j'avais su, gémit-il. J'avais un refuge à la Jamaïque où je viens d'acheter une plantation.

— Et nous ? demanda Siverac.

— Vous m'auriez rejoint. Je vous aurais attendus.

Devenu tout à coup sérieux, Siverac s'avança vers lui et se pencha sur lui. Le prenant par ses favoris pour lui secouer la tête, il plongea les yeux dans les siens et lui dit à mi-voix :

— Vous êtes vraiment très lâche, mon pauvre William.

Le silence qui suivit entre les deux hommes eut l'intensité de la minute qui suit un assassinat. Siverac s'était redressé, mais Hargrove demeurait immobile.

A ce moment, entra un domestique. Il portait deux lampes allumées, qu'il posa à une certaine distance l'une de l'autre sur une longue table, et se retira.

De l'escalier descendit la voix de Laura :

— Bonsoir, Papa, dit-elle d'un ton calme.

Il eut un cri :

— Ma petite Laura !

En même temps il fit un effort pour se lever et n'y parvint pas. Siverac lui posa une main sur l'épaule.

— Reposez-vous, William, fit-il. Pas d'émotion après la fatigue du voyage. Ménagez votre cœur.

Derrière Laura parut Miss Llewelyn qui dit simplement :

— Vous voilà revenu, Mr. Hargrove, et vous devez vous sentir heureux de retrouver votre chère plantation.

Il secoua la tête pour indiquer qu'en effet il se sentait heureux, mais ne prononça pas un mot.

Quelques secondes s'écoulèrent dans un grandissant malaise, car on attendait sans bouger que le voyageur prît la parole et la vaste pièce mal éclairée offrait l'aspect d'un tableau, une *conversation piece* silencieuse. La lumière que diffusaient les lampes n'allait pas au-delà des quelques personnes présentes et ne parvenait pas à dissiper les grandes masses d'ombre où se cachaient le plafond et le haut de l'escalier.

Ce fut Maisie Llewelyn qui rompit le silence et l'immobilité générale. Elle prit une chaise et vint s'asseoir à côté de William Hargrove. Emue de pitié pour cet homme abattu par la terreur, elle lui demanda d'une voix radoucie :

« Ça ne va pas, Mr. Hargrove ? Voulez-vous que je vous aide à monter à votre chambre ? Vous avez besoin d'une bonne nuit de sommeil.

Il tourna vers elle des yeux d'animal blessé et chuchota :

— Merci, Maisie.

Peut-être allait-il dire quelque chose quand le pas d'un cheval devant la maison l'arrêta. A son air inquiet on devinait que tout l'effrayait comme si l'univers changeait autour de lui.

« Qu'est-ce que c'est ? demanda-t-il.

Siverac traversa la salle et presque au même instant la porte s'ouvrit. C'était Régis.

Un coup d'œil lui suffit pour comprendre et il entra sans

hésitation... Son apparition eut un effet immédiat sur William Hargrove qui voulut se lever, mais, d'une main vigoureuse, Maisie Llewelyn l'en empêcha. Rentrée depuis longtemps, une colère l'anima tout d'un coup.

« Régis, fit-il d'une voix sourde, que venez-vous faire ici ?

Le jeune officier ôta son shako.

— Simplement vous saluer, Mr. Hargrove.

— A cette heure du soir ?

— Mes soldats ont vu de loin une calèche qui se dirigeait vers la plantation. J'ai voulu m'assurer que c'était vous de retour et j'ai sauté sur mon cheval. J'espère que vous avez fait bon voyage.

William Hargrove ne répondit pas.

— Asseyez-vous, lieutenant Régis, fit Maisie Llewelyn avec autorité, et dites-nous s'il y a du nouveau dans le pays.

— Pas grand-chose. De l'agitation à Port-Haïtien, comme à l'ordinaire. Des soulèvements dans le Sud, on a coupé en deux des colons à Jacmel. Et du côté espagnol une situation confuse.

Il hésitait à prendre le fauteuil qu'elle lui désignait et resta debout. Siverac s'approcha de lui.

— Voulez-vous boire quelque chose ? demanda-t-il. Par ce temps lourd, un verre de champagne...

— Mon champagne, bougonna Hargrove.

— Mais oui, dit Maisie Llewelyn, pour fêter votre retour.

— Non, fit-il.

— William, demanda Siverac, vous n'avez rien remarqué à Port-Haïtien ? Du tapage, des cris ?

William Hargrove répondit avec humeur :

— Je n'ai rien remarqué parce que je suis arrivé par Port-Dauphin sur un navire anglais.

— Frank, dit Siverac, va dire à l'office qu'on nous serve du champagne. Laura, pourquoi te caches-tu là-bas dans un coin ? Viens dire bonsoir à Régis.

Laura, en effet, se tenait à l'écart, le cœur battant. Elle s'était vêtue de mousseline blanche parce que Régis aimait à la voir ainsi. Se dominant, elle avança vers lui et lui fit un grand sourire triste.

— Bonsoir, dit-elle.

— Bonsoir, Laura.

William Hargrove éclata :

— Miss Laura ! s'écria-t-il.

La Galloise fut immédiatement près de lui et lui jeta au visage des paroles chargées d'énergie :

— Le lieutenant Régis et votre fille se connaissent depuis assez longtemps pour que les formules de politesse se laissent oublier.

A ce moment, Frank revint de l'office en courant :

— Le champagne est à la glacière, dit-il à Siverac, mais on l'apporte dans quelques minutes. J'aurai mon verre ?

— Certainement, dit Siverac. William, vous n'allez pas nous bouder. Vous trinquez avec nous.

— Non, fit Hargrove. Je monte me coucher. Mes valises, le plus vite possible.

Il réussit à se lever, mais dut s'appuyer au dossier de sa chaise pour ne pas tomber. Maisie Llewelyn le retint.

— Allons, fit-elle, si vous voulez monter, montons, mais je vais vous y aider.

Et, sans écouter ses protestations, elle le saisit par le bras et le mena vers l'escalier. Ensemble, ils gravirent les premières marches. Il se laissa faire.

— Maisie, souffla-t-il en montant appuyé sur elle, que se passe-t-il ? Je ne tiens plus debout.

— C'est que vous n'avez plus vingt ans et que l'émotion vous porte un coup, mais ce soir, vous êtes à battre. Je ne vous ai jamais vu plus mal élevé.

— Ce Régis tourne autour de ma fille. Je ne veux pas de ça. Je suis sûr qu'il est venu pour la voir.

— Et après ? Nous sommes tous là, non ? Que peut-il faire ?

— Je me méfie.

— Vous avez tort. Sa conduite est parfaite.

— Je le déteste. Je le hais. Je le méprise.

— Tralala ! Quoi encore ? Vous allez nous chanter un air d'opéra ? Prenez plutôt garde à ne pas trébucher et cramponnez-vous à la rampe, nous arrivons. Maisie va vous dorloter.

— Oh ! Maisie, fit-il en atteignant les dernières marches, Maisie, je suis malheureux ce soir.

— Willy, dit-elle comme ils entraient dans la chambre où brillait une lampe au chevet du grand lit double, nous essaierons tout à l'heure d'arranger tout cela.

Dès que William Hargrove eut disparu avec Maisie Llewelyn, Régis fit signe à Siverac et se dirigea vers la longue table où les attendait la bouteille de champagne dans un seau à glace entouré de coupes. Les deux lampes prêtaient un air de fête à l'ensemble, mais le jeune lieutenant avait d'autres idées en tête. Les coupes de cristal furent remplies sur-le-champ et chacun eut la sienne, Laura et Frank n'étant pas oubliés. Ces deux derniers cependant furent priés avec toute la délicatesse imaginable de vouloir bien s'éloigner de la table, Régis désirant s'entretenir là d'affaires importantes avec M. Siverac. Ils allèrent donc, Laura fort inquiète, Frank dévoré de curiosité, s'asseoir dans un coin de la pièce d'où ils pouvaient tout voir sans rien entendre et burent à petites gorgées ce délicieux vin de Champagne que ni l'un ni l'autre ne trouvaient à leur goût.

Régis commença sans préambule :

— Je suis venu ce soir pour vous dire qu'il fallait quitter Haïti. Le pays n'est plus sûr. Il faut partir et partir assez vite.

Siverac tressaillit.

— Bon sang, Régis. Vous me prenez de court. Qu'appelez-vous assez vite ?

— Le plus tôt serait idéal, mais rien n'est prêt, je suppose.

— Je crois rêver. Expliquez-vous.

Ils se tenaient debout l'un en face de l'autre, de chaque côté de la table, et les deux lampes éclairaient leurs visages sérieux dans une lumière ambrée.

D'un seul geste ils prirent leurs coupes :

— A l'avenir, proposa Régis.

— Au bonheur de nous tous, répondit Siverac.

— Vous demandez beaucoup, fit Régis en posant sa coupe vide.

Tirant deux cartes d'une petite sacoche qu'il portait en bandoulière, il les déplia, puis les étala sur la table après avoir écarté le seau à champagne.

« Je vais faire vite, dit-il. Même si vous partez après-demain, il faut que je vous indique le chemin le plus rapide et le moins exposé pour gagner Port-de-Paix.

— Port-de-Paix ! Pourquoi pas Cap-Haïtien ?

— Cap-Haïtien est à l'heure actuelle aux mains d'un général noir qui s'en est emparé hier et a fait fermer la rade… Le général Alexis qui commande le port a fait enlever les balises, et à cause des cayes* le port est dangereux.

— Et les bateaux anglais ?

— L'escadre anglaise est au large, mais ne peut approcher avec tous les brisants à fleur d'eau. D'autre part, les forts et la Douane sont bourrés d'armes. Il vous serait impossible d'atteindre un navire anglais. Oubliez Cap-Haïtien.

Son doigt se déplaça sur la carte jusqu'à Port-de-Paix.

* Cayes : écueils.

« Votre seule chance est là. Deux routes sont possibles. Suivez-moi, il y a la baie de Manceville, mais il faut traverser une plaine qui n'est pas sûre et, si on passe par les mornes du côté espagnol pour descendre ensuite par la rivière Massacre, on risque de rencontrer des éléments incontrôlés. Donc, on écarte cette route.

— Si le danger est de tous les côtés, comment voulez-vous que nous nous en tirions ?

— Je vais vous le dire, mais soyez attentif et retenez mes indications : il faut passer par là, les mornes au large de Marmelade et ensuite gagner le fortin vide qui porte le nom de Fortin Paradis. C'est long, mais sans danger pour le moment. Vous pourrez m'y attendre, j'arriverai avec mes hommes pour vous aider. Il y a en effet des troupes de mulâtres qui montent de l'Artibonite. Nous descendrons les Trois-Rivières jusqu'à Port-de-Paix. Là, nous trouverons un bateau qui vous portera à l'île de la Tortue. Des navires anglais y font escale. Vous êtes sauvés.

— Bien. Je retourne chez moi. Hargrove m'a demandé de prendre sa place pendant son absence pour veiller sur ses enfants, mais je ne me suis guère occupé de chez moi. Il faut que je voie mes régisseurs.

— Ne restez pas longtemps. Hargrove est passé sans le savoir par un chemin dangereux. La plaine du Nord n'est pas sûre, il a dû rouler au grand galop, personne n'a eu le temps de l'arrêter.

— Sans doute, il a loué à Port-Dauphin une calèche de voyage à quatre chevaux.

— A quel prix !

— Oh ! il a toujours de l'or plein les poches. Bonne nuit, Régis. Je rentre faire mes paquets.

— Bonne nuit. Faites vite.

CHAPITRE LXXXI

A peine la porte s'était-elle refermée sur Siverac que Miss Llewelyn parut et se dirigea droit vers le jeune officier qui pliait ses cartes. Elle semblait à la fois calme et résolue :

— Ne vous étonnez pas de ce que je vais vous dire, fit-elle. J'ai presque tout entendu de votre entretien avec Siverac. J'ai écouté dans l'escalier. C'est très mal, d'accord, mais c'est comme ça. Je suis entièrement pour vous et avec vous. Il faut partir.

— Pour des raisons évidentes, cela me brise le cœur, à cause de Laura.

— Où est-elle ?

— Là-bas, au fond de la pièce.

— Qu'elle y reste encore un instant. Laura, appela-t-elle, ne bouge pas, j'ai quelque chose à dire au lieutenant Régis.

Laura, qui s'était levée, demeura immobile.

— Et moi ? s'écria Frank.

— Toi, va te coucher immédiatement.

— Déjà ? Je ne peux pas rester avec Laura ?

Maisie Llewelyn fit un grand pas vers lui. Il se sauva à toutes jambes.

— Je comprends, dit-elle à Régis, que vous séparer de Laura soit pour vous une dure épreuve, mais quoi, vous nous accordez deux jours ?

— Tout au plus, oui.

— Alors, passez au moins cette nuit avec votre femme.

— Où donc ? Ici n'est plus possible.

— Ecoutez-moi. William Hargrove a bien entendu repris sa chambre que j'occupe quand il n'est pas là et que je vous laisse quand vous venez passer la nuit avec Laura.

— Je sais et vous en remercie, mais vous-même, cette nuit...

De l'arsenal de mensonges qu'elle portait dans la tête, Maisie Llewelyn tira la réponse qui convenait, subtile :

— Oh ! moi, c'est simple, ma chambre m'attend. De là je surveille tout. Celle de Laura, au rez-de-chaussée, est isolée, vous y serez tranquilles.

— Passer la nuit avec Laura dans sa chambre, elle ne voudra pas.

— Pourquoi ça ? Je reconnais que le lit est plus étroit, mais l'amour n'y regarde pas de si près, non ?

— Oh ! ce n'est pas cela, fit-il un peu gêné. Mais Laura a des préventions — à cause de la grande peinture qu'elle voit de son lit. Elle m'a expliqué...

— Des préventions ! Par exemple ! Contre qui et contre quoi ?

Sa voix impérieuse retentit :

« Laura !

La jeune femme arriva d'un pas tranquille.

« Il paraît, fit ironiquement Miss Llewelyn, que madame ne veut pas passer la nuit dans sa chambre avec son mari à cause de la grande peinture qu'elle voit de son lit...

Laura et Régis eurent le même geste d'agacement.

— Je vous en prie, dit Laura.

— Tiens donc ! Eh bien, vous allez me permettre de dire mon mot là-dessus. Nous allons parler religion, cela n'arrive pas souvent ici et cela nous fera du bien à tous. Ce qui vous gêne, c'est que la Madone vous voie alors que vous vous appliquez à faire des enfants comme vous y enjoint l'Eglise dans le sacrement du mariage.

— Miss Llewelyn, de grâce ! s'écria Laura toute rouge.

— Et vous vous figurez, poursuivit la Galloise, que Marie se voile la face pour ne pas voir cela ? D'abord, laissez-moi vous dire que Marie n'a que faire de vous observer, elle regarde le Seigneur Dieu, mais elle sait que vous êtes là et elle vous protège.

A son tour, Régis donna de la voix :

— Miss Llewelyn, fit-il en joignant les mains, arrêtez, nous sommes d'accord ! N'est-ce pas, Laura ?

— Oui, mille fois oui, Miss Llewelyn.

— Alors, je regagne ma chambre et tout est pour le mieux, fit la Galloise en esquissant un signe de croix.

Puis, sans s'attarder plus longtemps, elle s'enfonça dans les ténèbres de l'escalier. Et, avec d'infinies précautions, elle se glissa dans la chambre au grand lit double où l'attendait un William Hargrove tremblant d'impatience et de désir.

Dans la chambre du rez-de-chaussée pauvrement éclairée par une seule lampe, le haut de la grande image disparaissait dans la pénombre. La tête et les épaules se devinaient à peine.

— Tu vois, murmura Régis, ce n'est pas gênant.

— Mais elle est là.

Il la prit dans ses bras.

— N'y pense plus.

Avec une rapidité qui étonna la jeune femme, il ôta ses vêtements et fut près d'elle en une minute. Tous deux s'enlacèrent comme s'ils se retrouvaient après un long voyage. La joie les emportait corps et âme dans un pays où la peur n'existait plus. Haletante, elle suppliait intérieurement que cette mort au monde ne prît jamais fin, mais le retour dans l'habituel décor lui laissait le plaisir inépuisable de caresser le beau visage échauffé par l'amour.

— J'espère qu'il ne t'arrivera jamais rien, disait-elle en passant le bout des doigts sur ses paupières, sur sa bouche.

— Sois sans crainte, il n'y a pas de vraie guerre dans les environs. Des escarmouches parfois. Cela ne compte pas.

En peu de paroles, il lui donna une idée du voyage qu'elle aurait à faire.

« Cela te paraîtra long, mais tu auras du courage.

Elle poussa un grand gémissement de petite fille.

— On sera séparés !

— Non, je te rejoindrai là où tu te trouveras.

— Jure-le-moi, Régis.

— Je ne te quitterai jamais, comprends-tu ? Même si...

— Même si quoi ? Dis-le, dis-le.

— Même si tu ne me vois pas, je serai là.

— Tu veux dire si nous vivons loin l'un de l'autre ?

Dans un soudain élan, il la serra tout entière contre lui.

— Tu es à moi pour toujours, Laura, pour toujours, jusqu'à la fin de la vie.

De ses deux mains, elle lui emprisonna le crâne à travers la masse des cheveux noirs.

— J'ai peur, dit-elle, ne me laisse pas. La mort est partout. Demande à la grande image d'empêcher qu'on nous sépare.

— Demande, toi. Moi, je ne sais pas bien.

Il la prit de nouveau et de nouveau elle perdit conscience du monde autour d'eux.

L'aube les arracha l'un à l'autre.

CHAPITRE LXXXII

Le jour se levait à peine dans un ciel rougeoyant, quand Régis, sur sa jument gris pommelé, quitta la plantation et prit la route de Marmelade.

Debout la première, Maisie Llewelyn, en peignoir mauve, se chargea de réveiller tout le monde sauf William Hargrove qu'elle laissa dormir parce que éveillé elle le jugeait plus encombrant qu'utile.

Elle avait hâte que tous les préparatifs de départ fussent mis au point ce matin-là pour éviter la bousculade des derniers moments. Sans doute s'y prenait-elle un peu tôt, mais elle suivait son idée avec une intraitable obstination.

Par humanité, elle se garda de déranger Laura, frappée d'une sorte de stupeur douloureuse dans la solitude atroce de sa chambre.

Une heure plus tard, sacs et valises s'accumulaient dans la grande salle du rez-de-chaussée. Sous la direction de la Galloise, Betty en caraco rouge trottait de tous les côtés, pareille à une souris, rassemblant les objets de première nécessité. Frank, surexcité, s'agitait d'un air important et apportait ses romans d'aventures, plus un ballon et des raquettes qu'il estimait indispensables en cette circonstance.

Vers onze heures parut brusquement Siverac qui s'arrêta d'abord interdit devant l'aspect que présentait la grande salle dans cette minutieuse organisation de la fuite, puis jeta son chapeau sur le sol.

— Trop tard ! s'écria-t-il.

— Qu'y a-t-il ? demanda Miss Llewelyn.

— Tout ça, fit-il avec un geste vers la masse hétéroclite, vous ne vous rendez pas compte de la situation. Rentré chez moi cette nuit, personne ne m'attendait. Ce matin j'appelle, je cherche mes régisseurs. Tous partis. Ne restent que quatre Noirs fidèles, terrifiés, et qui n'osent bouger. Ils ont vu à l'aube dans les alentours de ma maison des papas-lois agitant leurs hochets de queues de vache. Savez-vous ce que j'ai trouvé cloué sur la porte d'entrée ? Un coq blanc, les ailes écartées, tout sanglant. Vous savez ce que cela veut dire ? Tout est perdu. J'ai fait le tour de toutes les pièces, prenant ce que j'y ai trouvé de plus précieux, j'ai rempli mon sac de voyage qui est là, devant la porte. Deux des Noirs m'ont suivi et sont maintenant à la cuisine. Ils viendront avec nous. Quant aux calèches, elles resteront dans leur hangar. On part à cheval. Où est Hargrove ?

— Là-haut, fit la Galloise.

Elle était devenue toute pâle au récit de Siverac, mais elle se tenait droite, s'appuyant d'une main au dossier d'une chaise.

« Frank, dit-elle, va frapper à la porte de ton père.

Le jeune garçon, qui vivait une passionnante histoire de brigands, escalada les marches comme un cabri.

— Pas possible qu'il dorme encore ? fit Siverac.

— Oh ! non. Je suis allée le réveiller il y a un moment. Il a mis du temps à se remettre d'hier, il fait sa toilette et il s'habille.

— Laura ?

— Laura est dans sa chambre.

— Régis avait raison, c'était hier qu'on aurait dû partir... Mais il lui fallait sa nuit d'amour.

— Il ne l'a pas demandée, fit vivement Maisie Llewelyn. C'est moi qui ai insisté.

— Vous avez bien fait. Il n'en aura pas d'autre de longtemps. Mais que fait Hargrove ?

Comme pour répondre à cette question, on entendit le pas hésitant de William Hargrove qui descendait l'escalier la main crispée sur la rampe. Inconscient du danger qui menaçait, il s'était habillé en noir, comme pour déjeuner en ville, peut-être aussi pour effacer la fâcheuse impression qu'il avait faite la veille.

En voyant le monceau de paquets au milieu de la pièce, il poussa un cri :

— Comment ! Nous en sommes là ?

— Que cela ne t'émeuve pas trop, William. Tout ce fourbi-là peut rester où il est jusqu'au Jugement dernier.

— Perdez-vous la tête ? s'écria Miss Llewelyn. Nous allons avoir besoin d'un tas de choses en voyage.

— Erreur, je m'excuse. Vous ne savez pas encore ce que c'est que la fuite. J'ai un sac. C'est tout. Faites-en de même. Il faut que dans une heure nous soyons partis. Voulez-vous prévenir Laura ? Je vais dire à mes Noirs de seller les poneys de montagne.

Sans attendre les commentaires à ces paroles, il prit la porte et disparut.

William Hargrove se laissa tomber dans un fauteuil.

— Fou, dit-il, la tête dans les mains, cet homme est fou.

— Je ne crois pas, dit la Galloise tout à coup. C'est nous qui continuons à vivre dans un rêve de sécurité à cause de ce drapeau étoilé que le diable emporte si ça lui fait plaisir. Préparez-vous, Mr. Hargrove. Je vais parler à Laura.

A sa grande surprise, Maisie Llewelyn trouva la jeune femme assise sur un coin du lit, elle y avait posé une petite valise.

Dans son visage où persistait l'enfance, les traits étaient tirés par la fatigue et le chagrin.

— Je sais, dit-elle simplement. Mon mari m'a prévenue. Quand partons-nous ?

— Bientôt.

— J'aime mieux quitter cette chambre tout de suite, dit-elle en se levant.

Miss Llewelyn l'embrassa sans un mot et sortit. Avant de la suivre, Laura eut un geste où elle mettait à la fois sa détresse et son espoir. Se tournant vers la grande image, elle fit un signe de croix avec violence.

CHAPITRE LXXXIII

Les solides poneys haïtiens étaient groupés dans leur écurie. Avec leurs petits sabots durs ils grimpaient sans difficulté à travers les montagnes. Tout le monde était prêt, mais la nature faisait obstacle à cet exode. Une chaleur brûlante semblait monter du sol, et, dans une lumière blafarde, les feuilles des arbres pendaient comme des mains privées de vie. L'air était immobile comme si les vents retenaient leur souffle.

Vers midi, le jour s'assombrit d'un coup, annonçant l'orage. Il ne pouvait être question de partir pour le moment et le crève-cœur de quitter la maison cédait à l'horreur d'y rester de force, car la présence du danger se faisait de plus en plus harcelante.

Sur la route devant la maison, Siverac marchait, s'arrêtait, revenait sur ses pas, tenaillé par le désir d'aller voir ce qui se passait chez lui et retenu par la crainte superstitieuse d'un piège du destin.

Ne sachant que faire, il rentra dans la grande salle où patientaient Maisie Llewelyn, Laura et Frank. Enfoncé dans un grand fauteuil d'osier, Hargrove leur tournait le dos. Depuis longtemps, il avait ôté sa redingote noire qu'il gardait pliée sur ses genoux et transpirait dans une chemise aux manches roulées jusqu'au-dessus du coude. Son silence hargneux contrastait avec les efforts de la Galloise pour faire renaître un semblant de bonne humeur.

— Si j'avais des cartes, je vous aurais dit la bonne aventure. Une femme de mon pays a toujours le don de percer l'obscurité du lendemain. Laura, je te vois déjà de l'autre côté de la mer...

— Et moi aussi ? demanda Frank.

— Toi aussi, bien sûr, avec ta sœur.

— Heureuse ? demanda Laura.

— Par les temps qui courent, qu'est-ce que ça veut dire ? En vie et tranquille. C'est déjà beaucoup.

— Et moi ? demanda Frank.

— Oh ! toi, les garçons se tirent toujours d'affaire.

— Quand, tout ça ? demanda Siverac en se rapprochant.

— Ne vous pressez pas d'arriver trop vite, monsieur Siverac. Vous serez bien assez tôt dans le coin de terre qui nous attend là-bas.

Il haussa les épaules.

— Avec des réponses comme celle-là, fit-il, on mène des tas d'imbéciles par le bout du nez.

— Trouvez mieux pour vous amuser, répliqua-t-elle avec un rire sans joie.

Il donna un coup de pied dans les paquets amoncelés inutilement.

Hargrove avait caché les mains sous sa redingote et ne bougeait pas.

Les minutes passaient avec une lenteur mauvaise dans une hostilité mystérieuse des choses contre ces êtres désemparés.

Tout à coup, Betty entra en courant. Elle respirait mal et parlait d'une façon confuse, le nœud rouge de son bandana lui retombant de travers sur l'oreille.

— Su' la 'oute, dit-elle.

Siverac se jeta dehors et regarda au loin, du côté des collines, et ne vit rien. Tout proches, cependant, des Noirs en uniformes bleus à parements rouges avançaient dans l'avenue vers lui, derrière un officier blanc à cheval. Il reconnut Régis et poussa une exclamation. Sous le ciel qui tournait au gris sombre, cette grande tache de couleur avait l'intensité d'un cri et le paysage l'air de bouger avec les hommes.

Régis mit sa main en porte-voix :

— Ne retournez pas chez vous, lança-t-il dans les épaisseurs d'air chaud, des bandes de pillards emportent tout et vont brûler la maison.

Siverac en nage courut vers lui et cria :

— Qu'allez-vous faire s'ils viennent par ici ?

Régis étendit le bras vers l'ouest où se dressait la masse vert sombre d'un morne dont le sommet disparaissait dans l'obscurité.

Contournant sa base, les pierres jaunes d'un chemin escarpé se voyaient encore distinctement.

— Partez par là, fit Régis, mais partez vite, partez maintenant. Je vais les arrêter dans l'avenue.

Sur ses ordres, les soldats se déployèrent en tirailleurs autour de la plantation. A ce moment, Hargrove parut à une fenêtre ouverte du rez-de-chaussée. Il avait jeté son habit sur une épaule et gesticulait de son bras libre. Ses yeux, exorbités par la colère, se dirigeaient vers le lieutenant qu'il avait reconnu.

— Qui vous a demandé de venir ici ? hurla-t-il. Nous ne bougerons pas.

Régis ne répondit rien. Sautant de cheval, il rejoignit ses hommes. Déjà des coups de feu claquaient sur la route et des bandes de mulâtres attaquaient les soldats noirs. Le lieutenant donna l'ordre de tirer, mais les assaillants se ruaient sur les Noirs avec furie. De chaque côté de la route et tout près de la maison, des haies de campêches hautes et fleuries, mais redoutablement armées de longues épines, les forçaient à se serrer et ils arrivaient en masses. Enivrés de tafia, ils ignoraient la mort et dans des faces d'énergumènes leurs lèvres s'ouvraient toutes grandes pour hurler. Derrière eux s'apercevaient les queues de vache que les papas-lois agitaient avec frénésie.

Les balles des Noirs firent trébucher et s'abattre une dizaine d'assaillants et la riposte coucha sur le sol presque autant de Noirs. Dans une obscurité livide déchirée par les traits de feu, les corps tombaient d'un coup ou chancelaient au milieu d'une confusion grandissante. La voix claire de Régis dominait le tumulte et ses soldats se repliaient sous ses ordres, ralentissant la poussée des mulâtres aux abords de la plantation.

Au fond de la maison, les habitants s'étaient réfugiés tous ensemble, sauf Siverac qui tirait sur les assaillants derrière les lattes d'un contrevent au premier étage. Hargrove, pétrifié, était resté tapi dans l'encoignure d'une des grandes croisées du salon. La peur lui figeait les traits, mais ses yeux d'animal traqué bougeaient de droite et de gauche, des larmes se mêlaient aux gouttes de sueur qui ruisselaient jusque dans les poils de ses favoris. A son poing brillait un pistolet qu'il avait dissimulé dans son habit.

A un moment, il crut voir un flottement dans les rangs des Noirs et Régis qui agitait un bras en lançant des cris brefs. Hargrove le reconnut à la blancheur de son visage. Les coups de feu se précipitaient. A l'endroit où l'allée se terminait par des arbres envahis de passiflores pourpres, les assaillants s'étaient arrêtés, l'espace sablé devant la plantation ne les protégeant plus, alors que les tirailleurs de Régis se déployaient depuis les hangars aux toits couverts de feuilles de bananiers qui servaient d'entrepôts, jusqu'à la véranda qui entourait la maison. Avec deux de ses hommes le lieutenant enjamba la balustrade afin de parer à toute attaque. Immédiatement des coups de feu sillonnèrent l'obscurité grandissante.

A genoux maintenant, presque entièrement caché dans les plis d'un rideau vert, Hargrove discerna la silhouette de Régis cette fois au milieu d'ombres qui se déplaçaient rapidement. Pris de panique, il tira au hasard. Au hasard ? Cette question, il allait se la poser jusqu'à la fin de ses jours.

CHAPITRE LXXXIV

A l'autre bout de la véranda, dissimulée comme Hargrove dans le coin d'une grande croisée, Laura se tenait debout près de Maisie Llewelyn. Avec l'autorité d'une mère, celle-ci entourait d'un bras les épaules de la jeune femme qui essayait de voir ce qui se passait devant la maison. Protégée par un des volets entrouverts, elle n'aperçut d'abord qu'une masse confuse de soldats dont les mouvements lui échappaient. Ils semblaient se démener sur place. Mais bientôt elle se figura, horrifiée, qu'ils reculaient et qu'un combat se livrait à l'extrémité de la véranda où elle se trouvait. La peur la saisit aux entrailles dans une révulsion de toute sa personne contre la mort ; elle s'appuya contre Miss Llewelyn comme sur un mur. La tête tendue en avant, elle cherchait des yeux Régis sans parvenir à le distinguer de ses soldats. Enfin son visage blanc parut au milieu de toutes les faces d'ombre autour de lui. Les coups de feu partaient de plus en plus fréquents et, lui sembla-t-il, plus proches. Soudain, le visage blanc reparut une fois de plus et presque aussitôt ne fut plus là. Elle sentit une grande main s'appliquer sur ses yeux et, sans un cri, elle glissa sur le sol.

Maisie Llewelyn la porta dans une chambre aussi loin que possible de la véranda.

Dehors, des gouttes de pluie commençaient à tomber, espacées, très lourdes, larges comme des mains d'homme ouvertes.

Les mulâtres avaient réussi à se faufiler jusqu'aux trois longs bâtiments qui s'élevaient à proximité de la maison. Ils choisirent le plus haut, d'où ils pouvaient tenir l'adversaire sous leur feu : le vaste hangar où l'on entreposait en masse des balles de coton, une grande quantité d'indigo et où les feuilles de tabac jaunissaient. Ces hommes ne pouvaient voir cette accumulation de richesses. Les premiers éclairs la leur révélèrent, et ils eurent la surprise de se trouver face aux tirailleurs noirs postés là justement pour protéger la maison.

L'engagement fut immédiat et brutal. Presque en même temps, les fusils partirent des deux côtés. Très vite le combat se porta à l'intérieur dans les coins les plus obscurs, tandis que les éclairs se multipliaient comme pour griffonner dans le ciel le destin des adversaires ; des balles perdues s'égaraient parfois dans les masses de coton. Bientôt de longues flammes se dressèrent dans l'obscurité avec une sorte de joie sauvage. La toiture, faite de grandes feuilles sèches de bananiers, se mit à flamber. Les hommes se battaient avec rage, et leur agitation furieuse au milieu des éclairs attira la foudre qui frappa à son tour le hangar. Presque d'un coup le feu fut partout. Les survivants fuirent en désordre, les mulâtres d'abord, poursuivis par quelques Noirs qui tiraient sur eux.

Soudain le ciel parut s'ouvrir. Droite et violente, une pluie chaude se déversa en cataractes sur la terre et, loin d'arrêter l'incendie, parut d'abord l'attiser. Les papas-lois fuyaient dans l'avenue.

Restée seule à l'angle de la maison, la calèche de voyage tendait dérisoirement ses brancards vers les somptueuses passiflores phosphorescentes dans les éclairs. Le feu crépitait encore sourdement. Enfin les trombes d'eau le noyèrent, et une âcre fumée de coton et de tabac calcinés se rabattit sur les mulâtres encore valides qui profitèrent de cet écran pour disparaître.

Les soldats noirs rassemblèrent leurs blessés.

La maison était comme une personne qui se remet d'une attaque et cherche à comprendre ce qui s'est passé autour d'elle. Les coups de fusil ne claquaient plus et les éclairs se faisaient plus rares, mais la pluie tambourinait sur le toit des vérandas avec une obstination monotone qui finissait par avoir un sens, mais lequel ? Des gens allaient et venaient d'une pièce à l'autre et quelque part dans la maison on appelait encore et encore. Ici et là, sur une table, une petite lampe essayait en vain de dissiper l'ombre, mais il y en avait trop et elle était partout, cachant les plafonds et les murs.

Maisie Llewelyn se tenait dans sa chambre, assise en face de Laura qu'elle avait installée dans un fauteuil à bascule. Toutes deux gardaient le silence, mais de temps en temps la Galloise agitait doucement un éventail de palmes près du visage de la jeune femme et celle-ci la regardait sans la voir. Pour la première fois Maisie Llewelyn se sentait intimidée. Elle s'attendait à des gémissements et des torrents de larmes, non à cette immobilité muette qui finissait par la troubler. De même, elle ne lisait rien dans ces grands yeux noirs qui semblaient diriger leur attention par-dessus son épaule, vers la porte derrière elle. Et que pouvait-on lui dire ? Quelles paroles adresser à une jeune femme de seize ans, veuve depuis cinq heures de l'après-midi ? Alors elle avait ce geste avec son éventail... Mais à la longue, il devenait aussi cruel de se taire que de parler. Dire n'importe quoi, mais quelque chose.

Se penchant un peu en avant, elle éleva la voix pour couvrir le sinistre bavardage de la pluie :

— Plus de danger, fit-elle. Ils sont partis.

Ces mots n'arrivèrent à Laura qu'au bout d'un moment. Dans son visage d'un blanc terne, sa bouche s'entrouvrit :

— Où est-il ? demanda-t-elle.

Maisie Llewelyn prit ses deux mains glacées dans les siennes.

— Ses soldats sont avec lui, fit-elle.

Laura ne répondit rien. Dans son esprit se livrait une bataille d'où dépendait toute son existence. Il fallait avoir le courage de poser la seule question possible et elle n'osait pas : « Vivait-il ? » Elle hésita une minute ou deux, puis demanda d'une voix sans timbre :

— Où avec ses soldats ?

Prise de court, la Galloise chercha une réponse vraisemblable et dit enfin :

— Il est très fatigué et se repose avec eux du combat.

— Où se repose-t-il ? Je veux le voir.

— Pour le moment cela n'est pas possible.

Cette fois Laura fixa son regard droit sur elle et ne dit rien. Quelque chose en elle lui criait : « Tu ne le reverras plus. » Mais elle ne voulait pas l'entendre dire tout haut parce que le silence lui offrait, dans un dernier espoir, le doute.

Bien résolue de mettre fin à cette conversation éprouvante, Maisie Llewelyn fit un effort pour sourire :

« Laura, dit-elle, il faut que je vous tienne au courant de nos projets. Voulez-vous m'écouter attentivement ?

Laura inclina un peu la tête.

« Eh bien, voici. Vous savez qu'il nous faut tous quitter vite le pays devenu très dangereux. Aujourd'hui vous en avez eu la preuve.

Elle s'arrêta un bref moment :

« Tout est prêt. Nous partons à l'aube, quand la pluie aura cessé.

— La pluie...

— Oui, vous l'entendez.

Profonde, égale et sourde, la longue rumeur persévérait sous les fenêtres.

« Il doit être huit heures, continua Maisie Llewelyn. Vous feriez bien de prendre un peu de repos dans le lit que je vous ai préparé.

— Non, dit Laura... Le bruit...

— Comme vous voudrez, mais le voyage risque d'être pénible. Vous devez vous ménager.

Un silence, puis elle reprit doucement :

« Je ne sais si vous êtes bien instruite de ces choses, mais moi j'ai fait le compte des jours, des semaines. Un enfant est en route.

Laura ne répondit pas.

« Vous monterez à cheval en amazone et nous irons le plus lentement possible, mais vous devrez vous souvenir ; le petit inconnu que vous porterez en vous — ce sera un peu lui-même.

En disant ces mots, elle se leva et embrassa la jeune femme qui demeura immobile.

— Je voudrais être seule, murmura-t-elle. Excusez-moi.

— Je vous laisse. Tâchez, malgré le bruit, de fermer les yeux. Je ne serai pas loin. C'est moi qui veillerai sur vous.

Elle alla jeter un coup d'œil sur le lit pour s'assurer que tout était en ordre, remonta un peu la mèche de la lampe et, avec un dernier sourire qui resta sans réponse, se retira.

La Galloise s'éloigna de la chambre, laissa passer quelques minutes, puis revint à pas de loup et colla l'oreille au vantail de la porte. Elle n'eut pas à attendre longtemps... Des sanglots retenus une journée entière éclatèrent soudain avec une violence terrible. Ils se prolongeaient sans fin, coupés de hoquets de suffocation. « Cela vaut mieux, pensa Maisie Llewelyn. Qu'elle ait sa crise maintenant avant le voyage, mais je te plains, petite Laura. Tu te maîtrises devant les gens, tu as du cran. Pas anglaise pour rien. »

Au bout d'un moment, elle s'en alla, par pudeur. Comme elle descendait l'escalier pour aller sur la véranda, elle croisa Siverac. Dans la pénombre, ils faillirent buter l'un contre l'autre.

— Vous avez vu Laura ? demanda-t-il. Comment est-elle ?

— N'allez pas la voir, elle sait, elle veut être seule avec son chagrin. Je suis partie avant que cela n'éclate, mais j'ai entendu. C'est affreux et c'est normal et cela me chavire le cœur.

— Vous avez raison de la laisser. Hargrove a été ignoble.

— Comment donc ! C'est lui qui a tué Régis, dit-elle à mi-voix.

— Je m'en doutais, dit-il sur le même ton, mais pourquoi ? Il ignorait tout de leur mariage.

— Oui, mais il ne voulait pas de mariage.

— Avec un catholique, c'est cela.

— Non. Il ne voulait pas de mariage du tout.

— Quelle idée ! En général, le père ne se préoccupe que de cela. Marier ses enfants à tout prix.

— Monsieur Siverac, votre innocence m'étonne.

— Expliquez-vous, Miss Llewelyn, je veux savoir.

— C'est simple, il voulait l'avoir à lui tout seul, toujours.

— Bizarre !

— Monsieur Siverac, vous avez parfois le mot juste, appelons celui-là le mot de la fin et n'en parlons plus.

D'un ton sarcastique, elle ajouta :

« Je trouve que cet escalier où nous sommes, ni en haut, ni en bas et nettement plus près d'en bas que d'en haut, est l'endroit indiqué pour des révélations de ce genre. Cette pénombre même y est propice. Que les propos que nous nous sommes tenus ne sortent donc jamais de cette pénombre.

— Je crois vous avoir comprise...

— Vous êtes intelligent, monsieur Siverac.

— ... mais je n'aurai plus de relation avec Hargrove.

— Juste le strict nécessaire pendant le voyage, peut-être.

Vers minuit la pluie se ralentit, puis cessa tout d'un coup ; quelques étoiles apparurent, les alizés chassèrent les nuages et les constellations brillèrent d'un bout à l'autre du ciel.

Dans la lumière bleutée de l'aube, les soldats attelèrent la calèche. Ils y entassèrent leurs morts, puis allèrent chercher sur la véranda le corps de Régis, là même où il était tombé. La balle l'avait atteint dans la jugulaire.

Ils partirent encadrés par les autres soldats. Le sous-officier noir qui commandait à la place du lieutenant conseilla vivement à Siverac de ne pas perdre une heure et de partir sur-le-champ :

— Les aut' vont 'eveni' avec 'enfo'ts. Si tu pa's tout de suite pa' la montagne tu es sauvé. Nous, on descend pa' la g'and 'oute au cimetiè' chez monsieur le cu'é. Pauv' lieutenant ! ajouta-t-il en serrant la main à Siverac.

Sans tarder, Siverac fit seller chevaux et poneys.

Maisie Llewelyn monta en toute hâte à la chambre de Laura qu'elle trouva endormie, mais qui se leva d'un coup dès qu'elle sentit la présence de la Galloise. Celle-ci eut fugitivement l'impression de voir quelqu'un qu'elle n'arrivait pas à reconnaître. Ce n'était pas que le visage de la jeune femme eût vieilli ou se fût durci dans le sommeil, simplement elle était devenue une autre personne sans avoir changé d'apparence. Les derniers étonnements de l'enfance au fond des yeux, cela même qui séduisait Régis, n'y étaient plus.

Elle dit sans hésiter une seconde :

— Nous partons ? Descendez, je vous suis.

Au rez-de-chaussée, tous s'affairaient en silence, comme si la maison eût été en train de mourir autour d'eux. A certains moments ils l'avaient haïe parce qu'ils y avaient eu peur, et d'un seul coup elle leur rappelait des heures d'émerveillement dont ils ne supportaient plus le souvenir. Ils se retrouvèrent dehors avec un soulagement inavoué.

CHAPITRE LXXXV

Les ombres se dissipaient lentement quand ils furent tous en selle, Siverac en tête, alors que Maisie Llewelyn et Frank encadraient Laura qui se tenait admirablement sur un cheval à la crinière flottante. On la devinait résolue à faire bonne figure, à l'Anglaise, coûte que coûte. Il n'en allait pas de même de Hargrove, qui avait refusé l'honneur de mener la petite troupe aux côtés de Siverac et choisi de protéger les arrières à la suite de Betty, lui-même confortablement entouré de ses six Noirs.

La route, semée de cailloux et de mousse, était large et montait d'abord insensiblement vers un morne couronné d'un nuage pâle tandis que la brume s'attardait au fond des vallées. Poneys et chevaux avaient pris un trot modéré et n'allaient au pas que là où le terrain s'inclinait rapidement. L'air était doux, quelques étoiles pâlissaient dans le bleu timide d'un ciel à peine clair.

Couvert de petits arbres courts, le morne qu'ils contournaient laissait voir çà et là, comme par les trous d'un manteau vert sombre, le rouge éclatant des fruits de mancenilliers. Personne ne disait mot. Seul résonnait dans le silence du petit jour le bruit dur et précis des sabots. Le chemin qu'ils suivaient maintenant plongeait dans une vallée par une suite de gradins doucement inclinés. Presque toujours ils avançaient à la même allure, à flanc de montagne, un morne après l'autre, et, cheminant vers l'ouest, ils restaient sous le couvert de l'ombre qui les cachait aux yeux de tout ennemi. Aussi grisant que risqué, cet itinéraire épargnait aux fugitifs le trajet le long de routes changées en fondrières par l'orage de la veille et qui, d'ordinaire, pouvaient servir aux embuscades de groupes incontrôlés. Siverac, en effet, prévoyait un retour en force des mulâtres sur les lieux qu'ils avaient quittés, mais déjà entre eux et les Blancs en fuite la distance s'agrandissait.

Bercé par le pas égal de leurs montures, chacun demeurait plongé dans ses réflexions et ne voyait le paysage qu'à travers la transparence de ses rêves. Pour Laura, l'enfant qu'elle portait en elle s'accompagnait de l'âme du bien-aimé disparu et elle lui prodiguait déjà tout l'amour dont son cœur était plein.

Miss Llewelyn la surveillait du coin de l'œil, admirant qu'elle eût reconquis sa sérénité. Assurément elle ignorait d'où le coup était parti qui avait abattu le lieutenant, et cela, elle ne devait jamais le savoir, mais l'immonde criminel, quelle figure pouvait-il bien faire, tout au bout de la file, alors qu'ils cheminaient à la queue leu leu ?

D'autres pensées tourbillonnaient dans la tête du jeune Frank chevauchant à droite de sa sœur. Agacé par la lenteur prudente du voyage, il regrettait de ne pouvoir piquer des deux et se lancer au grand galop dans ces montagnes. Avec un peu de chance, il risquait de découvrir une tribu de Sioux coiffés de plumes d'aigles, égarée là par suite d'un caprice de l'Histoire. A sa façon, il rêvait et les événements de la veille se mêlaient à ses songes.

Enfin, entourés de Noirs et protégé, mais non rassuré parce que rien au monde ne pourrait désormais lui rendre la paix, William Hargrove avait le sentiment de s'être évadé d'un cauchemar pour en retrouver un autre dans lequel l'introduisait le sort avec une douceur perfide. Personne ne se doutait de rien, personne n'avait vu et il avait jeté le pistolet sous un meuble. Il pouvait donc être tranquille tout en admirant en connaisseur les particularités du paysage, mais il avait l'impression désagréable d'un rire muet il ne savait où.

Cependant, la petite troupe s'engageait dans un col, et, de chaque côté, la vue plongeait dans des vallées profondes hérissées de broussailles. A l'horizon une lumière hésitait et presque d'un coup le jour envahit le ciel, révélant une chaîne de montagnes d'un bleu sourd et profond, d'une douceur donnant l'illusion du velours... Un cri unanime salua cette irruption de la beauté dans un monde ravagé par la haine, et le cœur des fugitifs battit comme si un chant d'espoir s'élevait de la terre.

D'instinct ils s'arrêtèrent un instant pour mieux recevoir le grand message, s'engageant ensuite dans des sentiers à l'écart des routes où pouvaient s'aventurer des troupes hostiles. Le terrain montait et descendait avec une modération qui leur permettait d'aller assez vite, mais par prudence ils n'échangeaient pas une parole, se méfiant des échos.

Des vautours volaient parfois au-dessus d'eux dans une campagne devenue sauvage. Une légère inquiétude tendait à renaître, mais les heures passaient sans incidents le long des prairies désertes. Dans cette solitude, tout parlait de combats et de fuites.

Bientôt ils eurent à traverser une forêt de pins où ils disparurent au milieu d'une ombre rayée de longs traits de lumière. Les aiguilles rendaient le sol glissant, sinon dangereux, du moins difficile, mais les vigoureux petits chevaux haïtiens savaient où poser la corne dure de leurs sabots. Soudain le sentier dégringola vers un vallon où le silence semblait si profond qu'on l'entendait.

Ils arrivèrent devant un enclos désert. Des bananiers balayaient le sol de leurs feuilles immenses jusqu'au seuil d'une maison dont le toit s'effondrait et qui ouvrait, comme des orbites vides, portes et fenêtres sur un verger envahi d'herbes folles. Là, des pêchers croulaient de fruits sauvages qu'une armée de perruches vertes se disputaient dans un grand frémissement d'ailes et de petits cris. Il était dix heures du matin. Siverac proposa une halte. Betty se mit aussitôt à l'ouvrage. Elle avait pensé à tout. Avec un zèle et une adresse qui provoquèrent l'admiration, elle avait en quelques minutes étalé sur l'herbe une toile où s'alignaient galettes et tranches de viande froide. Deux Noirs se mirent à la recherche d'eau à boire et en trouvèrent bientôt dans un ruisseau de montagne qui coulait en contrebas.

Ils restèrent sous les arbres pendant une heure.

Quand ils se remirent en route, la lumière était éclatante. Le chemin serpentait, mais l'altitude variait peu à six cents, sept cents mètres. Les mornes vers l'ouest se recouvraient de forêts plus denses. Peu à peu les sentiers les emmenèrent à travers un paradis. Entre les troncs énormes des acajous, ils apercevaient sur un autre versant le frisson blanc d'un torrent qui tombait de cascade en cascade, glissant parfois sur un lit de lianes et parfois caché entièrement derrière elles. D'arbre en arbre elles tendaient des guirlandes, des festons, des draperies de fleurs vives. L'ombre de la forêt où ils marchaient paraissait bleue. De moment en moment, dans le tissu épais de la verdure, s'ouvraient de larges trous envahis d'orchidées et les oiseaux-mouches enivrés y dansaient sur place.

Sans en avoir conscience, les voyageurs ralentissaient l'allure comme s'ils faisaient eux-mêmes partie du songe de la nature entière.

Au fur et à mesure qu'avançait l'après-midi, la lumière se faisait plus douce. Près d'une chute d'eau, une fois de plus, ils firent une halte.

— Vous rendez-vous compte, demanda Siverac, que nous en avons encore pour deux grandes heures avant d'arriver au fortin où nous serons en sécurité, cette nuit ? Nous aurons fait en douze heures ce qu'en un jour on fait à peine, d'habitude.

— Holà ! fit Maisie Llewelyn, par moments c'était vertigineux.

— Auriez-vous préféré qu'on brûle dans la maison ?

— Et après le fortin ? interrogea-t-elle.

— Nous essaierons de gagner la côte en évitant les bourgades et les plantations des petits colons qui dans cette région peuvent être suspects.

— Ce sont pourtant des Blancs !

— La belle raison ! L'intérêt, la politique et la peur n'ont pas de couleur.

— Partons.

— Alors, en selle tout le monde.

La Galloise reprit sa place à la gauche de Laura et ils continuèrent leur route verdoyante. Rien ne dépassait en beauté ce qui s'offrait à leurs regards : un torrent descendait par bonds entre deux escarpements et ses eaux se couvraient d'écume où vibrait un arc-en-ciel ; des racines géantes, se cramponnant aux roches basaltiques aussi sombres qu'elles, servaient de tremplins à des plantes aériennes qui s'élançaient d'un tronc à l'autre, les étouffant sous un déluge de fleurs ; c'était un écroulement de corolles, une lutte de couleurs sauvages sous lesquelles se devinaient, par éclairs, les frissons argentés de l'eau ; à flanc de coteau, des sentiers couraient et se repliaient tout à coup sur eux-mêmes, comme s'ils avaient peur de plonger dans un à-pic ; les nuages brillants amoncelés sur les sommets couvraient de leur ombre une partie des lointains, mais les brises des hauteurs nettoyaient l'atmosphère et toute une vallée se voyait livrée dans tous ses détails avec la précision d'une longue-vue. Là où un instant auparavant on ne distinguait que quelques taches, on aurait touché du doigt le mur jaune d'une case perdue au milieu de la verdure, près du miroir sombre d'une mare solitaire. Et partout, suivant les côtes de fer de la montagne, la forêt s'étendait comme de la mousse, d'un vert profond dans les ravins où éclataient les étoiles des jasmins sauvages. Ils virent, au fur et à mesure de leur fuite et comme inconsciemment, les endroits qui deviendraient bientôt des noms de souvenirs : Le Dondon avec son église aux murs d'un blanc de lait et ses cases en désordre accrochées à son morne, et, vers la plaine du Nord, au-delà de Marmelade, les longues tuiles plates des sucreries en ruine ; et ils coupèrent les chemins qui conduisaient à Plaisance, au Gros Morne, à Babiole ou vers l'ouest ; et les monts se creusaient parfois de trous noirs qui étaient des grottes ; et parfois l'œil ébloui ne pouvait se fixer sur les grandes crevasses, que le soleil rendait aveuglantes, des carrières d'albâtre ou de craie.

Les ombres s'allongeaient devant eux, couvrant la nappe de feu du soleil. Une forêt de petits arbres déferlait jusque dans la vallée. Souvent buissons épineux et cactus obstruaient le chemin, retardant l'avance, mais le seul nom de Fortin Paradis ranimait chez les voyageurs l'espoir d'une nuit de repos à l'abri de toute menace. Siverac n'arrêtait pas de scruter l'horizon, et, enfin, parut au bout de sa lorgnette un bâtiment de pierre bleuâtre. Dans le lointain, il ne pouvait distinguer que les contours de la masse cubique mais, à mesure qu'on en approchait, il crut voir des sentinelles dans les arbustes, en avant du fortin. Encore quelques minutes et il en fut certain. Il appela un des Noirs et prit les devants pour vérifier sur place ; en vain il les héla, elles ne bougeaient pas... De plus près, ce qu'il découvrit le fit tressaillir d'horreur, et plus encore le Noir qu'il dut retenir : les sentinelles étaient des épouvantails ; on avait habillé des piquets d'uniformes surmontés d'une tête coupée que le soleil avait presque complètement desséchée ; un képi sur le coin d'une orbite vide donnait à cette boule grimaçante un air goguenard et batailleur. Sur-le-champ, Siverac et le Noir abattirent ces poupées macabres pour les dérober aux yeux de Frank et de Laura, et bientôt les voyageurs purent entrer dans la cour de ce fortin bâti en pierre volcanique d'un bleu livide sous la mousse et les lichens. Des casemates, dont les portes avaient été arrachées, s'ouvraient l'une en face de l'autre, emplies presque au niveau du seuil d'une eau croupissante où se rouillaient un tas de munitions.

Cependant, un auvent large et tombant assez bas offrait une manière d'abri où les voyageurs exténués purent s'étendre et dormir sur de longues feuilles de bananiers coupées l'après-midi même par les Noirs dans le verger aux perruches vertes.

Protégeant le sommeil de tous, les hommes se relayaient pour veiller sur le rempart de pierre, mais la féerie du paysage adoucissait la corvée. Dans tout son éclat, la lune d'été répandait du silence sur les mornes et les baignait d'un éclairage surnaturel où tout prenait l'aspect d'une vision. Il devenait facile de croire que, dans un rêve aux yeux ouverts, ces masses devenues lumineuses flottaient subtilement au-delà de ce monde dans le silence que la lune ajoute au silence.

L'aube mit fin à ces ravissements. Dès le point du jour, poneys et chevaux étant sellés, les voyageurs se mirent en route. Ils en avaient pour la journée entière, mais se sentaient rafraîchis par une nuit de vrai sommeil.

Au début tout au moins, tout s'annonçait favorable. Le chemin descendait en pente douce entre deux monts, et, quand le soleil se mit à chauffer, ils longeaient d'épaisses rangées de platanes dont les longues branches se recourbaient au-dessus d'eux, mais bien avant midi ils eurent la sensation de s'engouffrer dans une fournaise qui les attendait pour leur barrer la route en les démoralisant. Ils continuèrent néanmoins, guettant un coin d'ombre où s'arrêter. De loin en loin, des plantations de colons français enfouies dans les arbres semblaient leur offrir asile, mais Siverac se méfiait et ne voulait pas en entendre parler. Il fallait même passer le plus au large possible, le cœur gros et les vêtements collés aux épaules et aux reins.

Enfin ils atteignirent Trois-Rivières, cours d'eau issu de trois torrents d'où montait une idée de fraîcheur, et ils le longèrent en se persuadant qu'ils souffraient moins.

Cependant le pays changeait d'aspect. Les mornes se réduisaient de plus en plus, cédant la place aux collines. Pendant deux jours ils poursuivirent leur exode, montant, descendant le long de sentiers pénibles, trop heureux de trouver un bois et de se glisser sous le couvert des arbres, puisqu'il valait mieux pour des fugitifs ne pas attirer l'attention, puis, le second soir venu, ils purent se faire une sorte de camp de repos derrière des roseaux géants sur la berge. Le lendemain matin, tout à coup, une brise leur apporta l'odeur salée de la mer. Leur voyage approchait de son terme, mais à présent la route devenait plate et ils avançaient dans une plaine où la chaleur se faisait humide et écrasante. Ils s'arrêtèrent.

— Ce serait dommage de mourir au port, dit Maisie Llewelyn à Siverac. Je ne crains pas tant pour moi que pour la petite. Depuis le départ de la maison, pas un mot. Il y a des moments où elle me fait peur.

— Avec cette odeur de marée qui nous arrive en pleine figure une plage ne doit pas être loin. Nous pourrons au moins nous y étendre un instant. Port-de-Paix est au bout de la route, devant nous.

Tous se remirent en marche, sans discuter, comme dans un mauvais rêve, et bientôt la crique fut là, mais, ô surprise, recouverte d'une légion de crabes. Par bonheur, au bruit des pas, cette foule blottie sous les varechs se dispersa, et les fugitifs aux jambes tremblantes de fatigue purent s'affaler sur le sable à l'ombre des pins.

Seul Frank ne pouvait rester en place. Avec l'impétuosité de son âge, il courut après les crabes qui se sauvaient, le dos couvert de lambeaux d'algues. Dans une anse plus resserrée où venaient mourir des eaux limoneuses, le ressac avait rejeté toutes sortes de débris, du bois pourri, des coquillages, et le garçon dérangea de petits rongeurs affairés sur un cadavre de pélican des mers. L'odeur de la pourriture le chassa. Il revint près de sa sœur qui se reposait en regardant le large, absente à tout autour d'elle.

Plus résistants, Siverac et Maisie Llewelyn se tenaient debout sous les arbres et considéraient les dormeurs.

« Loqueteux, sales et puants, dit Siverac.

— Comme nous, remarqua la Galloise.

— Comme des voleurs de grand chemin.

— Ou tout simplement comme des pauvres. Nous promenons sur nos personnes toutes les odeurs de la misère. Ces malheureux sont à bout, mais les voilà hors de danger.

— Pour le moment peut-être, mais reste à faire le plus périlleux : gagner la Tortue.

Quelqu'un le tira par la manche. Il tourna la tête et ne vit personne, puis reconnut Betty qui lui arrivait à peine aux épaules. Elle était fagotée de vêtements déchirés noués autour de sa petite personne avec des ficelles, mais à son cou brillait la modeste croix d'or qu'elle devait à sa défunte maîtresse, la mère de Laura.

— Monsieu' Sivac, dit-elle pleine d'animation, Betty va t'ouver un bateau pou' la To'tue, Betty connaît bien Po'-de-Paix, y'a deux cousines de Betty à Po'-de-Paix.

— On la laisse aller, dit Maisie Llewelyn à Siverac, je la connais, elle va nous tirer d'affaire.

— Il faut aussi un des Noi's, précisa Betty.

— Prends Ezéchiel.

— Bien, fit Betty.

Et les mains en porte-voix, elle appela :

« Zikiel !

Au bout d'une minute Zikiel parut. Il s'était endormi au pied d'un arbre, à l'écart des Blancs, et vint au pas de course. Trapu et souriant dans ses vêtements de toile presque en lambeaux, il alla droit vers Siverac et dit :

— *Yassa* *.

Siverac fit un signe de tête vers Betty.

— Tu vas faire ce qu'elle te dira.

Tous deux partirent et se dirigèrent vers la ville.

* *Yassa : Yes, Sir.*

Toutes les rues aboutissaient tant bien que mal à une avenue qui conduisait à la place Louis-XVI. S'y dressait une statue de métal doré dont les formes pouvaient être celles d'une femme nue confusément allégorique. Les maisons de bois à un étage se côtoyaient sans s'aligner, toutes fenêtres ouvertes.

C'était l'heure où la ville était dehors. Une lumière orangée donnait de la splendeur à cette fin d'après-midi comme à la promenade des élégantes en mousseline blanche, accompagnées de leurs galants en veste rouge ou bleu roi avec des parements brodés. Parmi les femmes s'en voyaient d'une beauté resplendissante et dont les corsages échancrés avec audace révélaient de quoi ravager les jeunes dandys qui évoluaient autour d'elles. Beaucoup de ces derniers laissaient pousser leurs bouclettes frisotées jusqu'à s'en faire une queue ornée d'un catogan écarlate qui leur battait le dos. De cette foule montait une rumeur sonore, le charmant ramage des voix noires. Betty allait en tournant la tête à droite et à gauche lorsqu'un jeune gandin en veste bleue à collet rouge la heurta par distraction :

— Tu vois pas clai' ? s'écria-t-il. Où c'est tu vas ? Tu che'ches quelqu'un, toi ?

Elle le regarda éberluée.

— Ma cousine qui s'habite ici.

Le garçon n'avait pas l'air méchant.

— Elle s'appelle comment ta cousine toi ?

— Ida 'icou.

— Ida 'icou ! Elle s'habite là tout p'ès dans l'avenue. Tout le monde connaît Ida 'icou.

Betty remercia et prit l'avenue. De petites maisons à un étage, les unes de bois, les autres moins nombreuses de brique, se revêtaient toutes de chèvrefeuille dont le parfum attendrissant embaumait les approches du crépuscule.

Sur le pas de leur porte, des dames étalaient leurs vastes personnes dans de fastueux fauteuils de rotin aux dossiers en éventail et fumaient leur pipe en regardant se pavaner le beau monde. Elles jacassaient entre elles, s'interpellant, narquoises, complices.

Lorsque parut Betty accompagnée de son Noir, il y eut une minute de stupeur, car la nouvelle venue avançait hardiment. Une voix flûtée partit d'un groupe :

— Ou la la ! la madame en chiffons qui fait la p'incesse !

Sans hésiter, Betty répondit d'un ton haut et clair :

— La madame en chiffons vient appeler ses f'è'es et sœu's noi's au secou's.

— Le secou', qui va te donner le secou', toi ?

Il y eut des rires joyeux et celle qui avait parlé se balançait dans son fauteuil.

— Ida 'icou, ma cousine.

— Ida 'icou ! Fallait le di'.

Et la pipe au poing, la dame se redressa un peu et appela : « Oh Ida ! Ida-a-a-a !

Pas tout à fait en face, de l'autre côté de l'avenue, une voix sortit de sous une véranda et retentit :

— Qu'est-ce que tu veux enco', toi Lili ? Ida, elle est ici, alo' quoi ?

— Ta cousine te che'che !

— J'ai pas de cousine ici, Lili. C'est pas v'ai-ai-ai !

Betty traversa l'avenue et se dirigea vers l'endroit d'où venait la voix. La maison, de proportions modestes et cachée sous le chèvrefeuille, paraissait d'autant plus petite que devant la porte une femme d'une corpulence exceptionnelle était assise, vêtue d'une cotonnade mauve aux plis bouffants ; les manches très larges laissaient libres de superbes bras de cantatrice. Ses cheveux, dans un désordre de boucles frisées, s'épanouissaient autour d'un visage dont les chairs, tendues par la graisse, ne portaient trace d'aucune ride. De toute sa personne émanait cette bienveillance particulière à tant de Noires. Dès qu'elle vit Betty venir de son côté, elle lui cria :

« Qu'est-ce que tu fais pa' ici ? T'as eu des malheu' ?

— Oh ! oui, ma pauv' Ida, je viens avec Zikiel. Il est gentil, il m'aide beaucoup.

Ida se leva aussitôt.

— Allez, ent'ez chez moi, tous les deux !

Les précédant, elle les fit pénétrer dans un lieu si obscur que d'abord ils ne virent rien, sauf un énorme bouquet de dahlias qui semblaient sortir de la nuit pour les examiner à leur arrivée, comme de grands yeux ouverts.

« Je vais vous fai' un café bien fo' pou' vous remet', fit Ida.

Elle remuait beaucoup et disparut dans des profondeurs d'où revenait sa voix.

« Asseyez-vous, je suis dans la cuisine.

Ils ne bougèrent pas. Afin d'expliquer sa présence en peu de mots, Betty lança une courte phrase :

— La maison a b'ûlé.

— Oh ! ma pauv', gémit la cuisine.

Comme une sorte de nuage mauve Ida reparut et, se hâtant vers la porte, cria d'une voix puissante :

« La maison de Betty a b'ûlé !

Des lamentations partirent spontanément des portes voisines :

— Oh ! Oh ! Oh !

Ida se retourna vers Betty :

— Qui a b'ûlé ta maison, toi ?

— Des bandits, i zon ti'é su' le ma'i de la petite Lau'a et il est mo', fit Betty brusquement secouée de sanglots.

— Et des bandits ont tué le ma'i de la petite Lau'a, répéta Ida à tue-tête pour compléter l'information du voisinage.

Personne ne savait qui était la petite Laura, mais le chœur des lamentations n'en résonna pas moins dans les premières ombres du soir.

— Oh ! la pauv' ! oh ! oh ! la pauv' petite !

— Alo' elle s'en va, poursuivit Betty, avec sa famille et il faut un bateau.

— Quoi, un bateau ?

— Pou' aller à la To'tue.

— Betty veut un bateau pou' aller à la To'tue avec sa famille, proclama Ida d'une voix chantante.

Soudain elle murmura :

« Mon café !

Le fond de la pièce parut l'engloutir, et Betty se trouva seule avec Ezéchiel. Leurs yeux s'habituant à la pénombre, ils distinguèrent un banc devant une petite table et s'assirent. Dehors, la complainte reprenait, mais le ton se modifiait peu à peu.

— Un bateau, la pauv', bien sû' pou' s'en aller. Un bateau, un bateau, ça se t'ouv' pas comme ça !

— Faut demander au commandant Thomas.

— Ho ! Ho ! L' commandant Thomas laisse pas so'ti du po' tout le monde comme ça ! Po' fe'mé, c'ainte des bateaux fouançais...

Ida revint avec une grosse cafetière de métal qu'elle posa sur la table.

— Commandant Thomas ! fit-elle. Tu so' du po' seulement si y a le tambou'...

Elle se pencha par la fenêtre. Dans les dernières lueurs d'un ciel rougeâtre, la fumée des pipes filait toute droite en spirales bleues le long des maisons.

« Y'a tambou ce soi' ? demanda-t-elle.

— Pas 'ataplan si commandant voit kekchose...

— Commandant voit seulement ce qui c'oit, comme son saint pat'on...

— Mais c'est à l'envè' ce que tu dis, fit Betty, i c'oit ce qui voit.

— Non, pas le commandant Thomas. I c'oit d'abo' et alo' i voit.

Une voix toute proche dans l'avenue intervint :

— I c'oit tout ce qu'on veut si on lui donne l'eau des C'éoles.

Il y eut un éclat de rire.

— Zikiel, fit Ida, va che'cher les tasses : sous le lit — mais, attends, on voit 'ien...

De nouveau elle disparut et revint au bout d'une minute avec une bougie allumée qu'elle fit tenir plantée au milieu de la table dans un rond de cire fondue. La petite flamme hésita d'abord, incertaine, puis révéla une pièce tendue de chemises, de bas rayés et de sous-vêtements sur une corde qui coupait un angle, cachant à moitié une armoire de bois blanc. Haut sur pieds, un vaste lit de métal occupait un coin reculé sous une pile d'édredons rouges. En s'aplatissant sur le carreau, Ezéchiel finit par atteindre les tasses de grosse faïence dans une zone ténébreuse.

Pendant ce temps, Ida se carrait dans un fauteuil de rotin et donnait ses instructions à Betty :

« Toi, tu vas che'cher la famille et demain matin on au'a le bateau.

— Comment tu vas fai' toi ?

— Toi tu fais comme veut Ida ou vous 'estez tous ici. Comp'is ?

Betty hocha la tête et Ida poursuivit :

« Tu amènes tous les aut' ici, ils do'mi'ont dans le ja'din, y a des hamacs aux a'b'es.

Se penchant par la fenêtre, elle fit vibrer sa voix profonde :

« Cette nuit, ils do'ment tous dans mon ja'din et nous on s'occupe du bateau. D'acco'd, les filles ?

Un oui unanime lui répondit dans une grande bouffée de « Oh ! Oh ! Oh ! ».

« Betty, fit Ida, va vite là-bas les che'cher, toi, et fais les veni' ici.

Sans une seconde d'hésitation, Betty s'en fut à toutes jambes. Entre Ida et l'avenue, le dialogue continuait sur le ton héroïque des grands jours d'action :

« Demain c'est la Saint-Thomas et la fête du commandant. On a de la chance, les filles, on peut fai' de la musique. On va toutes au po'.

— Et alo' toi, de la musique ? Oh ! Oh ! toi !

— Tambou', t'ompe et bamboulas, vous comp'enez ?

— Oh la ! toi ! Comp'is. Vive fête du commandant et tambou' tambou' boum boum boum.

— Demain, demain. Pas t'op vite, les filles.

— Toutes au po' et boum boum. Oh ! toi !

— Mais d'abo' il faud'a tous les peind' !

— Oh ! Comment ça toi ?

— Les peind' en noi' avec la fumée ! Comme ça i coua'a 'ien, pa'ce qui ve'a 'ien !

— Oh ! toi ! Ah ! Ah ! Ah ! Toi ! Toi !

Le reste se perdit dans une explosion de gaieté alors que la lune montait à l'horizon, au-dessus des terrasses de la ville.

A ce moment même, Betty atteignait le groupe des fugitifs qui déjà s'inquiétaient de son absence prolongée. Instinctivement, en effet, ils comptaient tous sur la petite femme noire. Elle arriva dans un état de surexcitation qui lui rendait la parole difficile, mais elle leur fit assez vite comprendre qu'il fallait la suivre pour aller passer la nuit dans le jardin de la cousine Ida et que le bateau serait prêt le lendemain matin. Debout dans l'ombre sous les pins de la crique, ce fut, comme à l'ordinaire, la Galloise qui prit la décision la plus rapide. Elle écouta jusqu'au bout la messagère haletante et déclara :

— C'est fou, mais c'est notre seule chance. Betty, nous te suivons.

Afin d'éviter la place encombrée de belles et de beaux trop curieux, Betty leur fit faire un peu à tâtons un détour par des rues désertes, et, moins d'une demi-heure plus tard, ils remontèrent l'avenue principale. Là, à la lueur des lampes qui s'allumaient dans les fenêtres, ils furent salués d'une ovation inattendue par les fumeuses de pipe du voisinage.

Ida les accueillit comme une mère, leur offrit à dîner et les mena ensuite dans un spacieux jardin où des hamacs les attendaient. Il n'y en avait pas assez pour tout le monde, mais les Noirs ne demandaient qu'à s'allonger dans l'herbe.

Un sentiment de sécurité délicieuse ferma les paupières de tous presque d'un coup. Les chants d'oiseaux et les cris des perruches les tirèrent d'un bienheureux sommeil. Seule Laura n'avait pu dormir, mais elle n'en avoua rien...

Pendant que ses compagnons se livraient à des ablutions très sommaires, Maisie Llewelyn, levée avant tout le monde, alla trouver la maîtresse de maison :

« Ida, ce que tu fais pour nous, on ne l'oubliera pas... Tu es une femme de cœur et d'action. Tous nos chevaux, dehors, ils sont à toi. Douze bêtes pour un bateau !

— Oh la la ! la madame !

Elles se mirent à rire et les deux femmes s'embrassèrent.

« Tu p'ends bien soin de ma Betty, fit Ida.

— Promis, juré ! On l'adore, ta Betty.

CHAPITRE LXXXVI

Au petit jour, le voilier promis se balançait mollement dans les eaux du port. Pendant ce temps, Ida et ses complices barbouillaient le visage des voyageurs blancs avec du noir de fumée appliqué d'une main soigneuse et en couches redoublées, car cela devait tenir. Maisie Llewelyn et Siverac se prêtèrent docilement à cette opération, Frank, qui ne perdait pas le sens de l'aventure, avec enthousiasme et Laura avec résignation.

Le port était tranquille. Au bout d'un wharf en planches, un voilier se balançait sur l'eau au gré de la brise ; la rade en forme de croissant était vide ; deux forts veillaient armés de canons, l'un en face de l'autre, à chaque pointe du croissant. Le long du quai, sous des cocotiers, des barils noirs et des piles de bois attendaient un imprévisible chargement. Des nuages d'un rose irisé flottaient dans le ciel du petit jour sur ce décor austère.

Un peu à l'écart s'élevait ce qu'on appelait le bureau du commandant, une maison de brique qui s'ornait d'arcades couvertes de tuiles roses. Des cocotiers l'entouraient presque entièrement, la protégeant de leur ombre.

Assis sur une chaise à la porte du bureau, un factionnaire, jambes largement écartées, mâchait de la canne à sucre. Il avait appuyé son fusil contre le mur, et, sur la porte, une affiche portait en grosses majuscules les mots suivants :

FORCE A LA LOI

La tranquillité et l'ordre règnent ici.

Tout individu sortant doit avoir un passeport.

Tout individu entrant doit avoir un passeport.

De longues minutes s'écoulèrent sans que rien troublât cette paisible image, quand soudain une rumeur lointaine parut sortir du fond du silence. Il fallait vraiment tendre l'oreille pour l'ouïr et le factionnaire rêvait à tout autre chose en mordant son tronçon de canne à sucre.

Le bruit s'approchait cependant, sourd et rythmé sur une cadence insaisissable.

Le factionnaire se leva et, à tout hasard, saisit son fusil.

Il vit alors venir d'un bout de la place une quarantaine de grosses femmes aux madras multicolores et vêtues de cotonnades aux teintes claires, lilas, roses, vert pâle, bleu azur, blanches et l'une d'elles en rouge vif comme un cri dans un parterre de fleurs. Toutes étaient noires, mais leur teint variait du café-au-lait à l'ébène, et toutes fredonnaient à mi-voix, les bras chargés de toutes sortes d'instruments pour faire du bruit : tambours, bamboulas, conques faites de grands coquillages.

D'instinct le factionnaire croisa son fusil, mais elles lui rirent gentiment au nez et vinrent se placer en arc de cercle devant la porte du commandant Thomas, à une distance respectueuse, non sans un très léger dandinement et quelle grâce dans tout cela... Le factionnaire lui-même se mit à sourire sans faire attention à une compagnie de Noirs peu intéressants et mal vêtus qui se faufilaient derrière les musiciennes en direction du voilier.

Brusquement la porte du bureau s'ouvrit et le commandant Thomas parut, l'air agressif. Très imposant dans son uniforme brodé d'or et boutonné haut, il n'en semblait pas moins vaciller si peu que ce fût sur ses longues jambes tout en gardant l'apparence digne et mécontente d'un homme qui a bu, car il buvait ferme, le commandant Thomas... Et ce fut à ce moment que devant lui, d'un nuage mauve, sortit un bras magnifique lui tendant un grand verre tout plein d'eau des Créoles. Sans un mot il le saisit, le huma et le porta à ses lèvres pendant que l'astucieuse Ida attrapait un autre verre plein d'eau pure et d'une voix ensorcelante lui chantait doucement :

— Bonne fête, commandant ! A vot' p'écieuse santé !

Ce disant, elle vida son verre alors qu'il vidait le sien et, sous le coup de cette rasade imprévue, il vacilla et dut s'appuyer d'une épaule au chambranle de la porte.

Un simple geste de tête suffit à Ida pour donner le signal aux femmes, qui toutes se mirent en mouvement, d'abord avec une lenteur sournoise, tout en frôlant du bout des doigts leurs tambours plats, les bamboulas, qu'elles tenaient d'un bras contre elles. Ce bourdonnement traversait la place entière et s'intensifiait peu à peu à mesure que s'accélérait le balancement des hanches. Et tout à coup déferla sur ces corps massifs la houle voluptueuse d'une danse irrésistible dans le tonnerre assourdi des tambours, et des voix d'une pureté exquise lançaient au ciel d'azur de mélodieuses inepties :

C'est la fête à toi, Commandant Thomas
On va pêcher g'os homa'
Pou' la fête à toi, Commandant Thomas.

Déjà la petite troupe de Noirs vrais et faux s'était glissée dans le voilier quand Ida, de ses deux bras vigoureux, tirait d'un tambour de l'armée le fracas réglementaire qui ouvrait le port.

Le commandant Thomas, presque assommé par un deuxième verre d'eau des Créoles, voyait et entendait tout dans l'euphorie d'un rêve éveillé.

CHAPITRE LXXXVII

Maintenant au large du port, le voilier rasait les eaux écumantes, s'enfonçait, puis remontait au gré des vagues et Haïti paraissait et disparaissait tour à tour, car dans le bras de mer qui les séparait de l'île de la Tortue des courants redoutables circulaient, imprévisibles sous les flots, comme si des orages y grondaient. Des ombres de requins rôdaient autour du navire. Aucun des fugitifs ne bougeait ni ne disait mot, laissant les Noirs manœuvrer les voiles. Depuis plusieurs minutes, l'heureux tumulte de chants et de danses sur la place du port n'arrivait à eux qu'affaibli, semblable à un souvenir qui fuit la mémoire, et leur cœur se serrait. Vint le moment où la distance accrue leur permit de voir l'île qui donnait l'impression de s'aplatir en s'éloignant mais, telle qu'elle leur apparut alors, demeurait étrangement belle et attirante. Le magique enchantement d'Haïti réveillait au fond d'eux-mêmes des heures lumineuses à jamais perdues. Frank ne se consolait pas des immenses possibilités d'aventures qu'ouvrait l'île à sa jeunesse. Même la Galloise, toujours impassible, ne retenait pas quelques soupirs. Laura s'était blottie dans un coin du bateau. Le vent la décoiffait et des mèches de cheveux lui barraient le visage sans qu'elle s'en rendît compte, elle ne les écartait pas. Une voix lui soufflait dans le secret de son âme qu'avec la disparition de celui qu'elle avait aimé le monde ne pouvait plus jamais avoir aucun sens.

Et les Noirs, silencieux, regardaient de leurs yeux agrandis par l'amour la terre natale lentement s'effacer.

La Tortue se rapprochait comme une immense forêt surgie de la mer. Lorsqu'ils furent assez près, les marins inclinèrent la voile pour mettre le cap sur le port de Cayonne dont on ne discernait rien, alors qu'apparaissaient de nombreuses criques de sable au milieu des arbres qui descendaient jusqu'au ras de l'eau.

Au débarcadère, il y avait foule. L'arrivée d'un bateau, c'était la grande distraction d'avant midi. La tête couverte d'un mouchoir noué, les femmes se montraient en tabliers de toutes les couleurs, les hommes en culottes s'arrêtant au-dessous du genou, tous pieds nus et jacassant, riant, commentant la manœuvre.

L'accueil fut loin d'être hostile. Bien au contraire, on laissa passer les voyageurs avec le sourire. Ils se rendirent aussitôt à ce qu'on appelait la ville. Elle était des plus simples : petites rues étroites aux maisons de bois couvertes de palmes en guise de toits. Devant les incertitudes de ces étrangers qui ne savaient où se diriger, une vieille femme noire s'offrit à les piloter. Ce fut bref. Elle les mena à un hangar où des vêtements d'occasion étaient pendus, chiffonnés, mais propres. Maisie Llewelyn et Siverac s'en accommodèrent en plaisantant, de même que le jeune Frank toujours prêt à l'inattendu, mais Hargrove leur fit grise mine, s'affublant d'un costume de toile beaucoup trop grand qui blessait sa dignité. Laura mit docilement une cotonnade multicolore dont la gaieté contrastait avec la mine sérieuse de la jeune femme à qui le deuil eût convenu. Quant à Betty, elle se contenta d'une petite robe bleue que lui choisit Miss Llewelyn. Les Noirs eurent tôt fait de passer des pantalons de grosse toile blanche qu'on leur donna par camaraderie, tandis que les faux Noirs aux visages enduits de fumée paraissaient suspects sans qu'on en dît mot.

Nombre de maisons se trouvaient vides. Siverac en loua autant qu'il en fallait pour tout le monde. Beaucoup d'eau fut versée dans beaucoup de baquets, et, en moins de deux heures, les fugitifs, rendus à leur couleur naturelle, quittaient leurs demeures de fortune pour se réunir sous les arbres afin d'examiner la situation. Dans leurs vêtements d'occasion, ils faisaient l'effet d'une troupe d'acteurs engagés pour jouer dans une farce et les habitants de Cayonne, curieux d'observer les nouveaux venus, se sauvaient, les ayant vus, en pouffant de rire. Maisie Llewelyn, Siverac et Frank partagèrent leur gaieté, mais Hargrove souffrait et Betty entraîna Laura à l'écart pour la soustraire à la risée générale.

Le calme rétabli, Siverac annonça :

— Pour le moment, tout s'arrange au mieux ; nous semblons un peu ridicules — et alors ? Nous échappons à une tragédie dans une saine hilarité sauf...

Il regarda autour de lui et, ne voyant pas Laura, acheva d'un air grave :

« ... sauf la jeune victime si cruellement atteinte.

En disant ces mots, il lança un coup d'œil vers Hargrove qui regarda au loin.

— Betty qui a du cœur l'a emmenée dans les bois, fit Maisie Llewelyn.

Siverac reprit :

— Une frégate anglaise doit faire escale à Cayonne, paraît-il, dans quatre ou cinq jours. Nous pouvons attendre. La nature a pourvu à tout. Les fruits surabondent. Les criques semblent pavées des meilleurs crabes rouges du monde. De plus, la population nous accueille gentiment. Prenons le temps en patience dans ce petit paradis.

La première journée fut paisible avec des moments agréables pour quelques-uns. Les habitants, qui n'avaient pour ainsi dire aucune activité, ne demandaient qu'à faire découvrir aux étrangers les beautés de l'île dont ils étaient fiers. Il y avait des promenades délicieuses à travers des bois de pamplemousses et de citronniers. C'était là que Betty mena Laura dans l'espoir de la distraire, car elle l'aimait et souffrait de la voir dévorée d'un chagrin dont elle ne disait mot. Autour d'elles volaient des colibris dont le pépiement les accompagnait dans la solitude. La jeune femme souriait parfois, mais ne posait aucune question parce que plus rien ne l'intéressait. De temps en temps elle touchait de la main la parure d'émeraudes qu'elle portait cachée sous sa robe.

De son côté, Frank se livrait à des randonnées aventureuses, explorant les rochers qui dominaient la mer. La tête pleine de lectures grisantes, il espérait follement que le hasard le conduirait jusqu'aux grottes mystérieuses où les boucaniers des grands jours cachaient de fabuleux trésors. Mais il s'égarait dans des forêts qui dévalaient jusqu'aux eaux d'un bleu profond comme un morceau de ciel nocturne.

Après une heure d'allées et venues infructueuses, il remonta penaud vers la ville, mais décida d'y rentrer par un nouveau chemin. A un autre bout de Cayonne se trouvaient de petites maisons espacées les unes des autres, et dont l'une en particulier se tenait farouchement à l'écart près d'une jetée de pierres sèches au bord de l'eau. Pour accuser son éloignement, elle était peinte en rouge. Le cœur de Frank se mit à battre. Avec son instinct des péripéties, il flaira la grande aventure et se glissa furtivement jusqu'à la porte entrouverte. Une affiche collée au vantail l'arrêta net. Elle portait en majuscules rouges l'inscription suivante :

CELUI QUI ENTRE ICI SANS PERMISSION
LE FAIT AU PÉRIL DE SA VIE

et en guise de signature deux tibias croisés en X.

Il recula, indécis. C'était trop beau. Il reconnut le grand langage des écumeurs des mers et fut tenté de soulever son petit chapeau de paille, mais il avait peur comme il avait rêvé d'avoir peur, et il recula d'un pas. Les secondes qui suivirent furent inoubliables. Filer était déshonorant. Rester là n'avançait à rien. Il résolut de faire un tour, un assez grand tour devant la maison rouge. Lorsqu'il fut exactement devant la porte entrouverte, il eut la sensation d'un picotement dans son cuir chevelu, mais, au plus haut degré de l'exaltation aventurière, il se jura de ne pas bouger. D'abord il ne voyait rien quand, tout à coup, une voix claire et précise sortit de la maison :

— Passe ton chemin ou je tire.

Frank rassembla toutes les forces du courage et de l'orgueil. Il se rappelait que dans des circonstances analogues, d'après les meilleurs auteurs, le héros se devait de rester admirable. D'une voix un peu étranglée, il cria :

— Pourquoi ? Je ne fais rien, j'ai le droit...

Il y eut un sinistre ricanement et la voix reprit :

— Tu es sur mon territoire. Une fois !

Frank ne broncha pas, mais pensa :

« Je reste, je reste, et je reste. » Une voix intérieure rectifia : « Entre deux et trois tu détales. »

Il attendit, les oreilles bourdonnantes de terreur. Le « deux » ne vint pas, mais la voix dit :

« Viens là.

En même temps, la porte s'ouvrit d'un coup de pied et il vit un homme de haute taille assis sur une chaise à l'intérieur de la maison, tout près du seuil. Sa chevelure, d'un roux sombre, s'ébouriffait au-dessus d'un visage moqueur au teint basané, aux traits rudes, mais réguliers. Une culotte longue teinte en rouge sang couvrait des jambes puissantes et un coutelas brillait à sa ceinture. D'une large main nonchalante, il jouait avec un pistolet. Ses yeux verts ne quittaient pas le jeune garçon qui soutenait de son mieux ce regard fixe.

« Qui es-tu et comment t'appelles-tu ?

— J'arrive d'Haïti, mon nom est Hargrove... Frank, ajouta-t-il.

— Français ?

— Américain.

— Ça vaut mieux pour toi.

L'accent rocailleux trahissait une origine écossaise.

« Alors, qu'est-ce que tu fais à la Tortue ?

La réponse vint comme une explosion :

— Il y a des cavernes dans l'île.

Le pistolet vola en l'air et fut rattrapé aussitôt.

— Ça par exemple ! Tu cherches les trésors des boucaniers ?

L'homme éclata de rire :

« Il n'y a qu'une personne qui connaisse les cavernes ici, c'est moi.

Frank devint tout rouge... Se levant d'un coup, l'homme glissa son pistolet dans une gaine à sa ceinture. Debout, sa tête semblait toucher le plafond.

« Combien de temps restes-tu dans mon île ?

— Quelques jours seulement. Nous allons à la Jamaïque.

— Tant pis. Tu n'as pas eu peur quand j'ai menacé de tirer, alors on peut s'entendre avec des gars comme toi.

Les mains sur les hanches, il considérait Frank avec un sourire.

« Je t'aurais appris à pêcher au harpon, à tirer comme un vrai boucanier, dit-il.

Un malaise étrange s'empara de Frank, comme s'il eût été sur le point d'aborder aux rives des pays inconnus dont parlaient les livres et qu'en même temps une main le tirait en arrière.

— Boucanier..., répéta-t-il au hasard.

— C'est à un pirate que tu parles, mon garçon.

Et sans lui donner le temps de respirer, il lui dit :

« Captain Kidd, ça te dit quelque chose ? Le prince des pirates.

— Oh ! j'ai lu son histoire !

— Je te la raconterais mieux que dans tes bouquins... Je t'aurais fait voir les grottes où les flibustiers entassaient leur butin. Qu'est-ce que tu vas faire plus tard ? On va t'envoyer dans un collège, tu seras comme tout le monde.

L'incohérence de ce discours jeta le trouble dans l'esprit de Frank et le soupçon l'effleura que son interlocuteur était dérangé.

« Tu es jeune, solide, continua celui-ci, j'aurais fait de toi un homme.

Et pris d'une colère subite en le regardant, il lui jeta :

« Tiens, va-t'en ! Va-t'en d'ici !

Frank se retira aussitôt et dehors sentit grandir en lui une inquiétude qui lui fit doubler le pas, et, toute honte bue, il se mit à courir.

De retour dans sa chambre, il se coucha sur son lit à plat ventre et le cœur battant. La voix gutturale du boucanier lui résonnait encore dans l'oreille et il se demanda s'il n'avait pas échappé à un assassinat, mais cette alarme rétrospective se mêlait au sentiment confus d'avoir côtoyé le grand rêve de l'aventure qu'une incompréhensible fureur avait saccagé.

A quelques maisons plus loin, Maisie Llewelyn se tenait debout devant William Hargrove dans la chambre de ce dernier. La porte était grande ouverte. Assis sur le bord de son lit de feuilles, il était plié en deux, la tête appuyée sur les mains, pendant que la Galloise le sermonnait :

— Au nom du Ciel, Willie, faites un effort. Quittez cette mine de condamné aux galères. Dans quelques jours un navire anglais va vous emmener dans un pays tranquille. Alors ? Faites au moins semblant d'être un homme devant le monde. Vous avez des problèmes ? Bon sang, qui n'en a pas...

Il leva vers elle un regard désespéré :

— Oh ! Maisie, si vous saviez comme il est horrible d'être moi !

Cette parole qu'elle n'attendait pas frappa la Galloise en plein cœur. Prise de pitié, elle adopta un ton jovial :

— Allons, allons, un jour vous raconterez tout cela à votre Maisie, elle en a entendu bien d'autres. En attendant, je vais vous faire un ourlet à vos manches et à votre pantalon pour que vous ayez l'air un peu moins ridicule dans ce costume de géant.

— Maisie, je voudrais mourir.

— Non, Willie, pas ça, pas de grands mots. Nous sommes tous capables de tout et ceux qui se croient les meilleurs ne valent pas cher. Du cran, Willie Hargrove. Faites semblant — comme tout le monde.

Il se cramponna au montant du lit et parvint à se lever :

— Je vais vous demander un service.

— Accordé.

— Faites appeler mes Noirs, je veux leur parler.

— Qu'est-ce qui vous prend ? Vous allez leur faire un discours ? Mais je vais les appeler. Ce n'est pas difficile. Il y en a deux devant la maison.

Elle sortit et fit signe aux Noirs, qui vinrent aussitôt.

— *Yes,* M'am.

— Allez rassembler vos camarades et dites-leur de venir ici. Mr. Hargrove veut leur parler.

— *Yes,* M'am. On va che'cher pa'tout.

— Faites vite.

— Vous en avez pour un moment, fit-elle en revenant auprès de Hargrove. Il faut d'abord qu'on les trouve. Patientez.

Dans la petite pièce meublée le plus grossièrement du monde, il y avait malgré tout un fauteuil à bascule en bois blanc. Elle s'y installa.

« J'essaierai de vous distraire », fit-elle en croisant les mains sur son ventre, et elle se mit à se balancer.

Hargrove, maintenant, marchait de long en large, un peu réconforté par les paroles rudes, mais bienveillantes, de cette femme qui, se disait-il, ne savait rien.

— Je voudrais aussi, dit-il dans une crise d'attendrissement sur lui-même, je voudrais beaucoup parler ici avec ma précieuse petite Laura.

— Oh ! Laura, fit la Galloise dans un balancement énergique, vous la verrez plus tard. Betty l'a emmenée en promenade dans les bois et le moyen de les retrouver dans ces mystérieuses profondeurs... (elle admira cette chute).

— Je veux la voir. Depuis quelques jours je lui trouve mauvaise mine.

— C'est ce voyage, Willie.

— Je ne me le pardonnerais pas si elle tombait malade.

— Voilà un papa modèle. Vous êtes si bon.

Il la regarda avec anxiété :

— Vous croyez, Maisie ? Vous êtes sérieuse ?

— En doutez-vous ?

Il y eut un silence. Le fauteuil craquait avec une régularité provocante sur le plancher mal équarri.

— C'est long, fit Hargrove en s'asseyant sur son lit.

— Mais non. Distrayez-vous en méditant sur vos projets... Tenez, les voilà vos Noirs... Je les aperçois au bout de la rue, quel empressement !

Ils arrivaient, en effet, tous les six et se tinrent debout devant la porte, vaguement inquiets, s'attendant à une réprimande. Hargrove les rassura d'un sourire.

— La pièce est trop petite pour vous faire entrer tous, dit-il. Un seul suffira.

Grande hésitation chez ces têtes d'une beauté nocturne qui se tournaient les unes vers les autres, puis un chuchotement, enfin l'un d'eux se détacha, grand, large d'épaules, les yeux immobiles.

— *Yassa,* dit-il.

D'une voix douce, Hargrove commença :

— Vous m'avez servi pendant des années, vous n'avez jamais désobéi, vous êtes comme mes enfants. Si vous voulez retourner au pays, vous pouvez partir, je vous donnerai le double de ce que je vous dois. Si vous voulez nous suivre en Amérique, là-bas vous serez à mon service, mais vous resterez libres. Choisissez.

De nouveau concertations de têtes noires et cette fois encore des chuchotements, mais éperdus, et tout à coup, d'une seule voix :

— On pa' tous avec toi et la famille.

— Très bien, je suis content. Le bateau sera là dans peu de jours. C'est tout.

De grands sourires furent échangés. Tous s'inclinèrent légèrement et se retirèrent d'abord à reculons, puis se dispersèrent dans la rue où ils s'étaient fait des amis.

Le fauteuil ne se balançait plus et Maisie Llewelyn, un doigt devant la bouche, regardait Hargrove d'un air pensif :

— Dites donc, mais c'est très bien ce que vous avez fait là, Willie, dit-elle enfin.

Il eut le même regard anxieux qu'un peu plus tôt :

— Vous croyez ? demanda-t-il.

— Je trouve. A certains moments, le cœur parle. Je vous laisse, mais je reviens dans quelques minutes. Attendez-moi.

Elle se mit à la recherche de Siverac qu'elle trouva dans le hangar.

— Je suis habillé d'une façon absurde, expliqua-t-il en remuant les vêtements d'occasion, si par bonheur je trouvais quelque chose de mieux... Vous pensez bien qu'aller parler à un capitaine de vaisseau anglais fagoté comme je suis...

— Nous lui dirons notre histoire en deux mots, il comprendra, soyez-en sûr, mais laissez cela pour le moment, voulez-vous ? Nous avons une décision à prendre au sujet de William Hargrove.

— Hargrove ne m'intéresse pas.

— C'est possible, mais il y a Laura... Il faut apprendre à Hargrove qu'elle est mariée.

— Quel intérêt puisque son mari est mort ?

— Mais ce mariage peut avoir des conséquences...

— Alors vous imaginez-vous sa fureur d'avoir été berné ?

— Je l'imagine très bien, mais elle ne me fait pas peur. Et vous ?

— A moi non plus, mais coupons d'abord les ponts avec Haïti et la Tortue et parlons-lui quand nous serons en mer.

— Avec un scandale à bord ? Vous n'y songez pas. C'est maintenant, Siverac. Je le crois dans les meilleures dispositions pour recevoir le choc. C'est un homme que vous ne reconnaîtriez pas : mis au supplice par sa conscience.

— Par quoi ? Hargrove ! Sa conscience...

— Je n'aime pas les grandes tirades et j'abrège. Il vit dans la terreur de ce qu'il a fait. Il essaie de se persuader que ce n'est pas vrai, que c'est un mulâtre qui a tué Régis, pas lui. Si vous le brutalisez, vous risquez de lui faire perdre la raison... Et alors... J'avoue qu'il me fait pitié.

— Vous êtes femme.

— Ce n'est pas le comportement des hommes qui me le fera regretter...

— Se doute-t-il que nous savons qui a tué Régis ?

— Il vous soupçonne de l'avoir deviné... En ce qui me concerne, il hésite. Allons, monsieur Siverac, du courage et allons-y.

Hargrove attendait le retour de Maisie Llewelyn, mais l'arrivée de Siverac le fit tressaillir. Il se balançait avec force dans le fauteuil à bascule qui parut le jeter debout sur le plancher.

— Monsieur Siverac, dit-il, je crois que nous n'avons plus rien à nous dire depuis notre dernier entretien.

— Excusez-moi, fit Siverac, Miss Llewelyn et moi avons une nouvelle à vous apprendre qui vous surprendra. Il s'agit de votre fille Laura.

— D'abord, asseyons-nous, fit Maisie Llewelyn. Je prends le

fauteuil. Mr. Hargrove, je vous conseille de vous asseoir sur le lit, si, je vous assure, cela vaudra mieux, asseyez-vous.

Hargrove s'assit, Siverac resta debout, jambes écartées et mains derrière le dos.

— A vous, Miss Llewelyn, fit-il.

— William Hargrove, dit celle-ci d'une voix tranquille, il est nécessaire que vous sachiez que pendant votre absence à la Jamaïque et en Amérique votre fille s'est mariée.

Hargrove se leva d'un bond. Tout rouge il cria :

— Ce n'est pas vrai !

— C'est parfaitement vrai, dit Siverac d'une voix froide. Le mariage s'est fait devant témoins.

— Je ne vous crois pas, Siverac.

— Ce point d'honneur pourrait très bien se régler demain matin, Hargrove, il doit y avoir un pré dans le voisinage, j'ai mon pistolet, vous avez le vôtre, je crois.

Ce discours fit changer Hargrove de couleur, mais la Galloise intervint avec une bonhomie autoritaire.

— Voyons, dit-elle, vous n'allez pas jouer à vous entre-tuer alors qu'il s'agit de l'avenir de la petite Laura. Je comprends l'émoi de William Hargrove devant une nouvelle aussi imprévue, mais occupons-nous d'abord de l'avenir de sa fille. Vous réglerez vos différends en Amérique — ou en enfer ! Il y a eu un mariage devant témoins, mais apprenez, William Hargrove, que votre fille est veuve.

— Veuve ? répéta Hargrove d'un air hagard, je ne comprends pas...

— Ne savez-vous plus le sens des mots ? fit durement Siverac. Son mari est mort d'un coup de pistolet tiré au hasard.

Hargrove faillit tomber, mais Miss Llewelyn alla vers lui et l'aida à s'asseoir sur le lit.

— Régis..., murmura-t-il sans savoir ce qu'il disait.

— Tiens ! fit Siverac. Comment le savez-vous ?

Maisie Llewelyn, qui appuyait une main sur l'épaule de Hargrove, lança un regard à Siverac en fronçant le sourcil.

— William Hargrove suppose que c'était Régis, il a deviné juste, voilà tout. Je considère que maintenant nous en avons assez dit sur cette affaire. Nous allons laisser Mr. Hargrove se remettre. Plus tard, j'irai chercher Laura pour qu'il puisse lui dire un mot et l'embrasser, n'est-ce pas, Mr. Hargrove ?

— Jamais ! s'écria celui-ci. Je ne veux plus la voir.

Cette fois, la Galloise ne put que lever les yeux au plafond.

— Allons-nous-en, dit-elle à Siverac. Nous avons fait ce qu'il fallait faire, mais j'en ai mal au cœur.

— Moi, j'avoue que j'aurais abattu cet homme avec plaisir, dit Siverac lorsqu'ils furent dehors.

— Je ne peux m'empêcher de le plaindre, fit-elle, c'est plus fort que moi.

— Je vous trouve vraiment sublime, Miss Llewelyn. Pourquoi ne restez-vous pas à consoler l'assassin pendant que vous y êtes ?

— Taisez-vous, Siverac, vous ne comprenez rien.

D'un accord tacite, ils se séparèrent sur-le-champ.

CHAPITRE LXXXVIII

Cependant, le jeune Frank ne se consolait pas de quitter l'île de la Tortue sans avoir au moins jeté un coup d'œil sur une caverne. Et malgré la terreur que lui inspirait le boucanier dans sa maison rouge, il décida de lui rendre visite, à tout hasard. L'attirance était la plus forte.

Comme la veille, il trouva la porte ouverte et s'en tint, comme la veille, à une distance respectueuse. Aucune menace n'étant proférée, il avança de quelques pas. Grande fut sa déception : la maison était vide. A défaut de caverne, il eut la hardiesse de pénétrer à l'intérieur de l'étrange demeure. Des fusils pendaient aux murs, et, plus au fond, des peaux de bêtes sauvages s'entassaient sur un coffre de cuir bardé de fer.

Tout à coup une main le prit au collet. Pendant près d'une minute, il se sentit secoué en silence jusqu'à en perdre le souffle. Quand il put enfin se retourner, il vit d'abord les jambes dans leur culotte couleur de sang, puis l'homme roux tout entier au-dessus de lui comme un colosse, le torse nu.

— Petit fou, dit-il, on ne t'a pas appris qu'un gamin de ton âge ne va pas fouiner chez les gens en leur absence et se fourrer dans les pattes d'un pirate ?

Des deux mains il lui saisit la tête et se mit à l'ébouriffer, à le sabouler dans tous les sens.

« Voilà pour t'apprendre qu'on ne s'introduit pas comme ça chez un boucanier. Maintenant, que veux-tu ?

Tout étourdi par la correction, Frank ne put dire un mot. L'homme le regardait avec un sourire cruel.

« Puisque tu as perdu ta langue, moi je vais te le dire. Tu veux toujours voir une caverne. Nigaud, ce n'est pas au fond de ma baraque que tu en trouveras une. Allons, viens. Je ne peux pas t'en montrer une comme ça, mais tu vas comprendre.

Ensemble ils quittèrent la ville et suivirent un chemin qui menait aux bois dévalant vers la mer. Tous deux s'enfoncèrent dans le feuillage aux odeurs âcres et pénétrantes, et l'homme écartait les branches de ses bras musclés alors que Frank suivait dans une stupeur bienheureuse comme au fil d'un de ses rêves familiers.

Lorsqu'ils atteignirent le rivage, l'homme regarda en silence l'étendue d'un bleu d'outremer que le soleil frappait de points de lumière. Au bout d'un instant il dit d'une voix brève :

« Entre elle et la terre, j'avais choisi, à ton âge. De ma baraque je ne la quitte pas des yeux et toute la nuit je peux l'entendre. Tu ne sais pas ce que c'est.

— Mais j'aime la mer, moi aussi, protesta Frank.

L'homme haussa les épaules.

— Quand on aime, on préfère. Ou elle ou la terre. Si tu étais resté à la Tortue, je t'aurais appris à naviguer et à manier le harpon. Il y a vingt ans, j'étais déjà en bateau avec les compagnons. En ce temps-là, on pouvait encore monter à l'assaut des navires, se battre au coutelas, rafler de l'or, des bijoux, des étoffes précieuses. C'était le butin qu'on cachait dans les cavernes.

Avec un sourire et une légère nuance de dédain, il ajouta comme s'il parlait non plus à Frank, mais, par-delà le garçon qu'il avait en face de lui, au garçon qu'il avait été jadis :

« C'étaient de rudes gars. De joyeux lurons. Rien sur le dos ou à peine, des loques de toile et de cuir, mais le diamant à l'oreille ou l'anneau d'or. Les embruns leur ruisselaient dessus. Mariés, ils étaient… mariés à la mer ! En dehors de ça, pas d'histoires ! A terre, ils avaient... (Il se reprit :) ... on avait des chiens pour la chasse, jusqu'à trente-cinq par homme… Des sauvages, eux aussi, de vrais démons acharnés après leur proie. Et sur les vagues…

Il regarda un instant la mer, à croire qu'il allait y surgir enfin quelque chose. Les yeux grands ouverts, Frank se taisait, le cœur battant.

« ... Sur les vagues, reprit l'homme roux, c'étaient nous les chiens, courant après les gros bateaux qui essayaient de fuir comme les bœufs sauvages ou les cochons marron, là-haut dans la vallée. On les rattrapait en course. On emportait tout ce qu'ils cachaient dans leur ventre, meubles précieux et vaisselle d'or, tout... Et tout, on le cachait dans le ventre des cavernes.

— Ici ? interrogea Frank.

— Tu voudrais voir, hein ! Eh bien, pour y arriver, il y avait pas de chemin. Juste un sentier périlleux : en bas le clapotement de l'eau, en haut la morsure bleue du soleil. Et puis, on était de moins en moins. Au nom de la morale, on a envoyé après nous des navires qui masquaient leurs canons pour nous leurrer. Seul Lafitte a tenu le coup jusqu'à maintenant. Et on a eu de la bagarre. Le Français, l'Anglais ont eu besoin des *Frères de la Côte* pour leur guerre à eux. Les Frères de la Côte, ils devenaient drôlement utiles ! L'ennemi, pour nous, tantôt c'était l'un, tantôt l'autre. Mais toujours, en plus, l'Espagnol. En trois siècles, la grande fièvre de l'or n'a pas été aussi rapide qu'une petite fièvre de trois mois. Les Français l'ont emmenée partout avec eux, la mort jaune ! Au début de la fin, j'étais comme toi, quatorze ans ! L'âge fou... On reste encore une poignée par-ci, par-là dans les îles à en avoir réchappé. Libres. Et un jour...

— Qu'arrivera-t-il un jour ?

L'homme eut l'air de voir de nouveau des fantômes sur la mer.

— C'est pas pour toi, cette vie-là. Le rêve est pas fait pour être heureux. Allez, retourne chez toi, je t'ai assez vu.

— Tout à l'heure, vous me disiez de rester.

— J'ai dit ça comme ça. Ouste, va-t'en.

— Je n'aurais pas pu voir une caverne ?

— Elles ont toutes été vidées, sauf la caverne aux trésors qui reste vierge. Tu n'arriverais jamais à la découvrir — derrière les épaisseurs de lianes, tu passerais mille fois devant sans t'en douter.

— Vous, vous savez ?

— J'ai pas dit ça, mais quand j'avais ton âge, on m'a tout montré. On avait raflé les grandes glaces dans les bateaux des riches, elles y sont, debout contre les murs, ça éclaire quand on entre et alors partout des coffres pleins d'or, des grands tas de crêperies de soie, des rubis, des émeraudes, des diamants dans des caisses, des monceaux d'objets précieux.

— Et si on la trouvait, la caverne ?

— On peut toujours la chercher.

— Vous l'avez cherchée ?

— J'ai pas dit ça non plus. Allez, tu en sais trop pour ton âge. On se quitte là. Je vais pêcher.

Il lui saisit tout à coup la main et la serra à la broyer dans la sienne.

« Petite fripouille, dit-il avec un sourire qui lui creusa les joues, je t'aurais bien pris avec nous, on t'aurait dressé. Ça va maintenant, file chez tes parents et ne pense plus au pirate.

Frank hésitait, mais l'homme le poussa vers le sentier.

« Tu t'en vas, non ?

Le garçon fit quelques pas, puis se retourna.

— Au revoir, dit-il.

— Y'a pas d'au revoir. Décampe ! Et que j'te voie plus !

Remontant à regret entre les arbres qui le fouaillaient au passage, il gagna le haut du sentier jusqu'au grand espace derrière les maisons. Là encore, il se retourna, mais les bois cachaient le rivage et il ne vit que la mer et les milliers de petites flèches dont le soleil piquait le bleu sombre à l'infini.

Le cœur gros sans trop savoir pourquoi, il retrouva les maisons de bois où logeaient ses compagnons de voyage. L'impression d'être passé à côté d'une grande aventure ne le quittait pas et il se sentit frustré. Désormais, un personnage considérable devait l'accompagner dans ses rêves, rude et roux, compagnon des écumeurs des mers nimbé d'une poésie sauvage.

De cette équipée il ne souffla mot, mais chaque nuit il partait vaillamment à la recherche de la caverne au trésor.

CHAPITRE LXXXIX

La journée suivante fut morne. Personne ne parlait plus à personne et telle était l'impression qu'on avait d'abord, mais, à y voir de plus près, cette brouille se réduisait à Hargrove, Siverac et Miss Llewelyn qui ne se regardaient même plus. Laura demeurait prisonnière d'un silence de douleur. Frank brûlait de poser des questions à tous sur le monde des boucaniers, mais d'un regard on tenait à distance l'importun, sauf sa sœur qui le décourageait d'un petit sourire triste.

Lourde était l'atmosphère quand deux jours plus tard, au matin, une frégate à trois mâts parut à l'horizon. Avec un balancement presque imperceptible, elle semblait d'une légèreté aérienne, mais à mesure qu'elle approchait elle se révélait bien plus méchante, avec ses larges sabords baissés et les canons de chasse qui se profilaient sur le pont avant. Elle n'en perdait pas pour autant sa grâce et jeta l'ancre à une faible distance du port de la Tortue.

Un moment plus tard, elle envoya deux chaloupes pour s'approvisionner à terre, car il était impossible aux bateaux étrangers de faire relâche dans les ports d'Haïti fermés à cause d'une menace française d'y rétablir l'ordre. Tandis que les marins faisaient le plein d'eau douce dans des barils et achetaient aux indigènes de la viande boucanée de cochons marron, et fraîche de bœuf musqué, Siverac parlait à l'officier qui commandait le détachement et celui-ci lui proposa de se rendre à bord avec un premier chargement de fruits et d'eau.

Les explications fournies par Siverac furent acceptées sans hésitation par le capitaine, gentleman impassible qui bien des fois ces dernières années avait entendu des histoires de ce genre. La chaloupe revint chercher le groupe dévoré d'impatience. C'était le moment espéré depuis des jours, et, d'un coup, le soulagement obtint l'oubli provisoire des rancœurs. Les voyageurs furent installés à l'arrière sous le mât d'artimon, les Noirs, de façon plus sommaire, dans la cale ; et le *Quarrelsome* leva l'ancre.

Le groupe entier se pencha au bastingage quand la frégate prit du large, et dit adieu à ce paradis quand même ; et il y eut des serrements de cœur. Frank surtout souhaitait déraisonnablement que son boucanier fût dans le port ou sur le rivage à agiter la main, mais point de boucanier. Cependant il put apercevoir la baraque rouge, et des larmes coulèrent qu'il ne s'expliquait pas. On ne pleure pas sur une baraque. N'était-ce pas sur l'île entière ? Bien sûr, comment n'y avait-il pas songé ?

Laura pleurait aussi, immobile, loin de tout le monde. De nouveau elle ressentait ce déchirement de l'âme qui ne peut se dire.

Sur le gaillard d'arrière, on avait dressé une sorte de pavillon de toile où le capitaine convia les passagers. Un lunch fut servi accompagné de vins espagnols et Maisie Llewelyn eut la place d'honneur réservée à Mrs. Hargrove. Le vin, un peu lourd, délia les langues et toute la situation d'Haïti fut expliquée au capitaine dans le plus grand détail. Devenus maîtres, les anciens esclaves avaient établi à leur tour un Etat militaire qui régnait dans une semi-terreur malgré la gaieté et l'insouciance naturelles de la race. De là, les convives sautèrent à la situation en Europe, tous grisés par les libations et par le vent qui claquait dans la toile.

Frank, cependant, n'entendait que d'une oreille distraite une conversation devenue générale et de plus en plus confuse. Sa pensée errait ailleurs, et comme il était assis au bas bout de la table et ne disait rien il put furtivement s'échapper, après le dessert.

Il aurait voulu se promener sur le pont, mais le léger tangage du bateau compromettait son équilibre et il préféra déambuler le long du bastingage. Sans doute aussi les effets du vin d'Espagne étaient-ils pour quelque chose dans cette décision. Il se sentait plus heureux qu'au moment du départ. La mer, à sa façon, lui montait à la tête. Génératrice des grandes aventures, elle conférait de la noblesse aux plus simples voyages. Dans des profondeurs insoupçonnées se cachaient les navires coulés par des pirates. Avec quel respect le boucanier de Frank n'avait-il pas nommé John Kidd, prince des pirates ! Dans l'imagination échauffée du garçon se rangeaient les marins comme de la même famille et il en chercha autour de lui, mais là il n'y en avait que trois ou quatre qui lavaient les planches à grands coups de faubert et de seaux d'eau, occupation dénuée d'héroïsme. Dans les haubans il y en avait bien, des marins, mais ils grimpaient et se déplaçaient trop vite pour qu'il fût possible de les observer à loisir. Ce que cherchait le jeune Frank, il n'eût pas osé le dire parce que la chose eût paru absurde : c'était dans les yeux de ces hommes les yeux du boucanier roux, cette façon de porter le regard au loin à des milliers de lieues de distance, semblait-il, et jusqu'au bord de l'infini, et ce regard lointain ne s'imitait pas...

Avec un soupir, il se rabattit sur les laveurs de pont et s'approcha timidement, mais l'accueil fut un peu rude.

— Gare-toi, lui cria l'un d'eux.

Suivirent des jurons peu honnêtes.

Mortifié, il s'éloigna et regagna sa place. La conversation languissait, mais le capitaine de Witt faisait parfois des remarques intéressantes et cela dans une langue précise qui retenait l'attention. Aussi Frank se prit-il vite à l'écouter avec un plaisir inattendu. Il entendait, en effet, le bel anglais d'Angleterre et non plus le langage, non sans charme, mais un peu débraillé, un peu traînant, des planteurs.

De son côté, Laura tendait l'oreille avec une sorte d'avidité à l'accent du capitaine, à ces modulations brèves qui ressuscitaient en elle le paradis perdu de sa petite enfance, dans la propriété de ses parents aux confins du Kent et du Surrey ; elle gardait à tout jamais dans sa mémoire des souvenirs de parcs aux allées de chênes, de châteaux en brique sombre et autour d'elle de voix heureuses aux intonations musicales. A peine née, ses parents avaient quitté la Virginie pour retrouver leur Angleterre où, jusqu'à l'âge de cinq ans, elle avait connu l'irremplaçable bonheur d'une petite vie pleine d'amour et de jeux, et des aînés parlant comme cet officier en uniforme blanc avec le même calme et la même bonne humeur. Pourquoi donc ses parents avaient-ils quitté de nouveau la mère patrie pour aller vivre en Amérique, cette fois dans les Caraïbes où l'attendait un atroce destin ? Mais pendant de brèves minutes arrachées au temps elle plongeait de nouveau dans la joie lointaine. Toute sa nuit en fut hantée.

Le voyage suivit son cours sans incidents. Vers le soir, dans un crépuscule où tout se noyait dans un nuage d'or, le *Quarrelsome* passa au large de Cuba et les passagers se lamentèrent de ne pouvoir s'y arrêter, mais il n'en fut pas question, et quelques heures plus tard on abordait à la Jamaïque, au port de Kingston, alors que la nuit s'étendait sur l'île. Les règlements du port s'opposaient au débarquement avant le matin, et la nuit à bord mit la patience des passagers à une épreuve intolérable, car les lumières de la ville et tous les bruits qui arrivaient à eux dans une joyeuse et provocante rumeur les tinrent en éveil jusqu'à l'aube.

Ils furent alors dédommagés de leur exaspérante insomnie par la splendeur du paysage. Loin derrière la ville se dressait une chaîne de montagnes d'un bleu si profond qu'il virait à l'indigo. Dans les rues déjà pleines de monde, des Noirs dans des vêtements roses, mauves, vert d'eau, violets, faisaient leur marché qui ressemblait à une promenade. Le groupe des voyageurs se porta dans un quartier où se situait le « grand » hôtel de la ville. Leur premier soin cependant fut de se ruer dans les magasins élégants où ils purent trouver des vêtements coupés en perfection, car la prospère colonie anglaise de Port-Royal et de Kingston se montrait difficile et avait dressé les tailleurs de l'endroit. Nos voyageurs sortirent de là enchantés, chacun rendu à son personnage, c'est-à-dire à l'idée qu'il se faisait de lui-même plutôt qu'à l'humble vérité. Siverac parut en grand seigneur avec un col haut et rigide qui lui jetait la tête en arrière, Hargrove en planteur de grande classe, maître de lui, fier de ses biens, Frank non plus en jeune garçon, mais en homme en pantalon à sous-pieds et, mystérieuse fantaisie, un foulard noir soigneusement noué n'importe comment, à la corsaire. Maisie

Llewelyn s'habilla en dame ni plus ni moins, mais élégante, en robe gris clair à raies d'un gris plus soutenu, et le tout sans fausse note dans l'imposture. Laura seule ne céda pas au vertige du mensonge. Elle choisit une mousseline d'un mauve un peu plus sérieux que les tons jeunes qu'on lui proposait.

Ainsi fringués, ils se séparèrent en deux groupes : Frank et Laura, accompagnés de Betty qui persistait à les appeler les enfants, s'en furent visiter la ville, tandis que Hargrove menait Siverac et Miss Llewelyn à sa plantation dont il espérait se défaire à bon prix en la vendant à Siverac. Et comme les deux hommes ne se parlaient plus, ce fut la Galloise qui fut chargée des négociations.

La plantation se trouvait à une certaine distance de la ville. Une voiture de louage les y mena. La longue maison à un étage, du plus pur style georgien, s'élevait à flanc de coteau d'une colline boisée. Ses belles proportions, ses hautes fenêtres et l'imposant escalier à double révolution en faisaient un chef-d'œuvre du XVIIIe siècle finissant et séduisirent instantanément Siverac, qui se sentit tout à fait d'égal à égal avec la noble demeure.

La plantation proprement dite offrait presque la même variété que celles d'Haïti avec une prédominance de caféiers. Couvrant un terrain d'une étendue considérable, elle s'ornait de palmiers gigantesques et partout des cocotiers palpitaient dans le vent.

Siverac admira tout sans réserve et demanda à Miss Llewelyn de s'informer du prix qu'en demandait William Hargrove, devenu Mr. Hargrove. Le prix, énorme, fut communiqué aussitôt par Miss Llewelyn à l'acquéreur qui reçut le coup en pleine poitrine et ne broncha point.

La visite s'imposait. Ils montèrent tous les trois dans un glacial silence. L'heureuse disposition de l'escalier permettait à une haine réciproque de s'assouvir chemin faisant : Hargrove prit l'escalier de droite accompagné de Miss Llewelyn qui restait neutre, Siverac l'escalier de gauche.

Le jour déclinant, de multiples photophores éclairaient les pièces d'une simplicité souveraine, l'espace semblant un élément du décor, ce qui n'empêchait pas la richesse de se loger là où d'abord on ne la décelait pas. Ces meubles qui semblaient austères étaient d'un raffinement inouï. Des bois d'une rareté fabuleuse avaient été employés pour ces fauteuils aux dossiers droits, mais couronnés d'ornements en éventails dont la ciselure confondait d'admiration. Dans les chambres, les fenêtres sans rideaux contrastaient avec des lits à colonnes en forme de cordages et à motifs imitant l'ananas.

Siverac jeta un coup d'œil, regarda Miss Llewelyn et hocha la tête le plus qu'il lui fut possible, car son col le gênait, pour dire oui, puis ces trois personnes se rendirent au salon où, sur une table de lourd noyer, patientait un parchemin que devaient revêtir les signatures nécessaires au bas d'un accord calligraphié.

Siverac, très averti des documents de ce genre, posa sur celui-ci un regard d'aigle. D'une grande écriture dédaigneuse, il traça les lettres de son nom et jeta de côté la plume d'oie. Miss Llewelyn la ramassa et la tendit à Hargrove qui signa avec la même morgue.

Bien que le silence parût de rigueur entre les hautes parties contractantes, Miss Llewelyn fut obligée de poser des questions pour mettre au point des précisions indispensables.

— Comment, demanda-t-elle à Siverac, comptez-vous effectuer le règlement ?

— Mais par chèque sur ma banque de La Nouvelle-Orléans, fit-il d'une voix teintée de mépris.

— M. Siverac réglera par un chèque sur sa banque de La Nouvelle-Orléans, dit-elle à Hargrove.

La réponse vint aussitôt :

— Consentement accordé sous réserve de poursuites judiciaires si l'acquéreur manquait à sa parole et à l'honneur en reniant l'accord qu'il vient de signer devant témoin.

Miss Llewelyn transmit mot pour mot ce message, et la réplique ne se fit pas attendre :

— L'acquéreur peut-il en conséquence de cet accord se considérer dès maintenant comme chez lui dans cette maison ?

Réponse transmise sans hésitation.

— Cela va de soi. Entre gentlemen une telle question ne peut être qu'absurde.

Réponse immédiate à la réponse précitée :

— Dans ce cas, entre gentlemen, sommation est faite à William Hargrove de déguerpir dans les cinq minutes de la plantation de son propriétaire actuel.

Les formalités notariales furent dès le lendemain matin remplies chez Me Slaughter, qui avait négocié moins de trois mois plus tôt la vente de la plantation à William Hargrove. Miss Llewelyn apposa sa signature au bas de l'accord en sa qualité de témoin et l'affaire fut réglée selon toutes les exigences de la loi anglaise.

CHAPITRE XC

Quelques jours plus tard, un navire battant pavillon anglais en route pour les Etats-Unis relâchait à Kingston ; Hargrove réserva des cabines et tout le groupe de la plantation du Nouveau Monde s'embarqua, sans Siverac. Un autre navire américain les suivait de près, tous deux escortés, lorsqu'ils prirent la mer, par l'aviso anglais l'*Avenger,* redoutablement armé pour les protéger du dernier pirate en course dans les Antilles. Renommé pour son audace et la sournoiserie de ses manœuvres, Lafitte avait, en effet, quitté La Nouvelle-Orléans où on le croyait assagi, et sa présence était signalée partout dans le golfe du Mexique aussi bien qu'aux îles Caïman ou qu'aux alentours ténébreux de la Barbade.

Aller de la Jamaïque à la Floride pouvait être ainsi une aventure assez difficile : après Kingston, il fallait s'engager entre la pointe de Cuba et Haïti dans le canal au Vent, célèbre pour la violence de ses tempêtes. Des souvenirs émouvants à différents degrés y guettaient nos voyageurs, comme d'autres pirates. Au large de la Tortue, ils apprirent d'un officier du bord que l'on continuait de s'égorger à Haïti et que les bateaux évitaient Port-au-Prince. C'était au moins pour la dixième fois que le feu avait été mis à Port-Haïtien... Et cependant, là-bas, à peine devinée dans la brume de chaleur qui montait sur la mer, l'île enchantée gardait tous ses prestiges dans leurs yeux et dans leurs cœurs. Au-delà se succédaient les Bahamas, paradis aux noms magiques qui égrenaient leur chapelet jusqu'aux abords de la Floride.

Le voyage semblait interminable dans l'angoisse lourde de l'été. Une heure durant ils furent accompagnés par des dauphins. Puis ils n'eurent d'autre distraction que de voir changer la couleur de la mer. Aux abords des îles du sud de la Floride elle était rose, d'un rose d'aurore au-dessus des fonds de coraux. Lorsqu'ils longèrent la côte, elle devint d'un bleu de turquoise, puis d'un vert qui se fonça au fur et à mesure qu'ils avançaient vers le nord. Sur les grands cyprès bordant des plages de sable elles aussi interminables, ils suivirent le vol aigu d'un héron bleu que les bruits du navire, même à quelques centaines de mètres de la terre, avaient troublé dans les marais silencieux où il pêchait.

Le bref crépuscule ne leur permit pas de voir grand-chose du littoral, mais, dans la matinée du lendemain, ils aperçurent un long bâtiment de pierre d'aspect agressif qui éveilla la curiosité de Frank. Le fort de Saint-Augustin, reste de l'occupation espagnole, semblait guetter sur la mer un ennemi à bombarder. L'imagination du garçon s'enflamma et il fut tenté d'aller frapper à la cabine de son père pour lui emprunter sa longue-vue, mais on ne sait quelle intuition l'en empêcha et il préféra s'abstenir.

Hargrove, en effet, n'avait pas dormi. Mal remis des événements de la Jamaïque, déjà loin cependant, il s'était couché assez tôt dans le grand lit de sa cabine confortable sinon luxueuse, et déjà les ronflements de plus en plus profonds annonçaient un sommeil réparateur quand la porte s'ouvrit doucement. Maisie Llewelyn passa la tête, écouta, puis se retira encore plus doucement.

A bord du *Prosperous,* elle s'était fait inscrire sous le nom de Mrs. William Hargrove, et telle est la force de persuasion du mensonge qu'on se fait à soi-même qu'elle y croyait, puisque, en effet, elle remplissait les fonctions voulues en pareil cas, mais toute une partie d'elle-même s'en amusait. Bref, elle partageait sur l'eau comme sur terre la couche de William Hargrove.

Ce soir-là, elle eut une hésitation et, revenue sur le pont du *Prosperous,* elle se mit à marcher le long du bastingage, réfléchissant à ce qu'elle allait faire. Finalement elle opta pour ce qu'elle appelait la façon militaire. Sur le tard, à la fois lasse et résolue, elle regagna la cabine et la couche conjugale ou prétendue telle.

S'étant déshabillée, puis parfumée, elle sauta dans le grand lit et déplaça Hargrove qui occupait la position centrale dans sa totalité. Il fit entendre un grognement, roula de côté et bafouilla :

— Oh, chérie, c'est vous ?

— Mais naturellement, imbécile. Vous figuriez-vous que c'était le capitaine ? Et puis, il n'y a pas de « chérie » ce soir, j'ai à vous parler sérieusement.

Pour le coup, il ouvrit les yeux tout grands.

— Allumez, dit-il.

— Inutile. La lumière qui nous vient du fanal sur le pont suffit largement. Maintenant préparez-vous à recevoir un choc.

— Encore ! gémit-il.

— Oui, encore. Encore est juste. Vous en avez déjà reçu un à la Tortue. Le second arrive et il vaut mieux que vous receviez cela couché sur le dos. Je vous ai dit à la Tortue en présence de Siverac que votre fille s'était mariée pendant votre absence.

— Elle ne s'est pas mariée, s'écria-t-il, c'est faux.

— Pas si fort, nous avons des voisins. Siverac a confirmé ce que j'ai dit.

— Siverac est un menteur.

— Il vous est facile de parler ainsi à présent qu'il est loin. Vous tenez déjà la promesse d'un duel en Amérique si jamais il retourne là-bas.

Il y eut un silence. Maisie Llewelyn reprit :

« Je vous affirme encore une fois qu'elle s'est mariée. J'ai été témoin avec Siverac, à la chapelle de Saint-Michel de Dondon.

De nouveau il cria :

— Ça n'est pas vrai.

Elle s'écarta un peu comme pour viser juste et appliqua un soufflet sonore sur cette face barbue, immobilisée par l'effroi.

— Voilà, dit-elle, pour « ce n'est pas vrai ». Maintenant, écoutez un peu.

— Quoi ? fit-il hébété.

— Vous n'entendez pas ? On s'amuse dans la cabine d'à côté. Une scène de ménage, c'est toujours drôle, alors on écoute et on s'esclaffe. Vous n'entendez pas ?

Des rires à peine étouffés traversaient la cloison.

« Heureusement, fit-elle, que vos enfants sont tout au bout du couloir, mais demain, quand vous vous promènerez sur le pont, il y aura des sourires...

— Je ne bougerai pas d'ici, murmura-t-il.

— Eh bien, je vous comprends et cela me fait plaisir de vous voir revenu au calme. Nous allons pouvoir nous entretenir sans rugissements, n'est-ce pas ? Compris ?

Il hocha la tête. Maisie Llewelyn reprit d'une voix raisonnable :

« Votre fille Laura...

— Oui, eh bien ?

— L'avez-vous regardée attentivement ?

— Mais... oui.

— Mais... non, parce que vous autres hommes qui vous croyez si malins, vous ne voyez rien. Elle s'est mariée voilà bientôt trois mois jour pour jour.

— Mariée ? La preuve ?

— Vous n'allez pas recommencer.

— Je veux la preuve de ce mariage.

— Quand je vous dis que j'étais témoin, moi, à la chapelle...

— Maisie, la preuve que vous y étiez... s'il y a eu un mariage...

— Dites, le soufflet de tout à l'heure ne vous suffit pas ? Il vous faut la paire ?

Hargrove tenta de se rebiffer.

— Je défends l'honneur de ma fille, Maisie.

— Par exemple ! Si Régis était là, si on ne l'avait pas tué...

— Il est mort. C'est bien fait pour lui !

— Vous n'êtes pas fou ? A votre place je me garderais de parler comme vous venez de le faire. Les rumeurs, William Hargrove...

— Les rumeurs ?

— Laissons-les tranquilles pour le moment et revenons à votre Laura. Vous n'avez pas remarqué, elle s'épanouit. Ce n'est plus une jeune fille. L'œil d'une Maisie Llewelyn ne s'y trompe pas.

— Je n'ai pas remarqué, bredouilla-t-il.

— Bien sûr que non. Eh bien, apprenez, mon bon ami, que votre fille Laura est bel et bien femme. Savez-vous ce que c'est qu'une maternité ?

Cette fois, il la regarda sans répondre. Elle lui parla tout à coup d'une voix plus douce.

« Allons, Willy, remettez-vous. Tout à l'heure je vous donnerai votre laudanum et vous pourrez dormir un peu là-dessus. Vous souffrez, je le vois bien.

Il s'effondra.

— Oh ! Maisie ! gémit-il.

Elle l'aida à se recoucher sous sa couverture de coton et se mit à lui préparer son laudanum. Tout ce qu'il fallait pour cela se trouvait dans un petit nécessaire qu'elle avait acheté à Kingston en prévision du tour dramatique que prendrait l'entretien décisif.

Une demi-heure plus tard, il dormait d'un sommeil profond. La dose avait été forte. Il ne s'éveilla que le lendemain après-midi. Rien de ce qu'il redoutait ne se passa grâce aux soins attentifs de celle qui voyageait sous le nom de Mrs. Hargrove. Le dîner lui fut servi dans leur cabine. Cette habitude fut vite prise. Il fit le reste du voyage en reclus, ne voulant voir personne, sauf Maisie Llewelyn que maintenant il assassinait de questions, en vain : elle refusait de répondre.

— J'ai eu ma part de rebuffades, lui déclara-t-elle, un jour. Je vous laisse à vos réflexions. En ce qui touche votre fille, la nature suivra tranquillement son cours, nous avons le temps d'y songer. Après-demain, nous arrivons. Une vie nouvelle commence pour nous tous.

CHAPITRE XCI

A l'aube du 30 juillet, ils étaient en vue de Savannah. Ce nom aux consonances si douces gardait la magie de la poésie indienne et ne pouvait convenir qu'à une très belle ville. C'était aussi le sentiment de William Hargrove. La magnificence de Savannah était proverbiale dans tout le Sud depuis le XVIIIe siècle. Sans doute y avait-il eu le désastre financier de 1819 suivi d'un grand incendie, mais il y avait cinq ans de cela et la richesse de l'Etat de Georgie avait eu le temps de tout réparer. Cependant, lorsqu'il mit pied à terre avec la foule des voyageurs, il se crut en proie à un cauchemar.

Sa première impression fut celle d'un port dévasté au lendemain d'une guerre. Quelques Noirs y circulaient avec nonchalance ; plus rapidement, des Blancs traversaient un large quai mal pavé où poussaient les mauvaises herbes. Le bâtiment de la douane, en brique noircie par le feu, faisait face au fleuve et n'offrait qu'une façade aux vitres brisées. Dans cet étrange délabrement, des barils et des caisses de bois amoncelés à un bout du quai parlaient encore de commerce, mais si pauvrement qu'ils accusaient plutôt un étalage de faillite et de misère.

Dans sa consternation, il se tourna vers Miss Llewelyn qui l'accompagnait et l'interrogea d'un regard muet.

— Eh bien oui, mon ami, dit-elle, je suis aussi étonnée que vous. Savannah ne s'est pas encore remise, mais c'est une affaire de temps. L'or ne manque pas en Georgie. Et maintenant, que comptez-vous faire ?

— Un tour en ville à la recherche d'un hôtel. Nous pourrons louer une calèche...

— Une calèche ! Comme vous y allez ! Une promenade à pied avec les enfants plutôt. On nous a dit à bord de quitter le port et d'aller tout droit à travers les squares. Les Noirs pourront nous attendre là-bas, à l'ombre des sycomores, avec nos maigres bagages.

Une fois de plus, Hargrove plia devant l'autorité de la Galloise qui le régentait de plus en plus. La présence de Laura le mettait mal à son aise, mais les circonstances ne lui permettaient pas de s'y dérober et il suivit docilement Miss Llewelyn.

Le conseil qu'on leur avait donné n'était pas mauvais. Les rues aux pavés défoncés rendirent les premiers pas difficiles ; beaucoup de maisons manquaient, détruites par le feu, mais les squares entourés de sycomores géants évoquaient le souvenir d'un passé fastueux, et, à dix minutes de là, une demeure de grand style confirma cette idée. C'était une maison à deux étages dont les hautes fenêtres frappaient par la beauté des proportions, et la porte vert sombre avec un lourd heurtoir de cuivre rappelait à elle seule l'élégance anglaise d'un siècle passé.

Miss Llewelyn s'exclama :

« Voilà, en tout cas, un vestige de bon augure. Frappons, on nous donnera sans doute d'utiles renseignements.

D'une main virile, elle souleva le heurtoir et le laissa retomber deux fois. Suivit un long silence peut-être scandalisé, puis la porte s'ouvrit et une servante noire grisonnante, en tablier blanc brodé de volants, ouvrit avec précaution.

— Qui dési'ez-vous voi' ? demanda-t-elle, dans la porte entrebâillée.

— Mais, si possible, la maîtresse de maison, fit Miss Llewelyn.

— La maît'esse de maison ne peut se dé'anger pou' le moment. Si vous che'chez une chamb'e, la pension elle est pleine. Vous êtes devant une pension.

Cela dit, elle referma la porte.

Après trois secondes d'incertitude, Maisie Llewelyn déclara :

— Voilà une réponse irrecevable.

Saisissant le heurtoir, elle le fit retomber quatre fois de suite avec force et dit à Hargrove :

« Vite, votre porte-monnaie. A quel prix le diable met-il la conscience ?

La porte se rouvrit, aussi furieuse qu'une porte peut l'être.

— Enco' vous ! fit la servante noire.

— Mais oui. Figurez-vous que je viens de trouver ceci au fond de mon porte-monnaie. Ce ne serait pas à vous, par hasard ?

Une pièce d'or brillait entre ses deux doigts. La porte s'ouvrit toute grande.

— Ent'ez, M'am.

Ils entrèrent tous, Maisie Llewelyn la première, sa pièce d'or toujours entre les doigts.

— Je veux des renseignements précis, fit-elle d'un ton net. Il nous faut des chambres dans un hôtel de première classe. Où puis-je en trouver ?

— M'am, les hôtels ici, pas t'ès bons, pas comme avant.

— Je n'en veux pas.

— Alo', plus haut, dans la même 'ue, il y a une belle maison vide. La dame quelquefois loue des chamb'es. Elle a plusieu' maisons à Savannah.

— A quel numéro, la maison ?

— Pas de numé'o, fit la servante un peu choquée, mais un t'ès g'and sycomore devant.

— Bien, dit Maisie Llewelyn en lui glissant la pièce dans la main. Si je suis contente, elle fera des petits.

— Oh ! M'am !

Miss Llewelyn poussa doucement son monde dehors.

— Allons voir, dit-elle, si cette femme a dit vrai, elle aura sa seconde pièce, sinon elle saura comment une Galloise dit ses quatre vérités à une menteuse.

— Elle a l'air très respectable, observa Hargrove.

— Mr. Hargrove, tout homme a son prix, comme a dit le régicide *. La femme aussi, quelquefois. Avance, Frank, tu es toujours à lambiner pour entendre ce que disent les grandes personnes.

Ils doublèrent le pas, jetant un coup d'œil indifférent sur une rangée de petites maisons de brique rose, modestes, mais non dépourvues de charme et qu'enjolivait le chèvrefeuille. Parfois un espace vide envahi par une végétation sauvage marquait la place d'une manquante, victime du feu, mais bientôt se dressa devant eux la maison au sycomore géant, toute blanche. Ses dimensions imposantes et son orgueilleuse façade georgienne forçaient l'admiration des passants.

Miss Llewelyn s'arrêta net et laissa échapper une exclamation qui résumait tout :

« Golly ** !

Elle monta les quatre marches du perron et, avec un mélange d'égards et d'assurance, souleva un heurtoir de cuivre en forme de lys héraldique. La réponse se fit attendre, courtoise leçon de patience. Un peu agacée, Miss Llewelyn allait frapper de nouveau quand la porte s'entrouvrit avec lenteur, et une dame d'une quarantaine d'années se tint immobile devant ces quatre personnes. Petite et mince, mais très digne, elle portait une coiffe blanche à bavolets et sa robe mauve lui tombait jusqu'aux pieds. Son œil fixe se planta sur Maisie Llewelyn :

* Cromwell.

** Sapristi !, ou : Mince alors !

— Puis-je savoir... ? fit-elle d'un ton glacial.

Du coup, la Galloise se sentit envahie par ce qui la mettait en rage, mais qu'elle ne gouvernait pas : le sentiment des distances sociales.

— Permettez-moi de me présenter avec mon mari : Mr. William Hargrove.

— Ah ! Je suis Mrs. Devilue Upton Smythe... Mais encore une fois, puis-je savoir... ?

D'une voix rapide et comme chargée de politesse, la Galloise expliqua :

— Nous arrivons d'Haïti où mon mari possède de grandes plantations et, de passage à Savannah, nous cherchons...

— Vous cherchez quoi ?

— De très belles chambres, madame, fit bravement Maisie Llewelyn.

— Et qu'est-ce qui vous permet de croire qu'en frappant à ma porte... ?

Il se passa alors quelque chose de très singulier. Exaspéré par ce long quiproquo façonnier, l'homme richissime se réveilla en William Hargrove qui perdit la tête :

— Ce que nous désirons, madame, c'est de vous acheter votre maison quel qu'en soit le prix — oui, aussi considérable soit-il.

A ce moment, on eut l'impression que la porte, saisie d'une violente indignation, allait d'elle-même voler sur ses gonds au visage de ces étrangers vulgaires.

— Monsieur... je ne sais plus qui... comment osez-vous ? Ma maison ancestrale...

— Je crois que vous en avez plusieurs...

— Est-ce que cela vous regarde ? Mais cet entretien a assez duré, alors « *good afternoon* », n'est-ce pas ?

Et elle referma la porte avec fermeté.

Maisie Llewelyn regarda Hargrove.

— Etes-vous fou ? s'écria-t-elle. Vous gâtez tout dès que vous ouvrez la bouche.

— Mais non, fit-il, je vous assure.

Pendant une minute, ne se décidant pas à partir, ils se chamaillèrent sur le perron. Soudain, la porte se rouvrit :

— Combien proposiez-vous au juste ? demanda la dame en mauve.

CHAPITRE XCII

Hargrove acheta la maison à un prix totalement déraisonnable, mais cette folie lui permit de retrouver son assurance, de respirer à pleins poumons, et il jouissait de croire une fois de plus en lui-même… Mrs. Devilue Upton Smythe descendit de ses hauteurs et lui parla avec une sorte de considération qui le réconforta grandement, comme si, d'une manière inexplicable, sa conscience le laissait en paix, mais quel rapport ? Il ne cherchait pas à savoir, il était résolu de ne plus s'interroger sur lui-même. A présent, il était propriétaire d'une des demeures les plus riches et les plus admirées de Savannah. Elle était belle de haut en bas, de la toiture aux soupiraux, et, à chaque fois que soufflait le vent, le grand sycomore la saluait. Telle était la magie de plusieurs poignées d'or. Elle vous libérait de je ne sais quoi d'encombrant.

Aussi les premières journées en Georgie furent-elles agréables malgré le souci que lui donnait encore ce qu'il appelait à part soi le problème de Laura. Un jour qu'elle se trouvait seule avec lui, Maisie Llewelyn lui en parla rudement :

— Willy, vous n'êtes pas capable de vous occuper de ces choses. Gardez votre maison, elle est sans prix, mais n'essayez pas de vous installer dans une ville devenue tragique. Allez à Macon, ou à Augusta, qui vous fourniront tous les moyens d'explorer la Georgie. Il y a sûrement des plantations à vendre. La vie vous sera plus facile à recommencer là où personne ne vous connaît, et la nature est magnifique dans ces régions.

— Laura, Maisie ?

— Laissez-la-moi. Je me charge de la petite. J'ai pris mes renseignements. Je sais ce que je fais. Elle sera en bonnes mains, mais vous ne la verrez plus jusqu'à l'événement.

— Je ne veux plus la voir, fit doucement Hargrove.

— Alors, vous serez un père dénaturé.

— Cessez de me tourmenter, Maisie. Il est trop évident que la Providence veille sur moi et je n'ai rien à me reprocher. Laura s'est conduite en fille indigne, elle n'a jamais été mariée.

— Si. Siverac vous l'a dit comme moi.

— Alors j'en veux la preuve et la preuve écrite.

— Portée par un ange du Paradis, sans doute. Vous me faites honte, William Hargrove.

— Je n'ai plus besoin de vos leçons. Puisque vous voulez vous charger de Laura, je vous la confie de grand cœur. Voyez là une marque de mon estime.

— Je me retiens de vous dire ce que je pense de vous. Haïti n'est pas si loin.

— Haïti, c'est un passé qui n'existe plus et dont nous ne parlerons jamais plus.

— Souhaitons que vous ne rencontriez jamais monsieur de Siverac, il pourrait vous en faire ressouvenir.

— Maisie, il y a des moments où je cesse de me trouver content de vous voir.

— Et nous sommes tout juste dans un de ces moments. Ah ! quel malheur ! Mais cette Providence dont vous parliez tout à l'heure a permis que je sois là avec une mémoire tenace et nous avons tant de souvenirs communs, Willy ! De plus, vous avez besoin de l'affreuse Galloise dans les heures difficiles… Et puis, je ne sais pourquoi, elle vous fait peur. Alors, pourquoi ne la tuez-vous pas ? Il doit bien vous rester quelques balles dans le pistolet que vous aviez au salon, dans un coin de la fenêtre, là-bas, pendant cette nuit mouvementée où les mulâtres ont donné l'attaque…

— Maisie ! s'écria-t-il, fou de rage. Combien d'or vous faut-il pour vous faire taire ?

— Mon amour, les trésors de tous les pirates des Antilles n'y suffiraient pas. Renoncez-y, petit homme, et tâchez d'être sage, puisque je suis là…

Le sang se retira des joues de William Hargrove.

— Chantage, dit-il entre ses dents.

Elle eut un sourire taquin :

— Vous rendez-vous compte, mon bon ami, que ce qu'il vous plaît d'appeler chantage est à la base de presque toutes les relations humaines, sociales, politiques, sentimentales, financières et j'en passe. Si tu ne fais pas ceci, je ne ferai pas cela. C'est la loi du monde et nul n'y échappe s'il ne quitte le monde. Or, ni vous ni moi n'avons le désir de quitter le monde.

— Miss Llewelyn, fit Hargrove d'un ton glacial, pour des raisons sur lesquelles je ne veux pas revenir, mais que j'accepte, vous avez parlé tout à l'heure d'une absence de plusieurs mois, six peut-être…

— Arrondissez, arrondissez.

— Disons huit si cela vous arrange, une absence donc de huit mois en compagnie de celle qui, je le regrette, porte mon nom…

— Erreur : le nom de son défunt mari.

— Je nierai jusqu'à la mort l'existence d'un mari, elle portera donc, à mon vif regret, le nom de son père, car elle restera Laura Hargrove tant qu'elle vivra sous mon toit et, moi vivant, elle n'aura jamais d'autre domicile. J'y veillerai, croyez-le bien. J'entends qu'elle expie sa faute à mes côtés.

— L'enfer, quoi...

Il ne releva pas ces paroles et poursuivit :

— Afin de couvrir tous les frais occasionnés par cette... absence, je vous ferai tenir dans les quarante-huit heures la somme nécessaire, en billets de banque et en pièces d'or. Je compterai largement.

— Sage résolution, car autrement je vous rends votre fille non pas dans les quarante-huit heures, mais dans les soixante minutes.

— Miss Llewelyn, je ne vous permets pas de douter de ma parole.

— Vous voyez comme le système fonctionne bien ? Si tu ne fais pas ceci, et caetera.

— Je crois que nous nous sommes dit tout ce que nous avions à nous dire — pour toujours.

— Oh ! non, William Hargrove, n'engagez pas si légèrement l'avenir. Et d'abord, vous êtes encore plus riche que je ne le soupçonnais, mais vous êtes étourdi — comme sont les riches. A quelle adresse, s'il vous plaît, me ferez-vous tenir cette somme destinée, et caetera, et caetera. ?

— Que supposez-vous ? Au coin de la rue ? Vous avez dormi jusqu'à présent dans le lit de fortune que Mrs. Devilue Upton Smythe avait mis à votre disposition dans la maison qui aujourd'hui m'appartient...

— Et que je quitte dès ce soir, j'irai ailleurs.

— Vous auriez tort. En ce moment même, des tapissiers descendent du grenier de cette vaste demeure des meubles ancestraux du meilleur style dont j'ai fait l'acquisition séance tenante. Une chambre vous est préparée, une autre pour Laura, ma fille indigne — indigne si ce que vous dites est vrai. C'est en tout cas dans votre chambre que la somme en question sera placée entre vos mains par mon homme de confiance.

— Tiens donc ! Déjà tout est organisé sur un grand pied.

— Si vous voulez. Ce n'est qu'un début, mais je vous en prie, ne voyez pas dans cette adresse qui devient la vôtre une invitation permanente. Je ne prévois pour vous deux qu'un bref, qu'un très bref séjour.

— On n'est pas plus galant et vous nous comblez, mais n'ayez crainte : le temps de louer une voiture et nous partons.

— Là encore j'ai tout prévu. Une voiture très convenable, à deux chevaux, vous attendra devant ma maison, la journée entière s'il le faut.

— Votre sollicitude me confond… Disons-nous au revoir tout de suite, voulez-vous, pour gagner du temps.

— Il y aura en effet un au revoir. De même que je ne crois pas à votre histoire de mariage, de même je me refuse à croire que ma petite fille…

Une émotion violente le saisit tout à coup et il dut se maîtriser pour aller plus loin, des larmes brillaient dans ses yeux, puis le reste de la phrase éclata sur sa langue :

— … enfin qu'elle ait pu se laisser séduire par un inconnu.

— Et l'amour, qu'en faites-vous ?

— Croyez-vous que je ne sache pas ce qu'est l'amour ? L'amour paternel, ça n'est pas de l'amour ?

Elle fut sur le point de lui crier qu'il jouait honteusement sur les mots, mais, devant la souffrance de cet homme, la pitié lui ferma la bouche.

— Mettons que je vous aie encore une fois menti, fit-elle avec un sourire amer. Quand l'événement aura lieu, je vous avertirai.

— Je serai là, dit-il.

— Et alors, vous me croirez peut-être.

— Il n'y aura rien, j'en suis sûr, son aspect n'a pas changé, mais vous m'avez empoisonné le cœur avec vos soupçons, tout ce que je sais de sûr, c'est que cet homme tournait autour d'elle.

— Et il est mort.

— Oui, il est mort, je tirais au hasard, il a payé de sa vie ce qu'il voulait faire. Le Ciel l'a puni.

Elle le regarda, muette cette fois, n'osant pas dire ce qu'elle avait en tête : « Cet homme est un monstre, mais comment le juger ? Il est amoureux avec la férocité d'un cœur de vingt ans. »

— Vous me faites peur, dit-elle enfin à mi-voix.

Il ne répondit pas tout de suite, mais son visage changea et prit un air perplexe voisin de l'inquiétude si fréquente chez lui, autrefois.

— Suis-je donc si terrible ?

— Je m'en vais, William. Quand je serai là-bas, avec votre Laura, je vous écrirai. Et vous viendrez, s'il le faut.

Elle disait cela pour lui laisser au moins une ombre d'espoir, et elle s'en alla vite pour ne plus voir ce visage maintenant torturé.

Sans même s'en rendre compte, elle se mit à courir dans les

jardins à l'abandon où les arbres qu'on ne taillait plus mêlaient leurs branches, redevenus sauvages. Et soudain, une pensée lui traversa l'esprit :

« Il a simplement tué son rival. »

Elle plaqua les deux mains à ses oreilles comme pour ne pas entendre.

CHAPITRE XCIII

Le lendemain matin, elle et Laura partirent de bonne heure ; malgré toutes les résolutions qu'il avait prises, Hargrove ne se retint pas d'embrasser sa fille sans pour cela lui dire un mot. Frank était là, bouleversé par ce départ auquel il ne comprenait rien. Elle se jeta dans ses bras en pleurant :

— Prie pour moi, lui dit-elle à l'oreille.

La petite ville qu'on avait indiquée à Miss Llewelyn se trouvait à quelques *miles* de Macon. Une société de dames protestantes, assez semblables à des religieuses, occupait une sorte d'hospice où n'étaient reçues que des personnes suffisamment recommandées et qui, pour une raison ou pour une autre, avaient besoin d'être soignées.

Une maison confortable, entourée d'un jardin, fut louée à la sortie de la ville, tout à fait à l'écart. Des promenades à pied dans les bois, et en voiture dans la campagne, facilitaient un peu cette vie qui ressemblait à un exil, mais la Galloise savait l'art de distraire et dans la mesure du possible de consoler.

Vinrent les journées critiques où l'extrême fatigue de Laura obligea de la mener chez les dames protestantes. On lui donna la plus belle chambre et Maisie Llewelyn écrivit à William Hargrove.

Il arriva deux jours plus tard. Laura souffrait beaucoup. Non sans un grand effort pour se dominer et pour paraître humain, il s'assit à son chevet et regarda sa fille avec bonté. Elle lui rendit son regard d'un sourire et le remercia d'être venu.

— Ma petite fille, dit-il, que cette épreuve te soit salutaire. Dieu t'a pardonné, je le sens.

— Mais, Papa, je n'ai rien fait de mal !

Il sourit, se leva et sortit. Dans une pièce voisine, il trouva Maisie Llewelyn qui l'attendait.

— Décidément, dit-il, on élève autour de moi un mur de mensonges. Moi qui ne vis que pour la vérité...

— William Hargrove, chuchota distinctement Maisie Llewelyn, que le diable vous emporte et vous garde.

Et elle tourna les talons.

Betty et Maisie Llewelyn se relayaient au chevet de Laura qui s'agitait dans son lit et ne pouvait retenir des gémissements. Les heures décisives tardaient encore, et, parfois, la jeune femme, écrasée de fatigue, s'endormait.

Ce fut pendant un de ces moments de répit que Hargrove apparut de nouveau. Il eut la satisfaction de constater que Laura était seule avec Betty. Un doigt sur la bouche, il s'approcha de sa fille endormie et la regarda. Le visage marqué par la souffrance, elle restait belle d'une beauté tragique. Les yeux de Hargrove se firent de plus en plus attentifs. Déjà, au cours du long et très pénible voyage depuis la plantation jusqu'à la Jamaïque, il avait remarqué quelque chose dont il ne disait rien.

Cette fois, il écarta doucement le col de la chemise assez large qui couvrait la poitrine de Laura. Aussitôt, Betty se dressa, étendant un bras comme pour l'empêcher d'aller plus loin, mais il la repoussa d'un geste énergique.

N'ayant pas vu ce qu'il pensait voir, il allongea la main vers la petite table à côté du lit et en ouvrit le tiroir. La parure d'émeraudes s'y trouvait, et, sans hésiter, il la prit et la considéra d'un air pensif...

A ce moment, réveillée par le léger bruit du tiroir, Laura vit son père examinant les émeraudes.

— Papa, dit-elle, c'est à moi.

— Mon enfant, dit-il avec douceur, je n'en doute pas, mais de qui les tiens-tu ?

— De mon mari, fit-elle d'un trait, il me les a offertes le jour de notre mariage.

Hargrove se tut un instant, puis, l'air très grave, il déclara :

— En tout cas, ma petite fille, c'est là un objet beaucoup trop précieux pour que tu l'exposes au risque de le perdre. Il est à toi, mais je vais le mettre en sécurité dans mon coffre.

Elle fit entendre une voix faible, mais indignée :

— Oh ! pourquoi me privez-vous de ce qui m'appartient, Papa ?

— J'agis sagement, Laura, répondit-il. Remercie le Seigneur de t'avoir donné un père qui veille sur toi avec amour.

Ayant dit ces mots, il se retira et gagna la pièce voisine où Miss Llewelyn venait de s'asseoir dans un fauteuil pour se reposer de ses fatigues et attendre l'heure de prendre la place de Betty. Quand elle vit Hargrove, elle se leva d'un bond.

— Encore vous ! s'écria-t-elle.

Il lui montra la parure dans sa main ouverte.

— Encore moi, dit-il d'une voix calme, et voici ce que je découvre. Mensonge sur mensonge. La pauvre petite que je croyais pure comme un ange reconnaît qu'elle a reçu cette chose d'un homme qu'elle ose appeler son mari. On me doit la vérité. On me la cache… Elle m'est révélée malgré tous les efforts du mensonge. Savez-vous ce que c'est que ceci qui brille dans le creux de ma main ? Je vais vous le dire, Miss Llewelyn : c'est le salaire du péché.

Elle écouta ce discours jusqu'au bout, les joues et le front enflammés de colère, et tout à coup elle parut grandir et devenir énorme. S'approchant de Hargrove, et de si près qu'il sentit son souffle chaud sur le visage, elle lui cria dans le nez :

— Voleur !

Il recula, fourrant la parure dans la poche de son veston :

— Je vous interdis…

— Vous m'interdisez quoi, sale voleur ? Plus vous m'interdirez, plus je parlerai et quand la Galloise veut se faire entendre, on l'écoute, croyez-le. Le scandale vous accompagnera jusqu'à votre mort si je le veux et vous rendrez son bien à votre fille.

— Quand j'aurai la preuve qu'elle a été mariée.

— La preuve, toujours la preuve ! Ce mot, je vous le ferai un jour rentrer dans la gorge. Pour aujourd'hui, cela suffira. Alors dehors, vous m'entendez, dehors !

— Mais de quel droit osez-vous me parler ainsi ?

— Voulez-vous que j'appelle, Willy ?

Des dames en noir, alertées par ce bruit, firent leur apparition. Sans un mot, Hargrove prit la porte.

Le lendemain de cette scène dont elle ne put manquer d'entendre confusément quelques éclats, Laura exprima le désir de regagner la maison que Maisie Llewelyn avait louée, à l'écart de la ville. Sans aucun doute, la jeune femme, étant catholique, ne voulait pas accoucher dans une maison protestante.

Elle n'avait jamais été robuste et l'épreuve s'annonçait difficile. L'enfant vint au monde dix jours plus tard, à l'aube du 25 janvier. C'était une fille. Maisie Llewelyn, qui avait tout prévu, fit venir presque en cachette un prêtre catholique qui baptisa l'enfant sous le nom d'Annabel, nom choisi par Laura parce que c'était aussi le nom de la mère de Régis.

Cependant, l'état de l'accouchée, sans être alarmant, inspirait d'assez vives inquiétudes. Elle se remettait mal et fit peur à la Galloise autant qu'à Betty. Aussi une nouvelle apparition de William Hargrove, qui rôdait toujours autour de sa fille, ne fut-elle pas mal accueillie. Les différends furent oubliés, les décisions prises avec énergie.

Hargrove emmènerait sa fille à Warm Springs où la douceur du climat l'aiderait à revenir à la santé. Maisie Llewelyn et Betty se chargeraient de l'enfant. Lorsque celle-ci serait assez forte pour quitter la maison, elle serait transportée dans une institution aristocratique de tout premier ordre située non loin de la ville.

Hargrove à prix d'or avait fait le nécessaire et l'enfant était attendue. Maisie Llewelyn voyait clair dans les projets de cet homme qu'elle jugeait méprisable, mais elle ne pouvait qu'y souscrire pour le moment. Il était résolu à mettre la main sur Laura pour l'avoir à lui seul. Dans les circonstances présentes, rien ne pouvait l'en empêcher, car la Galloise, émue de pitié pour Annabel, la très innocente victime de ces manigances, était fermement décidée à veiller sur elle comme le lui demandait Hargrove.

Dans l'état d'extrême faiblesse où elle se trouvait, Laura souffrait de la dureté de cœur de ces deux personnes qui, pour des raisons qu'elle ne comprenait pas, la séparaient de son enfant, et elle se mit à les haïr tous les deux après avoir fait de grands efforts pour les aimer. Et comment se défendre ? Un matin de mars, elle dut dire adieu à sa petite fille qu'elle adorait et partit avec William Hargrove pour les sources d'eau chaude de Warm Springs. Deux jours plus tard, la Galloise et Betty emportaient Annabel à destination de la luxueuse institution qui se chargeait de son destin.

Pendant les deux années qui suivirent, Hargrove voyagea avec sa fille dans les plus belles régions du Sud, cherchant par tous les moyens à lui rendre la vie agréable et ne réussissant qu'à l'aigrir. Il lui refusait, en effet, de lui permettre de revoir sa fille et même de lui faire savoir où elle était.

Enfin, en 1827, on lui parla d'une plantation à quelque distance de Savannah qui lui parut l'endroit idéal où vivre heureux avec les siens. Harold Armstrong, d'une des familles anglaises les plus connues, mais en proie à des difficultés financières, la lui cédait, selon les usages des ventes à terme, pour vingt-cinq ans. Hargrove s'y installa avec ses deux fils qui venaient d'achever leurs études alors que Frank, le cadet, partait à son tour pour l'Université.

Ce fut alors que commença pour Laura une vie nouvelle qu'elle eût pu appeler un martyre.

CHAPITRE XCIV

Les années passèrent. Laura ne se consolait pas de ne pas voir sa petite fille. Seules Maisie Llewelyn et Betty lui apportaient douceurs et jouets, mais observaient le silence cruel exigé par William Hargrove.

A quinze ans, Annabel était une grande beauté : une peau de camélia, de grands yeux couleur de violette, un port fier. Par un désastreux hasard, au cours d'une fête de son collège, elle fut distinguée par un des hommes les plus riches de New York, un milliardaire, le vieux Jurgen, qui fit d'elle son héritière. Le « vieux » Mr. Jurgen avait en réalité cinquante ans, mais il eut le bon ton de mourir subitement. Le destin d'Annabel n'en était pas moins tracé. Elle avait pris goût à l'argent et aux facilités qu'il donne pour satisfaire tous les caprices d'une nature ardente.

De temps à autre, Hargrove convoquait Miss Llewelyn dans sa bibliothèque. Derrière les portes fermées retentissaient alors des éclats de voix.

— Quelle preuve ? clamait la Galloise. Vous n'avez que ce mot à la bouche, et il vous la faut écrite alors que je vous ai dit vingt fois que la petite église de Dondon avait brûlé. Dieu seul sait ce qu'il est advenu du pauvre curé… Alors il y a ces émeraudes sur lesquelles vous avez mis la main…

— … pour les mettre en sécurité. Elles au moins me fournissent la preuve d'une innocence perdue et d'un mensonge…

— Vous, parler de mensonge ! Vous !

— J'en parle parce que je vis pour la vérité, et ces pierres, ces émeraudes qui ont fait tant de mal et qui, moi vivant, n'en feront plus, ces maudites émeraudes sont l'image d'une terre maudite, vertes comme elle !

— Vertes comme la peur et la jalousie, Willy Hargrove !

5

UNE JOIE TREMBLANTE

CHAPITRE XCV

Dans la grande salle ronde, le rose du crépuscule s'attardait comme pour embellir les dernières phrases du récit, car Maisie Llewelyn n'avait pas encore tout à fait fini. Elle laissa, en effet, passer quelques secondes de silence pendant lequel on n'entendit que la légère palpitation des éventails, puis elle reprit avec un soupir :

— Voilà. Je crois vous avoir dit tout ce que je pouvais décemment révéler. Jugez cependant du mal qu'a pu faire l'obstination de Mr. Hargrove à qui il fallait une preuve impossible à fournir. Le jeune Frank Hargrove devenu grand entendit un jour à Savannah un bavard faire allusion à la célèbre Annabel Hargrove, née de père inconnu. Il le provoqua aussitôt en duel et fut tué le lendemain d'un coup d'épée en pleine poitrine.

Un murmure de consternation parcourut l'auditoire, car la narratrice avait su faire aimer l'admirateur des pirates. Plusieurs dames se mouchèrent discrètement, puis la voix distinguée de Mrs. Harrison Edwards s'éleva :

— Tout cela est d'une grande tristesse. Il faut reconnaître malgré tout, pour être juste, que l'absence de toute preuve écrite, si âprement réclamée par le défunt William Hargrove, est infiniment regrettable.

Ces paroles, dites avec une politesse étudiée, eurent le don de provoquer une sorte de brouhaha parmi les gentlemen qui se tenaient debout derrière les dames. L'un d'eux en effet s'écria :

— Excusez-moi, je vous prie.

Et, se frayant courtoisement un chemin à travers le bataillon des ladies stupéfaites, il arriva jusqu'à l'espace où Maisie Llewelyn allait conclure son discours.

« Cette preuve, dit-il d'une voix forte, je l'ai.

C'était le jeune Siverac, le mari de Minnie. On eût dit que des vibrations électriques traversaient l'air tant la surexcitation était forte. Maisie Llewelyn souriait comme un chat.

— La preuve ! La preuve ! murmurait-on.

Fier et svelte, et l'œil brillant d'indignation, Antonin de Siverac déclara d'une voix énergique :

— Mon père était présent au mariage de Laura, il m'a tout raconté. William Hargrove avait eu le front de mettre ce témoignage en doute, ce qui lui valut une provocation en duel, auquel il se déroba...

— Ou plutôt, interrompit Maisie Llewelyn, qui fut remis à plus tard pour ne pas compliquer notre voyage.

— Comme il vous plaira, fit Siverac, le fait demeure que le défunt William Hargrove se colora du vert de la peur dont vous parliez il y a un instant, mais il y a mieux. Quand fut tué le brave Régis que ses soldats surnommaient l'Ange, le sous-officier noir qui le remplaça tira de ses poches son portefeuille et un chapelet qu'il donna à mon père « pour la jeune femme ». Mon père, par respect pour le jeune officier qu'il admirait, n'examina rien avant d'être seul à la Jamaïque. Là, il découvrit des lettres. Il y en avait deux qui l'émurent violemment. Elles étaient de la sœur de Régis, la religieuse de Port-au-Prince. La première lettre le félicitait de ses fiançailles dont il l'avait informée apparemment dans un délire d'amour et de bonheur. La seconde, écrite un mois plus tard, pleine d'enthousiasme, lui disait sa joie de le savoir marié. Ces lettres, mon père m'en dit le contenu et m'offrit de les lire, mais, le cœur serré d'émotion, je refusai. Il n'avait pu se résoudre à raviver la peine de Laura. Elles sont chez moi, dans notre maison de Charleston. Je puis en faire parvenir une copie à Mrs. Harrison Edwards qui a exprimé le regret d'une absence de preuve.

Mrs. Harrison Edwards éclata en sanglots.

A ce moment, les portes du fond s'ouvrirent à deux battants et l'émotion générale fut à son comble lorsque l'aboyeur annonça d'une voix puissante :

— Mrs. Jonathan Armstrong.

Ce nom respecté entre tous retentit comme une fanfare, mais Annabel fit son entrée le plus simplement du monde. Vêtue d'une robe gris clair, elle s'était drapée dans une cape noire d'une austérité dramatique, et, par un contraste saisissant, la parure d'émeraudes scintillait insolemment sur sa poitrine.

Avec un naturel dont elle ne se corrigeait pas, cette femme, d'une beauté persistant sous les rides, avançait comme une reine dans un pays étranger. De toute évidence, la majorité des personnes présentes ne s'attendait pas à la voir sous cet aspect, à l'exception de celles qui étaient du complot ; Elizabeth, assise un peu en arrière du premier rang, se leva par un mouvement instinctif pour se rasseoir aussitôt.

Annabel s'arrêta au milieu du salon et s'inclina légèrement, avec une grâce qui provoqua une admiration muette dans le plus profond silence.

— Je sens bien, mesdames, dit-elle, que survenant parmi vous je suis un sujet d'étonnement et le comprends d'autant mieux que moi-même, répondant à la très aimable invitation de Mrs. Harrison Edwards, je n'en reviens pas encore de me trouver ici, la mémoire pleine de souvenirs trop précis bien que déjà fort anciens.

Mrs. Harrison Edwards se leva :

— Mrs. Armstrong, nous avons tenu à effacer ce qui n'aurait jamais dû se produire et qui nous a tous indignés.

Annabel s'inclina de nouveau et dit :

— Je suis venue ce soir pour défendre l'honneur de ma mère.

La simplicité avec laquelle cette phrase fut dite émut toutes les personnes présentes, et de nouveau les petits mouchoirs de dentelle apparurent çà et là. Siverac s'approcha d'Annabel et, l'ayant saluée, se présenta :

— Madame, dit-il, l'honneur de Mrs. Régis de Lavaur n'a jamais fait le moindre doute dans l'esprit de tous ceux qui l'ont connue. Mon père, qui a été témoin de son mariage de même que Miss Maisie Llewelyn, m'a fourni des preuves écrites irréfutables que je me ferai la joie de remettre entre vos mains.

Il expliqua en peu de mots de quoi il s'agissait et elle le remercia, non sans de grands efforts pour maîtriser les tumultueux battements de son cœur.

— Le but de ma visite est donc atteint, dit-elle, et je suis trop heureuse pour me sentir capable d'en dire plus.

Elle demeura, en effet, muette et parfaitement immobile pendant un instant. La nuit tombant, des serviteurs allumaient des flambeaux, et dans la douceur de cette lumière elle parut retrouver un peu du mystérieux pouvoir qu'elle avait connu jeune. Portant la main aux émeraudes qui, dès son entrée, avaient ébloui et intrigué toutes les dames présentes, elle dit d'un ton gêné :

« Excusez-moi, mesdames, d'attirer votre attention sur ces bijoux qui ne conviennent plus à la personne que je suis à présent devenue, mais c'est la première et la dernière fois que vous les voyez à mon cou. Ce sont, en effet, les émeraudes qui ornèrent la gorge de ma mère le jour de son mariage. A leur manière elles plaident pour elle.

Comme elle prononçait ces derniers mots d'une voix qui s'étranglait, ses yeux se mirent à briller de colère et des larmes les remplirent.

Par un élan subit, prise d'une inspiration audacieuse, Mrs. Harrison Edwards se précipita vers elle :

— Madame, lui dit-elle, je suis sûre d'exprimer ce que nous éprouvons tous en vous demandant de considérer que vous êtes des nôtres et de faire partie de cette grande famille : la société du Sud.

Un profond désordre accueillit ce discours inattendu. Dans une stupeur générale, les dames se tournaient les unes vers les autres dans tous les sens au milieu d'un bourdonnement de paroles confuses, mais trop de larmes coulaient sur trop de visages et l'émotion prévalut avec une sorte de violence, bouleversant objections et réticences : Mrs. Devilue Upton Smythe dont le chef branlait sous un monument de dentelle, mais dont la voix chevrotante gardait toute son autorité, clama :

— Oui, pour l'honneur de Laura et la réparation d'une injustice atroce.

— Pour l'honneur ! tonna l'assistance entière, car les gentlemen du fond donnaient furieusement de la voix. Pour l'honneur !

On dut retenir Annabel vacillante. Elle se remit cependant dans un sursaut d'énergie alors que les dames perdaient la tête et que les éventails s'agitaient.

Elle se redressa, puis, toute droite, les deux mains sur les bords de sa grande cape noire entrouverte, elle dit d'une voix grave et lente :

— Ladies, et vous aussi gentlemen, là-bas, mon cœur bat enfin à l'unisson avec le vôtre et vous me rendez la fierté de notre Sud dont je suis la fille, mais la personne qui vous parle maintenant a eu toute sa part de souffrance que le monde peut infliger à une âme de femme et, la nuit dernière, cédant à un appel qui vient de plus haut que le monde, elle a résolu de le quitter pour toujours. Permettez-moi de vous dire ma reconnaissance et de vous faire mes adieux en vous saluant comme vous le méritez.

Reculant de trois pas, les mains écartant sa cape et sa robe à bout de bras, elle se plia aussi bas qu'il lui était possible dans la grande révérence réservée à la présence de la reine.

Toutes les dames se levèrent. Des reniflements discrets se firent entendre. Mrs. Devilue Upton Smythe, chevrotant à outrance, déclara :

— Madame, vous nous privez d'une grande joie, mais nous vous comprenons toutes et nos bénédictions vous accompagnent.

Algernon s'évanouit poliment d'émotion dans un coin et fut remis debout à coups de taloches par de jeunes officiers, tandis que Charlie Jones prenait la main de Mrs. Harrison Edwards pour reconduire Annabel. Eperdue, Elizabeth les rejoignit dans le petit salon de l'entrée, les yeux pleins de larmes. Annabel se retourna vers elle avec un large sourire où il y avait beaucoup de tendresse.

— Je t'attendais, petite Elizabeth, mais tu viens bien tard embrasser ta vieille amie. Je te pardonne parce que je vois que tu gardes autour du cou la précieuse goutte de rubis qui me rappelle la plus cruelle minute de ma vie sur terre.

— Oh ! Annabel ! s'exclama Elizabeth en secouant sa chevelure d'or.

— Assez d'émotion pour ce soir, Elizabeth. N'est-ce pas ? demanda-t-elle à Charlie Jones et à Mrs. Harrison Edwards.

— Nature sensible, dit Charlie Jones.

— Jeune..., murmura Mrs. Harrison Edwards, son mouchoir à la main.

— Maintenant, fit Annabel, trêve d'explosions sentimentales, Elizabeth, et tiens-toi tranquille un instant.

Détachant alors ses émeraudes, elle les passa autour du cou de la jeune femme qui ferma les yeux de bonheur.

— Comment vous remercier ? demanda-t-elle, les mains sur la poitrine.

— Tu dis simplement merci et tu m'embrasses. C'est tout... Là. Me voilà bien embrassée. Je pars, ne m'oubliez pas.

Et avant même qu'on pût lui répondre, elle était dehors.

CHAPITRE XCVI

Il va de soi que cette réunion chez Mrs. Harrison Edwards suivie du départ d'Annabel fut le grand événement de la saison, avec des échos presque sans fin. Billy, qui n'en fut informé que dix jours plus tard, laissa éclater son dépit quand Elizabeth le mit au courant.

— Tu savais et tu m'as tout caché. J'aurais voulu dire au revoir à cousine Annabel — et tu m'aurais entendu pousser des acclamations et rugir plus fort que les autres. Tu m'as fait rater une soirée grandiose et j'adore ça.

— Evidemment, celles que j'ai à t'offrir ne comptent pas.

— Tais-toi ! Ferme la porte à clef et ne perdons pas de temps.

Le délire habituel eut lieu, la fougue de Billy en faisait toujours quelque chose de nouveau.

De son côté, la vie moins tumultueuse de Mrs. Harrison Edwards retrouvait des charmes qu'elle pensait un peu évanouis. L'énorme succès de sa réception agrémentée d'un voyage à Haïti et d'un adieu en coup de théâtre de Mrs. Jonathan Armstrong la dédommageait de ses angoisses. Son soulagement était partagé par Charlie Jones qui avait tremblé comme elle, mais la proverbiale bonne humeur de celui-ci se couvrait parfois d'une ombre. Avec le temps, il prenait de plus en plus au sérieux l'agitation des abolitionnistes du Nord. Contrairement à ce qu'ils espéraient, le Noir Dred Scott, à la fin d'un interminable procès, se voyait maintenu dans sa condition d'esclave par une décision du *chief justice* Taney. Du reste, l'intéressé ne voulait à aucun prix de la liberté que lui eût offerte le Nord, car il savait que cette liberté lui eût été donnée en échange d'un travail à l'usine nettement plus dur que les occupations domestiques dans le Sud. Le jugement de la Cour suprême envenimait l'atmosphère politique alors qu'une campagne électorale était à l'horizon.

Pour ses propres affaires, Charlie Jones voyageait assez souvent dans le Nord et en revenait chaque fois un peu plus pessimiste. Il n'en parlait qu'à ses intimes, mais le mot du grand Calhoun sur son lit de mort lui revenait parfois à l'esprit : « Hélas, mon pauvre Sud ! » Il n'empêche que, corps et âme, Charlie Jones restait l'ami fervent et fidèle du pays qui l'avait accueilli comme un fils dans son aventureuse jeunesse. Rien ne pourrait jamais le faire dévier, mais l'inquiétude grandissait dans son cœur.

Cependant, la vie continuait à Savannah, en apparence insouciante. Le vertige de la valse faisait tournoyer la jeunesse, quand, les doigts sur la mandoline, elle ne miaulait pas d'amour sous les vérandas par les nuits d'été. Parfois, les noms de Lincoln et de Douglas, le « petit géant », étaient jetés dans la conversation, très vite. Quoi de plus assommant que la politique ? Tourbillonner dans le plaisir valait beaucoup mieux. Elizabeth ne pouvait tourbillonner qu'avec Billy chez qui ne dormait que d'un œil un tigre de jalousie, et puis un enfant était en route qu'on attendait pour septembre.

Cependant, elle se sentait heureuse. Elle ne croyait pas à la guerre parce que Billy lui avait affirmé qu'il n'y aurait pas de conflit. Toutefois, elle ne pouvait se cacher que la vie chez elle se faisait plus sérieuse. Son petit Ned, qu'elle aimait toujours aussi passionnément, lui donnait des soucis étranges... Entre lui et le jardinier irlandais, elle surprenait des bouts de conversation qui faisaient peur. Ils échangeaient des propos de fous, ils se promenaient dans des bois peuplés, non de personnes vivantes, mais de voix qui parlaient dans une langue inconnue, et l'un et l'autre imitaient ces voix, c'était à qui parlerait le plus vite. Ned y excellait. Plus alarmant que tout pour Elizabeth déjà pétrifiée d'horreur, le nom de Jonathan revenait sans cesse. Dès qu'ils apercevaient Elizabeth, ils se taisaient. Ned bâillait. Pat prenait une pelle ou un râteau, saluait Elizabeth.

— *Good morning,* M'am, vous venez voir vos magnolias ? Ils embellissent tous les jours.

Et les magnolias complices, le long du mur, étourdissaient la jeune femme de leur parfum lourd de souvenirs.

— Vous vous en racontez des histoires ! faisait-elle en riant. Je vous entends de la maison.

— L'Irlande, M'am. Je lui parle du pays. Il faudra qu'un jour votre garçon aille faire un tour là-bas.

— Oh ! oui, Mom', là-bas, dans le pays de Pat.

Elle s'en allait, inquiète. Il ne fallait pas que Billy entendît jamais prononcer le nom de Jonathan. Déjà il en savait trop, ayant été témoin de la provocation en duel sous les chênes verts de Dimwood. Jamais on ne devait parler de cela, et voici que le nom de Jonathan resurgissait sur les lèvres du petit Ned...

Huit ou dix jours plus tard, Celina vint parler à sa maîtresse... Avec sa politesse un peu froide et dans son anglais d'une correction d'étrangère, elle apprit à Elizabeth qu'elle allait retourner dans le pays de sa famille, en Europe.

Elizabeth se vit aussitôt en proie aux complications inévitables d'une vie sans gouvernante.

— Je regrette, Celina, dit-elle doucement. Peut-être craignez-vous qu'il n'y ait une guerre. Là, je puis vous rassurer. J'ai des renseignements d'une source absolument sûre.

— Madam, je ne crains pas la guerre.

— Mon fils est toujours gentil avec vous, j'espère.

— Toujours, M'am, et je l'aime beaucoup...

Elle hésita une seconde.

« Si vous me permettez une remarque, M'am, je vais le voir tous les soirs après dîner. Il est généralement endormi à cette heure et il parle tout seul.

— Tous les enfants, Celina…

— Oui, M'am, mais il est — comment dites-vous en anglais… — surexcité, et il parle dans une langue que je ne connais pas.

— Pat lui aura appris quelques mots d'irlandais.

Celina fit un geste d'ignorance et reprit :

— Je crois qu'il faut surveiller le petit Ned, M'am.

— C'est bien, Celina. Je vais vous régler vos gages et vous donner un bon certificat.

— Merci, M'am. Je crois avoir fait tout ce que je devais.

— Nous nous quittons dans les meilleurs termes, Celina. Ne pouvez-vous pas me dire pourquoi vous partez ?

— Le mal du pays, M'am. Pas autre chose, mais c'est très fort.

— Oui, je sais ce que c'est. Maintenant encore, parfois, l'Angleterre…

— *Yes,* M'am…

Celina partit le lendemain matin, et, foulant aux pieds l'amour-propre, Elizabeth écrivit à Maisie Llewelyn. Celle-ci parut sans se faire attendre… La scène eut lieu dans le petit salon jadis azur, aujourd'hui couleur de sang, les tapissiers de Charlie Jones étaient allés vite en besogne.

— Tiens, fit Maisie Llewelyn, le décor a changé, mais nous reprenons la scène où nous l'avions laissée. Je vous conseillais de vous débarrasser de Celina et elle est partie. Elle a bien fait.

— Comment cela ?

— Elle était à la veille d'être dénoncée.

— Je ne comprends pas.

— Toujours aussi naïve, Miss Lisbeth, si vous voulez bien m'excuser.

— Quoi donc ? Voleuse ?

— Curieuse.

— Vous ne voulez pas dire…

— Si. Comme Miss Pringle, à Dimwood, vous vous souvenez ? C'est Mr. Charles Jones qui a fait filer Celina. Elle est maintenant en route pour le Nord et va livrer à ses employeurs son petit bagage d'observations sur la mentalité du Sud.

— Elle paraissait si honnête…

— Elle l'était selon ses vues, elle croit servir une cause juste, la petite dinde. Mais laissons cela. Vous n'avez personne pour diriger la maison et vous appelez à l'aide, oui ou non ?

— Oh ! Miss Llewelyn...

— Oh ! Miss Llewelyn suffit. Je veux le livre de comptes.

Ce document lui fut remis sur-le-champ et l'installa d'une façon permanente dans la maison d'Elizabeth. Rien ne changea et tout fut différent. Les heures restaient les mêmes et l'obéissance ne variait pas, mais on sentait maintenant la présence d'une volonté de fer, alors que, du temps où gouvernait Celina, on avait l'impression que tout pouvait fléchir d'un moment à l'autre et que l'ordre régnait avec une sorte de mollesse par l'effet d'une succession de hasards favorables.

Un des premiers soins de la Galloise fut de rendre visite au jardinier, qui semblait avoir fait de Ned son compagnon favori, et c'était surtout le petit garçon qui intriguait Maisie Llewelyn depuis la minute où elle l'avait vu pour la première fois, s'appliquant à cueillir les fleurs du tapis de Perse aux pieds de sa mère. Entre elle et lui, elle flairait une indéfinissable affinité de race.

Ce matin-là, ils étaient tous les deux dans le coin du jardin où les magnolias se groupaient, entremêlant leurs branches, et les grosses fleurs pâles se montraient çà et là dans le feuillage sombre. On pensait en voyant le jardinier et l'enfant à des conspirateurs dans un bois.

Pat appuyé sur sa bêche ne disait rien, Ned accroupi devant un pied de violettes regardait attentivement ces fleurs minuscules qui s'épanouissaient dans un rayon de soleil.

— Une seulement, dit-il, une seule, Pat, pour Mom'.

— Non, pas une, dit Pat. C'est défendu, c'est à Celina.

Ni l'un ni l'autre ne voyaient Maisie Llewelyn qui avançait très doucement dans l'herbe et s'arrêta pour les écouter.

— Bonjour, fit-elle tout à coup.

Ils se retournèrent et Pat souleva son grand chapeau de paille.

— Bonjour, Miss Maisie, dit-il. Ça fait plaisir de vous voir, mais vous ne venez pas très souvent.

— Eh bien, Pat, ça va changer. Vous allez me voir très souvent à partir d'aujourd'hui.

Un peu mystifié, il répondit à tout hasard par un grand sourire pendant que Ned, debout et bouche bée, considérait la dame très grande qui disait des choses incompréhensibles, mais intéressantes.

« Alors, fit la Galloise, ces violettes sont à Celina ?

— Oui... Pour moi, elle a un fiancé quelque part en ville et elle garde des violettes pour en faire un bouquet qu'elle portera le jour de ses noces.

— Vous rêvez, Pat.

— Quoi donc ? Elle n'est pas mal, la Celina. Elle a sûrement des amoureux, mais elle ne dit rien.

— Elle vient souvent ?

— Tous les jours. Tout à l'heure, vous allez voir.

— Vous croyez ? Elle est bavarde ?

— Pas très. Elle aime mieux m'écouter quand je me mets à parler. Je la fais rire, elle adore ça, surtout quand je lui raconte ce que j'entends dans la rue. J'imite bien les gens qui passent, leurs mines, leurs façons de parler.

— Mrs. Lisbeth vous a défendu... Vous faites ça au lieu de travailler.

— Oh ! Mrs. Lisbeth dit ça... Mais je m'informe, c'est mon droit, vous comprenez ? Et puis, ça fait tant rigoler la Celina... Un jour, sans en avoir l'air, elle m'a serré la main plusieurs fois... Comme ça... Oh ! je ne dis pas ça pour faire croire qu'elle aurait pas dit non... mais elle est gentille... Si le petit n'avait pas été là...

— Quoi ? Un brin de cour, peut-être, ça n'est pas défendu.

— Non, hein ?

Il s'approcha un peu avec un drôle d'air. Elle recula :

— Holà ! mon garçon. Il y a des gifles dans l'air. Je ne suis pas une Celina.

— Ah bah ! Miss Maisie, on a dû vous en conter dans votre pays, autrefois. Les compliments, ça fait encore plaisir, non ?

Cette allusion à son âge piqua Maisie Llewelyn. Sans être de la première fraîcheur, elle ne renonçait pas à plaire.

— Allons, Pat, ne vous fâchez pas. Dites-moi plutôt de quoi vous parlez avec le petit. Quand il n'est pas à la promenade avec Betty, il est toujours avec vous.

— Il est aussi bavard que moi, vous savez. Moi je lui apprends les noms des fleurs et je lui parle de chez nous.

— L'Irlande, fit Ned, les yeux brillants. Ze vais aller là-bas. Pat, tu as promis.

— Quelle drôle d'idée, fit la Galloise en riant. Pourquoi pas chez nous à Caerphilly ?

— C'est sûrement très joli, chez vous, Miss Maisie, mais il a pris l'habitude de venir chez nous tous les soirs, pas vrai, Ned ?

— Tous les soirs ! s'exclama Ned.

— Par exemple ! Et comment vas-tu là-bas ? En bateau ?

— Non, à cheval, mais il ne faut pas le dire.

— Je ne le dirai à personne, Ned... Parole de Galloise.

Ned regarda le jardinier.

— Ze peux le dire ?

— Si tu veux, petit, si Miss Maisie donne sa parole.

— Alors, voilà. Quand Celina vient souffler la lampe, il faut d'abord que ze ferme les yeux pour faire semblant de dormir...

Il hésita. La dame très grande l'écoutait avec attention et cela le flattait chaque fois.

« Alors, fit-il en aspirant comme pour prendre son souffle, le cavalier arrive au galop du fond de la chambre et m'emporte avec lui.

Cette phrase, dite d'un trait, eut un effet extraordinaire sur Maisie Llewelyn. Elle eut l'impression que tout un monde de poésie s'ouvrait à ses yeux comme dans sa terre natale. Elle se pencha vers Ned.

— C'est passionnant, ce que tu dis là. Le cavalier t'emporte là-bas, au-dessus de la mer.

— Oh ! oui, ze vois la mer, toute noire.

— Parce que c'est la nuit, expliqua Pat, mais Jonathan n'a peur de rien.

Ned poussa un grand cri de détresse :

— Oh ! Pat, i' fallait pas le dire ! I' faut pas dire Zonathan, Maman l'a défendu.

La Galloise comprit tout et ne broncha pas.

— Si ta Maman l'a défendu, il ne faut pas le dire, fit-elle en caressant la joue du petit garçon.

— Miss Maisie t'a promis qu'elle ne dirait rien, fit Pat, alors tu n'as rien fait de mal.

— Bien sûr que tu n'as rien fait de mal, mon petit Ned, renchérit Maisie Llewelyn. Et puis c'est un très joli nom, Jonathan.

— Oh ! oui, fit Ned, complètement rassuré, et puis c'est mon nom.

— Ton nom ? demanda Maisie Llewelyn d'une voix innocente. Moi qui croyais que tu t'appelais Ned.

— Ze m'appelle Zonathan, dit l'enfant avec autorité. Seulement i' faut pas le dire. Maman ne veut pas.

La Galloise eut une seconde d'horreur, comme si l'enfant ressuscitait un mort, mais elle se maîtrisa.

— Eh bien, on ne le dira pas, fit-elle, n'est-ce pas, Pat ?

— Plutôt mourir ! C'est juré, fit Pat, sans du reste bien comprendre le sens de ce débat.

A eux deux, ils rendirent la paix au petit garçon. Pourtant, dans les vagues remous d'une conscience encore intacte, il fit une tentative pour tout arranger.

— Ze ne pourrais pas lui donner une petite violette, à Mom' ?

— Tu le peux, dit la Galloise, c'est moi qui te le permets.

— Et Celina ? demanda Pat. Elle ne veut pas qu'on y touche.

— Je ne sais pas ce qu'elle vient faire là-dedans, mais c'est sans importance. J'ai oublié de vous dire qu'elle ne remettra jamais les pieds ici. C'est moi qui la remplace. Oui, mon brave Pat, votre adorable Celina aime mieux le Nord que le Sud et elle est maintenant en route pour là-bas.

— La coquine ! Elle nous espionnait.

— Pas tout à fait. Il n'y a pas la guerre, mais le Nord veut seulement se renseigner, savoir si nous sommes mûrs.

— Mûrs ?

— Mais oui, assez mûrs pour qu'il puisse nous mettre la main dessus sans que cela lui coûte trop cher... Et voilà. A présent, Pat, c'est moi qui commande ici au nom de Madame. Alors au travail. On est amis, mais je veux du travail. Toi, viens avec moi, il est temps que tu fasses ta promenade avec Betty.

Elle le prit par la main. Il se retourna vers le jardinier et lui dit quelque chose que la Galloise ne put saisir. Pat répondit de même. La langue était rapide, mais confuse, avec des sonorités étranges.

« Qu'est-ce que vous racontez ? demanda la Galloise à Ned, lorsqu'ils se furent éloignés.

— Rien, on parle comme ça.

— C'est lui qui t'a appris ?

— Non, quand ze suis dans le noir, ze parle comme ça.

— Et lui aussi alors ?

— Oh ! il comprend tout de suite et il parle comme ça aussi, mais pas tout à fait pareil.

— Je n'aime pas beaucoup ça, Ned.

— Ne le dites pas à Maman, Miss Maisie.

— Non, je te promets.

— Ni à Betty.

— A personne. Mais c'est bizarre, ce charabia.

— C'est zoli, dit le petit garçon.

A la fin d'une journée de travail, Charlie Jones vint rendre visite à Elizabeth dans son salon écarlate.

— J'espère, dit-il en promenant les yeux autour de lui, que tu es contente de ton nouveau décor.

— Billy surtout en est ravi.

— Toi moins, bien sûr. Un des tours les plus perfides que nous joue la vie est de nous donner ce que nous demandons. Mais passons. La chère Annabel t'a fait un cadeau royal.

— J'hésite un peu à le porter. Que va-t-on penser ?

— On va penser ce que Mrs. Harrison Edwards et moi avons fait savoir à tout Savannah. On s'attend à te voir avec ces émeraudes au cou. Elles te vont magnifiquement, mais que tu es cachottière ! Elles étaient dans la boîte que je t'ai remise au De Soto. Je mourais d'envie de savoir. Billy les a vues, tes émeraudes ?

— Non.

— Que tu es mystérieuse ! Il aurait été ravi.

— Je n'ai pas voulu.

— Pourquoi ? Cela m'intéresse.

— Mais je ne sais pas. Elles sont très belles, je les ai mises quand je me suis trouvée seule... Je ne sais pas pourquoi, maintenant elles me font... peur. C'est peut-être à cause du récit de Miss Llewelyn. Ces pierres appartenaient à Cousine Laura et ne lui ont pas porté chance.

— Honte à la superstition ! Laura en a fait don à sa fille qui les a mises elle-même autour de ton cou. Tu vas me faire le plaisir d'en parer ta personne et d'éblouir Savannah.

— Je laisserai le rubis à la maison.

— Peut-être, les deux ne vont pas ensemble. Le rubis est une merveille, mais...

— ... tragique, vous le pensez. C'est une goutte de sang. Annabel me l'a dit.

Charlie Jones eut un geste d'horreur qu'il réprima aussitôt.

— Au nom du Ciel, Elizabeth, redeviens la charmante Anglaise qui séduit la ville et cesse de te croire en deuil de tout le monde. A propos, tu te consoleras du départ de Celina. Elle aurait fini par devenir dangereuse. Maisie Llewelyn va tenir ta maison comme elle a tenu Dimwood. Tu t'en féliciteras... Et Billy ! Tu ne m'en dis rien.

— Oh ! Billy, c'est toute ma vie.

— Bravo. Si je sais encore compter sur mes doigts, vous devriez avoir la visite d'un petit inconnu en septembre. Nous voici en juin, ou presque, il arrivera un moment où Billy devra se montrer raisonnable.

Elizabeth devint rose.

— Je vous en prie, Oncle Charlie.

— C'est bien, je lui parlerai moi-même. Il a autant de jugement qu'un étalon emballé. Encore un mot et je te quitte. Ne te frappe pas des rumeurs qui courent. Les abolitionnistes du Nord sont hors d'eux-mêmes depuis mars à cause de Roger Taney. Sa décision au sujet de Dred Scott fait figure de loi au grand contentement du Sud.

— Taney ? Qui est Taney, Oncle Charlie ?

— Splendide. Je n'en attendais pas tant. Ma chère Elizabeth, oublie tout cela et dors tranquille. Veille bien sur le petit Ned. C'est un tendre et un rêveur. Il a besoin d'un frère qui le secoue et le boxe un peu. Qu'il vienne un jour goûter chez moi. J'ai un garçon qui ne demande qu'à se battre.

CHAPITRE XCVII

L'été s'installa, étouffant, et la vie se ralentit jusqu'à donner l'impression d'une immobilité mortelle, mais n'empêchant pas le triomphant bariolage des fleurs le long des maisons aux volets clos. La lourde chaleur n'affectait pas non plus l'énergie de Maisie Llewelyn. Tranquille et rapide malgré son poids, elle avait fait son domaine de la maison d'Elizabeth et, comme à Dimwood, elle exerçait ses dons étranges d'ubiquité apparente. A la fois nulle part et partout, mais invariablement là où on ne l'attendait pas, elle n'arrivait pas, elle apparaissait.

Cependant, loin de répandre l'inquiétude, elle récoltait au contraire les fruits de sa dramatique relation chez Mrs. Harrison Edwards. Elle avait comblé le public le plus difficile de tous les frissons de plaisir et de terreur en le promenant dans un paradis en révolution. On l'admirait à l'égal d'une artiste sûre de son métier. Mieux encore, elle avait senti monter vers elle comme un flot une sympathie qui touchait à l'amour, car, sans trahir la vérité, elle s'était peinte modestement sublime, et l'aristocratie locale l'avait acclamée. Cette victoire lui gonflait la poitrine. On la respectait. Enfin.

Autour d'elle, le monde changeait. La chaleur, d'ordinaire assez déprimante, ne pouvait rien contre une vague d'orgueil national qui déferlait à travers le Sud. Que le *chief justice* Taney eût su tenir en échec la fureur abolitionniste du Nord donnait à l'air un parfum de lendemain de guerre victorieuse. A Charleston, surtout, il y avait du défi dans les discours et l'orgueil s'épanouissait. On tirait des salves en l'honneur de Taney.

Le lieutenant Billy et ses camarades avaient leur part de cette recrudescence d'ardeur belliqueuse. Le mari d'Elizabeth, qui mourait d'envie de remplir son devoir conjugal, n'en était pas moins d'humeur martiale et les deux instincts se combinaient à ravir. Malheureusement les permissions se faisaient plus rares. Beaufort, en effet, avait besoin de voir consolider ses défenses. Avec Fort Sumter à Charleston, Fort Beauregard était un des forts les plus importants pour garder la Caroline du Sud, qui se voulait toujours prête à partir en guerre. D'autre part, en ce qui concernait le lieutenant Billy, un rien considérable faisait obstacle à son irrépressible nature : le commandant ne pouvait plus se passer de lui pour sa partie de whist et invoquait la réfection de Beaufort pour espacer les mises en liberté, jadis hebdomadaires.

Ainsi Billy souffrait de son côté, et sa femme du sien, l'un et l'autre d'une des formes les plus cruelles de la faim du corps. Chez Elizabeth, le tourment s'aggravait par les recommandations de Maisie Llewelyn après celles d'Oncle Charlie. Prudence, prudence à mesure que les semaines s'écoulaient, et à quoi bon ces conseils puisque l'absent restait toujours l'absent ? Experte en la matière, la Galloise prévoyait tout.

— Si c'est une fille, dit-elle un soir, vous n'aurez pas de problème, mais si c'est un garçon, on ne peut savoir comment le jeune Ned va l'accepter. Je lui en ai glissé un mot, voilà un mois.

— Oh ! Miss Llewelyn, que peut-il comprendre à ces histoires ?

— Rien, mais je lui ai dit qu'en septembre il aurait peut-être un petit frère, et le regard qu'il m'a jeté me porte à croire qu'il est en avance sur son âge. Il sait déjà ce qu'est la jalousie. Monsieur veut être seul.

— Oh ! si ce n'est que cela ! J'arrangerai tout avec de la tendresse. Il sait bien que je l'adore.

— Alors, puisez largement dans les trésors du cœur. Il exigera d'être le préféré... votre préféré, comprenez-vous, comme...

Elizabeth la regarda.

— Comme qui ?

— Naturellement comme votre mari, comme son père.

— Bien sûr. Je vous remercie, Mrs. Llewelyn. Je vais dormir.

La Galloise se retira aussitôt, mais Elizabeth ne dormit pas. « Que veut-elle dire ? se demandait-elle. Pourquoi cette allusion voilée à Jonathan ? »

Le lendemain, Miss Llewelyn alla faire un tour au jardin. Il était vide. Dans le coin des magnolias, elle s'attarda à humer goulûment le parfum lourd de ces fleurs qui lui rappelait l'odeur des jeunes hommes de son pays. Elle soupira. On l'avait aimée, jadis.

Ecartant ces souvenirs, elle alla jusque dans la maison du jardinier, antre obscur dont la porte battait tandis que Pat s'amusait à voir passer le monde sur l'avenue. D'une voix tonitruante, elle l'appela. Presque aussitôt, il surgit dans l'ombre et s'exclama :

— *Yes,* Miss Maisie ! Quelle bonne surprise !

— Farceur ! Tu auras bientôt la bonne surprise d'une mise à la rue puisqu'elle t'intéresse tellement. Veux-tu que j'en parle à Madame ?

— Miss Maisie, je vous jure par mon saint patron...

— Assez. Pour cette fois je ne dirai rien, mais je veux te voir le râteau à la main. Tes allées sont mal tenues. Où est Ned ?

— Avec Betty, à cette heure-ci.

— Qu'est-ce que c'est que ce jargon que vous parlez ensemble ?

— C'est lui qui l'a inventé tout seul.

— Il dit aussi que la nuit il entend des gens qui parlent comme ça.

— J'y suis pour rien.

— Tu mens, Pat. Tu crois que je ne comprends pas le gaélique ?

— Oh quoi ! Un mot par-ci par-là. Le langage des petites gens *.

— C'est très mauvais pour un enfant de cet âge. Il vit déjà trop dans le rêve. Je t'interdis de l'y encourager. Tu m'entends ?

— *Yes,* M'am. Mais je ne peux pas l'empêcher de parler.

— Alors, ne lui réponds pas. Et puis, autre chose. Le nom de Jonathan. Qu'il ne soit plus jamais question de Jonathan si tu ne veux pas être renvoyé. Ta parole, Pat. Si Madame savait, tu serais dehors en moins d'une minute.

Pat donna sa parole avec une surabondance de serments et d'invocations à tous les saints du Paradis irlandais.

« Ça va. Au travail !

Le râteau parut miraculeusement au poing de Pat et fut brandi en l'air.

« Assez de comédie ! dit-elle sèchement. Du travail. Et souviens-toi pour Jonathan. Si tu te tais, tu restes. Sinon, dehors !

Sans ajouter un mot, elle tourna les talons, le laissant interloqué par l'importance donnée à ce Jonathan qu'il prenait pour un

* *The little people,* langage des fées, bien connu en Irlande.

personnage de fantaisie. Et, s'appuyant sur son râteau, il se mit à rêver.

Depuis son arrivée dans la maison, Miss Llewelyn occupait la chambre de Celina, sauvée de prison par sa fuite. La pièce était plaisante, meublée avec un goût dans le style colonial du début du siècle : un lit à colonnes de bois noir, un vaste fauteuil à bascule, une table de toilette. Une grande glace dans un cadre d'acajou donnait de la profondeur à cette pièce un peu exiguë. La fenêtre s'ouvrait non sur le jardin, comme l'eût souhaité la Galloise, mais sur le square bordé de sycomores. Ce fut dans ce décor, d'une banalité classique, que Maisie Llewelyn essaya de mettre de l'ordre dans ses idées. Plus que tout la troublait le changement survenu chez le petit Ned depuis qu'elle l'avait vu jouant sur le tapis aux pieds de sa mère. L'enfant zézayant et rieur aux gestes de bébé était devenu un visionnaire plein de fantaisies inquiétantes. Sa mère avait installé dans sa jeune vie la présence de l'homme qu'elle avait aimé. Ned se prenait pour un autre. Il y avait de quoi lui faire perdre la raison. Elle s'interrogea longuement sur la conduite à suivre. La naissance d'un frère ou d'une sœur redresserait peut-être la situation. Pour la première fois de sa vie, elle connut la perplexité d'une âme face à un destin dont le sens lui échappait. Malgré tout, elle se sentit obscurément chargée du sort de ce tout jeune garçon guetté par un désordre mental. Ce fut alors qu'une voix toute de silence, mais précise, lui posa une question curieuse : « A qui la faute ? »

Prise de colère et d'effroi, elle frappa du pied et s'écria : « Non. »

Mais elle avait beau faire semblant de n'avoir pas entendu, elle y réussissait mal. D'infimes détails lui revenaient à l'esprit. Une petite phrase absurde surgissait dans sa mémoire avec une obstination taquine : « Cette lettre au feu... »

Elle haussa les épaules et se mit à rire. Tout cela était si loin. Il arrivait un moment où les choses du passé perdaient tout leur sens.

Elizabeth se remettait mal de son entretien avec la Galloise, qui l'avait précipitée dans un abîme d'inquiétude.

« Que veut-elle dire avec ses insinuations ? se demandait-elle en se retournant dans son lit, et que peut-elle avoir en tête ? Cette allusion à Jonathan, le préféré... Le petit m'a trahie. On lui a fait dire son secret. Il est tout le temps à bavarder avec Pat... »

De son côté, Maisie Llewelyn, toute seule, rejoignait sa maîtresse dans son tourment. Sans le savoir, l'une et l'autre se posaient les mêmes questions presque dans les mêmes termes. Par un invincible attachement pour Elizabeth, la Galloise décida de lui porter secours.

Elle attendit un jour encore. La journée s'annonçait belle. Une flotte de nuages blancs voguait à travers un ciel d'azur. La Galloise alla trouver la jeune femme dans sa chambre et lui parla avec une sorte de brusquerie affectueuse :

— Vous ne m'en voudrez pas, M'am, de vous dire ce que j'ai sur le cœur en sautant les préliminaires.

Elizabeth la regarda, interdite.

— Qu'y a-t-il encore, Miss Llewelyn ? Vous n'êtes pas même depuis dix jours chez moi et déjà quelque chose ne va plus ?

Maisie Llewelyn lui fit un bon sourire.

— Je devine que vous êtes malheureuse, je viens vous rendre la paix, rejoindre la jeune Anglaise d'autrefois dans notre vieille complicité amicale. Sautons par-delà les années, retrouvons-nous, nous avons mille choses à nous dire qui nous débarrasseront de nos incertitudes et de nos soucis.

Ce petit discours, proféré avec le charme des modulations galloises, fit d'abord peur à Elizabeth et elle garda le silence. La Galloise attendit patiemment, puis dit à mi-voix :

« Je ne suis pas une méchante femme, Elizabeth.

Cette phrase qu'elle n'avait jamais oubliée transporta l'Anglaise encore méfiante loin en arrière dans le temps, à Dimwood, au Grand Pré de Virginie et par la magie du souvenir lui rendit le visage de Jonathan. Elle devait cet homme à cette femme.

— Que voulez-vous ? demanda-t-elle enfin.

— Je vous propose une promenade dans le Cimetière Colonial où nous pourrons nous parler librement. Ce que j'ai à vous dire est du reste si simple que vous en serez surprise. Je commande votre calèche et nous y serons en cinq minutes.

Devant les vacillations de la volonté chez Elizabeth, elle retrouvait d'un coup sa manière impérieuse. Pour un peu, elle eût entraîné par la main la jeune Anglaise indécise.

Moins d'un quart d'heure plus tard, elles marchaient lentement sous les platanes de ce parc qui n'avait rien de mélancolique, à part quelques dalles éparses et verdissantes. Des rayons de soleil transperçaient çà et là les lourds ombrages des avenues semées de brique rose pâle. D'autres dames s'y promenaient en bavardant sous leurs ombrelles. On avait peine à croire qu'aux premières heures du jour des gentlemen se battaient en duel, à l'écart dans des clairières, au fond de ces allées.

Bien malgré elle, Elizabeth se sentait de nouveau dominée par la Galloise, comme l'avait été, du reste, toute la société de Savannah chez Mrs. Harrison Edwards. Le prestige de l'éloquente raconteuse agissait encore. D'une voix douce et distincte, elle disait presque à l'oreille de sa maîtresse :

« Que les enfants sont mystérieux, M'am... Par quel hasard votre gentil Ned a-t-il entendu prononcer le nom de Jonathan ?

Elizabeth tressaillit.

— Mais je ne sais pas. Où voulez-vous en venir, Miss Llewelyn ?

— A ceci, qu'il s'en est emparé. Le nom lui plaisait et il a voulu devenir un personnage appelé Jonathan.

— Quel intérêt présente cette bizarrerie ?

— Aucun. Tous les enfants ont joué à être quelqu'un d'autre. Il en a peut-être parlé au jardinier pour qui ce nom ne veut rien dire.

— Et alors ?

— Je suis la première à comprendre quels souvenirs s'éveillent en vous... mais le gentleman n'ayant laissé aucune descendance, qui parle encore de lui ? La lubie de votre petit garçon ne signifie rien pour personne, sauf...

— Cela suffit, Miss Llewelyn.

— Très bien, M'am. Je voulais seulement calmer vos inquiétudes.

— Je vous remercie de cette bonne intention. Nous voilà assez loin de chez moi, je rentre.

Elles firent quelques pas sans échanger un mot, quand leur attention fut attirée un peu hors de leur chemin par un homme en noir marchant de long en large, suivi de quelques personnes qui l'écoutaient en silence, car il parlait sur le ton d'un prédicateur. Coiffé d'un chapeau à larges bords, Elizabeth et Miss Llewelyn le reconnurent immédiatement à son air vénérable. C'était Mr. Robertson qui, après la cérémonie le jour de l'enterrement de William Hargrove, avait fait sur le perron de Christ Church un discours qu'elles n'avaient pas entendu. D'un accord tacite, Elizabeth et Miss Llewelyn s'arrêtèrent au son de cette belle voix grave et sonore.

— Parmi ces dalles sous lesquelles reposent des héros de l'Indépendance, vous en remarquerez une plus récente qui date de 1837.

Ces mots, prononcés d'un ton ému, furent suivis d'une hésitation. Dans son visage rose encadré de boucles blanches, la douleur fit une apparition subite alors que des oiseaux chantaient à pleine gorge dans les branches au-dessus de sa tête. Il se découvrit :

« J'aimais celui qui dort sous cette pierre. Il avait vingt-sept ans. Un jour, dans un salon de notre ville, il entendit un jeune homme de la Louisiane parler en ricanant d'une Miss Laura Hargrove, mère d'une fille née de père inconnu. S'avançant alors, le jeune Frank Hargrove coupa la parole au bavard d'un revers de main qui l'envoya rouler à terre. Le duel qui suivit le lendemain aux premières lueurs du jour eut lieu ici, au fond du parc. J'étais là parmi les témoins. Les épées brillaient et se cherchaient, en chuchotant le nom secret de la mort. Je vis tomber Frank, sa chemise tachée de rouge à la hauteur du foie. Son adversaire jeta son épée et prit la fuite...

Il s'arrêta, puis reprit :

« Voilà moins de vingt ans de cela, le 20 août 1837, par une matinée comme celle-ci. Et les oiseaux chantaient.

Elizabeth demeura immobile, tandis que Maisie Llewelyn portait les deux mains à son visage pour cacher ses larmes.

— Frank, dit-elle tout bas.

— C'est tout, fit Mr. Robertson en remettant son chapeau. Je vous ai demandé de venir et vous êtes venus. Merci. Le souvenir de cette mort absurde provoquée par un imbécile n'a cessé de me poursuivre et m'a fait prendre en haine toutes les guerres dont elle est comme le raccourci.

Tout à coup son visage se crispa de rage :

« La guerre, dit-il, depuis des années on nous dit tantôt qu'elle ne viendra pas sur le sol d'Amérique, tantôt qu'elle approche et qu'elle est à notre porte. Comment pouvons-nous être aussi aveugles? Vous redoutez la guerre civile. Elle est là, elle se livre ouvertement depuis deux ans dans le Kansas qui réclame son entrée dans l'Union, mais c'est à la population composée d'immigrants de choisir le genre de gouvernement qu'elle désire. Les immigrants du Sud sont pour que l'esclavage soit permis dans l'Etat, ceux du Nord sont nettement contre. On vote. Les Conventions se succèdent. On vote et on triche. Une majorité n'arrive pas à se constituer. En même temps on se bat... Le nombre de morts et de blessés ne cesse de s'accroître. Un orateur grandiloquent a déclaré que le glas de l'Union avait sonné avec la première goutte de sang versé. Le champ de bataille ne peut que s'élargir. Des coups de canon vont saluer l'entrée du Kansas dans la République. Alors commencera la grande tuerie. Politiciens et prédicateurs auront fourni la ration d'éloquence patriotique et religieuse et ce sera la jeunesse comme toujours qui réglera la note, de son beau sang vermeil et généreux. Mes amis, le Nord veut sa guerre et il l'aura, elle commence déjà.

Maisie Llewelyn saisit Elizabeth par le bras.

— Allons-nous-en, dit-elle. Quand les fous se mettent à parler comme des sages, le ciel s'ouvre en deux et à la fin notre monde explose.

Une femme qu'elle ne connaissait pas se révéla aux yeux d'Elizabeth lorsqu'elle entendit cette phrase lancée à haute voix, et elle eut le sentiment que la Galloise cédait à une inspiration prophétique. Brusquement sa propre imagination se déchaîna et elle vit la guerre. Elle la vit comme la voyait Maisie Llewelyn. Et, prises d'une même émotion, sans savoir pourquoi, toutes deux se mirent à courir. Elles allèrent ainsi jusqu'à la sortie du parc où les attendait la calèche. Là, Maisie Llewelyn éclata de rire :

« Qu'est-ce qui nous prend ? fit-elle. Remettez-vous, M'am, il y aura toujours des guerres et l'humanité les traverse comme on traverse une tempête, et il y aura des morts... Laissez, que je vous aide à monter.

— Je ne veux pas que Billy meure, dit Elizabeth sur le marchepied de la voiture.

La Galloise la poussa en avant et la fit tomber assise sur la banquette.

— Du courage ! Vous êtes anglaise. Les Anglais ont au moins ça.

— Billy soutient qu'il n'y aura plus la guerre, Miss Llewelyn.

— Il vous parle comme à une petite fille. Croyez-moi : ce vieux toqué de Robertson en sait plus long que lui.

Elizabeth se moucha et ne répondit pas.

CHAPITRE XCVIII

Les semaines qui suivirent furent éprouvantes pour tout le monde. Comme chaque année, personne ne se souvenait d'avoir jamais connu une fin d'été aussi étouffante, mais il n'était pas de bon ton de s'en plaindre. Savannah tenait à sa réputation de paradis sur terre. Après les années terribles qui l'avaient vue dans l'humiliation d'une ruine totale, elle jouissait une fois de plus des douceurs de la prospérité revenue. Quant aux rumeurs de guerre, elles perdaient de leur pouvoir terrifiant par le seul fait de leur fréquence. Elizabeth ne s'y accoutumait pas — et puis il y avait autre chose. Un matin, le courrier lui apporta une lettre mi-amoureuse mi-badine de Billy qui lui annonçait son arrivée pour le surlendemain. Quel mal il avait eu à décrocher cette malheureuse petite permission de deux jours ! Mais enfin la joie était de retour, « alors, ma Lisbeth, fais-toi belle, le plaisir arrive au galop... ».

Le plaisir... Elizabeth alla se placer devant sa glace. Dans la robe de mousseline d'une ampleur imposante, elle ne put retenir quelques larmes de dépit, et, sans s'en apercevoir, déambulant devant son image, elle marcha sur la lettre de Billy deux et trois fois, toute à sa consternation. La vie était trop méchante.

Entra discrètement, à cette minute même, Miss Llewelyn, les coins de la bouche relevés en un sourire narquois.

— N'est-ce pas, dit-elle.

Elizabeth se retourna :

— Vous m'avez fait peur. Que voulez-vous dire ?

— Que la prudence est à l'ordre du jour et que, si je devine bien, cette lettre que vous baladez avec vous dans le bord de votre robe...

— Oui, vous devinez tout, on ne peut rien vous cacher. Je sais que je suis énorme et qu'il va être mécontent. Excusez-moi, mais je vous trouve agaçante.

Un petit coup frappé à la porte. C'était Ned qui venait dire bonjour à sa mère. Dès qu'il la vit debout dans ce nuage de mousseline, il s'écria en riant :

— Bonjour, Mom'.

Elizabeth l'embrassa comme d'habitude et la Galloise le reconduisit à la porte, car elle le voyait écarquiller les yeux en observant sa mère.

— Sauve-toi, lui dit Maisie Llewelyn. Ta maman a besoin d'être seule.

— Mom' mange trop, chuchota-t-il.

L'enfant naquit quinze jours plus tard. Ce fut un garçon. La Galloise s'était occupée de tout avec un dévouement qui provoqua chez Elizabeth un élan de réconciliation éperdue. Billy oublia les cruelles déceptions qu'il avait dû subir quand, extorquant à son commandant une nouvelle permission par un audacieux coup de chantage au whist, il put enfin admirer le minuscule nouveau venu piaulant de rage de se trouver dans un monde qu'il ne connaissait pas et ne voulait à aucun prix. Nonobstant il fut baptisé sous le nom de Christopher, à Christ Church comme il fallait s'y attendre. La cérémonie eut lieu dans l'intimité. Billy éclatait d'orgueil en grand uniforme et la mère, heureuse de ne plus souffrir, fit la meilleure impression dans sa robe blanche, le magnifique rubis brillait mystérieusement sur sa gorge. Le jeune Ned se montra patient et réservé. Tout se passa bien dans l'ensemble. Il y eut cependant, après la cérémonie, une incertitude qui faillit provoquer une manière de drame. Le vénérable prêtre voulut échanger quelques paroles aimables avec les personnes présentes. S'adressant à Ned dont il caressa gentiment la tête, il eut l'idée malencontreuse de lui demander son nom et Ned fut pris d'une hésitation qui fit trembler Elizabeth. D'une voix ferme et rapide, elle répondit à sa place :

— Edouard, il s'appelle Edouard.

A quelque temps de là, par une de ces belles soirées d'automne où la lumière ne peut se résoudre à céder devant la nuit, Maisie Llewelyn, inquiète pour ses finances, alla voir son banquier Charlie Jones. Pour cette occasion, elle s'était vêtue d'une robe d'un bleu tirant sur le noir, un peu cérémonieuse peut-être, mais Charlie Jones était des personnages qu'elle respectait le plus. Il la reçut au fond de son jardin, dans une tonnelle où les derniers rayons du soleil caressaient le manteau de chèvrefeuille.

— J'ai toujours plaisir à bavarder avec vous, Miss Llewelyn. Sans vouloir vous assommer de compliments, surtout depuis la mémorable soirée chez Mrs. Harrison Edwards, on ne vous a jamais entendue parler pour ne rien dire.

— Ce soir en tout cas, j'espère vous en donner une confirmation. Voulez-vous m'excuser d'entrer tout de go dans mon sujet ?

— Au contraire. J'aime assez votre style.

— Eh bien, la nuit dernière, je n'ai pu fermer l'œil. J'ai lu. Le nom de Helper vous dit-il quelque chose ?

— Helper, celui qui vient en aide, non ?

— Ce nom est prédestiné. Helper était tout récemment encore un de ces Blancs pauvres si injustement méprisés. Sauf erreur, vous vous êtes toujours généreusement intéressé à leur sort.

— Schmick House, dit Charlie Jones.

— En effet. Que de Blancs pauvres vous doivent aujourd'hui une situation honorable. Mon Helper, si je puis dire, s'appelle Hinton Rowan Helper. C'est le fils d'un émigrant venu d'Allemagne établi en Caroline du Nord, enrichi dans la culture du coton, maître de nombreux esclaves. Le jeune Hinton a connu une enfance heureuse, mais le père est mort et la ruine s'est abattue sur la famille. Voilà le tout jeune Hinton tout à coup perdu dans la masse des petits Blancs.

— Elle est triste, votre histoire. Voulez-vous que je sonne pour qu'on nous apporte du café ?

— Merci. Vous en prendrez sans doute ? Non. Je continue. Hinton se souvient des temps heureux et réfléchit tout en travaillant dur. Il réfléchit surtout au problème de l'esclavage comme source de richesse. Le problème tel qu'on le juge dans le Nord comme dans le Sud, tel qu'il apparaît à cette toquée dangereuse de Beecher-Stowe qui n'a jamais mis les pieds chez nous, ni dans la case d'un Noir. Lui aussi, Hinton, il ne pense plus qu'à cela. A l'âge d'homme c'est une obsession. Une idée singulière lui vient. Il consulte les recensements des Etats-Unis sur l'esclavage. Le résultat de ses recherches est prodigieux. Cet homme qui a la passion des statistiques conclut à l'effondrement des théories de Calhoun sur les avantages incontestables du système esclavagiste. Selon Calhoun, en effet, l'esclavage avait fait du Sud la plus grande et la plus riche région agricole des Etats-Unis. Mais les chiffres étaient là sous les yeux de Helper, et les chiffres disaient non. Malheureusement, je n'ai pas retenu tous ces chiffres.

— Peut-être puis-je vous aider, Miss Llewelyn. Revenu annuel de l'agriculture dans les Etats esclavagistes : *grosso modo* 155 millions de dollars. Revenu agricole dans les Etats libres : *grosso modo* 214 millions de dollars. L'esclavage est une mauvaise affaire.

Maisie Llewelyn se leva.

— Mr. Jones ! s'écria-t-elle.

Charlie Jones éclata de rire.

— Pardonnez-moi, Miss Llewelyn, vous avez admirablement résumé le problème et je suis sûr que vous ne m'en voudrez pas, mais...

Il tira de sa poche un livre de dimensions modestes qu'il posa sur la table :

« *La Crise imminente,* fit-il. Moi aussi, j'ai passé une nuit entière à le lire. J'admire le sérieux avec lequel vous l'avez étudié.

— Mais alors nous sommes sauvés ! s'écria la Galloise. Comment... comment contester les chiffres donnés par les statistiques officielles ?

— Sauvés peut-être, si l'on est capable de garder la tête froide, mais il n'y en a plus dans le Nord ni dans le Sud. Clay et Webster ne sont plus là, et voyez où nous en sommes ! De part et d'autre l'émotion triomphe de la raison. Et puis, la morale s'en mêle et alors il en va de toute la paix. Le Sud déclare que l'esclavage est un fléau dont il n'est pas responsable. Le Nord est contre l'esclavage au nom de la morale.

— Si vous me permettez d'exprimer mon opinion sur l'esclavage, je...

— Vous le haïssez, vous aussi, et vous n'avez pas tort.

— Mais vous en avez, des esclaves...

— Domestiques, Miss Llewelyn, domestiques... et ils savent parfaitement que s'ils veulent s'enfuir vers le Nord, libre à eux. Mais pas si bêtes. Ils se trouvent très bien chez moi. Ils font partie de la maison, un peu de la famille aussi. Alors ?

— Je sais, je sais, mais les esclaves des plantations ?

— Je n'ai pas de plantations. J'ai des propriétés que je loue à des planteurs, c'est tout.

— Et Pilate se lavait les mains.

— Dites donc, la Galloise ! Qui a commencé à faire de la traite des Noirs en Amérique ?

— Le Sud !

— Contez-nous ça. On va s'instruire.

— Je m'étonne que vous oubliiez les Noirs débarqués à Norfolk.

— Vous voulez dire ce bateau battant pavillon hollandais qui a introduit des Noirs en 1619 sur la côte près de Jamestown ?

— C'est ça.

— Combien de Noirs, selon vous ?

— Est-ce que je sais ? La cargaison du bateau.

— Pas bien grand le bateau alors : vingt Noirs.

— C'est un commencement.

— Modeste. Ce qui est curieux, c'est qu'il n'a guère paru intéressant, car on n'a pas retenu le nom du bateau, ni celui de son capitaine. Le brave petit vaisseau fantôme s'est perdu dans les brumes de l'oubli.

— Admettons, admettons. D'autres bateaux ont suivi.

— Doucement, Miss Llewelyn, *ils ne sont pas allés à Jamestown.* La plupart d'entre eux débarquaient leur cargaison à Boston, oui. Pas mal des grandes familles de là-bas doivent l'origine de leur fortune à la traite des Noirs. Qu'est-ce que vous dites de ça ? Il en est résulté une aristocratie très convenable, commerciale, mais tout aussi dédaigneuse que la nôtre...

— Oh ! ce mot d'aristocratie...

— ... vous lève le cœur, peut-être... Si vous croyez que tout le beau monde ne l'a pas subodoré dans la soirée chez Mrs. Harrison Edwards. Cela n'empêche que vous nous avez tous éblouis. Mais je vous comprends. Je n'appartiens à la *society* que par mes deux mariages successifs avec des dames dont les ancêtres écossais volaient des bestiaux dans les Lowlands. Enfin des gens très bien.

— Vous trouvez ?

— Non, mais ce sont les idées de là-bas... Moi je ne suis pas de la noblesse. J'ai tout juste un grand-père à qui George II a donné un titre et une terre pour avoir coulé beaucoup de bateaux espagnols et français.

— En somme quelqu'un de bien !

— Comme on dit.

— Excusez-moi, mais entre nous, quel sale grand-père.

— Pirate, Miss Llewelyn, grand-père pirate, mais on appelle ça un corsaire.

— Mr. Jones, je me sens plus près de vous quand vous parlez comme ça, mais nous nous égarons.

— Comme vous dites. Retournons à la Nouvelle-Angleterre. Vint très vite le temps où les bateaux de Boston cinglaient vers la Côte-de-l'Or et prenaient livraison de Noirs enlevés, arrachés à leurs familles, mais quoi, il fallait solidement établir la prospérité des grandes familles de la Nouvelle-Angleterre. Savez-vous quand et où un bateau nommé *Désire,* le premier bateau d'esclaves américain, a débarqué sa cargaison ?

— Non. Eh bien, dites-le.

— A Salem en 1638. Il appartenait à la ville de Salem.

— Salem ! La ville des sorcières !

— Ce commerce des Noirs nous paraît horrible. Il ne choquait personne à l'époque. C'était dans les idées du temps. Liverpool achetait et revendait de l'humanité noire. La Rochelle, Bordeaux, Brest lui faisaient concurrence. Il faut attendre le début de notre siècle pour que la traite des Noirs soit illégale dans la Nouvelle-Angleterre. Un retour de conscience, croyez-vous ?

— Pourquoi pas ? Ce ne sont pas tous des démons.

— En effet, mais le climat s'est fait l'allié de la conscience. Le froid de la Nouvelle-Angleterre tuait les Noirs. La morale respire — mais le climat du Sud est tout à fait ce qu'il faut et le Sud a besoin de main-d'œuvre pour le travail dans les plantations.

— Vous y arrivez enfin.

— Comme vous dites. La Nouvelle-Angleterre n'en continua pas moins à s'enrichir dans la traite des esclaves, qu'elle vendait au Sud, ce qui n'excluait pas les mouvements abolitionnistes… Toujours la conscience ! Il n'est pas étonnant que dans une situation générale aussi confuse ait surgi l'idée de la sécession de la Nouvelle-Angleterre. Elle a échoué. Dans tout cela, du nord au sud, comment voir clair ? Ceci reste seul vrai : tant que les politiciens du pays entier ne se calmeront pas, ils risquent de jeter l'Union dans une guerre effrayante. Le pauvre Helper n'y peut rien avec son bon sens et ses statistiques. D'ailleurs on ne se l'arrache pas, sa *Crise imminente,* et puis, ce qui est au fond de ses pages, c'est la condition des Blancs pauvres, c'est cela surtout qu'il a en tête et l'esclavage dans des usines du Nord. Les Noirs du Sud passent au troisième plan. La vérité manque de charme. Quand elle fait entendre un filet de voix, on lui dit qu'elle chante faux. On lui préfère les vaillants ténors du mensonge. Cela dit, tout anglais que je me sens, je reste fidèle au Sud.

— Vous ne sauriez l'être plus que moi, qui suis galloise. Bonne nuit, Mr. Jones. J'entends des chouettes au fond du jardin. Elles savent le dernier mot de tout et je n'aime pas ce qu'elles disent ce soir.

Elizabeth ignorait tout de ce livre dont la publication eût dû éclater comme un coup de tonnerre, mais il convenait dans le monde de ne pas en parler, si par extraordinaire on l'avait lu. Miss Llewelyn observait le même silence en compagnie d'Elizabeth. Celle-ci, en effet, n'avait pas oublié le choc reçu dans le Cimetière Colonial et il fallut toute la force de persuasion naturelle à Billy pour la convaincre que tout allait bien et que la guerre n'aurait jamais lieu.

Ses forces revenues, elle s'occupait du petit Christopher, sans réussir à le trouver beau.

Avec les premières fraîcheurs d'octobre se faisait sentir un regain d'animation mondaine. La grande soirée marquant l'ouverture de la saison se donnait, comme toujours, dans les salons palladiens des Steers. Elizabeth ne gardait pas un heureux souvenir de l'unique soirée qu'elle y avait passée avant son second mariage. Aujourd'hui, par un caprice d'amour-propre, un désir la mordit d'effacer tout cela d'une manière éclatante. Plus profond que tout, mais inavoué, la travaillait le besoin de s'étourdir, de vaincre l'inquiétude sans cesse renaissante depuis qu'elle et Miss Llewelyn avaient entendu le discours prophétique du vénérable Mr. Robertson.

Cependant, cette rentrée dans le monde des Steers ne pouvait se faire qu'au bras de Billy, lui-même très décoratif, sans compter qu'il était son mari. La permission fut enlevée de haute lutte par les moyens habituels, avec l'appoint sentimental fourni par l'arrivée de Christopher, déjà vieux de trois semaines. Le chantage au whist fit le reste et Billy parut avec une exactitude militaire... L'idée de se pavaner chez les Steers le grisait. L'uniforme de hussard avantageait sa personne au point qu'il n'en revenait pas d'être aussi beau. Toutes les glaces disponibles le lui redisaient pourtant comme des amoureuses. Ajoutée à cette satisfaction, il y avait celle, non moins énorme, de se présenter ayant à son bras une des plus séduisantes créatures dont il était le maître et seigneur, propriétaire en somme.

Tout s'annonçait on ne peut mieux. Le soir de la réception, avant de monter dans leur calèche, les deux époux eurent un bref entretien. Elizabeth avait eu la fantaisie de s'habiller en mousseline vert d'eau qui faisait d'elle une ondine ; Billy, en extase devant cette toilette qui mettait en valeur la chevelure dorée déjà célèbre, risqua pourtant une observation des plus fines :

— Bien entendu, tu porteras au cou ce merveilleux rubis que t'a donné Tante Annabel. Es-tu sûre qu'avec ce vert ce rouge flamboyant...

— Fie-toi à moi, mon amour. J'aurai d'abord la gorge couverte de ce ravissant fichu de soie indienne que j'écarterai au moment voulu, et je te donne ma parole que le joyau fera son effet.

— Comment ne pas t'obéir, mon adorée ? Je ne sais ce qui me retient de me jeter sur toi...

Elle le repoussa d'un doigt.

— Sage, fit-elle. Le cocher attend. Tu permets que j'aille m'arranger avec ce fichu.

Elle revint une minute plus tard, le fichu à la fois épais et léger cachant sa gorge... Et ils partirent.

Cernant la demeure des Steers, une sorte de cohue immobile de calèches pouvait leur faire craindre d'arriver après tout le monde.

« Que cela ne t'agace pas, dit Elizabeth, aujourd'hui d'être en retard devient à la mode *.

Dans les grands espaces des trois salons en enfilade, tous les lustres étaient allumés, et de larges bobèches de cristal empêchaient

* *To be fashionably late.*

les gouttes de cire de couvrir les épaules des invités. La douceur de l'éclairage embellissait les pièces, rendues plus vastes par la profusion des glaces monumentales aux lourds cadres dorés. Un orchestre caché derrière des palmes jouait discrètement, non pas des valses, car il ne s'agissait pas d'un bal, mais des morceaux de musique sans fracas.

L'aboyeur lança le nom du lieutenant et Mrs. Hargrove qui firent tourner quelques têtes vers la porte, et les nouveaux arrivés eurent une légère difficulté à se frayer un passage entre élégantes et élégants pour atteindre le vieux Steers, aux favoris à la François-Joseph, et sa femme, en robe violette à volants et coiffée d'un bonnet de dentelle en forme de tour. Les compliments échangés furent d'une chaleureuse fadeur, comme le voulait l'usage, et la jeune Anglaise sentit que le moment était venu de réussir son effet.

D'un geste nonchalant où elle mit toute la grâce possible, elle écarta les bords de son fichu indien et découvrit sa gorge, où brillaient d'un éclat provocant les émeraudes d'Annabel.

On savait par Oncle Charlie et Mrs. Harrison Edwards qu'après avoir fait ses adieux au monde Mrs. Jonathan Armstrong avait voulu parer la jeune femme de cet ornement lourd de souvenirs tragiques. Voulait-elle le dissimuler à jamais aux yeux de Sœur Laura qui n'en eût pas supporté la vue ? C'était l'hypothèse admise. Néanmoins, l'étonnement fut général quand Elizabeth avança d'un pas ou deux vers le milieu du premier salon au bras du lieutenant Billy. Celui-ci dut retenir un cri quand il vit ces émeraudes que sa femme lui avait toujours cachées, et il jeta sur elle le regard féroce du mari qui veut absolument savoir.

Elle eut un grand sourire à la fois narquois et charmeur, et dit à mi-voix :

« Cadeau de votre tante Annabel.

Presque aussitôt se forma un cercle autour d'eux et l'orchestre, instruit par Mrs. Harrison Edwards, attaqua *La Belle Mélusine* de Mendelssohn, tandis qu'un grand murmure d'émerveillement bourdonnait aux oreilles de la belle Anglaise, plus belle et plus anglaise que jamais. Alors, par un mouvement irrépressible, Billy se vit moralement isolé et comme repoussé loin d'elle. C'était en vain qu'il prenait des attitudes de modèle, hommes et femmes n'avaient d'yeux que pour la dame aux émeraudes. A peine recueillait-il un furtif regard d'Algernon, qui reporta son attention à la gorge de son épouse, ce qui, en temps ordinaire, lui eût valu une provocation en duel, mais ce soir il avait le droit, parce que tout le monde avait le droit. Et il narguait le dieu dont le cœur battait de rage sous les brandebourgs dorés.

Billy souffrait. Cet épanouissement de sa femme en public le faisait tout bonnement disparaître et il lui fallait subir l'odieux supplice sans rien dire. On lui volait son petit moment de gloire. Les dames venaient respirer sur la peau d'Elizabeth pour mieux admirer la parure, tout cela dans le frou-frou du taffetas, le chuchotement de la soie, les parfums, les exclamations, les *Oh! my dear!* Et les hommes aussi s'approchaient, ce freluquet d'Algernon comme les autres... Enfer.

Au milieu de cette foule, inhumaine pour lui, se glissa soudain, vêtu de noir et l'air farouche, un monsieur trapu qui parut saisir la situation et vouloir en même temps y mettre fin. D'une voix haute et autoritaire, il lança ces quelques mots :

— *Ladies and gentlemen,* il n'est pas donné tous les jours de voir dans ces salons un couple aussi admirable d'élégance que le lieutenant et Mrs. Hargrove. Voici qu'on passe déjà, ô charmante surprise ! des coupes de champagne. Je propose qu'on porte un toast. Salut à la beauté et à la jeunesse !

Il y eut une minute de panique dans la répartition des coupes de champagne, dont une partie s'égoutta sur les volants des robes et les pans des longues jaquettes, mais l'émotion jaillit du tumulte et le cri se forma de lui-même :

— Salut à notre jeunesse du Sud !

D'instinct Billy porta la main à son front. Il avait reconnu son commandant, venu incognito un peu pour épauler son partenaire de prédilection, plus encore pour aller à son tour admirer de plus près la dame dont on parlait tellement. Les Steers, dans le complot, vinrent répandre une manière de bénédiction sur le tour inattendu que prenait leur raout, tandis que Mrs. Harrison Edwards disparaissait derrière les palmes pour faire mettre la musique au diapason. Soudain éclata en coup de tonnerre un irrésistible galop qui fit tinter les lustres, tourner les têtes et tourner les couples étonnés. Le commandant se précipita vers Elizabeth et, avec un clin d'œil vainqueur, l'enleva sous son nez au lieutenant Billy. Celui-ci dut se contenter de faire quitter terre à Mrs. Harrison Edwards, qui le lorgnait depuis le début de la soirée.

CHAPITRE XCIX

Cette réception chez les Steers ne manqua pas de faire jaser en ville. La première surprise passée, on affecta de juger cela amusant, spirituel même, car il était entendu que les Steers ne pouvaient rien faire qui ne fût de bon ton. Seul Billy se trouva d'un autre avis, mais garda pour lui ses objections. A partir de ce jour, cependant, il abandonna la pratique du chantage au whist et battit son commandant coup sur coup sans jamais lui accorder la gracieuseté d'une victoire de complaisance. En revanche, il traita rudement Elizabeth, qui, par un caprice de la nature féminine, se mit à raffoler de ce nouveau style.

Tous ces remous dans un monde enfermé sur lui-même eurent l'heureux effet d'éloigner pour un temps la hantise de la guerre.

En ce qui la touchait, Elizabeth profitait de cette accalmie passagère. Peu à peu, le souvenir du vénérable Robertson s'éloignait. Tout dans ce coin du Sud autour d'elle lui donnait l'impression d'une stabilité invincible... Les maisons à colonnes, les jardins, les gens qui allaient et venaient en parlant d'une voix tranquille, en riant surtout, l'imagination refusait de voir bouger un ensemble aussi harmonieux et aussi manifestement fait pour durer. C'était Billy qui avait raison.

Seul son petit Christopher la rendait soucieuse. Elle l'aimait, sans en être folle comme devait l'être une mère. A vrai dire, elle ne se sentait pas très maternelle. Le bébé avait maintenant deux mois et elle n'arrivait pas à le trouver joli. Chauve, édenté, avec un visage fripé et des yeux bleus étonnés, il lui manquait le charme de l'autre qu'elle n'osait plus appeler Jonathan ; et alors que Betty avait pris Christopher, le petit *Kit,* dans ses bras avec amour, Elizabeth le lui laissait. Il y avait quelquefois lutte entre la vieille petite femme en caraco rouge et la lourde nounou noire qui lui enlevait Kit pour l'allaiter — la mère ne voulait pas — et l'entourer de sa tendresse. Quant à Ned, il boudait un peu son jeune frère qui le considérait, la bouche ouverte, et bavait. Un sentiment voisin de la jalousie naissait dans le cœur de l'aîné, mais il n'avait rien à craindre de ce côté-là, Elizabeth éprouvait encore les élans de jadis pour ce garçon au nom secret de Jonathan, et toute la frénésie des amours avec Billy n'y pouvait rien.

En l'absence de son mari, elle sortait de plus en plus... Tantôt Mrs. Harrison Edwards l'accompagnait, tantôt Charlie Jones. Sans jamais se l'avouer, elle fuyait la solitude parce que dans la solitude rôdait la peur. Les menaces de guerre, chassées des conversations, étaient remplacées par une inquiétude en quelque sorte traditionnelle. Le succès de Miss Llewelyn avait eu des effets divers, pas toujours heureux. A Haïti, tout allait mal comme à l'ordinaire. Soulouque, qui, depuis dix ans, se prenait pour Napoléon, régnait par le massacre, quand il le jugeait opportun. Devenu empereur sous le nom de Faustin Ier, il portait une couronne d'or. On tuait des Blancs, on tuait des Noirs, on tuait des mulâtres. « Chez nous, disait-on à Savannah, ces choses ne seraient pas possibles. Pas question d'un soulèvement des Noirs. » On disait cela souvent, et même très souvent. Elizabeth refusait d'écouter. Elle ne voyait pas Betty et Nounou noire se soulever contre elle. Les Noirs aimaient leurs maîtres et c'était la vérité, une vérité admise une fois pour toutes. Et au Kansas, depuis septembre, tout continuait à échauffer les esprits les plus calmes, mais Buchanan penchait pour le Sud, alors il y aurait bientôt un Etat esclavagiste de plus...

Le bruit des salons remettait tout en place. On s'étourdissait dans les caprices des valses effrénées ou langoureuses. On bavardait, on pouffait de rire sans raison. Rien n'avait d'importance. La vie, c'était cela. En glissant d'un bout à l'autre des salons, on attrapait quelquefois des miettes des conversations entre personnes plus âgées. Parfois c'était curieux : l'empereur de Russie venait de déclarer l'émancipation des serfs. Quelle idée ! Mais bon débarras peut-être... Elizabeth ne s'intéressait pas à la politique. Elle ne refusait pas d'être admirée. Ses cheveux d'or faisaient dire de charmantes idioties aux garçons. Quel mal y avait-il à cela ?

Billy venait moins souvent depuis la soirée chez les Steers. Il y avait une ombre impalpable entre lui et le commandant, puis tout à coup, par quels moyens déloyaux, il obtenait des permissions en séries. Alors, tout les plaisirs se ruaient dans la vie d'Elizabeth. Les bals n'étaient pas exclus, au contraire. Billy dansait avec une grâce toute virile. On le regardait. Elizabeth se sentait fière de son hussard et n'en faisait pas mystère. Il feignait alors d'être pris de jalousie.

— Si tu jettes les yeux de tous côtés comme ça, je te mords l'oreille devant tout le monde !

Elle lui riait au nez.

« Je te jure, faisait-il, je t'emporte un lobe.

Alors elle faisait mine de frissonner, c'était délicieux, mais elle flairait une plaisanterie qui n'était qu'à moitié drôle.

Quelques heures plus tard, dans leur chambre, il la rudoyait un peu. Elle attendait ce moment, se souvenait de Jonathan.

CHAPITRE C

Noël s'approchait doucement. Dans les pays moins favorisés, la naissance du Sauveur annonçait le timide retour du soleil et la mort encore lointaine du froid, alors qu'à Savannah l'hiver passait presque inaperçu. Il y eut bien sûr des échanges de bons vœux et de cadeaux, et les cloches paroissiales sonnèrent dignement. La piété fut présente, mais guère plus que d'habitude.

Chez Elizabeth, personne ne fut oublié. Depuis Betty, Nounou noire, Patrick, Maisie Llewelyn, jusqu'à Ned et sa mère, chacun poussa l'exclamation joyeuse de surprise en recevant ce qu'il n'aurait peut-être pas choisi, mais l'intention était là et cela seul comptait.

Un hasard malicieux voulut qu'Oncle Charlie, en toute innocence, fît cadeau à Ned d'un grand cheval à bascule, articulé, noir, splendide... Elizabeth fit une mine consternée, mais comment Oncle Charlie pouvait-il savoir ? Elle regarda cette bête en silence. Ned se contenta de dire :

— Oh ! Mom' !

Et d'un bond il enfourcha la monture qui se mit aussitôt à basculer avec force, d'avant en arrière, faisant craquer le plancher, l'œil fou. Le garçon, ravi, tourna la tête vers Elizabeth et, d'une voix de complice, murmura :

« Zonathan :

— Non, fit-elle horrifiée, tu m'as promis de ne jamais plus dire ce nom.

— Mais il n'y a personne.

— C'est égal, ne dis plus ce nom, plus jamais.

Il lui fit un beau sourire, et se lança de plus belle.

— Bien, Mom', plus zamais, dit-il.

Encore sous le coup de cette sinistre plaisanterie du sort, Elizabeth n'eut pas la consolation de recevoir une visite de Billy comme elle l'espérait. Une permission du jour de l'An eût paru toute naturelle, mais le 1er janvier 1858 vint et s'en alla sans apparition de l'irrésistible hussard. Ce fut une banale journée de cartes cornées, une moitié de la ville allant féliciter l'autre, toutes les deux absentes de chez elles, comme d'habitude.

Elizabeth déposa ses cartes comme tout le monde et cela meubla un mortel après-midi, mais, le soir, elle eut l'impression de retomber tout à coup dans le trou noir de la solitude.

L'étourdissement passager du bal ne rendait que plus cruelle cette solitude qui l'attendait à son retour, la vraie solitude, celle du lit vide, deux fois trop large. Par quelle faiblesse avait-elle pu épouser un militaire qui lui était sans cesse enlevé par les exigences du service ? Il avait suffi qu'il lui passât les bras autour des épaules à l'enterrement de William Hargrove et elle devenait sa prisonnière. Elle avait faim de lui, de tout ce qui faisait qu'il était lui, ce grand corps qui l'enveloppait. Atroce était la faim du corps amoureux. D'autres femmes la supportaient mieux qu'elle sans doute, prenaient un amant, comme si les hommes étaient interchangeables...

Sans appétit pour son dîner, elle alla dire bonsoir à Ned. Depuis son mariage, elle avait un peu perdu cette habitude qui jadis comptait tellement pour elle. C'était Betty qui venait baisser la mèche de la veilleuse et ramener le drap par-dessus l'oreille du garçon, comme pour le protéger d'on ne savait quelles terreurs nocturnes. La vieille petite Noire chantonnait doucement. Elizabeth l'écarta par un geste plein d'affection.

— Laisse-moi, dit-elle. Ce soir, ce sera moi.

Maintenant, assise au chevet de son fils, elle se sentait plus calme. Les paupières de l'enfant battaient dans sa lutte contre l'envie de dormir. Les émotions de la journée l'avaient presque anéanti de fatigue. Dans une sorte de fièvre, il avait fait admirer à tous le cadeau d'Oncle Charlie sans toutefois trahir le secret de ses randonnées au cœur de la nuit. Il regrettait seulement de ne pouvoir faire monter chez lui son confident le jardinier, mais il était allé au fond du jardin lui décrire son cheval noir, puis le lui montra de sa fenêtre :

Dans les approches du sommeil, il murmura :

— Mom' !

— Oui, c'est moi, Ned. Dors, mon amour.

Il balbutia :

— Le cheval noir...

— Il est très beau. Tu remercieras Oncle Charlie.

— L'autre va venir...

Ses yeux se fermèrent. Elle lui donna un baiser rapide et le quitta dans l'ombre. Sans regretter d'être venue, elle était mal à l'aise. La persistance de cette histoire fantomatique dans la mémoire de Ned lui semblait dangereuse. Il grandissait au milieu d'un monde irréel, mais d'une intensité hallucinatoire. Demain, elle parlerait à Pat. Celui-ci encourageait le petit à délirer, à l'irlandaise. Par bonheur, Billy n'était pas au courant. Une nuit avec Billy effacerait presque tout, elle avait besoin de lui au point de vouloir crier, et cela lui faisait peur. A force de souffrir, elle vieillirait... Là était une autre obsession. Elle en venait à éviter certains éclairages trop durs quand elle recevait des visites. Cette nuit-là, revenue dans sa chambre, elle prit quelques gouttes de laudanum, selon la recette de sa mère.

On eût cru que, prise de pitié, la vie essayait d'arranger les choses, assez mal du reste. Huit jours plus tard, elle reçut une lettre de Billy. Pour la lire, elle s'assit dans un coin de sa chambre, près d'une des fenêtres, puis appliqua la lettre dans son enveloppe contre sa poitrine : il allait venir, enfin.

> Mon adorée, écrivait-il, une bonne nouvelle en apporte une autre moins bonne, mais tout d'abord, sois contente ; j'arrive après-demain. Ç'a été dur... Entre le commandant et moi, il y a un froid, un froid de glace. Il m'a joué un tour chez les Steers en te forçant à valser avec lui sur ses jambes torses. Je me suis vengé en lui faisant mordre la poussière au whist, dix fois, vingt fois de suite. Alors c'est fini. Rupture diplomatique. Il aime mieux jouer à l'écarté avec le petit sous-lieutenant anglais. Heureusement, il y a du nouveau dans la famille : ma cousine Hilda se marie à la fin du mois à Dimwood avec un monsieur de Charleston qui lui fait la cour depuis six mois, un peu sérieux, mais ils s'adorent. J'ai demandé en vain une permission pour mariage de famille, et tout d'abord refus cassant accompagné d'un sourire féroce. Alors Hilda a pris sur elle de lui écrire comme les femmes savent s'y prendre, dans un style

> enguirlandé de myosotis et de pois de senteur avec appel aux sentiments d'humanité, et il a cédé ! Alors quatre jours à Dimwood, tu te rends compte...

Elle laissa tomber la lettre. Dimwood. L'ivresse de l'amour dans l'horreur du souvenir, les magnolias en bas des marches de la véranda, mais toute la personne de Billy à elle pendant quatre jours... Elle ferma les yeux et crut le voir. C'était trop beau. Elle reprit la lettre :

> Voici le revers diabolique de cette médaille infernale : on travaille de plus en plus dur à la réfection de Fort Beauregard. Ça ne veut pas dire qu'il y aura la guerre, mais c'est comme ça, et je vais être immobilisé pendant un mois à Charleston pour chercher du matériel et après pour surveiller les travaux. Le commandant m'a annoncé la nouvelle d'un air froid tout en m'accordant ma permission pour Dimwood. Voilà. C'est tout. Le meilleur et le pire, mais le meilleur sera bon, j'en rêve déjà la nuit. Alors... Fais-toi belle. Prends ton beau machin en émeraudes pour éblouir les invités. Si je m'écoutais, je te ferais une lettre comme celle que tu as déchirée en mille morceaux, elle était très drôle. C'est tant pis pour toi !
>
> Ton fou de Billy.

Cette lettre, lue et relue vingt fois, fit tourbillonner un monde dans la tête de la belle Anglaise... Elle passa du oui au non jusqu'au vertige. Revoir Dimwood n'était pas imaginable. C'était revivre une sorte de vie intérieure dont le souvenir la torturait. Par ailleurs, Billy, elle et Billy corps et âme l'un à l'autre — « corps surtout », précisa la voix intérieure qu'elle connaissait bien. Elle haussa les épaules. Comme si elle pouvait hésiter une seconde !...

Le temps s'étira en longueur jusqu'à la minute attendue par une dame en vert, immobile près d'une fenêtre. Tout à coup elle quitta la pièce et fut en bas sur le perron.

Très simplement, Billy arrivait de la gare en voiture de place. C'était prosaïque, mais dès qu'il mit pied à terre, dans son uniforme rouge, il redevint à lui seul tout un régiment de hussards, et malgré tout son sourire de bonheur lui donnait le visage d'un collégien en vacances. La scène qui suivit fut à la fois brève et confuse. Les domestiques se tenaient dans l'entrée pour tout voir. Le petit Ned poussait des cris et s'accrochait aux jupes de sa mère.

— Mom', ne t'en va pas !

Elle se pencha vers lui et l'embrassa :

— Quatre jours, ce n'est rien, tu verras, darling.

Miss Llewelyn fit un pas vers eux :

— Je serai là, M'am. Pas d'inquiétude.

Elizabeth la regarda comme si elle ne s'attendait pas à la voir.

— Oh ! Miss Llewelyn ! Si vous aviez pu venir avec nous...

— Moi à Dimwood, jamais ! Je ne suis bien que là où je commande. A Dimwood je ne suis plus rien.

— Ici...

Billy fit irruption :

— Bonjour tout le monde ! Elizabeth, il est près d'une heure. N'attendons plus une minute. La calèche...

— La calèche arrive, elle est là, fit Miss Llewelyn. Joe, prends la valise du lieutenant.

De nouveau, Elizabeth eut son air étonné comme si elle ne comprenait pas. La Galloise se mit à rire :

« Réveillez-vous, M'am, et en route ! Ici je m'occupe de tout. Soyez heureuse là-bas. Partez vite.

Billy tira Elizabeth par le bras.

— Miss Llewelyn a raison, Elizabeth, on ne gaspille pas une seconde de bonheur.

— Mom' ! criait Ned.

Il voulut s'élancer, mais, tout près de lui, Betty le retint. En moins d'une minute les voyageurs étaient dehors et montaient dans la voiture.

— Au galop dès le bout de l'avenue ! cria Billy au cocher.

D'un coup de fouet, le cocher enleva ses quatre chevaux qui prirent un trot rapide. Enfoncée dans un coin de la banquette, comme pour se cacher au monde, Elizabeth tourna les yeux vers son mari :

— Billy, dit-elle, est-ce que c'est vrai ?

CHAPITRE CI

A présent, la voiture roulait à travers la campagne où tout remettait devant les yeux d'Elizabeth ce qu'elle souhaitait avoir à jamais banni de sa mémoire. Elle allait à fond de train vers d'impitoyables souvenirs de bonheur détruit, remontant en sens inverse la tragédie de son adolescence amoureuse. Derrière les vitres, des scènes fulguraient. Tout à coup un cavalier galopait tout près de la calèche et plongeait vers elle un regard rouge de désir pour disparaître aussitôt emporté par son cheval noir.

— Qu'as-tu donc, mon amour ? lui demanda Billy en lui glissant un bras sous la taille. Tu as l'air bouleversée.

— La nuit dernière, je n'ai pas dormi. J'attendais...

— Mais maintenant, nous voilà ensemble. Là-bas, tu vas voir. J'ai choisi notre chambre. Celle qui donne sur les jardins. Le labyrinthe, tu te souviens ?

— Oui, les jardins...

Sans pouvoir en dire plus, elle se contenta de lui sourire.

La calèche s'arrêta devant la grande porte de cérémonie qui ne s'ouvrait pas très souvent. Elizabeth se sentit soulagée et poussa un soupir, elle n'eût pas supporté d'entrer par la véranda.

Un vieux Noir en livrée rouge vint les accueillir dans la maison.

— Oh ! Miss Lisbeth et Massa Bill ! s'écria-t-il.

— Bonjour, Jonah, fit Billy. Nous sommes très en retard, je crois.

— Oui, Massa Bill, on va servi' le dessè'.

— J'adore les desserts, fit Billy en riant.

Devant cette salle dont la longueur invraisemblable eût pu faire songer à une salle vue dans un rêve, Elizabeth reçut une impression différente. Les hautes fenêtres, le pavé de marbre noir, la fuite des murs vers une dernière pièce encore lointaine, elle avait connu cela, tout cela était vrai alors que toutes les années d'avant ne l'étaient plus ou ne l'avaient jamais été. Elle entrait dans l'hallucination du réel et elle eut peur parce que, tout au bout d'un tunnel, là-bas, il y avait deux hommes blessés à mort dans un bois.

Reprise par le passé, elle avançait au bras de Billy sans le voir...

Tout au fond, une table ronde réunissait une douzaine de personnes parlant si fort qu'à cette distance ils ne les remarquèrent pas, quand soudain Oncle Josh se détacha du groupe et courut vers eux les bras ouverts.

— Enfin ! s'écria-t-il. On se demandait si vous ne vous étiez pas perdus sur la route ! Ça fait longtemps que la cérémonie est finie.

— Il n'était pas question de venir si tôt, fit Billy en riant.

Le tumulte s'entendit alors dont s'accompagnent les fins de trop gros repas, chaises repoussées, serviettes jetées au milieu des assiettes, et la famille déferla vers les nouveaux venus. Hilda, en robe blanche, se précipita au cou d'Elizabeth :

— Darling, tu es un ange d'être venue. Enfin !

Courte et résolue, elle avait perdu sa svelte taille d'autrefois, mais dans ses yeux noirs dansait toujours le gai sourire de sa jeunesse, et, tout heureuse, elle serra Elizabeth dans ses bras avec force, puis lui présenta son mari, jeune homme d'autant plus cérémonieux qu'il lui fallait un puissant effort pour se tenir debout. Mince et fier, mais vacillant, il avait le physique d'un gentleman à la mode avec un visage un peu trop rose et de légers favoris blonds. Oncle Douglas passa devant lui et à son tour s'empara d'Elizabeth.

— Bienvenue à Dimwood, notre belle Anglaise ! Tu te rappelles la nuit d'avril où tu es arrivée ici ?

Appuyée contre Billy, Elizabeth souriait sans répondre. Tante Emma s'aperçut de son trouble et lui serra les mains, suivie de Tante Augusta qui la guida vers la table, puis la fit asseoir dans un fauteuil. Une gêne s'établit tout à coup.

— Ce voyage est fatigant, dit Oncle Joshua. Veux-tu t'étendre d'abord ou déjeuner maintenant ? C'est très facile, on va te servir tout ce que tu voudras ainsi qu'à Billy qui meurt de faim...

Elizabeth fit signe qu'elle ne désirait rien, mais son mari s'assit à côté d'elle avec empressement, après avoir donné son shako à un domestique.

— Tu vas boire quelque chose de délicieux qui te rendra des forces, fit Hilda. Une coupe de champagne...

— Vraiment non, dit enfin Elizabeth, je me sens déjà mieux.

A ce moment Susanna s'assit doucement près d'elle à la place que lui cédait Hilda. En quelques années, le visage de cette autre cousine avait subi une transformation difficile à décrire. Sans vieillir, elle était une autre personne. Ses traits pourtant gardaient la délicatesse des jeunes années. Avec ses longues boucles noires qui amincissaient ses joues pâles, elle faisait une impression de beauté poignante, car, au fond de ses larges prunelles sombres, se trahissait une tristesse sans espoir. Elle sourit malgré tout et dit à la jeune femme, enjouée :

— Que la vie est drôle, chère Elizabeth... Nous voici de nouveau l'une à côté de l'autre. Je n'aurais jamais espéré qu'un jour... Enfin...

— Moi non plus, fit vaguement Elizabeth.

— Tu te souviens de la nuit quand nous sommes montées sur le banc, toi et moi et Minnie, dans la grande avenue pour saluer la pleine lune...

— Et nous sommes tombées toutes les trois dans la prairie, fit Elizabeth pensivement, tu te souviens ?

— Comme si c'était hier...

— Pauvre Susanna, tu n'étais pas heureuse ce soir-là.

— Je ne serai jamais heureuse.

— Oh ! darling, si tu pouvais te marier.

Susanna ne répondit pas. Se levant, elle inclina la tête tout près de celle d'Elizabeth qui sentit ses boucles lui toucher le front, puis un baiser effleura sa joue et Susanna s'en alla.

Les invités avaient retrouvé leurs places, non sans un instant d'incertitude, après le départ de Susanna, qui ne suscitait du reste aucun commentaire. On connaissait ses brusques décisions et ses silences inexplicables. Par un geste habituel, on levait les sourcils et c'était tout.

Billy, comme sa femme, refusa le jambon de Virginie et les salades qu'on leur offrait, pour commencer le repas par l'autre bout. Mais l'Anglaise ne désirait rien qu'une tasse de thé, et son hussard de mari se ruait sur les desserts d'une variété étourdissante qu'on servait à présent. Un seul invité se trouvait tant soit peu refoulé dans un coin, c'était Mike, Mike-les-mains-noires, frère de Billy, terreur des dames en blanc dans les premiers temps d'Elizabeth à Dimwood. Sorti depuis peu du collège, il allait sur ses quatorze ans, et un visage rond rayonnait d'appétit et de joie de vivre. Des mèches de cheveux roux retombaient au petit bonheur sur le bout du nez ou sur ses yeux verts. On l'aimait bien, mais il fallait sans cesse le faire taire, car il avait des opinions. Pour le moment il était resserré entre Oncle Josh et Tante Augusta.

Accompagnée d'un grand cliquetis de cuillers et d'assiettes, la conversation se remit en marche tout autour de la table pendant que les serviteurs en rouge versaient des vins à dessert un peu traîtres. Contenu un moment, le bavardage reprit son élan.

— Lieutenant Hargrove, dit Oncle Douglas à son fils d'un ton martial, vous qui arrivez de Beaufort, que dit-on là-bas des menaces de guerre ?

Billy jeta un coup d'œil inquiet vers sa femme.

— Toujours les mêmes vieilles menaces depuis dix ans. On s'y fait, rien ne bouge.

— C'est une façon de voir les choses, fit Siverac. A Charleston même, rien ne bouge non plus, mais tout est sur le point d'éclater.

— Atmosphère sulfureuse, remarqua Tante Augusta.

— Il ne va pas y avoir la guerre ? demanda Elizabeth d'une voix blanche.

— S'il y a la guerre, moi je marche ! lança Mike avec une note suraiguë.

— Douglas, fais-le sortir, fit Tante Emma. Depuis le début du repas il pousse des cris.

— Ce n'est pas sa faute, c'est sa voix qui mue.

— Il fait peur à Cousine Elizabeth, dit Mildred. S'il pouvait seulement se taire et manger, comme un gentleman, on ne lui demande rien d'autre.

— Nous devrions changer de sujet, dit Hilda. Il y a autre chose que la guerre, chez nous.

— Tu trouves que ça va mieux ailleurs ? reprit Siverac. Septembre dernier n'est pas si loin. Le pays n'a pas encore digéré le massacre de Mountain Meadows.

Ferme et un peu agressif, Oncle Douglas regarda son frère dans les yeux.

— Tes chers Peaux-Rouges, des Païutes, ont fait cela.

La réponse vint comme la foudre :

— Excités et armés par ces mormons qui haïssent les émigrants du Nord et veulent leur barrer la route de la Californie.

— La boucherie a eu lieu tout de même.

— Et qui s'est chargé d'ouvrir le crâne à la hache aux petits garçons et aux petites filles — cent vingt Américains tués ? Les mormons, tout en rendant grâce au Seigneur du sacrifice qu'ils lui offraient.

Elizabeth poussa un cri.

— Les mormons, qu'est-ce que c'est que les mormons ?

Inconsciemment, Billy prit un air à la fois féroce et gaillard :

— Les mormons sont une secte puissante dans l'Utah, qui

pratique la polygamie. Un homme a droit à tout un tas de femmes légitimes.

— Pas plus de cinq, Billy, fit Siverac.

Dans un moment de faiblesse, Elizabeth s'appuya contre l'épaule de Mildred, sa voisine.

— Je me demande si je n'aurais pas dû rester en Angleterre, soupira-t-elle.

De nouveau, Oncle Douglas fit entendre sa voix de bataille :

— Au gouvernement fédéral d'agir. Avec ce pantin de président, je leur souhaite bonne chance.

— Mais il agit, fit Siverac, il envoie des troupes du Colorado.

— Et Fred qui est là-bas ! gémit Tante Emma.

— Tu peux être sûre qu'il fera son devoir, dit Oncle Douglas.

— Fred n'a pas froid aux yeux, Papa, dit Billy, c'est un des premiers officiers de cavalerie de West Point.

— Fred..., murmura Elizabeth.

Dans le tourbillon des paroles qui s'entrecroisaient, elle se souvint de la jolie voix triste qui lui chantait une sérénade sous la véranda, puis, alors qu'elle quittait Dimwood, cette déclaration à la fois gauche et bouleversante...

La voix claironnante de Billy la tira de cette rêverie :

— Dès 52, Fred voulait qu'on leur rentre dedans aux gars du Nord, il soutenait que plus tard ce serait trop tard.

— Et il avait raison ! s'écria tout à coup la voix inattendue de Lawrence, réveillé par le vin de dessert.

Mike fit aussitôt chorus avec le mari de Hilda :

— Fred avait raison : leur rentrer dedans !

— Mike, sors ! fit Emma exaspérée.

— Non, qu'il reste, dit Oncle Josh avec autorité, qu'il apprenne au moins quelque chose. Mike, quand tu entendras dire du mal des Peaux-Rouges, demande simplement : « Qui a chassé les Peaux-Rouges de chez eux ? Qui les a massacrés ? Qui donc continue à leur arracher leur patrie ? »

— Et la Civilisation ? hurla Oncle Douglas.

— Les prends-tu pour des sauvages ? Ce que tu appelles notre civilisation emporte avec elle la malédiction de la race indienne sur la race blanche. Cela se paiera.

— Josh, nous sommes de taille à régler le compte.

— C'est ce que nous verrons. S'il y a la guerre.

Chacun d'un côté de la table, les deux frères se bravaient. Un profond silence s'abattit sur tous les convives. Oncle Douglas fit un effort pour se maîtriser.

— Josh, dit-il, je ne voudrais pas t'entendre insinuer des choses qui pourraient être mal comprises. Nous sommes sur un terrain dangereux. La guerre reste possible, sinon probable.

— Châtiment du Ciel, peut-être.

— Es-tu fou ? En temps de guerre, on t'arrêterait pour des propos de ce genre. Que ferais-tu donc s'il y avait la guerre ?

— Je prendrais mon fusil et je partirais sur-le-champ par amour-propre, peut-être, par lâcheté...

— Oh, Sir ! s'écria Billy.

— Toi, répliqua Oncle Josh, tu apprendras que dans une armée de héros il y a toujours des lâches qui se font tuer très convenablement...

— Admirable effet du bon exemple, observa Tante Augusta.

Oncle Josh lui jeta un regard furieux et acheva :

— ... mais qui gardent au fond du cœur et jusqu'à la mort la honte de n'avoir pas protesté.

Calme et blême, Douglas serra les poings et prononça :

— Après des déclarations aussi étranges, et étant restés à table depuis des heures, je serais assez d'avis qu'un tour dans la grande avenue pourrait nous faire à tous du bien. L'air est tiède et la soirée belle. Josh, ta main.

Oncle Josh le regarda, étonné.

« Josh, je veux cette main.

Oncle Josh tendit la main par-dessus la table et saisit celle de son frère qu'il serra avec violence, comme pour la détacher du bras.

— Tu as toujours été une bourrique, Douglas, fit-il en riant, et tu n'as jamais eu d'idées générales, mais je t'aime bien. Toute notre effervescence de ce soir n'est que la suite de nos batailles de garçons.

— D'accord, Josh, mais quel spectacle nous avons offert à nos invités ! A notre chère Anglaise surtout qui ne doit rien y comprendre.

Ils se tournèrent ensemble vers Elizabeth.

Toute blanche et très droite sur sa chaise, elle demeurait immobile, comme dans un état second. De toute la scène entre les deux hommes, elle n'avait saisi dans les éclats de voix que le mot *guerre* qui lui faisait peur.

Alors que tout le monde se levait, elle se leva aussi et s'appuya contre Billy, accouru à son aide. Il l'entoura d'un bras et lui demanda d'une voix pleine de tendresse :

— Chérie, on nous propose un tour dans la grande avenue.

— Oh ! non, fit-elle vivement, pas de ce côté-là.

— Alors, veux-tu que nous montions tout de suite ?

Elle voulait ce qu'il voulait, contente de s'en aller loin du bruit confus des voix bavardes. On passait près d'elle en sortant, et elle entendit les jeunes femmes lui parler affectueusement et son mari répondre :

« Ce n'est rien, elle va se reposer.

Puis Oncle Josh vint murmurer quelque chose à l'oreille du lieutenant qui répondait :

— Je la connais, Sir, je vois bien qu'elle est exténuée, mais je serai prudent.

Tout à coup, elle eut la sensation agréable de ne plus toucher terre et son corps s'allégea de toute sa fatigue. Billy l'avait prise dans ses bras et la portait dans l'escalier jusqu'au premier étage. Envahie de somnolence, elle ne pouvait penser à rien, mais elle reconnut l'odeur de la maison à cet endroit, les parois en bois de pin, et tout un monde ressuscitait autour d'elle avec une tendresse déchirante.

Les quelques minutes qui suivirent lui échappèrent. Des mains lui ôtaient sa robe, elle les sentit sur sa poitrine. Presque aussitôt elle revint à elle et murmura le nom de Billy.

Il eut un cri de bonheur comme s'il la ramenait du fond d'un mauvais rêve et l'étreignit avec une sorte de rage amoureuse qui la secoua ; mais, plutôt qu'elle ne se donnait à lui, elle s'abandonnait. Peut-être ne le soupçonnait-il pas. Dans le délire de tout son corps il ne parvenait pas à se rassasier de cette femme, sinon tout à fait inerte, du moins absente. Avec une voracité qu'elle subissait sans un soupir, il s'exténuait de joie.

Au bout d'un long moment, la fatigue lui ouvrit les bras et il se laissa rouler à côté d'elle. Bientôt elle entendit son souffle devenir plus paisible. Il dormait comme elle ne l'avait pas encore vu dormir. Sa large poitrine se soulevait et s'abaissait avec une lenteur heureuse et tranquille... Se glissant hors du lit, elle alla mettre un peignoir. La nuit fraîchissait, et des chouettes poussaient leurs petits cris dans les bois au-delà des jardins. Une lune aux trois quarts pleine dominait un ciel noir et donnait à ce paysage familier une réalité aux contours d'une énergie impérieuse, comme pour effacer les aspects du jour, cernant jusqu'aux moindres fleurs d'un trait d'encre. Dans cet éclairage violent, la jeune femme sentait toute proche une création accordée à sa nature profonde. Une force d'attirance énorme la détachait du décor.

Revenue près du lit, elle regarda le dormeur et ne put se retenir d'admirer les lignes longues et puissantes de cet homme qui donnait l'impression d'avoir été déposé au fond d'un gouffre. En rêve, elle l'avait vu ainsi, mais cette nuit elle était sortie du rêve. Elle se promenait dans un espace qui n'avait pas de nom parce qu'on aurait pu dire qu'il n'existait pas.

Sur la pointe des pieds, elle quitta la chambre par la porte qui donnait sur la véranda, mais, dès les premiers pas, elle reçut un choc. Entre le labyrinthe et le Bois maudit, dans le grand espace vide, elle se vit elle-même avec Jonathan. C'était la dernière nuit qu'il passait sur terre. Cette nuit-là, aucune lumière ne tombait du ciel et ils marchaient dans l'ombre. Ni le murmure de leurs paroles, ni le chuchotement de leurs pas sur le sable ne parvenaient jusqu'à elle. Pourtant ils avançaient du côté de la maison et de mieux en mieux elle distinguait leurs silhouettes, puis toute leur personne. Ils marchaient lentement et tout à coup se séparèrent, elle courait vers la maison alors que Jonathan retournait dans l'épaisseur de la nuit. Et soudain elle se trouvait seule sur la véranda, une main appuyée sur la balustrade dans la crainte de tomber, car cette vision faillit la jeter à terre. L'imagination prenait la place du souvenir. Elle ferma les yeux et laissa passer plusieurs minutes. Son cœur battait si fort qu'elle eut la sensation de coups de poing donnés dans la poitrine. Elle attendit, hésita, puis reprit son chemin autour de la véranda.

Lorsqu'elle atteignit le point d'où se voyait l'entrée de l'avenue avec les énormes chênes qui se rejoignaient par la cime, elle risqua un coup d'œil épouvanté et se mit à courir, comme si elle craignait de voir une fois encore la coupe de champagne lancée au visage de Jonathan. Essoufflée par la violence de l'émotion, elle se trouva enfin à l'autre bout de la véranda, là où pendant des années à Savannah elle avait rêvé de se tenir, étourdie par le parfum des magnolias. N'était-ce pas pour cela qu'elle était venue ? Et maintenant qu'elle s'y trouvait, le visage incliné vers ces fleurs épanouies sous cette même lumière d'une splendeur glaciale et magique, osait-elle dire ce qu'elle espérait ? Elle attendit. Mais les appels espacés des chouettes autour de la maison ne rappelaient pas le chant continu des rainettes aux notes liquides, ni cette nuit de fin d'hiver la nuit de mai de ses seize ans. Elle pencha un peu plus la tête en bas. Le feuillage autour des fleurs demeurait immobile. Rien ne bougeait autour d'elle. Il n'y avait personne.

CHAPITRE CII

Le lendemain matin, Oncle Douglas emmena ses deux fils dans la grande avenue, lieu ordinaire des entretiens politiques, sentimentaux ou confidentiels, la majesté du décor ne nuisant pas non plus à de passionnantes indiscrétions. Les chênes en croissant se faisaient de plus en plus touffus et ne laissaient plus filtrer que quelques ronds de soleil.

— *Boys*, commença-t-il, la fête familiale est finie. Nos invités viennent de partir, en route pour Charleston où j'espère qu'un jour vous irez leur rendre visite dans leurs belles maisons... Vous allez trouver Dimwood un peu désert, un peu sérieux...

— Oh ! non, protestèrent les deux garçons.

— Je compte me promener à cheval dans les environs, fit Mike.

— Si tu ne le fais pas trop galoper, je te prête mon vieux Tapageur. Il est encore vaillant.

— Abordons les affaires sérieuses, dit Douglas. Vous devez savoir que votre Tante Annabel m'a légué Dimwood après la mort de son mari tué en duel. J'hérite aussi avec Josh de la plantation de Jonathan Armstrong, plantation dont sa veuve était devenue propriétaire.

— On se demande pourquoi cet abandon de tous ses biens, fit Billy.

— Pour des raisons à elle.

— Lesquelles ? demanda Mike étourdiment.

D'un mot, son père lui cloua le bec :

— Métaphysiques.

— Ah ! fit Mike interloqué.

— Le jour viendra, poursuivit Oncle Douglas, où tout Dimwood vous sera légué à votre tour, et je n'oublie pas Fred qui est au loin à l'autre bout de l'Amérique.

— Vaste héritage ! s'exclama Billy.

— Vaste, fit Oncle Douglas d'un ton calme, et lourd. S'il y a la guerre, ce qui est possible, on peut craindre certaines modifications, mais tous les actes notariés se trouvent en sécurité à Savannah. Vous serez avisés. A présent, Billy, tu brûles de retrouver ton

Elizabeth et toi, Mike, le cher vieux Tapageur. Pour ma part, je continuerai ma promenade seul.

— Sir, fit Billy avec un geste, comment vous dire...

— Non, interrompit son père, point de remerciements, c'est plutôt gênant et tout cela va de soi.

Et, leur tournant le dos, il s'éloigna d'un grand pas lent et autoritaire. Par un revirement soudain, il leur fit face et leur jeta :

« Ma bénédiction tout de même, les enfants...

Et, *sotto voce,* il commenta lorsqu'il se fut remis en marche :

« ... Pour ce qu'elle vaut...

Elizabeth s'était esquivée dès qu'elle eut vu disparaître Billy. Sans perdre une minute, elle se lança dans les longs corridors obscurs de la vieille maison, jusqu'à ce qu'elle atteignît le petit escalier à peu près vertical qui menait au fond d'un passage, chez Mademoiselle Souligou, couturière.

La jeune Anglaise n'eut qu'à pousser la porte entrouverte. Comme elle s'y attendait, elle vit tout d'abord, droit devant elle, surmonté des deux pointes d'un madras indigo, le dossier du large fauteuil de velours rouge qu'elle connaissait bien, et, de derrière le dossier, monta du fond des années la voix aigre qu'on n'oubliait pas.

— Entrez et asseyez-vous, Elizabeth. Je vous attendais.

— Vous m'attendiez ? Depuis quand ?

— Depuis un temps et un temps et encore un temps. Assez de questions.

Un seul coup d'œil autour d'elle suffit à Elizabeth pour voir que, là comme ailleurs à Dimwood, rien n'avait changé dans l'immense lingerie basse de plafond et pleine de recoins, ni les longues ouvertures semblables à des meurtrières par où elle prenait jour avec de furtifs rayons de soleil se promenant sur le plancher peint en noir, ni la table qui plus on la regardait plus semblait s'allonger, chargée du linge à raccommoder de toute la maison, en masse, ni les quatorze chaises qui l'entouraient, ni surtout Souligou, l'Antillaise, avec sa tête penchée en avant et son nez pointu, fureteur.

« Qu'est-ce que vous regardez ? demanda-t-elle impatiente. Je vous dis de vous asseoir, là, près de moi.

— C'est comme si le temps avait été avalé, murmura Elizabeth.

— Toujours rêveuse, toujours belle, toujours aussi folle. Contente de vous revoir tout de même. Mais vous vous souvenez de la carte que j'ai agitée par une fenêtre le jour de votre départ? C'était un avertissement des tarots.

— Qu'y a-t-il?

— Des bêtises comme toujours, Elizabeth, des erreurs. Et puis laissez tranquilles ceux qui s'en vont.

— Que voulez-vous dire?

— Vous faites semblant. Vous savez.

La jeune femme se jeta en arrière.

— J'ai vu quelqu'un cette nuit, dehors.

Souligou eut un rire qui ressemblait à un gloussement.

— Sauf moi, tout le monde ici veut l'avoir vu au moins une fois, dans les alentours du Bois maudit, à cause du duel : jamais ailleurs. Chaque plantation a son fantôme. Dimwood a fabriqué celui-là.

— Vous n'y croyez pas?

— Non.

— J'aurais juré qu'il était là et moi à côté de lui.

— Pardi, c'est ce que vous vouliez... Alors avec votre imagination... Mais il ne fallait pas venir. Battez-moi mes cartes et coupez-les.

Le visage moite, la jeune femme prit les cartes et se mit à les battre avec obstination.

« Ça suffit, dit l'Antillaise. Elles n'en seront pas meilleures pour ça... ni pires. Coupez-les — donnez maintenant avec la main gauche.

Elle étala les cartes sur la table, les regarda, puis, de ses maigres doigts, couleur de buis, elle les brouilla d'un coup.

« C'est tout vu, dit-elle. Si j'étais vous, je m'en irais.

— Mais je quitte Dimwood dans trois jours.

— Oh! Dimwood... Il s'agit bien de Dimwood!

— Alors où?

— On vous le dira, Elizabeth, mais pas moi.

— Pourquoi? C'est défendu?

— Vous posez trop de questions, mais je vous aime bien. Il y a cinq ans je vous ai avertie. Vous vous trompez souvent : le cœur, les sens. C'est votre destin. Une fois pour toutes, sauvez-vous.

— Je ne peux pas quitter mon mari.

— Vous l'aimez tant que ça?

Elizabeth devint toute rouge et se leva à son tour.

— Mademoiselle Souligou, il m'attend, je rentre, mais moi aussi j'ai été contente de vous voir.

A sa grande surprise, la couturière se leva aussi et l'embrassa sans un mot. Une odeur complexe de vieux châles superposés et de sous-vêtements agressifs, atténuée, mais non vaincue par un trop faible parfum des îles, envahit l'Anglaise qui fit mine de se dégager et n'y réussit pas.

— Non, Elizabeth, lui souffla l'Antillaise au visage, une fois au moins vous entendrez la vérité : vous êtes une sensuelle et une sentimentale, et c'est tout un.

— Laissez-moi, Souligou, ordonna Elizabeth. On ne me parle pas ainsi.

— Hélas, non, fit Souligou en la lâchant, et c'est tant pis : vous choisissez vos hommes avec une maladresse de débutante. Oh ! vous pourrez faire la madame dans les salons, ce n'est pas ça qui vous rendra heureuse.

Elizabeth la regarda, suffoquée. Il y avait dans les petits yeux de cette femme étrange une force qui l'immobilisa.

« Votre Billy, continua-t-elle, je l'ai connu marmot, ici, à Dimwood ; il est grand et beau, et il vous donne le plaisir et la tendresse qui accompagne le plaisir et qu'on prend pour de l'amour.

— Et qu'est-ce que vous voulez que je fasse ? s'écria Elizabeth dans un cri d'exaspération.

— C'est le premier amour qui compte, Elizabeth, même désastreux comme a été le vôtre. J'ai tout su. Ce duel a tout révélé. Vous croyez avoir revu Jonathan. Il ne vous a jamais quittée. Ce n'est pas Billy qui vous en délivrera.

— J'aime Billy, protesta Elizabeth d'une voix ferme.

— Bien sûr, mais vous préférez l'autre. Quelqu'un vous fera tout oublier, s'il n'est pas trop tard.

— Souligou, je ne comprends rien de ce que vous dites.

— Bien sûr que non. Moi, je dis ce que je vois, c'est mon métier. Couturière par accident. Là-bas, aux Antilles, j'étais estimée pour mes dons, et chez nous on s'y connaît.

— Vous me troublez avec vos histoires, je ne veux pas qu'il arrive quelque chose à Billy.

— Ne vous tourmentez pas trop. Ces choses s'arrangent d'elles-mêmes. Ça s'appelle le destin. Pour le tarot, c'est la carte que vous n'avez pas bien vue. Voulez-vous que je vous la montre, celle que j'agitais par la fenêtre ?

Se retournant, elle remua les cartes sur la table et en désigna une.

— Le diable !

— Le destin. C'est la même chose.

— Chez vous peut-être, pas ici. J'étais venue vous demander conseil, j'espérais, je ne sais pourquoi, que vous me rendriez la paix — eh bien non.

— Ecoutez. Pour vous, il y aura une prochaine fois. Réfléchissez. Ne tombez pas dans les bras de n'importe qui.

— Je ne suis jamais tombée dans les bras de n'importe qui, Souligou.

— Aucune femme ne conviendrait d'une chose pareille. Mais de toute façon il y aura une prochaine fois. Essayez de choisir.

— Comme si on pouvait ! Adieu, Souligou.

Réveillé tard de sa première nuit, Billy avait trouvé sa femme sagement étendue près de lui et ne se douta pas une seconde de sa mélancolique escapade nocturne.

De même, après l'entretien dans la grande avenue avec son père, il chercha Elizabeth un peu partout dans les jardins et la maison, et il alla l'attendre dans leur chambre en faisant la sieste.

— Eh bien, fit-il étonné, quand elle revint de chez Souligou, je te cherchais partout…

— Moi aussi.

— Où étais-tu ?

— Un peu partout, la plantation est vaste. Je me suis promenée, si l'on peut dire, dans le passé.

— Nous pouvions nous chercher longtemps. Quand cesseras-tu de rêver ? Darling, veux-tu te reposer avec moi ou veux-tu que nous y fassions un tour, tous les deux, dans le passé ?

Elle le regarda.

« Oh ! pas partout, fit-il vite, pas dehors : dans la maison.

Elle inclina la tête sans pouvoir dire un mot.

« Tu vas voir, dit-il en sautant du lit tout nu, j'en ai pour dix minutes et je te rejoins en bas.

Evitant de tourner les yeux vers lui, elle quitta son fauteuil.

— En bas ?

— Oui, dans le salon près de l'entrée, où je t'ai vue pour la première fois avec la famille. Là commencera notre petit tour à nous dans le passé…

— Oh ! si tu veux, fit-elle sans élan.

Il eut un rire d'écolier qui l'émut plus que sa nudité.

En bas, dans le salon désert qu'elle revit plein de monde, par cette nuit d'avril, sept longues années plus tôt. Oncles, tantes, cousins, cousines, et la bouche humide de Billy sur sa joue :

— Je suis ton cousin Billy Stevens...

De l'émotion, de la poésie dans tout cela, dans cette arrivée un peu dramatique... Mais, depuis tout à l'heure et sa discussion avec Souligou, une sournoise indifférence la gagnait à l'égard de tout. Il y avait du poison dans certaines petites phrases de la vieille Antillaise, « Le choix de vos hommes... » — de ses hommes ! Et surtout la question d'une nonchalance perfide : « Vous l'aimez tant que ça ? » Pourtant, nu comme en uniforme, il la bouleversait. Mais n'était-ce pas l'amour ? La voix sèche de la couturière lui revenait alors aux oreilles : « Sensuelle et sentimentale... tendresse du désir... c'est tout. »

Elle se leva et se mit à faire les cent pas pour se libérer de l'affreux souvenir. Autour d'elle, sur des consoles, dans les grands miroirs qui montaient jusqu'aux corniches, elle vit l'image rassurante de la très belle Anglaise dont Savannah était fière, dans sa robe vert pâle ornée de petits rubans vert pomme. Pourquoi Billy ne descendait-il pas ?

La nuit dernière, elle avait gaspillé son bonheur, ne pensant qu'à l'autre. Maintenant, elle avait de nouveau besoin de Billy, retombait amoureuse. Il y avait quatre miroirs. En se plaçant à un certain point, elle voyait deux Elizabeth tout entières et deux moitiés d'Elizabeth, et cela la fit rire.

« Je ferai voir ça à Billy, se dit-elle. Se placer là et voir quatre beaux jeunes officiers d'un coup !.... »

Elle rit de nouveau.

— Maudite vieille Souligou ! dit-elle tout haut.

Dans un fracas de bottes sur les marches de l'escalier, il parut rayonnant comme toujours, sans la moindre idée de rien, mari modèle.

« Par où commençons-nous ? demanda-t-elle gaiement.

— Oh ! surprise, par ta chambre.

— Mais, Billy, je ne sais pas si j'en ai envie ? Quel intérêt ?

— Pour le souvenir. Je t'en prie, accorde-moi ça. Voir le lit où tu as dormi, mon trésor, ta première nuit à Dimwood. Tiens, je vais te porter dans mes bras pour monter.

— Nous ne sommes pas au pavillon chinois de Bonaventure... Et puis, tu vas me chiffonner ma belle robe.

Elle se pendit à son bras et leva les yeux vers lui.

« Mais tant pis. Quand je te dirai non, tu pourras demander le divorce, fit-elle.

— Avant ça, fit-il en riant, une balle dans la tête de Billy !

Elle poussa un cri.

— Oh ! pourquoi dis-tu ça ? On ne plaisante pas sur des choses pareilles.

— Petite folle, tu sais bien que sans toi je ne pourrais pas vivre, pas une heure sans toi !

Ce disant, il l'enleva de terre et la porta dans ses bras jusqu'au premier étage. Ce fut un peu moins facile qu'à Bonaventure, mais ils y arrivèrent. Trois pas encore, et il posa doucement Elizabeth devant la chambre de ses premiers mois à Dimwood. Ils entrèrent. Cette chambre, elle y était retournée mille fois dans ses rêves, parce que toute une partie d'elle-même ne l'avait jamais quittée. Le lit à colonnes, le fauteuil à bascule, la commode, la lumière affaiblie venant de la véranda... L'émotion la rendit un instant muette. Le présent ne se dégageait pas du passé et redevenait du passé. Elle avait seize ans...

Les réactions de Billy furent nettement plus simples.

« Tiens ! Il ne t'avait pas mal logée, le grand-papa.

Elle eut l'impression que cette phrase la tirait en arrière comme pour la réveiller.

« Alors, dit-il d'un air tout à coup bizarre, ta première nuit là... A seize ans.

Il regarda le lit, puis il regarda Elizabeth.

D'un bond elle fut tout à coup présente.

— Non, non et non ! Ce soir.

Sa voix résonna si ferme qu'il se contenta de tourner vers elle deux yeux langoureux.

— Ç'a été ma première pensée quand je t'ai vue, cette nuit-là.

— C'est possible, dit-elle, mais tout cela est déjà loin.

Il soupira.

« Fais-moi un plaisir, ajouta-t-elle. Va là-bas jusqu'au coin de la véranda et de l'escalier. Tu verras... le magnolia... le parfum.

Sa voix commençait à s'étrangler, elle acheva sa phrase d'un geste de la main tendue, l'index désignant l'endroit dont le souvenir était une torture.

— Je connais, dit-il, viens avec moi.

Elle fit non de la tête et murmura :

— Je t'en supplie.

— Je veux bien, dit-il avec un sourire déçu, mais que tu es drôle, mon amour !

Elle le vit s'éloigner et de nouveau fut frappée de sa grâce, qui s'alliait dans ce grand corps à toute l'assurance tranquille de la force, mais, quand elle le vit près de l'endroit où la voix de Jonathan était montée jusqu'à elle, un mouvement de révolte la fit serrer les épaules, comme pour se défendre.

« C'est pas mal, chuchota Billy, surtout avec ce fouillis de magnolias.

A pas de loup, elle se glissa un peu plus loin dans la véranda jusqu'à une porte ouverte.

C'était la chambre de Laura. Restée vide, elle ne gardait de son mobilier que le lit avec ses draps et ses couvertures en ordre, tel qu'elle l'avait laissé. Au-dessus, assez haut, un clou sur le mur et la trace d'une croix.

— Laura, dit-elle à mi-voix, tu as été amoureuse. Mais pourquoi est-ce que je te dis cela ? Pourquoi ai-je agi comme je viens de le faire ?

La voix de Billy l'appelait avec insistance, puis elle l'entendit courir sur la véranda. Aussitôt elle parut sur le seuil de la chambre.

Il rit, visiblement soulagé.

— Qu'est-ce que tu fais là ? Tu sais où tu es ? La chambre de Laura !

— Oui.

— Elle t'intéresse ?

— J'ai connu Laura.

— Et après ? Tout le monde la connaissait. Pas méchante. Elle était gentille avec moi, mais pas amusante... Quelle histoire quand elle est partie ! On se demande pourquoi. Elle ne disait rien.

— Je l'aimais bien, moi.

— Allez, on continue la promenade.

Cette fois, il la prit par la main.

Ils firent lentement le tour de la maison par la véranda, et, pris d'une tristesse subite qui ne lui ressemblait pas, Billy se mit à parler d'une voix sérieuse qui n'était pas sa voix ordinaire :

— Elizabeth, je ne m'habitue pas à l'idée de te quitter dans moins de trois jours.

— Mais, Billy, tu vas revenir.

— Pas avant un grand mois, peut-être deux. Un mois à l'arsenal de Charleston au moins, et après...

— On ne te donnera pas de permissions ?

— Penses-tu ! Je serai là pour surveiller l'envoi des munitions à Beaufort. Dans le cas d'un conflit, il faut que Beauregard soit bien défendu — il n'y aura pas de conflit, rassure-toi, mais il faut prévoir. Cela permet en tout cas de voir où en est l'armée fédérale de ce côté-là et ses moyens de défense. Cela intéresse beaucoup tous les officiers de Charleston.

D'un ton satisfait il ajouta :

« ... parce que tous les officiers sont du Sud.

Elizabeth ne saisissait pas la portée de cette remarque.

— Mais c'est toujours l'armée américaine.

— Bien sûr, bien sûr, mais tu ne peux pas comprendre. Tout peut arriver.

— Pas la guerre, Billy !

— Pour le moment Charleston est en paix, mais il y a déjà la guerre ailleurs, dans l'Ouest. Je ne t'apprends rien. On a parlé à table de ce qui se passe chez les mormons.

— Oui, je sais, les immigrants qu'on a tués...

— Les troupes fédérales sont bloquées par les neiges dans la montagne, mais il faut mettre les mormons à la raison. A Mountain Meadows...

— Cet affreux massacre...

— On a eu, depuis, des précisions. C'est pire que ce qu'on supposait. Les mormons attaquaient jusqu'ici tous les convois et, devant les menaces de représailles du gouvernement fédéral, John Lee, un des leurs, fut choisi pour trouver un accord. On a eu la folie de lui faire confiance. Mais je crains de t'émouvoir...

La curiosité d'Elizabeth l'emporta :

— Tu m'en as trop dit pour ne pas continuer.

— L'été dernier, le plus grand convoi d'immigrants, des voitures, du bétail, traversa toute l'Amérique pour aller s'établir en Californie. Quand ils sont passés près du territoire des mormons, ceux-ci ont décidé de les attaquer à la sortie de leur montagne. Ils ont soulevé les Indiens et, même plus, se sont déguisés en Indiens. A l'aube, ils ont cerné le camp et ont tiré dessus ; les immigrants se sont défendus, se croyant attaqués par les Peaux-Rouges. Alors, John Lee est arrivé avec un drapeau blanc et leur a dit de jeter leurs armes, les mormons les protégeraient et leur laisseraient la voie libre pour descendre vers le Pacifique et la Californie. Ils le crurent, les voilà tous désarmés.

— Et alors ?

— Alors John Lee cria aux mormons d'y aller avec leurs revolvers. Les Saints des derniers jours — comme ils s'appellent eux-mêmes — tirent à bout portant sur tout ce qui bouge, hommes et femmes.

— Et les enfants ?

— Offerts en sacrifice au Seigneur avec de pieuses invocations. Tous massacrés et scalpés. Tu penses bien que, dès la fonte des neiges, les mormons en général vont avoir un compte à régler. Quant à John Lee en particulier, je ne donnerais pas cher de sa peau. Voilà, puisque tu voulais savoir.

La jeune femme se laissa tomber dans un des fauteuils de la véranda.

— Cela valait mieux, dit-elle. On ne peut pas toujours fermer les yeux pour ne rien voir, mais apprendre ces choses ici...

Elle étendit la main vers les jardins du labyrinthe, où les premières fleurs s'épanouissaient dans une lumière d'ambre pâle.

Plus loin, en bordure des grands prés, s'allongeaient les bois sombres d'une magnificence un peu effrayante parce qu'on les disait parcourus d'ombres indiennes. Là pourtant, les jeunes filles de Dimwood avaient découvert le lieu magique dont elles avaient fait leur bizarre paradis. Joints à la beauté du paysage, ses souvenirs contrastaient durement avec l'horreur du récit qu'elle venait d'entendre, et elle se tut. Frappé, lui aussi, de ses propres paroles, Billy restait pensif, et ils achevèrent en silence leur promenade dans un temps sans retour.

A dîner ce soir-là, il y eut un nouvel orage entre les deux frères, sous le regard inquiet de leurs femmes. Avec Elizabeth et Billy, plus le jeune Mike au bout de la table, la famille était réduite au point de rendre la salle à manger énorme, et les voix y résonnaient avec force. Tante Emma se lamenta d'abord sur le départ de tout le monde, les uns s'en allant à Charleston, les autres à Savannah. Jamais Dimwood n'avait encore connu la solitude qui l'attendait.

— Mais nous sommes encore là, protestèrent les maris.

— Et je ne pars pas avant la fin de la semaine, s'écria Billy.

— Pardon, Billy, fit Emma, mais j'aime la maison pleine de monde.

D'humeur sarcastique, Oncle Josh déclara :

— Restent le régisseur, la surintendante, Elisa Carp, Mademoiselle Souligou et vingt domestiques très dévoués. Cela meuble.

— Meuble, tu dis bien, fit Emma, comme en écho.

Tante Augusta fit un effort pour mettre fin à un quiproquo difficile.

— Il paraît, dit-elle, que les mormons, frappés de l'importance des troupes qu'on envoie contre eux, cherchent en sous-main à négocier.

— Où as-tu vu ça ?

— Le journal arrivé par la poste cet après-midi.

— Canard, fit Oncle Josh, les Indiens ne se rendront pas.

— Les Indiens ? fit Elizabeth.

— Oui, les Indiens, fit Oncle Josh. On ne te dit donc rien, Elizabeth ? Par des manœuvres déloyales, les mormons ont réussi à mettre de leur côté les Indiens de l'Utah, et ceux-ci ont participé à la boucherie de Mountain Meadows parce qu'on leur a fait croire que les immigrants américains venaient les attaquer.

— Ils les ont scalpés, dit Oncle Douglas d'une voix calme. Leur férocité passe tout.

— Que faisons-nous chez eux ? demanda Oncle Josh. Et les mormons et les immigrants scalpent aussi leurs victimes.

— Josh, nous n'allons pas recommencer.

Oncle Josh se tourna vers Elizabeth :

— Elizabeth, il est temps que quelqu'un t'explique clairement la situation. Nous sommes sur un continent, je ne dis pas un pays, mais un continent, dont nous avons déjà en partie délogé une race d'une antiquité immémoriale, issue d'une civilisation noble et fière. Et de quel droit sommes-nous ici ?

— Par droit de conquête, fit Oncle Douglas imperturbable.

— Par droit de rapine.

— C'est faux. Nous avons finalement payé de notre argent les territoires que nous occupons.

— A quoi les malheureux Indiens ont répondu par le cri qu'on entend encore : « Que signifie votre argent ? Pouvez-vous acheter nos eaux et nos terres ? Pouvez-vous acheter les oiseaux, les nuages, le vent qui passe ? » Ce cri d'un peuple à qui on arrache sa patrie monte sans cesse comme une lamentation vers le Ciel, qui ne l'entendra pas en vain et dont nous sentirons la colère.

— Josh, tu deviens lyrique, tu devrais prendre médecine.

Oncle Josh se leva et jeta sa serviette sur la table.

— Douglas, j'ai honte de toi.

— Puis-je faire remarquer à mon cher frère qu'il parle comme un traître devant un officier de l'armée américaine ?

— Pas comme un traître ! s'écria Billy.

— Comment, toi aussi ? fit Oncle Douglas.

— Vive les Indiens ! cria Mike à tout hasard.

— Oh ! j'aurais dû me taire ! gémit Elizabeth.

— Et moi donc ! fit Tante Emma. Je propose une réconciliation.

— Toi, fit Oncle Douglas, le doigt tendu vers Mike, en fait de réconciliation, nous allons arranger cela tous les deux, dans ma bibliothèque et les portes fermées.

— Qu'est-ce que j'ai fait ?

— Je compte te le faire comprendre d'une main ferme, mon garçon.

Elizabeth, indignée, donna de la voix avec énergie :

— Je l'emmène avec moi à Savannah.

— Bien sûr qu'il rentre avec toi samedi, fit Emma, il rentre lundi en pension.

— Non, poursuivit Elizabeth dans un brusque élan de générosité, il rentre chez nous, n'est-ce pas, Billy ?

— Aucune objection.

— De quel droit disposez-vous de mon fils ? demanda Oncle Douglas tout à coup perplexe.

— Du droit de conquête, Douglas, s'écria Oncle Josh. Tu ne vois pas que le gamin rayonne de joie ? Il déteste sa pension.

— Sale pension ! opina Mike, *sotto voce*.

Oncle Douglas poussa un soupir pareil à un rugissement étouffé :

— Eh bien, dit-il, je cède encore une fois pour avoir la paix. Mon garçon ira chez toi, Billy, c'est assez naturel, mais tu le mèneras à la baguette.

— J'en ferai un soldat, dit Billy.

Elizabeth fit un sourire à Mike.

— Je serai là, fit-elle simplement.

Tout à fait rassuré, le garçon ne put retenir une exclamation :

— Quelle chance ! cria-t-il. Plus de pension !

— Tu continueras à suivre tes cours et ton frère verra tes rapports, précisa férocement Oncle Douglas.

Mais rien ne pouvait calmer l'exubérance de l'adolescent qu'agitait une sorte de frétillement de bonheur, et, pris d'un zèle intempestif, il voulut par tous les moyens faire preuve d'érudition historique :

— A propos des Indiens, jeta-t-il d'une voix claironnante, il y a Christophe Colomb qui...

— Silence ! hurla Oncle Douglas, j'interdis qu'on touche à celui-là.

— Pourquoi pas ? fit Oncle Josh. Il est le grand responsable. Sans lui, pas de conquistadores, pas de massacres d'Aztèques...

— Les Aztèques avec leurs sacrifices humains, fit Oncle Douglas.

— Les Espagnols avec leur religion et leurs bûchers.

La voix grave de Tante Augusta prononça :

— Il aurait mieux valu leur envoyer quelques bons pasteurs pour montrer à ces païens qu'ils avaient tort et les convertir.

Un silence consterné souligna la candeur du petit discours, et, d'un commun accord, tout le monde se leva comme à la fin d'une séance.

Contente d'avoir rétabli l'ordre, Tante Augusta sortit la première en se rengorgeant.

— Nous reprendrons cet échange de vues plus tard, mon bon Josh, fit Oncle Douglas, en serrant un peu trop fort le bras de son frère lorsqu'ils furent seuls.

— Entendu, Douglas, après la guerre.

— Es-tu fou ?

— Non, je suis de ceux qui refusent de se crever les yeux pour mieux voir ce qu'ils veulent.

CHAPITRE CIII

Un invisible nuage se promena dans le ciel des derniers jours que passèrent Elizabeth et Billy à Dimwood. Le dissentiment des deux frères Hargrove se manifestait trop souvent pour ne pas évoquer une guerre civile en miniature, en attendant l'autre dont on sentait les approches confuses.

Pour Billy, le vrai problème était de tuer le temps jusqu'à la tombée de la nuit et la minute où il arracherait son uniforme pour s'emparer d'Elizabeth. Avant d'en arriver là, il y avait à traverser le désert des beaux après-midi à la campagne où se mêle au bonheur un très subtil ennui qu'on ne s'avoue pas.

De mortelles promenades en calèche furent organisées pour donner un air de vacances à l'espace entre les repas. On alla, comme il se devait, rendre visite à des voisins qui ne s'y attendaient pas, et, dans des conversations languissantes, furent passées en revue toutes les chances d'une bonne récolte cotonnière. On évitait de parler des nouvelles, on se félicitait de vivre loin du fracas des cités populeuses. Les sourires restaient collés sur les visages dont les traits se raidissaient d'impatience. L'heure écoulée enfin, les visiteurs prenaient congé dans toutes les formes voulues par une politesse deux ou trois fois séculaire.

— C'était charmant, déclara Tante Augusta, je suis ravie qu'ils aient vu notre Billy en uniforme, il donne une noble idée de la force de notre nation.

La tête enfoncée dans les ailes de son chapeau cloche, elle ne put voir le regard d'assassin que lui lança un hussard exaspéré...

Seul Mike avait échappé à l'épreuve de ces courtoisies obligatoires. Libre fils de la nature, il cavalcadait sur la route en chantant à pleine voix des airs de son invention. Le pauvre Tapageur obéissait de son mieux à des coups de talons frénétiques, mais, quand le jeune garçon se lança dans les prés, sa monture se coucha doucement dans l'herbe, envoyant Mike rouler sur le côté. Ils se reposèrent ainsi l'un et l'autre, chacun savourant à sa manière la solitude immense qui les cachait aux yeux de tous. Mike, étendu sur le dos et les mains sous la tête, s'abandonnait à l'indescriptible bonheur d'avoir quatorze ans et de regarder se mouvoir au-dessus de lui une lente armada de nuages blancs dans un ciel bleu. Toute sa personne respirait la simple joie d'exister, et ses yeux se remplissaient de lumière, insatiables.

Loin de là, Elizabeth se sentait lasse de tout au milieu du petit groupe familial. Elle souffrait à Dimwood de ne pas retrouver le Dimwood de ses premiers rêves. Seul le décor était là, mais ne racontait plus la même histoire, plus le premier tremblement d'amour devant un visage d'homme, ni même le désespoir qui suivait l'instant où il n'était plus là et les larmes d'une vaine tendresse le reste de la nuit, dans sa chambre déserte. De la maison tout entière, il n'y avait que ce coin de la véranda qui comptât pour elle. Elle comprenait maintenant qu'elle n'était venue que pour cela, pour être heureuse et malheureuse là. Par quel étrange calcul avait-elle espéré que la présence de Billy à cet endroit de la véranda exorciserait un souvenir qui la tuait ? Jamais elle ne pourrait chasser Jonathan de sa vie. Elle en reçut la certitude comme une révélation brutale.

Cette nuit-là elle fut à Billy. Son esprit avait beau errer ailleurs, ses sens obéissaient avec une frénésie dont elle n'était pas maîtresse. Si elle avait cru pouvoir étreindre un fantôme, son hussard de mari corrigea vite cette erreur, et elle en retomba amoureuse.

La veille de son départ, vers le milieu de l'après-midi, profitant d'une heure où Billy faisait sa sieste, elle alla se promener seule une dernière fois dans les alentours de la grande maison. Elle se retrouvait partout et se comparait elle-même à une ombre, l'ombre d'une Elizabeth plus jeune qui ne reparaîtrait plus sur terre. Cette vue sentimentale de sa propre personne l'amusait et l'attristait à la fois. A cause de l'horreur du souvenir qu'elle en gardait, elle ne s'aventurait pas du côté de la grande avenue, là où Jonathan lui avait dit adieu en prononçant simplement son nom.

Le hasard de sa promenade un peu mélancolique la mena au bord de la rivière le long des prés. Sur la rive opposée, les pins faisaient entendre le murmure du vent dans leurs cimes, et cette voix douce et confuse semblait chuchoter des secrets dans une langue inconnue. Elizabeth écoutait, tout en regardant le mouvement des petites vagues tranquilles dans une sorte de lacis, toujours le même, qui amusait l'attention, quand tout à coup elle se ressouvint que Susanna avait un jour déposé, sous une pierre au bord de cette eau, un papier mystérieux pouvant donner à croire qu'elle allait se noyer, et quelle émotion à Dimwood ! — sauf chez Fred.

Fred... Elle décida de rentrer et de rejoindre son mari... Au bas de l'escalier, elle rencontra Susanna.

— Je t'ai vue de la fenêtre de ma chambre, dit-elle. Je regarde souvent, j'avoue que je guettais un peu.

— Chère Susanna, pourquoi n'es-tu jamais avec nous à dîner ?

— Je dîne seule quand il y a du monde. Les gens m'ennuient. Mais pas toi ! ajouta-t-elle avec un sourire. Je suis venue pour toi avant-hier.

Dans sa robe gris perle qui lui tombait à mi-jambes, malgré le sérieux de cette couleur, elle semblait très jeune, sa mélancolie elle-même n'arrivait pas à la vieillir. Ses grands yeux sombres se fixaient sur Elizabeth.

Elle continua :

« Tu t'es arrêtée non loin de l'endroit où j'avais laissé un message. Tu te souviens ?

— Mais oui, tout le monde a eu peur.

— Il faut que tu saches. Ce jour-là je voulais vraiment mourir. Pas là, un peu plus loin où l'eau est profonde. J'ai manqué de courage.

— Tu voulais mourir, Susanna ? Mais pourquoi ?

— Tu ne peux pas comprendre. Je me demande pourquoi je suis sur terre. Pas pour être heureuse.

— Mais si, tu as tout pour ça.

— Non, tu ne comprendras jamais. C'est comme si le jour du papier posé au bord de l'eau je m'étais vraiment tuée, j'ai tué quelqu'un...

Sa voix était si calme que la jeune Anglaise demeura silencieuse, prise de court, inquiète.

Depuis un instant, elle se demandait si cette femme n'avait pas l'esprit dérangé.

« Tu pars demain, dit Susanna. Demain je n'aurai pas le courage de te dire au revoir, alors ce sera maintenant.

— Mais, Susanna, pourquoi es-tu malheureuse ?

— Je suis malheureuse parce que je suis Susanna et que je suis comme je suis, c'est tout.

Elizabeth se tenait immobile, mais le cœur lui battait un peu plus fort et elle éprouvait un malaise qu'elle essayait de masquer avec un sourire.

Dans le silence qui suivit, la voix de Susanna s'éleva de nouveau, mais altérée par l'angoisse.

« Laisse-moi te regarder, Elizabeth.

— Comme je te regarde moi aussi, Susanna, avec affection.

A sa grande surprise, Susanna se contenta de secouer lentement la tête pour dire non, puis monta une dizaine de marches de l'escalier et se retourna :

— Elizabeth », dit-elle simplement, et, montant d'un pas plus rapide, elle disparut.

La jeune Anglaise demeura stupéfaite, étrangement émue aussi... Son nom isolé de toute parole, mais prononcé avec une douceur poignante, lui rappela aussitôt le dernier appel de Jonathan. Quel rapport, elle ne savait, mais le ton inimitable, elle le reconnut.

— Au revoir, Susanna ! cria-t-elle.

Le bruit d'une porte qui se refermait fut la seule réponse.

La journée du lendemain s'annonçait plus belle encore que les précédentes, plus tiède, plus lumineuse, comme pour aggraver la tristesse des adieux. La nature narguait les épanchements. Ceux d'Elizabeth et de Billy n'étaient pas loin de la tragédie. Sur le point de le quitter pour un long moment, Elizabeth retrouvait son Billy tel qu'elle l'avait adoré, sans évasion dans le monde du rêve, lui fou de rage à l'idée de se voir ôter la source de son plus grand bonheur sur terre. Epuisés tous les deux, ils s'embrassèrent sans retenue devant une famille qui souriait d'attendrissement, la morale étant sauve. Seule Tante Augusta leva les sourcils et baissa les paupières.

Avec un regain d'énergie, Billy sauta sur son alezan, sa mallette de voyage attachée à sa selle, et piqua héroïquement des deux. Le départ d'Elizabeth fut un peu plus long. Elle tremblait d'avoir oublié quelque chose et se servait de ce prétexte pour remonter trois ou quatre fois et jeter un dernier coup d'œil sur la chambre de ses amours, tandis qu'un grand garçon de quatorze ans trépignait d'impatience dans la calèche.

Cependant, une surprise attendait la jeune femme à la toute dernière minute. Comme elle avait pris place dans la calèche, devant la maison, elle leva la tête, sentimentale jusqu'au bout, vers la façade à colonnes. Derrière une vitre, elle aperçut alors, encadré de longues boucles d'ébène, le visage blême du désespoir.

Interdite, elle ne put qu'agiter la main et cria :

— Susanna !

A ce moment même, un coup de fouet claqua comme un coup de pistolet et l'attelage fonça dans la grande avenue. Elizabeth tint les yeux fermés jusqu'à ce qu'on fût assez loin de la maison. Mike, surexcité, parlait sans cesse, mais elle ne comprenait rien à ce qu'il disait, poursuivie par le souvenir de ce visage la guettant à une fenêtre, en proie à une inexplicable détresse. Qu'aurait-elle dû dire à cette personne énigmatique lorsqu'elles s'étaient trouvées ensemble en bas de l'escalier ? Que voulait-elle ? Mais que voulait-elle ? Cette pensée l'obséda au point qu'elle ne voyait plus le paysage. La voix de Mike l'étourdissait. Se tournant vers lui, elle posa la main sur son bras pour essayer de le ramener au calme. Avec son petit chapeau de paille dur qui lui retombait sur le nez, elle ne put s'empêcher de le trouver charmant et l'imagina plus vieux de quatre ans, bel homme… Comment allait-il s'entendre avec Ned ?

Cette question et beaucoup d'autres se posaient à son esprit. Avait-elle eu raison d'accueillir ce garçon chez elle ? Depuis son enfance, elle n'agissait que par foucades et elle ne voyait jamais l'avenir.

Tout se passa mieux qu'elle n'avait prévu. A la maison, elle retrouvait la banalité rassurante de la vie quotidienne. Miss Llewelyn était là, veillant à l'ordre, à la fois respectueuse et autoritaire en présence d'Elizabeth :

— Ici rien n'a bougé, Mrs. Lisbeth, dit-elle. Mr. Ned est en parfaite santé et le petit dernier est entouré de soins maternels par Betty et la nounou noire qu'il adore.

Elle regarda Mike et lui fit son sourire de tigre qui étirait les coins de sa bouche sans traduire l'ombre d'un sentiment humain.

« Je me trouve, continua-t-elle, devant une vieille connaissance, si j'ose appliquer ce terme à un monsieur dans la fleur de la jeunesse, mais j'ai souvenir aussi d'une chasse à coups de balai sous la table de la salle à manger.

Mike la foudroya de ses yeux verts.

— Je ne sais ce que vous voulez dire, fit-il.

— Sans intention de vous offenser, Master Mike, je faisais allusion à un certain Mike-les-mains-noires, terreur des robes blanches notamment...

— Laissez-le tranquille, Miss Llewelyn. Mr. Mike Hargrove va venir habiter chez moi. Où est Ned ?

— Je vais vous l'appeler. Il est présentement sous les magnolias en conversation avec Pat.

— Je vois qu'en effet rien n'a bougé, fit Elizabeth.

De son grand pas qui remettait tout en ordre autour d'elle, la Galloise alla jusque sur le perron du jardin.

— Mr. Ned, lança-t-elle, une dame vous demande, devinez qui.

— Oh ! Mom' ! fut la réponse.

Le jeune garçon arriva, courant à toutes jambes, et se jeta dans les bras d'Elizabeth qui le serra contre elle et le couvrit de baisers. Tout ébouriffé, il riait de bonheur quand tout à coup il vit Mike et s'arrêta net. D'un air ombrageux, il considéra le nouveau venu, et, sans hésiter, Elizabeth se plaça entre eux, les prit l'un et l'autre par la main et dit d'une voix ferme :

— Ned, voici Mike, le frère de ton papa. Mike, voici mon garçon, ton neveu Ned, alors vous allez vous serrer la main comme deux hommes et comme deux amis.

Ned resta bouche bée et parfaitement immobile, tandis que Mike, avec une brusquerie chaleureuse, lui prit la main de force et la secoua en riant :

— A la vie, à la mort, Ned, fit-il.

Ses cheveux pleuvaient sur son front en mèches d'or roux, et il y avait tant de bonne humeur dans son visage tavelé de son que Ned finit par lui sourire. Elizabeth, soulagée, caressa la joue de Mike. A sa stupeur, le garçon leva les yeux vers elle et lui sourit à son tour avec une douceur plus révélatrice qu'il ne le soupçonnait lui-même, et elle retira aussitôt la main comme si elle s'était brûlée alors qu'il continuait à la regarder, ravi.

Pourtant, quelle innocence dans cette figure ronde et ces beaux yeux sans mystère, sans malice... De toute évidence, il ignorait tout de son pouvoir naissant. Avec son gentil sourire d'ogre, il était capable de la bouleverser. Des pensées effarantes lui traversèrent l'esprit en zigzag. « Je n'aurais pas dû... Si Billy était là, il lui parlerait... J'ai envie de le renvoyer en pension... Non, je ne peux pas, je ne veux pas... Très sévère, très stricte... voilà ce que je dois être avec cet enfant, car c'est un enfant... Non... Mon Dieu... Cousine Laura... » Pourquoi Cousine Laura ? Elle n'aurait su le dire, mais elle se revoyait dans la chambre vide où Laura avait vécu, souffert et prié... La trace encore sur le mur d'une croix, l'austérité de cette pièce nue... Quel rapport tout cela avec elle, Elizabeth ? Aucun, sinon que Laura aussi avait été une grande amoureuse — et elle s'était débarrassée de l'amour en allant s'enfermer dans une cellule. Comment avait-elle fait ? Et le souvenir de son grand amour, de son beau Régis tué là-bas à Haïti ? Oublié, détruit ? La Galloise avait tout raconté. Elle lui demanderait...

Cette méditation échevelée fut interrompue par la voix de Ned, la voix heureuse des bons jours.

— Mom', je l'emmène voir le jardin et les *manolias.*

Apparemment, une amitié subite avait pris naissance. Mike jeta un regard un peu appuyé à Elizabeth et sortit.

« S'il commence déjà à me faire les yeux de veau, se dit-elle, il faudra que je le mette dehors. »

Au jardin, les magnolias s'épanouirent et firent de leur mieux pour en imposer au jeune visiteur, mais celui-ci, familier des splendeurs florales de Dimwood, admira poliment et vite. Cependant, Patrick devant sa porte l'avait vu venir de loin, guidé par Ned qui ne lâchait pas son compagnon, et l'Irlandais avait déjà formé une opinion sommaire du garçon.

« Mike est le frère de mon papa, le lieutenant, dit Ned.

— Un rude boxeur, ton papa.

Il poussa en arrière son informe chapeau de paille pour mieux examiner le sujet en question.

« Mon gars, prononça-t-il, tu vas être comme ton frère quand tu seras grand : solide et bien découplé. Sais-tu boxer ?

— Non, fit Mike agressivement, mais je sais me défendre.

— On se défend avec les poings, c'est le noble art de la boxe. Veux-tu que je t'apprenne tout de suite ? Tiens, en garde !

— Demain, fit Mike.

— Faut pas lui faire de mal, Pat, recommanda Ned. C'est mon

ami. Emmène-le en Irlande, Pat. On va en Irlande tous les soirs, expliqua-t-il à Mike.

Pat tira sa pipe de sa poche et la plaça entre ses dents délabrées.

— Ça, dit-il, c'est une autre histoire. Il faudra que tu lui prêtes ton cheval.

— Non, fit Ned d'un ton ferme, ze ne prête pas mon cheval, mais il pourra s'asseoir derrière.

— Ned, fit Mike, ta maman va me faire voir ma chambre. Pat, à bientôt. On se serre la main, Pat ?

Les deux mains se joignirent avec une énergie virile.

— Quelle poigne déjà ! fit Pat. Tu as de l'avenir, mon petit gars.

— J'aime me battre.

— Alors viens me voir, tu ne t'ennuieras pas.

— Tu lui raconteras les sorcières ? demanda Ned, soucieux de l'éducation de Mike.

— Les sorcières et tout. Mon Irlande.

Il y avait trop de choses que Mike ne comprenait pas dans cette conversation et instinctivement il flairait un soupçon de démence, aussi préférait-il retrouver Elizabeth.

A sa place, il eut à faire avec Miss Llewelyn qui l'attendait sur le perron.

— Suivez-moi, lui dit-elle, je vais vous conduire à votre chambre. Master Mike !

Dans son éternelle robe grise, elle affectait pour cette occasion une sérénité inexorable. C'était son attitude de choix dans ses rapports avec les jeunes, le sourire étant réservé à certains adultes.

« Jeune homme, dit-elle, vous voici chez nous. Je ne sais comment vous vous y êtes pris, à Dimwood, et j'aime mieux ne pas le savoir.

— Aussi n'est-ce pas dans mon intention de vous le dire, fit-il, outré de ce ton insolent.

En silence et d'un pas rapide, ils traversèrent au rez-de-chaussée une chambre qui dépendait en quelque sorte d'une autre, les deux ne communiquant que par une seule porte. Mike regarda autour de lui. Le décor n'offrait aucune surprise : le lit étroit, le fauteuil à bascule, la table avec une chaise de velours grenat un peu râpé, et, sur le plancher peint en rouge, le long du lit un tapis au petit point d'une couleur indécise, mais sombre. Relevant le sérieux de cet ameublement, une fenêtre s'ouvrait sur un long jardin, celui-là même où Mike s'était entretenu avec l'Irlandais un instant plus tôt.

— Vous avez pour voisin Mr. Ned, en sorte que vous ne pouvez entrer chez vous sans passer par chez lui. Avis. Ne le dérangez pas dans son sommeil. J'ajoute que vous avez l'un et l'autre un cabinet de toilette commun.

D'un signe de la tête, elle indiqua le cabinet en question dans un coin de la chambre.

« Et c'est tout, conclut-elle. J'ajoute que cette pièce où nous sommes n'est pas la chambre d'invité.

Piqué au vif, Mike répondit d'un trait :

— Etant de la famille, je ne me considère pas comme invité, je suis chez moi.

De surprise, elle battit des paupières. En adversaire exercé, elle admira secrètement la repartie et, tournant les talons, s'en alla sans un mot.

De son côté, Elizabeth se trouvait en compagnie de Betty au chevet du berceau où dormait son dernier-né, qu'elle regardait avec le désir d'éprouver un élan d'amour maternel, mais cette bonne intention demeurait stérile. En vain fouettait-elle son imagination en se répétant : « C'est le fils de Billy, voyons. Alors... »

Il ne lui était pas possible de retrouver le moindre indice d'une ressemblance, même lointaine. Ce petit être mystérieux dans sa simplicité, au souffle minuscule, lui semblait émouvant par sa faiblesse même, son manque absolu de défense, sa fragilité. Mais elle était obligée de reconnaître au fond d'elle-même qu'elle n'avait pas ce qu'on appelle les entrailles d'une mère, pas avec celui-là. Avec l'autre, Ned, c'était différent, il était l'enfant d'un amour fou. Celui-ci, elle hésitait... Billy ne l'avait pas désiré, parce que... Mais elle aimerait le tout petit Christopher, elle y était résolue. Pour commencer, elle voulut toucher du bout des lèvres ce minuscule visage qui faisait songer à une fleur. Betty fit un geste timide pour l'en empêcher.

— Miss Lisbeth, ça va le 'éveiller.

— Tu as raison, Betty. Il faut prendre garde de ne jamais le quitter, même la nuit quand il dort.

— Betty toujou' là, Miss Lisbeth, ou Mammy et Mammy l'ado'.

— Moi aussi je l'adore, je l'adore, oui, mais j'ai peur, Betty.

A voix très basse, la conversation se poursuivait :

— Faut pas avoi' peu', Miss Lisbeth. La po'te est fe'mée à clef.

— Oui, mais on peut entrer par la fenêtre. Il y a des démons dans le monde.

Betty se signa.

« Pourquoi fais-tu cela, Betty ? Toi aussi tu as peur ?

— Non, Miss Lisbeth, le bon Dieu p'otège le bébé.

— Mais si un fou pénètre ici, la nuit, quand toi aussi tu dors sans pouvoir t'en empêcher...

— Oh non !

— Si. Tu ne l'entends pas, il arrive jusque-là où est le petit, il lui met simplement la main sur la bouche et le bébé ne peut plus respirer et alors...

Betty se dressa tout à coup, son visage noir convulsé d'horreur.

— Oh ! M'am, pou'quoi vous dites ça ?

— Je ne sais pas, Betty, c'est mon cauchemar. Il faudra bien fermer les volets de toutes les fenêtres et tourner la clef à double tour dans les serrures.

En disant ces mots, Elizabeth était devenue d'une pâleur terrible, et, si bas maintenant qu'à peine pouvait-elle s'entendre elle-même, elle dit lentement :

« Il faut prier pour lui, Betty, toi tu sais prier, moi, je ne sais plus, on ne m'écoute pas, comprends-tu ? Parce que... je ne sais pas pourquoi. J'ai l'impression que je parle toute seule...

— Oh ! Miss Lisbeth, faut pas di' ça.

— Quand j'étais plus jeune, je croyais qu'il y avait quelqu'un, maintenant je ne suis pas sûre.

— Oh ! Miss Lisbeth, il faut êt' sû'.

— Alors, demande à ma place, pour moi.

Brusquement elle se leva et sortit.

Elle ne trouva personne dans l'entrée. Elle appela Joe.

— As-tu monté mes bagages dans ma chambre ?

— *Yes,* M'am, dès que vous êtes a'ivée.

— Où est Mr. Mike ?

— Je ne sais pas, M'am.

Miss Llewelyn parut aussitôt.

— Mr. Mike est sorti se promener dans l'avenue.

— Sa chambre, Miss Llewelyn. Avez-vous pensé à sa chambre ?

— Bien entendu. Il dort dans la chambre à côté de celle de Mr. Ned.

— A quoi songez-vous ? Elle ne sert jamais que de débarras.

— J'y ai fait faire le lit. Il sera très bien, M'am.

— Encore une fois, à quoi songez-vous ? Il y a la chambre d'invité.

— Non loin de la vôtre, au bout du couloir. Là où je l'ai mis, il ne pourra quitter sa chambre sans passer par celle de Mr. Ned qui remarque tout. De même, on ne pourra entrer chez lui.

Subitement rouge de colère, Elizabeth éleva la voix :

— J'exige une explication de ce que vous venez de dire.

Par un de ces dons naturels qui la rendaient si singulière, la Galloise se redressa, enflant sa poitrine, et parut énorme.

— Voulez-vous les plates excuses ou la vérité ? Les plates excuses, permettez-moi de vous dire que vous ne les aurez pas... Reste le choix entre le silence et la vérité.

— Comment osez-vous ? Eh bien, dites-la, votre vérité, vous ne me faites pas peur.

— Mrs. William Hargrove, vous êtes en danger...

— Je vous interdis...

— ... et le jour viendra où vous remercierez Maisie Llewelyn de vous avoir avertie à temps.

Elizabeth ne répondit pas.

« Vous vous rendez compte que vous avez troublé quelqu'un ?

— Si c'est vrai, c'est absolument involontaire.

— Je le crois, mais il ne devrait pas être ici.

— Vous ne m'avez pas toujours prêché la morale, Miss Llewelyn.

— A cette époque, l'amoureux était à Vienne, aujourd'hui, si on vous laissait faire, il serait au bout du couloir.

— Taisez-vous. Je vous trouve impertinente.

— Mais non. C'est le bon sens qui vous parle avec la rudesse du peuple. Voulez-vous m'écouter ? Il est deux heures et Mr. Mike va rentrer dans un moment. Vous avez dans la maison trois Noirs vigoureux. Déjeunez tranquillement avec votre beau-frère — car il est votre beau-frère. Quand Mr. Mike retournera dans sa chambre, il ne la reconnaîtra pas. Je me charge de tout.

— Vous n'allez pas...

— Si. Ce qui s'est fait dans un sens peut se faire en sens inverse. Pour ces gaillards de couleur, c'est un jeu d'enfant.

— Qui vous y a autorisée ?

— Vous dites peut-être encore le soir avant de vous coucher : « Ne vous induisez pas en tentation... » J'écarte cette tentation.

— Laissez mon âme tranquille, voulez-vous ?

— Je comprends votre agacement, car je n'ai jamais eu beaucoup de principes, mais aujourd'hui vous m'avez fait peur. Vous êtes sans défense devant l'amour.

— Et alors ? Quel mal voyez-vous dans l'amour ?

— Aucun, mais l'amour chez vous est au pluriel.

— Miss Llewelyn, il y a eu des moments où je me suis sentie près de vous, mais il y en a d'autres où je vous déteste.

— Tiens donc.

— Comme par exemple à présent, quand vous avez raison d'une manière provocante. Vous manquez de tact à faire hurler un saint.

— Très juste. Galloise, comprenez-vous ? Mais je ne puis sans rien dire vous voir aller tout droit...

— ... en enfer, dites-le, puisque c'est cela que vous brûlez de me dire, en enfer.

— Pas aussi loin, Miss Lisbeth. On peut s'arrêter à mi-chemin. C'est ce qui m'est arrivé.

Subitement plus attentive, Elizabeth, d'un pas, vint tout près d'elle.

— Comment cela ?

— Laura.

— Voulez-vous être plus claire ? Moi aussi, parfois, je pense à elle.

— Vous vous souvenez du jour où j'ai raconté son histoire à Haïti ?

— Comme tout le monde à Savannah, Miss Llewelyn.

— Cet après-midi-là, j'ai tout revu, j'y étais. A son mariage dans la petite église, puis dans la plantation assaillie par les mulâtres. J'ai vu tomber le lieutenant Régis sous un coup de feu tiré de la maison. Le visage de Laura m'a poursuivie... Je n'ai pas eu le courage d'aller la revoir dans son couvent depuis qu'Annabel l'y a rejointe.

— Qu'est-ce que cela change, la présence d'Annabel ?

— Rien et tout. Annabel est loyale et ne parlera pas de vous, mais c'est à cause de vous... qu'elle a quitté le monde ; le rubis que je vois à votre cou pareil à une goutte de sang raconte toute l'histoire, votre histoire...

Elle se reprit et dit :

« Notre histoire, car j'ai ma part de responsabilité. Cela, Annabel ne le sait pas, mais moi je le sais et elle est là-bas avec sa mère. Elle a tout pardonné, mais elle est là-bas. J'ai compris, j'ai senti que, pour ma part, j'arriverais au point de non-retour si je faisais un pas de plus. J'ai eu peur, j'ai cédé, je me suis rendue. Vous parlez à une autre personne...

Elle s'arrêta un instant et demanda :

« Avez-vous brûlé mes lettres ?

— Naturellement ! Et vous, les miennes tout aussi dangereuses ?

— Ce matin même.

— Comment ! s'écria Elizabeth indignée, vous les avez gardées tout ce temps !

— Oui. J'aimais l'argent. Elles valaient cher et vous étiez en passe d'être riche.

— Quel odieux calcul !

— Odieux. Mais j'ai tout avoué... Je vous l'ai dit, je me suis débarrassée de cela et de tout le reste de ma vie passée, je suis une autre personne, en paix avec elle-même. Mais vous, vous Elizabeth, le point de non-retour, vous en êtes proche. Vous ne devez pas toucher à ce garçon.

— Etes-vous folle ? Qui vous dit que j'ai l'intention de toucher à Mike ?

— Tout me le crie quand je vous vois ensemble. Mike est une proie trop facile et d'avance consentante.

— En somme je suis perdue.

— Sauvée ! Parce que Maisie Llewelyn est là comme un ange à l'épée flamboyante. Vous ne savez pas ce que c'est qu'une Galloise quand la religion lui prend au corps.

— Miss Llewelyn, nous allons nous séparer si vous continuez sur ce ton.

— Sous aucun prétexte, j'ai mission de veiller sur vous.

A ce moment s'entendit le bruit d'un déménagement au-dessus de leurs têtes. Des meubles soulevés retombaient lourdement sur le sol.

« Ne vous alarmez pas, fit Miss Llewelyn. Ce sont vos Noirs. Ils ont démonté le lit de la chambre d'invité et le font passer par le couloir fatal.

— Le couloir fatal ?

— Celui par lequel ce pauvre nigaud vous aurait rejointe, la nuit.

— Là, vous parlez comme le diable.

— Mais c'est absolument vrai ! Voyez comme l'ennemi des âmes profite des intentions les plus pures pour seconder ses sinistres desseins ! Arrière Satan !

A peine achevait-elle ces mots que le vacarme des déménageurs augmenta avec un à-propos saisissant. Elizabeth jeta un regard vers la Galloise qui fit oui de la tête d'un air de satisfaction extrême, et, presque aussitôt, parut en haut de l'escalier un lit allégé de ses colonnes et de son baldaquin. Deux Noirs ruisselants de sueur le descendirent par saccades, et ils frappaient les marches du talon en poussant de rauques gémissements.

Comme pour augmenter la confusion, on sonna à la porte d'entrée, et, personne ne venant ouvrir, Elizabeth y alla elle-même. Elle se trouva nez à nez avec Mike, éberlué par le bruit et la langue pleine de questions.

— Ne fais pas attention, lui cria Elizabeth, tu sauras plus tard, va à la salle à manger.

Il dit simplement :

— Betty.

Elle arrivait, en effet, derrière lui avec Ned, qu'elle avait emmené faire une promenade plus longue que d'habitude. Un coup d'œil vers l'escalier leur fit ouvrir la bouche d'étonnement, mais Elizabeth coupa court à toute demande d'explication :

— Mène le petit à la salle à manger, ordonna-t-elle.

Très éloignée du vestibule, la salle à manger se trouvait à l'abri du tohu-bohu du déménagement. La table était mise, les stores baissés adoucissaient la lumière impérieuse de février. Elizabeth s'assit entre Ned et Mike. Révoltée par l'attitude de la Galloise, elle retrouvait toute son agressivité britannique. Dans un coin de la pièce, la grande pendule indiquait deux heures trois quarts.

« Attendons, fit Elizabeth. On doit savoir que nous sommes là, à la cuisine !

Sur ces entrefaites, Miss Llewelyn parut à la porte :

« Miss Llewelyn, fit Elizabeth d'un ton bref, veuillez vous occuper de nous faire servir sur-le-champ.

Ce ton de maîtresse de maison parut remettre tout en place et clore les explications.

— *Yes,* M'am, tout de suite, dit la Galloise.

Lorsqu'elle eut disparu, Elizabeth se tourna vers Mike :

— Tout à l'heure, tu vas constater des améliorations dans ta chambre. J'espère qu'elles te feront plaisir.

— Je l'ai trouvée très bien, fit-il avec un sourire d'enfant sage.

On devinait chez lui un désir d'approuver tout ce qu'elle décidait à son égard, et il ne pouvait s'empêcher de la regarder avec une admiration naïve qui trahissait la profondeur de son innocence. Elizabeth n'aurait pas été femme si elle n'avait été sensible à la sincérité de cet hommage, mais il la fit trembler.

Un domestique en livrée rouge apporta un plat de riz fumant, d'une blancheur de neige, puis un autre plat de viande rose découpée en tranches fines. Elizabeth servit elle-même ses jeunes convives, et la conversation qui accompagna ce repas fut des plus simples. Ned se montrait le plus loquace, avec un souci du détail pour raconter ses rêves de la nuit passée. Discrètement parut de nouveau Miss Llewelyn, désireuse de surveiller le service. Sans en avoir l'air, elle plissa les paupières et promena un regard observateur, quoique furtif, sur Elizabeth et Mike avant de se retirer. La belle Anglaise se domina comme elle put.

Mike se montra enchanté de la transformation qu'avait subie sa chambre. Des meubles du plus pur style George III remplaçaient le bric-à-brac qui avait reflué dans la chambre voisine, à vrai dire si chichement meublée qu'elle demeurait assez grande pour les activités d'un enfant de six ans passés. Celui-ci, du reste, ne se plaignait pas. Un lit et un fauteuil supplémentaires servaient d'éléments nouveaux pour le décor de ses histoires fabuleuses. De plus, il se réjouissait d'être aussi proche de Mike en qui il voyait un auditeur à sa portée et le changeant de Pat, devenu un peu quotidien. Mike, du reste, s'était pris d'affection pour le jeune raconteur halluciné. Il l'écoutait avec patience et avec toutes les mimiques d'étonnement voulues, mais dès le surlendemain il devait retourner en classe et le regretta moins qu'il n'aurait cru le premier jour, car il s'ennuyait chez sa belle-sœur.

Il ne la voyait qu'aux repas, et, quand il la regardait, elle affectait de baisser les yeux. Elle ne lui en semblait pas moins étrangement belle pour cela, mais il éprouvait des sentiments confus de culpabilité. L'incroyable abondance de cette chevelure d'or le retenait d'abord, puis surtout, et là commençait la rêverie des sens, l'éclat de la peau si fraîche, d'un rose clair, et ce qu'il devinait de sa gorge sous la mousseline d'une écharpe.

Elle lui parlait assez peu ; le regard d'animal sauvage qu'ont les tout jeunes hommes la dérangeait sans qu'elle voulût se l'avouer. « Un gamin, pensait-elle, être mise en garde contre un écolier par cette toquée nouvellement férue de religion... » Mais la Galloise voyait juste et il valait mieux que le gamin ne dormît pas au bout du couloir. « Fatal ! » ajoutait Elizabeth intérieurement avec un éclat de rire muet. Oh ! comme elle souhaitait que Billy fût de retour et mît fin à cette situation inconfortable... Mît fin comment ? Elle ne savait pas. Billy arrangeait tout.

Cependant, tout allait bien, en apparence, dans la maison. Miss Llewelyn se calmait, après sa crise de conscience spectaculaire, et elle avait repris la haute main sur l'univers d'Elizabeth. Les deux garçons s'entendaient à merveille. Mike écoutait, parfois, la nuit, son jeune voisin pousser de petits cris de terreur dans des cauchemars dont il aurait, lui, à subir le récit le lendemain matin, récit plein de précisions qui embrouillaient tout.

Le plus souvent il dînait seul, car Elizabeth s'était remise à sortir et rentrait tard. Alors Miss Llewelyn, sans aller jusqu'à tenir compagnie au garçon, veillait à ce qu'il fût servi convenablement et s'attardait un peu à la salle à manger. Avec un bizarre mélange de délicatesse et de brutalité, elle posait des questions dont il ne saisissait pas la portée. Elle allait loin, puis s'arrêtait juste à temps. Curieuse de son entourage à l'école, de ses professeurs, de ses camarades surtout, elle s'inquiétait de la moralité régnant à ce collège et, pourquoi pas ? de la sienne en particulier. Le garçon, gêné, ne répondait pas. Cette grande femme lourde et grisonnante, il la sentait derrière sa chaise, respirant un peu fort. Que voulait-elle ? Son langage était obscur. Il aurait voulu la voir partir, mais elle restait. Elle restait jusqu'au dessert auquel, bien sûr, elle ne touchait pas. Ce dessert-là ne lui disait rien.

CHAPITRE CIV

Aussi brillante, sinon plus, que les années précédentes, la saison se déroulait et battait son plein de mars au milieu d'avril. Sous les grandes couronnes de lustres, une foule élégante et bavarde oubliait les tracasseries de l'heure et de l'Histoire. Cette plongée dans un monde inactuel était d'une facilité merveilleuse. Il s'agissait seulement d'y faire bonne figure et de ne pas être ennuyeux.

Dans le vaste salon circulaire de Mrs. Harrison Edwards, l'apparition d'Elizabeth provoquait toujours la minute d'admiration qu'elle obtenait en variant ses toilettes et surtout en ne se coiffant jamais deux fois de suite de la même manière. Elle jouait de sa chevelure comme on tire des effets de ses richesses. La subtilité des moyens employés trahissait le savoir-faire d'un artiste venu de Paris qui restreignait sa clientèle. Le secret de la surprise était dans la simplicité de l'inattendu. L'or, par son foisonnement, facilitait la rouerie des trouvailles.

Il faut ajouter qu'Elizabeth ne perdait jamais conscience de sa timidité naturelle dont elle tirait honteusement parti. Son manque d'assurance excitait chez les hommes le noble instinct de la protection; cela, elle l'avait appris toute seule après quelques sorties dans le monde. Aussi les jeunes habits noirs évoluaient-ils autour d'elle comme un ballet de poissons en queues-de-pie. Le moins gracieux n'était pas l'irrésistible Algernon, qui ne perdait jamais l'espoir de faire sa conquête sentimentale. Evidemment, il y avait le lieutenant Hargrove, or Billy terrorisait Algernon au-delà de ce que le langage humain peut exprimer, mais, ce soir-là, par un hasard qu'Algernon n'osait appeler providentiel, le lieutenant Hargrove n'était pas présent. Enfin il parvint jusqu'à la belle Anglaise, et, les yeux pleins de langueur, il lui dit simplement :

— Elizabeth, souvenez-vous...

Brusquement elle se tourna vers lui.

— Que je me souvienne de quoi ?

— Mais de notre soirée chez les Schmick.

— Etes-vous fou, Algernon, j'essaie de l'oublier, ce cauchemar !

Décontenancé, il recula d'un pas et sa place fut aussitôt prise par un irrésistible à la boutonnière fleurie d'un gardénia, qu'il ôta pour l'offrir à Elizabeth. Elle le prit, le respira en fermant les yeux et fut tentée d'en caresser le visage de son admirateur qu'elle trouvait à son goût, mais se maîtrisa...

Algernon disparut, ce soir-là.

De retour chez lui après une cruelle privation, Billy trouva la maison telle qu'il l'avait laissée — ou presque. Un petit monde qu'on croit immobile n'en bouge pas moins d'une manière qui échappe à l'analyse. Peut-être la Galloise se montrait-elle une idée plus péremptoire et Mike avait-il pris du poids... On mangeait bien à Oglethorpe Square. Mais qu'était-ce que tout cela? Chaque permission rendait à Billy une Elizabeth plus belle et plus passionnée; cette fois, elle se jeta dans ses bras comme une furie amoureuse. Jamais encore il ne l'avait connue ainsi et il en conclut qu'elle aussi avait dû beaucoup souffrir de leur séparation, tout allait donc pour le mieux.

Le deuxième jour, se leva une ombre. Billy n'aurait su quel nom lui donner. Une incertitude peut-être, mais si peu de chose qu'il crut d'abord s'être trompé. Cela se manifestait surtout à table, quand il voyait Mike, rose et plus rond de visage, à côté d'Elizabeth. Il la regardait, l'innocent, un peu comme un enfant regarde un arbre de Noël, à la dérobée, la veille de Noël. Et alors des pensées idiotes traversaient l'esprit de Billy, et il les écartait, mais les pensées idiotes ont cette particularité de revenir. Pourquoi? Parce que justement elles sont idiotes.

A un autre coin de la table, un garçon de six ans observait gravement ces grandes personnes toujours un peu mystérieuses et languissait après l'Irlande, mais lui aussi regardait Elizabeth avec une adoration qu'il ne cherchait pas à dissimuler. Parfois il souriait à Mike, et Mike répondait par un clin d'œil plein de gaieté.

Les jours passaient, pour Billy comme pour Elizabeth, avec une rapidité terrible. La permission avait été d'une longueur généreuse, car il y avait eu un raccommodement dans le whist entre le commandant et le plus malin de ses hussards, mais les dernières heures étaient en vue. Dans l'univers de Billy il n'y avait qu'Elizabeth, mais, un jour, il alla du bout du doigt chatouiller son petit dernier dans son lit jusqu'à le faire crier d'énervement.

— Fou rire, dit Elizabeth.

Betty fit cesser ce jeu en prenant l'enfant dans ses bras, et les heureux parents se retirèrent.

— Il m'est venu une idée en le regardant, fit Billy. En grandissant il embellira. Pour le moment... Nous ne sommes pas mal dans la famille. Mike, par exemple. Celui-là commence à prendre de la carrure. C'est un jeune gars vigoureux. Le genre dont nous avons le plus besoin dans l'armée.

— Au nom du Ciel, Billy! s'exclama Elizabeth.

— Eh bien, cela t'ennuie?

— Pas du tout, mais nous avons tous l'habitude de le voir dans la maison.

— Tu l'aimes beaucoup?

— C'est un bon garçon.

— On lui apprend des âneries dans sa pension. Je te l'enlève et je le fais entrer au prytanée de Charleston. Je connais presque tous les officiers instructeurs. Qu'est-ce que tu dis de ça?

Elizabeth avala sa salive et chercha follement la chose à dire, la seule en pareille circonstance.

— Magnifique, dit-elle, le cœur battant.

Brusquement il la prit dans ses bras et la serra à l'étouffer.

— J'ai mûri mon projet tous ces jours-ci, fit-il rayonnant. Tu vas lui dire tout à l'heure de préparer ses bagages, ou préfères-tu que je lui parle moi-même?

A ce moment, elle ne put retenir ses larmes et se moucha.

— Il va avoir de la peine, dit-elle en se ressaisissant. Peut-être vaut-il mieux que je lui explique.

— Peut-être, moi je ne sais parler qu'en soldat.

Mike était au jardin avec Ned. Elle le prit à part sous les magnolias dont le parfum semblait vouloir les emprisonner dans de la tendresse. Tout d'abord, Elizabeth ne put que bafouiller des phrases qu'il ne comprit pas. Elle baissait, en effet, la tête, les deux mains posées sur la poitrine du garçon étonné. Finalement, elle trouva les mots qu'il fallait pour le mettre au courant du projet de Billy. Quand il entendit le mot de *prytanée,* les yeux de Mike se mirent à briller.

— On sort de là avec un grade d'officier, dit-il.

— Je le suppose, soupira Elizabeth.

Elle ne s'attendait pas à ce ton joyeux, espérait tout autre chose, n'importe quoi d'un peu sentimental... ces regards, en effet, qu'il lui lançait à table, elle avait cru y déceler de timides aveux...

Tout à coup il l'embrassa gauchement, un baiser au hasard, sur le front.

— Ne sois pas triste, je reviendrai.

Elle se redressa, piquée par ce soupçon de suffisance masculine.

— Mais je ne suis pas du tout triste, mon petit Mike. Va dire à ton frère que c'est d'accord.

Il courut vers le perron. Miss Llewelyn s'y tenait debout et les mains sur les hanches. Elle surveillait de loin, mais n'avait rien entendu.

— Et où va-t-on, si pressé ? demanda-t-elle à Mike avec un sourire.

— Trouver mon frère, fit-il d'un trait. Il m'emmène à Charleston, j'entre au prytanée.

Elle s'écarta pour le laisser passer et demeura immobile, appuyée à la porte, comme s'il l'avait frappée :

— Prytanée..., murmura-t-elle.

Mike était déjà dans la chambre de son frère. Celui-ci, en manches de chemise, cherchait des vêtements dans le tiroir d'une longue commode :

— Alors ? fit-il. Tu as parlé à ma femme ?

— Oui, elle est d'accord, elle a été très gentille.

— Bien sûr. Les femmes avec leur douceur qui arrange tout...

On prendra le train pour aller là-bas, après-demain matin. Elizabeth t'aidera à faire ta valise. Tu es content ?

— Oh ! oui, Billy, tu penses, partir avec toi...

— Ça va. File. Dans l'armée on ne fait pas de phrases.

Mike s'échappa comme un jeune animal et bondit dans l'escalier. Au bas des marches, Ned l'attendait, en costume de toile bleue à culottes courtes.

— Tu viens pas au jardin ?

La voix claire montait comme un appel de toute l'enfance heureuse... Mike descendit plus lentement les dernières marches. Arrivé près de Ned, il s'assit devant lui et lui prit les deux bras :

— Ned, j'ai une nouvelle à t'annoncer. Je vais être soldat, comme Billy.

Ned ne comprit pas tout de suite, mais l'inquiétude envahit ses yeux qui s'agrandirent.

— Quand ? demanda-t-il.

— Bientôt. Mais on sera toujours copains, toi et moi ?

— Bientôt, quand ?

— Ecoute, si je pouvais t'emmener avec moi, mais je ne peux pas... C'est après-demain.

La bouche de Ned s'ouvrit et laissa échapper un cri si fort qu'il semblait plus grand que lui. Miss Llewelyn accourut, puis Elizabeth, et Billy lui-même parut en haut de l'escalier pendant que Mike tentait de calmer le garçon qu'il avait pris dans ses bras, mais Ned se débattait et ses cris se succédaient, coupés de halètements qui firent peur. Des visages alarmés surgissaient de tous les côtés, des cuisines surtout. Betty et la *Black Mammy* voulurent s'approcher de l'enfant. Plus résolue que tous, la Galloise s'empara de lui et le porta dans la chambre de Mike où elle l'étendit sur le grand lit à baldaquin. Là, elle finit par l'apaiser en lui chantant à mi-voix des airs dans une langue qu'il ne connaissait pas. Au bout d'un moment, le petit corps, terrassé par la fatigue, se détendit et les yeux marron noyés de larmes se fermèrent.

Elizabeth entra doucement, mais la Galloise la mit aussitôt à la porte :

— Si la tendresse s'en mêle, fit-elle dans un chuchotement sévère, tout va recommencer.

— Mais c'est mon fils.

— M'am, voulez-vous qu'il ait une crise de nerfs ?

Et elle la poussa dehors. Elizabeth, abasourdie, entendit la clef tourner dans la serrure de deux coups secs.

Dans l'entrée, il y eut d'abord un grand silence de consternation, sauf chez Billy qui donna raison à Miss Llewelyn.

— Elle est pleine de bon sens, ta Galloise, dit-il à sa femme. La manière forte, vois-tu, la seule. Et puis qu'est-ce que c'est que cette histoire ? Tu y comprends quelque chose ?

Elle ne répondit pas. Elle s'installa dans la chambre de Ned avec Betty et la Mammy noire. Aucun bruit n'arrivait de la chambre voisine où, profondément endormi, reposait la cause de ce tumulte.

La soirée prit assez vite les allures étranges d'une journée de deuil sans disparition de personne. Elizabeth et Mike se relayaient au chevet de Ned qui refusait toute nourriture, succombant malgré tout à la tentation déloyale, mais salutaire, d'une tablette de chocolat au lait que lui glissa Mike à la nuit tombée.

Ned s'affalait sur l'épaule d'Elizabeth, à qui il demandait sans cesse pourquoi Mike devait partir, et elle venait à bout de le consoler en lui promettant qu'il allait revenir très vite. Le mensonge lui fut servi à pleines gorgées. Mike, à qui il se cramponnait comme un homme qui se noie, ne recueillait qu'une supplication, toujours la même :

— T'en va pas, Miky, t'en va pas !

On eût dit que la violence du premier choc avait épuisé les forces du désespoir qui ne pourraient plus que gémir. Peu à peu l'enfant se calmait, mais cette résignation au-dessus de son âge était plus navrante que ses cris et sa révolte devant les incompréhensibles caprices de la vie. Encore plus difficile fut la journée du lendemain, bien que le drame se déroulât presque en silence. Ned suivait Mike partout où il le pouvait, craignant qu'il ne lui échappât au tournant d'un couloir ou derrière une porte. Afin de lui épargner les derniers arrachements du départ, qui risquait de déchaîner un nouvel orage, il fut décidé que le lieutenant quitterait la maison avec son frère au petit jour. Billy y consentit, non sans maugréer.

Tout se passa le plus simplement du monde, dans une lumière qui hésitait encore derrière les têtes des arbres. Joe, en livrée rouge, tenait une lanterne pour éclairer un peu le petit groupe sur le perron. Une voiture attendait pour conduire les voyageurs à la gare.

Ce fut au moment où les domestiques portaient les bagages à la voiture que se produisit l'inévitable confusion des toutes dernières minutes. Billy étreignit sa femme à plusieurs reprises avec force, la rage de l'amour se mêlant à l'exaspération du départ, et les boutons du dolman écrasaient la poitrine mal recouverte. Pris d'un élan subit, Mike serra Elizabeth dans ses bras et leurs deux bouches se touchèrent en un rapide baiser, permis entre parents, et n'était-il pas son beau-frère ?

Infiniment plus réservée dans son attitude, Miss Llewelyn montrait un visage durci par une tristesse douloureuse. Elle ne put que sourire au garçon qui la remerciait poliment de s'être occupée de lui et de son confort.

En moins de trois minutes, tout fut fini. Le fouet claqua et la voiture disparut alors que les premiers rayons de soleil glissaient par-dessus les toits des faisceaux de voleurs. Suivit un pénible silence, puis Miss Llewelyn raccompagna sa maîtresse jusque dans l'entrée. Là, quand elles furent seules, elle laissa échapper cette phrase, d'une voix amère :

— La belle idée que vous avez eue d'installer ce garçon chez vous ! Avec ses beaux yeux verts de jeune bête sauvage, il a rendu tout le monde amoureux.

Elizabeth ne répondit pas et monta à sa chambre. Haussant un peu le ton pour se faire entendre, la Galloise ajouta :

« Je ferai de nouveau remeubler la chambre d'invité telle qu'elle était avant… au fond du couloir.

Quelques secondes passèrent, puis elle ne put se défendre de dire encore :

« Vous pourrez désormais y faire dormir qui vous voudrez.

Du haut de l'escalier la réponse arriva, cinglante :

— Merci pour la permission, mais cela suffit, Miss Llewelyn.

— *Yes,* M'am, fit la Galloise, plutôt satisfaite que son Anglaise eût toujours les réactions britanniques normales.

CHAPITRE CV

Les semaines qui suivirent s'écoulèrent dans une tranquillité un peu factice, car trop de cœurs avaient été troublés sans retrouver la paix. Plus durement atteint, Ned ne pardonnait pas même à sa mère de lui avoir volé la triste joie de voir Mike une dernière fois, le matin de son départ. Si jeune qu'il fût, il flairait vaguement une conspiration générale, soi-disant pour leur bien, de tous les adultes contre tous les enfants, ceux-ci formant un petit peuple à part. Ces pensées encore très confuses lui venaient par une de ces intuitions profondes visitant l'esprit des toutes jeunes personnes au seuil de l'éducation qui les privera méthodiquement de leurs vues instinctives et justes.

Miss Llewelyn, qui le comprenait sans doute mieux que les autres, eut l'idée de faire dormir Christopher dans la chambre qui fut trop peu de temps celle de Mike. Betty et *Black Mammy* y tiendraient compagnie au petit dernier. Elle sentait, en effet, l'horreur que serait pour Ned la chambre vide, mais déjà pleine de souvenirs, à côté de la sienne.

Le bal chez Mrs. Harrison Edwards, pendant la longue absence de Billy, avait ravivé chez Elizabeth le goût du monde. Se rendait-elle compte que la fuite du temps y était pour quelque chose ? Quand on a vingt-quatre ans et qu'on passe encore pour la plus belle des belles de Savannah, on ne s'accommode plus de la solitude. On veut se faire voir et s'étourdir. Et maintenant surtout, après le nouveau départ de Billy et le presque aussi déchirant départ de l'innocent Mike au charme si dangereux, il lui fallait à tout prix se replonger dans le bruit et la lumière des grands salons fastueux. Alors vite, ma calèche, Joe !

En dépit des premières bouffées de chaleur estivale, la vie mondaine brillait d'un éclat inhabituel, comme si les menaces de l'avenir aiguillonnaient la société élégante.

Ce qui rendait plus passionnante encore la vie d'Elizabeth était la fréquence accrue des permissions de Billy. Comme il la prévenait toujours de son arrivée, il ne risquait jamais l'horrible déconvenue de la trouver *absente*, car avec la confiance aveugle des maris, à la fois jaloux et très sûrs d'eux-mêmes, il encourageait Elizabeth à sortir, craignant pour elle les mauvais conseils de l'ennui. A vrai dire, il avait malgré tout sa bête noire : Algernon, mais il lui avait si souvent, en rêve, passé le sabre à travers le corps que cela finissait par le rassurer. Néanmoins, quand il tenait Elizabeth entre ses bras, il ne manquait jamais de lui demander, d'un air qu'elle connaissait bien, des nouvelles de celui qu'il appelait le freluquet, et elle pouvait toujours lui répondre avec une certaine sincérité qu'elle n'en avait aucune...

Pendant les intervalles du plaisir, il l'informait de ce qu'elle devait savoir. Par exemple, qu'il avait obtenu de son père, par simple échange de lettres, l'indispensable permission écrite de laisser Mike entrer au prytanée de Charleston. Egalement, pour la tenir au courant des rares événements qui l'intéressaient, il lui apprit que, dans l'Utah, les neiges ayant fondu, les troupes fédérales étaient descendues des montagnes pour entrer dans Salt Lake City, capitale des mormons. Ceux-ci avaient aussitôt demandé la paix et livré aux fédéraux les hommes soupçonnés d'avoir attaqué les émigrants. L'ignoble John Lee, des mormons et quelques Indiens avaient été pendus là même où avait eu lieu le massacre, à Mountain Meadows, et leurs corps laissés aux coyotes et aux vautours.

Elizabeth frissonna légèrement d'horreur, comme il le fallait, mais ne se défendit pas non plus d'une certaine satisfaction. Vengées les victimes ! Et puis, Billy lui rappela une fois de plus que cela se passait loin, loin de Savannah.

De nouveau seule après le départ de Billy, elle se consola en regardant les invitations fichées dans la glace au-dessus de sa cheminée. Nombreux les jolis cartons sur vélin, car elle était devenue véritablement la reine des soirées les plus courues, la favorite de la jeune *society !* Elle étouffa un petit bâillement de lassitude. Le monde et ses exigences...

Ce soir-là, se donnait chez Mrs. Harrison Edwards un bal qu'il ne fallait pas manquer. On y célébrait, en effet, l'inauguration de la fontaine de Forsythe Park, la plus belle des Etats-Unis, proclamaient les journalistes. Des palissades l'avaient entourée pendant la durée des travaux, mais il y avait des endroits où l'on pouvait glisser un coup d'œil. Beaucoup de monde était allé voir, surtout dans les tout derniers jours. Miss Llewelyn avait elle aussi voulu se joindre aux curieux pour se rendre compte, disait-elle, et revint blasée, affirmant qu'elle avait vu chez elle comme à Haïti des fontaines bien plus imposantes. Elizabeth ne s'était pas déplacée. Chez Mrs. Harrison Edwards donc.

Elle fit appeler Miss Llewelyn, qui parut au bout d'un moment, le sourire aux lèvres, mais déjà sarcastique.

— M. César ? demanda Elizabeth.

— Encore et toujours M. César...

— Je me passerai de vos réflexions, Miss Llewelyn. Je vous demande si M. César est arrivé.

— Il n'habite pas tout près et il a toute la clientèle de la ville sur les bras. Cependant, comme vous lui faites sa fortune, soyez sûre que vous serez toujours première servie. Il arrive.

A peine Elizabeth eut-elle le temps de jeter sur ses épaules le peignoir blanc requis pour la circonstance qu'on frappa à la porte. Miss Llewelyn, encore présente, ouvrit et s'effaça pour laisser entrer un monsieur de taille moyenne, d'une maigreur élégante, serré dans un habit en queue de pie comme pour une soirée dans le monde. Les restes d'une chevelure d'un noir d'encre et plaquée au crâne couronnaient de leur mieux un grand front dénudé, et, sous le nez en bec d'aigle, une fine moustache également noire semblait peinte sur la peau d'un brun clair. Les yeux, eux au moins d'un noir naturel, brillaient d'un éclat saisissant sous de longs sourcils soigneusement dessinés comme dans les portraits de princes persans. D'où venait cet homme ? Personne n'aurait su le dire, mais son accent ne pouvait être que parisien, même en anglais. Le mystère dont il était enveloppé s'évaporait en partie dès qu'il ouvrait la bouche, car il était loquace et ne demandait qu'à déballer tous les secrets du monde, sauf le sien.

Posant sur le tapis une valise plate en maroquin rouge, il fit un grand salut et s'exclama :

— Déjà toute prête, madame, avec ce royal manteau doré sur les épaules. Vous permettez ?

Plongeant ses longs doigts dans cette lourde masse d'or, il la releva d'un coup sur un côté pour la laisser doucement retomber de l'autre.

— Vous voilà coiffée ! fit-il.

— Mais, monsieur César, pas pour ce soir. C'est affreux !

— Affreux ? Regardez-vous dans la glace en vous tournant un peu vers moi.

— Ah ! fit-elle.

— En coup de vent, vous êtes prise dans la tempête, et cette tempête je la fixe, je l'immobilise.

De la sacoche qu'il ouvrit d'une main, il tira un vaporisateur d'où partit une sorte de nuée. Elizabeth jeta un coup d'œil dans la glace et ne se reconnut pas. Il l'avait changée en furie, mais elle se trouva belle, quoique d'une beauté effrayante.

— Magnifique, dit-elle, mais peut-être pas pour ce soir, il y aura tout le monde et ils sont tellement guindés, tellement formels...

— Parfait, je démolis tout et je trouve autre chose.

— De plus simple, non ?

Il lui lança un regard de doux reproche.

— Je ne connais que le simple, madame, c'est le sommet de l'art.

Sans la consulter, il se promena autour d'elle avec son peigne qu'il agitait en l'air comme un bâton de magicien.

— Je ne demande pas mieux que d'être belle, fit-elle un peu inquiète, mais je ne veux pas faire peur.

— Faire peur ! A Paris on vous eût trouvée sublime et tout à fait à la mode. Depuis le 20 janvier, Paris sait ce que c'est que la peur. Elle l'habite.

— Je ne comprends pas, monsieur César.

— Orsini, madame.

— Orsini ? Je crois qu'on en a vaguement parlé ici, mais je ne lis pas les journaux, vous savez.

— Madame, fit-il apitoyé. Leurs Majestés Impériales vont à l'Opéra... Une soirée d'adieux d'un chanteur... Au moment où leur calèche tourne sur le boulevard, une, deux, trois bombes éclatent. Napoléon III est égratigné à la main et Ugénie * reçoit des éclaboussures de sang sur sa robe blanche. Cent cinquante blessés, huit morts. L'Italie les a manqués de peu.

— Quelle horreur !

— N'est-ce pas. L'empereur a été très bien, il arrivait au milieu d'un acte, dans la salle on avait entendu les explosions, l'orchestre s'est arrêté et a joué *Partant pour la Syrie* (il fredonna légèrement) puis le spectacle a repris. Que voulez-vous, la vie et ses plaisirs continuent ! Cependant, l'empereur a quitté en catimini sa loge pour aller voir un de ses gardes mourants, dans une pharmacie encore ouverte, à côté, rue Le Pelletier. Et il lui a mis sur la poitrine sa légion d'honneur (là, il baissa la voix), toute la France a pleuré. Quelle folie dans toute cette histoire... Tournez-vous un peu vers moi, voulez-vous. L'Opéra attirait l'assassinat. Bâti avec ce qui restait des murs du précédent, là où fut assassiné le duc de Berry. L'ombre du premier opéra s'installait chez le second.

— Je ne suis pas au courant.

— Qu'importe ! Tout Paris n'a parlé que de ça et tout Paris sait encore par cœur le programme que Leurs Majestés Impériales allaient entendre. Le destin annonçait tout aussi clairement que possible. Je vous le dis, ce programme ?

— J'en serais ravie.

— Second acte de *Guillaume Tell,* conspiration des patriotes suisses contre le gouverneur autrichien. Ça vous dit quelque chose ?

— C'est-à-dire que... vaguement.

* Est-il nécessaire de rappeler que c'était la prononciation populaire de l'époque ?

— Peu importe. Il s'agit d'un homme qu'il faut tuer.

D'une voix d'honnête baryton il fredonna *Sombres forêts...*

« Merveilleux Rossini ! s'exclama-t-il. Ensuite la *Maria Stuarda* de Donizetti. La reine n'est pas décapitée sur scène, mais on sait qu'elle est promise à la hache.

— Oh !

Elizabeth fit entendre un gémissement d'horreur.

— N'est-ce pas. Vient ensuite l'ouverture du bal dans le *Gustave III* d'Auber. Encore un assassinat réussi de tête couronnée.

— Ah !

— N'est-ce pas. Pour finir : le deuxième acte de *La Muette de Portici...* La révolution dans le royaume de Naples.

— Mais, monsieur César, on dirait que le choix a été fait exprès.

— N'est-ce pas. Le destin, la fatalité. Oh ! vous allez être contente, mais attendez. Après, il y a eu les foudres du pouvoir. L'empereur, perplexe — Orsini est un homme remarquable —, se décide enfin à agir. La guillotine attend le coupable, et, tout à coup, voilà Paris plein de suspects. En trois mois, deux mille personnes arrêtées et quatre cents déportées, envoyées à Toulon et de là en Algérie, la presse muselée...

— Monsieur César, votre histoire me glace d'épouvante, mais j'ai oublié de vous dire que je ne voulais pas d'accroche-cœurs.

— Que supposez-vous ? Les accroche-cœurs sont pour les femmes de chambre.

De son peigne il se mit à caresser sa chevelure, et sa main se faisait si légère qu'Elizabeth en frissonna.

Soudain, il s'arrêta et dit simplement :

— C'est fini. Si vous voulez bien vous lever et tenir ce miroir pour vous voir de dos dans la psyché...

Elle prit le miroir et s'examina :

— Mais, monsieur César, je ne suis pas coiffée, vous n'avez rien fait !

— Madame, fit-il d'un ton douloureux.

— Eh bien, me voilà avec mes cheveux dans le dos. C'est tout ?

— Permettez... Le seul bal auquel on va ce soir...

— ... est celui de Mrs. Harrison Edwards, fit-elle un peu agacée. Et alors ?

— ... pour l'inauguration de cette fontaine que j'ai vue déjà, comme tout le monde, à la dérobée. Les journalistes écrivent étourdiment qu'elle est la copie fidèle des fontaines de notre place de la Concorde, à Paris. Peu de rapports. Dans les nôtres, tritons et naïades d'une beauté provocante s'offrent sans gêne aucune à l'admiration des promeneurs. Leur fontaine, ici, ne laisse voir, entre les planches, que des roseaux et, m'a-t-il semblé, un héron dédaigneux et aussi quelques tritons, mais point de naïades. Quel pays !

— Que viennent faire mes cheveux dans tout cela, monsieur César ?

— Ne me regardez pas de cet air sévère, madame, et soyez patiente, je vous en supplie. Quel est le thème de ce bal ? Une fontaine. Bravo ! Vous paraissez... reine de toutes les naïades, tout de blanc vêtue, les cheveux coulant comme une chute d'eau en plein soleil, ruisselante de gouttes étincelantes, pareilles... pareilles à des quoi ? Mais à des diamants, madame. Piquez-moi des diamants çà et là, un peu partout, dans cette divine chevelure. Ugénie en mourra de jalousie quand elle en entendra parler et on en parlera, croyez-moi.

— Mais des diamants... comme vous y allez ! J'en ai, bien sûr. Quelle dame n'a des diamants dans sa boîte à bijoux ? Mais en aurai-je assez ?

Elle traversa la pièce et alla ouvrir le tiroir d'une grande commode d'où elle prit un petit trousseau de clefs, puis disparut dans la chambre voisine. Quelques minutes s'écoulèrent, et elle revint avec un petit coffre de galuchat qu'elle posa sur une table pour l'ouvrir. Quand elle en leva le couvercle, M. César, qui se tenait discrètement à une petite distance, en vit assez pour lui faire lever les avant-bras en signe d'éblouissement, avec une sorte de pas de danse en arrière :

— Sublime ! s'écria-t-il.

— C'est là un cadeau de mon beau-père, Mr. Charles Jones, mais je n'ai jamais raffolé des diamants, je préfère de beaucoup émeraudes et saphirs, et j'en ai peu.

— Votre splendide parure d'émeraudes ne conviendrait pas ce soir, madame, permettez-moi de vous le dire, restons-en, pour cette nuit, à la divine simplicité du diamant.

La ferveur avec laquelle il prononça ces mots la convainquit aussitôt, et les heures qui suivirent lui furent consacrées.

Pour ce bal d'entre tous les bals de la saison, Mrs. Harrison Edwards avait décidé de faire les choses en grand. Tous les salons de sa vaste demeure furent ouverts. On danserait partout. Les préparatifs ne prirent pas moins de trois jours.

Sortie des mains de M. César, qui avait veillé à tous les détails, Elizabeth fit une apparition à tout jamais mémorable dans l'existence plus ou moins longue des invités. Ils crurent, en effet, voir entrer — ce fut le mot qui courut — la fée des lacs, des fleuves et des cascades. Plissée avec un art qui tenait de l'illusionnisme, sa robe de mousseline imitait à chaque pas le mouvement des eaux, et sa chevelure, constellée de diamants, renvoyait l'éclat des lustres en petites flammes multicolores. Ce qui risquait de paraître absurde, si elle n'eût été d'une beauté rayonnante, frappa l'assistance de stupeur et d'émerveillement : pour rendre parfait son chef-d'œuvre, M. César n'avait pas craint de lui mettre entre les doigts une baguette de verre au bout de laquelle il avait fixé une étoile de brillants. Avec son bagout et son assurance de maître incontesté dans le domaine de la coiffure, il avait réussi à ensorceler sa victime, d'autant plus consentante qu'il lui garantissait un triomple. Cependant, parvenue au milieu d'un cercle d'admirateurs, elle entendit les premiers accords d'un orchestre invisible et fut prise d'une sorte de panique à l'idée que, une valse menaçant d'éclater, elle allait faire une étrange figure. Sa baguette surtout, dont elle avait été si fière, l'effarait à présent et elle décida de s'en débarrasser le plus vite possible. Et puis, danser dans cette ample robe blanche était inimaginable, mais là, M. César avait tout prévu. L'ondoyante mousseline n'était qu'un voile dont elle pourrait se libérer d'un geste, une fois produit l'effet de ravissement collectif. Dans un grand murmure d'exclamations flatteuses et de compliments hyperboliques, elle vit venir vers elle tous les jeunes élégants aux sourires d'extasiés. Presque aussitôt elle distingua le téméraire Algernon, et, sa malice féminine l'inspirant tout à coup, elle lui fit un signe de tête encourageant. Lorsqu'il eut réussi à se rapprocher d'elle, il lui adressa le regard le plus tendre, et, comme la dernière fois, il lui dit simplement :

— Elizabeth.

A quoi elle répondit :

— Algernon.

Et elle lui tendit sa baguette endiamantée, qu'il prit avec un long soupir.

« Et surtout, ajouta la féroce Anglaise, tenez-le bien et ne le lâchez pas, c'est mon sceptre.

Il leva vers elle des yeux pleins d'une reconnaissance éperdue qui la fit se sentir coupable, mais quoi, le bel Algernon l'agaçait.

Tournant la tête d'un autre côté, elle fit un sourire à la ronde, offert à tous et à personne, et, d'une voix douce, elle demanda :

« L'un de vous aurait-il la gentillesse de m'aider ?

« L'un de vous » — ils furent dix qui faillirent mettre en pièces la fragile mousseline dont elle se dépouilla. Elle apparut alors en robe de soie blanche, moins féerique, mais qui la rendait plus réelle et dangereusement plus attirante. Elle sentait presque le souffle de ces jeunes gens sur ses épaules et la situation devenait difficile, quand une fanfare de trompettes fracassa toutes les conversations particulières. Le bal s'ouvrait sur *Roses de Mai,* une valse cajoleuse de Josef Strauss. Elizabeth choisit instantanément le plus agréable de ses adorateurs, qu'elle avait remarqué depuis quelques minutes, et se laissa emporter dans les traîtresses lenteurs du tourbillon naissant. Avec l'accélération de la musique, elle se sentait la tête plus légère et ne se dérobait pas au charmant visage qui se rapprochait hardiment du sien et cherchait sa bouche. Là, une résistance assez faible. Son partenaire inconnu lui faisait quitter le sol, et comme par hasard leurs lèvres s'effleuraient. Presque à ce moment, elle aperçut au loin, dans la cohue joyeuse des danseurs, son sceptre s'agiter, indécis, dans un sens et dans l'autre, cherchant visiblement à se dégager de la foule, et elle en eut un pincement au cœur. On souriait sans doute des efforts du bel Algernon pour échapper, la mort dans l'âme, à l'encerclement des *Roses de Mai* ! Au bout d'un instant, elle le chercha des yeux et, à sa grande surprise, ne le vit plus. Il avait peut-être gagné le salon où les dames d'un âge respectable regardaient derrière leurs éventails tourner l'aimable jeunesse. Loin de finir, cependant, la valse infatigable redoublait de tendresse, et la belle Anglaise et son admirateur en étaient à échanger de ces propos insignifiants qui mènent quelquefois assez loin, quand elle eut une autre surprise plus grande que la première. Elle ne pensait plus à Algernon, et tout à coup elle le vit à peine séparé d'elle par deux couples. Leurs regards se croisèrent. Il avait aux bras une jeune demoiselle blonde au délicieux minois qui lui souriait joliment. Il fit un gracieux salut à Elizabeth, qui lui lança d'un trait ces deux mots :

« Mon sceptre.

— Au vestiaire, fit-il avec un sourire ironique.

Une seconde, elle resta bouche bée, puis éclata de rire.

— Bien joué, Algernon ! fit-elle.

Un tournoiement de la valse les éloigna l'un de l'autre, alors que les *Roses de Mai* s'évanouissaient dans les derniers frissons d'amour.

Suivit une bousculade de bon ton vers la salle des rafraîchissements, longue pièce tendue de soie couleur d'azur où des tables drapées de blanc disparaissaient sous des amoncellements de fruits, de sandwiches et de friandises d'une variété stupéfiante. Des bouteilles en triple rangée s'alignaient comme des régiments.

Les dames en toilettes exquises se montraient affamées, et peut-être les plus agiles dans la ruée vers ce paradis de la gourmandise. Elles ne se doutaient pas du délicat bariolage que faisaient leurs robes de taffetas et de satin. Contre ce fond doucement multicolore, les habits noirs en queue de pie formaient un contraste d'un caractère d'une beauté insoupçonnée de ces bataillons d'élégants.

Cependant, repliés dans un agréable petit salon où ils avaient la permission de fumer leurs cigarillos, des gentlemen nettement plus âgés échangeaient des vues sur l'état actuel de l'Union et commentaient les dernières nouvelles. Parmi eux, le gilet blanc de Charlie Jones avait l'air lui-même de vaticiner.

— Les élections de l'Illinois vont, en tout cas, mettre en pleine lumière, comme sur la scène d'un théâtre, deux hommes dont dépend peut-être le sort du pays. Douglas a le vent en poupe et, s'il est réélu, vous le pensez bien, il voudra faire un bond jusqu'au fauteuil présidentiel, dans trois ans. Voyez-vous le pays gouverné par le *petit géant ?* Mais qu'est-ce que c'est que Stephen Douglas !

— Le surnom le sert autant qu'il le dessert. On croit à sa petite taille plus qu'aux énormes dimensions que prête son parti à son intellect et dont il est lui-même convaincu. Il croit qu'il représente le Sud, le Sud s'en méfie.

Ce fut la réponse du vieux Dr. Appleton, professeur à l'Université de Georgie. Ses cheveux blancs tombaient en boucles autour d'un visage couturé et sa physionomie était amère.

— Non sans raison, approuva Charlie Jones. Aristocrate, je le veux bien, Ecossais de race et du clan Douglas, comme ma femme, beau parleur à éblouir les naïfs, mais c'est un homme double...

Un monsieur sec et cravaté jusqu'aux oreilles prit la parole d'une voix dédaigneuse :

— Les circonstances l'y poussent. Le parti démocrate du Sud a vu surgir sa réplique dans le nouveau parti démocrate du Nord. Alors votre Douglas a beau faire briller son éloquence ici, il n'en louchera pas moins vers ceux de là-haut, cela représente plus de voix. Un politicien ne néglige pas ces détails !

— Il a la chance d'avoir pour adversaire un personnage voué d'avance à la défaite, fit le Dr. Appleton, ce grand escogriffe affublé d'un nom de patriarche...

— Permettez-moi de ne pas être de votre avis, dit Charlie Jones. Je reconnais qu'Abraham Lincoln ne fait pas très bonne impression, c'est un fils du peuple et du peuple pauvre, il a des façons vulgaires. On ne le voit pas dans un salon...

Quelques rires accueillirent cette remarque.

— Ni au Sénat ! ajouta Mr. Sallow, le monsieur haut cravaté.

— Ni dans le fauteuil présidentiel, fit en s'esclaffant le Dr. Appleton. Et on dit qu'il y songerait !

L'hilarité fut générale.

Encouragé, Mr. Sallow reprit la parole :

— Le problème de l'esclavage le préoccupe, car cet échalas est sérieux. Il aurait déclaré, paraît-il, que la vraie solution serait d'envoyer, comme le voulait Henry Clay, tous les Noirs en Afrique, dans le Liberia. Et alors, plus de Noirs, plus de problème. Brillant pour un avocat, vous ne trouvez pas ?

— Il a également dit, ajouta le Dr. Appleton, qu'à la place du Sud il n'aurait vraiment pas su comment résoudre la difficulté d'une situation aussi dangereuse qu'est la nôtre.

— Quel aveu d'impuissance pour un homme politique !

— Ce sont bien des idées du Nord !

— Messieurs, fit Charlie Jones, je me demande si vous avez lu son discours d'il y a trois jours, le 16 juin ?

— Non.

— Oui, en diagonale.

— Permettez-moi de vous en lire quelques mots, fit Charlie Jones, en tirant de son portefeuille une coupure du *Mercury*. Voici : « Toute maison divisée contre elle-même tombera en ruine (Luc XI, 17). Je crois que ce gouvernement ne pourra pas durer d'une façon permanente moitié pour l'esclavage, moitié pour la libération. Je ne m'attends pas à ce que la maison tombe en ruine — mais j'attends qu'elle cesse d'être divisée. » Messieurs, il me semble que j'entends là le son d'une voix, je le crains, prophétique.

Sans doute personne ne se trouva-t-il d'humeur à répondre, et les cigarillos achevèrent de se consumer dans un lourd silence.

Tout à coup parvinrent du grand salon, étouffés, mais assez nets, les premiers accords insidieux d'une valse viennoise, et les gentlemen se levèrent pour aller « rejoindre les dames », selon la formule reçue ; c'était là, du reste, une sorte de coquetterie, car « rejoindre les dames » voulait dire s'asseoir sagement avec les mères le long du mur et regarder la jeunesse tourbillonner dans la lumière.

Charlie Jones, encore tout pensif, resta un moment au petit salon quand il vit venir vers lui, du fond de cette pièce, un homme d'une cinquantaine d'années, appuyé sur une canne. Grand et vêtu sans recherche, mais avec une certaine élégance, costume noir, cravate blanche, le regard de ses yeux bleu sombre frappant par son énergie furieuse, tout dans son visage et dans son attitude trahissait l'état militaire. Il s'inclina légèrement devant Charlie Jones.

— Vous ne me connaissez pas, Mr. Jones, dit-il, je m'appelle Miles Edward Achison et suis venu ici avec ma fille. Blessé au Mexique où je me suis battu en 33 sous les ordres du colonel Lee, qui, plus tard, devait appeler cette expédition une guerre de conquête, mais passons...

— Etant sujet britannique, dit Charlie Jones, je ne me permets pas d'exprimer une opinion sur ce point, mais je comprends votre colonel.

— Tout à l'heure, j'ai écouté votre entretien avec ces gentlemen. Vous avez cité quelques mots du discours d'Abraham Lincoln... Il a touché un sujet qui m'a fait réfléchir depuis mon adolescence. Je suis de Charleston, en Caroline du Sud. Vous avez dit avoir eu le sentiment qu'une grande voix s'était fait entendre. Contrairement à ce que vous pourriez croire, j'ai moi aussi trouvé de la hauteur dans le ton de ces phrases, mais la même question s'est posée à moi que depuis ma quinzième année. Voulez-vous savoir laquelle ?

— Je vous en prie.

— Pourquoi veut-il l'Union ?

Et, sans attendre la réponse, il s'inclina de nouveau et se retira d'un pas raide et légèrement précautionneux.

Charlie Jones hésita encore un moment avant de retourner dans les salons. Loin d'éprouver la moindre irritation, il se sentait ému par la violence maîtrisée qu'il avait devinée dans les paroles du soldat de Lee, ce beau regard sans peur le suivait.

« Voilà qui ressemble singulièrement à une leçon, se dit-il en riant tout haut. Mais en trois mots, le Sud formule sa protestation. Ce n'est pas d'une seule maison qu'il s'agit, mais de deux. » Pendant quelques minutes, ces paroles descendirent en lui comme à travers un terrain inexploré.

Cependant, le fracas vainqueur de la valse le conviait à d'autres pensées, et, tout alerte encore, malgré un début d'embonpoint, il se hâta vers le salon. Là il faillit se heurter à Mrs. Harrison Edwards, et, le démon de la valse s'emparant de lui, il saisit la dame en robe de soie pêche et la fit pivoter et flotter en l'air comme les autres. Leur mutuelle stupéfaction n'égala que leur ravissement.

Ils dansèrent. Tous dansaient, et le grand salon circulaire lui-même tournoyait comme si les murs voulaient leur part de la folie générale. Si forte, cette impression, que Mrs. Harrison Edwards dut fermer les yeux, car elle tenait à son salon. Tout autour d'eux, dans le délire des corps, les bras s'allongeaient, les jambes se lançaient en arrière.

— Avons-nous jamais dansé la polka ensemble ? demanda Oncle Charlie à sa partenaire.

— Jamais.

— Quel temps nous avons perdu !

A ce moment, il y eut un arrêt subit, trois secondes, et tout à coup un bruit énorme fit sauter tout le monde et trembler les lustres. Tous et toutes, les grosses caisses et les tambours s'unissaient, imitant les roulements du tonnerre.

— *Explosion Polka,* dit Mrs. Harrison Edwards avec un sourire de bacchante.

— Alors, en avant, fit Oncle Charlie.

Et ils se plongèrent de plus belle dans les vagues aux tout-puissants remous. De nouveau ensorcelés, ils avaient vingt ans tous les deux. Penchés en avant, renversés en arrière, leurs mains jointes au bout de leurs bras tendus, touchant le sol, leurs talons insultant le vide, ils s'abandonnaient sans retenue au vertige.

— Je vais mourir, haletait Mrs. Harrison Edwards.

— Moi aussi, répondait son partenaire.

— Douce mort.

L'orchestre s'adoucissait dans les dernières lueurs du crépuscule. Les danseurs, hagards, se considéraient avec des yeux de fous, et brusquement le tonnerre éclata dans les jardins et le ciel s'enflamma.

— C'est la fin du monde.

— C'est la guerre.

— C'est mon feu d'artifice, précisa la voix perçante de Mrs. Harrison Edwards.

La nuit, devenue totale, se couvrit d'étoiles multicolores. Des gerbes fulgurantes lançaient des bouquets de roses écarlates qui s'éparpillaient dans le ciel noir, et, de l'autre côté des jardins, tout le long de l'avenue, un *ah !* montait de la foule.

Le roulement continu des grosses caisses accompagnait le spectacle d'un fracas de canonnade. D'un bout à l'autre, le ciel se couvrait de signes de feu en forme de fleurs, et les invités en masse se bousculaient pour arriver à la balustrade de la terrasse d'où la vue était meilleure, loin des lustres du salon. Dans la pénombre, le hourvari des rires et des exclamations faisait penser à une émeute.

Elizabeth se conduisait mal. Deux coupes de champagne lui avaient tourné la tête. Trop de garçons se pressaient autour d'elle, trop de mains lui rajustaient autour du cou son écharpe qui glissait sans cesse de ses épaules. Elle ne savait plus bien ce qu'elle faisait et se défendait mal. Des jeunes gens risquaient de grosses plaisanteries et elle riait avec eux sans avoir compris un mot. Le grondement un peu radouci des grosses caisses lui faisait battre le cœur un peu plus vite. Souriants ou sérieux et avides, des visages paraissaient et disparaissaient tout près d'elle et lui disaient des choses que le bruit l'empêchait d'entendre, mais elle riait et disait non sans savoir pourquoi.

Tout à coup, une apparition inattendue la dégrisa. Elle crut d'abord à un cauchemar éveillé. Miss Llewelyn se tenait devant elle, écartant tout le monde avec force. Une cape d'étoffe noire l'enveloppait jusqu'aux bottines. Sa tête disparaissait dans une très large capuche également noire, mais sa figure austère se montrait et ses yeux fixes transperçaient ceux d'Elizabeth, qui ne put qu'ouvrir la bouche et dire d'une langue hésitante :

— Miss Llew...

— Oui, acheva une voix haute et précise : oui, Miss Llewelyn, qui vient apprendre à Mrs. Hargrove que son mari de retour de Charleston vient d'arriver et l'attend chez lui.

A ce moment, dans un redoublement frénétique des grosses caisses, une comète fila droit à l'assaut du ciel où elle explosa, puis, dans une seconde explosion, couvrit la voûte nocturne d'étoiles bleues, blanches et rouges, déployant au-dessus de la ville les couleurs nationales. C'était là une initiative de l'artificier en chef, qui pensait ainsi couronner le spectacle. La foule hurla.

Parmi les invités, l'enthousiasme n'était pas unanime. Des différences d'opinions se manifestèrent, et il y eut des altercations qui faillirent jeter la fête dans le tumulte et firent trembler Mrs. Harrison Edwards, mais le chef d'orchestre, en homme avisé, résolut la difficulté à sa manière. Un des airs favoris du Sud couvrit le brouhaha menaçant, et aussitôt toutes les voix entonnèrent : *Twinkling Stars.* L'atmosphère devint héroïque et joyeuse.

Twinkling stars are laughing, love,
Laughing on you and me;
While your bright eyes look in mine,
Peeping stars they seem to be.
Troubles come and go, love,
Brightest scenes must leave our sights;
But the star of hope, love,
Shines with radiant beams to-night.

Dehors, la foule reprit en chœur et continua :

Golden beams are shining, love,
Shining on you to bless ;
Like the queen of night you fill
Darkest space with loveliness.
Silver stars how bright, love,
Mother moon thronely might,
Gaze on us to bless, love,
Purest vows here made to-night
Twinkling stars are laughing, love
Laughing on you and me... *

L'orchestre, les invités de Mrs. Harrison Edwards et la foule dans l'avenue, toute la nuit de Savannah chantait.

Cependant, la Galloise avait saisi Elizabeth par la main et, d'un pas résolu, l'entraînait vers la sortie à travers les salons. Elles arrivaient dans le vestibule quand elles virent Algernon courir après elles avec le sceptre endiamanté que la belle Anglaise lui avait confié. Il était rose d'émotion et tenait la baguette au-dessus de sa tête.

Encore sous le choc de son étonnement, Elizabeth le regarda bouche bée. Il lui tendit l'objet, mais, d'un geste rapide, Miss Llewelyn s'en empara.

— Qu'est-ce que c'est que ça ? demanda-t-elle rudement à Algernon.

Rendue d'un coup à elle-même par cette brutalité, Elizabeth lui ordonna d'une voix péremptoire :

— Donnez-moi immédiatement cette baguette et allez me chercher ma cape blanche qui a dû être posée au vestiaire.

Les voix des deux femmes montaient haut et plusieurs personnes qui s'apprêtaient à sortir s'attardèrent, curieuses.

— J'irai moi-même, fit Algernon, j'aurais dû y penser.

Et il disparut pendant qu'Elizabeth et Miss Llewelyn, se voyant au bord d'une manière de scandale, se retiraient dans un coin de l'antichambre. Elles s'assirent et jugèrent bon de garder le silence, mais elles se regardaient droit dans les yeux, se bravant l'une l'autre.

Soudain, d'un ton calme et presque à mi-voix, Miss Llewelyn se mit à parler :

* Je laisse au lecteur la joie de traduire ces vers innocents.

— Mrs. Hargrove, vous vous perdez.

Stupéfaite, mais résolue à ne pas engager dans un lieu public une discussion avec une femme à son service, Elizabeth se borna à hausser les épaules.

« Je vous ai vue de loin avec tous ces jeunes gens, continua Miss Llewelyn sur le même ton. Vous vous déshonorez et vous allez là d'où l'on ne revient jamais.

— Je vous dispense de tout sermon, Miss Llewelyn, répondit la jeune Anglaise d'une voix glaciale. J'ai décidé, à l'instant même, que dès ce soir vous pouvez reprendre votre liberté.

La Galloise ne broncha pas.

— *No,* M'am, dit-elle.

— Comment non ?

— Je suis chez vous, je ne dois jamais plus en bouger et cela pour votre bien. Je vous connais depuis toujours. Précisons : depuis le soir où pour la première fois vous avez posé le pied à Dimwood, jusqu'à la minute présente. Bref, j'en sais trop pour que je ne sois pas là et pour me taire et pour faire taire le monde.

La belle couleur rose quitta les joues de l'Anglaise, cédant la place à une blancheur de papier.

— Miss Llewelyn, j'ai peine à croire ce que j'entends. Il existe un mot pour désigner ce que vous faites.

— Ne le prononcez pas, M'am. Il fait parler les morts.

— S'il s'agit de mes lettres, vous m'avez assurée que vous les aviez brûlées.

— Ai-je dit cela ? Eh bien, mettons que cela soit exact et laissez-moi vous donner un conseil : taisons-nous l'une et l'autre et tâchons de nous supporter. Mais voici votre aimable gentleman chargé d'une grande quantité de mousseline.

Algernon arrivait, en effet, presque en courant.

— Mille pardons, Elizabeth, on se bat au vestiaire, les invités commencent à partir. Voici votre merveilleux vêtement de neige. Puis-je vous aider à le remettre ?

Elizabeth se leva.

— Je vous en serais très obligée, Algernon.

La chose se fit beaucoup trop vite au gré de l'éternel admirateur éthéré, mais la dame était pressée.

— Votre sceptre, Elizabeth.

— Je vous le donne.

Moins d'une minute plus tard, elle était dehors, la tête enveloppée d'un châle dissimulant sa chevelure où ruisselait le flot de diamants.

Miss Llewelyn la suivait à une distance respectueuse tandis qu'Algernon courait devant, la baguette magique à la main, à la recherche de la calèche.

De retour à la maison, Elizabeth avait déjà le pied sur la première marche de l'escalier quand Miss Llewelyn prit la liberté de la retenir par le bras.

— Encore un mot, fit-elle doucement. Vous me détestez, Mrs. Hargrove, et je vous comprends.

— Ce soir, en effet, je reconnais que...

— Bien. J'ai usé de moyens déloyaux pour vous imposer ma présence sous votre toit. Vous m'en remercierez...

— Je ne crois pas.

— ... Parce que vous aurez toujours besoin de Maisie Llewelyn. Je suis insupportable, mais je suis fidèle, je me battrai pour vous s'il le faut. Et souvenez-vous de ceci...

— Mon mari m'attend, Miss Llewelyn.

— ...de ceci, dis-je : c'est que je ne suis pas une mauvaise femme, et que j'ai beaucoup d'amitié pour vous, Elizabeth.

Elizabeth monta sans répondre.

Elle trouva Billy allongé, endormi à moitié dévêtu. Dès qu'il l'entendit entrer, il s'éveilla et bondit vers elle :

— Enfin ! Enfin !

— Oui, enfin. Je reviens du bal chez Mrs. Harrison Edwards. Un bal monstre.

— Tu me raconteras ça... mais qu'est-ce que je vois ?

— Oh ! une idée de M. César, tu vas m'aider à ôter tout ça...

— Pas question, tu es sublime, tu vas garder ça, mais vite au lit, mon amour.

— Avec tout ça, tu n'y penses pas, Billy.

— Je veux.

Elle dut se plier à ses exigences, mais, au soleil levant, les diamants étincelaient un peu partout sur le tapis autour du lit conjugal.

Avant même le petit déjeuner, Billy repartait pour Fort Beauregard. La permission était nettement irrégulière, mais il comptait bien que le commandant saurait pour une fois fermer les yeux, cartes en main.

Elizabeth déjeuna seule avec Ned, qui lui raconta par le menu des rêves exceptionnellement embrouillés, et, après les événements de la veille, elle se demandait si elle-même ne les avait pas tous rêvés. Ce qui la troublait le plus était la présence de la Galloise, qui paraissait de temps en temps sous différents prétextes avec son sourire de gouvernante attentionnée... Se pouvait-il que cette femme, huit ou dix heures plus tôt, l'eût menacée de l'enfer, puis eût impudemment refusé son congé en jouant du chantage, pour l'assurer enfin qu'elle était son amie ?

Ce matin, elle redoublait de prévenances et fit même une tentative de conversation, qui tourna court quand un domestique apporta une lettre sur un plateau.

— Portée à la main, M'am, il y a un instant.

Elizabeth prit la lettre et reconnut, non sans surprise, l'écriture de Mrs. Harrison Edwards.

« Il y a aussi un paquet de journaux, ajouta le domestique. Le facteur vient de passer.

— Je ne veux pas les voir sur cette table pendant que je déjeune. Mettez-les dans un coin du salon.

Le domestique s'inclina et disparut.

— Si vous permettez, fit Miss Llewelyn, j'irai les regarder.

— Tant qu'il vous plaira. Je ne les ouvrirai même pas.

La Galloise sortit aussitôt et sa maîtresse se jeta sur la lettre de Mrs. Harrison Edwards. D'une grande écriture désordonnée, elle ne couvrait pas moins de quatre pages et le style en était relevé :

> Elizabeth, ma chérie,
>
> Ces quelques lignes, je les trace à l'aube dans le vaste silence qui suit les fêtes et je pense à vous qui fûtes l'ornement, non, le joyau de toute ma soirée. Ma reconnaissance est sans bornes et je vous suis acquise à jamais, mais après cette plongée dans un monde aux séductions enivrantes, mon âme, comme la vôtre aussi, ma toute belle, j'en suis sûre, aspire à se réfugier, éperdue, au sein de la nature, à respirer le vent du large. Bref, je vous enlève demain — et n'est-il pas déjà demain — à dix heures précises pour aller quelques heures à Tybee Beach où nous contemplerons l'infini en silence, toutes les deux, âmes sœurs.
>
> Votre Lucile.

Elizabeth replia la lettre avec un sourire. Du coup, l'Anglaise en elle se réveillait tout entière.

« Quand on parle de son âme, se dit-elle, c'est qu'au nombre des coupes de champagne il y en a une de trop. Ou alors, c'est autre chose. »

Autre chose ?

— Pourquoi tu ris, Mom' ? demanda Ned, une cuiller à la main.

— Ce n'est rien, Ned darling, il m'arrive de rire toute seule, comme ça.

Elle revoyait, en effet, Mrs. Harrison Edwards dansant une polka endiablée avec Oncle Charlie... et de là à imaginer l'inimaginable... Elle l'imagina, d'où la mystérieuse hilarité !

— Mom', dit à mi-voix Ned, quand il n'y a personne, pourquoi tu m'appelles pas Zonathan comme le soir ?

Elle se leva brusquement.

— Tu as fini ta compote de cerises. Viens, nous allons faire un tour au jardin.

CHAPITRE CVI

Pendant leur absence, on sonna à la porte d'entrée. C'était Mrs. Harrison Edwards bien qu'il ne fût pas encore dix heures. Une magnifique capeline de paille souple, retenue sous le menton par un ruban vert, remplaçait le chapeau à plumet. Sans poser de questions au domestique, elle alla droit au salon où elle pensait trouver Elizabeth.

Debout au milieu d'un monceau de journaux en désordre, la Galloise abaissa le *Savannah Morning News* qu'elle tenait à bras ouverts.

— Bonjour, Miss Llewelyn, je voudrais voir Mrs. Hargrove.

— Elle est sans doute au jardin, je vais aller la prévenir, Mrs. Edwards, mais avez-vous lu les journaux ? Ils sont pleins de nouvelles stupéfiantes.

Mrs. Harrison Edwards connaissait Miss Llewelyn maintenant comme tout Savannah, mais jamais elle ne lui avait vu un visage aussi animé, les petits yeux verts pétillaient de surexcitation.

— Quoi ? La guerre ?

— Pas encore, mais le monde bouge autour de nous. Je ne parle pas des arrestations en France, ça, c'est le pain quotidien des journalistes.

— Un peu rassis maintenant. Si c'est là tout...

— Un câble sous-marin va relier le continent américain et l'Europe dès le mois prochain, entre Terre-Neuve et l'Irlande.

— Une rumeur courait, en effet.

— Ici le *Western Union* envoie des messages par télégraphe du Nord au Sud.

— Ah bah !

— Voilà pour les Etats-Unis ou prétendus tels. A Haïti, un soulèvement spectaculaire et sanglant. Je cite l'*Express* de Petersburg. Je connais Haïti, ce doit être un cauchemar, l'enfer en plein paradis... En Chine... gare !

— En Chine... Asseyons-nous, j'adore parler avec vous, Maisie Llewelyn, la conversation a du ton. Vous bousculez tout. Alors, en Chine ?

— Une escadre franco-anglaise devant Pékin.

— Diable ! Que vont-ils faire là-bas ?

— Exiger l'ouverture des ports au commerce.

— Mais de quel droit ?

— Du droit du plus fort. C'est le seul droit que connaissent nos politiciens, non ? Pour revenir dans nos climats avec le *Charleston Mercury :* au Mexique, la guerre est ouverte entre deux généraux, Miramon contre Comonfort, l'un pour la laïcité, l'autre pour la bannière religieuse. Quand la religion s'en mêle, le diable peut ouvrir tout grand la gueule, pardon l'abîme.

— Oh ! Maisie Llewelyn, vous me donnez le frisson, mais vous êtes toujours intéressante, comme dans ma soirée haïtienne. Toujours un tantinet subversive, ça me plaît.

— Un tantinet ! s'écria la Galloise. De la tête aux pieds, vous voulez dire.

— Oh ! que vous pouvez être effrayante ! J'adore ça. Vous avez toute l'audace que je voudrais avoir moi-même mais les conventions... Qu'avez-vous encore de neuf ?

— Rien. L'empereur d'Allemagne est devenu fou... Si... C'est là... (elle tapotait un des journaux de Charleston). En Europe, l'éternelle question d'Orient. Le sultan, des massacres d'Arméniens par les Turcs, tous les peuples des Balkans au bord d'une révolte...

Elle en était là de son véhément exposé quand Elizabeth parut, tenue fermement par une main de six ans bien résolue à ne pas la lâcher.

— Chère Lucile, votre lettre...

— Chère Elizabeth, mon cœur en disait bien plus.

Elles s'embrassèrent.

— Si j'étais vous, ladies, fit Miss Llewelyn, je ne m'attarderais pas. Il peut faire chaud sur la route.

— Ze viens avec toi, Mom', s'écria Ned.

— Mais... bien sûr, fit Mrs. Harrison Edwards.

Elle n'avait pas prévu de compagnon et cela dérangeait un peu ses projets, mais comment dire non ?

— Il jouera sur la plage, fit Elizabeth. Il est déjà tout habillé en blanc... Betty fera le reste, sandales et chapeau de paille... Quant à moi, ma capeline — je ne sais plus où je l'ai mise.

Elle alla ouvrir la porte et appela Betty.

Tout se fit très vite. Quand ils furent tous les trois dans la calèche, la bonne humeur d'une partie de plaisir les faisait déjà rire et plaisanter sans cause, et Ned n'était pas le moins bavard. Assis entre sa mère en vert pâle et Mrs. Harrison Edwards, devenue plus simplement Lucile, tout en mauve, il s'agitait en gesticulant et les rubans de son petit chapeau rond voletaient gaiement dans la brise.

Le voyage ne fut pas long. Sortis des quartiers populaires où des Blancs regardaient gravement passer la vie heureuse dans une calèche luisante aux grandes roues noir et jaune, ils traversèrent une région presque déserte. De rares maisons de bois assez modestes se dressaient le long de la route, dont le terrain sablonneux ralentissait le pas des chevaux. Des palmiers apparaissaient de plus en plus nombreux, agitant leurs feuilles autour des villas blanches aux vérandas étroites. Enfin les premières maisons de Tybee apparurent, assez loin en arrière de la plage qu'elles cachaient, et, tout à coup, l'immensité mouvante qui rendit les voyageurs un instant muets comme la présence d'une force épouvantable. Labourée par le vent, la masse d'un vert sombre venait jeter sur le sable une large frange mousseuse pour la retirer avec une sorte de rugissement doux. Elizabeth sentit son cœur frapper dans sa poitrine.

« Au-delà de toute cette eau, pensa-t-elle, à des jours et des jours d'ici, il y a le pays qu'on m'a ôté quand j'avais seize ans. Pourquoi suis-je encore en exil sur cette terre étrangère à laquelle je ne m'habituerai jamais ? »

Ned battait des mains et poussait des cris. Il voulait tout de suite sauter à bas de la calèche, mais elle ne s'arrêta qu'un peu plus loin, près d'un chemin couvert de planches.

Tous trois descendirent, Lucile, moins émue qu'Elizabeth, retrouvait malgré tout en elle-même des affinités avec l'Océan, avec le tumulte caché sous une surface modérément troublée. Elle aimait à se persuader qu'au fond de la première dame de la *society* il y avait une barbare aux passions furieuses et un dévorant appétit de vivre. L'*Explosion Polka* avait, trop brièvement, libéré ses instincts, mais il s'agissait bien de cela, ici, avec cette Anglaise nostalgique et son jeune garçon qu'il fallait distraire.

Pour le moment, il ne gênait personne. Courant sur la plage où s'ébattaient filles et garçons d'à peu près son âge, il se joignit à eux sans hésitation. Les présentations étaient inutiles. En moins d'une minute, il se bousculait avec eux dans le sable, se battait en riant avec des garçons qui lui enlevaient son chapeau et lui tiraient ses boucles. De petits coups de poing s'échangeaient sans colère, il était heureux, pour la première fois, d'un bonheur turbulent qui lui détendait bras et jambes.

D'élégantes cabines d'osier garnies de coussins permettaient aux dames de contempler les flots et les nuages le plus confortablement possible. Une seule de ces cabines était particulièrement spacieuse et pouvait contenir deux personnes. Celle-là, Mrs. Harrison Edwards l'avait réservée pour la journée entière, car sa communion avec l'Océan ne la privait pas d'un sens pratique toujours en éveil. Elle prit donc Elizabeth par le bras et la mena jusqu'à cette double cabine à l'abri du monde et du vent, et elles s'y installèrent, âmes sœurs et la main dans la main, pour s'abandonner à la joie d'admirer l'infini dans un silence qui ne dura pas moins de trois minutes, puis les langues se délièrent :

— Darling, fit Mrs. Harrison Edwards, c'est un spectacle de choix qui nous est offert et pour lequel nous devons toutes deux dire un grand merci.

Le temps d'un éclair, Elizabeth craignit qu'elle n'allât se livrer à quelque pieuse improvisation verbale, mais elle fut presque aussitôt rassurée :

« Nous y penserons ce soir, bien sûr, continua Mrs. Harrison Edwards. En attendant, la nature nous fait ressouvenir de notre condition humaine.

Suivirent de longues considérations amusantes et leur bavardage ne fut interrompu plus tard que par un subit :

« Avez-vous faim ?

— Oui, le grand air...

— Parfait. Vous allez avoir une petite surprise. Ce matin de bonne heure, mes Noirs sont venus ici préparer un déjeuner fort simple, presque un en-cas, dans la pinède, à deux pas d'ici, là derrière. Il y a bien un restaurant dans les environs, mais quelles horreurs nous eussent-ils servies ?

— En effet, je redoute...

— Il faudra dans un instant appeler votre petit Ned. Mais d'abord, regardons-le un peu folâtrer au soleil et les cheveux sur son joli visage. Charmant. Oncle Charlie m'a dit qu'il était déjà le portrait de son père, votre pauvre cher disparu, votre...

Elizabeth coupa court en appelant Ned d'une voix forte. Laissant ses nouveaux amis qui se battaient à coups de pelle, il arriva ébouriffé, couvert de sable. Le son magique de la voix maternelle le fit courir à toutes jambes et il voulut se jeter sur Elizabeth, mais elle l'écarta doucement. Là, Mrs. Harrison Edwards eut son mot à dire :

« Un de mes Noirs va le débarbouiller et lui donner un coup de peigne. Partons, ma chérie. J'adore ces conversations cœur à cœur avec vous, moi aussi je défaille. Cette bouffée de vent du large me donne une faim sauvage.

Elles quittèrent leur cabine et gagnèrent la calèche qui les déposa, trois cents mètres plus loin, à l'orée d'une pinède. Ned, qui n'avait cessé de s'agiter sur la banquette, riait à travers ses boucles qui lui barraient le front et les joues. Dans un excès de vitalité toute neuve, il bafouillait en essayant de décrire les jeux sur la plage. Elizabeth ne le reconnaissait pas et fut soulagée quand un jeune domestique noir s'empara de lui pour le rendre presque présentable avant le déjeuner.

L'endroit était d'un charme féerique. Dans l'ombre mystérieuse des pins se dressait une tente de toile rayée de bandes vertes, haute et large, on y circulait à l'aise autour d'une table nappée de blanc. Les trois convives prirent place, et un serviteur en livrée passa d'abord une salade de langoustes dont il ne resta rien au bout de cinq minutes, les propos échangés ayant été brefs et les fourchettes affairées. A peine quelques gorgées de champagne eurent-elles le temps de faciliter le passage des crustacés. Seul Ned but un verre de limonade. Matée cette fringale première, les dames purent laisser errer leur regard sur l'Océan dont les dimensions portaient au rêve et Mrs. Harrison Edwards émit de nobles phrases, puis arriva un imposant pain de saumon qui fut honoré de plusieurs coupes de champagne ainsi que d'une rasade de limonade. La gaieté monta, la vie se fit plus belle ; Mrs. Harrison Edwards, politesse à l'égard d'Elizabeth, regretta que le lieutenant Billy ne fût pas de la fête et risqua une plaisanterie un peu osée sur les hussards. Ned riait sans comprendre. Tout le monde était heureux et une nouvelle bouteille de champagne fut tirée du seau à glace.

Le ciel se couvrait. Ourlées de blanc, des vagues roulaient, mauvaises, et les plages étaient désertées des enfants.

Arriva le dessert, une énorme meringue au citron qui fut qualifiée de chef-d'œuvre et qui disparut des assiettes comme par enchantement.

Le domestique en livrée se permit de remarquer que s'annonçait du gros temps.

— C'est bien, fit Mrs. Harrison Edwards, sers le café brûlot.

Elle remarqua d'un ton modeste que jamais elle ne voyait les éléments s'émouvoir sans qu'elle sentît en elle s'élever un je ne sais quoi d'indompté, comme par un lien de parenté obscur, « simple constatation »...

Préparé depuis un moment, le café brûlot fut versé dans deux tasses de porcelaine, alors qu'une savoureuse tisane fut servie à Ned qui souriait, ravi de tout. Depuis un moment, Elizabeth l'observait avec une attention inquiète. L'avait-elle pourtant assez regardé depuis ses premiers jours... Elle se rendait compte qu'aujourd'hui elle le découvrait tel qu'il était vraiment, non tel que pendant des années elle se forçait à le voir. « Le portrait de son père... » La phrase de Mrs. Harrison Edwards tournoyait dans sa tête. Comment nier l'évidence ? Mais cette ressemblance avait éclaté ce matin même quand elle l'avait regardé jouant sur la plage, alors qu'il se démenait au soleil, les cheveux en désordre, grisé d'un bonheur tout neuf, et elle eut le sentiment étrange qu'elle avait perdu quelqu'un.

Comme dans un rêve, elle entendit Mrs. Harrison Edwards donner des ordres.

« Remontez immédiatement la capote de la voiture. Dépliez les grands parapluies. Portez Massa Ned à la calèche, je ne veux pas qu'il soit trempé. Rangez bien tout et abritez-vous sous la tente.

A présent, elle était dehors avec Mrs. Harrison Edwards et les premières gouttes, lourdes et sonores, frappaient les vastes parapluies verts que des Noirs tenaient au-dessus de leurs têtes. Le gentil serviteur qui avait débarbouillé le petit Ned portait celui-ci dans ses bras, enveloppés tous deux dans un grand capuchon couleur de terre.

Dans la calèche qui semblait transformée en coche, les voyageurs s'engouffrèrent juste à temps, si contents d'échapper à l'orage que cela encore ressemblait à une fête. Elizabeth pourtant s'apitoyait sur les Noirs restés derrière et qui allaient se faire tremper.

« Rassurez-vous, la toile est imperméable, je veille à tout.

L'attelage partit au trot, le sable ralentissant l'allure, et ne put prendre enfin le galop que sur la route. Sous l'énorme capote de cuir qui recouvrait la voiture, comme d'un couvercle, les voyageurs n'y voyaient presque pas, mais c'était ou l'obscurité ou la lumière et la pluie, l'une passant avec l'autre ; on avait bouché les interstices, et cette obscurité donnait du mystère et un parfum d'aventure à cette partie de plaisir si paisiblement commencée.

Ned s'amusait beaucoup. La pluie se mit à tomber dru, tambourinant sur la capote, et tout à coup un éclair déchira la pénombre, suivi un moment plus tard d'un coup de tonnerre qui sembla emplir le ciel d'un bout à l'autre. Les deux femmes se prirent la main... Ned faisait semblant d'avoir peur et poussait des cris en se cachant sous la banquette.

A travers le fracas de la pluie, on percevait le martèlement dur et précis des quatre chevaux sur la route, rassurant puisqu'il annonçait que l'indestructible chaussée en coquilles d'huîtres était atteinte, mais de nouveaux éclairs brillaient et il entrait dans la calèche, si close qu'elle fût, quelque chose de cette fulguration et, pareille à des lames d'acier cisaillant le noir, elle frappait d'horreur pendant moins d'une seconde. Les deux femmes eurent l'une de l'autre la vision de masques de tragédie, la bouche ouverte. L'obscurité se refermant sur elles, leur amour-propre réagit.

« J'espère que vous n'avez pas peur, fit Mrs. Harrison Edwards. Pour ma part, je trouve cela plutôt grandiose, cette rage de la nature.

— Vous pensez bien que je n'ai pas peur, dit Elizabeth d'une voix calme. J'ai vu des orages tout aussi remarquables en Angleterre, mais je me demande, excusez-moi, ce qu'il restera de la tente dans la pinède.

— Rien. Je la ferai remplacer.

— A Savannah ?

— Oh ! darling, quelle question ! A New York puisque tout nous vient du Nord. C'est du reste absurde. Mais une commande par télégraphe et j'aurai en moins d'un mois une nouvelle tente exactement pareille à la première. Ils ont mon modèle.

— Et vos Noirs restés là-bas ?

— Oh ! les Noirs... Ils se tirent toujours d'affaire. Et puis, que voulez-vous que j'y fasse ? Après tout, la Providence... Où est Ned ? On ne l'entend plus, depuis un moment.

— Ned ! cria Elizabeth affolée.

Une voix monta de dessous la banquette.

— Mom' ? On arrive bientôt ?

— Mais oui, mon amour. Il ne faut pas avoir peur.

— Je n'ai pas peur, mais je veux rentrer.

— Nous arrivons. Tu verras. Pourquoi restes-tu là-dessous ?

Une voix plaintive se fit entendre :

— Mal au ventre, Mom'.

— Viens t'asseoir entre nous.

— J'aime mieux rester là, Mom'.

— Que faire, Lucile ?

— Rien. Mais rien, tout s'arrange... mal, mais tout s'arrange.

Une fois de plus, la voiture fut envahie par l'impitoyable blancheur qui fouilla les visages pour les rendre aussitôt à la nuit.

— Oh ! Mom', on arrive ? gémit la banquette.

Un mortel quart d'heure plus tard, ils roulaient à travers les faubourgs de Savannah. La pluie cessait peu à peu et les derniers grondements de tonnerre mouraient au loin. Lorsque la voiture atteignit la maison d'Oglethorpe Square, Elizabeth descendit elle-même et alla sonner à la porte.

Miss Llewelyn l'attendait dans l'entrée.

— Vite, fit Elizabeth, qu'on vienne prendre Ned, c'est pressé.

Immédiatement la Galloise comprit et appela Betty et la Mammy noire qui se précipitèrent, les bras levés et avec des cris, vers la calèche. Ned fut tiré de dessous la banquette où il se cachait comme un criminel. *Black Mammy* l'enveloppa dans son tablier blanc et l'emporta jusque dans la maison. Il pleurait, les deux mains plaquées sur les yeux. Au moment où il passait près de la Galloise qui souriait malicieusement, elle lui jeta :

— Ne vous frappez pas, Mr. Ned, ça arrive à des gens très bien.

CHAPITRE CVII

Dans sa chambre, Elizabeth revivait sa journée à Tybee Beach. L'orage l'avait moins troublée que le comportement de son garçon. Elle ne retrouvait pas en lui l'enfant bavard, mais quelquefois songeur et silencieux, qu'elle voyait tous les jours.

« Ce n'est rien, pensait-elle pour se rassurer, deux ou trois heures à la plage avec de turbulents compagnons de jeux... Une bonne nuit de sommeil et il s'en remettra. »

Elle dîna seule. La voyant encore un peu inquiète, Miss Llewelyn hasarda une opinion.

— Rien de plus banal que ce petit accident qui a l'air de vous soucier. Votre garçon a fait un excès alimentaire, c'est tout, c'est même assez bien. Il faut de temps à autre brutaliser les habitudes.

— Brutaliser les habitudes, répéta pensivement Elizabeth. Vous avez une façon de dire les choses...

— Galloise, Mrs. Hargrove, je suis galloise.

— Dort-il ?

— Sûrement, à l'heure qu'il est, et il va s'éveiller frais comme...

— Une rose.

— ... un petit coq de combat plutôt.

L'entretien se termina là... Elizabeth se retira très tôt. Pour la première fois, dans la solitude de son lit qu'elle assimilait à un désert, ses pensées n'erraient pas vers Billy, mais vers Ned. De toute évidence, en cette journée à Tybee, il était devenu *autre*. Elle ne trouvait que ce mot pour décrire le changement. Et un détail l'avait frappée : il ne zézayait plus. Cela lui parut normal, souhaitable même. Elle s'endormit.

Le lendemain, elle eut le soulagement de le retrouver tel qu'il était à l'ordinaire : tout en élans d'amour et d'une grande gaieté, mais il demandait sans cesse à quand le prochain voyage à Tybee, et les réponses furent évasives. Nulle allusion, bien entendu, au fâcheux caprice de la nature. Par ailleurs, Elizabeth n'eut pas à subir le récit du voyage à travers le labyrinthe de ses rêves.

Toute la journée, elle réfléchit à ces choses, attendant le crépuscule. A nuit tombante, elle entra dans la chambre de son petit garçon. Les yeux grands ouverts, il reposait dans son lit, la veilleuse à son chevet et Betty assise sur une chaise près de lui. Elle se leva quand elle vit sa maîtresse et lui fit un sourire qui éclaira son visage. Pareille à une lumière venue d'ailleurs, une bonté profonde rayonnait dans cette face noire balafrée par l'âge et la fatigue.

— Ma chère Betty, fit Elizabeth, tu vas me laisser avec Ned. Ce soir, c'est moi qui vais rester un moment près de lui, comme autrefois.

Ned poussa un cri de joie :

— Comme autrefois, Mom', il y a longtemps...

— Pas si longtemps, n'est-ce pas, Betty ?

— Près d'un mois, M'am.

— Ah ? C'est bien, Betty, bonne nuit.

Seule avec Ned, elle l'embrassa et lui dit :

« Je vais être là, avec toi, jusqu'à ce que tu t'endormes.

— Oui, Mom'. Nous allons retourner bientôt à Tybee ?

— Je ne sais pas si ce sera bientôt, mais nous y retournerons.

— Promis ?

— Oui, maintenant il faut dormir. Dès que tu sentiras venir le rêve... Ton rêve, n'est-ce pas ?

— Mon rêve, Mom' ?

— Mais, Ned, oui, le cavalier...

A sa surprise, il garda le silence.

« Eh bien ? fit-elle inquiète.

— Il n'y a plus de rêve, Mom', hier, il n'y a rien eu.

Tout à coup, le cœur d'Elizabeth se mit à battre comme à l'approche d'un malheur. Elle laissa passer une minute en caressant le visage de son fils, puis se pencha un peu vers lui et, la gorge serrée, lui dit à l'oreille :

— Ecoute, nous sommes seuls, personne ne nous entend.

— Oui, Mom'.

Tout près de son oreille, elle dit à mi-voix :

— Du fond de la chambre, Ned, le cavalier sur un cheval noir.

— Pas hier, Mom'. Il n'y a plus rien.

— Ned, écoute.

Elle hésita. Ned se taisait. Enfin, elle murmura :

« Jonathan, Ned.

Ned ne répondit pas.

« Pourquoi ne dis-tu rien ? demanda-t-elle presque à haute voix. Je croyais que tu m'aimais.

— Mais je t'aime, Mom'.

— Jonathan, fit-elle, prise de peur.

— Il n'y a plus rien, Mom', plus rien, fit-il en lui touchant la joue avec douceur.

Ses yeux se fermaient à moitié.

— Tu veux dormir, darling.

Mais il était d'un coup tombé dans le sommeil. Elizabeth attendit encore un moment. Le souffle léger, d'une régularité paisible, lui semblait emplir le silence. Tremblante, elle se leva, baissa la lumière de la veilleuse et sortit.

Dans sa chambre, elle se jeta sur son lit sans allumer la lampe. L'obscurité lui était un refuge. Dans le noir elle cacherait sa honte et sa cruelle déception. Le fantôme qui la liait encore à son premier amour disparaissait à partir du moment où il ne hantait plus les rêves du garçon, mais quelle folie de s'être attachée à une ombre ! Cela, il y avait longtemps qu'elle s'en rendait compte. Par faiblesse elle s'était laissée aller à ce penchant, à cette lubie, à cette consolation étrange... Ce soir, elle ne se débarrassait pas de l'idée fixe que Jonathan mourait une seconde fois et pour toujours.

Plus amer que le reste, quelque chose qu'elle ne s'avouait pas, la ressemblance, de plus en plus nette, de Ned avec son père. Il existait une sorte de coïncidence entre la disparition de Jonathan et la réapparition de l'autre Ned. Le père avait repris son enfant... La cruelle ironie de cette situation lui arracha un éclat de rire nerveux qui se prolongea malgré ses efforts pour y mettre fin. Le visage dans son oreiller et les épaules secouées spasmodiquement, elle riait à en perdre le souffle.

Soudain, un rayon jaune traversa la pièce en diagonale... La surprise brisa le rire d'Elizabeth, qui redressa la tête et jeta les yeux autour d'elle avant de comprendre...

L'allumeur de réverbères avait remonté l'avenue et terminait sa tournée par le grand réverbère de bronze près de la maison.

CHAPITRE CVIII

Personne ne devait jamais rien savoir de ce drame tout personnel. La vie normale reprit son cours à Savannah, semée de menus événements locaux. Les bals s'espaçaient. Après celui de Mrs. Harrison Edwards, qui faisait date, il ne se donnait plus que de modestes sauteries. Les journaux même étaient moins lus dans l'endormissement général de l'été. Grande cependant fut la déconvenue quand on apprit que le fameux câble sous-marin qui reliait l'Amérique à l'Irlande avait cessé de fonctionner dès le mois de juillet au bout de trois semaines.

Un autre sursaut d'intérêt fut causé par les nouvelles d'Haïti. On était au courant du dernier soulèvement, mais il y avait du nouveau... Soulouque Ier, empereur d'Haïti, porteur d'une couronne d'or à étages, faite spécialement pour lui à Paris, avait été chassé par un général. On apprenait un nouveau nom : le général Geffrard était maintenant maître de l'île. Avec le souvenir du récit haut en couleur de Miss Llewelyn, tout frais encore dans la mémoire de la *society,* on se passionna un peu pour obtenir tous les horribles détails, mais on dut attendre.

Et puis, quoi d'autre ? Pas grand-chose, semblait-il. Pendant les fortes chaleurs, on eût dit que l'Histoire sommeillait. A moins qu'on ne s'intéressât au ronron des discours politiques, le duel oratoire de Douglas le démocrate et de Lincoln le républicain, pour représenter l'Illinois au Sénat, mais Douglas perdait la confiance du Sud. Il vacillait par trop entre les droits du Sud et les idées du Nord...

Elizabeth ne se souciait pas de ces choses. Elle voyait grandir sous ses yeux son défunt mari encore en pleine enfance, et tout un passé d'amour interdit sombrait sous le regard d'un visage innocent.

Une ou deux fois par mois seulement, Billy venait lui rendre la joie de vivre, mais les retombées dans la mélancolie étaient dures. Oncle Charlie était parti avec sa femme et ses enfants pour la Virginie où l'on respirait mieux. A cause des visites parfois imprévues du seul homme qui pût la consoler, Elizabeth ne bougeait pas d'Oglethorpe Square.

Août passa dans la torpeur. On dormait nu la nuit, on haletait le jour. L'ennui était à son comble. Dans la grande avenue vide, une dame se promenait avec lenteur, au crépuscule, une belle Anglaise prisonnière d'un hussard.

Aux premiers sourires de septembre, tout alla mieux, le thermomètre se calmait un peu, et, vers la fin du mois, le beau monde revint avec prudence, comme après une catastrophe, et dans les tout derniers jours quelque chose arriva. Une calèche de grand style s'arrêta devant la maison d'Elizabeth et un laquais en livrée bleu de roi, assis près du cocher, sauta de son siège et monta sonner à la porte avec autorité. En livrée rouge, violent contraste, Joe ouvrit aussitôt. Derrière lui se tenait Miss Llewelyn, intriguée par l'effronterie du coup de sonnette.

— Mrs. William Hargrove habite-t-elle ici ? demanda le laquais bleu de roi avec un fort accent anglais.

Sur la réponse affirmative, il bondit à bas du perron et se rua vers la calèche dont il ouvrit la portière. Descendit alors de voiture, avec l'aide du laquais modèle, une dame forte et droite, en costume de voyage beige, la tête enfouie dans un chapeau cabriolet dont les bords entouraient le visage de leurs deux murailles. Au fond de cet antre luisait un regard d'oiseau de proie.

Elle écarta d'un geste rude le laquais qui lui offrait une main gantée de coton blanc, et gravit les marches du perron pour se trouver face à face avec la Galloise. Entre l'aristocratie et le peuple, l'entente fut immédiate. L'une et l'autre, du reste, toutes prêtes aux hostilités à la moindre provocation.

— Nous nous sommes déjà vues, fit la dame avec une royale condescendance. Vous me connaissez. Allez prévenir Mrs. Hargrove que sa mère l'attend. Un fauteuil, vite. Je n'attends pas debout.

— *Yes,* M'am, fit Miss Llewelyn en poussant vers elle un des plus grands fauteuils de l'entrée.

Lady Fidgety s'assit et la Galloise, stimulée par une sorte d'aiguillon invisible, escalada les marches de l'escalier avec son agilité de jadis. Elle frappa à la porte d'Elizabeth.

« Madame votre mère vous attend en bas, dit-elle.

— Vous rêvez, Miss Llewelyn.

— Je ne rêve pas et j'ajoute que chez elle se reconnaît tout de suite la *qualité,* la vraie, pas du tout comme celle de votre aristocratie de la côte.

— Encore une remarque de ce genre et je vous chasse.

— Vous savez très bien que vous ne pouvez pas. En attendant, je vous conseille de descendre. La patience de la *qualité* est courte.

Rose d'émotion et de colère, Elizabeth jeta un léger châle de laine blanche sur ses épaules et descendit.

Lady Fidgety ne bougea pas de son fauteuil.

— Ta mère, oui ta mère, ah ! quelle surprise ! Je t'épargne les exclamations et nous coupons court aux effusions. Tu es jeune, tu peux rester debout.

— Miss Llewelyn, un autre fauteuil.

— Pas mal, fit Lady Fidgety, tu as encore un peu de caractère. Je redoutais de trouver une chiffe amollie par le climat physique et moral de notre Amérique.

Miss Llewelyn avança un second fauteuil identique au premier et s'inclina respectueusement devant sa maîtresse.

— Voici, M'am, dit-elle.

— C'est bien, retirez-vous.

Miss Llewelyn s'inclina de nouveau et disparut du champ de vision des deux dames, assises l'une en face de l'autre.

« Je crois, dit Elizabeth d'une voix haute et distraite, que nous serions mieux au salon, toutes portes fermées.

— Que celui ou celle qui a des oreilles entende, commenta Lady Fidgety, mais cette précaution est inutile, je n'ai rien de secret à te communiquer. Nous restons ici pour le moment.

— Maman, vous êtes chez vous.

— C'est bien ainsi que je l'entends. J'ai horreur des hôtels de ce pays. La vulgarité n'y a d'égale que l'inconfort. Une voiture doit arriver presque tout de suite avec tous mes bagages. Je m'installe, bien entendu, ici.

Elizabeth se redressa.

— Mais Maman, il fallait m'avertir, rien n'est prévu.

— Une fille obéissante est toujours prête à accueillir sa mère. J'avais malgré tout informé ton beau-père de mon arrivée au moyen de la miraculeuse invention américaine, le câble sous-marin. J'ai appris un peu tard que la merveille scientifique avait pitoyablement échoué. A qui la faute ? Je suis là.

— Eh bien, nous nous arrangerons. Vous aurez deux grandes pièces donnant sur la véranda du premier étage avec une vue sur notre jardin et les jardins des alentours.

— Un étage à monter ? Je compte bien que tes Noirs m'y porteront.

— Mes Noirs..., fit Elizabeth incertaine. Mais oui, bien sûr.

— J'ai appris par Mr. Charlie Jones que tu t'étais remariée et que tu avais épousé un des fils Hargrove.

— Mais oui.

— Ne t'avais-je pas conseillé de choisir un mari d'âge respectable qui ne fût pas tenu de se battre ?

— Maman, nous ne sommes pas en guerre.

— Nous y allons, aussi sûr que tourne la terre qui nous porte... Qui as-tu épousé ?

— Billy.

— Ecoute-moi. Si ton premier mariage ne t'avait pas enrichie et mise à l'abri des représailles maternelles...

Piquée à vif, Elizabeth la brava de ses yeux bleus qui se mirent à flamboyer.

— Eh bien, ma mère ?

— Je te déshériterais, ma fille.

— Je ne veux jamais vous devoir autre chose que le respect, je n'ai que faire de tous vos biens.

A sa surprise, elle crut voir au fond du chapeau se dessiner un grand sourire.

— Mon opinion sur toi n'a pas changé, dit Lady Fidgety, tu es une sotte, mais à ta place je n'aurais pas répondu autrement. J'entends enfin la voix du sang. Et quelle est la situation de ton mari ?

— Lieutenant de hussards dans un régiment en Caroline.

Lady Fidgety éclata de rire.

— C'est complet, Elizabeth... Va voir si mes bagages arrivent.

— Miss Llewelyn ! appela Elizabeth.

Comme par enchantement, la Galloise surgit d'un coin sombre. Sans même la regarder, Elizabeth lui transmit l'ordre de sa mère.

Miss Llewelyn se rendit sur le perron et revint.

— Une voiture de louage chargée de malles et de valises, M'am.

— Qu'ils attendent, fit Lady Fidgety, je veux voir si ces pièces au premier étage me conviennent, sinon tu voudras bien offrir les tiennes à ta mère. Ne m'as-tu pas dit que j'étais chez moi ?

— Miss Llewelyn, allez dire à Joe et à Toby de venir aider Lady Fidgety à monter au premier étage.

— Qui sont Joe et Toby ?

— Les plus vigoureux de mes serviteurs, Maman.

Le transfert de la nouvelle venue ne fut pas facile. Miss Llewelyn avait fait mettre des gants de coton blanc à l'aide-cuisinier, colosse noir qui prit simplement la noble dame dans ses bras et vint à bout de la faire parvenir à destination, non sans de grands cris mêlés d'injures de la part du précieux fardeau. Joe, en livrée rouge, se borna à ouvrir et fermer des portes.

En bas, Elizabeth s'effondra dans son fauteuil et soupira :

« J'aurais dû monter avec elle.

— C'est ce qu'elle attendait, remarqua Miss Llewelyn restée près de sa maîtresse.

— Je sais. Le courage m'a manqué. Si ces pièces ne lui conviennent pas...

— Rassurez-vous, M'am. Elle ne peut pas s'installer dans vos deux chambres sans le consentement de votre mari... Si elle insiste, je me charge de le lui faire comprendre... Elle ne me fait pas peur et elle sait qu'elle ne me fait pas peur. Il lui a suffi d'un coup d'œil pour le comprendre.

— Oh ! Miss Llewelyn, que je suis contente de vous savoir là.

— Enfin ! dit la Galloise.

— Elle paraît un peu dure, Maman, continua Elizabeth comme si elle parlait toute seule, mais elle a du cœur. Tout le monde est au courant des temps difficiles que nous avons connus elle et moi, là-bas, à Londres. Je n'oublierai jamais que dans la chambre glaciale du misérable hôtel où nous logions, une nuit, elle a ôté son manteau pour m'en recouvrir pendant mon sommeil.

— Pour cela on lui pardonne tout ! s'écria la Galloise.

— Je n'ai rien à lui pardonner, mais j'espère qu'elle ne va pas redescendre trop tôt.

Contre toute attente, elle ne redescendit que deux heures plus tard, dans les bras de l'aide-cuisinier, satisfaite.

Posée délicatement à terre, elle parut majestueuse dans une robe de taffetas prune qui faisait grand bruit à chaque pas.

— Au salon, dit-elle à sa fille.

Elizabeth la conduisit à la petite pièce écarlate.

— Quel goût affreux ! s'exclama Lady Fidgety... Cela fait penser aux massacres de Lucknow.

— Lucknow ?

— Tu ne sais rien. Je t'en parlerai une autre fois.

Elle s'installa aussitôt dans le plus large fauteuil du salon et caressa les plis de sa robe, qu'elle étala autour d'elle. Sorti du cachot de son cabriolet, son visage frappait par la noblesse des traits au dessin aigu, le grand nez mince, la bouche étroite, les yeux gris au regard perçant où brillait parfois un éclair de tendresse quand elle parlait à sa fille. Un bonnet de dentelle à bavolets dissimulait un peu une chevelure épaisse, mais grisonnante.

« Ma petite fille, dit-elle, tu as commis pour la seconde fois une dangereuse erreur, pire encore que la première. Tu as épousé un hussard. Est-il donc si beau ?

Cette question inattendue jeta la jeune femme dans la stupeur, mais elle répondit d'un trait :

— C'est le plus bel homme qu'on puisse voir.

— Alors je te comprends. J'ai eu les mêmes faiblesses quand j'avais ton âge.

— Vous, Maman ?

— Oui, moi. Ne me regarde pas comme ça. Je suis humaine. Jeune, ton père était magnifique. Mais laissons cela. Sais-tu qu'il va y avoir la guerre ?

— Je n'y crois pas.

— Elle éclatera sans ta permission. Et où iras-tu ?

— Où j'irai ? Je ne puis que rester ici. Le Sud saura se défendre.

— Le Sud est courageux puisqu'il est anglais, mais l'équilibre des forces est terrible pour lui. Le Nord l'écrasera. Toute l'Angleterre en est certaine. Ecoute bien. Malgré ton mariage, tu restes anglaise. Oncle Charlie, qui obtient ce qu'il veut, a fait le nécessaire. On ne te privera jamais de ton passeport britannique. Rentre en Angleterre avec moi. Reviens chez nous.

— Quitter Billy, Maman ? Jamais.

— Si tu avais répondu autrement, j'aurais eu honte. Honte de toi, mais je t'aurais emportée avec moi malgré tout, ravie. Embrasse-moi, petite. On ne s'est pas encore embrassées.

Elizabeth se jeta dans ses bras.

« Pas de larmes, dit Lady Fidgety, lui couvrant le visage de baisers, une Anglaise ne pleure jamais.

Elle disait ces mots, coupés en deux, d'une voix rauque et les joues ruisselantes.

Au bout d'un instant, elles se calmèrent l'une et l'autre, puis Elizabeth reprit sa place.

« Quand je pense, reprit Lady Fidgety avec un très furtif reniflement, que l'Angleterre fourmille de beaux hommes et que, belle comme tu es, car tu es très belle, misérable Elizabeth, tu n'aurais eu qu'à faire ton choix. Enfin...

— Peut-être n'y aura-t-il pas la guerre.

— En tout cas, un conseil : si jamais vient la catastrophe, va chez Oncle Charlie et ne bouge pas de chez lui. Charlie Jones est un personnage très important et britannique au possible. On respecte les étrangers dans un conflit.

— Oui, Maman.

— Mais je tiens à voir ton Billy. Je suis difficile. Nous verrons si nous avons le même goût.

— Vous le verrez dans quelques jours.

— Ta gouvernante m'a dit que Charlie était de retour de Virginie. J'ai un message pour lui de Liverpool. Fais-lui porter un mot pour qu'il vienne me voir.

Il fallut montrer la maison du haut en bas à Lady Fidgety, qui était curieuse, et elle admira tout, sauf le salon où elle ne voulait plus mettre les pieds, à cause de la ville des Indes. Une rencontre eut lieu au jardin entre elle et le jeune Ned. Pendant une ou deux secondes, ils se considérèrent, puis il y eut un échange de sourires assez appuyés, brève tentative de séduction réciproque, laquelle ne donna rien. Lady Fidgety n'aimait pas les petits garçons, et Ned trouva la dame sévère et distante.

On attendit Charlie Jones toute la journée. Il apparut après dîner alors qu'on ne l'espérait plus. Elizabeth proposa qu'on allât s'asseoir dans la véranda. Lady Fidgety se pendit au bras de Charlie Jones qui la soulevait à chaque marche et elle en riait gentiment comme d'un jeu, au lieu de proférer des injures, ainsi qu'elle l'avait fait le matin même dans l'oreille de l'aide-cuisinier.

Tous trois prirent place dans les spacieux fauteuils garnis de coussins. La nuit était d'une douceur exquise. A peine un roulement lointain de calèches dans l'avenue troublait-il le silence de temps à autre. On se sentait heureux sans cause parce que l'air était bon, chargé d'odeurs venues des jardins par bouffées. Lady Fidgety tira d'un long sac de toile noire qu'elle portait à son coude un rouleau de papiers ficelés avec soin, et les tendit à Charlie Jones.

— Vos chantiers de Liverpool, dit-elle d'un ton très officiel.

Il les saisit avec des mines d'effroi rétrospectif.

— Vous les avez apportés comme ça ?

— Vous savez mieux que personne qu'à Savannah on entre comme on veut.

— A Charleston, le gouvernement a l'œil à tout, fit-il en baissant la voix.

— Aussi n'ai-je pas commis la folie de passer par Charleston, répliqua-t-elle sur le même ton. Et puis, vous avez le droit de commander des bateaux de commerce si cela vous plaît.

— Plus maintenant. Je te dois un grand merci, ma chère Laura, dit-il en reprenant leur tutoiement habituel.

Tous deux chuchotaient comme des conspirateurs.

— Pour le Sud qui reste anglais, dit-elle, bien qu'il se soit révolté contre nous.

— De solides et paisibles navires de commerce, fit-il.

— Transformables à toutes fins utiles, ajouta-t-elle en étouffant un rire malicieux.

— Chut, au nom du Ciel !

Elle mit la bouche à son oreille :

— Qui peut nous entendre ?

Usant du même procédé, il lui confia :

— Les chouettes !

Comme pour corroborer ces paroles, quelques chouettes ululaient doucement. Elizabeth crut qu'ils s'embrassaient.

— Si je vous gêne, fit-elle d'un ton acide, je peux m'en aller.

— Pardon, Elizabeth, dit Oncle Charlie tout haut. Nous sommes très ennuyeux. Nous échangions des opinions très confidentielles.

— Sur la guerre.

Oncle Charlie eut un rire jovial qui remettait tout en place.

— Chère petite, il n'y a pas de guerre, la paix règne tranquille dans notre bien-aimée Savannah.

— Hm ! fit Lady Fidgety. Mais quittons votre hémisphère. Vous êtes au courant de ce qui se passe dans l'Inde ?

— Comme tout le monde. L'Angleterre aux prises depuis plus d'un an avec une tentative de soulèvement. On se bat furieusement autour de Delhi. Les Cipayes...

— Les Cipayes, oui. La révolte des Cipayes. On a eu des détails sur ce qui s'est passé à Lucknow et à Canpowre. Elizabeth, va-t'en si tu ne veux pas entendre d'horreurs.

— Je ne suis pas une mauviette, je désire savoir pourquoi mon salon ressemble à Lucknow ?

— Eh bien, non pas à Lucknow, mais dans le pays environnant, des centaines de Cipayes ont été attachés à la bouche des canons qui ont envoyé leurs corps contre les murs de la ville, transformés aussitôt en murailles de chair sanglante.

— Honte sur nous ! s'exclama Oncle Charlie.

— Non pas sur les canonniers qui n'ont fait qu'obéir, mais sur les officiers qui n'ont pas craint de donner des ordres aussi barbares. Gladstone a élevé la voix pour protester. On attend qu'il fasse un discours au Parlement. Le public est furieux et humilié. Quelle figure faisons-nous dans le monde ? Nous sommes à notre tour des barbares.

— Je vais faire peindre mon salon en vert, fit résolument Elizabeth.

— Tu te réveilles ? demanda Oncle Charlie. Tu as dormi ?

— Charlie, tu n'y es pas, fit Lady Fidgety. Ce que dit Elizabeth a beaucoup de sens.

— Ici au moins, des atrocités de ce genre sont inconnues, fit Elizabeth.

Charlie Jones faillit bondir de son fauteuil.

— Inconnues ! s'écria-t-il... Et l'extermination de la race indienne, qu'est-ce que tu en fais ? Elizabeth, tu parles encore comme une petite fille — c'est du reste pour cela qu'on t'adore, ajouta-t-il rapidement — mais, sache-le bien, il n'existe pas au monde une seule nation soi-disant civilisée qui ne se soit livrée à des horreurs comparables à celles que tu viens d'entendre. L'Espagne, l'Italie, la France, la Prusse, toutes, l'homme est partout le même, un animal encore mal sorti de sa préhistoire. Les instincts profonds sont les mêmes. L'Evangile n'y a rien changé. Les Assyriens n'étaient pas pires que nous.

— Cours d'histoire au clair de lune, mon cher Charlie, dit Lady Fidgety. Les Assyriens avaient-ils des bateaux transformables ?

— Je sais, fit gaiement Oncle Charlie, je suis tout à fait ridicule, mais j'ai raison. Au fond, j'ai raison.

— Mais bien sûr, fit Lady Fidgety. Je pense comme toi, Charlie... Comme la lune brille à nos pieds !

A travers le grillage de la véranda, des taches d'argent en forme de losange couchaient sur le sol une véranda lumineuse.

« Il est tard, dit encore Lady Fidgety, et ce voyage m'a tuée de fatigue, mais nous allons nous revoir. Je suis ici pour deux mois au moins. Mon cher mari est cloué dans son fauteuil à Bath par ses douleurs — le porto, ajouta-t-elle gaiement —, mais il compte sur moi pour Noël. Bonne nuit, Charlie dear. Elizabeth, je suis folle de mes deux pièces et je suis déjà dans mon admirable lit à colonnes. A demain matin, chère enfant.

Ce petit discours prononcé de sa voix précise et dentale, elle disparut dans un chuchotement précipité de taffetas.

Charlie Jones descendit l'escalier à pas lents avec Elizabeth.

— Remarquable femme, ta mère, fit-il pensivement.

— Qui est ce pauvre mari cloué par ses douleurs à Bath ?

— Une des plus solides fortunes du Royaume-Uni.

— S'il ne vient pas ici, je ne le verrai peut-être jamais. Elle l'aime, Maman ? Pourquoi l'a-t-elle épousé ?

— Si j'ose parodier un bon auteur que tu ne liras sans doute jamais : le cœur a ses raisons que seul connaît le portefeuille... Mais nous voici au bas de l'escalier. Garde pour toi ce que tu as entendu ce soir, et bonne nuit, chère et toute belle Elizabeth.

6

LA GUERRE N'AURA PAS LIEU

CHAPITRE CIX

La vie quotidienne s'organisa passablement dans la maison d'Oglethorpe Square. Ned fut envoyé en classe dans une institution qu'avait naguère fréquentée Mike. L'ex-petit Jonathan, qui ne répondait plus qu'au nom de Ned, placé en enfantine, y trouva de charmants compagnons avec qui se battre. Dotée de dispositions psychologiquement analogues et d'un nez conquérant de grande dame anglaise, Lady Fidgety s'ouvrit un passage dans la *society* qui ne fit aucune résistance, bien au contraire.

L'intérêt général du public se portait maintenant sur la bataille oratoire pour le siège de sénateur de l'Illinois. Douglas, le « petit géant », était en tête des pronostics, mais il n'avait vraiment pour lui que les démocrates de son Etat, appuyés par ceux du Nord. Le Sud n'avait plus confiance et le parti démocrate menaçait d'éclater. Candidat très modérément abolitionniste, Abraham Lincoln jouait la partie sans beaucoup s'émouvoir et restait encore énigmatique.

Le 2 novembre, par une journée froide et pluvieuse, Douglas fut élu, mais Lincoln considéra son échec personnel comme une sorte de victoire, étant donné que les républicains gagnaient une foule de voix. Des quelques déclarations publiques ou privées qu'il avait faites, on en retenait deux paraissant les plus intéressantes aux gens du Sud : il refusait d'avance le principe de la citoyenneté des Noirs, à qui d'ailleurs il était toujours interdit de s'installer en Illinois, et d'autre part soutenait la vieille idée humanitaire de Henry Clay de renvoyer au Liberia tous les gens de couleur pour leur rendre la liberté, leurs coutumes et leur terre d'origine. Quant au titre de sénateur, il s'en désintéressait, il regardait l'avenir et visait plus haut.

Plus inquiétant, Seward, le sénateur de New York, personnage d'une violence frénétique, fort imbu de lui-même, exigeait l'affrontement tout de suite. « Le conflit est irrépressible », clamait-il. De toutes ses forces il poussait à la guerre, qu'il voulait totale afin de vider la question une fois pour toutes. Beaucoup le tenaient pour un imbécile, mais il n'était que politicien, et il n'est pas sans exemple que des catastrophes soient parfois provoquées par ce genre particulier d' « imbéciles ». Il briguait le fauteuil de Buchanan au nom des républicains — comme Lincoln —, mais en tout cas on connaissait son programme : l'extermination du Sud. Il faisait partie du petit clan des excités, les Garrison, les Wendell Phillips, à qui se rattachait la tribu moraliste et maniaque des Beecher.

Il est étrange qu'en dépit de cette agitation politique 1859 s'annonçât comme une année d'apaisement. Par un de ces phénomènes échappant à l'analyse, soufflait un vent d'optimisme, venu peut-être de la longue lassitude de la peur. A force de redouter la guerre sans jamais la voir éclater, on se persuadait que ce n'était qu'un épouvantail. L'avenir ne pouvait pas demeurer perpétuellement bouché dans la vie d'une nation entière. On voulait à tout prix espérer, et le climat moral changea.

Charlie Jones n'en continuait pas moins ses voyages un peu mystérieux à New York et à l'étranger, mais il revenait le plus vite et le plus souvent possible, non seulement pour veiller à ses affaires dans le port de Savannah, mais aussi pour surveiller l'achèvement de sa demeure Tudor dont parlait toute la ville. Manquait le toit, cependant la partie la plus importante de la maison était déjà habitable. On admirait la beauté des proportions, fort imposantes, et plus particulièrement les fenêtres en oriel — du plus pur style élisabéthain, en saillie, dans le vide, comme de petites cages crénelées.

Lady Fidgety alla promener un regard curieux sur ce monument, qu'elle voulut bien trouver d'une architecture correcte.

— Mais, demanda-t-elle à Charlie Jones, que vient faire dans une ville plutôt XVIIIe ce tard-venu du temps des Tudor ?

— Parce que, repartit Charlie Jones avec son sourire le plus enjôleur, je préfère notre glorieux Henry VIII aux quatre George de Hanovre qui n'ont jamais pu parler comme on parle chez nous.

— Comment expliquerais-tu donc à notre irascible Henry VIII la présence de ces palmiers dont l'ombre caresse ces belles briques rouges ?

— Brique anglaise, naturellement. Je réponds à ta question perfide : j'ai voulu implanter dans une terre lointaine et dans ce climat chaud un coin d'Angleterre qui servira de refuge en cas de guerre.

— Oh ! bravo ! Notre Elizabeth est sauve. Je reprends en bloc mes objections.

Cette bonne camaraderie un peu taquine avec l'homme le plus influent de Savannah facilitait grandement le séjour de Lady Fidgety, qui obtenait tout ce qu'elle désirait. On l'invitait de tous les côtés, et, comme elle raffolait du monde, son élégance d'une fantaisie britannique, sa tenue altière, sa verve incisive et la finesse de ses méchancetés en apparence inoffensives, tout la désignait pour une brillante carrière dans les salons. Elle regrettait seulement de ne pas pouvoir tournoyer dans les bals avec les jeunes gens dont elle appréciait, d'un œil connaisseur, le charmant visage et la taille bien prise.

A son vif regret, elle n'arrivait pas à bout d'entraîner Elizabeth avec elle dans ses sorties mondaines. Comment pouvait-elle deviner que la jeune femme, qu'elle croyait d'une fidélité de marbre, voulait sa liberté et sa part de vertige ? Quoi de plus gênant en pareil cas que la présence maternelle ?

Des affaires plus sérieuses occupaient aussi le temps de Lady Fidgety. Un matin, elle se rendit aux docks de Savannah, là même où Elizabeth n'avait jamais remis les pieds depuis la mort de Jonathan. Sa calèche l'y mena et elle se fit conduire au bureau de Charlie Jones. Ce n'était pas la première fois qu'elle y venait. Elle aimait l'agitation des employés et des secrétaires dans la longue salle aux murs couverts de grandes cartes des mers. Il lui semblait que tout ce monde parlait à la fois dans le stimulant brouhaha des affaires. Des noms de bateaux et de ports lointains se croisaient avec des chiffres dans l'air où planait la fumée pâle des cigarettes. Ce ne fut pas là qu'elle trouva Charlie Jones. Prévenu de sa visite, il l'attendait dans une pièce aux deux portes capitonnées, assis à un vaste bureau de palissandre. Se levant de son fauteuil quand elle entra, il indiqua un confortable siège en bois des îles, mais elle ne s'assit pas. Se tournant vers la véranda qui dominait le port, elle regarda un instant les navires dont les mâts s'inclinaient doucement dans un ciel traversé de nuages clairs. Des monceaux de balles de coton empaquetées dans de la toile s'entassaient à un bout du port, et des Noirs à demi nus les chargeaient avec lenteur dans la cale d'un navire. Une foule oisive se promenait sur le quai, parfois bousculée par des porteurs de bagages et des ouvriers, et le murmure des voix montait jusqu'aux grandes baies ouvertes.

Lady Fidgety ne s'attarda pas à rêver devant ce paysage, qui lui parlait cependant bien plus que les squares et les longues avenues de Savannah.

— Tu ne devineras pas ce que je viens faire ici ce matin ? fit-elle en s'asseyant. Tout d'abord, je te préviens que je n'admettrai aucune objection.

— Me voilà muselé, fit Charlie Jones. A toi d'aboyer.

— J'aboie donc, mais gare à la morsure. Quand je suis repartie pour l'Angleterre...

— Il y a huit ans, remarqua Charlie Jones qui flairait quelque chose.

— Huit ans, j'ai tout calculé... ma dette envers toi et Hargrove était considérable.

— Qu'est-ce qui te prend ? Tout cela est oublié, tu ne vas pas... Tu ne peux pas...

— Mais tais-toi, tu es muselé ! Les intérêts n'ont pas cessé de croître et je ne pouvais faire face à un règlement même progressif, puis j'ai épousé Lord Fidgety qui, lui, ne cesse de vieillir et de voir mourir parents et amis dont il hérite. C'est en effet un animal à héritages que mon vénérable conjoint. Bref, donne-moi du papier et une plume.

Avec un haussement d'épaules, il lui tendit une page blanche et une plume d'oie trempée dans l'encre. Elle posa le papier sur le bureau et, dans un petit grincement de plume, traça un chiffre.

Il prit le papier et dit simplement :

— Tu es folle.

— Il te faut des comptes ? Tu les auras.

— Je refuse, je refuse tout cela.

— Je vais mordre, fit-elle. Je te croyais un gentleman, mais on peut se tromper, n'est-ce pas ?

— Où voulez-vous en venir, mauvaise femme ?

Elle sortit une lettre de change de son sac, libella soigneusement le chiffre et la lui tendit.

— Comment veux-tu que je l'accepte ? gémit-il.

Elle se pencha vers lui, les deux poings sur le bureau.

— Pour le Sud », dit-elle en lui plantant un regard agressif dans les yeux, et elle ajouta à voix basse : « Pour la flotte assyrienne.

Soudain debout, il s'écria :

— Pour l'amour de la flotte assyrienne !

Et, penchés par-dessus le bureau, ils s'embrassèrent. Ni l'un ni l'autre n'avaient douté une seconde que le chèque serait d'abord offert, refusé, puis accepté, mais la petite comédie faisait passer l'aimable brutalité de la transaction.

On ne peut mieux installée chez Elizabeth, Lady Fidgety profitait d'une fin de novembre ensoleillée, multipliait ses visites en ville et songeait déjà à son retour solitaire. Sa magnifique demeure de Bath où l'attendait un amoureux de soixante-douze ans rivé à son fauteuil par la goutte, quel charme y trouverait-elle maintenant, sans sa fille qu'elle espérait arracher au Sud ? Elle avait joué et perdu.

— Mais je reviendrai, se prit-elle un jour à dire tout haut.

Quand cela, my Lady ? La réponse à cette question ne pouvait se formuler, ni même s'avouer tout bas, mais flottait quelque part dans les ténèbres : « Quand la guerre l'aura débarrassée de son Billy. » Cette mauvaise pensée ne faisait que l'effleurer et elle l'écartait d'un geste noble, mais le geste ne l'écartait pas plus qu'il n'eût écarté une mouche.

Enfin, surprise ! Billy parut, permission imprévue comme la dernière. La dame anglaise et le hussard se trouvèrent face à face et seul à seule dans l'entrée, pendant qu'Elizabeth se jetait sur ses mules et sa robe de chambre.

L'entrevue fut un peu courte, mais décisive, les présentations aussi brèves que des jappements de roquet, suivies pourtant d'une scène muette qui ne manquait pas d'intérêt. Lady Fidgety considéra le hussard comme on admire un paysage, puis, faisant mine de se retirer, n'eut pas honte de tourner autour de lui comme autour d'un monument. On supposerait qu'il se fût dérobé à cette manœuvre indécente, mais non. Faussement indigné d'abord, il s'y prêta par vanité, esquissant même des attitudes, se bornant à toussoter une fois ou deux. La dame anglaise le trouvait beau. Après tout, il avait l'habitude de ces situations qu'il n'avait jamais trouvées intolérables.

Tout à coup, Elizabeth fut là, pareille à un oiseau fou échappé de sa cage, et sans un mot se jeta dans les bras de Billy.

Lady Fidgety préféra s'éclipser du côté du jardin.

— Comment ! Elle est partie, s'écria Elizabeth. Vous vous êtes parlé ? Non ? Te rends-tu compte que c'est ma mère ?

— Ta mère ?

Il éclata de rire.

— Pourquoi ris-tu ?

— Je ne sais pas, fit-il en l'embrassant. On la verra plus tard.

Sans ajouter un mot, ils montèrent à leur chambre.

Plus s'approchait la date de son départ, plus Lady Fidgety

s'attachait à la maison d'Oglethorpe Square. Elle s'y habituait, elle s'y trouvait bien. Deux raisons qu'elle jugeait contraignantes justifiaient sa présence à Savannah : la première étant de régler les opérations navales de Charlie Jones, la seconde, non la moindre, mais plus secrète, une nouvelle tentative pour ramener sa fille en Angleterre. Satisfaite d'un côté, elle était malheureuse de l'autre.

A l'égard de Billy, son cœur se trouvait partagé comme celui d'une héroïne de tragédie. Elle le haïssait parce qu'il retenait Elizabeth en Amérique, mais elle faiblissait lâchement dès qu'elle le voyait parader au salon. Faisait-il autre chose ? Le misérable devinait dans les yeux gris l'admiration sans réserve qu'il provoquait chez cette orgueilleuse. Si limitée que fût la durée de sa permission, elle entraînait malgré tout des rapports de simple politesse entre lui et sa victime. Cette dernière souffrait, mais y prenait un mystérieux plaisir. La nuit, dans sa solitude, elle donnait libre cours à son imagination et jalousait honteusement sa fille.

Aussi fut-elle soulagée quand son cher bourreau disparut de la maison, un jour, à l'aube, emportant avec lui tout un monde de rêves et de désirs.

Elle se consola de son mieux et se fit, comme on dit, une raison. Aux alentours de la cinquantaine, à peine dépassée, elle ne pouvait pas céder à des élans du cœur et du corps pour un beau militaire comme une écervelée de vingt ans... Cela ne changeait rien au fait que de nature elle était amoureuse presque autant que sa fille.

L'avant-veille de son départ, elle descendit au jardin pour dire adieu à Ned. Ce matin-là, par une fenêtre, elle l'avait vu de loin et il lui parut charmant... Lui, au contraire, jusqu'ici l'avait trouvée repoussante. Elle l'avait senti et avait reçu en conséquence un petit choc assez désagréable.

En ce moment, il chantonnait tout seul, jouant avec une balle qu'il lançait au-dessus de sa tête et rattrapait maladroitement. Quand il vit venir vers lui Lady Fidgety en robe prune, il s'arrêta, pétrifié. Elle-même fut tout à coup prise d'une absurde timidité et fit d'abord un grand sourire des plus engageants.

— Bonjour, Ned, fit-elle.

— Bonjour, M'am.

Elle eut alors recours à l'arme la plus déloyale des adultes, celle dont tous les séducteurs d'enfants ont usé parce qu'elle est généralement infaillible. Fouillant dans le sac qu'elle portait au bras, elle en tira une grosse boîte de bonbons de la Louisiane. Les garçons de Savannah, sans exception, les connaissaient, et la plus ancienne des convoitises de l'enfance brilla dans les yeux de Ned.

Lady Fidgety ouvrit la boîte et le pria de prendre un bonbon. Tous étaient mélangés et Ned perdit la tête devant la difficulté du choix. Soudain elle referma la boîte.

— Ils sont tous à toi, tu prends la boîte, je te la donne parce que tu es le plus gentil garçon que j'aie vu en Amérique. Et je vais partir, Ned. On s'embrasse, veux-tu ?

Sans lâcher sa boîte, il tendit un visage souriant de bonheur. Elle le saisit dans les bras, l'enleva de terre et le couvrit de baisers, comme dans un orage de tendresse.

« Je t'aime beaucoup, beaucoup, disait-elle.

L'enfant riait, la boîte contre son cœur.

Vint l'heure du dernier matin où dans le port de Savannah, et le pied déjà sur la planche accédant au navire, elle colla un visage ruisselant à celui de sa fille sans qu'un mot pût sortir de sa bouche.

Une demi-heure plus tard, Elizabeth se retrouvait dans sa chambre et regardait les meubles et les murs autour d'elle avec un étrange sentiment de rancune. Revenir pour vivre de nouveau dans ce décor de tous les jours alors que le navire était encore là, attendant les derniers passagers ! Elle rêva un instant qu'elle se rendait au port en calèche, à fond de train, pour monter juste à temps et partir, mais elle savait trop bien qu'elle ne bougerait pas de son fauteuil à bascule et que sa mère s'en irait seule, emportant l'Angleterre avec elle.

Plus déchirant encore, un souvenir la hantait. En vain elle le chassait de sa mémoire, il revenait sans cesse, et elle cédait, tout recommençait, supplice délicieux, elle avait seize ans et elle était là, sur le quai, presque au même endroit que tout à l'heure, la foule hurlait de joie autour d'elle, acclamant le navire qui arrivait lentement. La petite Miss Charlotte se tenait devant elle, les bras levés comme tout le monde, et là, tout près, lui, la serrant dans ses bras, frôlant sa bouche de sa bouche, puis elle entendait sa voix dans son oreille, disant et redisant son amour, et enfin la minute terrible où il disait adieu, au milieu des vivats et des cris de la foule, et des banderoles de petits drapeaux qui claquaient dans le vent, et ces mots qu'elle allait porter en elle pendant des mois : « Je reviendrai. » Et brusquement elle était seule parmi toutes ces épaules et ces têtes vociférantes, et elle voyait, en tournant les yeux, le spencer chamois traverser la place, courant vers la voiture d'Annabel, qui attendait, là-bas, au bout du quai… Je reviendrai. Il était revenu, et, après sa mort en duel, il était revenu cent fois dans les rêves du petit Jonathan. Maintenant plus. Plus jamais il ne reviendrait. L'âme a ses agonies comme le corps et elles ne sont pas moins dures.

Lady Fidgety partie, la maison parut vide, trop grande. Cette femme turbulente, aux discours un peu désordonnés, apportait un pays avec elle : sa voix seule, son accent donnaient Londres, Bath et toute la société de là-bas.

L'année 59 s'ouvrit en grand comme pour une fête avec une surabondance de cadeaux et de sourires. Les roses fleurissaient, la jeunesse valsait à s'en étourdir. On sortait d'un mauvais rêve, pour un peu on se fût cru au lendemain d'une victoire, et c'en était une, sur les prophètes de malheur, victoire de la paix qu'on voyait perpétuelle, on congédiait la mort.

Cette euphorie dura jusqu'en mai. A ce moment il fut question de la guerre. Où ça la guerre ? Loin, très loin, dans cette Europe semée de toutes sortes de nations qu'on situait mal. Cette fois c'était la France qui se battait avec l'Autriche et où donc ? En Italie. Les journaux en parlaient beaucoup, mais avait-on envie de lire les journaux quand on était heureux chez soi ? On laissait l'Europe vider ses incompréhensibles querelles, et, par habitude, mais sans appréhension, on tournait plutôt les yeux vers le Nord où venait d'éclater une bombe.

Le livre de l'Allemand Helper, *La Crise imminente ;* ce bouquin vieux de deux ans qui avait un peu traîné dans le Sud et qu'on avait oublié, le Nord venait de le redécouvrir et lui faisait un sort. Quel bruit autour de ces vaticinations hérissées de chiffres ! Le Sud allait à sa ruine. L'esclavage faisait faillite lentement. Le travail forcé des Noirs dans les plantations à la longue ne payait pas. L'opulence des Etats esclavagistes pouvait faire illusion, mais à quels lendemains catastrophiques elle était promise ! L'auteur démontrait tout avec une lucidité stupéfiante... Des chiffres, des chiffres et encore des chiffres. Le Nord jubilait, la conscience heureuse. L'institution particulière, si particulièrement immorale, était enfin frappée à mort. « Nous réglerons cette question nous-mêmes, répondait le Sud, nous n'avons besoin des bons offices de personne. »

A quelque temps de là, au début de juin, Mrs. Furnace donna un dîner dans sa maison de Monterey Square. Elle avait hérité de cette très remarquable demeure ainsi que d'une confortable fortune à la mort de Mrs. Devilue Upton Smythe dont elle avait été la dame de compagnie très fidèle depuis de longues années... depuis le mariage de Ned et d'Elizabeth... Elizabeth se trouvait parmi les invités ainsi qu'Algernon et sa mère, Mrs. Steers, l'avocat Harry Longcope, Mrs. Harrison Edwards, sans qui un certain éclat eût manqué à la petite réunion, le vénérable Mr. Robertson, toujours si religieusement écouté, et enfin le major Crawford, le tonitruant animateur.

Il n'est pas inutile de savoir que Mrs. Furnace était miraculeusement devenue Lady Furnace par un lapsus plus ou moins voulu de Mrs. Devilue Upton Smythe, qui l'avait un jour présentée sous ce nom dans une grande réception chez les Steers. Personne n'ayant eu la grossièreté de corriger cette erreur, le titre nobiliaire lui resta sans aucune rectification de sa part.

Quant à la magnifique demeure qui lui était échue, c'était celle-là même que William Hargrove avait achetée à Mrs. Devilue Upton Smythe à son retour d'Haïti ; mais, dès qu'il se fut installé à Dimwood, il avait revendu sa maison de Savannah, et sa propriétaire primitive lui avait racheté avec joie la demeure ancestrale. Et les millions volaient.

Tout visait à la splendeur entre ces murs. Ainsi, le plafond de la salle à manger était si haut qu'il se perdait dans la pénombre, mais la table ronde, chargée de flambeaux, rétablissait un semblant d'intimité grâce à la douce et flatteuse lumière des bougies.

Des gardénias jonchaient la nappe blanche entre les couverts de vermeil et les verres de cristal de Bohême. Les plus âgés des invités reconnaissaient dans les assiettes de porcelaine fine les armes des héroïques Devilue, qui avaient protégé le malheureux roi Harold en 1066 à cette malheureuse bataille de Hastings qui livra son royaume à Guillaume le Conquérant. Bref, on naviguait dans l'Histoire tout en absorbant des choses exquises. Des serviteurs, en livrée violet sombre relevée de fils d'or, circulaient dans ce rêve de dame de compagnie devenue hautement folle.

Lady Furnace gardait cependant sa tête sur certains points. Raconteuse incorrigible, elle s'était promis de ne pas emmener ses invités dans plus de deux pays exotiques. Elle brillait surtout en Orient parmi les sultans et les émirs, et, dès l'entrée, elle transporta tout son monde dans le Cachemire où elle les éblouit de force avec des noms de princes d'une sonorité nostalgique.

Elizabeth, les joues avivées comme une statue rose et or, souriait en silence et observait avec attention cette dame rutilante de bijoux qu'elle avait bien connue en Virginie et qui lui paraissait ce soir tout aussi belle qu'alors. Entre elles deux il y avait un fantôme que la jeune Anglaise ne pouvait oublier. Lady Furnace lui savait gré de n'avoir jamais divulgué ce triste secret. A cause de cela, il existait un lien de complicité affectueuse, complicité de femmes, entre ces deux femmes si différentes.

Achevée la description du Cachemire et des intimités de Lady Furnace avec plusieurs maharadjahs de ce pays-là, la conversation devint immédiatement générale, et, d'un commun accord, il y eut un plongeon dans *La Crise imminente.* Tous donnèrent de la voix en même temps, et il fallut l'autorité courtoise du vénérable Mr. Robertson pour rétablir un instant le calme.

— Tout n'est pas faux dans ce que dit le Nord, mais le venin est dans la queue, à savoir la conclusion. Il suggère, par humanitarisme, que, pour le bien du Sud, l'abolition de l'esclavage se fasse sans tarder.

Le major Crawford, sa face couleur de brique encore plus rouge qu'à l'ordinaire, fit retentir sa voix célèbre :

— Et il a raison ! clama-t-il. Mais s'il s'avise de mobiliser ses troupes pour franchir nos frontières, nous serons tous là, pour lui faire la réception qu'il mérite.

— A la baïonnette !

Ce cri haut et clair fut poussé par Algernon et, de sa part, surprit beaucoup, pour des raisons indéfinissables. Il y eut des applaudissements.

— Nous n'en sommes pas encore là, observa doucement Mr. Robertson.

— Peut-être, répliqua Algernon, mais il y a deux façons de lire un texte, et ce texte, je l'ai lu.

Du coup, tous les regards se tournèrent vers lui. Transformé par l'émotion, il ressemblait à une statue grecque qui se fût empourprée. Elizabeth le regarda avec admiration.

« On peut lire une page du haut en bas sans omettre une ligne, et on peut lire la même page en en cachant la moitié avec la main pour ne pas voir ce qui vous gêne.

Un silence de mort fut le commentaire de ces paroles, tous les chuchotements se turent.

« Helper constate, poursuivit Algernon, avec chiffres à l'appui, que le travail annuel des esclaves rapporte très nettement moins d'argent que le travail dans l'agriculture des Etats dits libres. Avec une patience infatigable, il remonte à des années en arrière. La baisse ne connaît aucune interruption et la ruine du Sud est inévitable. Il calcule, Etat par Etat, dans le Sud comme dans le Nord, et dans le Nord hectare par hectare, boisseau par boisseau, blé, avoine, seigle, avec un acharnement diabolique...

Ici Mr. Robertson fit un geste et prit la parole.

— Jeune homme, dit-il, vous parlez bien, mais vous omettez deux choses d'une grande importance. La première est que Helper a été pendant des années un Blanc pauvre et un Blanc pauvre dans le Sud, donc méprisé.

Quelques sourdes protestations se firent entendre.

« Estimez-vous dur le mot de *méprisé ?* demanda Mr. Robertson. Trouvez-en un meilleur. Vous les appelez des débris de race blanche.

Suivit un silence qu'on eût pu qualifier de sombre silence.

« A cause de cela, poursuivit Mr. Robertson, Helper hait l'aristocratie du Sud. La seconde chose d'une grande importance est que l'esclavage existe sous un autre nom et sous d'autres formes dans les pays où l'excès de richesse aboutit à la formation de castes. L'homme qui travaille durement dans des usines ou des bureaux n'accédera jamais à la caste des riches s'il ne réussit lui-même à faire fortune. Réussir c'est s'enrichir. Vous n'en sortirez pas. L'homme qui travaille dans une usine ne s'assiéra jamais à la table du riche. Helper sait ce qu'il dit. Il a connu la vie de riche dans son adolescence, il a été précipité dans la pauvreté à la mort de son père. Le problème de la servitude noire ne l'intéresse que par rapport au problème de la servitude blanche.

Ici le major Crawford se remit à tonner.

— Mais le Nord isole ce problème de l'esclavage noir pour en faire une question morale. *La Case de l'oncle Tom* lui sert d'Evangile. Peu importe que la dame Beecher n'ait jamais mis les pieds dans une case de Noir ; le texte incendiaire fournit le prétexte. La morale rejoint le mensonge !

— Et s'il y a une guerre, dit doucement l'avocat Longcope qui jusqu'alors n'avait pas ouvert la bouche par un acte héroïque, il sera curieux de voir quelle sera l'attitude des Noirs et quelle celle des pauvres Blancs.

— Monsieur, lui demanda le major Crawford, de quel Etat du Nord venez-vous ?

— De la Louisiane, monsieur, pour vous servir à l'heure et à l'endroit qu'il vous plaira.

Mr. Robertson se leva.

— Messieurs, dit-il avec chaleur, vous n'allez pas vous battre pour un malentendu. La question de Mr. Longcope est pleine de bon sens. Ce que feront les trois millions de Noirs et cinq millions de pauvres Blancs en cas de conflit reste un mystère. Nous sommes tous à nous poser la même question.

— Vous avez raison, fit le major Crawford. Mr. Longcope, j'ai parlé vite.

— Major Crawford, c'est parce que nous parlons tous vite dans le Nord comme dans le Sud que la guerre a des chances d'éclater. J'ai moi-même parlé vite en vous répondant.

A la surprise générale, Mrs. Harrison Edwards éleva un bras à la fois prophétique et parfait.

— Gentlemen, dit-elle, ce qu'il faut retenir de ce que vous avez dit, c'est que le Nord veut mettre la main sur tout le Sud.

— Cela, jamais ! proclama Lady Furnace. A ce propos, laissez-moi vous conter ce que j'ai vu en Anatolie. Vous, dit-elle au serviteur noir immobile à la porte, ne restez pas là comme une potiche. Allez dire qu'on serve la dinde.

CHAPITRE CX

Le septième anniversaire de Ned avait été fêté de la façon la plus simple et la plus à son goût. Quelques cadeaux d'abord, chez lui, mais surtout, au lieu de le conduire à l'école, Elizabeth l'avait mené à Tybee Beach où, du matin au soir, il avait pu se battre et s'ébattre tout son saoul. Il revint à Oglethorpe Square charmé de sa journée, mais une surprise l'attendait dont il ne pouvait pas avoir encore la moindre idée, et la vie reprit, banale et facile.

Ce n'était plus un petit garçon. Une culotte plus longue lui descendait à mi-jambes et il portait, comme il en avait vu à Mike, un chapeau de paille à bords durs qu'il pouvait, lui aussi, basculer sur le bout du nez ; un ruban noir flottant au vent achevait d'en faire une coiffure du dernier chic. Bref, le petit Ned se muait en petit homme.

Un jour de congé, peu après le dîner chez Lady Furnace, une calèche s'arrêta devant la maison et un laquais en livrée vert sombre vint demander Mr. Charles-Edouard de la part de Mr. Charlie Jones. Très étonné, Ned se coiffa de son chapeau impertinent et descendit le perron. La calèche était vide. Il y monta et se laissa porter jusqu'à la grande maison Tudor. Pour la première fois il la vit débarrassée de ses palissades et, selon toute apparence, achevée.

Sautant à terre, il se dirigea vers la grande porte qui s'ouvrit aussitôt à deux battants. En costume noir comme pour une réception, Charlie Jones tendit les deux mains à Ned qui ôta son chapeau et ne trouva rien à dire que :

— Bonjour, grand-père.

— Bienvenue à Charles-Edouard, fit son grand-père avec un beau sourire. Pour une raison que tu connaîtras un peu plus tard, je veux que tu sois la première personne à visiter ma maison. Elle n'a pas encore son toit, mais tu vas constater qu'elle est tout à fait habitable.

Comme en proie au plus étrange de ses rêves d'enfant, Ned suivit Charlie Jones, mais comprenait à peine ce que lui disait celui-ci. Tous deux avançaient dans un hall qui parut au jeune visiteur aussi large qu'une rue, bordé de place en place de statues de marbre debout sur des colonnes tronquées. Les connaisseurs eussent admiré Vénus, Apollon, Diane, Hermès, Dionysos, tous dans la chaste nudité du monde antique, alors que Ned, encore peu instruit, se demandait s'il ne devenait pas fou.

Charlie Jones, le voyant éberlué, le prit en riant par le bras et le mena dans un salon immense qui s'ouvrait à droite dans le hall. De très hautes fenêtres encadrées de bois sombre montaient presque aux corniches très ouvragées du plafond. A cause de leur forme elles semblaient étroites, mais cela même donnait à la pièce un air de majesté insolite. Dans un coin, un très vaste canapé rouge aux contours à la fois arrondis et tourmentés empêchait que l'ensemble parût trop sévère. Chaises et fauteuils, en bois de violette et du même style, ôtaient toute gravité à ce décor plus souriant que cérémonieux.

Ned se tournait à droite, puis à gauche, bouche bée, et ne disait rien, ce qui faisait rire aux éclats Charlie Jones qui lui posa tout à coup la main sur l'épaule et lui demanda :

« Cela te plaît, Ned ? Tu trouves gentille ma maison ?

— Oh ! grand-père !

Ned ne trouvait rien d'autre à dire, mais les boucles brunes sautaient de côté et d'autre d'un visage émerveillé.

— Allons plus loin, fit son grand-père en lui prenant la main.

Ils remontèrent le hall, et la voix de Charlie Jones résonnait étrangement dans la demeure vide. Mais tout dans cette visite semblait aussi singulier que s'il se fût agi d'une visite au clair de lune et pourtant le soleil donnait à plein, filtré par de triples épaisseurs de voiles blancs.

A gauche, une longue bibliothèque ornée de bustes romains regardait vers une allée de verdure où poussaient de jeunes sycomores et un palmier encore timide.

« Quand la maison aura sa coiffure, expliqua Charlie Jones, elle sera entourée d'arbres, mais il est encore trop tôt.

— Tous ces livres..., fit tout à coup Ned en désignant d'un geste d'interminables rangées de volumes dont les ors éteints brillaient doucement sur le cuir foncé des reliures. Combien y en a-t-il ?

A la question naïve, Charlie Jones répondit :

— Des milliers, des milliers d'amis, les seuls qui ne trahissent jamais.

Ned entendit sans comprendre, tout ce que disait son grand-père lui semblait beau. Avançant encore sans trop regarder ces hommes et ces femmes complètement nus, ils arrivèrent à un escalier en spirale d'une légèreté presque miraculeuse aux yeux de Ned, car il se demandait comment cela pouvait tenir dans le vide, mais c'était ainsi.

« On dirait qu'il danse, dit Charlie Jones, tu ne trouves pas ?

— Oh ! oui, grand-père.

— Gracieux, non ?

— Oh ! oui, gracieux !

— En somme la maison te plaît ?

— Oui, beaucoup, grand-père.

— Eh bien, écoute-moi bien, Charles-Edouard. Je ne t'ai rien donné pour ton anniversaire.

Ned eut un élan de politesse :

— Ça ne fait rien, grand-père, rien du tout.

— Alors aujourd'hui, Charles-Edouard Hargrove, je te donne cette maison. Quand tu seras grand, tu viendras l'habiter avec ta famille. Es-tu content ?

Ned ne répondit pas. Sa vue se brouillait. Il prit la main de Charlie Jones et la tint dans la sienne sans un mot.

« Voilà le plus beau remerciement qu'on m'ait jamais fait, dit son grand-père qui se pencha vers lui et l'embrassa. Et puis écoute, ajouta-t-il en se redressant, si jamais avant que tu ne sois majeur l'ennemi du Nord vient à Savannah, vous pourrez tous vous réfugier ici, car ma maison est anglaise, et vous y serez en sécurité — comme dans la poche du Bon Dieu.

La poche du Bon Dieu fit rire le jeune garçon.

— Bien, grand-père.

Ils revinrent sur leurs pas vers l'entrée, puis s'arrêtèrent devant un immense tableau pris dans une stuccature au sommet arrondi, très ornée, très minutieusement fouillée, de manière à simuler un feuillage plein d'oiseaux et de fleurs. Dans cet encadrement d'albâtre se dressait une peinture inattendue : la Vierge Marie dans une robe bleutée, drapée dans un manteau bleu sombre, tenait l'Enfant dans ses bras et inclinait vers lui son visage. Le fond semblait un nuage d'or rose.

— Regarde, Ned, c'est d'un très grand peintre espagnol, Murillo. Fille d'Israël, elle tient contre elle l'Enfant qui a sauvé le monde. Tu entendras dire beaucoup de mal de leur race à tous les deux. Toi, tu n'en diras jamais. Tu te souviendras de ce tableau.

— Oui, grand-père.

— Est-ce promis ?

— Je vous donne ma parole d'honneur, grand-père.

— Très bien. Tu es un bon garçon et un gentleman. C'est tout. Nous nous disons au revoir ici, mais nous nous reverrons souvent. La calèche t'attend pour te ramener à Oglethorpe Square, à moins que tu ne préfères rentrer à pied.

Ned répondit en souriant :

— Je préfère la calèche, grand-père. La tête me tourne.

— Je te comprends, il y a de quoi (Charlie Jones éclata de rire), ta main dans la mienne.

Une minute plus tard, un garçon encore abasourdi roulait vers Oglethorpe Square.

La vie suivait son cours sans incidents notoires, et le simple plaisir de vivre ressuscitait les heureux temps d'autrefois sur lesquels s'attendrissaient les personnes âgées. Fêtes, réceptions et bals se succédaient sans cesse et menèrent agréablement jusqu'à l'été, où la ville s'assoupit dans la chaleur et la paix.

Pour Elizabeth, les apparitions de Billy, soudaines et de plus en plus imprévues, diversifiaient ce long bonheur un peu monotone. Il aimait, disait-il, faire la surprise d'une permission saisie au vol. Loin de s'en plaindre, la jeune femme s'en réjouissait sans demander d'explications. Billy se montrait toujours le même, remplissant à merveille son rôle de mari amoureux. Plus qu'autrefois, cependant, il posait à sa femme des questions sur sa façon de vivre pendant son absence. Cette curiosité flattait Elizabeth, et elle lui décrivait visites, bals et réceptions pour satisfaire ce désir du militaire de la suivre par l'imagination et « par le cœur aussi, ma chérie, dans les heures de solitude »... Ainsi donc, il y avait en lui quelque chose de plus que le goût immodéré du plaisir — qu'elle partageait. Un Billy plus délicat se cachait sous ce dolman de guerrier farouche.

De son côté, il cherchait à la distraire avec les potins qui circulaient au mess et dont quelques-uns pouvaient la changer des éternels commérages de la *society*.

— As-tu entendu parler du dernier scandale de Washington ? Non ? Cela ne me surprend pas. Toute l'Amérique en parle. Washington enfin, c'est la capitale, et mon scandale est encore frais ! Il s'agit d'un personnage important, le District Attorney *, un monsieur d'à peine quarante ans, à petite moustache bien taillée, fort élégant, très en vue dans le monde *à la mode*. Par un beau dimanche après-midi, le 27 février dernier exactement, il se promène, comme le tout-Washington, dans les alentours de la Maison-Blanche. Une brise du sud réchauffe l'air. Notre procureur marche lentement, jusqu'au moment où il se trouve seul de l'autre côté de l'avenue, en face de la maison d'un honorable membre du Congrès et, là, tire de sa poche un mouchoir blanc qu'il agite trois fois, d'un geste en rond, c'est un signal.

— Oh ! Billy, interrompit Elizabeth, comme c'est romantique ! Et alors ?

— Ça t'amuse ?

— Ça me passionne. J'adore ces histoires d'amour.

— Comment sais-tu que c'est une histoire d'amour ?

— Voyons ! Qu'est-ce que ça peut être d'autre ?

— Tu vas voir. Donc, il agite trois fois son mouchoir, les yeux fixés sur une fenêtre, et il attend. Personne ne se montre, mais tout à coup...

— Tout à coup ?

— ... alors qu'il a en main une mignonne lorgnette de théâtre pour la braquer sur cette fenêtre qui reste vide, surgit à quelques pas, soufflant de rage comme un taureau à la vue d'un chiffon rouge... *le mari !*

— Le mari ?

— Le mari de la dame qui n'a pas répondu à l'appel du mouchoir. Elle est en ce moment même en proie à une crise de nerfs sur son lit, parce que l'honorable membre du Congrès Daniel

* Procureur d'Etat.

Sickles, brillant personnage, son mari, lui a arraché l'aveu de sa liaison avec le procureur de l'Etat. Il a en main un revolver... Il tire...

— Oh ! Billy, non !

— ... et le rate...

Elle poussa un « Oh ! » de soulagement.

« Le procureur se sauve à toutes jambes. Le mari le poursuit en tirant. Pour se défendre, le procureur lui jette à la figure l'étui de sa lorgnette en criant : « A l'assassin ! Ne tirez pas ! Ne me tuez pas ! » En courant, il réussit à atteindre un gros platane derrière lequel il se cache. Presque aussitôt, l'honorable membre du Congrès le rattrape. Courte lutte et, soudain, nouveau coup de feu. Le procureur roule, plié en deux sur le trottoir, il se tord de douleur pendant que le mari lui tire deux autres coups de revolver qui l'achèvent.

— Mais c'est horrible !

— Des passants se précipitent vers le meurtrier. Certains le connaissent bien, ils l'entraînent à l'écart. « Il m'a déshonoré ! » crie-t-il.

— L'affreuse brute !

— Mais non, chérie, sa carrière n'en sera nullement troublée, au contraire. Le procès l'a mis en lumière et il en sort vainqueur et justifié. Allons, je vois que ma petite histoire te frappe. Parlons d'autre chose. Par exemple d'Algernon.

— Algernon, Billy ?

— Mais oui, ne prends pas cet air bizarre. Quand l'as-tu vu la dernière fois ?

Il posait sa question d'un air détaché.

— A un dîner chez Lady Furnace. Mais pourquoi ces questions ?

— Lui as-tu parlé ?

— Non.

— Je veux la vérité.

— Je viens de te dire toute la vérité. Que te faut-il de plus ?

— Il me faut la vraie.

— Tu deviens fou ?

— Etais-tu près de lui ?

— Eh bien, nous étions placés l'un à côté de l'autre, à table.

— Et vous ne vous êtes rien dit ?

— Non. On parlait politique, à propos d'un livre de... je ne sais plus qui. Le major Crawford a dit que si le Nord franchissait la frontière il serait reçu comme il faut. Et Algernon a crié : « A la baïonnette ! »

— Algernon ?

— Oui, Algernon Steers. Tu es tout rouge. Qu'est-ce qui te prend ? Tu n'es plus le même, Billy. Tu n'es plus Billy.

Elle se leva brusquement et se dirigea vers la porte de la chambre voisine. Pris de panique, il courut après elle et la saisit dans ses bras :

— Si ! s'écriait-il, si !

Elle se débattit un peu, sans conviction.

CHAPITRE CXI

L'automne apporta soudain du nouveau qui troubla le Sud, puis l'Amérique entière. Le 16 octobre, à dix heures du soir, vingt hommes armés franchirent le pont métallique de Harper's Ferry et s'emparèrent de l'arsenal fédéral par une nuit profonde, comme s'il fallait cette obscurité pour cacher la folie et le sang.

Au confluent de la Shenandoah et du Potomac, entre l'Etat de Maryland et la Virginie, au début du XVIIIe siècle, ce fut un jeune architecte anglais, émigrant d'Oxford, qui, fasciné par la beauté de la nature et l'importance de cet endroit qui permettait de construire une route vers l'ouest à travers le territoire indien, établit un bac sur la rivière, puis un pont auquel on donna son nom : Harper's Ferry. Plus tard, George Washington, trouvant la force motrice des eaux et leurs qualités particulières pour le traitement du fer exceptionnelles, fit installer la manufacture d'armes du gouvernement et même acheter les montagnes de Bolivar et de Loudoun, afin de grouper aux alentours toutes les installations nécessaires.

Des hauteurs du Maryland, de l'autre côté du Potomac, la vue s'étend presque à l'infini, mais lorsqu'on descend à Harper's Ferry, à travers les vapeurs qui montent des deux rivières, les collines se dressent comme des fantômes et parfois on y distingue la silhouette échevelée d'un pin, pareil à un fou dansant dans la brume. En bas, le pont couvert du chemin de fer franchit le Potomac, et, de l'autre côté, Harper's Ferry allonge une grande rue au bord de la Shenandoah. C'est là que John Brown, venu du Maryland, fit son coup de main. Les quelques soldats fédéraux qui tenaient l'arsenal furent ligotés, ainsi qu'une vingtaine d'habitants qui passaient à proximité pour rentrer chez eux. Un Noir libre qui voulait traverser le pont et n'obéit pas aux injonctions de s'arrêter de John Brown fut abattu, ironie du sort, par un homme qui prétendait libérer les Noirs.

Un instant plus tard, le maire de la ville s'avança pour parlementer avec ces assaillants inconnus, retranchés dans le bâtiment de brique sombre où se trouvait la machine à vapeur. Un coup de feu le tua net. Le corps resta des heures sur place, personne ne pouvant s'approcher sans essuyer le tir meurtrier de Brown. Le barman du seul hôtel de la ville réussit malgré tout à venir jusqu'au mort pour lui fermer les yeux et, en récompense de son courage, fut saisi par les hommes retranchés dans l'arsenal.

A l'aube, un petit groupe, qui avait été envoyé par John Brown dans les plantations voisines pour soulever les esclaves, en revint avec des otages : le colonel Lewis Washington et quatorze de ses Noirs. Ceux-là furent considérés par Brown comme des prisonniers, car ils refusèrent de prendre les armes pour ce qu'il appelait, lui, la liberté. Le colonel Lewis Washington, à sa stupeur, vit que ses agresseurs avaient volé chez lui une relique familiale : l'épée de George Washington, son ancêtre, et qu'ils la remettaient à Brown. Celui-ci n'hésita pas un instant à l'accrocher à sa ceinture.

A travers un épais brouillard, la ville se réveilla. On ignorait toujours qui étaient les envahisseurs déjà deux fois meurtriers ; aussi tous les habitants, hommes et femmes, s'armèrent-ils pour délivrer soldats et otages. C'est alors que Brown s'aperçut qu'il n'avait pas prévu de ravitaillement pour lui et ses hommes. Après quelques discussions, il accepta de laisser partir le barman pour chercher de quoi nourrir cinquante personnes, au moins. Il lui donnait une heure, et la vie des otages en répondrait.

Qui donc, au juste, était John Brown, qu'on connaissait déjà par sa carrière sanglante au Kansas ? Un malade physique et mental. Sa mère était morte folle, comme aussi sa grand-mère maternelle et, ce qui aurait pu passer pour une sinistre plaisanterie, une de ses tantes, cinq de ses cousins et deux de ses fils qui moururent enfermés.

Sa folie personnelle prenait la forme d'une hystérie religieuse. Ce grand homme maigre aux lèvres serrées se disait l'instrument de Dieu. Marié deux fois, il avait vingt enfants qu'il était incapable d'élever, mais il enrôla quelques-uns des garçons dans son équipe de tueurs. C'était un sadique ; cependant, avant de tuer, comme après le meurtre, il lisait des psaumes aux siens à voix haute et surexcitée. La musique le faisait pleurer.

Dans cet esprit si tragiquement dérangé naquit l'idée qu'il pouvait à lui seul libérer tous les esclaves. Il rêvait de les armer et, aidé par les abolitionnistes du Nord, d'établir des forts militaires tenus par les Noirs dans les montagnes de Virginie.

Pendant des mois, il se retira au Canada ; là, germa une nouvelle inspiration : un Etat indépendant noir au sud de Washington et dont il serait lui-même le président. Pour cela, il réunit une convention d'une quinzaine de Blancs et de trente-quatre esclaves fugitifs. Ils établirent une Constitution et formèrent un gouvernement de cinq membres. Ensuite, Brown gagna Boston pour réunir des fonds. Wendell Phillips, bonne conscience millionnaire et fanatique, Gerrit Smith et quelques autres citoyens fortunés et honorables, dont les familles avaient été enrichies par la traite des Noirs, lui accordèrent trois mille huit cents dollars. Quelques anti-esclavagistes se méfièrent : le célèbre Garrison, agitateur attitré du Nord, secoua la cendre de sa pipe et dit : « Non. » D'autres personnages influents refusèrent purement, si l'on peut dire. Avec l'argent ainsi obtenu, Brown se cacha dans une ferme abandonnée, à dix kilomètres de Harper's Ferry, mais de l'autre côté de la rivière, dans l'Etat du Maryland, pour espionner les allées et venues et préparer son attaque. Il réunit sa troupe dans ce coin perdu et paya comme mercenaire un ancien soldat de l'armée fédérale afin d'entraîner les hommes.

Enfin, dans cette nuit du 16 octobre, le pitoyable fou franchit le Potomac et pénétra dans le Sud.

Cependant, à l'arsenal, contre du jambon et des œufs pour cinquante affamés, le barman recouvra sa liberté.

Les heures passaient. A midi, les habitants de la petite ville et de ses environs encerclaient complètement l'édifice, les coups de feu partirent de tous côtés. Deux des fils de Brown furent blessés à mort et quatre de ses hommes tués. Un autre assiégé réussit à atteindre le fleuve et tenta de s'échapper à la nage. Son corps fut criblé de balles par les habitants qui tiraient du haut du pont, et le cadavre emporté par le courant.

Le soir du 17 tomba quand Brown comprit que les Noirs ne se soulèveraient pas. Une preuve lui en était donnée par les esclaves du colonel Washington, qui se déclaraient très heureux chez leur maître. Ce dernier, assis, les bras croisés sur une pompe à incendie, ne décolérait pas...

Au crépuscule arrivèrent des *marines* ayant à leur tête le commandant Green sous les ordres du colonel Robert E. Lee. Celui-ci avait été personnellement choisi par le secrétaire d'Etat à la Guerre et envoyé aussitôt à Harper's Ferry par le général Scott, commandant en chef de l'armée. Suivit une nuit d'attente enveloppée de brume. Au petit jour, une estafette portant un drapeau blanc pour parlementer se présenta devant l'arsenal. Il était demandé à Brown de libérer les otages et de se rendre. Brown refusa. Moins d'une heure plus tard, le colonel Lee faisait sauter la porte et les otages étaient libérés. Du côté de l'armée fédérale, un soldat fut tué. Brown, blessé, perdit presque tous ses hommes, sauf trois qui furent arrêtés avec lui. Le lendemain, ils étaient envoyés à la prison de Charlestown, en Virginie.

Huit jours plus tard, commença le procès pour trahison, meurtres et tentative de soulèvement, procès qui divisa l'Amérique, non seulement Nord et Sud, mais le Nord lui-même où une grande partie de l'opinion condamnait le raid contre un arsenal fédéral. Pendant les cinq jours du procès, la petite cité virginienne fut placée sous la loi martiale, des troupes furent envoyées de Washington et de Richmond pour assurer l'ordre. Une pléiade d'avocats descendit du Nord, et des correspondants de tous les journaux d'Amérique firent de la salle d'audience le champ clos de toutes les idéologies de l'Union.

CHAPITRE CXII

Au début de novembre, Billy eut la surprise de recevoir une lettre de Fred. Elle l'attendait à Oglethorpe Square, où il profitait d'une de ses permissions plus ou moins régulières pour consoler Elizabeth tout en la surveillant. Les sourcils froncés pour mieux comprendre, il lut ceci :

Charlestown, Va.
1er novembre 1859

Cher Billy,
Nous ne nous écrivons jamais, les lettres n'étant pas notre fort à tous les deux. On se perd un peu de vue, mais on n'est jamais loin de l'autre. Le souvenir de Dimwood est tenace. J'ai appris que tu étais à Charleston, en Caroline du Sud. Moi, je suis pour le moment dans un Charlestown, de l'ouest de la Virginie, et j'aurais volontiers troqué mon Charlestown contre le tien, mais ces jours-ci la petite ville endormie s'est mise d'un coup au tout premier rang des nouvelles.
Je ne t'apprends rien. John Brown a été jugé par le tribunal de Charlestown et condamné à mort hier. Capitaine de cavalerie dans le Colorado, je fais partie des troupes chargées de veiller à l'ordre de la ville pendant la durée de la loi martiale, et, en qualité d'aide de camp du colonel Lee, j'ai pu assister au procès. Nous sommes à une dizaine de *miles* de Harper's Ferry où ont eu lieu les événements que tu sais. Les journaux sont pleins de récits à peu près exacts. Inutile d'y revenir. Ayant été blessé à la jambe pendant l'assaut de l'arsenal, John Brown était à moitié étendu sur une civière transformée en chaise longue et a beaucoup rugi à chaque séance. Ce n'est pas un vieil homme comme le disent les journaux. Il a cinquante-sept ans et le visage le plus dur que j'aie jamais eu l'occasion de voir, soit dans l'armée, soit dans la vie courante. Les traits sont aigus, le regard d'une cruauté saisissante. La première et la plus durable impression qu'il fait est celle d'un fou, ni plus ni moins. Cela seul milite fortement pour et contre lui... Dans le Nord comme dans le Sud, la cruauté dont il a fait preuve au cours des atrocités de Pottowatomie a laissé un ineffaçable souvenir d'horreur. On ne peut nier, cependant, que tout au long des trois journées du procès il n'ait manqué de courage. Bien au contraire, il a bravé la société dans un flot d'injures et d'imprécations, mais sa débilité mentale est si évidente qu'elle m'a donné à réfléchir.
Il est hors de doute qu'il a conspiré contre l'Etat, qu'il a tué ou plutôt massacré pas mal de monde et que, si l'on est pour la peine de mort, il l'eût sans doute méritée, eût-il été normalement équilibré. Or ce n'est pas le cas. Je regrette

pour lui, comme pour nous, qu'il n'ait pas été abattu dans les combats à Harper's Ferry, car c'est un fou atteint de la manie meurtrière qu'on va exécuter.

Je regrette aussi que l'Etat fédéral qui l'accuse et l'a fait arrêter n'ait pas stipulé qu'il soit jugé à Washington, mais il a fallu respecter les droits des Etats qui exigent qu'il soit jugé et exécuté dans celui où il s'est révolté en s'emparant d'un arsenal du gouvernement.

Je suis comme toi un fils du Sud, tout prêt à me battre pour les droits des Etats et la Constitution qui les garantit, et je vois avec consternation qu'en pendant ce malheureux énergumène la Virginie va fournir aux anti-esclavagistes du Nord l'occasion de faire de lui un héros et, bien plus encore, un martyr. Tu vas voir que le nom de John Brown va devenir le cri de ralliement de tous les ennemis du Sud, et l'hypocrisie abolitionniste abattra sa carte majeure de la Morale qu'elle tient toujours dans sa manche. Pour ma part, je maintiens qu'il faut mettre cet homme dans un asile et que le pendre est une erreur irréparable dont nous aurons à souffrir.

Juste avant le procès, Wise, le gouverneur de la Virginie, alla le voir dans sa cellule et tenta de le faire parler. Avant de tenter son coup à Harper's Ferry, John Brown s'était caché dans une ferme abandonnée du Maryland ; elle fut fouillée et l'on y trouva, outre une certaine somme d'argent, des papiers indiquant que le fou avait dû être commissionné par des gens du Nord. On soupçonnait surtout Wendell Phillips. Wise fit de grands efforts pour obtenir de Brown les noms de ses complices et n'y réussit pas. Ce qui est à l'honneur du prisonnier. Il va de soi que les journalistes du Nord ont passé sous silence cet interrogatoire infructueux. Trop de personnalités importantes se seraient vues impliquées dans cette affaire qui met en ébullition tout le monde abolitionniste. Pour sa part, le président Buchanan refuse nettement d'intervenir en faveur d'un recours en grâce, mais l'agitation ne fait que commencer.

Laissons cela et parlons un peu de Dimwood. Les dispositions prises par notre père pour l'avenir nous feront, toi, moi et Mike, propriétaires de la plantation. Je ne sais ce que tu comptes faire. Pour ma part, je ne me sens aucune envie d'y retourner. Des souvenirs déchirants m'en écartent et pourtant, à certains moments, quelle nostalgie j'éprouve de ces jardins, de ces bois, de la vieille demeure... N'est-il pas étrange aussi qu'au fond de nous-mêmes nous puissions parfois languir après les lieux où nous avons le plus souffert ? J'ai été le plus malheureux des hommes dans ce paradis qui me hante. N'essaie pas de comprendre. Tu ne le pourrais pas, mais je voulais te le dire sans tout à fait le dire. Je souhaite de tout mon cœur que tu sois heureux avec Elizabeth. Tu pourras lui dire que Fred t'a écrit. Cela l'amusera peut-être.

Pour ce qui est de la guerre, nous y allons tout droit. Sur ce point tu sais ce que je pense. Souviens-toi des années 50 et des cris que je poussais alors. C'était à ce moment qu'il fallait attaquer, leur rentrer dedans. Nous aurions gagné à coup sûr... Tu te rappelles ce matin où, au petit déjeuner, nous avons crié : « Vive la Sécession ! » Tu criais, toi aussi, très fort. Le moment est passé. Nous avons perdu dix ans. Nous allons nous battre et nous gagnerons, mais la partie sera plus difficile.

Au revoir, Billy. Tu seras toujours mon préféré dans la famille, et puis une fois n'est pas coutume : je te serre dans mes bras.

Fred.

Encore en manches de chemise et ses grandes jambes étendues toutes droites devant lui, Billy lut cette lettre dans un fauteuil pendant qu'Elizabeth, en peignoir blanc, se coiffait avec un plaisir dont elle ne se lassait jamais. Elle entendait le bruit léger des feuillets entre les doigts de son mari et se demandait qui pouvait lui avoir écrit une lettre aussi longue, car il ne lui en avait rien dit. Il n'était plus tout à fait le même avec elle depuis cette scène un peu ridicule où il avait laissé éclater sa jalousie pour lui demander ensuite pardon. Elle le sentait devenir méfiant et même soupçonneux, mais, avec des sournoiseries d'enfant, il posait des questions très bêtes dont certaines tombaient si juste qu'il fallait bien vite les éluder. De toute manière, elle le retrouvait toujours aussi fougueux à l'heure du devoir conjugal. Il y mettait même une sorte de rage toute nouvelle, dont elle ne se plaignait pas et qu'elle prenait pour une façon de se faire toujours plus amplement pardonner.

— C'est une lettre de Fred, dit-il quand il eut terminé sa lecture.

Elle tressaillit.

— Ah ? fit-elle en continuant de se peigner.

— Oui, il me parle interminablement du procès de John Brown qu'on a condamné à mort. Tu es au courant ?

— Plus ou moins. Miss Llewelyn qui lit les journaux m'en a dit quelques mots, l'autre jour. Il a tué beaucoup de personnes.

— C'est ça, en gros. Fred raconte tout avec un soin… On écrit bien dans la famille, mais c'est un peu long.

Elle releva sa chevelure pour en faire un chignon derrière la nuque.

— Un petit bonjour pour nous tous, je suppose, fit-elle d'une voix indifférente.

— Vaguement. Il parle de Dimwood. Oh ! là il devient tellement embrouillé qu'on le sent fatigué. Il devait avoir envie de dormir. On n'y comprend rien. Il reconnaît lui-même qu'il ne sait pas ce qu'il veut dire. Ecoute plutôt.

Elizabeth acheva de se nouer les cheveux et s'assit dans le fauteuil à bascule.

Anonnant un peu, car l'écriture de Fred devenait confuse à la fin de la lettre, Billy lut le passage qui concernait Dimwood et les émotions contradictoires que cela provoquait en lui.

Parfois, Billy plaçait un commentaire agacé.

« Tantôt il est content, tantôt il ne l'est pas… Il a dû boire ce soir-là, le cher frangin.

Elizabeth ferma les yeux et sentit ses mains devenir toutes froides. Ces allusions si claires pour elle lui serraient la gorge : « Souvenirs déchirants… l'homme le plus malheureux du monde… » Et la petite phrase de la fin, d'une ironie cruelle, comme un reproche… Elle avala sa salive et se mordit les lèvres.

Billy éclata de rire.

« Il m'embrasse ! C'est gentil tout de même, mon vieux Fred. Mais qu'est-ce que tu as, chérie ? Tu ne te sens pas bien ? Regarde-toi dans la glace. Tu es toute blanche.

— Je veux m'étendre, dit-elle. Je suis très fatiguée.

— C'est ma faute », dit-il en la saisissant dans ses bras, et il la porta sur le lit. « Repose-toi, mon amour. Cette nuit, j'étais comme un fou, comprends-tu ? Hors de moi de désir.

Elle lui caressa le visage.

— C'est bien, murmura-t-elle, ce n'est rien.

— Tu te sens mieux ?

— Oui, déjà. Ce n'est rien, Billy. Je vais passer ma robe et nous allons descendre. Le thé me fera du bien.

Ravi de voir tout s'arranger, Billy remit son dolman, et, cinq minutes plus tard, ils descendaient tous deux à la salle à manger.

CHAPITRE CXIII

Le 2 décembre, John Brown fut pendu. Ses compagnons subirent le même sort peu après... Le gouverneur de la Virginie avait refusé de les gracier et, de même, le président Buchanan avait refusé d'intervenir en faveur d'un homme qu'il considérait comme un traître. En revanche, la presse abolitionniste se déchaîna comme elle ne l'avait jamais fait, mais l'opinion publique ne suivit pas et on alla jusqu'à brûler certains journaux à Cincinnati et à Chicago, le parti démocrate du Nord approuvant l'exécution. A New York, l'agitation contre les abolitionnistes mêmes se faisait si violente que la possibilité d'une sécession de cette partie de l'Union gagnait du terrain.

Cependant, ce que Fred avait prévu dans sa lettre à Billy se vérifiait avec éclat. Deux des écrivains les plus écoutés dans le Nord, Emerson et Longfellow, parlaient un peu trop vite, à l'étourdie, de John Brown comme un héros national. On oubliait les tueries et le projet de gouvernement insurrectionnel hostile à Washington, le fou devenait un martyr. Des protestations s'élevèrent contre cette exaltation, mais il était impossible de lutter contre une vue à la fois simpliste et saisissante. Elle était spécieuse, mais elle allait dans le courant de l'Histoire, et les adversaires du Sud, s'ils avaient jugé de travers, avaient calculé juste.

A Savannah, l'événement fut passionnément discuté. D'une façon générale, on regrettait que le personnage n'eût pas été depuis longtemps capturé et mis à l'asile, ou tout simplement abattu par erreur. On parlait aussi, et de plus en plus, de complot. Le Sud unanime accusait le Nord tout entier, sans se rendre compte qu'une petite poignée d'agitateurs du Nord lançait, comme la seiche, un nuage d'encre sur ce que pensait réellement l'opinion publique. Les journalistes s'excitaient, les injures volaient, les Beecher et leurs suiveurs multipliaient leurs mises en scène de carnaval : ventes fictives d'esclaves, sermons où l'enfer brillait de tous ses feux alimentés par les bourses de leurs concitoyens. A la Chambre des représentants, de séance en séance, on était prêt à en venir aux mains, épuisées toutes les richesses de l'assassinat verbal. La salle du Congrès tenait presque de la réunion de boxe.

Vint Noël, une fois de plus les idées belliqueuses s'éloignèrent. On allait entrer dans la dernière année présidentielle de Buchanan. Déjà se profilaient les élections futures. Certes, à Savannah, comme à Charleston, on ne reprochait rien au président encore en exercice, dont l'entourage se composait principalement de gens du Sud, sinon de ne pas prendre parti de façon plus ouverte. Au seuil de 1860, l'avenir bâillait.

A Oglethorpe Square, Elizabeth passa les fêtes de Noël seule avec ses enfants. Vu la situation politique, les troupes avaient été consignées ; à Fort Beauregard, Billy en souffrait autant que sa femme, et celle-ci, n'y tenant plus, prit la décision hasardeuse d'aller le rejoindre là-bas. Elle se fit conduire par Joe, et, par une belle soirée de janvier, sa calèche se présenta à l'entrée du fort. L'audace jouait en sa faveur. Tout d'abord, on ne voulut pas la laisser passer. Elle se mit alors à tempêter comme sait le faire une femme qu'on prive de son mâle. Un jeune officier apparut, au poste de garde, poussa un cri de surprise et bafouilla d'émotion. C'était le jeune sous-lieutenant britannique qui servait d'estafette à Billy quand la situation l'exigeait. Elizabeth lui fit le grand sourire de la séduction.

— Je veux voir mon mari, le lieutenant Hargrove, dit-elle comme on donne un ordre.

Le sous-lieutenant salua et disparut. Dans sa calèche, Elizabeth ôta son chapeau, étala sa chevelure sur ses épaules et attendit, mais pas longtemps. Un Billy éperdu sortit d'une porte et bondit vers la calèche :

— Adorable petite folle, s'écria-t-il en sautant auprès d'elle, qu'est-ce que tu t'imagines... mais je vais tout arranger... le commandant est prévenu.

Le commandant, en effet, arriva presque aussitôt sur ses jambes torses.

— Mes hommages, madame, cria-t-il de loin.

Elizabeth sentit la partie gagnée lorsqu'il vint s'appuyer à la calèche.

« Dans toute ma carrière, déclara-t-il, je n'ai jamais vu violer le règlement de façon si téméraire. Mais nous allons le violer jusqu'au bout, vous et moi. Ne m'expliquez rien. J'ai tout compris... Une belle Anglaise sous mes yeux dans les bras d'un de mes officiers ! Lieutenant Hargrove, dehors et au garde-à-vous pour laisser entrer dans la cour la calèche de madame.

Sautant à terre, Billy obéit ; les soldats de garde, stupéfaits, firent de même tandis que l'attelage de quatre chevaux entraînait dans la cour une Elizabeth à la fois épouvantée et ravie de son incroyable impudence. Le bruit de son arrivée se répandit d'un seul coup. En moins d'une minute, les fenêtres de la caserne se remplirent de hussards et presque aussitôt se vidèrent : un tonnerre de bottes dans les escaliers, et tous se ruaient dans la cour en boutonnant leurs dolmans.

On eut l'impression que la menace de guerre laissait la place à la fête. Elizabeth fut logée dans l'appartement réservé aux visiteurs de marque, généralement galonnés jusqu'au-dessus du coude. Le commandant donna des ordres précis :

« Les officiers sont tous conviés à prendre place à table et pourront ainsi admirer à une distance convenable notre charmante invitée d'honneur. La troupe pourra s'assembler dans la cour et sera autorisée exceptionnellement à reluquer aux fenêtres sans désordre.

Quant à Billy, il le prit à part et lui administra une semonce sur un ton de sévérité épouvantable.

« Vous, lieutenant Hargrove, pour vos innombrables irrégularités, je vous ordonne de passer la nuit à veiller sur la sécurité de madame, et cela dans son appartement. Compris ? Rompez.

Comme on supposait, non sans raison, que la belle Anglaise mourait de faim après sa randonnée, un modeste souper de vingt-cinq couverts fut improvisé au mess, pendant que Billy, avec un surcroît d'attention, veillait à la sécurité de sa femme.

Un peu ébouriffé, mais correct, il parut avec elle dans l'immense réfectoire où l'on avait dressé une table à nappe blanche. Tous les officiers et quelques sous-officiers se tenaient debout, attendant le couple comme pour un repas de noces. Sanglés dans leurs uniformes, ils affectaient une attitude de parade, mais, alors que Billy passait tout près d'eux, il recevait dans l'oreille un chuchotement amical, toujours le même :

— Canaille, tu as toutes les veines !

Le menu fut simple ; les réserves du fort et celles du commandant avaient été mises au pillage pour les beaux yeux d'Elizabeth et la stupéfiante chevelure d'or qui faisait loucher tous ces hommes de guerre. Six jambons de Virginie furent les principales victimes, arrosés d'une quarantaine de bouteilles de champagne. Hâtivement préparés par des cuisiniers à bout de nerfs, d'exquis beignets de maïs corsèrent tant bien que mal ce souper de fortune où deux douzaines d'officiers ne cessaient de proposer des toasts quand ils n'engloutissaient pas les victuailles prévues pour la semaine. Des crêpes flambées au cognac firent leur apparition par vingtaines au moment du dessert, que couronna une montagne de fruits.

Elizabeth ne fit que goûter au champagne dont elle connaissait les effets, pour elle foudroyants, mais se prêta sans fausse modestie aux compliments outrés de ces militaires sur les parties convenables de sa personne : le saphir des prunelles, l'invraisemblable pactole de sa chevelure, les mains d'albâtre, un peu les bras, mais sans aller plus loin, car le commandant veillait au bon ton et Billy roulait quelquefois des yeux farouches. Tout en se gouvernant à ravir, la jeune femme jouissait de la preuve tapageuse offerte à son pouvoir sur le sexe fort. Secrètement elle se jugeait coupable, vulgaire, un frémissement de plaisir la parcourant à chaque volée de hourras, mais elle serrait la main de Billy pour le rassurer et souriait avec une indulgence de souveraine.

Le banquet prit fin assez tard. On se dispersa à regret, et les yeux avides qui se collaient aux vitres disparurent comme des feux qu'on éteint. Elizabeth fut conduite à sa chambre avec les égards normalement dus à un général. Saisissant Billy par un bras, le commandant l'entraîna presque de force dans une petite pièce attenant au mess, et là, tous deux assis dans des fauteuils, il lui tint un discours en proportion avec l'endroit :

— Lieutenant Hargrove, mon ami, dit-il, cette escapade amoureuse de ton épouse m'enchante. Tu es jeune, elle est belle, tu en profites, c'est très bien et ça m'amuse d'être un peu complice de votre bonheur, parce que tu ne dois pas avoir d'illusions : la guerre est là, à notre porte. Quand tu vas à Charleston, tu t'en rends compte. N'en parle pas trop à Elizabeth qui aime mieux ne pas savoir. Comme je te l'ai dit tout à l'heure, je te donne quatre jours de liberté. Va où tu voudras avec elle, à Charleston et dans les environs. Vous trouverez toujours où vous loger, mais, le matin du cinquième jour, j'exige que tu sois de retour ici, sinon plus de permissions. Et puis, attends. Tu me dois une revanche au whist. Ce soir même, tout de suite, illico, nous allons régler ça sur cette table. La belle attendra. Ce sera bref.

Il sortit les cartes d'un tiroir et la partie commença. Le commandant jouait avec une sorte de frénésie comme s'il eût voulu non seulement venger les défaites subies, mais punir son adversaire pour sa nuit prochaine, nuit délicieuse dont il rêvait déjà lui-même comme tous les hommes de Fort Beauregard. Impatient d'en finir au plus tôt, Billy se laissa honteusement piler et son vainqueur, rayonnant, lui souhaita en termes d'une ironie gaillarde une nuit de bon repos.

Le clairon les réveilla. L'ordonnance de Billy vint repousser les volets de bois. L'aurore envahit la chambre, baignant tout de sa lumière rose et jusqu'à la moustiquaire qui cachait mal le lit en désordre. A huit heures, ils se retrouvaient dans la calèche et Joe faisait gaiement claquer son fouet dans l'air vif.

Encore un peu ahuris, les voyageurs regardaient le long de la route les pins se dépêtrer de leurs draps de brume matinale ; déjà, pour Elizabeth, le fort aux murs rouges était un souvenir. Les oreilles pleines des vivats du souper et des souhaits de voyage que les camarades de Billy lui avaient prodigués, l'Anglaise voyait défiler dans sa tête la cour de casernement dans le premier soleil, les hommes transportant des seaux, s'activant à toutes sortes de corvées, les écuries d'où s'échappaient le frappement des sabots et la forte haleine se ruant au-dehors par le haut des boxes ouverts, et, dans les petites casemates de brique sombre, les canons de bronze allongés pour surveiller la mer.

Ils traversèrent des forêts, passèrent sous des avenues de palmes, suivirent à Beaufort l'estuaire de la Broad River qu'ils franchirent sur un bac, reprirent leur route vers Charleston. De nouvelles forêts, de nouveaux fleuves : la rivière indienne de Combahee, roulant ses eaux couleur de rouille, l'Edisto plus rapide, et de larges cours d'eau limoneux charriant des troncs d'arbres avec encore toutes leurs feuilles.

Sur une hauteur dénudée, ils firent une courte halte pour déjeuner. La forêt s'étendait à leurs pieds en vagues déferlantes, tandis que vers l'est, de l'autre côté, la mer, d'un gris d'orage, paraissait immobile.

L'après-midi les retrouva au nord de Charleston sur la grand-route de l'Océan, mais toujours ils se sentaient perdus dans leur rêve de la nuit. Elizabeth se serrait contre Billy. Sommeillant un peu, puis rouvrant les yeux, elle se demandait si le rêve ne se poursuivait pas dans ce voyage à travers un pays inconnu, où des rangées de pins se succédaient dans le silence d'une immense solitude. Savannah disparaissait dans sa mémoire. Elle oubliait tout pour vivre tout entière la minute présente et se sentait heureuse d'un bonheur presque animal. Seul comptait l'homme qu'elle entourait d'un bras, la tête dans le creux de son épaule.

Penser à lui, près de lui, renouvelait en elle un assouvissement qui dépassait la faim charnelle, et son cœur se dilatait dans un amour au-delà du langage humain et qui lui faisait peur. La terreur de le perdre l'effleurait. A un moment elle essaya de lui parler, disant un peu n'importe quoi sur les forêts et les nuages, pour obtenir une parole, mais il répondait à peine, étonné qu'elle admirât un paysage où il ne voyait rien.

— Tu trouves ça beau, chérie ? Moi, ça m'embête, mais tu es là, alors tout va bien.

— Tu as sommeil peut-être ?

— Non, mais attends à cette nuit. Dans la calèche, tu comprends...

— Je ne pensais pas à ça, Billy.

Il lui souffla à l'oreille.

— Joe entend ce que nous disons, tu comprends ?

— Oui, bien sûr.

Pour la calmer, il lui lissa de la main le visage. Elle aimait cela, mais elle l'écarta doucement.

— Sage, fit-elle d'un ton moqueur.

Des mouettes passèrent en criant dans le ciel. Cet appel sauvage la tira brusquement hors d'elle-même. Il lui sembla que l'Elizabeth des premiers jours en Amérique revenait d'une manière inexplicable avec ses incertitudes, son ignorance de la vie. C'était elle, et la femme appuyée contre un jeune officier, dans une calèche, c'était elle aussi. Un sursaut de bon sens lui dit de ne pas se lancer dans ces fantaisies cérébrales. Maintenant elle était la femme de celui qu'on appelait le beau Billy, et c'était, en effet, un être superbe. Elle espérait qu'il resterait toujours comme il était maintenant. Il mangeait beaucoup trop. S'il grossissait... La petite voix qu'elle entendait parfois lui demanda : « L'aimeras-tu encore ? » Elle se débattit contre cette pensée qu'elle jugeait absurde, immobiliser le temps n'était pas possible, mais le présent la comblait.

« Ces mouettes, Billy, là-bas... C'est splendide de les voir voler dans tous les sens... Non ?

— Sales bêtes..., fit-il, sales bêtes, il doit y avoir une charogne quelque part. Leurs cris m'agacent.

Elle se mit à rire et se tut. Quelque chose dans sa vie n'allait plus. Rien n'avait changé, et rien n'était pareil... D'instinct elle se retenait de savoir quoi. Avec de simples raisonnements on arrivait à comprendre, mais on risquait d'en venir à des constatations moroses qui brouillaient un présent agréable. Où pouvait-elle trouver un plus beau garçon que Billy, plus ardent ? « Plus expert », lui souffla la voix. Cette précision la révolta, et, par un élan subit, elle serra le bras de Billy de toutes ses forces :

— Billy, je t'aime, dit-elle.

Tiré de sa somnolence, il tourna vers elle un visage surpris :

— Hein, quoi ?

Elle leva des yeux noyés de tendresse.

— Je t'aime, tu es mon Billy.

— Bien sûr (il lui toucha la joue), il faut être gentille et patiente. Ce soir, tu verras...

— Oh ! Billy, gémit-elle. Je ne pense pas toujours à ça.

— Moi, si, répliqua-t-il, mais je me domine, darling.

La voyant déconfite, il ajouta :

« Nous allons trouver une vieille plantation un peu à l'abandon, où on loge les voyageurs pour la nuit. Le commandant me l'a indiquée. Alors, calme-toi. Nous serons heureux.

En se calant dans un coin, il reprit son somme, les mains le long des cuisses. « Quel déconcertant garçon », pensa Elizabeth, et elle se rencogna, elle aussi, dans la calèche. Elle eut l'impression que les sabots sur la route piétinaient son mariage. Il lui revint à l'esprit le matin où Billy lui avait lu la lettre de Fred en se gaussant de ce qu'il prenait pour du galimatias alors que ces phrases, pour elle limpides, lui déchiraient le cœur. Comment n'avait-il pas compris, le pauvre hussard, qu'il lisait d'une voix moqueuse une déclaration d'amour à sa femme ? Une déclaration désespérée, comme le cri d'un homme à qui l'on arrache un bâillon. Et dans tout ce que Billy lui avait lu de cette lettre, quelle sensibilité intelligente ! Elle rêva d'une conversation qu'elle aurait pu avoir avec un être de cette qualité... Et le coup de poignard du souvenir lui fut donné quand retentit de nouveau, quelque part au fond d'elle-même, la sérénade mélancolique de l'oiseau moqueur sur la tombe de la bien-aimée. Et enfin, plus cruel que cela encore, le terrible non qu'elle avait fait de la tête quand il lui avait si simplement déclaré son amour. Ah ! pourquoi, pourquoi ? Il était bien temps de se demander pourquoi, maintenant qu'elle appartenait à un homme qui ne voyait en elle qu'un ravissant instrument de plaisir... Mais non, elle était injuste, il l'aimait à sa façon, avec sa chair, et il se serait fait tuer pour elle. Fred aussi disait cela. C'était la phrase de Fred, la dernière. Elle en revenait toujours à lui.

A ce moment apparut derrière une forêt de pins un soleil immense et d'un rouge flamboyant. Au milieu des centaines de troncs noirs, il jetait la gloire d'un incendie immobile, et la jeune femme en fut si émue qu'elle secoua Billy par le bras.

— Regarde ! criait-elle, regarde donc, Billy, la merveille !

Il s'ébroua et bâilla.

— Je dormais si bien, fit-il. Ah ! oui, c'est à cause de ça ? Signe de beau temps sec pour demain. Du reste, nous arrivons. Joe, tu vas suivre le bois de pins jusqu'à un carrefour. Il y a un écriteau. Là, tu allumes les lanternes. La nuit tombe vite par ici. Elizabeth, viens près de moi.

Elle obéit comme elle l'avait toujours fait. Dans le clair-obscur, sa main autoritaire lui palpa la poitrine sous la jaquette bordée de fourrure. Elle ne songea pas à se dérober.

Au bout du chemin, Joe alluma les deux lanternes et prit une route un peu plus large, mais rocailleuse, et bientôt, dans la nuit grandissante, ils aperçurent des lueurs au milieu d'un bois. Les chevaux allaient presque au pas. Quelques minutes encore s'écoulèrent, puis ils purent distinguer une maison blanchâtre au milieu de chênes bas aux branches tordues, drapées de mousse espagnole en longs voiles gris déchirés dont les franges remuaient dans la brise du soir.

Une faible lumière éclairait le porche, et une vieille domestique noire fit entrer les voyageurs dans le vestibule. Parut presque aussitôt un homme à cheveux gris. Dans sa redingote usée, il évoquait un autrefois révolu, impression confirmée par des manières un peu cérémonieuses.

— Soyez les bienvenus, dit-il, nous dînons dans une heure, mais attendez-vous à un repas très frugal.

Elizabeth et Billy protestèrent qu'ils ne désiraient pas autre chose.

« Ada va vous montrer votre chambre, reprit le vieux monsieur.

Et il frappa dans ses mains ; la domestique noire revint. Les voyageurs la suivirent jusqu'en haut d'un escalier étroit. Elle portait à la main une petite lampe à huile et les guida au fond d'un couloir où elle ouvrit une porte.

Dès qu'ils eurent jeté un coup d'œil dans la chambre, la même pensée leur traversa l'esprit : « Allons-nous-en », mais en même temps, sans le dire, ils hésitaient à blesser le vieux gentleman qui les avait reçus, et ils firent signe que la chambre leur convenait. La lampe fut posée sur une table et la femme noire se retira, apparemment à l'aise dans l'obscurité où elle disparut.

Grande et vide, la chambre n'offrait pour tout confort qu'un lit large, mais défoncé. Une mousseline déchirée par places jouait le rôle de moustiquaire. Dans un coin de la pièce, une cuvette et un grand broc d'eau suppléaient aux soins de la toilette. L'unique fenêtre était protégée contre la lumière du jour par des volets où manquaient des lattes.

— Il vaut mieux prendre la chose en riant, dit gaiement Elizabeth. C'est un asile pour la nuit.

— Demain, nous irons chez nos cousins de Charleston, fit Billy. Là, tu trouveras le luxe et une des meilleures tables du Sud.

Soudain jetés l'un vers l'autre, ils s'enlacèrent debout, et la lampe appliqua sur le mur la silhouette fantastique de deux corps prisonniers l'un de l'autre.

Comme l'avait annoncé leur hôte, le dîner fut simple... Du pain bis qu'on pouvait tremper dans un potage épais matait la faim en attendant des tranches de jambon accompagnées de salade. Une pomme au couteau représentait le dessert, et l'eau, qu'on affirmait d'une source voisine, était servie à discrétion dans un pichet d'étain. Le gentleman aux cheveux gris présidait ce repas et disait au début comme à la fin les prières d'usage qui sentaient leur vieux temps : il y mettait une grâce qui toucha Elizabeth et fit se crisper d'agacement Billy, adversaire de toute dévotion. Son commandant lui avait dit que la plantation, jadis prospère, était ruinée depuis vingt ans, mais qu'il restait des traces d'une splendeur défunte, et il n'en voyait aucune, alors qu'Elizabeth remarquait sur les murs de la salle à manger délabrée des moulures d'un style admirable dans le goût du siècle précédent, avant la révolution de 76. Elle n'en dit rien, mais les yeux gris du vieux gentleman suivaient son regard attentif et un beau sourire mélancolique la remercia sans un mot.

La nuit des deux époux fut ce qu'elle était toujours. Banale et forcenée, elle différa de toutes les autres en ceci que le lit s'effondra.

Ils partirent tôt.

Les jardins de la plantation, jadis renommés pour la richesse de leurs couleurs, étaient à l'abandon. La vieille femme noire avait indiqué à Joe l'avenue qu'il fallait prendre pour y arriver. Pardessus leurs têtes, les chênes mêlaient leur feuillage noir, leur donnant l'illusion d'avancer dans une basilique tendue de drapeaux en loques. Tout à coup la voûte disparut, et ils s'avançaient entre deux murailles d'azalées jaunes et rouges que la jeune lumière semblait leur offrir. Joe avait mis l'attelage au pas. Vinrent ensuite des masses croulantes de gardénias jaillissant du feuillage sombre, et leur odeur à la fois franche et fraîche les étourdit. Ils s'arrêtèrent enfin dans une clairière au bord d'un étang. Quelques planches formaient un embarcadère où se trouvaient amarrées des barques à fond plat, prises dans des nénuphars. Billy sauta de la calèche.

« Allons faire un tour !

D'abord, ils circulèrent dans un chemin d'eau entre des berges de fleurs. Parfois Billy les repoussait de la rame, car elles barraient presque le passage… Ils arrivèrent enfin sous de gigantesques cyprès qui semblaient baigner dans de l'encre.

Une légère brume stagnait sur ce lac sombre. La barque progressait avec lenteur, et son sillage s'effaçait presque aussitôt sous les hautes colonnes des arbres. Derrière les rideaux lourds de la vapeur blanche palpitait un soleil malade. L'air immobile étouffait le cri peureux des oiseaux lointains et les eaux luisaient sinistrement le long de monstrueuses racines qu'elles ne reflétaient pas. Surchargé d'oripeaux de mousse noircie et de lichens verdâtres, un arbre allongeait un bras de titan sur le marais d'où montait une odeur de mort. Rien ne bougeait. Depuis bien des années, aucune pirogue de sauvage n'avait fendu cette eau pourrissante ; aucune parole humaine n'avait heurté le silence de ce lieu qui espérait sans doute depuis toujours le meurtre dont il offrait en vain le décor, car l'horreur planait sur cette surface d'obsidienne. Ce marais ne voulait qu'étouffer, et des lianes étrangleuses pendaient inutiles le long de quelques branches. Au coin de cette jungle habitée par le cauchemar, la nature, patiente comme un Indien, attendait l'homme blanc, son vieil ennemi.

Au bout d'un moment, sans avoir échangé un mot, ils firent demi-tour. Le chemin ne fut pas facile. Le silence autour d'eux semblait plein d'une menace secrète, quand tout à coup leur parvinrent de nouveau les appels des oiseaux tout au loin. Les dernières racines tordues dans une violence immobile disparurent sous le calme éventail des fougères, puis une profusion de camélias blancs et roses, pareils à un brusque sourire, les accueillit.

« Voilà, dit Billy lorsqu'ils furent de nouveau sur la route. Tu as vu une des curiosités de l'endroit. Le commandant m'avait dit de ne pas rater ça. Qu'est-ce que tu en penses ?

— Mais… je ne sais pas.

— Tout de même… Avoir fait un détour pour voir cette saleté…

Elle ne répondit pas.

— Bah ! tu seras plus bavarde ce soir, sur l'oreiller. Et maintenant, en route pour Charleston.

Il l'aida à monter en calèche et s'assit tout près d'elle. Joe enleva son attelage au grand trot. Comme il était entendu qu'en voiture ils ne se parlaient pas, Elizabeth fut à l'aise pour se réfugier dans ses rêveries. Les premiers coups de rame l'avaient emportée dans un monde où tout lui semblait étrangement familier. Déjà, six ans plus tôt, lors d'un premier voyage de Dimwood à Savannah, elle était passée, le temps d'un tour de roues, non loin d'un marais où flottaient des troncs d'arbres morts, et ce lieu, à peine entrevu, lui avait fait l'impression d'une solitude qui serrait le cœur d'effroi, mais n'en exerçait pas moins une fascination invincible. Souligou, la couturière férue de sorcellerie, lui avait affirmé qu'elle possédait ce qu'elle appelait vaguement des dons ; Elizabeth préférait ne pas obtenir de précisions sur ce point, parce que cela lui faisait peur, et dans la barque, tout à l'heure, elle y avait songé, là où mourait le chant des oiseaux. Au centre du marais, un silence d'une profondeur indescriptible engloutissait la vie et Billy l'avait traversé sans en avoir conscience le moins du monde, mais elle, prise d'épouvante, avait failli s'effondrer sous son banc. Sans bouger, elle subit l'horreur d'une complicité avec l'invisible et, une fois revenue sur la terre ferme, elle avait respiré, soulagée.

Envoûtée par ce singulier voyage intérieur, elle n'avait pas pris garde aux palmiers qui bordaient la route ni aux massifs de poinsettias et de camélias dans les jardins des maisons, par ailleurs assez modestes, qui se rapprochaient les unes des autres de plus en plus. Vers une heure, ils traversaient les faubourgs et pénétrèrent dans la ville. « *Sweet watermelons, sweet watermelons... crab fish, crab fish...* » Les douces voix des Noirs vendeurs de poisson et de melons d'eau montaient de tous côtés, la tirant d'elle-même en lui rappelant Savannah, mais bientôt cette sorte de chant à la fois joyeux et plaintif cessa tout net. Le dur claquement des sabots sur le pavé des rues retentissait dans le silence. Surgirent aux yeux d'Elizabeth de magnifiques demeures dont les vérandas superposées s'ornaient de colonnes blanches. Aucune maison ne touchait ses voisines ; on eût dit qu'elles se détournaient si peu que ce fût de l'épaule. Des sycomores géants ombrageaient l'avenue, mais pas de jardins. Les jardins s'épanouissaient derrière les murs, et l'odeur sucrée des magnolias était emportée par une brise qui venait de la mer.

C'était Charleston.

7

L'AILE ROUGE

CHAPITRE CXIV

Neuf heures du soir. Dans la pièce ronde où des photophores jettent une lumière douce et dorée sur le plafond et les murs couleur de pêche, neuf personnes sont assises autour d'une table et s'arrachent la parole, dans une conversation pleine d'éclats de rire. Les exclamations volent. Des carafes de cristal circulent d'un bout à l'autre de la surface blanche où brille la lourde argenterie de famille. Les verres se remplissent et se vident miraculeusement. Hilda secoue ses boucles noires, la chaleur de la discussion la fait se dresser à moitié sur sa chaise pour se faire entendre. Une fraternelle prise de bec est en cours avec sa sœur Minnie, dont les tresses auburn amincissent le pâle et délicat visage.

— Susanna est une obstinée, dit celle-ci, elle ne veut pas bouger de Dimwood, elle serait beaucoup plus heureuse ici, avec nous.

— Tu n'en sais absolument rien. Elle s'est confiée à moi. Elle a le droit de vivre à sa guise.

— Non, elle a tort, s'écrie Minnie. Si elle était là, ce soir, Dimwood serait au complet, moins les parents.

— Moins Fred, glapit Mildred, les boucles blondes en bataille. S'il était là, nous aurions déjà fait sécession au lieu de piétiner sur place dans la politique.

— Je suis pour Fred, clame Billy. Depuis 50 il a toujours dit qu'il fallait leur rentrer dedans. On a perdu dix ans.

— Il a dit ça, Fred ? crie Mike d'une voix suraiguë. A la citadelle on dit la même chose, leur rentrer dedans à la baïonnette, mais il n'est pas trop tard.

Une voix sourde et rageuse se fait entendre au-dessus de la mêlée. C'est le mari de Minnie.

— Mieux vaut tard que jamais si c'est tout de suite, déclare-t-il.

Le Sud est de taille à bousculer cet hybride ramassis de boutiquiers qui se prend pour une nation.

— Oh ! Antonin, que tu parles bien, fait Minnie. Si Fred t'entendait...

— Il m'a écrit une lettre, coupe Billy, d'un air important. Une lettre d'au moins huit pages...

— A toi ?

Le ton incrédule vient de Lawrence Turner, grand buveur qui se tient de plus en plus droit et articule de mieux en mieux à mesure qu'il avale son vin blanc.

« Sans vouloir désobliger personne, continue-t-il, je me demande ce qu'il pouvait avoir à te dire.

— Ça ne te regarde pas, répond Billy, sauf son récit du procès de John Brown après Harper's Ferry, qui intéresse tout le monde.

— Plus maintenant, Billy, réplique vertement Lawrence, c'est déjà de l'histoire ancienne, on l'a pendu en décembre.

— Malheureusement, dit Antonin de Siverac, le Nord l'a déterré et momifié pour en faire un héros. Voilà un mort qui aura la vie dure.

— Qu'est-ce que notre Fred pouvait faire à Harper's Ferry ? s'écrie Hilda.

— Aide de camp du colonel Lee.

— Le colonel Lee, s'exclame Minnie. Il fallait le dire. Billy... tu te rends compte ?

Un grand cri de toute la table.

— Lee ! Buvons au colonel Lee.

Tout le monde est debout et les verres s'élèvent à bout de bras. Un énorme hourra fait tressaillir les serviteurs noirs, qui s'éclipsent.

— Au collège, tout le monde l'adore, hurle Mike en renversant à moitié son verre sur Elizabeth qui a voulu s'asseoir à côté de lui.

Elle s'essuie en riant et se lève perplexe, parce qu'elle n'y est plus du tout et que le nom de Lee ne lui dit rien. Depuis le commencement du dîner, elle rêve, elle est heureuse d'être à côté de Mike. Il lui remplit un verre qu'il lui tend et lui dit dans l'oreille :

— Crie hourra pour le colonel Lee !

Elle crie hourra et pose son verre, qu'elle n'a fait que toucher des lèvres. Elle pense aux camélias autour du marais où le silence fait mourir le chant des oiseaux. Sa pensée divague.

— Tous les officiers de Beauregard sont pour le Sud, tonne Billy, et à Beaufort et à Pinckney.

— Lee est entièrement pour nous, s'écrie Mike, et tous les officiers. Qu'est-ce qu'on attend pour faire sécession ?

— Vive la Sécession ! articule Lawrence en s'appuyant de toutes ses forces sur Minnie pour ne pas s'écrouler.

— Vous criez tous si fort qu'on va vous entendre dans la rue, clame Antonin de Siverac.

— Et après ? fait Hilda. Tu crois que Charleston ne vocifère pas aussi fort ?

— Lawrence, finis ou tu reçois une gifle. Tu me prends pour un meuble ? Assieds-toi, tu es saoul.

Et Minnie le fait asseoir de force ; le tumulte se calme un peu.

— Lawrence, remets-toi, dit Antonin de Siverac. Tu es le seul ici à connaître le colonel Lee et tu ne peux que crier « Vive la Sécession ! ». Tu as autre chose à dire.

— Je l'ai vu, moi, s'écrie Hilda en se levant, Lawrence m'a menée trois fois en Virginie, à Kinloch chez son oncle où le colonel va se reposer dans la vieille maison de Fauquier County.

— Kinloch, oui, murmure Lawrence d'une langue pâteuse qui lutte pour se faire précise, on est là-haut dans les collines, loin de tout... des arbres gigantesques... tout autour...

— Ça va, dit Siverac, on y est, et le colonel ?

— Le colonel est un homme magnifique, fait Hilda avec autorité. Grand, très beau, avec des yeux clairs, et toujours très tranquille.

— Tranquille ? interrompt Mike. Tu es sûre ?

— Si, si, fait Lawrence, il parle doucement.

— Très poli, continue Hilda, très sérieux, il lit... beaucoup.

— Son cheval, Traveller *..., essaie de dire Lawrence.

— Oh ! oui, il fait des randonnées dans les bois sur Traveller, son ami, il l'appelle son ami... Il ne veut pas qu'on lui parle du Texas. On le regarde et on l'aime, tout le monde l'aime dans le pays, il sourit et on a l'impression qu'il vous a dit toutes sortes de choses.

— La voilà amoureuse du colonel, ta femme, commente Siverac.

— Elle est comme tout le monde, fait Lawrence en se tirant de ses brumes, il est de ces hommes qui ne disent presque rien et pour qui on se ferait tuer.

— C'est ça ! crie Mike. Les officiers disent tous la même chose.

— Alors, il est pour la Sécession ! crie William Hampton, qui se lève d'un coup.

— Il n'en parle jamais, fait Lawrence. En Virginie, on est beaucoup plus calme qu'ici.

Mildred lance une phrase triomphante :

— Sa famille est d'une antiquité fabuleuse.

* Voyageur.

— Pas si fabuleuse que ça, rectifie Lawrence Turner. Ses ancêtres se sont battus aux côtés du roi Harold, contre les Normands.

— Hastings, 1066, claironne Mike.

A la surprise générale, Elizabeth donne de la voix, non sans une pointe d'ironie :

— Charlie Jones y était aussi, en 1066. Tout le monde veut avoir défendu le roi Harold. Quelle cohue d'aristocrates...

— Tu te moques de nous ! fait Mildred debout et batailleuse comme son mari, William, le beau blond rageur.

— Pas du tout. On m'a dit cela de ma propre famille, mais je n'y crois pas. Aucune preuve.

— Pour Lee, il y en a plus qu'il n'en faut, dit Lawrence Turner, mais lui ne veut pas en entendre parler. Il a dit devant moi que ses ancêtres ne l'intéressaient pas et que la généalogie l'ennuyait.

— Il n'est vraiment pas comme tout le monde ! s'écrie William Hampton.

— Oui, dit Hilda, et c'est pour ça qu'on l'aime, c'est un grand homme. On n'a pas envie de discuter avec lui : d'un sourire il vous fait taire.

— Mais on ne sait pas ce qu'il pense, fait Lawrence tout à fait dégrisé. J'ai beau être de sa famille, il ne se confie pas.

— Qu'est-ce que ça peut faire ? demande William Hampton d'un ton agressif. A lui seul, il est le Sud.

— Alors encore un toast pour le colonel Lee ! hurle Mike monté sur sa chaise.

Dans son uniforme bleu et les cheveux tout ébouriffés, il agite les bras vers le plafond et semble l'image d'une jeunesse folle d'enthousiasme. L'air est criblé de bouchons de champagne et la mousse se répand sur la nappe. Tous les verres dressés dans les hauteurs, les hourras assourdissent cette fin de soirée.

A regret, on se sépara. La maison était vaste et les chambres nombreuses. Les souhaits de bonne nuit se multipliaient au premier.

Quelques minutes plus tard, dans la salle vide, l'indescriptible désordre qui régnait sur la table évoquait un champ de bataille après une âpre mêlée de bouteilles autour d'une citadelle rouge, sauvagement démantelée. Des éventails gisaient parmi des étuis à cigarettes grands ouverts.

Avec une prudence de souris, parurent alors deux vieux serviteurs noirs en jaquette grise... Sans un mot, ils empoignèrent les bouteilles dont certaines étaient renversées, mais non tout à fait vides, et ils les burent toutes au goulot, en silence, dans un élan de zèle quasi professionnel, pour rétablir l'ordre. La gigantesque pâtisserie de framboises eut ensuite son tour et fut engloutie en tranches épaisses. Cela prit du temps, mais ne s'entendait que le travail affairé des lèvres et des langues. Pas une miette ne resta, et ce fut alors la minute délicieuse du repos digestif dans les fauteuils profonds. La délicate odeur des cigarettes tirées des étuis d'argent bruni monta dans la lourde atmosphère de grand dîner arrosé de champagne, et les idées s'activèrent, confuses, dans un murmure.

— Alo', fit une des deux têtes grisonnantes et frisées, la sécession, tu comp'ends, toi ?

— Bien sû', fait la seconde tête frisée, tous les Blancs vont se bat' et on se sauve, nous.

— Vieux nigaud, toi, et où tu vas, toi ? Moi, pas si bête, je 'este ici, pa'ce qu'ici, on est avec les madames qui veulent mangé. Tu n'es pas bien, ici, toi, à la kisine ?

— Bien sû'. T'as 'aison, toi. Les madames, c'est toujou' gentil avec les 'espectables pe'sonnes de couleu'.

— Si tu te sauves, toi, on te 'att'ape et tu vas à la plantation. Tu veux t'availlé au soleil à la plantation, toi ?

— Et si on se sauve pou' aller au No'd ?

— Oh ! alo', là tu vas chez le diable, toi, on te fait t'availlé dans une usine et là, c'est l'enfe'...

— Moi, suis t'op vieux pou' l'usine.

— Allons, toi, fais pas l'idiot, toi. Bouge pas d'ici, toi. I t'a'ive 'ien ici... Maintenant, on va desse'vi' la table toi et moi. Faut que tout soit p'op'e et gentil pou' demain matin.

— Bien sû', Hilda fe'ait du potin.

— Tu dois pas di' Hilda, faut di' « maît'esse ».

— Oh ! ent' nous, pe'sonne n'entend !

— Oh ! toi, alo' ! Allons-y : pou' Hilda, pou' Hilda !

— Pou' Hilda ! répondit la seconde tête frisée en écho.

Tous deux se mirent à débarrasser la table et bientôt la pièce reprit son aspect normal, mais la tête grise qui rêvait de fuite proposa d'ouvrir une fenêtre pour changer l'air. Ils virent alors des oiseaux noirs aux ailes étendues qui parcouraient l'espace entre les maisons, et les deux hommes poussèrent un cri :

— Les busa'ds ! Fe'mons vite !

Une crainte superstitieuse de ces charognards les fit trembler. Pour eux, ces oiseaux sinistres étaient au service de la mort et présageaient des désastres... En toute hâte, ils éteignirent les photophores et disparurent dans l'obscurité.

Le déjeuner du lendemain réunit les mêmes convives, mais s'annonça nettement moins animé. Des échos de leurs vociférations sécessionnistes étaient parvenus aux oreilles de Hilda, qui en éprouva une légère confusion. Tous, du reste, ressentaient secrètement une gêne analogue, sauf Mike et Billy, toujours prêts à rugir.

La pièce, rendue à la lumière du jour, perdait le caractère un peu théâtral que lui prêtait l'éclairage des photophores et faisait songer à une personne qui s'est calmée après une regrettable crise de nerfs. Son charme lui venait d'une simplicité élégante dans le choix des meubles anglais. De grands bouquets de fleurs multicolores sur les consoles ajoutaient à la tranquillité heureuse qui se respirait entre ces murs.

La conversation s'engagea avec une placidité de bon augure et fut longue à se mettre en marche. On parla un peu vaguement des Conventions qui devaient avoir lieu au printemps et des candidats qu'allaient choisir respectivement le parti démocrate et le parti républicain en vue des élections présidentielles. Lawrence Turner laissa tomber une phrase dédaigneuse sur le président Buchanan, que le Sud ne regretterait pas :

— Il ne suffit pas d'être aimable gentleman pour gouverner un pays et les vacillations de Buchanan étaient dangereuses.

Pas une voix ne s'éleva pour défendre le président encore en exercice, et le gratin de langoustines fut jugé délicieux.

« N'est-il pas curieux, continua Lawrence Turner, de se dire aujourd'hui que dans le fauteuil présidentiel s'assied déjà, comme par avance, l'homme invisible dont dépendra notre sort à tous dans un an ?

— Nous n'en sommes pas à élire des fantômes, remarqua Siverac, mais plusieurs noms flottent déjà dans l'air, bien que les Conventions n'aient lieu qu'en avril : Douglas pour le Sud, Seward pour le Nord, mais ni l'un...

Un peu hargneuse, la voix de William Hampton coupa cette phrase :

— Douglas est d'avance désavoué par le Sud. Il nous a trahis dans l'affaire du Kansas ; quant à Seward, le Nord même s'en méfie. C'est l'homme du conflit irrépressible, il veut la guerre, il veut nous écraser, simplement.

— Cette canaille de Seward a malgré tout des chances, jeta Antonin. Il a derrière lui les Wendell Phillips et la finance.

— Il nous faudrait, à nous, un homme comme Toombs, fit Lawrence. Toombs, c'est le tonnerre. Il serait le héraut du Sud. Imaginez-le dans une de ses déclarations favorites : « L'esclavage, nous réglerons cette question nous-mêmes. Que le Nord se mêle de ses esclaves dans les usines ! »

— Bravo ! s'écria Mike. Je suis pour Toombs.

Des rires saluèrent cette déclaration.

— Même s'il se présentait, dit Lawrence Turner, la partie ne serait pas facile à gagner. Douglas est entouré d'hommes à lui, qu'il a achetés, et dont quelques-uns sont puissants.

Il y eut une interruption pour laisser entrer un esturgeon farci de champignons. Ce personnage marin était d'une taille imposante, et des murmures d'admiration gourmande honorèrent son apparition. Les bouteilles de champagne firent claquer les coups de pistolet sans quoi point de fête. Le tout fut savouré dans ce demi-silence recueilli bien connu des gourmets. La politique revint discrètement quand les assiettes furent vides. Antonin de Siverac observa :

— Peut-être le plus intéressant de ces personnages politiques d'aujourd'hui est-il quelqu'un que nous n'avons pas nommé : l'interminable Abraham Lincoln, qui n'est pas candidat.

— Même si celui-ci était pour nous, je le trouverais peu attrayant... Des photos ont paru lors de sa lutte avec Douglas.

— Il n'est pas pour nous, en effet, dit Siverac, mais il est du Sud, du Kentucky, et fier de l'être, paraît-il. Quant à sa défaite dans le débat avec Douglas, il considère, lui, que c'est un succès, elle lui a valu toutes les voix républicaines.

— C'est un avocat, remarqua Lawrence, et des plus redoutables.

— Républicain, donc abolitionniste, fit Hilda.

— On dit sur lui tant de choses contradictoires, reprit Lawrence, que vous me donnez l'envie de vous lire quelques lignes d'un discours. Excusez-moi, j'ai gardé cette coupure de journal dans mon secrétaire. Je monte la chercher, j'en ai pour une minute.

Il disparut aussitôt.

— Comme ton mari se passionne pour la politique ! fit Minnie.

Hilda leva les yeux au plafond :

— Tu n'imagines pas à quel point. Et Lincoln l'intéresse tout particulièrement, je ne sais pourquoi.

— Oh ! ce grand bonhomme dégingandé, mal vêtu, vulgaire...

Mildred prit la parole pour ajouter une touche au portrait du mystérieux républicain.

— On dit que chez lui, en Illinois, il amuse ses amis avocats en imitant les pasteurs en train de prêcher. Il prend une voix nasillarde, roule des yeux blancs, étend les bras, dit des âneries sur un ton pieux... un parfait Beecher...

Elle allait continuer quand Lawrence reparut, un papier à la main. Il prit un ton d'orateur :

— Voici. Il s'agit d'un discours qu'il a prononcé à Charleston en Illinois, en 58 : « Je ne suis maintenant ni n'ai jamais été et en aucune façon partisan de l'égalité sociale et politique de la race blanche et de la race noire... Il existe une différence physique entre elles qui leur interdit à jamais de vivre ensemble dans l'égalité sociale et politique. Il existe naturellement une situation de supérieur et d'inférieur, et je suis d'avis d'assigner la position de supériorité à la race blanche. »

— Stupéfiantes déclarations de la part d'un républicain, fit William Hampton. On nous l'a fait voir comme abolitionniste.

— Aussi ne se déclare-t-il pas hostile aux Noirs, fit Lawrence. Il s'oppose seulement à l'égalité des deux races.

— En attendant, place au *mud pie,* s'écria Hilda.

Le *mud pie* se présentait comme un gâteau de boue, lisse et séchée, qui se fendait en ornières d'onctueux chocolat au premier coup de cuiller. Il fut avalé en silence et suivi d'un café brûlot à la mode de La Nouvelle-Orléans.

Ils étaient tous de bonne humeur ; sans la violence de la veille au soir, la discussion n'en avait pas été moins intéressante, tous les politiciens semblaient interchangeables et ces jeunes gens se sentaient secrètement désarmés devant le déferlement d'inutilités dangereuses.

Vers quatre heures, ils se dispersèrent, chacun disposant de son temps comme il l'entendait ; Lawrence Turner déclara qu'il allait à son bureau d'architecte, près de Broad Street.

— Je t'accompagne, dit William Hampton, cela me fera plaisir de bavarder un peu avec toi.

— Je te préviens, on y va à pied. Après un déjeuner comme celui-là...

— D'accord.

Dès qu'ils furent dehors, ils échangèrent de nouveau quelques mots sur la situation politique :

— On ne peut jamais dire toute la vérité devant les femmes.

Elles s'emballent tout de suite. Avec elles, on serait depuis longtemps en guerre. Déjà on a l'impression qu'elle avance et qu'elle recule.

— Crois-moi, ce sera un soulagement de la voir éclater, dit Hampton. Rien n'est plus paralysant que l'incertitude, mais laissons cela. J'ai trouvé bizarre l'attitude d'Elizabeth pendant tout le déjeuner.

Les mains derrière le dos, il tournait vers son compagnon un visage de blond émotif. Turner, plus calme, lui jeta un coup d'œil amusé.

— Je ne l'ai jamais connue que bizarre, comme tu dis, mais j'ajoute que je ne l'ai vue qu'un peu, le jour de mon mariage, à Dimwood. Elle a des silences qui ne sont pas ceux d'une femme. Est-ce là ce que tu veux dire ?

— D'accord pour les silences, mais sa sortie contre la noblesse... J'ai failli intervenir.

— Tu ne le pouvais pas. Elle s'est mise dans le même sac. Elle n'est pas bête.

Ils allaient lentement sous les sycomores, et la lumière parsemait d'or pâle leurs redingotes bleu sombre.

— Je n'en sais rien, fit Hampton avec une pointe d'impatience, mais je la trouve mystérieuse.

— Mystérieuse est le mot juste. Je ne sais si elle réfléchit beaucoup, mais elle rêve.

— A quoi ? J'ai mon idée, peut-être ferais-je mieux de la garder pour moi, par discrétion.

— William, nous nous connaissons trop bien pour jouer aux belles manières. Dévoile-la, ton idée.

Hampton eut tout à coup une mine de mécontentement extrême :

— Si tu me passes l'expression, elle regarde son mari avec... eh bien, avec une sorte de gourmandise.

Turner éclata de rire.

— Et alors? Si quelqu'un en a le droit, c'est bien elle !

— Je ne le conteste pas, mais on ne se conduit pas comme ça dans le monde.

— William, fit Lawrence avec un sourire, tu ne l'aimes pas.

— Ça par exemple ! Je l'ai vue hier soir pour la première fois... Elle m'est totalement indifférente.

— Bien, bien. Tu ne la trouves pas... disons jolie ?

Cette question mit Hampton au bord de l'exaspération.

— Quel rapport ? fit-il hargneusement. Elle se conduit mal, c'est tout.

— Elle est mon invitée, sous mon toit, fit Lawrence qui poussait la taquinerie assez loin avec une fausse innocence.

— Elle n'est pas mon invitée, pas plus que son mari aux airs vainqueurs.

— Au tour du mari ! fit Lawrence, doucement ironique.

Hampton s'arrêta net et planta ses yeux dans ceux de Turner.

— Lawrence, dit-il, j'ai peur que tu ne comprennes pas du tout.

— Si, William, Elizabeth est connue pour l'irritation qu'elle provoque chez certains hommes, je l'ai moi-même éprouvée. Crois-moi, on s'en remet vite.

Hampton haussa les épaules.

— De quoi aurais-je à me remettre ? demanda-t-il brusquement.

Puis tout à coup il s'exclama :

« Oublions cette sotte discussion, Lawrence. Nous voici à Broad Street. Je te laisse. Il ne me reste plus qu'à te remercier pour ta passionnante hospitalité. Ce soir, je reste chez moi, avec ma femme.

Saisissant la main de Turner, il la serra avec force.

« L'amitié avant tout, dit-il. Ne fais pas attention à mes moments d'humeur. A bientôt.

En pivotant sur les talons, il traversa la rue et s'éloigna d'un pas rapide. Turner le regarda disparaître.

« Mordu, pensa-t-il. Comme nous tous, l'un après l'autre. Cette petite Anglaise n'épargne aucun cœur sans même en avoir conscience. Je serai soulagé de la voir partir, tout en la regrettant. »

Il soupira. Broad Street lui fit retrouver un peu de sa bonne humeur. Cette grande rue pleine d'animation le rendait à une humanité sans mystère. On y voyait courir en tous sens des Noirs chargés d'activités diverses, la plupart étaient commissionnaires, tous vêtus de couleurs vives, du rose, du bleu azur, du vert et du gris presque blanc un peu partout, chassant les pensées moroses.

Le soleil d'après-midi coupait la rue, et tantôt toutes ces couleurs chatoyaient dans cette poudre d'or, tantôt, sous la nuit des arbres, par contraste, devenaient un instant plus intenses, puis s'effaçaient en ombres cendreuses. L'animation grandissait ; les banques, les boutiques connaissaient l'activité fiévreuse des fins de journée, comme pour justifier les heures de sieste, les parfums qui dansaient dans l'air, la beauté de la ville, la douceur de vivre, enfin...

Les heures passèrent vite, emportant ce qui restait de la permission accordée à Billy. Joe le reconduisit à Beauregard, roulant la nuit pour arriver à destination au lever des couleurs. Elizabeth décida de s'attarder encore à Charleston, comme l'y pressait Hilda qui se chargeait de la distraire.

Le beau temps se prêtait à tout : à la guerre comme à la fête. Il ne s'agissait pour le moment ni de l'une ni tout à fait de l'autre, mais du simple bonheur de faire voir à l'Anglaise quelques aspects de la ville, qui se flattait d'être la plus belle du Sud.

Le tour en calèche de la Battery parut s'imposer. Au confluent des deux rivières, l'Ashley et la Cooper, la promenade le long du boulevard aboutissait aux jardins célèbres dans le pays entier, les White Point Gardens. C'était là, sur les terrasses qui dominaient le port, que l'on venait par les nuits tièdes, à la lumière de la lune, écouter les garçons jouer de la guitare tandis que l'eau scintillait. Mais, là aussi, à l'aube, les vautours se posaient avant de nettoyer les rues. Des chênes aux troncs d'une grosseur monstrueuse prodiguaient des asiles de fraîcheur par les journées chaudes et formaient un contraste avec la cambrure juvénile des palmiers saluant le soleil dans la baie. Partout, des myrtes, du jasmin, des masses de fleurs aux parfums provocants se touchaient en bordure des allées. Hilda connaissait tous les détours de ces lieux féeriques et choisit un itinéraire qui les conduisit là où la vue embrassait dans toute sa longueur l'embouchure, le port, la baie tout entière, dont l'importance stratégique semblait évidente, même aux yeux naïfs d'Elizabeth. Elle crut voir au milieu un long vaisseau rouge sombre percé d'une douzaine d'ouvertures carrées. Ce qu'elle prit pour une maison basse s'élevait à un bout de cet étrange bateau.

— Fort Sumter, dit Hilda. Qui tient le fort tient le Sud. De chacune de ces ouvertures sort un canon à la moindre alarme. L'Amérique ne possède pas de fort plus méchant. Pour cette raison, le gouvernement fédéral s'y est solidement établi.

Elle disait ces mots d'un ton viril qui faisait d'elle une Hilda qu'Elizabeth ne reconnaissait pas, d'autant plus qu'à ce discours martial s'ajoutait une gesticulation précise, l'index tendu vers différents points de la baie.

« Ce fort n'est pas le seul. Il y en a trois autres presque aussi redoutables : Moultrie, Johnson, Pinckney, sans compter la citadelle et l'arsenal.

— Entre les mains du Nord ou du Sud ? demanda Elizabeth.

— Mettons : entre les mains du gouvernement.

N'y comprenant rien, la jeune Anglaise se tut. Suivit un long silence qui leur permit d'entendre les trilles d'un oiseau dans les chênes. La brise marine portait cette voix minuscule qui s'arrêtait parfois, puis reprenait un peu plus loin.

— Penses-tu quelquefois à Dimwood ? demanda Elizabeth.

Comme tirée d'une méditation, Hilda tourna vivement la tête :

— Souvent, dit-elle. C'était un des bons moments de la vie... l'adolescence... Le soir de ton arrivée avec ta maman... Nous t'avons tout de suite aimée. Tu apportais du nouveau...

— J'avais un peu peur, mais vous étiez si gentils avec moi. Toi, Mildred, Susanna. Tu te rappelles le petit paradis caché dans le jardin sauvage...

— Le paradis caché ?

— Oui, près des fougères géantes et du coin défendu où dormaient les Indiens...

— Vaguement, oui, c'est si loin, on ne va plus guère par là maintenant.

Elizabeth se mit à rire gaiement.

— Et nos pantalons à dentelles qu'il fallait faire voir, moi, je n'osais pas.

— Ah ? Aucun souvenir, dear, tu as une meilleure mémoire que moi. Si nous faisions quelques pas...

Elles se levèrent et s'engagèrent dans les longues allées contournant les jardins. Le soleil donnait à plein sur l'épais feuillage des chênes blancs, et, malgré la pénombre, elles s'abritaient sous leurs petites ombrelles. Les lourds parfums des fleurs les accompagnaient et elles se sentaient heureuses.

« Tu as bien fait d'épouser Billy, dit Hilda. Nous savions tous dès les premiers jours qu'il était amoureux fou de toi. C'était le secret de toute la famille, et nous lui disions de se déclarer, mais il n'osait pas. Il était encore trop jeune. Nous nous amusions... Et puis tu es partie pour la Virginie et tout a changé.

— Oui, tout a changé, répéta Elizabeth mécaniquement.

— Maintenant il est au comble du bonheur. Cela se voit. Tu es heureuse, darling ?

— Oh ! oui, très, chère Hilda.

— Tu rendais tout le monde amoureux. Fred aussi aurait bien voulu t'épouser. Cela se savait, cela se voyait, mais on n'en parlait pas.

Elizabeth rougit.

— Fred ? dit-elle.

— Tu ne t'en doutais pas. Nous l'adorons, mais tu as fait le meilleur choix sans le savoir. Fred est si sérieux. Nous disions : « Ce sera notre grand homme. » Et puis, il y a eu cet accident qui l'a rendu un peu sombre, quand il est tombé par la fenêtre.

Des larmes coulèrent sur les joues d'Elizabeth.

« Qu'est-ce que tu as ? demanda Hilda.

— Pauvre Fred.

— Oui, bien sûr, que tu es sensible, darling. Mais il s'est très bien remis après son opération. Il boite à peine maintenant. Il faut savoir pour le remarquer. On a raconté des histoires idiotes, une tentative de suicide. Tout cela est oublié. Moi, j'aimais l'entendre chanter. Il a une voix charmante, une vraie voix du Sud, mais on l'entend très rarement. Regarde, d'ici on voit se mêler les eaux de l'Ashley et de la Cooper, toutes brunes et ridées par le vent. Tu as l'air fatiguée, tu veux t'asseoir ?

Elizabeth inclina la tête. Elles firent encore quelques pas jusqu'à un banc. L'heure était délicieuse. La lumière se faisait plus douce, et le ciel à l'horizon prenait une teinte rose. Assez bavarde de nature, Hilda continuait de parler affectueusement à sa cousine d'Angleterre qu'elle était heureuse de renseigner sur la vie de famille dans tous ses détails et ses petits secrets, mais, depuis un instant, Elizabeth ne la suivait plus... Dans un désarroi du cœur et de l'esprit, elle recevait la révélation d'une existence bizarrement déviée : un Jonathan dans l'ombre de son mari, puis Fred, romantique et chevaleresque, dans l'ombre de Billy dont elle ne pouvait se passer. Et Jonathan était sous terre, de même qu'Edouard qui l'avait tué.

— J'ai froid, dit-elle tout à coup.

— Froid ! Rentrons, darling.

CHAPITRE CXV

Elizabeth ne s'attarda pas un jour de plus à Charleston. Billy n'était plus là, elle ne pouvait souffrir la vue de leur chambre à présent vide. On l'embrassa à l'étouffer, les femmes couvrirent de baisers ses belles joues roses. Joe, revenu de Beaufort, l'attendait devant la maison. Elle se jeta dans la calèche, et en route pour Savannah.

A Oglethorpe Square, elle ne remarqua tout d'abord absolument rien de nouveau... Elle absente, rien ne pouvait bouger, pensait-elle. Par respect, peut-être. Il lui restait à apprendre que tout change, subrepticement, à chaque heure.

Miss Llewelyn la salua dans le vestibule.

— J'espère, dit-elle, avoir bien préparé vos valises et que j'avais tout prévu.

— Tout. Vous êtes parfaite, Miss Llewelyn.

— Oui, M'am. C'est mon métier.

Ned parut sur le perron. Il venait du jardin et s'avança vers Elizabeth.

— Bonjour, Mom'.

— C'est tout ? fit-elle en riant.

Ce qui comptait pour elle, c'était l'intraduisible élan de tout l'être, dans le bond en avant, dans la voix, dans le visage illuminé de joie, au lieu de quoi, un bonjour calme et bien élevé.

Elle prit un air triste :

« Mon petit garçon ne m'aime plus, dit-elle.

Alors, avec un gémissement, il se jeta vers elle, lui saisit les bras, la força à s'incliner jusqu'à son visage.

— C'est pas vrai, Mom' !

Elle l'avait, le cri qu'elle voulait.

La Galloise observait cette scène avec un sourire amusé.

— Vous êtes partie de très bonne heure, fit-elle d'un ton tranquille, et vous avez oublié de lui dire au revoir.

A son tour, la jeune femme eut un cri :

— Je ne voulais pas te réveiller, darling. Tu sais bien que je t'aime.

— Ah ! Mom' ! Bien sûr...

Emus l'un et l'autre, ils s'assirent tous deux sur une marche de l'escalier, et leurs mains se joignirent. La scène amoureuse devenait un peu gênante. Miss Llewelyn s'éloigna :

— Je vais donner des ordres pour qu'on monte vos bagages.

Et, avant de disparaître, elle jeta à la cantonade :

« ... Quand vous aurez fini et que vous voudrez bien dégager !

Ainsi, tout revenait en place.

Dans son costume bleu marine à culotte longue, Ned, à sept ans et demi, prenait insensiblement la mine du jeune homme qu'il serait un jour. Le cœur gardait une sensibilité presque morbide. Sa mère à elle seule pouvait encore le faire fondre en larmes, mais le regard se faisait plus réfléchi. Les cavalcades nocturnes semblaient passées de mode. En revanche, on lisait des histoires d'Indiens. Betty se plaignait de ce que Massa Ned ne voulait plus se faire accompagner par elle dans ses promenades. En effet, il était aussi grand qu'elle à présent, et quelle figure aurait-il fait ? Mais les immenses yeux noirs regardaient tristement partir Massa Ned sans elle pour l'école, avec son petit chapeau à rubans incliné sur le bout du nez, comme l'exigeait la mode des jeunes gens.

Il n'avait encore dit à personne que son grand-père lui avait fait cadeau de la plus étonnante demeure de Savannah. Il lui avait fallu du temps pour y croire tout à fait et il avait décidé que cela serait le grand secret entre grand-père et lui, un secret entre hommes, mais cela expliquait un peu l'angle du petit chapeau narquois.

Savannah s'efforçait de retrouver un mode de vie tout à fait normal et avant tout paisible. Il n'était pas de bon ton de parler politique. Après la secousse donnée au pays par le coup de force de Harper's Ferry et l'exécution de John Brown, le calme avait repris peu à peu possession de cette grande ville du Sud. En vertu du principe que cesse d'exister ce dont on ne parle pas, la paix revenait à la faveur du silence. Au Nord de brailler, si cela le gratifiait d'une conscience satisfaite d'elle-même.

Dans la tête de Charlie Jones, cependant, s'ourdissait une opération secrète. Après une visite à New York, où ses affaires l'appelaient sans cesse, il était revenu avec un plan grandiose dont il ne s'ouvrit d'abord à personne. Vers la fin de janvier seulement, il décida de poser les premiers jalons d'un rapprochement spectaculaire entre certains membres de la société du Nord et du Sud.

A cet effet, il invita trois de ses complices habituels dans son cercle georgien : Mrs. Harrison Edwards, Josh Hargrove et Algernon, qui avait déjà fait ses preuves lors du complot pour faire accepter Annabel par la *society* de Savannah.

L'atmosphère était à la conspiration. Les trois invités furent priés de se présenter à dix heures du soir à la petite entrée de la maison Tudor qui, sauf Ned et son grand-père, n'avait encore reçu personne. Requis, bien entendu, le secret le plus profond. La nuit était sombre. Charlie Jones se tenait à la porte qui donnait sur le passage reliant la salle à manger avec les cuisines. Il était seul dans la maison vide. Tous les domestiques avaient campos jusqu'au lendemain matin.

Dès les premiers pas dans la vaste demeure, qu'ils ne connaissaient pas encore, les invités eurent un sentiment de mystère qui promettait une soirée ensorcelante. Cinq ou six flambeaux éclairaient de vastes espaces où brillaient des statues de marbre semblant de place en place veiller sur le silence. Insuffisante à dessein, cette lumière laissait dans la pénombre, à droite et à gauche, des pièces qu'on devinait énormes, plongées dans une nuit totale.

Les réactions des invités furent diverses. Mrs. Harrison Edwards poussa de grands cris qui se dispensaient de paroles, Algernon se pâmait à la vue des nudités gréco-romaines ; Josh, après un bref silence, déclara :

— Cher Charlie, la réussite est indiscutable. Mes compliments.

— Ah ! vieux Josh, cette habitation est loin de ce que je rêvais, mais qui jamais a résolu le problème de l'inaccessible idéal...

— Ne fais pas le modeste, Charlie, ce n'est vraiment pas mal.

— Parfait. Maintenant, chers amis, passons aux choses sérieuses. Avez-vous faim ?

Silence poli... Tous comptaient sur un souper fin.

« Compris, fit Charlie Jones. Veuillez me suivre.

Il les mena jusqu'à une salle qu'ils n'avaient pas remarquée et qui les frappa par la modestie de ses proportions. Une table ovale et six chaises lourdement ornées occupaient tout le milieu de la pièce. Pour les domestiques, passer derrière les dîneurs devait être difficile, mais, ce soir, le problème ne se posait pas. Tout était prêt. Un pâté de venaison des plus imposants, des huîtres, crèmes, meringues, fruits, et, dans un *decanter,* un vin couleur de rubis. Les convives se mirent immédiatement en demeure de faire disparaître cette nourriture de choix et leur zèle les réduisit quelque peu au silence, ce qui permit à Charlie Jones, dans le cliquetis affairé des fourchettes, de leur exposer ses projets.

« Chers amis, quel plaisir de vous voir faire si délicatement honneur à ce petit en-cas improvisé... Pour rien au monde je ne gâterais un si noble appétit en vous rappelant que la guerre n'est plus du tout improbable. Il faut la faire avorter. Il faut lui dire “ Non ! ”. Voici mon plan : dès avril prochain, la branche d'arbre traditionnelle sera plantée au faîte de cette maison, et, le soir même, un raout aura lieu tel que Savannah n'en a jamais connu depuis le siècle dernier. Comme il s'agit de personnalités en vue, j'ai déjà lancé des invitations et reçu les acceptations les plus formelles. Quelques noms vous feront peut-être dresser l'oreille : viendront sûrement Mr. Breckinridge, notre vice-président, Lord Lyons, ambassadeur d'Angleterre. Invité aussi, naturellement, mon ami Jefferson Davis.

— Ça, c'est quelqu'un, coupa Algernon. Vous avez vu comme il défend nos droits dans ses propositions au Sénat...

— ... avec férocité, fit Mrs. Harrison Edwards, enfonçant sa fourchette dans une huître.

— Je vous ferai remarquer qu'il est fanatiquement pour l'Union, dit Oncle Charlie.

— Difficile à concilier, remarqua Josh, tout le monde est pour l'Union et tout le monde est contre. Il n'y a que quelques fanatiques du Nord qui réclament la séparation des Etats le plus vite possible. Vous avez lu ce qu'écrit Greeley à New York.

— A propos de New York, coupa Charlie Jones, j'ai une histoire. Mais d'abord je vous recommande ce château-yquem avec le pâté... Lucile, me permettez-vous ? Cela change un peu du champagne habituel, non ?

— Oh ! Charlie, dit-elle. Vous savez tout... en cuisine, en politique, et n'est-ce pas la même chose ? Vite, votre histoire. Nous vous écoutons le cœur battant.

— Je reviens de New York. Il y fait un froid de canard, mais les théâtres sont pleins. Savez-vous ce qui est affiché dans l'un des plus populaires ?

Personne ne répondant, il continua, sûr de son effet :

« Une pièce tirée du roman de la Beecher, avec la bénédiction de la dame. Bien sûr, j'y ai couru.

Il y eut un cri général.

— Oh ! s'exclama Mrs. Harrison Edwards. Ça doit faire pleurer les âmes simples.

— Des âmes simples à New York ! fit Algernon, sardonique.

— Algernon, vous êtes insupportable ! dit Charlie Jones. Vous me torpillez mon histoire.

— Pardon, fit Algernon. Silence Algernon !

— Sur la scène, poursuivit le narrateur, les figurants noirs s'esclaffaient à tout bout de champ. A la fin du premier acte, le rideau tombe et on entend le manager de la troupe hurler : « Bande de cochons, si vous continuez comme ça, je vous fais fouetter sur scène pour de vrai, et là vous pourrez pleurer : ça sera dans le texte ! »

— Splendide ! fit Mrs. Harrison Edwards.

— J'ai toujours soutenu, dit Algernon, qu'il y avait des esclaves dans le Nord.

— Ça n'est pas tout, continua Charlie Jones, exaspéré par ces interruptions. La pièce reprend. Les Noirs roulent des yeux blancs, prennent des airs effarés et l'impitoyable public new-yorkais emboîte chaque réplique. On a dû faire partir la pièce en tournée dans les villes du Nord. N'empêche que les élucubrations de cette femme font beaucoup de mal.

— Et les Indiens dans tout ça ? demanda Josh.

— Les Indiens plus tard, Josh. Sais-tu le mot qui circule à New York ? « Il y a trois espèces d'êtres humains : les saints, les pécheurs et les Beecher. »

Les verres de Bohême se levèrent immédiatement.

— *Cheers !* firent-ils tous avec ensemble...

Quant à Charlie Jones, redevenu sérieux, il tira un papier de sa poche pour continuer à faire connaître à ses convives la liste de ses invités.

— Toombs ! dit-il.

— Le cher homme ! s'écria Mrs. Harrison Edwards.

— C'est le cœur du Sud, proclama Algernon.

— Oui, fit Charlie Jones, le cœur du Sud, excessif, tonitruant, mais généreux, mais brave comme un lion, d'une éloquence à tout casser, avec des colères magnifiques. Bref. Je continue : Courtenay du *Times*. Nous avons besoin de bons journalistes qui soient pour le Sud. Celui-ci est clair et mordant. Ensuite, plusieurs directeurs de nos journaux à nous : du *Mercury*, du *Petersburg Morning News*. Et puis des gens du Nord, notamment Simon Cameron, de Pennsylvanie. Je crois qu'il se présente comme candidat contre Seward. Et puis, Alexander Stephens et le gouverneur Brown, et Julian Hartridge, et tout ce qui compte à Charleston, à Augusta et ici-même... J'ajoute le sénateur du Kentucky, John Crittenden, et des démocrates du Nord, plus une surprise... et aussi des hommes d'affaires de New York et de Philadelphie... Je veux leur montrer ce qu'est vraiment notre Sud, dans toute la magnificence de son hospitalité. Et ce sera ici, où nous sommes, la première fête donnée dans cette maison...

Cet élan oratoire fut coupé par un *Cheers* retentissant, et les verres se vidèrent.

« Je compte sur vous, poursuivit-il. Que Savannah tout entière, ce soir-là, soit une fête !

— Je ferai tout illuminer, dit Algernon.

— Veux-tu que je fasse venir des Indiens ? proposa Josh.

— Vous aurez tout, tout, tout, promit Mrs. Harrison Edwards.

— Bien entendu, motus ! fit Oncle Charlie.

— Comptez sur nous. Nous serons des tombeaux, lui fut-il répondu.

Après un dernier *Cheers,* ils traversèrent par le hall peu éclairé la maison sombre et déserte. Charlie Jones, un flambeau à la main, les accompagna jusqu'à la grande porte. Là, ils se séparèrent en se souhaitant bonne nuit, à voix basse, au clair de lune, en vrais conspirateurs.

CHAPITRE CXVI

C'était le 30 avril. Charlie Jones voulait une fête qui passât toutes les espérances. Il l'avait vue d'abord comme une tentative diplomatique de réconciliation nationale, puis, à force d'y réfléchir, il avait fini par se persuader qu'elle allait être pareille à une apparition de la Paix victorieuse de toute crainte au moment décisif. La nuit comme le jour, il vivait dans un rêve grandiose qu'il travaillait à rendre réel avec une application proche de la manie. En ce qui touchait la magnificence du décor, il n'éprouvait aucune inquiétude. Avec les moyens dont il disposait, il était assuré de surpasser l'inimaginable, mais des doutes l'effleuraient parfois quant au choix de ses invités. Là, il avait pris des risques, à la vérité calculés avec soin, comme un financier très expérimenté avec des valeurs en bourse, mais de fugitives incertitudes le gênaient de temps à autre. Elles ne venaient pas du côté de l'Angleterre — Lord Lyons le seconderait de toutes ses forces. On savait que la reine Victoria et toute l'aristocratie étaient pour le Sud, qui demeurait anglais à leurs yeux, et cela malgré l'opposition du prince Albert, bellâtre assez borné. L'espoir d'une adhésion royale à la cause du Sud restait encore possible, de même dans l'ensemble la presse britannique y était favorable.

Les soucis de Charlie Jones se situaient là où ils pouvaient lui être le plus sensibles, car ils atteignaient une amitié de longue date. Il s'agissait de Jefferson Davis. Ni dans sa rectitude ni dans ses opinions politiques, l'homme n'était en cause. Le 2 février, il venait d'introduire et de faire passer au Sénat des propositions on ne pouvait plus claires définissant les droits des Etats, propositions en tous points conformes à la Constitution. Cette prise de position était d'autant plus importante que le Sud tout entier demeurait prêt à se battre pour elle. Jusque-là, tout était net. Restait à savoir qui serait

Jefferson Davis. Charles Jones l'admirait sans réserve. Le sénateur du Mississippi était d'une culture très exceptionnelle, immense l'étendue de ses lectures. Un homme de bibliothèque ? Beaucoup plus que cela : un philosophe épris d'idéal et dont la faiblesse — car il fallait bien en venir là — était de prendre les mots pour des choses réelles. Convaincre l'adversaire avec des arguments irréfutables lui semblait le gage d'une victoire certaine. Une force de persuasion naturelle masquait cette confiance aveugle dans la puissance verbale et la rendait dangereuse. Les plus hautes qualités morales n'y pouvaient rien. Il y avait du visionnaire chez Jefferson Davis. De là, cette ombre qui planait sur le personnage et tourmentait son ami Charlie Jones.

Son incurable optimisme le tira de ces pensées moroses, et il se lança à l'action. Des équipes de serviteurs expérimentés furent chargées de transformer la maison en palais des *Mille et Une Nuits*. Dans la grande galerie, une lumière à la fois douce et puissante pleuvait de toute part, baignant ce long espace dans la splendeur de l'aurore. Pas une femme qui n'en fût dès l'entrée embellie. Passé le seuil, on avait un sentiment de bonheur sans raison précise, dû en réalité à ce mystérieux éclairage des innombrables lustres qui formaient une voûte étincelante, savamment tamisée par des globes à peine teintés de rose. Deviné de quelques-uns seulement, le secret de ce miracle n'était autre que le gaz dans tout le prestige de sa nouveauté.

Si nombreuse était la légion des invités que les cartes étaient exigées à la grande porte. Tout Savannah envahissait la maison Tudor, tout Savannah et en quelque sorte tout le Sud, toute l'Amérique. Dans la soie, le taffetas ou le satin, les dames apparaissaient, prodiges d'ingéniosité pour se distinguer les unes des autres par l'inattendu de leur coiffure ou de leurs bijoux. Beaucoup portaient leurs cheveux tressés en couronne qu'ornait une tiare de perles, de corail ou de diamants. Certaines, esclaves des derniers caprices de la mode, s'arrangeaient les boucles de manière à cacher presque entièrement le front, « à l'idiote », selon l'impitoyable ironie parisienne, mais toutes étincelaient de pierreries sur le cou, les oreilles, les poignets et toute la gorge. Des écharpes brodées, mais légères, ne dissimulaient que ce qu'exigeait la décence, mais mal. Les gants montaient à peine jusqu'au coude, en revanche des manches très largement échancrées permettaient un coup d'œil amical sur de beaux bras nus. Une surprenante variété dans les délicates nuances de couleurs provoquait l'admiration des hommes qui les escortaient. Pareils à des merles dans leurs habits noirs, ils se promenaient avec impertinence dans ce gigantesque parterre ambulant de fleurs monstrueuses.

Un énorme brouhaha montait de cette foule, grisée d'une joie presque enfantine d'être là et de se faire voir dans un moment unique. Sans s'arrêter une seconde de parler, les dames promenaient dans tous les coins des yeux qui voyaient tout. Des glaces monumentales dans des cadres surchargés d'or leur renvoyaient l'image de la grande cohue aristocratique où pas une d'elles ne manquait de se reconnaître au passage. Les éventails s'agitaient, et, devant les nobles nudités de marbre, les têtes se rejetaient en arrière dans un mouvement général d'agréable étonnement joint à un intérêt amusé.

Cependant, un orchestre installé dans la bibliothèque attaquait les premières mesures d'une musique à la fois joyeuse et de bon ton : la *Suite américaine* de Gottschalk, propre à faire battre les cœurs sans réveiller les antagonismes. Il y eut un bourdonnement d'approbation, et les invités se répandirent dans les grandes salles à droite de la galerie où ils s'émerveillèrent sur la splendeur de l'ameublement. De longs canapés et de spacieux fauteuils garnis de velours cramoisi à capitons s'arrondissaient en contournements d'une hardiesse stupéfiante. Etait-ce un nouveau style ou celui du seul Charlie Jones ? « Riche, lourd et bouclé » résumait son idéal dans le domaine de la décoration. On pouvait sourire d'une formule aussi naïve, mais elle réservait des surprises aux amateurs les plus difficiles. Le bois de violette foncé, que préférait ce maniaque d'une perfection ostentatoire, était le prétexte à d'innombrables entortillements de fruits et de fleurs dans un feuillage minuscule qui montait et descendait le long des dossiers, des pieds et des appuie-bras de tous les sièges. Cela aurait pu être monstrueux, c'était plein de charme.

Charlie Jones se tenait debout, au milieu du hall, pour recevoir ses invités, mais il flanchait un peu devant le nombre et finit par s'esquiver... Du reste, pour la *society* à l'assaut de la maison Tudor, ce qui importait surtout était de s'y introduire. L'aboyeur de service s'enrouait à force de lancer les noms les plus connus. Les personnages importants avaient été invités à dessein pour une heure plus tardive, de manière à leur épargner les inconvénients de la bousculade. Ceux-là, Charlie Jones les guettait, tout près de la bibliothèque.

Le premier qui se présenta fut Lord Lyons. il se dirigea droit vers Charlie Jones avec un large sourire. Rien ne trahissait chez lui le diplomate de profession, mais l'homme de race se révélait dans la simplicité de ses manières. Mince et grand, il en imposait immédiatement par sa grâce et son allure ; dans son visage régulier frappaient d'abord la hauteur du front, puis la profondeur d'un regard direct auquel on ne se dérobait qu'en tournant la tête. Au milieu de cette réunion américaine on ne pouvait le confondre avec nul autre des invités, tant il personnifiait l'Angleterre. Charlie l'entraîna dans un coin du salon où les envolées patriotiques de l'orchestre s'entendaient moins, et là ils abordèrent du premier coup le motif principal de cette soirée.

— Empêcher la guerre à tout prix ? fit Lord Lyons. La générosité d'un tel idéal est en accord avec votre goût de la magnificence. Vous voyez tout en grand.

— Nous jouons une partie avec le destin. Il ne s'agit pas de jouer perdant en butant contre des minuties.

— L'opposition du Premier ministre contre le Sud n'est pas à négliger.

— Je déteste Lord Palmerston.

— C'est malheureusement lui qui dirige la politique anglaise avec l'assentiment de Sa Majesté la reine, c'est-à-dire surtout du prince Albert qui ne cesse d'exercer sur elle une influence déterminante, peut-être néfaste...

— Et vous alors, que pensez-vous ? fit Charlie Jones touché au vif.

— Pouvez-vous douter de mon attachement pour le Sud ? Mais voici qui va vous réconforter. On parle chez nous de plus en plus de Gladstone comme de l'homme de demain. Il est entièrement pour le Sud. Son action sur l'opinion publique est forte.

— Pourrait-elle être décisive dans un moment critique ?

— Oui, s'il en a le temps, oui si le destin veut bien attendre la chute de Lord Palmerston... Avez-vous invité des journalistes ?

— Courtenay du *Times* et plusieurs autres, de Londres, de New York et des journaux de Floride et d'ici.

— Je leur parlerai. Comptez sur moi, Charlie. Ce soir je suis venu au premier appel. Vous pouvez être sûr qu'il en sera toujours de même.

Ils se quittèrent alors qu'arrivaient d'autres invités de marque et les présentations furent inutiles, tous se connaissant plus ou moins. Comme il fallait s'y attendre, le sénateur Toombs fit sensation dès son entrée. Il ne demandait qu'à tonitruer, mais l'orchestre couvrait les voix et le gênait dans ses effets. Déjà son célèbre physique apollonien commençait à s'alourdir, lui n'en secouait pas moins sa luxuriante chevelure et clamait à des jeunes gens venus le saluer :

— Nous n'avons besoin des bons offices de personne pour régler nos problèmes dans le Sud. Que ces messieurs du Nord s'abstiennent d'allonger leurs nez de fouines abolitionnistes par-dessus nos frontières.

Charlie Jones intervint en toute hâte et prit Toombs par le bras :

— Robert, dit-il, au nom du Ciel, tu es la voix du Sud et nous t'aimons tous, mais ce soir, c'est la paix qui nous rassemble. Souviens-toi de Henry Clay, « l'Union des cœurs ». C'est cela que nous cherchons ce soir. Essaie de me comprendre, Toombs. Il faut empêcher la guerre. Aide-moi.

A force de lui parler en le regardant au fond des yeux, il réussit à le calmer.

Vers le fond de la galerie, la masse des invités assiégeait une des plus vastes salles dont les portes restaient obstinément ouvertes, maintenues par de vigoureux serviteurs noirs qui riaient et tenaient bon. On voyait, au milieu de cette pièce aux rutilantes dorures, un monument pareil à une pyramide chargée de fruits confits qui la revêtaient d'une sorte de chape luisante et multicolore. Tables et chaises en grand nombre attendaient devant des piles d'assiettes et des centaines de bouteilles de champagne. Sans la moindre retenue, les dames rivalisaient d'audace et de vigueur pour atteindre l'alléchant édifice. Des serviteurs en jaquette blanche leur offraient en vain assiettes et cuillers, pareilles à des furies en tralala, elles se ruaient sur leurs friandises de prédilection et les détachaient avec une telle énergie que l'édifice se creusait de longues griffures, révélant les profondeurs tendres du massepain. Ce patient travail de démolition finit par un écroulement d'une lenteur progressive, qui provoqua une hilarité générale sans nuire à l'appétit des insatiables.

Les hommes se joignaient galamment à ces gamineries de petites filles attardées et feignaient d'y prendre plaisir, mais leur attention se portait de préférence vers les bouteilles de champagne, et bientôt les bouchons se mirent à sauter.

— Voilà un tir bien réglé ! s'exclama un monsieur d'aspect militaire. A l'Alma, à Inkermann, à Malakoff, les canons n'auraient pas rivalisé…

Des rires saluèrent cette heureuse comparaison et les propos se firent plus alertes. Ce bruit de détonations attirait de son côté des amateurs de plus en plus nombreux, et les belles gourmandes se virent assez rapidement prisonnières d'un cercle d'hommes aux verres levés à tout propos. Une atmosphère de camaraderie s'affirmait quand parut discrètement un personnage souriant. Il écoutait avec un air d'indulgence un peu malicieuse. Le visage retenait aussitôt par la finesse des traits et l'intelligence calme et sûre d'elle-même. Sa chevelure épaisse et grisonnante lui couvrait le crâne comme d'un bonnet.

— Simon Cameron, dit quelqu'un, nous sommes heureux de vous voir parmi nous.

— Visite amicale d'un voisin du Nord, fit-il, mais je ne suis pas seul. J'aperçois Noah Brooks du *Tribune* qui brûle d'envoyer un papier sensationnel à son journal.

— Ce sera une nouveauté, remarqua James Butler, un correspondant du *Savannah Morning News,* connu pour son ironie perpétuelle.

— Admirons en tout cas la fidélité des journalistes toujours et partout à leur poste. Mr. Cameron, acceptez-vous de boire à leur santé avec un Virginien ? proposa le sénateur Hunter.

— A mon tour d'admirer la fidélité du champagne, toujours prêt à servir toutes les causes. Buvons aux journalistes, messieurs.

On but aux journalistes étonnés et ravis.

« Mais, reprit Simon Cameron, je vois près de nous le sénateur de l'Alabama que je suis heureux de saluer. Mr. Clay, me permettez-vous d'emprunter au grand homme du Sud que fut votre oncle la plus belle formule qu'on ait trouvée pour célébrer la paix ?

— Mr. Cameron, fit Clement Clay d'une voix forte, j'allais vous la proposer moi-même.

Simon Cameron eut l'air très grave, et, sur un ton qui éveilla l'attention de tous les invités, il s'écria :

— Messieurs, comme l'a fait avant moi un très grand serviteur de notre pays, je propose un toast à l'Union des cœurs.

Les verres se levèrent au plafond et de formidables hourras firent vibrer les pendeloques de cristal, dans les hauteurs.

Charlie Jones parut immédiatement.

— Mr. Cameron, vous comblez mes vœux, s'écria-t-il. Vous donnez à l'espérance un puissant coup d'aile.

— Je ne fais que transmettre un message. Si l'on eût écouté Henry Clay et Daniel Webster, la paix était faite en 1850 pour toujours.

Il y eut un moment d'émotion qui rendit sérieux les visages les plus animés par les libations.

— Ce sont les manigances des politiciens qui ont fait échouer un idéal possible, déclara le gouverneur Wise *.

* Gouverneur de Virginie.

— Et pourtant, remarqua le sénateur Hunter *, il y a des politiciens honnêtes.

Le ton changeait, virait à l'aigre-doux. Un zélé journaliste du *Petersburg Express* parvint jusqu'à Simon Cameron :

— Mr. Cameron, selon vous, qu'est-ce qu'un politicien honnête ?

Simon Cameron le toisa :

— Un politicien honnête, mon ami, est un politicien qui, lorsqu'il est vendu, reste vendu.

Cette réplique déchaîna un rire aussi retentissant que les hourras, et des applaudissements crépitèrent. Lord Lyons lui-même, tout près du groupe, ne put maîtriser sa gaieté.

— Vous parlez d'or, Mr. Cameron, fit-il, votre définition restera, elle vaut pour tous les pays et tous les temps.

Simon Cameron s'inclina légèrement. Ses yeux découvrirent un gentleman de taille moyenne, qui, sans faire effort pour fendre la presse, était venu se placer près de Charlie Jones. Le beau visage paisible de Jefferson Davis donnait l'impression indéfinissable de s'entourer de silence, même au milieu de la foule retournée à son bavardage. Une aisance souveraine émanait de toute sa personne et son regard absent aurait pu le faire croire perdu dans un rêve, mais une parole à la fois joviale et affectueuse de Charlie Jones le ramena aussitôt à lui :

— Jeff, tu n'es pas soucieux, j'espère ?

— Par moments peut-être, mais pas ce soir, fit Jefferson Davis avec un sourire. Ta présence dissipe bien des ombres, mais, à peine réélu sénateur, j'ai quelques petits ennuis de santé.

— Rien de grave ?

— Non, les yeux toujours... mais cela s'arrangera.

Tout en bavardant avec lui, un peu à l'écart de la pyramide en ruine, Charlie Jones ne cessait de se poser une question, toujours la même, quand il scrutait le masque de cet homme qu'il admirait : « Un chef. Saurait-il l'être si les circonstances l'exigeaient ? »

Comme s'il eût deviné ses pensées, Jefferson Davis lui jeta un coup d'œil d'écolier moqueur :

— Eh bien, Charlie, as-tu des doutes sur mon identité ?

— Excuse-moi, Jeff, je m'émerveillais de te voir toujours aussi fringant.

— Vil flatteur, conduis-moi jusqu'à Simon Cameron, j'ai un mot à dire à ce républicain.

* Sénateur de Virginie.

— Pas de provocation, je t'en prie, Jeff.

— Tu vas voir.

Parvenu tout près de Simon Cameron, il lui tendit une main qui fut saisie avec empressement :

— Mr. Cameron, je vous félicite de votre toast à l'Union des cœurs. Si je ne craignais d'assombrir une si belle fête en y semant la désunion, je vous aurais proposé un toast à l'union pure et simple.

— Je vous remercie, Mr. Davis, je crois que nous avons bien des points communs, mais ma réponse tient en un soupir : hélas.

Ce dialogue fut entendu de quelques personnes et des murmures s'élevèrent. Soudain, un gentleman déclara d'une voix forte :

— Croyez-moi, messieurs, vous n'auriez pas été les seuls ici même à boire à l'union et je suis sudiste avant tout.

A son tour, Charlie Jones prit la parole comme il savait le faire en pareil cas, avec l'autorité que lui conférait une richesse déjà proverbiale dans tout le pays.

— Mes chers amis, fit-il, je vois que s'annonce une passionnante discussion politique, mais il va être dix heures et c'est le moment prévu pour vous offrir un plaisir d'un autre genre qui emportera, j'en suis sûr, l'union massive de nous tous.

Avec une agilité surprenante, il s'esquiva. Déjà un remous se faisait sentir dans la foule des invités qui refluaient lentement vers le fond de la longue galerie, dégageant les abords de la porte d'entrée. Là, des Noirs, avec une rapidité de mouvements presque mécanique, installaient une estrade drapée de velours rouge.

La curiosité était à son comble, et le bourdonnement des voix se faisait si vaste et si profond qu'il ressemblait à une manifestation publique. On vit alors, monté sur une chaise au milieu du hall, Charlie Jones agitant un bras pour réclamer le silence. N'y parvenant pas, il se transforma tout à coup en une sorte de tribun, soignant une diction retentissante :

« *Ladies and gentlemen,* hurlait-il, excusez-moi de hausser le ton comme il n'est pas permis de le faire, mais c'est pour vous annoncer une bonne surprise. J'ai tremblé jusqu'à la dernière minute qu'elle ne fût pas possible, mais le miracle a eu lieu et je vais avoir la joie de vous présenter une toute jeune fille de dix-sept ans à peine que déjà le monde commence à s'arracher... Elle a consenti à venir ici de New York pour vous faire entendre la plus belle voix qui ait frappé l'oreille de l'homme depuis... depuis...

— Depuis le déluge, jeta un farceur du fond de la galerie.

Charlie Jones rectifia :

— ... depuis Adam avant le regrettable incident de la pomme.

Ce discours, destiné à amuser le public en attendant l'entrée en scène de la prestigieuse inconnue, permit à celle-ci de gravir les marches de l'estrade avec l'aide de quelques gentlemen attentionnés. Un long murmure traversa l'assistance. Sans être régulièrement belle, il se dégageait de la jeune fille un charme irrésistible. Le nez fin, mais un peu proéminent, un nez aventureux, ne déparait pas un petit visage que dévoraient deux beaux yeux italiens pleins d'amour. Les femmes se sentaient déjà la gorge serrée et tous les hommes tombaient amoureux. Charlie Jones, d'une voix vibrante, annonça :

« *Ladies and gentlemen,* je vous présente Adelina Patti qui va vous chanter un des airs les plus déchirants du grand Donizetti, *Lucia di Lammermoor...* l'air de la folie.

Le nom, chuchoté comme une parole magique, circula d'un bout à l'autre de la galerie et le silence se fit, pendant que l'orchestre dans la bibliothèque s'accordait doucement. Charlie Jones, sautant à terre, disparut et la jeune cantatrice, frêle, mais sûre d'elle-même, attendait les premières mesures. Ses cheveux noirs, redressés par un seul peigne et retombant sur ses épaules, ne s'ornaient que d'une rose à la hauteur de l'oreille, et, dans sa robe toute blanche qui lui tombait jusqu'aux pieds, elle gardait encore quelque chose de la délicieuse gaucherie de l'adolescence.

Son visage changea d'un coup dès que l'orchestre attaqua. Sa bouche s'ouvrit toute grande et les notes volèrent jusqu'au bout de la salle avec la limpidité impérieuse d'un chant d'oiseau, fendant l'air et faisant frissonner de joie les auditeurs envoûtés. Se déchaîna ensuite, dans un ruissellement de vocalises accompagnées de la flûte, la folie, après l'assassinat du mari épousé de force, et le rêve de mariage avec l'homme qu'elle aimait. Toutes les ressources du soprano coloratura portaient aux sommets de l'émotion ce récit d'un romantisme exacerbé. Quand moururent les dernières vibrations de cette voix venue d'un autre monde, l'assistance fut prise d'un délire irrépressible. Les éventails volaient en l'air, les dames s'embrassaient sans savoir pourquoi, peut-être pour se consoler, les hommes trépignaient et criaient comme des fous. On dut protéger la belle enfant pour l'ôter aux mains tendues vers elle et lui faire quitter le hall sans tarder une minute.

Dehors, la foule, qui avait tout entendu par les fenêtres ouvertes, hurlait de joie et réclamait un impossible *bis.* Bonne fille, elle n'eût pas demandé mieux, et, dans un anglais délicieusement incorrect, elle s'en ouvrit à Charlie Jones qui lui servait de garde du corps. Il la tenait dans ses bras de telle sorte que les pieds de l'Italienne touchaient à peine terre.

— Votre sécurité d'abord.

De sa voix la plus puissante et la plus rude, il cria :

« Gentlemen, faites votre devoir. Aidez-moi à passer, retenez vos charmantes femmes qui risquent d'étouffer la signorina !

Tant bien que mal, il la porta jusqu'au bas de l'escalier.

« Montez tout droit, dit-il, entrez et fermez la porte à clef. Toutes les pièces sont éclairées. N'ayez pas peur. Je veille. On viendra vous chercher quand le calme sera venu.

Confiante et grisée par son triomphe, elle parut s'envoler au-dessus des marches, et, presque aussitôt, Charlie Jones entendit la porte se refermer sur elle. Debout au bas de l'escalier, les jambes écartées, il se tenait prêt à agir s'il le fallait, l'air féroce.

Quelques minutes se passèrent et le tumulte s'apaisait peu à peu dans la galerie, puis dehors, quand soudain la voix magique s'entendit, ailée, dominant la rumeur... La Patti, d'une fenêtre ouverte sur le square, lança quelques notes, s'arrêta, et le silence se fit d'un coup, dans la maison comme dans les avenues. On attendait le miracle, et, dans le ciel étoilé, *La Paloma* prit son essor. L'effet ne fut plus le même qu'un moment plus tôt, cette fois la musique allait droit au cœur, dans un flot de tendresse. De la bibliothèque, sous cette fenêtre, les guitares de l'orchestre furent promptes à l'accompagner. L'air était connu de tous, mais non ces indescriptibles tremblements dans la voix qui s'échappaient d'un gosier de rossignol. A cela s'ajoutait la nostalgie d'un pays légendaire, et c'était comme un coup bas porté à la sensibilité de la foule, toujours vulnérable. On était heureux, on souffrait, les larmes coulaient, sans pudeur, de tous les yeux de femmes.

Dehors, cependant, une calèche était arrêtée près de la grande porte, et, dans cette calèche, Elizabeth immobile se laissait ensorceler par une voluptueuse tristesse. Elle n'avait d'abord pas voulu se rendre à la soirée chez son beau-père, parce qu'elle savait qu'on y parlerait politique entre Nord et Sud, et la crainte panique de tout ce qui touchait aux menaces de guerre l'avait retenue, mais d'apprendre aussi que tout Savannah s'y pavanerait avait réveillé en elle la démangeaison de se faire voir, de provoquer l'admiration. Très tard, elle avait cédé, et voici que cette voix d'une pureté divine la clouait sur le siège de sa voiture. Prise dans la foule, ne pouvant avancer, ne comprenant pas ni ne voulant comprendre, elle s'abandonnait au féerique envoûtement.

Les dernières notes de *La Paloma* et le silence qui les suivit comme un choc sur tout le monde, dans l'avenue, le square et dans la maison. Le désenchantement s'exprima par un « Ah ! » prolongé, puis les acclamations s'élevèrent, tonitruantes, à tel point que la signorina s'écarta de la fenêtre.

En bas, dans la galerie, des élans d'affection portaient les âmes sensibles les unes vers les autres, comme la première fois, mais avec un accroissement de douceur dans des déclarations imprévues. L'union des cœurs eût été parfaite si les hommes s'y fussent mêlés, mais ils se contentaient de hurler comme des bêtes.

Mrs. Harrison Edwards, dans un coin reculé du hall, s'était emparée d'un Algernon un peu ahuri et, le saisissant dans ses bras, laissait rouler sa tête sur son épaule en gémissant :

— Algernon, n'êtes-vous pas ému ? Pourquoi vous montrez-vous si timide avec le beau sexe ? Votre visage et votre nom vous autorisent les dernières audaces. Mais que dis-je ? Voyez à quoi je m'expose. Ah ! n'abusez pas d'une faible femme.

L'ironie de ce discours le troubla et il s'enhardit jusqu'à déposer un baiser sur la joue humide de Mrs. Harrison Edwards.

— Est-ce là tout ? fit-elle. Mais laissons cela... Vous n'imaginez pas que la Patti se soit dérangée pour les beaux yeux de Charlie Jones. Il est allé à New York et des milliers de dollars or ont coulé de ses mains dans celles de l'enchanteresse, enfin de son imprésario, et il a failli en venir aux coups de poing avec ses managers qui ne voulaient pas la lâcher. J'ai su tout cela. Mais rien ne résiste à l'argent, même pas la conscience des managers de New York... Que se passe-t-il à la porte d'entrée ? Une bagarre ? Le peuple qui envahit le hall. Vous qui êtes un homme, allez voir, défendez-nous.

Trop heureux de se libérer des admirables bras de la séductrice qui les montrait hardiment, et riait toute seule, Algernon se perdit dans la foule refluant par curiosité vers la grande porte, mais il ne s'agissait pas d'un mouvement populaire. C'était Elizabeth qui entrait, non sans fracas ; frémissante d'indignation, elle protestait contre les obstacles qu'il lui avait fallu vaincre pour entrer chez son beau-père. Des gens avaient tenté de pénétrer avec elle dans le hall, on l'avait poussée... Quelques gentlemen vinrent à son secours et s'efforcèrent de la calmer, pendant que la grande porte se refermait derrière elle à triple tour.

Une ample robe de taffetas noir à reflets d'or sombre donnait à la belle Anglaise un air magnifique, qu'accentuait le rouge dont la colère lui fardait le visage. Elle demanda avec autorité qu'on prévînt Mr. Charlie Jones de son arrivée. Malheureusement Mr. Charlie Jones avait disparu, et elle dut aller elle-même à sa recherche. Sa chevelure d'or savamment en désordre et les émeraudes qui étincelaient sur sa gorge produisaient l'effet habituel même sur ceux qui la reconnaissaient, mais surtout sur un personnage de haute taille qui ne l'avait encore jamais vue. Bien bâti, solide, il avançait vers elle comme un navire. Des cheveux aile-de-corbeau cernaient un front dégagé sous lequel deux yeux clairs dirigeaient sur Elizabeth un regard d'aigle, lourd d'admiration. S'arrêtant à quelques pas de distance, il s'inclina cérémonieusement.

— Mes hommages, madame, dit-il. Permettez-moi de me présenter : John Breckinridge.

Un sourire contraint fut la seule réponse qu'il obtint. Elizabeth cherchait Charlie Jones. Cet inconnu ne pouvait que la gêner. Soudain Oncle Josh, qui l'avait vue entrer, courut vers elle, s'approcha de John Breckinridge et lui dit :

— ... Monsieur le vice-président, Mrs. William Hargrove est anglaise, mais son mari est officier en Caroline du Sud.

— Oh ! Ah ! fit Mr. Breckinridge.

Vice-président... Elizabeth sentit la tête lui tourner. Déjà la présence de Mr. Breckinridge lui parut moins gênante. Son visage ne manquait pas de noblesse. Il eut droit à un autre sourire, plus courtois celui-là. A la vérité, Elizabeth ne savait que faire d'un vice-président. Elle s'arrangeait mieux d'un beau militaire, jeune.

— Mrs. William Hargrove est la belle-fille de Mr. Charlie Jones, dit Oncle Josh.

— Ah ! Quelle inoubliable soirée il nous offre. Qu'avez-vous pensé de *Lucia,* madame ?

Lucia ? Franchement, elle ne pensait rien de cette personne.

— *Lucia di Lammermoor,* lui souffla Oncle Josh.

Elle secoua la tête.

Mr. Breckinridge eut un fin sourire.

— Ah ! les connaisseurs, dont vous êtes, sont parfois un peu sévères. J'avoue humblement pour ma part que *La Paloma* m'a transporté.

La Paloma ! Ah ! oui. Elizabeth fut sur le point de dire qu'elle l'avait entendue dehors, dans le square, mais de quoi aurait-elle eu l'air ! Elle s'embrouilla. Le regard de M. le vice-président s'abaissa sur les splendides émeraudes et glissa furtivement sur la gorge de Mrs. William Hargrove. Oncle Josh ne brillait pas dans les situations diplomatiques, et il proposa gauchement qu'un des salons moins fréquentés conviendrait mieux à une conversation sur la musique. De la main, il en indiqua un, tout proche. Elizabeth lui lança un coup d'œil anxieux.

— Je vais partir à la recherche de Charlie, dit-il.

Mr. Breckinridge offrit son bras à Elizabeth, et tous deux, avec lenteur, se dirigèrent vers le salon indiqué par Josh. Quelques personnes s'y tenaient, debout près des canapés. Comme la jeune femme et le vice-président avançaient sous les lustres, elle s'aperçut avec horreur qu'on s'écartait sur leur passage, respectueusement.

Au salon, Elizabeth s'assit sur un canapé. N'ayant pas reçu l'invitation de prendre place à côté d'elle *, il choisit un fauteuil. Ses manières étaient parfaites ; elle le reconnaissait, mais cela ne changeait rien au fait que les prunelles bleu pâle du vice-président étaient celles d'un oiseau rapace quand elles se fixaient sur Elizabeth. En revanche, il lui parlait avec un très scrupuleux respect des convenances sans jamais risquer l'ombre d'un compliment. A vrai dire, s'il ne débitait que des riens, mais pesants, ses yeux tenaient un autre discours. S'en rendait-il compte ? Elizabeth finissait par l'en excuser. Jamais encore elle n'avait été infidèle à son Billy, mais elle ne résistait que mal au plaisir de se laisser un peu adorer. Elle répondait par de petits sourires prudents et c'était tout, mais elle ne se sentait pas malheureuse. Par discrétion, les personnes présentes regardaient ailleurs en se parlant d'une façon toute naturelle, et les minutes passaient.

Pendant ce temps, Oncle Josh cherchait en vain dans les remous de la foule et dans toutes les pièces le maître de maison. Celui-ci se trouvait au premier étage, en conversation avec la Patti. Il multipliait les recommandations, et les propos qu'ils échangeaient étaient tous d'ordre pratique. Elle répondait avec une volubilité étourdissante et l'accord entre eux deux fut parfait jusqu'à la fin... L'Italienne s'enveloppa dans sa cape noire, que Charlie Jones lui avait apportée, et, sans bruit, ils descendirent l'escalier au moment où la foule des invités se massait à la porte d'entrée.

Pareils à deux personnages d'opéra, ils gagnèrent le vestibule, près de la petite salle à manger, proche des cuisines, et sortirent. Personne ne les vit, sauf Mrs. Harrison Edwards qui, toujours complice, se tenait immobile à proximité, surveillant les opérations.

Dehors, la Paloma en cape noire fut immédiatement prise en charge par deux colosses envoyés par l'Opéra de New York, qui la menèrent à sa voiture, puis au De Soto, enfin à la gare, pour l'arracher aux dangereuses séductions du Sud.

* La règle était formelle et dura longtemps dans le Sud.

Dans la galerie, les invités commençaient à se disperser, la fête paraissant finir. On servait des glaces dans la salle à manger, et des serviteurs noirs circulaient avec des plateaux chargés de coupes de champagne presque aussitôt vidées. Charlie Jones reparut tout à coup, tout en sourires, pour annoncer de sa voix d'orateur :

— *Ladies and gentlemen,* ne nous séparons pas encore. Notre divin rossignol vient de prendre son vol. Cherchons une consolation ailleurs. Après les délices de l'âme, après une voix venue du Paradis, je vous propose... l'Enfer !

A peine ces mots prononcés, l'orchestre attaqua *Mephisto Walz* de Strauss père ; elle coupa le souffle à tout le monde, mais l'appel était irrésistible et les couples se formèrent un peu au hasard. Pas tout à fait cependant. John Breckinridge, électrisé lui aussi, se leva, mais Elizabeth avait pris la fuite dès les premières mesures. Elle avait peur. Avec une agilité de chatte, elle évita des douzaines de bras tendus vers elle et se faufila dans la foule jusqu'à ce qu'elle eût découvert Algernon, qui se débattait poliment contre l'héritière de Mrs. Devilue Upton Smythe, la nouvelle Lady Furnace.

— A moi, dit-elle impudemment en le saisissant par la main.

Eberlué, il obéit, mais le regard inquiet.

« Votre chance, imbécile, lui dit-elle, prenez-la. Souvenez-vous de la conversation sous le réverbère.

Il l'enlaça et se mit à tournoyer avec elle qui lui riait au nez en l'apostrophant.

« N'ayez pas peur, Billy n'est pas là. Vous dansez comme un sylphe, ma parole. Faites-moi quitter le sol. Soyez amoureux, Algernon, ou faites semblant.

— Je ne fais pas semblant, souffla-t-il, tout rouge.

— Moi si, franchement, mais je veux échapper à Breckinridge dont l'œil me glace. Vous n'êtes pas mal, ce soir. *Mephisto Walz,* c'est très amusant. Vous croyez au diable ?

— Je ne sais pas..., dit-il. Si... dans le noir...

— Moi pas, mais j'aime mieux qu'on ne m'en parle pas. Faites-moi sauter en l'air, voyons. Suivez la musique. Voici la grande vague... Allez-y ! Houp ! Ah ! vous me faites mourir.

Subitement, et comme poussé à bout, il l'embrassa.

« Enfin ! dit-elle, mais que vous embrassez mal ! N'ayez pas peur du diable ! Au bal, c'est pour rire.

— Il y en a qui pourraient penser autrement.

— Oh ! fit-elle en riant, vous avez peur de Billy, mais je vous ai forcé à danser avec moi. C'est ce que je compte lui dire.

— Ange ! dit-il soulagé.

Tandis que la musique envahissait la galerie, quelques hommes du Sud saisirent l'occasion de s'éclipser pour s'enfermer dans le fumoir de Charlie Jones. La plupart avaient quitté la Convention démocrate de Charleston en claquant la porte. Flottait encore autour d'eux l'atmosphère de ce désaccord.

— Douglas mettait tout bonnement la main sur l'assemblée, s'écria le jeune Julian Hartridge avec toute la fougue du Sud. Il a installé ses hommes à tous les postes, il nous prend pour des enfants. Sa théorie des *Squatters* au Texas est injustifiable. A Savannah, on n'en veut pas... Il ose même s'en prendre au président Buchanan qu'il accuse de faiblesse envers le Sud.

Cette sortie semblait s'adresser particulièrement au gouverneur Wise. Assis dans un large fauteuil à capitons de cuir, celui-ci l'écoutait avec le calme d'un vrai Virginien, en fumant son cigare.

— Savez-vous, dit-il doucement, qu'à l'attaque de Harper's Ferry j'ai reçu dans l'heure, par télégraphe, ce message du président : « Terminez l'affaire au plus vite et que la justice passe. »

Il y eut une pause. Certains s'étaient installés sur les chesterfields de cuir noir à droite et à gauche de la cheminée ; d'autres restaient debout. Toombs s'était appuyé contre une bibliothèque, le pouce dans l'ouverture de son gilet d'ottoman blanc. On s'étonnait déjà de son silence, quand s'éleva la voix claire et précise de Jeff Davis :

— Notre ami Hartridge a raison. Charleston n'a servi à rien. Nos délégués sont partis avant le vote final. Le Sud est uni, mais les démocrates ne le sont plus. La leçon est claire : si nous voulons garder la présidence, il nous faut un seul candidat.

— ... du Sud, fit un souffle puissant.

C'était Toombs.

— Oui, reprit Jeff Davis, si vous voulez, ou, en tout cas, quelqu'un qui défendra les droits des Etats selon la Constitution.

— L'éternelle pomme de discorde. Nous en revenons toujours là, murmura le gouverneur Brown.

Mince et grand, large d'épaules, il avait le regard intimidant d'un homme qu'on ne peut tromper.

— Howell Cobb, suggéra une voix près de la fenêtre.

La riposte de Toombs arriva en tempête :

— Ah non ! Il prône l'Union avant tout. Excusez-moi — ajouta-t-il comme il voyait un sourire crispé sur le visage de Stephens et de Davis —, Cobb non ! D'ailleurs il a retiré lui-même sa candidature quand il a vu l'opposition qu'elle déclenchait.

— Vous voulez parler de votre opposition personnelle et de celle de vos amis journalistes ? demanda Brown sur un ton d'amicale ironie.

— Je parle pour l'opinion publique, répliqua fièrement Toombs.

— Alors avec elle, objecta le gouverneur Wise, nous voguons vers l'inconnu.

On eût dit qu'ils faisaient tout leur possible pour provoquer la puissance verbale de Toombs.

— Cela vaut mieux, fit-il d'un trait, que de se mettre entre des mains incapables de savoir l'une ce que l'autre fait. Nous sommes virtuellement au bord de la guerre civile.

Sa voix de bronze fit trembler les vitres. Il y eut une protestation générale.

« Virtuellement, j'ai dit ! Au Sénat, en face de moi, j'ai des ennemis sournois du Sud. Je l'ai proclamé il y a quelques jours et je le répète ici : ils usent de leur autorité pour attaquer et démolir les droits des Etats, contrairement au serment qu'ils ont prêté sur la Constitution. Ils se moquent de leurs obligations. Ils ont perdu le sens de la honte avec leur vertu. Ils ont beau représenter des millions de gens du Nord, je les dénonce comme les ennemis de la Constitution, donc ennemis de l'Union et ennemis du Sud. La paix et la tranquillité sont incompatibles avec eux...

Tandis que, remués par cette grandiloquence, ils écoutaient la voix profonde qui leur était chère, tous les hommes présents eurent à l'esprit la vision de la salle du Sénat : l'immobilité solennelle dans les travées, Toombs secouant fièrement sa crinière dans un geste à la Mirabeau, et ses paroles enflammées traversant comme des flèches le silence hostile. Personne n'eût osé interrompre. « N'écoutez pas les vains babillages, s'écriait-il, le jargon fallacieux à propos d'actes évidents, ils ont déjà été commis et nous sommes au-delà ! Défendez-vous, l'ennemi est à votre porte, n'attendez pas de le voir au coin de votre feu, recevez-le sur le seuil et chassez-le du temple de votre liberté, ou bien vous serez réduits à en jeter vous-mêmes à bas les piliers pour vous ensevelir tous dans une ruine commune. Aujourd'hui le plus grand danger, c'est que l'Union survive sur le corps de la Constitution... »

— Incompatibles..., murmura le gouverneur Brown. Alors, c'est la rupture, ajouta-t-il tout haut. Voulez-vous vraiment qu'on se sépare du Nord ?

— Non, dit Stephens, jusqu'alors immobile sur le canapé.

— Non, dit Jefferson Davis.

— Non, dit-on de tous côtés dans la pièce.

— Et vous, Toombs ? demanda le gouverneur Brown à l'homme toujours adossé à la bibliothèque.

— Vous connaissez mes sentiments... Sauf si le Nord cesse son agression contre l'esclavage et les droits des Etats, je suis pour la désunion. Ne nous crevons pas les yeux. Il faut trancher dans le vif. C'est à nous, et à nous seuls, de régler dans la paix et avec le temps nos problèmes et notre institution particulière.

— Très juste, fit Jeff Davis.

— Vous souhaitez donc qu'on en arrive à la rupture.

Cette constatation, faite par la voix juvénile de Julian Hartridge, donnait l'illusion de se trouver dans un prétoire à la fin d'un débat.

— Eh bien, non, répondit Toombs, si doucement cette fois que les têtes se tournèrent vers lui d'un seul mouvement, j'espère que là-bas ils vont réfléchir... tant que Buchanan est là.

Poursuivant son raisonnement, Julian Hartridge demanda :

— Et si leurs attaques continuent, dans la presse et au Congrès ? L'Etat de New York parle, de son côté, de faire sécession.

— Si le Sud est menacé dans ses droits, c'est à moi de vous poser la question, reprit Toombs habilement, laisserez-vous faire ?

— Non.

Le non fut unanime.

— Même jusqu'à la Sécession ? poursuivit impitoyablement le grand orateur.

— Le cœur déchiré (la voix douce d'Alexander Stephens savait se faire entendre), le cœur déchiré, j'abandonnerais l'idée de l'Union, car mon cœur restera toujours entier pour le Sud (il s'arrêta une seconde, puis reprit), mais j'ai l'espoir que l'Union résistera dans la paix et la prospérité et que les Constitutions intactes, celle de la Nation et celles des Etats, continueront à rendre heureux les milliers d'hommes qui naîtront sur notre sol, comme elles nous ont rendus heureux, nous vivants.

Toombs dit simplement :

— Alexander, nous avons tous un cœur idéal. Dieu vous entende.

Après un grand silence, tous se levèrent et quittèrent la pièce pour retourner vers la fête ; la porte à peine ouverte, le monde avec sa musique tumultueuse se referma sur eux.

Valses, quadrilles et polkas s'étaient succédé. Les talons martelaient le sol sans relâche.

Enfin, dans un grand fracas triomphal, un quadrille prit fin et les couples se séparèrent.

— Merci, Elizabeth, dit Algernon, je n'oublierai pas...

Mais déjà elle était ailleurs. Tout le temps qu'avait duré la dernière danse, elle avait remarqué un homme qui se tenait parmi ceux qui ne dansaient pas. En fait, beaucoup d'hommes la regardaient, mais celui-là lui paraissait très différent de tous. Sans être ce qu'elle considérait comme un bel homme, il semblait beaucoup plus que cela. Quelque chose en lui attirait fortement sans qu'elle parvînt à se l'expliquer. Mince et de taille moyenne, il avait cet air grave et pensif des êtres que la souffrance physique n'a pas épargnés. Ses yeux noirs retenaient par l'intelligence et la bonté qui le mettaient à part de toutes les personnes présentes. On pouvait se demander ce qu'il faisait là. Il observait Elizabeth avec une telle profondeur d'attention qu'elle eut fugitivement l'impression qu'il lisait en elle. Quand l'orchestre se tut, elle le vit faire un effort pour arriver jusqu'à elle, et d'instinct elle avança un peu vers lui. Tout près d'elle, il s'inclina et dit :

— Madame, permettez-moi de me présenter : Alexander Stephens, de Georgie. Je suis un ami de votre beau-père, Mr. Charlie Jones.

Elizabeth ne pouvait détacher son regard de ces yeux noirs qui semblaient lui dire tant de choses avec un mélange de tendresse et de compassion, comme s'il eût pitié d'elle. Elle dit simplement :

— Monsieur, je suis heureuse de cette rencontre avec un ami de mon beau-père.

— Alors, fit-il, oserais-je vous demander de me présenter à votre mari que je n'ai pas l'honneur de connaître ?

— Je le ferai volontiers à la première occasion, monsieur, mais ce soir, il n'est pas là.

— Oh ! je le regrette. Excusez-moi, j'ai cru d'abord...

Elle saisit le malentendu et répondit vivement :

— Non, monsieur, mon mari est officier de cavalerie à Fort Beauregard.

Comme elle disait ces mots, son teint s'aviva un peu. De nouveau, les yeux noirs plongèrent dans les yeux d'azur comme pour chercher la réponse à une question qu'il ne formulait pas.

— Pardonnez-moi ma méprise, dit-il doucement.

— Elle est toute naturelle, fit Elizabeth tout à coup sur la défensive. Avec tout ce monde... les hasards de la danse...

— Mais bien sûr, madame. Une étourderie de ma part...

Elle fit un léger signe de tête et tourna les talons. Il s'éloigna de son côté, mais la suivit du regard pendant un instant.

La fête à présent était bien finie. On applaudissait encore un peu l'orchestre et prenait congé de Charlie Jones avec des félicitations qui lui réchauffaient le cœur.

— Vous avez servi la paix, lui répétait-on, servi la paix, sauvé la paix.

Mais il n'en était pas moins porté au doute.

CHAPITRE CXVII

Elizabeth rentra chez elle le plus vite qu'il lui fut possible. Elle se sentait lasse et fut agacée de voir que Miss Llewelyn l'attendait dans le vestibule, droite et massive dans sa robe couleur de cendre.

— Je ne suis pas surprise de vous voir rentrer si tard, fit-elle avec ce sourire sans gaieté qui barrait le bas du visage d'un trait mince et malicieux. Le bruit de la fête arrivait jusqu'à nous. La foule manifestait, me semble-t-il.

— Des acclamations pour une jeune cantatrice. Les enfants dorment, j'espère.

— Je le crois, mais votre jeune Ned a fait une chose curieuse. Il a écrit une lettre à Mr. Charlie Jones, a collé l'enveloppe et veut qu'on la lui porte demain.

— Pourquoi cette lettre ?

— Il refuse d'en dire un mot.

— A moi il dira tout. Bonne nuit, Miss Llewelyn.

— Je vous remercie, Madame. J'espère que vous dormirez bien et longtemps. Vous avez l'air très fatiguée.

Dans sa chambre, Elizabeth consulta aussitôt son miroir. « Fatiguée » lui semblait porter atteinte à ce visage si copieusement admiré dans tous les salons de Savannah. Une ombre creusait le coin des yeux et les traits — mais la petite lampe à globe ménageait une lumière ingrate —, le nez, la bouche semblaient se durcir.

Elle rangea ses émeraudes, se déshabilla vite et se glissa dans le grand lit si large, quand elle y était seule, qu'elle avait le sentiment de se perdre dans la nuit. Lasse, elle l'était à en mourir et le sommeil ne tarderait pas. Il fallut pourtant qu'elle le cherchât d'un côté, puis de l'autre. L'oreiller jugé trop mou fut écarté, mais le traversin était dur. Couchée à plat ventre, elle se couvrit la tête de ses couvertures pour ne pas voir le rayon jaune du réverbère filtrant à travers les volets. Elle demanderait à son beau-père, qui pouvait tout, de le faire déplacer. Mais elle n'arrivait pas à se jeter dans le sommeil comme d'habitude, quand tout allait bien.

Ce qui la tracassait, cette nuit-là, c'était l'absurde entretien avec Alexander Stephens. D'abord, que voulait-il au juste ? Le nom ne lui disait rien, mais il avait l'air si patient et presque affectueux, sans lui faire la cour... Il avait cru ou feint de croire qu'elle était la femme de ce nigaud d'Algernon. Or Algernon, en dansant, avait dit une chose si bizarre sur le diable. Dans le noir il croyait au diable. Quelles idioties on pouvait dire au bal... Elle repoussa les couvertures et s'étendit sur le dos. Le long trait de lumière coupait la chambre en deux, peignant le plafond d'un jaune terne et laissant tout le bas de la pièce dans l'obscurité. Elle ferma les yeux. Elle n'avait pas le courage d'aller croiser les rideaux.

Les premières nuits à Dimwood lui revenaient à la mémoire. On ne lui disait pas alors qu'elle était la plus belle au monde, on ne s'extasiait pas. Le chant des rainettes la tenait éveillée. A ce moment de sa vie, elle récitait ses prières, maintenant moins ; elle disait le Notre Père comme pour une formalité, alors que toute jeune elle se demandait ce que signifiait « Délivrez-nous du mal ». Etait-elle prisonnière de quelqu'un ? Le mal ne pouvait être que le démon. La valse lui revenait en lambeaux de musique harcelants, des airs cajoleurs, des chatteries amoureuses et tout à coup le tonnerre vainqueur de Mephisto. C'était drôle, mais il y avait dans la Bible des endroits qu'il valait mieux laisser tranquilles. Sa mère n'était plus là pour l'interroger sur l'Ecriture. Alors le volume relié en noir pouvait rester là, sur la table de chevet, comme un talisman sur lequel on ne devait rien poser, parce que c'était malgré tout la Bible.

Sa mémoire lui présentait comme une série de tableaux les heures passées à Dimwood. De sa dernière visite, elle retenait la chambre vide où Laura avait vécu. Rien dans cette pièce vide, sauf la trace d'une croix sur un mur, mais, là, le silence semblait plus profond qu'ailleurs. On y était apaisé et singulièrement loin de tout. Elizabeth aimait bien Laura. Cette femme silencieuse qui souriait parfois d'un air triste lui avait donné des conseils dont la jeune Anglaise n'avait rien retenu, mais elle avait envie de la revoir, sans raison précise, sinon qu'elle recevait d'elle dans ces journées lointaines une impression de tranquillité rassurante...

A présent le réverbère s'était éteint, et, sans même le remarquer, Elizabeth s'endormit.

Le lendemain matin, elle se réveilla à dix heures. La vie avait repris son aspect normal. Ned était déjà parti pour l'école. Miss Llewelyn fit servir à Madame son petit déjeuner au lit et vint ensuite prendre ses ordres pour la journée. Fidèle à elle-même, la Galloise se tenait à la limite de l'insolence et du respect. C'était comme une frontière qu'elle passait et repassait sans cesse avec son inquiétant sourire.

— J'aime mieux vous voir avec la mine d'aujourd'hui qu'avec celle d'hier soir, si vous me permettez de vous le dire.

— Avec ou sans ma permission, votre remarque est faite. Ce sera tout, Miss Llewelyn.

La Galloise fit un signe de tête et se dirigea vers la porte.

« Non, dit Elizabeth, un instant. Je désire voir la lettre que Ned a écrite à son grand-père.

— Trop tard, Madame. Dès huit heures, Ned l'a remise à Joe en lui disant de la porter aussitôt chez Mr. Charlie Jones.

— Sans mon ordre ?

— Madame, vous dormiez si profondément...

— Ce n'est pas une raison, mais tant pis, je ne pense pas qu'il puisse y avoir de secrets entre Ned et Mr. Jones. Mais restez un moment, j'ai quelque chose à vous dire. Cette nuit, j'ai pensé à celle que nous appelions tous Tante Laura.

Miss Llewelyn hocha la tête :

— Laura, murmura-t-elle.

— Je voudrais la voir.

— Ce sera difficile, mais pas tout à fait impossible.

— Je sais, religieuse cloîtrée...

— Oh ! cela n'est rien, mais elle n'est plus en Georgie. Grâce à Mr. Charlie Jones, elle et sa fille, ainsi que toute leur communauté, sont allées s'établir dans un couvent qu'il leur a fait construire au cœur du Maryland, à une trentaine de *miles* de Baltimore.

— Mais pourquoi ?

— Il a pensé, non sans raison, qu'elles seraient plus heureuses en pays catholique.

Elizabeth ouvrait des yeux étonnés. La Galloise lui jeta un regard de défi.

« Vous saurez, Madame, que dans le Maryland l'Eglise est chez elle. Là où se trouvent ces religieuses, le paysage n'a rien d'austère. Ce ne sont que prairies et collines verdoyantes. Le couvent lui-même fait l'admiration de tous. Mr. Charlie Jones fait grandement les choses.

Elizabeth repoussa son plateau ; elle n'avait touché à rien.

— J'avoue que cela me fait de la peine, je ne sais pourquoi du reste, je ne sais ce que j'aurais pu lui dire, mais c'est ainsi.

— Pour ma part, poursuivit la Galloise d'un ton subitement inspiré, je suis allée lui dire adieu, savez-vous avec qui ? Avec la petite Betty qui pleurait comme une enfant. Laura et sa fille Annabel l'ont serrée contre elles et couverte de baisers. Vous seriez venue avec nous qu'elles eussent été ravies. Mais ce qui est fait est fait.

Elizabeth la regarda sans répondre. Ni l'une ni l'autre de ces deux femmes ne bougeait. On eût dit qu'elles attendaient quelque chose.

— C'est étrange, dit enfin Elizabeth.

— Oui, Madame, comme tout le reste… la vie…

L'entretien prenait un tour imprévu, et l'Anglaise sentit qu'elle perdait pied.

— Je vais prendre mon bain, fit-elle avec un sourire. Merci, Miss Llewelyn.

— Et moi, dit la gouvernante, je vais m'occuper de la maison.

Restée seule, Elizabeth éprouva un malaise qu'elle ne s'expliquait pas. Depuis un moment elle était moins heureuse, moins sûre d'elle-même. Elle eut le sentiment qu'il venait de se passer quelque chose dont le sens lui échappait.

— J'aurais peut-être dû me taire, murmura-t-elle.

Assise un instant plus tard devant sa glace, elle se vit confrontée avec une Elizabeth de nouveau belle et reposée, mais perplexe. Un des airs les plus vertigineux de la *Mephisto Walz* lui traversa l'esprit et lui parut dérisoire.

CHAPITRE CXVIII

Charlie Jones était chez lui, à table devant son thé et son assiette de *bacon and eggs,* et, tout en déjeunant, lisait dans le *Savannah Morning News* un fougueux discours de Julian Hartridge, le jeune et déjà célèbre orateur. Le thème n'était pas nouveau, mais il y avait dans le ton l'énergie furieuse des grands révolutionnaires de 1776. « Le fanatisme, enhardi par l'impunité, a appelé à l'aide la trahison, le meurtre et la rapine, a traversé la frontière, et, s'avançant sur le seuil du Sud, y a répandu le sang et suscité le trouble. La Georgie se tient prête avec ses frères, les Etats du Sud, à participer à toute action pour assurer les droits communs selon la Constitution et dans l'Union, mais si ce n'est pas plus longtemps possible, pour assurer alors leur indépendance et leur sécurité, hors de l'Union. » Ainsi, les retombées du raid de John Brown, dont le Nord agitait toujours la corde de pendu, n'en finissaient pas.

Charlie Jones poussa un grognement d'approbation et s'apprêtait à boire son thé, quand son domestique lui tendit sur un plateau une lettre portée à la main.

Il jeta un regard étonné sur l'enveloppe. L'écriture, très irrégulière, faisait songer à celle d'un homme pris de boisson. Encore un appel au secours, pensa-t-il, avec demande d'argent immédiate... Ce qu'il lut lui coupa le souffle. Trois lignes seulement, toutes déviant vers le bas :

> Cher Grand-père,
> Tu ma doné ta méson et tu ma pas invité à la fette d'iéresoir dan ma méson. Alor c'est pa juste. Je suis pa contan.
>
> Je tembrace
>
> Ned
>
> (*pa contan*)

Charlie Jones plia la lettre et, tout en riant aux éclats, la glissa dans son portefeuille. Après quoi, il poursuivit sa lecture rapide de quelques journaux, acheva son petit déjeuner et partit pour son bureau.

Ce fut là, en fin de journée, qu'il écrivit sa réponse à la lettre de son petit-fils.

> Mon cher Ned,
> Tu as eu raison de m'écrire et l'année prochaine, à la même date, c'est toi qui donneras une *party* dans ta grande maison de Madison Square. Tu inviteras tous tes amis, il y aura un orchestre et des montagnes de gâteaux. Et si tu veux bien m'inviter, je viendrai, et si tu ne m'invites pas, eh bien je ne viendrai pas, mais je t'écrirai moi aussi. En attendant, viens passer l'été en Virginie dès la fin de mai. Une surprise t'attend là-bas. Personne encore ne sait que ma maison de Savannah est à toi et je compte que tu garderas le secret en homme d'honneur.
> Je serre bien fort ta main loyale.
> Grand-père.

Cette lettre fut aussitôt portée à Oglethorpe Square, avec la recommandation impérative d'être remise en mains propres. Trop heureuse d'entrer dans un petit complot, Miss Llewelyn alla chercher Ned encore au jardin et surveilla elle-même les opérations, qui demeurèrent secrètes.

CHAPITRE CXIX

A Charleston, la Convention démocrate se sépara le 2 mai sans avoir pris de décision quant au choix du candidat à la présidence. Il y eut des motions et des émotions. On vota sans cesse, et pour quoi ? Pour rien. On se réunirait plus tard, en juin, la date du 18 fut choisie et la ville : Baltimore. Les délégués du Sud qui refusaient Douglas avaient quitté la Convention, la veille de la soirée chez Charlie Jones, entraînés par Yancey, le représentant de l'Alabama. De leur côté, ils envisageaient de tenir une Convention de tous les Etats du Sud à Richmond, quelques jours après celle de leurs frères ennemis, ceux du Nord, les supporters de Douglas.

Les événements se précipitèrent. Le petit parti constitutionnel de l'Union, qui défendait avant tout les droits des Etats, tint, comme les autres, sa propre Convention à Baltimore, et sans histoire porta son choix sur le sénateur du Tennessee, John Bell. L'histoire des Etats-Unis basculait lentement. Puis, la Convention des républicains s'ouvrit au milieu de mai à Chicago. La chaleur au bord du lac était étouffante, comme pour présager les difficultés qui allaient surgir. La situation se répétait : comme Douglas chez les démocrates, Seward croyait dominer le débat sans contestation. Cependant, une majorité de délégués ne voulait pas discuter l'abolition et préférait une sécession pure et simple, ainsi que le prônait Horace Greeley dans son journal avec l'appui des représentants de New York. La politique aboyait de tous côtés.

Dès le premier vote, il fut clair que la situation était bloquée et que Seward ne l'emporterait pas. Parmi les autres candidats, Simon Cameron gardait les voix importantes de son Etat de Pennsylvanie. Il resta songeur. Autour de lui, un fossé avait l'air de se creuser chez les républicains et de les diviser, comme cela s'était produit chez les démocrates. Seward rappelait Douglas, c'est-à-dire que se dressait sur le monde politique le spectre de la guerre civile. Se souvenant de la soirée chez Charlie Jones et de l'émotion qui s'était emparée de tous quand il avait porté un toast à l'Union des cœurs, il décida de faire donner ses voix à l'inconnu de la maison, Abraham Lincoln. En échange, il lui serait offert d'être le secrétaire d'Etat à la Guerre, ce qui pour lui signifiait à la paix, si les républicains saisissaient leur chance. Ainsi Lincoln fut choisi comme candidat, au troisième tour. La fureur alors s'empara de certains extrémistes, et Wendell Phillips, les favoris ébouriffés, solennel et beau parleur, s'écria dans un cercle de politiciens exaspérés de voir leur candidat évincé : « Qui est Lincoln ? »

CHAPITRE CXX

Par une chaude soirée de fin mai, Elizabeth faisait tristement la valise de Ned. Elle ne voulait l'aide de personne pour cette tâche qui lui serrait le cœur, malgré quoi Miss Llewelyn se tenait près d'elle, offrant parfois ses conseils.

— La petite jaquette de laine, peut-être. Il peut faire frais là-bas dès la chute du jour.

— J'y ai pensé, Miss Llewelyn, je connais la Virginie.

C'était la première fois qu'elle se séparait de son fils, et elle mettait beaucoup de tendresse dans le choix des vêtements et de tous les objets qui pouvaient plaire au jeune voyageur.

D'une voix qu'elle s'efforçait de rendre affectueuse, la Galloise murmura :

— Vous auriez bien dû aller là-bas avec lui, Madame. Avec Betty et *Black Mammy,* j'aurais eu soin du petit Kit.

— Impossible, Miss Llewelyn, je compte emmener Christopher à Dimwood où il trouvera au moins de l'air frais.

— Plus encore en Virginie. Y avez-vous songé ?

— Je sais, mais cela n'est pas possible.

— Dommage, vraiment, et pour vous et pour lui.

— Je vous remercie de vos bonnes pensées, Miss Llewelyn, mais j'ai mes raisons. Apportez-moi encore deux chemises, voulez-vous.

La Galloise obéit avec zèle, mais ne pouvait se retenir de parler.

— Le *Savannah* doit lever l'ancre à dix heures, Mr. Charlie Jones sera ici dès huit heures.

— Pourquoi si tôt ? Comme si son propre bateau allait partir sans lui ! Mais nous serons prêts.

« Nous serons prêts », ces mots dits sans y songer avivèrent une plaie. L'espace d'une seconde, elle se vit partant avec Ned, heureuse de le sentir près d'elle à bord du navire. L'émotion lui plia les genoux, et elle se laissa tomber dans un fauteuil. Miss Llewelyn s'inclina un peu vers elle.

— Je vois bien que vous avez de la peine, Madame. Il n'est pas du tout trop tard pour changer d'avis. C'est si simple. Mr. Jones serait ravi.

Elizabeth lui jeta un regard douloureux.

— A quoi pensez-vous, Miss Llewelyn ? On ne revient pas sur une décision. On m'attend à Dimwood. Laissez-moi.

Sa nuit fut mauvaise, mais le lendemain matin, à huit heures, elle était debout dans le vestibule, la main de Ned dans la sienne, attendant Oncle Charlie qui arriva ponctuellement quelques secondes plus tard. Les adieux furent rapides. Tous redoutaient les effusions de la dernière minute. Ned embrassa Mom' deux fois, trois fois, en l'assurant qu'il l'aimait beaucoup, beaucoup, puis bondit vers la calèche et, fou de joie, agita frénétiquement son chapeau à longs rubans quand les roues se mirent à tourner.

Les traits durcis par la volonté de ne pas faiblir, Elizabeth se tourna vers la Galloise.

— A mon tour, fit-elle. Dites à Joe de faire atteler immédiatement. Toutes les valises sont prêtes. Faites-les descendre. Je vous confie la maison, Miss Llewelyn. Surveillez Pat et les domestiques. Je crois que nous nous sommes dit tout ce que nous avions à nous dire. J'attends au salon. Faites vite.

Dans le salon écarlate, elle se redit pour la centième fois les raisons qui justifiaient sa conduite : « Aucune chance de le voir en Virginie. Le voyage est interminable. A Dimwood il est venu, il peut revenir, Charleston n'est pas si loin. »

Moins d'une demi-heure plus tard, elle était en route. Suivait derrière elle, dans une voiture plus modeste, mais confortable, le petit Christopher, enfoui au creux du gros nuage blanc dont s'enveloppait *Black Mammy*. A côté d'elle, Betty qui semblait minuscule dans sa jaquette rouge, et, à leurs pieds, un monde de sacs, de valises et de paquets énormes.

Le voyage parut très long à Elizabeth, qui supportait mal la solitude en calèche. Elle avait l'impression que son adolescence l'accompagnait tout le long de la route, et il y avait des endroits où elle fermait les yeux pour ne pas revivre des minutes inoubliables. La cruauté des souvenirs la faisait gémir de désespoir dans le bruit dur des sabots sur le sol. Une fois de plus, elle eut le sentiment qu'elle s'était égarée dans la vie comme on s'égare dans un pays inconnu. Jonathan passait comme un fantôme si près de la voiture qu'elle s'attendait à le voir, et ses mains jointes se crispaient d'horreur. Elle se demanda ce qui l'attendait dans la plantation où elle commettait la folie de se réfugier. A un moment, le marais aux eaux noires encombrées d'arbres morts lui apparut comme des années plus tôt, lui tenant le même langage incompréhensible où elle croyait entendre un appel. Cela ne dura que le temps d'un éclair, mais elle eut peur et se rencogna dans la calèche en essayant de dormir.

L'allée de chênes gigantesques s'annonça enfin, majestueuse comme une procession de rois, pour la mener au lieu du désastre où son bonheur avait sombré. Le cœur battant à grands coups, elle appliqua les deux mains sur son visage et resta ainsi jusqu'à ce que la voiture s'arrêtât.

Emma et Douglas Hargrove l'attendaient devant la grande entrée. Ils étaient seuls, et ils l'étaient d'une façon saisissante. Trop de monde manquait autour d'eux.

Elle avança sans un mot, pareille à une somnambule, mais Tante Emma la prit dans ses bras :

— Quelle joie de te voir pour l'été à Dimwood, dit-elle avec un élan de tendresse inattendu. Tu ne sais quel plaisir tu nous fais, à Douglas et à moi.

— Oui, vraiment ! fit Oncle Douglas.

— La maison est vide, reprit Tante Emma.

— Vide, mais pleine de souvenirs », dit Elizabeth d'une voix blanche qu'elle-même ne reconnut pas, et, se reprenant, elle ajouta : « .. de bons souvenirs.

— Oh ! s'écria Tante Emma, tu nous arrives avec ton petit dernier et sa nounou noire — et Betty que je suis contente de retrouver ! Bonjour, Betty.

La gentillesse de ces paroles réchauffa un peu l'atmosphère. Pour satisfaire aux lois de l'hospitalité du Sud, dans toute leur exigeante délicatesse, on donna à la jeune Anglaise la chambre occupée jadis par sa mère. L'enfant serait logé avec sa nounou noire dans la chambre voisine, celle-là même d'Elizabeth à son arrivée. Il s'établissait ainsi une sorte de symétrie sentimentale dans la situation, et que sa Mammy noire dormît près de l'enfant semblait une anomalie, mais quel autre moyen de préserver la tranquillité d'Elizabeth ? Du reste, Christopher était sage et ne pleurait pas.

Seule dans sa chambre avant le déjeuner, Elizabeth regarda autour d'elle et se demanda par quelle ironie du sort elle se trouvait là, mais à qui la faute ? Du haut en bas, la maison était hantée, comme la route pour y arriver. Le lit à colonnes, et, sur la table de chevet, l'inévitable Bible de cuir noir à côté du verre dans une soucoupe avec une cuiller et une petite carafe d'eau, tout ce qu'il fallait pour préparer le laudanum, lequel se trouvait sûrement dans l'armoire à pharmacie de la salle de toilette, tout était en place et parfait le décor, et elle était là, dix ans plus tard... La maison était hantée, sans aucun doute, et le fantôme, c'était elle.

Le déjeuner fut servi dans la salle à manger où jadis elle tentait de se dérober au regard de William Hargrove derrière un bouquet de fleurs. La pièce lui parut beaucoup plus grande qu'elle ne s'en souvenait, d'ailleurs la maison entière était miraculeusement devenue énorme et les voix y résonnaient plus haut qu'autrefois, frappaient les murs.

Emma et Douglas faisaient un effort pour animer la conversation.

— La maison n'est pas tout à fait vide, dit-il en riant. Souligou est restée là-haut. Tu te souviens, bien sûr, de Souligou ?

— Et bien entendu, les Noirs, ajouta Emma. Ils ne sont pas plus nombreux, mais on a l'impression qu'ils sont partout. Tu verras, c'est curieux.

— Et Hilda ? Et Mildred ?

— Tu ne savais pas ? Elles sont à Limestone Spring dans un comté du nord de l'Etat, avec leurs maris, mais ceux-ci rentreront chez eux dès la fin du mois. Ils s'ennuient de Charleston. C'est leur vrai paradis.

— Et Susanna ?

Emma prit cet air que prenait tout le monde dans la famille pour parler de Susanna, une mine à la fois affectueuse et réservée.

— Susanna va très bien, elle passe ses vacances avec des amis à elle, dans les collines de Georgie.

— Elle se déprend un peu de Dimwood, remarqua Douglas. C'est une fille très indépendante.

— Nous l'aimons beaucoup, dit Emma.

— Moi aussi, fit Elizabeth. J'aurais beaucoup voulu la voir.

Elle eut soudain la vision du visage en larmes derrière une vitre.

Un bref silence, puis Douglas dit tout à coup :

— J'espère qu'à Savannah notre Billy vient te voir de temps en temps.

— Oh ! oui, bien sûr, mais les permissions sont trop rares.

Douglas fit : « Tss, tss ! » d'un air entendu et sourit :

— Quand la situation à Charleston se sera un peu éclaircie, il viendra plus souvent.

— Tout va s'arranger, du reste, fit Emma. Parce qu'il le faut. N'écoute pas les pessimistes.

— Billy sait que je suis ici. Je lui ai écrit. Il viendra peut-être.

— Mais oui, fit Douglas. Il est déjà venu avec toi.

On servait des patates douces dont Elizabeth raffolait, mais elle n'y toucha qu'à peine. L'appétit lui manquait. Cependant, afin de ne pas avoir l'air de bouder un repas délicieux, elle goûta au dessert et accepta un doigt de champagne… Une intuition subite lui révéla, en effet, qu'elle était pour Emma et Douglas une cause de soucis : qu'allaient-ils faire de cette belle-fille si évidemment peu satisfaite de se trouver là ? Aussi, à peine bue sa tasse de café, se déclara-t-elle fatiguée par le voyage et désireuse de se reposer. On approuva fortement et elle gagna aussitôt sa chambre, jetant dans le vestibule, puis dans l'escalier un regard inquiet. Dans cette maison presque désertée, elle se sentait prisonnière, prisonnière de trop d'espace autour d'elle. Et qu'allait-elle faire de son temps à attendre Billy qui ne viendrait peut-être pas ? Dehors, les cigales tissaient leur rideau de sons grinçants que sa mère ne pouvait souffrir. Elle prit place dans le fauteuil à bascule et se balança comme sa mère l'avait fait et, comme elle, révoltée de se trouver là.

Très prudemment la porte s'ouvrit, livrant passage à Betty qu'Elizabeth ne vit pas tout de suite. A peine plus haute qu'une petite fille maintenant, elle vint sans bruit devant sa maîtresse qu'elle croyait assoupie.

— Betty, dit celle-ci, que viens-tu faire dans ma chambre ?

La réponse fut le sourire qui ne manquait jamais de toucher Elizabeth. D'un geste, la vieille femme noire désigna les valises encore fermées.

« Tu es contente d'être à Dimwood, Betty ?

— Contente avec vous, M'am.

Les bons yeux semblaient rire en se levant vers le visage d'Elizabeth.

— Le petit est à côté ? Je ne l'entends pas.

— Mammy l'a mis au lit.

— Je vais le voir. Ouvre mes valises et range tout comme tu veux.

Glissant du fauteuil, elle passa dans la chambre voisine, la chambre de sa seizième année. Le lit à baldaquin blanc, la commode, la glace, elle vit tout d'un coup d'œil, et, bien qu'elle s'y attendît, elle reçut un léger choc devant la Mammy noire près d'un lit d'enfant où reposait Christopher. C'était comme si deux images placées l'une à côté de l'autre ne s'ajustaient pas. Dans le nuage blanc, la face noire souriait comme celle de Betty, pleine d'une bonté sauvage qui réconforta la jeune Anglaise.

L'enfant avait ouvert les yeux, où sa mère retrouvait les prunelles bleues de Billy, mais vides de toute expression, sauf l'étonnement d'une insondable innocence. Agé de deux ans et quelques mois, Elizabeth n'arrivait pas à le trouver beau, mais le bleu sauvait tout. Les traits, trop rapprochés les uns des autres, eussent donné au petit visage un air disgracieux sans le regard d'une limpidité éblouissante. Elle se pencha un peu sur lui et sans bouger il la considéra, puis sa bouche entrouverte s'écarta et il lui fit un sourire qui la bouleversa. Chez cet être qui n'avait pas la grâce de son frère au même âge, se manifestait déjà le don plus mystérieux du charme. Dans un élan de tendresse subite, elle posa la bouche sur son front, et il se mit à rire en agitant une main : « Mamma. » Suivirent des mots incompréhensibles. Alors, elle se mit à poser des baisers un peu partout, sur la tête, les joues, les oreilles, séduite. Quelqu'un à aimer…

La Mammy noire, elle, riait aussi de bon cœur.

— Joli, disait-elle, joli *baby,* M'am.

— Très joli, Mammy.

« Il est affreux, mais je l'adore », pensa-t-elle.

Et, flairant avec amour le petit visage rieur, elle sentit une odeur qui rappelait celle des fleurs des champs dont on cherche en vain le nom.

« Tu lui as mis du parfum ? demanda-t-elle.

— Non, M'am, jamais pa'fum.

— Alors, c'est du savon ?

— Non, M'am, 'ien. Joli *baby* sent bon.

— Comme je vais t'aimer, toi, murmura Elizabeth à l'oreille de l'enfant.

Comment ne l'avait-elle pas découvert plus tôt ? Mais Billy ne s'intéressait pas vraiment à lui, et puis il y avait Ned... Le souvenir du jeune garçon sautant dans la calèche, puis fendant l'air de la main pour lui dire adieu, tout cela lui revint d'un coup, lui étreignant la gorge. Mais, à présent, elle souffrait moins de son absence — ou du moins pas de la même manière : quelqu'un habitait Dimwood, quelqu'un à aimer.

— Contente, M'am, fit Mammy.

— Oui.

Soudain, elle se demanda où cette imposante personne allait dormir. Dans le lit à baldaquin ? Cela lui parut, sinon choquant, du moins un peu incongru... Jamais on n'aurait encore vu cela dans le Sud, mais s'il le fallait pour Christopher... Le nom lui sembla subitement bien long pour une si minuscule personne.

— Il faut l'appeler Kit, dit-elle à la nounou.

— Kit, oui, M'am, on l'appelle toujou' Kit... Massa Kit.

— Kit tout court », fit Elizabeth en souriant, et elle demanda : « Mammy, où dormez-vous ? Dans le lit ?

— Oh ! non, M'am, fit la nounou presque scandalisée, pas dans le lit. Mammy couche pa' tè'.

Et elle désigna le bas du lit sous lequel Elizabeth aperçut un matelas.

— On dort bien là-dessus ? demanda-t-elle.

— Mammy do't toujou' là-dessus, M'am.

A vrai dire, le matelas était épais. Un dernier baiser à Kit, et la mère amoureuse rentra dans sa chambre. Tout y était en ordre, les placards pleins, disparues les valises et Betty, debout et souriante, attendait.

— Betty, mon petit garçon est un ange.

— *Yes,* M'am.

Le lendemain matin, dès qu'elle eut quitté son lit, elle retourna dans la chambre de Kit. Il était encore sur le dos dans le lit qui avait servi à tous les enfants Hargrove. Quand elle se pencha vers lui, il tourna le visage de côté comme pour mieux la voir, ouvrit tout grand l'œil droit et sourit d'une oreille à l'autre, faisant d'elle sa proie et son esclave. Désormais la présence d'Elizabeth à Dimwood prenait un sens.

Emma et Douglas s'aperçurent très vite du changement survenu, et la maison entière parut se débarrasser de sa farouche solitude. On eût dit que salons et couloirs regorgeaient de souvenirs pareils à des ombres radieuses. Par prudence, Elizabeth évitait certains endroits précis : celui où Fred lui avait avoué son amour et cet autre, le plus dangereux de tous, au bout de la véranda, où Jonathan, à travers le feuillage du magnolia, avait approché son visage du sien... Là, pourtant, la tentation se faisait trop forte pour qu'elle résistât longtemps, et, la nuit, dans le silence habité par le chant des rainettes, elle se glissait dehors pour aller revivre les minutes à jamais perdues. Le cœur battant, elle regagnait son lit, éperdue comme après une nuit d'amour avec un fantôme. La Mammy noire faisait semblant de dormir, supposait tout, ne comprenait rien et se taisait. Elizabeth se consolait le jour en parcourant de sa bouche tout le visage de Kit, qui lui faisait voir ses dents minuscules et lui caressait la joue, les yeux, le nez, au hasard, en riant et en bafouillant un tas de mots pour elle.

L'absence de Billy tournait souvent à la torture. Parfois elle recevait une lettre qui lui parlait avec amertume de permissions impossibles à obtenir, de manœuvres rendues plus fréquentes par la situation politique... Dans son lit, d'une largeur inutile, elle luttait contre l'insomnie et rêvait d'une nouvelle escapade vers la caserne de hussards, songe tristement gaillard qu'effaçait au réveil un large sourire aux minuscules dents d'un blanc bleuté.

Les semaines s'écoulèrent avec les lenteurs vertigineuses du temps qui semble ne pas bouger alors même qu'il se détruit. Des journaux de Savannah et d'ailleurs arrivaient sans qu'elle y jetât les yeux. On évitait de parler d'autre chose que de la température, les repas délicieux succédant aux repas délicieux, selon le rythme accoutumé dans l'immobilité des périodes heureuses. Le chant lointain des Noirs dans la plantation ajoutait sa note mélancolique à cette monotonie rassurante.

CHAPITRE CXXI

Alors qu'Elizabeth se découvrait une nouvelle passion amoureuse à Dimwood dans la personne du petit Kit, Ned voguait avec Charlie Jones vers la Virginie. Dès qu'il posa le pied sur la terre rouge des chemins de campagne, il se sentit dans un pays tout autre et d'un charme puissant et tranquille. Les grandes étendues verdoyantes répandaient la paix sous un ciel gris et ce paysage, d'une simplicité parfaite, parlait au cœur du garçon de Savannah. Ici, l'agitation prenait fin, et, pour la première fois de sa vie, il sentait l'attrait d'un bonheur à l'écart du monde.

Charlie Jones ne s'attarda pas à rêver ; il fit remonter son petit-fils dans la calèche à quatre chevaux qui les emporta au grand galop, son principal souci étant d'arriver au Grand Pré le plus vite possible, et Ned, encore en proie à la surprise du dépaysement, n'osait lui poser de questions, car son grand-père essayait de lire un journal qu'il avait tiré de sa poche et plié en deux. De temps en temps, il poussait un grognement qu'on pouvait interpréter comme on voulait, mais qui intriguait son jeune compagnon comme si les rumeurs de la ville les suivaient tout le long du grand chemin couleur de rouille.

Des maisons isolées se dressaient çà et là, toutes en bois peint en blanc ou en jaune pâle, et, au bout de plusieurs heures, ils passèrent près d'un village où se détachait une longue boutique qui semblait pleine de monde. Charlie Jones abaissa son journal :

— Ça, c'est l'épicerie de l'endroit, le lieu de rencontre de tous les habitants. On y vend de tout et on parle à tort et à travers. Il y en a une près de chez nous. Tu verras, nous ne sommes plus très loin maintenant.

Ils roulèrent encore une demi-heure, puis ralentirent et s'arrêtèrent devant une barrière. Un des deux cochers sauta de son siège, alla soulever la barre de bois qui coupait le chemin et l'ouvrit toute grande. La calèche s'engagea dans la longue avenue s'incurvant gracieusement en bordure d'une prairie où se dressait un cèdre aux branches gigantesques. Ned en reçut un choc, parce que sa mère lui en avait parlé avec des soupirs, et de même il reconnut la maison de bois gris surmontée d'un toit rouge sombre, avec ses deux pavillons pointus de chaque côté d'une façade à hautes fenêtres, et entourée de châtaigniers et de sapins qui la cachaient en partie. Malgré ce que sa mère lui en avait dit, il s'attendait vaguement à une grandiose demeure à colonnes comme en Georgie, au lieu de quoi il découvrait une vaste maison un peu campagnarde, mais un élan instinctif le porta vers elle. « On l'aime, dès qu'on la voit », lui avait dit Elizabeth.

La voiture s'arrêta devant une véranda, sur laquelle semblait veiller un orme dont les branches s'inclinaient comme une tenture de feuillage jusqu'aux têtes des chevaux. Des serviteurs noirs saluèrent Oncle Charlie avec des exclamations de bienvenue et s'emparèrent des bagages. Comme Ned, après son grand-père, franchissait le seuil de la porte, une petite dame âgée, mais alerte, vint aussitôt vers eux. Dans sa robe noire à col blanc, elle dépassait à peine la taille du garçon, mais y ajoutait toute la hauteur d'un bonnet de toile orné de guipures de mousseline couronnant un fin visage ridé où brillaient deux yeux gris d'une gaieté exquise. Elle lui fit un grand sourire.

— Ned ? demanda-t-elle. Comme il a grandi...

— Tu l'as deviné avant que je te le dise, Charlotte. Le fils de mon pauvre Ned. Embrasse Tante Charlotte, Ned.

La vieille demoiselle tendit une joue, sur laquelle il déposa un baiser.

— Je connais bien ta maman, fit-elle.

Prévoyant un long entretien, Charlie Jones dit à Ned :

— Nous avons encore une heure avant le déjeuner. Cela te plairait-il de faire un galop à cheval dans les environs ?

Et, sans attendre la réponse, il le prit par la main et l'entraîna sur la gauche de la maison.

« Je t'ai promis une surprise, à Savannah, elle patiente à la porte de l'écurie derrière la maison. Cours, je te rejoins.

Ned ne demanda pas d'explication et fit le tour de la maison à toutes jambes ; tout à coup il s'arrêta net, pris de stupeur : à la porte de l'écurie, un jeune palefrenier noir tenait par la bride un poney blanc qui secouait une crinière abondante. Avec ses attaches fines et robustes et sa queue argentée, il semblait sorti d'un conte de fées, et le jeune garçon poussa un cri :

— Il est pour moi ! s'exclama-t-il.

— Oui, fit Oncle Charlie qui arrivait derrière lui. Il s'appelle Whitie, et si tu lui parles gentiment il sera très obéissant.

Ned s'approcha et caressa l'encolure du poney, qui tourna vers lui un grand œil noir.

— Whitie, fit Ned.

Ce n'était pas la première fois qu'il avait affaire à un poney, et celui-ci inclina un peu la tête. N'y résistant pas, Ned l'embrassa malgré le geste de prudence que fit le palefrenier. Quelle affinité poussait l'un vers l'autre le garçon et l'animal ? Le poney ne bougeait pas, mais remuait la tête à chaque fois que Ned y passait la main.

— Vous voilà bons amis, dit Oncle Charlie en riant. Joe, inutile de le seller, désormais Whitie est à Master Ned qui le montera à cru.

— Oh ! grand-père !

— C'est bien, c'est bien, tu es content. Quand tu viendras passer les vacances au Grand Pré, tu trouveras toujours ton ami Whitie. En attendant, allez faire un tour dans la prairie.

Ned enfourcha le poney et partit à fond de train. Bien qu'il n'eût pas encore toute sa taille, Whitie galopait avec une rapidité étonnante. Ned jetait des cris de plaisir et faisait à tue-tête des compliments que le vent arrachait de sa bouche. Fou de joie et sûr de n'être pas entendu, il se laissait aller à de naïves déclarations :

— Tu seras mon copain, Whitie. On va être heureux, tu verras.

Ventre à terre, Whitie filait vers le bois de sapins où Ned le dirigeait. Dès les premières branches basses ils ralentirent, puis Ned sauta à terre et avança dans la pénombre. Dans le mystère du bois de plus en plus sombre, le poney ne le quittait pas. Ned regardait par-dessus son épaule cette grande tache blanche dans cette nuit transpercée de lumière, et de temps en temps disait :

« Whitie, je suis là.

A un moment, il s'arrêta, pris d'une vague inquiétude, puis revint sur ses pas, fit demi-tour, passant pour la seconde fois à l'endroit où sa mère avait reçu de force le premier baiser de son amoureux. Comme tant de garçons de son âge la tête pleine de pirates ou de brigands, le jeune Ned avait la passion d'explorer l'inconnu, mais ici il n'avait rien découvert d'étrange et de secret, et, déçu, il quitta le bois avec son poney, les branches mortes craquant sous leurs pas. De nouveau dans la prairie, ils repartirent au galop. Si haute était l'herbe que les jambes de Whitie s'y cachaient tout entières, et l'on eût dit qu'ils traversaient un fleuve.

Ned arriva tout juste à l'heure pour le déjeuner et prit place à gauche de Charlie Jones, Miss Charlotte étant à droite. Emmanuel, avec qui Ned avait autrefois échangé des coups de poing, était assis à côté de Miss Charlotte parce qu'elle savait le faire taire, tandis que John, aux longs cheveux blonds, se tenait sagement entre Ned et son frère, mais plus près de Ned. Emmanuel bravait déjà son « cousin » du regard après lui avoir serré agressivement la main. Riz et rosbif saignant emplissaient les assiettes, quand Charlie Jones, s'adressant à Ned, lui déclara :

— Tu ne verras pas aujourd'hui ma chère femme Amelia. Elle habite depuis des mois une charmante maison toute proche d'ici : le Bocage, avec nos petits jumeaux et notre petite fille qu'elle veut toujours près d'elle.

Ned se souvenait vaguement d'une grande dame solennelle, et profitant du silence, Miss Charlotte reprit le fil de ses idées.

— Ta chère maman et moi, nous avons lu des psaumes ensemble. Elle ne l'a sûrement pas oublié. J'espère que tu lis régulièrement ta Bible, Ned.

Emmanuel fit entendre un ricanement sourd en lançant un coup d'œil moqueur à son cousin interloqué.

— Charlotte, dit Charlie Jones, on ne parle pas de religion à table.

Le bonnet blanc protesta :

— Erreur ! lança une voix suraiguë, la religion est partout présente.

— Ned, demanda Charlie Jones, ça va bien entre Whitie et toi ?

— Amis pour toujours ! s'écria Ned.

— Amis pour toujours, répéta tendrement John qui n'avait rien dit jusqu'alors.

— Whitie est au Grand Pré, fit Emmanuel, il est à tout le monde.

Charlie Jones le foudroya :

— Toi, tu ne vas pas commencer. Une fois pour toutes, Whitie est à Ned.

Emmanuel darda sur Ned un regard d'assassin.

— On s'expliquera tout à l'heure, chuchota-t-il par-dessus la table.

Les joues de Ned s'empourprèrent, mais il garda le silence. Son col ouvert et ses cheveux en désordre faisaient déjà de lui un garçon de la campagne légèrement débraillé. Il n'en paraissait que plus beau.

— Ned, fit Miss Charlotte, tu ressembles à ton père.

— J'allais le dire, remarqua Charlie Jones avec un sourire. Je t'ai donné sa chambre, au dernier étage.

Il avait l'air si triste en disant ces mots qu'un silence s'établit jusqu'au dessert.

Ned gagna sa chambre dès la fin du repas, accompagné d'un Noir qui portait sa valise. Haute et spacieuse, la pièce le frappa par le sérieux des meubles sombres, des grands rideaux rouges aux plis lourds, de la glace dans son cadre de noyer et d'acajou.

— Voilà, Massa Ned, fit le Noir en posant la valise. Avec la chambre de Massa Charlie, c'est la plus belle du Grand Pré.

Tournant le dos à la porte, il n'avait pas vu Emmanuel qui se glissait derrière lui et lui cria dans l'oreille :

— Toi, dehors !

Le Noir sauta en l'air et s'enfuit épouvanté. Emmanuel referma la porte.

« Ned, dit-il, tu restes ici tout l'été, alors écoute : on monte le poney blanc chacun à son tour et moi d'abord ou je te le prends de force.

— Tu me passes d'abord sur le corps, fit Ned tremblant de rage.

— Alors je commence tout de suite.

Tête basse il fonça sur Ned, qu'il renversa sur le dos. Un rayon de soleil mettait le feu aux cheveux roux de l'agresseur dont les traits se crispèrent. Ned sentit son souffle chaud sur son visage.

« Je suis le fils, toi, tu viens après. Compris, ou tu reçois mon poing dans l'œil.

Fou de colère, Ned, d'un coup de reins subit, roula sur le côté et envoya son genou au hasard dans son adversaire. Il n'avait pas oublié les conseils du jardinier, et, profitant du désarroi d'Emmanuel, il l'empoigna par sa tignasse violente et lui cogna le crâne à plusieurs reprises sur le plancher. Le garçon hurla.

Charlie Jones, qui avait flairé quelque chose, entra d'un coup à ce moment-là. Fort calme, les mains derrière le dos, il dit simplement à Ned :

— Ne me le tue pas, tout de même. Il doit avoir compris.

Les deux garçons s'arrêtèrent.

— Il m'a fait mal, gémit Emmanuel.

— Je devine. On se défend comme on peut.

Ned se leva d'un bond ; Emmanuel, d'abord à quatre pattes, se redressa en grognant.

« Cesse, lui commanda son père, ça passera, tu me fais honte. De quoi s'agit-il ?

— Il veut me prendre Whitie, dit Ned.

— Sauf toi, personne ne touchera à Whitie. Les garçons d'écurie ont reçu des ordres. A présent, serrez-vous la main.

Ned avança, la main tendue. Emmanuel mit les siennes derrière le dos.

« Emmanuel, il faut savoir perdre, dit Charlie Jones.

Emmanuel ne bougea pas.

« C'est bien. Tu fais l'entêté. Je recule d'un an le cadeau que je comptais te faire pour ton anniversaire.

La main d'Emmanuel se tendit vers celle de Ned comme un couteau. Brusque et rapide fut la réconciliation.

— C'est Agénor, Papa ? demanda Emmanuel.

— Nous verrons, cela dépend de ton attitude à partir d'aujourd'hui... Je surveille.

Sans ajouter un mot, il sortit et ferma la porte. Emmanuel regarda Ned.

— Toi ! fit-il en tapant du pied.

La porte se rouvrit.

— Veux-tu que j'allonge tout d'une année ? Ned, tu dois te demander qui est Agénor. C'est le plus joli bai de mon écurie et le plus fringant.

Pour la seconde fois, il disparut. Emmanuel se borna à tourner le dos à Ned, mais le silence fut parfait jusqu'au moment où le futur propriétaire d'Agénor disparut à son tour, rageur, mais sans bruit.

Personne ne sut rien de cet éclat. Miss Charlotte vantait la paix qui régnait dans la Grande Maison et s'efforçait d'attirer le nouveau venu dans de bons entretiens édifiants, mais Ned se montrait rétif. Il aimait bien cette vieille personne affairée qui le regardait avec un brin de malice affectueuse, mais elle le gênait comme si elle faisait on ne savait quelles pieuses propositions à son âme... Lesquelles ? A huit ans, il n'en savait rien, mais elle voulait son bien et gentiment il la fuyait, les deux innocences ne s'accordant pas.

Avec une ivresse de bonheur, il se lançait sur le dos de Whitie à travers les prairies et se perdait dans les bois des environs. Le poney semblait en savoir davantage que lui sur les chemins à éviter. Un matin qu'ils trottaient dans le clair-obscur d'un grand bois, Whitie s'arrêta d'un coup et ne bougea plus. Ned, sautant à terre, s'aperçut alors qu'il était tout près d'un ravin caché par des broussailles. Il caressa le front du poney qui posa sur son épaule une tête où s'emmêlait une longue crinière. Ce geste inattendu transporta le garçon, qui lui passa le bras sur l'encolure et se mit à lui parler comme à un camarade.

— On est bien ici. A la maison, ils ne comprennent rien, ils me font des histoires à cause de toi.

Malgré tout, il se sentait encore secoué par l'idée d'une chute possible dans le ravin où Whitie se fût peut-être brisé les jambes. Il décida de rentrer par un autre chemin, où il s'égara.

Des Noirs inquiets étaient postés sur la route. A la maison, on l'attendait pour déjeuner. Sans le gronder, Charlie Jones fronça le sourcil en lui disant de se mettre à table, et il y eut un lourd silence désapprobateur. La leçon était amère et Ned mangea sans appétit le jambon de Smithfield dont il raffolait.

Après déjeuner, il alla seul faire quelques pas sur l'immense pelouse devant la maison. Courant derrière lui, Emmanuel le rattrapa. Avec un gros rire, il lui donna une violente, mais toute amicale bourrade dans les côtes et lui dit :

— Alors, il paraît qu'on fait la paix. Papa l'exige. Du coup j'aurai Agénor pour mon anniversaire. Qu'est-ce que tu as ? Je t'ai fait mal ?

Ned en effet avait la main à plat sur le côté.

— Pardon, excuses, fit Emmanuel. C'est ma manière, je suis comme ça. Et puis toi, l'autre jour, hein ? Oublie ça. Quand tu me verras sur Agénor, tu pourras trottiner derrière moi sur ta petite bête.

— Whitie file comme une flèche.

Dans les yeux perçants d'Emmanuel brillait un désir de s'empoigner avec Ned et de le faire rouler sur l'herbe, mais il pensa à Agénor et se retint. Ses grandes mèches, d'un rouge d'acajou, lui tombaient de tous côtés sur le front et lui prêtaient une beauté féroce.

— Enfin, tu diras à Papa qu'on est copains.

— Copains..., fit Ned d'un air douteux.

— Enfin, tu feras semblant de le croire. Fais pas la rosse.

Ned lui tendit une main qui fut saisie avec empressement.

« Chic ! Ça c'est pour de bon.

— Pour de bon, répéta Ned avec un sourire. J'aime mieux ça.

— Et moi donc ! Et je tiens mon Agénor !

Avec une agilité surprenante, il fit une pirouette sur la pelouse.

« Si tu veux, un jour, on ira se massacrer derrière la maison.

— Un jour, pas tout de suite. Tu boxes ?

Le visage d'Emmanuel changea.

— Comme ci, comme ça, fit-il.

— Ah ! moi j'ai appris avec un Irlandais très fort.

Emmanuel eut un imperceptible mouvement de recul.

— Ah bon ! fit-il, plus calme.

Il mit les mains dans les poches et demanda :

« Tu restes encore longtemps ici ?

— Jusqu'en septembre. Et toi ?

— Moi, toujours. J'habite ici. Un jour, la maison sera à moi.

— Ah ?

— Oui, fit Emmanuel d'un air narquois qui jeta l'inquiétude dans le cœur de Ned.

Qu'allait devenir Whitie quand il ne serait plus là ? Mais la conversation n'alla pas plus loin, et, revenus en silence à la maison, ils se séparèrent.

De longues promenades avec Whitie occupaient presque toute la journée de Ned. Il les poussait le plus loin possible, jusqu'au bord d'une rivière où il s'arrêtait pour se reposer. L'eau coulait au fond d'un vallon boisé avec un petit bruit tranquille et affairé qui plaisait au jeune garçon. Il y avait là un banc rustique où il se reposait un peu pendant que Whitie paissait l'herbe à quelques pas derrière lui. C'étaient les bonnes heures des vacances que ces explorations des alentours. Tout au loin, il apercevait la crête des collines bleutées, si pâles qu'elles se confondaient avec le ciel. Comment se fût-il douté que, neuf ans plus tôt, sa mère s'était assise là ? Porté comme elle au rêve, il imaginait des aventures passionnantes dans ces hauteurs mystérieuses, des rencontres avec des Indiens coiffés de plumes d'aigle, tout prêts à l'accueillir parmi eux.

Dans la Grande Maison, il s'ennuyait. Vaste et silencieuse, elle paraissait vide, et le bruit de ses pas y résonnait d'une façon troublante. Aux repas, il se retrouvait avec les mêmes personnes qui disaient à peu près les mêmes choses. Très souvent Charlie Jones ne paraissait pas, et Miss Charlotte prononçait alors la phrase que tous connaissaient :

— Oncle Charlie prend ses repas au Bocage.

Et le Bocage, où personne n'entrait que lui et des serviteurs, devenait un endroit mythique, bien qu'il ne fût pas loin. Miss Charlotte pérorait à mi-voix. On ne songeait pas à l'écouter, car on se rendait compte qu'avec l'âge elle prenait l'habitude de parler toute seule de ménage ou de religion, mais elle n'en guettait pas moins le moment où elle aurait une chance d'attraper par la main le garçon de Savannah qu'elle aimait bien, certes, mais qui, venu de cette ville suspecte, méritait au moins une tentative de réforme. Malheureusement pour elle, il filait dès la dernière bouchée avalée.

Emmanuel avait adopté envers Ned une attitude joviale et

lui tapait sur l'épaule avec l'autorité d'un aîné — et d'un oncle.

— Dès qu'il y aura la guerre, dit-il un jour, je saute sur Agénor et je charge.

— La guerre..., fit Ned.

— Papa dit qu'elle éclatera un jour ou l'autre.

Cela, Charlie Jones ne le disait pas à table quand il y paraissait. En fait, il parlait à peine, gêné par le monologue de Miss Charlotte qu'il feignait de ne pas entendre afin de ne pas la blesser. Toujours d'une humeur égale, il distribuait des sourires aux garçons et mangeait de bon appétit, mais il avait hâte d'aller retrouver sa femme, sa petite fille et ses jumeaux. Cette présence était pour lui la compensation d'une vie de labeur et d'agitation à Savannah. Dans la petite maison du Bocage, il menait son rêve sentimental de mari éternellement amoureux auprès d'une femme qui se berçait d'espérances toutes célestes, mais se prêtait avec une résignation sublime au devoir impératif entre deux naissances.

Presque inaperçu de tous, le petit John, tout juste âgé de six ans, s'asseyait à table à côté de Ned. Avec ses cheveux d'un blond d'or clair qui lui descendaient sur les épaules, il personnifiait l'enfant sage et rêveur. Son frère Emmanuel pouvait le terrifier d'un seul regard jeté de côté, et dans ses yeux bleu pâle se trahissait une âme d'une timidité presque maladive. On devinait chez lui l'instinct de fuir le monde des grosses voix et des volontés intraitables. Toute la délicatesse de ce personnage effacé se révélait dans les traits d'une finesse qui faisait songer à un portrait dessiné au crayon par une main soucieuse de n'appuyer qu'à peine. Il se tenait le plus près possible de Ned, qu'il regardait de temps à autre avec un air de tendresse confiante que son voisin ne remarquait pas toujours, mais qui le plongeait dans l'embarras quand par hasard il s'en apercevait. Tous deux échangeaient un sourire, bref chez l'un, long et d'un sérieux indéfinissable chez l'autre. A cela se bornait le mystérieux dialogue qui ne connut jamais d'autre forme, trahi une fois seulement par un cri de John en écho à un cri de Ned : « Amis pour toujours ! »

CHAPITRE CXXII

Alors que la Virginie se reposait dans les somnolences d'un bel été, le petit monde de Dimwood, aussi profondément assoupi, se réveilla en sursaut. Vers la fin de juillet, deux calèches s'arrêtèrent devant la maison. Mirent pied à terre avec une sorte de précipitation, sous leurs ombrelles, Mildred, Hilda et Minnie, puis, beaucoup plus calmes, Tante Augusta aidée par Oncle Josh. William Hampton descendit le dernier et courut saluer Douglas :

— Nous arrivons sans prévenir, Mr. Hargrove. Excusez-nous. Sur l'instance des dames qui en avaient assez de Limestone Spring, je suis allé les chercher.

A son tour, Josh serra la main de Douglas.

— Surpris de nous voir, Douglas ? Augusta mourait d'envie de revenir à Dimwood.

— Ravi de vous avoir tous ici, Josh, mais où sont les autres ? Il manque des maris.

— Oh ! Siverac et Lawrence, ceux-là, un mois à Limestone Spring leur a suffi. La vérité est qu'on meurt d'ennui dans ces villes d'eaux, et ils ne pensaient qu'à Charleston, leur paradis... Bref, ils sont là-bas, à leurs occupations habituelles, la politique surtout.

Augusta parut enfin et embrassa sa belle-sœur.

— Emma, enfin de retour au cher Dimwood !

— Quelle joie pour nous, darling, de vous voir tous ici, dit Emma.

— Josh et moi, nous restons, mais tous les autres repartent pour Charleston. Oui, on nous dépose ici, et en route pour la grande ville ! C'est ça la jeunesse. En même temps, ils nous enlèvent Elizabeth.

— Par exemple ! Mais ne restons pas au soleil.

Elle appela :

« Elizabeth !

Elizabeth ne fit son apparition que dans le vestibule, sur une marche de l'escalier. Dans sa robe vert d'eau et les cheveux en chignon sur la nuque, elle paraissait radieuse.

— Est-ce que je rêve ? fit-elle.

Un éclat de rire général lui répondit.

— Allons, Lisbeth, fit Hilda malicieusement en lui tendant les bras, tu as réussi ton entrée ! Descends de ton escalier et embrasse-nous.

Les joues un peu plus roses, elle passa de l'une à l'autre des femmes, puis à Josh. Un sourire pour William Hampton qu'elle avait toujours trouvé élégant.

« Elizabeth, reprit Hilda, tu as cru rêver tout à l'heure, mais c'est maintenant que le rêve commence. Fais tes valises. On t'emporte avec nous à Charleston.

Elizabeth changea de visage.

— Ce n'est pas possible... Le petit, je ne peux pas le laisser.

— Pourquoi ? demanda Douglas avec vivacité. Il a Betty et sa *Black Mammy* pour s'occuper de lui.

— Ce n'est pas la même chose, gémit Elizabeth. Je le veux près de moi.

Douglas, soucieux de la voir partir, ne se tint pas pour battu.

— Tu ne peux pas l'emmener avec toi à Charleston en juillet. A son âge, la chaleur le rendrait malade. Il a besoin d'un peu de fraîcheur. Ici, à Dimwood... Et puis, tonnerre, laisse-moi un peu mon petit-fils !

Hilda eut un sourire d'une finesse diabolique.

— A Charleston, tu auras Billy. Songes-y, darling.

— Mais il n'est pas à Charleston, il est en forteresse à Beauregard.

— De Beauregard à Charleston, il en a pour deux heures de cheval. Ce serait bien le diable s'il n'arrivait pas à décrocher une permission d'un jour... ou plus.

Mise à la torture, Elizabeth demanda quelques minutes pour réfléchir et monta droit à la chambre de Kit. Elle savait parfaitement qu'elle allait céder, mais elle voulait serrer le petit dans ses bras comme pour lui donner une dernière chance de la retenir... On eût dit qu'il faisait tout pour cela. Assis sur les genoux de *Black Mammy,* il agita les mains dès qu'il la vit et poussa des sons inarticulés. Se jetant à genoux devant lui, elle le couvrit de baisers en pleurant.

— Je m'en vais pour quelques jours », dit-elle à la femme noire qui ouvrit des yeux énormes et ne put dire que :

— Oh ! M'am !

— Au revoir, mon amour, répétait-elle, le visage brillant de larmes.

Ce fut alors que, par on ne sait quelle intuition, l'enfant tourna la tête de côté, regardant sa mère d'un œil bleu plein d'une gaieté malicieuse. « Mamma, Mamma », fit-il en chantonnant. Elle crut qu'elle allait faiblir, puis, après l'avoir serré contre elle, le rendit à *Black Mammy* et se sauva.

Sa valise faite précipitamment par Betty, quelques minutes plus tard elle montait dans une des calèches avec William Hampton et Hilda, tandis que Mildred et Minnie prenaient place dans l'autre. Les adieux, d'une rapidité exemplaire, avaient facilité les opérations en coupant court aux attendrissements d'usage.

Les attelages allaient bon train, Dimwood disparaissait et la belle Anglaise réussit à faire bonne contenance devant Hampton qu'elle connaissait peu. Celui-ci tenta de la distraire de son chagrin en lui décrivant les beautés de Limestone Spring.

— On n'en croit pas ses yeux. C'est le paysage le plus romantique du monde, là et les environs. On a été partout, jusqu'aux confins de l'Etat. Des monts boisés s'écroulent, d'une hauteur de quarante mètres, des chutes d'eau où brille un arc-en-ciel qui ne s'éteint qu'au soir. Des allées d'arbres tellement vieux qu'on ne sait même plus leur âge et dont le feuillage répand une fraîcheur exquise. Partout des fleurs en masses prodigieuses dont les parfums étourdissent. Du violet sombre aux nuances les plus délicates de l'azur, toutes les couleurs imaginables rivalisent dans une confusion batailleuse...

— L'hôtel à proximité de ces splendeurs, précisa Hilda, est d'un confort vraiment moderne : gaz dans toutes les chambres, eau courante chaude.

— Vous vous y seriez plu pendant une semaine, Elizabeth, mais il faut admettre que, dans ce paradis, l'uniformité des jours ne rachète pas un décor féerique et a raison de la patience humaine !

— Mais il y avait l'air pur ! s'écria Hilda en riant.

— Et l'odeur des sources sulfureuses ! Pouah !

Tous les trois éclatèrent de rire.

Le jour commençait à baisser quand ils atteignirent les faubourgs de Charleston. Elizabeth se sentait à peu près remise, la rumeur qui montait de la ville rendant de plus en plus lointaine l'immobilité silencieuse de Dimwood.

— Tu trouveras des changements dans notre Charleston depuis ta dernière visite, fit Hilda, sauf chez nous, et encore...

A peine entrée dans sa chambre, la même que la première fois avec un lit double de proportions généreuses, Elizabeth écrivit à Billy un mot semblable à un appel au secours... Après quoi, elle résolut de se montrer ferme et patiente.

Hilda disait vrai. On ne respirait plus le même air à Charleston. Plus nombreux dans les rues, les gens donnaient l'impression de parler plus fort et les jeunes vendeurs de journaux couraient plus vite, criant leur marchandise qu'on leur arrachait comme dans les temps de crise. Une agitation encore latente, mais profonde, se faisait sentir. Dans la maison de Lawrence Turner, Elizabeth ne retrouvait plus l'heureuse atmosphère qui lui réchauffait le cœur lors de sa visite précédente, la gaieté des repas qui réunissaient neuf personnes autour de plats et de vins délicieux. Les dîners, sans être moins bons, étaient plus brefs. On entrait et on sortait sans cesse. On eût dit que le vrai lieu de rencontre était la voie publique et que les nouvelles se discutaient là quelle que fût l'heure de la journée. Enfermé chez soi, on risquait de manquer les dernières rumeurs... La politique envahissait tout.

Parfois Hilda emmenait Elizabeth en promenade sous prétexte de lui montrer quelques-unes des plus belles demeures de la ville, mais surtout parce qu'elle ne pouvait tenir en place. Elles attrapaient ainsi des bribes d'informations toutes fraîches auxquelles Elizabeth ne comprenait rien. Patiemment Hilda lui expliquait. Elles passaient leur temps à faire des visites. Un matin, avec Mildred, alors que toutes trois revenaient d'un tour en ville, elles trouvèrent William et Lawrence assis sur les marches du porche et plongés dans un véritable plan de bataille.

— Il faut l'Union, l'Union et l'Union, disait Lawrence.

— Qu'est-ce qui lui prend ? s'écria Hilda.

— T'occupe pas, lui jeta William avec un geste de la main sans la regarder, nous faisons l'élection.

Et devant les trois femmes appuyées sur leurs ombrelles, à l'ombre des glycines, la discussion se poursuivit.

— Je retire Bell, fit Lawrence, il n'a aucune chance, le bon sens, c'est qu'il se rallie à notre candidat.

— Et comment retireras-tu Douglas ? Celui-là, c'est un gros pion, remarqua William.

— La solution élégante serait qu'il ait une attaque.

— Oh ! oh ! fit le chœur des femmes soudain plus intéressées.

— Tu n'y vas pas par quatre chemins.

— Trouve mieux. Souviens-toi de ce qu'a dit hier à Savannah Julian Hartridge : « Trois tickets * pour trois directions différentes

* Un ticket, c'est aussi le nom donné au candidat à la présidence et à son vice-président.

et le train n'arrive nulle part. » Il a raison, le parti démocrate déraille.

— Les républicains n'ont pas de majorité, dit William. Leur candidat est un inconnu.

— Ne dis pas ça, William, fit Lawrence. Abraham Lincoln est redoutable. C'est un avocat, homme habile et retors. Vous vous souvenez, il y a deux ans, l'affaire Armstrong ? Le meurtre ?

Il s'adressait à tous et, comme il s'agissait d'un crime, l'attention redoubla.

— Oh ! à l'époque on en a vaguement parlé, fit William.

— Je vous raconte brièvement l'histoire. En août 57, après une bagarre, deux hommes étaient accusés d'homicide volontaire par coups et blessures provoquant la mort, deux jours plus tard, de la victime. Mais l'un des accusés, Armstrong, était le fils d'un vieil ami de Lincoln. Le principal témoin de l'accusation donnait si clairement les détails que le jury était convaincu, comme d'ailleurs le fut le juge. Lincoln posa des questions d'un air détaché et qui, en apparence, assuraient l'accusation : à quelle distance se trouvait le témoin, quelle heure exacte était-il et, puisqu'il était nuit, comment voyait-il clair ? Sans hésitation le témoin répondit qu'il se trouvait à quinze mètres, qu'il était exactement onze heures et qu'une pleine lune brillait, aussi claire et aussi haute que pouvait être le soleil à dix heures du matin. Lincoln demanda qu'on lui donnât un almanach de l'année précédente, 1857, année du meurtre. La lune, cette nuit-là, était basse, au milieu des nuages et sur le point de disparaître à l'ouest. La salle entière éclata de rire. Le témoin fut disqualifié. Mais ce n'est pas fini : toutes les preuves chargeaient son client lorsque Lincoln prit la parole. La fin de son discours révéla, selon moi, le comédien qu'il pouvait être. Il en appela directement aux jurés, raconta sa jeunesse pauvre, l'aide et le réconfort qui lui furent donnés par les parents de l'accusé, leur lutte pour la vie, la mort toute récente du père, les pleurs de la mère et sa détresse si son fils lui était enlevé. Les larmes coulaient sur le visage de l'orateur, puis les jurés et la cour pleurèrent à l'unisson. Et le coupable présumé fut acquitté.

— Ça par exemple ! s'écria Hilda, si jamais il était président, il ne pourrait pas faire ça !

— Et pourquoi pas ? fit William. C'est un républicain !

— Conclusion . il faut à tout prix que Breckinridge soit élu.

Sur ces paroles, Lawrence allait se relever lorsque la voix d'Elizabeth les surprit tous.

— Breckinridge ! s'écria-t-elle. C'est un homme merveilleux. Il va hypnotiser la foule avec son regard d'aigle.

— Comment, Elizabeth ? fit Hilda. Tu l'as vu ? Mais tu ne t'es jamais intéressée à la politique. Sais-tu au moins qu'il est notre vice-président ?

— Je le connais — Elizabeth prit un air très important —, il était chez mon beau-père le soir de la Patti. Nous avons parlé longuement ensemble. Il est passionnant. C'est un conquérant.

— Ha ! ha ! fit Hilda comme Elizabeth n'ajoutait rien de plus, allons déjeuner, si on veut bien nous laisser passer.

Lawrence et William se levèrent, et tous suivirent, non sans regarder Elizabeth avec des yeux nouveaux. Pour la première fois, elle les sidérait.

Le soir même, ils se retrouvaient avec Minnie, Mike et Antonin dans les jardins de la Batterie. La ville entière s'y promenait, écoutant d'une oreille distraite l'orchestre des cadets de la citadelle. A grand renfort de cymbales, la *Marche turque* de Mozart, morceau favori du public, éclatait avec une joie enfantine dans la lumière de silence que répandait la lune. La jeunesse de la ville envahissait les allées des jardins, et leurs voix hautes et claires se mêlaient dans une confusion joyeuse où revenait parfois comme un défi non le cri célèbre de Patrick Henry : « La liberté ou la mort », mais sa variante plus actuelle : « La Sécession ou la mort ! » Sous les ombres noires des platanes, ces silhouettes enlacées traversaient les grandes flaques d'argent des allées, trahies quelquefois seulement par leurs éclats de rire.

Le long de l'esplanade, Elizabeth et son petit groupe se penchaient sur la balustrade d'où la vue plongeait dans le port. Là, sur le quai, un peu en contrebas, des Noirs jouaient du banjo, et ces notes grêles semblaient donner de petits coups de griffes à la triomphante turquerie des cadets.

Une brise légère soufflait du large, et sur l'eau dansait le reflet de la lune ; les amis, d'ordinaire si bavards, se taisaient ; Mike rompit tout à coup le silence :

— Les lumières qu'on voit là-bas, dit-il à Elizabeth, c'est Fort Sumter.

— Et beaucoup plus loin, fit Lawrence, mais nous ne pouvons pas le voir, le mystérieux Fort Moultrie. Allons faire quelques pas sous les arbres.

— Pourquoi mystérieux ? demanda Elizabeth.

Mais déjà ils parlaient d'autre chose et un air de danse semblait courir maintenant de tous côtés...

La nuit était douce. Dans un vaste et profond murmure de conversations agitées, longtemps après le départ de l'orchestre, la foule arpentait encore les jardins dans un sens et dans l'autre. Les attardés ne se décidaient pas à rentrer chez eux, mais, au petit jour, les urubus vinrent s'abattre sur la ville et jusque sur l'esplanade, glatissant avec insolence pour chasser les derniers noctambules et rester maîtres des rues. Ces éboueurs sombres, sautillant sur leurs pattes rouges, venaient prendre possession de leur domaine. Ne souffrant pas la moindre velléité de les faire fuir, ils tendaient un cou bleuâtre et vomissaient sur les retardataires, dans un battement de leurs ailes lourdes.

Pareils et différents, les jours se suivaient dans le bouillonnement des idées, et la musique peuplait fidèlement les jardins nocturnes. Au galop Billy arrivait pour de brèves permissions et repartait au galop. Tous les jeunes gens de Charleston savaient exactement combien de fusils, de munitions, de canons étaient entreposés dans la citadelle et dans les forts. L'un de ces derniers, face à la mer, sur une langue de terre de l'autre côté de la baie, Fort Moultrie, devenait un but de promenade des habitants pour pique-niquer au bas des remparts envahis par le sable et qui ne protégeaient plus guère la garnison sans défense. Les conversations devenaient de plus en plus vives à mesure qu'approchait l'élection présidentielle, et, comme de fête en fête, Charleston allait de discours en discours, de plus en plus enflammés sous un ciel qui restait pur.

En septembre, Elizabeth songea enfin à regagner Savannah ; les écoles rouvraient, elle ne pouvait pas laisser plus longtemps ses garçons. Et puis, Billy, en tant que militaire en garnison dans la Caroline du Sud, devait voter à Charleston, pensait-elle, il aurait donc une permission ; Elizabeth tenait le prétexte idéal pour revenir à la fin d'octobre. On se garda de la détromper, car, en Caroline du Sud, rien ne se faisait comme ailleurs ; déjà les Caroliniens avaient élu leurs grands électeurs, et, leur vote en faveur de Breckinridge étant sûr, l'Etat de Caroline du Sud suivrait en spectateur le jour où l'Amérique entière serait prise de la fièvre électorale. Le 6 septembre, Elizabeth quittait la demeure des Turners et tous, William Hampton en tête, séduit cette fois, lui firent jurer de les revoir au plus vite.

Ce même jour, vers la fin de l'après-midi, un garçon de six ans traversait le grand espace vert séparant la maison de Charlie Jones de la longue maison basse qu'on appelait jadis la Maison du tumulte. Il avançait lentement dans les herbages qu'il dépassait à peine des épaules et le soleil à son déclin entourait d'une lumière adoucie la tête d'un blond pâle. Sans le savoir, il était suivi des yeux par son père, d'une fenêtre du Grand Pré, et l'homme observait l'enfant avec une attention particulière.

Enfin le petit garçon atteignit la porte de la maison basse et, levant le bras, saisit le heurtoir qu'il laissa retomber deux fois. Etait-ce un signal ? On ouvrit aussitôt. Une dame en noir, alourdie par l'âge, mais encore belle, lui sourit affectueusement, d'un sourire qui n'effaçait pas tout à fait l'air malheureux d'un visage patient et résigné.

— Entre, Johnny, je t'ai vu venir de loin de mon fauteuil. Va dire gentiment bonjour au commodore.

John avança vers un monsieur grisonnant au nez en bec d'aigle et dont les yeux clairs semblaient scruter un horizon invisible. Assis dans un très vaste fauteuil à bascule, il tenait au poing un brûle-gueule.

Dans un coin, près de la cheminée, sur un vieux coussin ronflait doucement un grand chien jaune ; tiré de son sommeil par le bruit de la porte, il ouvrit un œil, et sa longue queue, bizarrement tordue, s'agita deux ou trois fois quand il vit le petit garçon.

— Bienvenue à bord du *Quarrelsome,* fit le commodore. Quelles nouvelles du Grand Pré ? On boude toujours.

— Le Grand Pré boudera jusqu'à la mort, fit la dame en noir.

— Silence, Maisie. Descends à la cambuse préparer un rafraîchissement pour le mousse.

Maisie se contenta de passer dans une pièce voisine.

« Toi, fit le commodore à John, réponds et parle comme un homme.

La voix flûtée de John répondit sans hésiter :

— Il n'y a rien.

— Ton père ?

— Papa ne dit rien.

— Tu lui diras que je prends l'air sur la dunette tous les jours à onze heures sonnantes. Avis aux intéressés.

— La dunette, la route, expliqua Maisie à mi-voix, revenant avec un verre de thé glacé à la main. Prends ça, petit, et ne bois pas trop vite.

— Compris, matelot ? demanda le commodore.

— Oui, monsieur.

— Oui, mon capitaine, rectifia le commodore d'une voix de tonnerre.

John, qui tenait son verre des deux mains, faillit le lâcher. Maisie le lui prit et le posa sur une table.

— Oui, mon capitaine, fit-il timidement.

— Assieds-toi près de moi, dit Maisie, et n'aie pas peur. Mon mari crie, mais ça ne veut rien dire. On t'aime beaucoup.

— Quand tu seras grand, reprit le commodore en se balançant dans son fauteuil, on t'enverra en mer et tu iras croiser aux Antilles, comme moi.

De nouveau il se mit à se balancer, silencieux, remuant des souvenirs.

— Comment va Ned ? demanda Maisie.

Les yeux de John s'embuèrent et il leva vers Maisie un visage désespéré :

— Il est jamais à la maison, toujours sur son poney.

Et soudain il éclata en sanglots.

— Eh bien, eh bien, petit, fit Maisie en lui caressant les cheveux, ça n'est pas triste. Je le vois passer quelquefois, il a l'air très gentil.

— Très gentil, répéta John.

Elle lui tendit un mouchoir pour s'essuyer les joues et se moucher.

— Qu'est-ce qu'il lui prend au mousse ? demanda le commodore.

— Rien, il a dû s'enrhumer.

S'inclinant vers le petit John, elle posa les lèvres sur son front.

« Cela nous fait toujours plaisir, tes charmantes visites. Autrefois la maison était pleine de monde. C'était plus gai, tu ne peux pas savoir... Mais, le jour baisse. Rentre avant qu'il ne fasse noir. Et n'oublie pas de dire à ton papa que le commodore voudrait lui parler sur la route.

— Je peux dire au revoir au chien ?

— Bien sûr. Il te connaît, mais ne touche pas à son coussin, il y tient et il grognerait.

John alla caresser le front et les oreilles du vieux chien dont la queue brisée se mit aussitôt à battre le plancher au-delà de sa couche.

— Qu'est-ce qu'il lui est arrivé ? demanda John.

Pour la première fois, Maisie eut un petit rire d'amusement.

— Ah ! sa queue ? elle s'est trouvée prise un peu trop souvent sous le fauteuil à bascule de mon mari... Va-t'en vite, Johnny, il va faire nuit, mais reviens bientôt.

L'enfant se sauva sans attendre. Une faible lueur éclairait encore le pré et la tête d'or pâle, toute petite, se devinait dans le clair-obscur, fendant vaillamment les herbages.

Charlie Jones s'était assis à son bureau dans une pièce du rez-de-chaussée. Des rideaux verts drapaient la fenêtre et des vues en couleurs de différentes capitales du monde recouvraient presque entièrement les murs. Dans ce décor qui stimulait son goût du travail, il prenait connaissance des dernières nouvelles. Un amas considérable de journaux s'élevait comme un mur autour de son fauteuil, d'autres envahissaient la table, et, d'une main de plus en plus nerveuse, il les dépliait. Quelques-uns étaient jetés de côté sur le plancher. Certains devenaient l'objet d'une lecture très attentive. « Le port de Pékin bloqué par les flottes anglo-françaises et la ville investie par les troupes des deux nations. » Tout à coup l'empire du Milieu s'étalait de bas en haut en première page. A Vienne, rien. On valsait à Vienne... La France annexait la Savoie après un plébiscite solidement financé, disait le journal. A Paris, on dansait ; une danse faisait fureur : le cancan d'enfer.

Cancan d'enfer... Charlie Jones couvrit d'un regard amusé l'avalanche de journaux. « Quelle heureuse définition de toute la presse ! » Envoyant promener l'Europe et l'Asie, il s'attaqua à l'Amérique. Savannah d'abord : *The Savannah Morning News,* démocrate bien sûr, et aussi *The Express,* et enfin la brebis galeuse, républicaine, *The Republican.*

Dans les trois journaux de la ville, il était grandement question de Mrs. Harrison Edwards, d'Algernon Steers et de Julian Hartridge. L'attention de Charlie Jones redoubla, et tout d'abord, honneur à sa fidèle complice. Dès le début de septembre, l'été encore triomphant, elle donnait bal sur bal. Tous couraient chez elle pour témoigner leurs convictions sudistes et aussi pour admirer sa nouvelle aigrette : un oiseau de paradis venu tout droit de chez une modiste parisienne avec pour œil un très gros diamant bleu.

Algernon, lui, lançait dans l'enthousiasme une souscription pour acheter des fusils et armer éventuellement les milices georgiennes. Le gouverneur Brown le soutenait de tout son poids moral. Certains gouverneurs du Nord allaient beaucoup plus loin : Andrew et Buckingham rassemblaient d'importantes quantités d'armements et d'équipements militaires dans leurs arsenaux en vue d'un conflit qu'ils jugeaient proche.

Quant à Julian Hartridge, il ironisait de plus en plus férocement contre les divisions chez les démocrates et réclamait avec insistance le désistement immédiat de Douglas et de Bell parce que, disait-il, si on ne veut plus de l'union avec le Nord, il faut faire l'union du Sud. Du Mississippi à la Caroline un courant d'opinion abondait dans ses vues. Charlie Jones était tout à fait d'accord.

Une fois de plus, il considéra les piles de journaux qui ne diminuaient pas... Les démocrates criaient, les républicains hurlaient. Leurs phrases meurtrières semblaient voler à travers cette pièce à l'abri du monde. Brouhaha, vacarme, tumulte et chahut se partageaient la presse du Nord et du Sud. L'agitation de juin, les coups de théâtre, le calme apparent de l'été, tout cela dormait ou bouillonnait dans ces feuilles : « Moi, moi ! criait chacune, je suis seule à avoir raison ! »

Douglas venait de s'en prendre au Sud et ne réussissait qu'à le souder contre lui ; les républicains, qui n'étaient nulle part majoritaires et qui groupaient des personnalités d'opinions divergentes, voyaient leurs chances grandir ; les sécessionnistes, qui n'étaient pas non plus majoritaires dans le Sud, voyaient l'Union lentement se dissoudre. Seward le républicain et Douglas le démocrate espéraient encore s'arranger secrètement : ils croyaient tenir chacun l'appareil de son propre parti, mais leurs calculs furent déjoués par l'adresse et l'intelligence politique de leurs adversaires : Breckinridge, éloquent et batailleur, ralliait les grandes personnalités du Sud ; Lincoln, qui, sauf dans ses meetings électoraux, montrait rarement sa silhouette dégingandée et ses bretelles tombantes, se révélait obstiné et inflexible.

Chaque journal donnait son point de vue sur tout. Dans le Sud, les journaux rivalisaient de véhémence. De l'*Express* de Petersburg au *Constitutionalist* d'Augusta en passant par *The Dispatch* de Richmond, tous, le *Courier* de Charleston, le *Constitution* d'Atlanta, le *Lynchburg Virginian,* tous, et l'*Alexandria Gazette* et le *South* de Richmond, et tous les autres, clamaient « Sécession ! ». *L'Abeille* de La Nouvelle-Orléans, fidèle à son refus de la langue anglaise, demandait en français la « Séparation immédiate ».

Dans le Nord, les choses n'étaient pas tout à fait aussi simples. Le journal démocrate de sa propre ville, l'*Illinois State Register,* se moquait ouvertement du candidat Lincoln et de sa campagne électorale : « *Coût de la partie :* deux cents dollars. *But :* un fauteuil présidentiel. *Résultat :* nul. » Dans le *New York Herald,* son fondateur et propriétaire, Gordon Bennett, prenait parti pour l'esclavage et son journal remportait un très vif succès, tandis que des pages du *Liberator* Charlie Jones voyait s'échapper dans une fumée d'opium la silhouette de Garrison appelant à l'insurrection des Noirs. C'était Seward qui agitait son grand mouchoir jaune dans le *New York Tribune,* et Horace Greeley avait la moralisatrice impudence d'écrire : « J'ai pris la décision formelle d'être plus intelligent aujourd'hui même que je ne l'étais hier et bien moins que je ne le serai demain. » Charlie Jones éclata de rire : dans l'article qui suivait, le même Greeley prêchait la désunion et la violence.

Quelque temps encore, il remua ce tas de journaux, les lançant au fur et à mesure à terre autour de lui, et ce grand frissonnement de papier ressemblait à la rumeur d'une foule d'agités.

— Nous voilà en plein dans la *Cité de Confusion,* murmura-t-il

La nuit tombait. Avec un soupir d'irritation, il se leva et alluma une lampe. A ce moment, on frappa à la porte.

« On n'entre pas, dit-il, je travaille.

— Papa, fit une petite voix.

Il ouvrit aussitôt la porte :

— Johnny, qu'est-ce que tu veux ?

L'enfant leva sa tête à la chevelure soyeuse emmêlée par le vent où le reflet de la lampe sembla ajouter de la lumière à la lumière.

— J'ai été voir Tante Maisie », dit-il, et il continua d'un ton plus rapide, comme on récite un message appris par cœur : « Commodore veut te parler sur la route à onze heures du matin.

— Il a dit ça ! s'écria Charlie Jones. *By Jove,* j'y vais demain matin. Il a dû lire dans ma pensée. Merci, Johnny.

Le lendemain matin, il se promenait en fumant un cigarillo devant la Maison du tumulte. Coiffé d'une ample casquette à carreaux, il prenait un air désinvolte et feignait d'observer les nuages sans quitter du coin de l'œil la porte peinte en jaune et garnie d'un heurtoir. Tout à coup elle s'ouvrit avec une sorte de violence et le commodore vint vers lui, tendant une main puissante :

— Charlie, il faut que ça finisse, on se voit une fois par an sur la dunette. Toi et moi on n'est pas brouillés tout de même.

Charlie Jones ouvrit un étui et offrit un cigarillo à son vieux camarade.

« Merci, fit le commodore. En mer on fume plutôt ça...

Et il tira de sa poche son brûle-gueule, qu'il planta dans un coin de sa bouche bien qu'il fût éteint.

« Les nouvelles, fit-il. Je ne reçois pas de journaux. Où en est-on ?

— Tout dépend de l'élection de novembre.

Marchant l'un près de l'autre sur le chemin qui séparait du Grand

Pré la Maison du tumulte, ils agitèrent les événements du jour. En cas de guerre, le commodore était résolu à reprendre du service pour le plaisir de couler la flotte du Nord.

« Teddie, fit brusquement Charlie Jones, je veux voir ta femme.

— Comme tu voudras, mais on est mieux ici pour parler entre hommes. Les femmes, tu sais...

Ils firent demi-tour et Charlie Jones, sa casquette à la main, entra dans la Maison du tumulte. Le vieux chien fit entendre, comme par acquit de conscience, un faible et sourd aboiement, un aboiement qui faisait l'effet d'avoir beaucoup servi.

Maisie poussa un cri de joie :

— Charlie !

— Oui, Charlie. Ce n'est pas parce que tu as eu des mots avec Amelia, il y a quinze ans, que je ne peux pas venir te voir. Ces brouilles sont idiotes.

— Idiotes ! gémit Maisie, la tête sur son épaule, mais Amelia ne pardonne jamais.

— Les saintes femmes, ça ne pardonne jamais, déclara le commodore d'un ton sarcastique.

Charlie Jones et Maisie s'assirent côte à côte.

— Maisie, dit-il en s'emparant d'une de ses mains, quand j'ai vu mon garçon traverser le pré pour aller te voir...

— Johnny est un ange, fit Maisie, son visage douloureux éclairé par un sourire.

— Précisément, fit Charlie Jones, et tu te rappelles la *petite voix silencieuse ?* Je l'ai entendue. C'est à cause d'elle que je suis venu.

— Tu as bien fait, Charlie. Moi aussi, je l'entends cette voix, ici, dans cette maison vide. Partis, tous les enfants, tous, les filles mariées en Californie et dans le Mississippi, Clémentine, Elsie, Fanny, et les garçons partis au loin, en mer, Dick, Harry, Daniel, celui-là, le plus beau, officier de marine, tout le monde disait qu'il était beau comme un dieu, et sais-tu pourquoi il est parti tout d'un coup ? A cause de la belle Anglaise...

— Maisie, je m'en doutais, mais Elizabeth ne m'a jamais rien dit.

— Elle ne voulait pas l'épouser. Alors, un matin, il nous a tous embrassés très vite et il est parti. On ne l'a jamais plus revu. Il est sur la côte Ouest. Il ne s'est jamais marié.

— Pauvre Daniel... Mais un jour il oubliera tout cela et se mariera. En tout cas, la paix est faite entre la Maison du tumulte et le Grand Pré. Je me charge d'imposer ma volonté à ma femme.

— Sûr ? fit Maisie avec un sourire un peu sceptique.

— Tu vas voir. A présent je compte retourner à Savannah, mais je reviendrai de temps en temps. Vous ne pensez pas vous absenter ?

— Pour aller où ?

— Que sais-je ? N'écoute pas trop les rumeurs... Dans ce coin perdu de la Virginie vous êtes tranquilles quoi qu'il arrive, comme nous au Grand Pré.

Sur ces paroles réconfortantes, ils se quittèrent. Devant la porte, une poignée de main virile avec le commodore mit fin à une visite qui effaçait des années de silence.

Charlie Jones passa la nuit au Bocage et, le lendemain matin, dès le petit déjeuner qu'il voulut prendre au Grand Pré, annonça avec un large sourire que ses vacances étaient finies et que ses affaires l'appelaient à Savannah. Dans les vingt-quatre heures lui et Ned seraient en route pour Norfolk où l'attendait un de ses bateaux. Cette nouvelle, que personne ne prévoyait, affecta les garçons de façons différentes. Emmanuel fut stoïque : il avait son Agénor, tandis que Ned laissait échapper un cri du cœur :

— Whitie !

— Tu ne vas pourtant pas l'emmener avec toi, lui dit son grand-père amusé. Tu le retrouveras l'année prochaine. On te le soignera, n'aie crainte — et sois un homme, s'il te plaît. Pas de larmes à table.

Beaucoup plus discret, le chagrin de John se cachait dans le silence. La joue appuyée sur le bras de Ned, sans un mot, il lui mouillait la manche de ses pleurs.

La voix pointue de Miss Charlotte fournissait le commentaire qu'elle jugeait propre à la circonstance.

— Mes enfants, il faut accepter, l'âme joyeuse, tout ce que chaque jour nous apporte. Ned, un peu de marmelade ?

Mais Ned ne voulait pas de marmelade, il voulait Whitie. Sitôt que cela lui fut possible, il courut à l'écurie et serra la tête du poney dans ses bras, puis, sautant à cru sur son dos, se lança avec lui dans une course éperdue à travers le pays dont il connaissait tous les bois, les prés et les rivières.

Quant à Johnny, il se réfugia dans la chambre d'enfants et, le visage dans son oreiller, sanglotait en répétant sans fin le nom de Ned. Par une de ces cruelles ironies du sort, le lit où son cœur se brisait était celui-là même où, neuf ans plus tôt, dans cette petite pièce d'aspect naïf, Ned avait été conçu.

La journée passa dans une agitation de valises, sous le regard sévèrement attentif de Miss Charlotte qui veillait à tout.

La nuit passa ; le soleil se levait à peine sur une nouvelle journée, qui s'annonçait radieuse comme pour retenir les voyageurs sur leur départ, que deux calèches s'ébranlaient au grand trot : l'une emportant un monsieur aux joues roses, épanoui dans son carrick noir et vert sombre, et un jeune garçon sérieux qui ne disait pas un mot ; l'autre chargée d'une énorme pile de bagages. Et, jusqu'au soir, la Virginie déroula sous leurs yeux un chant de bonheur paisible. A Norfolk, ils s'arrêtèrent pour dormir dans le seul grand hôtel de la ville, et, le lendemain, ils étaient à bord d'un des bateaux les plus confortables de Charlie Jones, en route pour Savannah.

A Oglethorpe Square, Ned monta le perron, suivi d'un serviteur portant ses bagages. Dans le vestibule, Miss Llewelyn attendait le jeune voyageur, car il suffisait qu'elle entendît le bruit d'une calèche devant la maison pour qu'elle se trouvât aussitôt là, debout au pied de l'escalier, pleine d'une autorité tranquille dans sa robe noire. Ned la regarda comme quelqu'un qui s'éveille difficilement d'un rêve et se retrouve devant une réalité impitoyablement terne.

— Votre maman est de retour de Charleston et sera heureuse de vous voir, fit la gouvernante.

Elizabeth descendait à ce moment de sa chambre et s'écria :

— Darling !

— Mom' ! fit-il.

Cela ressemblait à une leçon apprise et cependant ils s'embrassèrent tendrement, mais ni l'un ni l'autre n'étaient tout à fait les mêmes personnes que deux mois plus tôt. Il y avait un soupçon de banalité dans leur élan. Eux-mêmes le ressentaient confusément. Avec Dimwood, Charleston et Billy derrière elle, plus belle que jamais dans sa toilette blanche, Elizabeth se sentait mûrie par une nouvelle expérience de la vie. Ned, bizarrement dépaysé, dans un décor qu'il connaissait trop bien, vivait encore ailleurs, à cheval sur Whitie dans de beaux espaces libres.

Les habitudes furent malgré tout vite reprises parce qu'il le fallait, et la maison d'Oglethorpe Square redevint la maison de tous les jours pour la mère et le fils...

Après les chaleurs de l'été et la surexcitation de la campagne électorale, Savannah retombait peu à peu dans une sorte de lassitude à l'égard des nouvelles. On avait trop entendu dire les mêmes choses par les candidats : Breckinridge, Douglas et Bell. Le thème ne variait pas : l'élection d'un républicain, c'était la Sécession et la guerre, mais la guerre, y croyait-on vraiment ? Cet éternel fantôme perdait insensiblement de sa force d'épouvante. Ce qui menace d'arriver et n'arrive jamais devient inexistant. Au fond, Mrs. Harrison Edwards avait fait preuve de bon sens en offrant à la *society* de s'étourdir dans des bals pour jouir de la vie encore belle et joyeuse.

L'énervement de Charlie Jones au milieu de ses journaux en Virginie eût paru étrange à Savannah. Tant d'émotion pour un discours... Le bon ton voulait qu'on parlât de ces choses avec calme et fort peu. Breckinridge restait en principe le favori. De l'adversaire républicain, Lincoln, on ne savait à peu près rien. Tout homme politique en vue a sa légende, la sienne manquait de charme. Trop grand, mal mis, grossier même, il parlait peu, énigmatique, en somme un plutôt sinistre personnage.

Il y avait quelque chose de morne dans cette longue attente du jour de novembre où l'Amérique apprendrait le nom du vainqueur. La lutte manquait d'éclat. On avait l'impression que l'événement quel qu'il fût apporterait un soulagement, comme un homme que menace la maladie et qui, après des années d'incertitudes, d'examens, de recherches, apprend le nom du mal dont il est atteint. Enfin il peut agir, alors que ne pas savoir lui était intolérable.

Dans cette atmosphère d'exaspération larvée, Algernon se démenait de plus en plus. Sa souscription dépassait ses espérances, et Mrs. Harrison Edwards lui apportait son concours comme pour une vente de charité. L'argent fut déposé chez Hodgkins and Sons de Macon, en Georgie, qui passèrent commande de fusils à New York et de canons en pièces détachées à Manchester. Aucune difficulté pour ce qui arrivait d'Angleterre par bateaux battant pavillon anglais sous les auspices de Charlie Jones, sujet britannique. Il fallait cependant demander à ce dernier de faire charger la cargaison de fusils sur les docks de New York par le *Monticello*, navire de sa flotte personnelle qui faisait la liaison avec la grande cité du Nord.

Septembre finissait. Le temps n'était plus très loin où la mécanique électorale entrerait en activité et les pronostics allaient bon train. Un jour que Mrs. Harrison Edwards devisait dans son salon avec Algernon, ils eurent le plaisir de voir entrer Charlie

Jones revenu depuis peu de Virginie, le visage orné du sourire habituel.

— J'ai des nouvelles, lui dit aussitôt Algernon.

— Je sais tout, fit Charlie Jones. Si tu crois que les gazettes se sont tues... Ton projet est magnifique. Je suis d'accord. Mes bateaux réquisitionnés d'avance pour aller à Manchester, d'accord, d'accord. Nous étudierons cela ensemble.

— Nous n'aurions rien fait sans ta permission, Charlie.

Charlie Jones haussa les épaules.

— Eh bien, agissons vite maintenant que je suis là et pendant qu'il est temps.

— Vous croyez vraiment à la guerre ? demanda Mrs. Harrison Edwards.

— Je ne sais rien, absolument rien, mais j'agis comme pour faire semblant de savoir.

— En tout cas, fit Algernon, la Sécession est probable.

Mrs. Harrison Edwards jeta la tête en arrière d'un air de défi :

— A Charleston, elle se fait virtuellement tous les jours.

— Et en Virginie, que fait-on ? demanda Algernon.

— La Virginie reste calme et garde toute sa tête. Elle ne se presse jamais, elle réfléchit mûrement avant d'agir.

— Elle retarde tout ! s'écria le bouillant Algernon.

Charlie Jones prit tout à coup une mine un peu sombre.

— Patience, dit-il simplement.

Avec lenteur, octobre s'écoula sans rien changer à la vie de tous les jours. Le climat d'optimisme ne subissait pas d'altération sensible. On disait un peu plus souvent peut-être, mais d'un ton sobre : « Si un républicain est élu, il y aura Sécession. » Certains remarquaient alors : « La Sécession n'est pas la guerre. » Affirmation qui faisait hocher les têtes sagaces. « Une sécession pacifique n'est pas à exclure. » A les en croire, il y avait dans le monde une aspiration générale vers la tranquillité, vers la satisfaction de vivre en bonne intelligence avec le voisin. Encore une dizaine de jours, le 6 novembre, l'Amérique voterait. D'ici là...

Le 28 octobre, les forces françaises et anglaises prirent Pékin.

8

DIXIE

I wish I was in de land ob cotton,
Old times dar am not forgotten,
Look away, look away!
Look away! Dixie Land.
In Dixie Land whar I was born in,
Early on one frosty mornin,
Look away, look away!
Look away! Dixie Land.

CHAPITRE CXXIII

Le 6 novembre, l'Amérique votait. Ce soir-là, à Charleston, le petit groupe des parents de Hilda se trouvait chez elle, dans son salon, en proie à une animation qui les faisait parler tous à la fois. Les hommes en habit, les femmes en grande toilette comme pour aller au bal, ils n'arrivaient pas à se mettre d'accord sur l'itinéraire de leur promenade nocturne. Elizabeth, en robe blanche et les cheveux dans un savant désordre, n'essayait pas même de placer un mot, connaissant la ville encore assez peu, mais, quand tout le monde criait, elle criait aussi pour le plaisir de la surexcitation. Tout à coup, elle se sentait un cœur de seize ans.

La voix de Hilda dominait l'étourdissement général :

— Il est déjà dix heures, nous n'allons pas rester là alors que tout se passe dehors... Allons n'importe où.

— A la Battery.

— Plus tard. D'abord au coin de Broad et de Meeting Street.

— Allons tout bonnement chez les Hampton.

— Papa donne une soirée, dit William Hampton, mais une fois chez lui, on n'en sort plus.

Tout à coup, pêle-mêle, ils furent tous dehors. La douceur de l'été indien s'attardait sous un ciel d'un bleu-noir qui fourmillait d'étoiles. Le long des rues pleines de rumeur, la foule se portait dans un sens et dans l'autre, comme à la recherche de l'endroit où la grande nouvelle ferait explosion avec plus de force. C'était la minute historique à ne pas manquer. Les mêmes phrases circulaient un peu partout : « Si c'est Breckinridge, nous gagnons un président, un vrai ; si c'est Douglas, on verra comment le tenir ; si c'est Lincoln, c'est la Sécession et vive la Sécession... » Elizabeth attrapait au vol ces propos qui la rendaient perplexe, le nom de

Breckinridge lui faisait vaguement souhaiter la victoire de son admirateur. Arrivés devant le palais de justice dont la façade à colonnes était recouverte par un monumental écriteau à panneaux mobiles, ils s'arrêtèrent tandis que le panneau central inscrivait les premiers votes reçus et le chiffre correspondant de grands électeurs. A certains moments, le panneau disparaissait pour reparaître avec de nouveaux résultats. Le télégraphe ne cessait d'envoyer des nouvelles des Etats les plus éloignés. La lutte entre Douglas et Breckinridge ne provoquait aucune émotion. Bell, le troisième candidat démocrate, semblait s'effacer, ne gagnant que les Etats marginaux, mais les chiffres annonçant une avance légère de Lincoln répandaient l'inquiétude.

— Lincoln ne fait pas du tout figure de vainqueur, dit Siverac. Il grimpe très péniblement. Et pas une voix pour les républicains dans le Sud.

— De toute évidence, le Nord ne le soutient pas en bloc, dit Turner. Je n'ai jamais vu une élection aussi morne.

— Nous en avons pour des heures, s'écria Hilda impatientée. William, allons voir du côté de la fête de ton père. C'est toujours formidable.

On voyait, en effet, à peu de distance dans Broad Street, une maison tout illuminée, pareille à une gigantesque lanterne aux feux éblouissants. Sur la véranda au premier étage se pressait une foule élégante, et, par les hautes croisées grandes ouvertes, le regard plongeait dans des salons dorés où rayonnaient des lustres. Un orchestre envoyait dans la nuit le fracas joyeux des dernières valses d'Europe et les danseurs tournoyaient, comme emportés par une rage de vivre avec une intensité nouvelle.

Dehors, hommes et femmes se laissaient saisir par cette musique et, se prenant par la taille, même s'ils ne se connaissaient pas, virevoltaient à leur tour sur le pavé. Des chants s'élevaient de plus en plus fort ; des rues voisines des troupes de jeunes gens accouraient, armés de lanternes au bout de gaules qu'ils levaient au-dessus de leurs têtes avec des cris pareils aux sibilants appels de guerre des Indiens.

Au milieu de ce tumulte, Hilda et ses compagnons se débattaient dans la bonne humeur pour se frayer un chemin à travers la cohue. On s'écartait un peu pour les laisser passer avec la politesse innée du Sud, mais, comme toujours, Elizabeth faisait sensation et s'attirait des compliments à peine voilés. Des jeunes gens lui murmuraient sur son passage : « Moi, mademoiselle, je m'inscris pour la prochaine. » Elle rougissait et se sentant rougir se sentait aussi plus belle. Heureuse, elle ne ménageait pas ses sourires. Jamais elle n'avait pu résister à l'instinct de plaire ; l'admiration, elle la respirait comme on s'enivre d'un parfum de camélias dans l'air frais.

Au bout d'un moment, ils réussirent à rattraper King Street par une allée entre les jardins ; il y avait un peu moins de monde pour gagner la Battery par cette rue-là, mais le bruit et les rires peuplaient les rares espaces vides.

— Un banc sous les arbres, soupirait Minnie un peu lasse de marcher. Oh ! pouvoir se détendre. Vous êtes infatigables.

Autour d'eux, la foule était presque aussi dense que devant les panneaux, les gens du peuple beaucoup plus nombreux, mais l'exaltation commune effaçait toute distinction sociale. Des ouvriers en vêtements lâches parlaient familièrement avec des messieurs en habit et même des dames en robe du soir. L'ambiance était à la fraternisation dans la lutte ouverte pour l'indépendance. Comme autour de la maison des Hampton, on dansait, mais avec encore plus de fougue, accompagné de chants populaires. Là comme ailleurs, Elizabeth fut l'objet d'attentions beaucoup trop flatteuses, frisant la familiarité, à tel point que Hilda, à l'abri de tout danger de ce genre, eut l'idée de jeter son châle de soie blanche sur la tête de la belle Anglaise.

— Tu te défends mal, lui dit-elle en arrangeant les plis de l'étoffe de manière à cacher toute la chevelure. On ne se montre pas ainsi en public.

Elizabeth se retint de la réplique qui lui brûlait les lèvres. On ne discutait pas dans une ville en proie au délire patriotique, l'agitation tournait au tumulte. Les lanternes de plus en plus nombreuses se promenaient au-dessus des têtes et les voix des chanteurs couvraient toute conversation. A la gaieté furieuse se mêlait le goût de la violence et du combat. Siverac, Turner et Hampton se groupèrent instinctivement autour des dames pour leur servir de gardes du corps ; mais que craignaient-ils ? Tout le monde était ami de tout le monde.

— Nous serons plus tranquilles à la Battery, fit Minnie.

A mesure qu'ils avançaient, cependant, cet espoir s'évaporait. Si la foule faisait retentir son hourvari entre les hautes maisons dédaigneuses des grandes familles, dans les jardins de la Battery elle se déchaînait plus librement : des bandes de jeunes hommes couraient sans but sous les arbres en acclamant leur Sud comme après une victoire. Beaucoup hurlaient pour qu'on leur donnât des fusils.

Hilda était d'avis qu'on rentrât. Les hommes ne voulaient pas en entendre parler, et Elizabeth se montrait audacieuse, stimulée dans toute sa personne par cette jeunesse fébrile.

— Essayons d'arriver à la terrasse, proposa Hampton.

— Bonne idée, on aura une vue sur toute la baie et sur ce qui se passe, remarqua Elizabeth.

Ce vœu parut si raisonnable que, jouant des coudes et des épaules, le petit groupe s'efforça de le réaliser. Pouvait-il deviner que la vue de la baie intéressait moins l'Anglaise que la vue des cadets qui se trouvaient là, tout près, le long de la terrasse ? Dans leur uniforme bleu sombre, ils se montraient tout aussi agités que les civils et chantaient à pleine voix des hymnes guerriers, applaudis par la foule entière qui essayait de chanter avec eux. Elizabeth ne les quittait pas des yeux. Comme ils marchaient de long en large en gesticulant, elle les vit enfin de si près qu'elle en perdit la tête. Ils étaient si beaux dans leur tenue serrée à la taille, ils avaient l'air si vaillants que, dans un élan d'admiration irrépressible, elle eut un geste d'une violence étrange : d'une main furieuse, elle arracha le châle de soie qui lui couvrait la tête et sa chevelure brilla sous les lumières, provocante. Des regards étonnés et ravis lui furent lancés ; plusieurs cadets lui sourirent en agitant la main, et elle les aima, elle les aima tous, elle fut pour la Sécession, elle fut pour la bataille…

Hilda la tira en arrière :

— Elizabeth, tu es folle, tu es indécente, tu ne vois pas que ces jeunes gens te font des œillades ?

Si elle le voyait ! Il fallut que Siverac et Turner se missent devant elle pour la protéger de cette fusillade amoureuse.

— Sors de tes rêves, fit Hampton. Pense à Billy.

Et de force ils l'entraînèrent loin des cadets, jusqu'au bord de la terrasse, où elle pouvait admirer tout, le port et la baie. Encore étourdie par la vision des uniformes, elle les oublia d'un coup quand d'un regard elle embrassa la centaine de bateaux, chacun d'eux éclairé de la proue à la poupe comme pour une fête, ceinturant le port de lumières. Au loin, les garde-côtes brillaient eux aussi de tous leurs feux, dont les reflets remuaient doucement dans les eaux, avec seulement au milieu la masse sombre des roues à aube. D'en bas, sur les quais, montait une musique d'une gaieté sauvage : les Noirs dansaient de toutes leurs forces au son des banjos. Et pourquoi cette allégresse ?

— Tout le monde est joyeux, alors ils sont contents aussi de cette joie, lui expliqua Turner.

Pendant un moment elle les observa. Dans leurs vêtements bariolés, ils se démenaient avec la grâce naturelle de leur race, les bonds qu'ils faisaient sur place en criant la touchaient. Et, pensant à Betty, elle se sentit de cœur avec eux.

Par-delà les bateaux, elle chercha Fort Sumter qu'elle avait aperçu de jour, mais Turner, qui suivait son regard, lui dit que c'était inutile : à peine une petite lumière, qu'il fallait savoir trouver, luisait sur un rocher, le phare de la passe vers la haute mer, alors que Fort Moultrie, de l'autre côté, demeurait plongé dans l'ombre totale.

— Encore un mystère, fit-elle en riant. Tout le Sud en est plein.

— Cela vous fait peur ?

— Vous plaisantez, mais j'ai l'impression que cette nuit le monde change — ou peut-être moi... Où est Billy ?

A son tour il se mit à rire.

— J'attendais cette question. Billy est à l'arsenal.

— C'est loin d'ici ?

— Entre le port et la citadelle, à l'ouest de la ville, mais Billy est sûr de venir plus tard.

— Tant mieux pour moi !

— Tant mieux pour vous ! fit-il comme un écho dont elle ne perçut pas l'ironie.

— Retournons dans les jardins.

— Prenez mon bras, voulez-vous ?

A travers tout ce monde, Elizabeth se fût passée de son aide, déjà le petit groupe se reformait autour d'elle. Soudain elle devina que sans en avoir l'air on l'encadrait. On veillait sur la belle Anglaise excentrique. Agacée, elle lâcha le bras de Turner pour marcher seule et à sa guise, c'est-à-dire au hasard, vers le fond des jardins plus sombres qu'elle ne connaissait pas ; Hilda et son mari la suivaient de près, mais sa chevelure libre les bravait. Il y avait de plus en plus de monde, alors que les nouveaux résultats des votes voyageaient dans les airs par la voix de la foule. Lorsque Lincoln marquait une avance dans le Nord, faible encore, mais régulière, des bravos railleurs la saluaient. De l'aveu de tous, Lincoln président rendait la Sécession plus facile, mais on n'en aimait pas plus le grand escogriffe républicain avec ses bretelles tombantes et son pantalon en tuyau de poêle. Les finesses paradoxales de ce calcul échappaient tant soit peu à Elizabeth. Pour sa part, elle ne savait pas où elle allait, le seul plaisir de taquiner ses gardes du corps lui suffisait. Guidée par la lumière des lanternes qui se promenaient dans la nuit, elle se dirigeait résolument vers les profondeurs du parc moins fréquentées, entraînant les autres malgré eux. Du coup, les maris intervinrent avec autorité. Siverac se dressa devant elle.

— Elizabeth, il est temps de se reposer un peu.

— Où ça ? fit-elle.

— Près du kiosque à musique, nous avons des chances d'y trouver des chaises ou un banc.

Elle lui rit au nez.

— Vous rêvez, mais je vous suis, monsieur de Siverac.

De nouveau ils fendirent la presse, en sens contraire. A vrai dire, tous étaient las et en avaient assez d'attendre le lever du rideau sur l'événement sensationnel ; mais on eût dit qu'un sort facétieux était de mèche avec l'aventureuse Elizabeth. Ils étaient encore loin du kiosque quand elle aperçut entre deux rangées de chênes un rassemblement d'hommes vêtus d'une manière insolite, le chef coiffé d'une casquette militaire et des baudriers se croisant sur une courte casaque. Des pantalons larges comme en portait le peuple complétaient cet habillement qui intriguait la curieuse ; elle s'arrêta.

— Absolument sans intérêt, fit Hampton d'une voix impatiente, c'est la milice de la ville.

— Sans fusils ?

— Leurs fusils sont sans doute en faisceau derrière les arbres, ajouta Turner d'une voix précise.

— Allons, viens, darling, fit Hilda, ce sont des garçons de la campagne sans aucune allure.

— C'est possible, mais je veux voir la milice.

— Elizabeth, insista Hilda, pense à Billy, que dirait-il, lui ?

— Si Billy était là, il irait droit leur parler. A quoi penses-tu, Hilda ?

— Allons tous ensemble regarder la milice, s'écria Hampton en riant. Du reste, nous ne serons pas les seuls.

Les promeneurs, en effet, s'arrêtaient un instant devant ces jeunes gens qui ne demandaient qu'à bavarder avec les civils. Ils avaient reçu l'ordre de ne pas s'éloigner des fusils, mais bouger était permis. Suivie de Siverac et de Turner, Elizabeth s'approcha des garçons qui la regardaient avec incrédulité : de toute évidence, elle les intimidait. Elle le sentit aussitôt et en eut un frisson de plaisir. Presque tous avaient cet air à la fois souriant et résolu des hommes du Sud, certains d'une beauté frappante et presque tous blonds. Sans hésiter, Elizabeth avança vers eux avec un sourire qui lui fut immédiatement rendu par quelques-uns des plus hardis, mais

Siverac coupa court à toute possibilité de dialogue en posant lui-même les questions banales :

— Vous attendez le résultat ?

— Nous avons ordre de rester là, Sir.

— D'où êtes-vous ? demanda Elizabeth à un garçon qui lui parut plus déluré.

— Mais de Charleston, miss », répondit-il en la regardant droit dans les yeux, et il ajouta malicieusement : « Pas vous, miss.

— Comment le savez-vous ?

Il allait répliquer, quand Hilda tira Elizabeth en arrière.

— Venez, je vous prie, Elizabeth, fit Turner qui la prit par le bras. Nous allons tous nous reposer près du kiosque à musique.

Mildred et Minnie vinrent à la rescousse pour entraîner l'Anglaise loin des soldats et elle fut si frappée par leur mine anxieuse qu'elle céda.

— Que vous êtes peureuses ! leur dit-elle. Que craignez-vous ? Un scandale ici ?

— Tu allais encourager ce garçon à dire des choses qu'il ne doit pas dire, expliqua Hilda.

— Tu ne te rends pas compte de l'effet troublant que tu produis sur ces hommes, renchérit Minnie.

Vaguement flattée, Elizabeth fit des concessions ironiques.

— Je ne m'en doutais pas, mais si cela vous chagrine...

Après quelques efforts pour passer à travers le monde qui s'agglutinait près des soldats, le petit groupe atteignit enfin le kiosque chinois occupé par un orchestre militaire pour le moment au repos, mais entouré d'un solide bataillon de vieilles dames assises sur les chaises, toutes les chaises.

« Et alors ? dit Elizabeth d'un air railleur. Que proposez-vous ?

Hampton tira sa montre de son gilet.

— Il est minuit, ou presque, dit-il, on ne va pas continuer comme ça. Je vous invite à rentrer » — et, comme par une inspiration subite, il s'écria : « Chez mon père ! Voilà !

— Bravo ! firent Turner et Minnie ! Tous à Meeting Street !

A l'exception d'Elizabeth, le petit groupe s'exclama d'une voix :

— Tous à Meeting Street !

Fourbus, mais tout d'un coup ragaillardis, ils reprirent le chemin du cœur de la ville avec les mêmes difficultés qu'ils avaient connues pour en sortir. Tout autour d'eux, la foule poussait des hourras à l'annonce d'un nouvel avantage de Lincoln. La majorité n'était pas atteinte, mais le parti démocrate fléchissait, coupé en deux. Hommes et femmes applaudissaient de toutes leurs forces, et, comme si la défaite si ardemment désirée était déjà sûre, l'orchestre militaire attaqua un des chants les plus populaires du Sud, « *We are band of brothers* * ». Cependant la victoire de Lincoln n'était pas encore acquise ; cela n'empêchait pas les gens de chanter à pleins poumons, puis, réclamant ensuite à l'orchestre un air de danse, de se lancer avec frénésie dans des quadrilles à faire trépider le sol.

Dans Charleston même, la surexcitation était presque à son comble, même s'il restait l'ombre d'une hésitation sur les panneaux. Il s'en fallait de si peu, une déconvenue était encore possible et elle eût été effroyable. Elizabeth et ses compagnons atteignirent enfin la demeure du père de William Hampton et durent lutter encore pour y pénétrer, une masse de gens bloquant la porte qui ne s'entrouvrit qu'avec des précautions extraordinaires. On craignait, en effet, que les curieux n'envahissent la maison. William dut faire passer à son père un message griffonné sur un bout de papier et glissé dans les doigts d'un Noir terrifié et qui ne le reconnaissait pas. On réussit finalement à faire entrer le groupe par la porte du jardin… Quand ils se virent tous les sept à l'intérieur, dans le vestibule en bas d'un somptueux escalier, ils poussèrent un cri de joie reconnaissante. Hilda, la plus sensible de tous, jugea bon de s'évanouir. Un verre d'eau à la figure la fit revenir à elle, Elizabeth y ajoutant deux ou trois bonnes gifles appliquées avec une fermeté toute britannique.

Au salon, éblouis par les lustres, ils eurent quelques secondes d'égarement et on fit asseoir les jeunes femmes sur les canapés, tandis que les hommes étaient assaillis de questions sur ce qui se passait dans les jardins de la Battery, ce qu'ils avaient vu, ce qui se disait dans les rues ; ils étaient comme des voyageurs revenus du bout du monde. Des coupes de champagne les remirent debout et ils devinrent loquaces, sauf la belle Anglaise qui se laissait admirer sans rien dire.

— Ma parole, fit Hampton père, nous avons bien fait de rester ici, loin de la foule hors d'elle-même.

C'était un homme mince et d'une élégance surannée, les cheveux gris de fer et la barbiche en pointe.

— Père, dit William, la foule, cette nuit, c'est tout Charleston, du plus modeste au plus haut. Les distinctions s'effacent.

— Vraiment ? fit son père d'un air incrédule. Pour ma part, je goûte peu les mélanges, mais qu'importe… Ici nous sommes à ravir pour capter les nouvelles. Le grand panneau du palais de justice est

* *The Bonnie Blue Flag.*

à vingt pas, trente tout au plus. Et puis, la foule, nous l'entendons très suffisamment. De la musique, s'il vous plaît.

Venue d'une pièce en retrait, une valse de Vienne fit son entrée sournoise avec ses câlineries et ses brusques éclats. Hampton père alla s'incliner devant Elizabeth qu'il guettait du coin de l'œil.

— Madame, me feriez-vous l'honneur...

Elle aurait pu dire qu'elle se sentait lasse, mais dans les yeux de ce monsieur grisonnant il y avait la flamme de la jeunesse et un début d'adoration. Elle ne résista pas. Le salon entier tournoya autour d'elle. Dans le vacarme des musiciens qui s'efforçaient de noyer la rumeur qui montait de la rue, elle feignait de ne pas voir que tous les hommes ne regardaient qu'elle, et de nouveau elle connut la griserie de ce bonheur dont elle ne se lassait pas : être admirée.

Soudain, le tonnerre éclata dans la pièce et les danseurs se figèrent d'un coup. Un cri semblait tomber du ciel et couvrir la terre ; porté par les hurlements de la masse humaine, il anéantissait tout autre bruit. Pendant plusieurs minutes il déferla dans l'espace, sur toute la ville illuminée, comme le cri même de la lumière. Tous coururent à la véranda.

Les hourras de la foule martelaient la nuit. Le drapeau de la Caroline du Sud, le *palmetto flag,* fit son apparition et il y en eut bientôt des milliers qui s'agitaient au-dessus des têtes. Chaque fois que changeaient les chiffres sur les panneaux, un hourra d'une seule voix puissante se jetait dans le ciel. Tout à coup, des salves déchirèrent le bruit comme une étoffe qu'on met en pièces. Les cadets et la milice, tout le long de la Battery, rendaient salve pour salve. Un feu d'artifice vint y ajouter ses crépitements. Le ciel s'illumina comme la ville et les gerbes étincelantes se succédaient dans les cris, à croire qu'elles jaillissaient du cœur de la foule. En bas, dans la rue, un homme en bras de chemise hurla vers la véranda : « Lincoln est en tête, c'est cuit ! » Quelqu'un d'autre cria : « Sécession ! » et le mot courut de bouche en bouche dans les rues, dans les jardins, dans les venelles, dans le port, comme du feu sur un cordon de dynamite.

A quatre heures du matin, Billy arriva. Dehors, l'excitation durait toujours. Non sans peine, il pénétra dans la maison et son uniforme rouge semblait d'accord avec son visage joyeux. Ses paroles firent sensation.

— On a fait du bon travail à l'arsenal. Ils peuvent venir. On a de quoi les recevoir. Savez-vous que les urubus sont furieux ?

— Qu'est-ce que ça veut dire ? Comment ça ? demanda-t-on.

— Le bruit et la lumière les dérangent. Ces messieurs sont réunis dans les arbres du cimetière, de l'autre côté de l'arsenal. Quand on est passé trop près à leur gré, ces messieurs ont voulu nous cracher dessus.

— Ce sont des partisans de Lincoln ! s'exclama Mr. Hampton, les seuls de tout le Sud.

A l'aube, il fallut bien songer à se reposer quelque peu, même si le peuple paraissait infatigable. Les Hampton offrirent l'hospitalité à leurs cousins, et, tandis qu'ils s'effondraient dans leurs lits, tous rideaux tirés, en ville, sur la façade du *Mercury,* le *palmetto flag* était hissé et flottait dans l'air vif du matin.

CHAPITRE CXXIV

Pendant les trois jours qui suivirent, Charleston fit la fête. Les feux d'artifice s'emparaient du ciel d'où ils ne délogeaient plus. Des gerbes multicolores n'en finissaient pas de jaillir dans la nuit, au milieu des hourras et des chants.

Le lendemain matin, 7 novembre, chez Hilda et chez les Hampton, on était gagné par l'allégresse générale, mais on finissait par s'endormir comme la ville entière, quand eut lieu un incident qui réveilla tout le monde. Un officier de l'armée fédérale débarqua de Fort Sumter dans l'intention de déménager les armes de l'arsenal afin de prévenir toute attaque, mais hommes et femmes, perpétuellement aux aguets, l'attendaient sur le quai, leurs drapeaux agités dans la brise, et lui barrèrent le chemin. L'officier s'en retourna bredouille... L'affaire fit un bruit énorme.

Le *Mercury* du jour annonçait en lettres énormes :

LE THÉ EST PAR-DESSUS BORD.

LA RÉVOLUTION DE 1860 EST EN MARCHE.

Aussi claire que le jour, c'était une allusion au célèbre *Boston Tea Party* du 16 décembre 1773, quand les colons américains s'étaient rendus maîtres de trois vaisseaux anglais dans le port de Boston et en avaient jeté la cargaison à la mer, des centaines de caisses de thé, pour protester contre les taxes abusives imposées par

Londres. Ainsi commença le soulèvement de la colonie et, en peu d'années, pour quelques tasses de thé, l'Angleterre perdit son Amérique.

Estimant que l'officier qui avait en charge Fort Sumter avait agi avec maladresse, le 15 novembre, l'état-major de Washington changea de commandant, et le fort devint le point de mire de tous les yeux de l'Union. Le nouveau commandant, le major Anderson, était marié à une femme de Georgie, et, s'il sympathisait en secret avec les idées du Sud, il restait néanmoins fidèle au devoir. D'une grande culture, homme brillant, mais réfléchi, il comprit vite que Fort Sumter, sur son minuscule rocher au milieu de la baie et commandant les passes menant à la pleine mer, était une position des plus fortes. Elle le serait encore davantage à condition de réparer ses voisins, Fort Moultrie et Fort Johnson, plus vulnérables, mais qui interdisaient sous leurs canons toute approche des chenaux. Il décida aussitôt de commencer les réparations : maçons et charpentiers furent requis en ville, et, chaque jour, des bateaux les amenaient sur place. Bien entendu les ouvriers parlaient et la ville entière suivait avec intérêt l'état des travaux. « Ils réparent les forts pour nous », disait-on communément.

Charleston, cependant, continuait à danser et les feux d'artifice à balayer le ciel, mais les cadets rivalisaient d'ardeur patriotique avec la milice qui s'exerçait férocement.

CHAPITRE CXXV

La joie d'Elizabeth ne fut pas sans mélange au fur et à mesure qu'elle apprenait ces nouvelles dont elle ne voyait pas toujours la portée. Extrêmes lui paraissaient les complications d'une politique qui faisait applaudir la victoire d'un adversaire du Sud, mais elle entra en fureur au rappel du *Boston Tea Party,* qu'elle jugeait indigne tant par la grossièreté du geste que par le phénoménal gaspillage de bon thé anglais.

— Malheureusement irréparable, fit Hilda avec un sourire malicieux, tout cela au fond de l'Atlantique, à tout jamais. Et je ne pense pas que les poissons en aient profité…

Elizabeth lui tourna le dos.

— Je suis anglaise et je reste anglaise, fit-elle.

D'une voix douce, Laurence Turner remarqua :

— Nous sommes tous de race anglaise, dans le Sud.

Un pâle sourire fut la réponse de l'Anglaise outragée. Depuis quelques jours, elle éprouvait un indéfinissable malaise chez ses cousins de Charleston. Son amitié à leur égard n'avait pas varié, mais par moments elle s'étonnait de se voir chez eux, dans cette ville en ébullition. Dès qu'on touchait à l'Angleterre, elle se transportait là-bas par l'esprit, dans un élan d'amour, et il lui semblait alors que sa terre natale la tirait à elle de toute la force de ses prés et de ses petits villages tranquilles. Et le sort étant ce qu'il est, c'est-à-dire complice et taquin, cette impression fut confirmée par un mot laconique de Charlie Jones : « J'ai des nouvelles de ta mère. Ne tarde pas trop à revenir. »

Des nouvelles de sa mère... Elle s'enferma dans sa chambre avec la ferme intention de réfléchir. Comment s'y prenait-on ? Elle n'avait jamais su ; une pensée chassait l'autre comme une pie chasse des moineaux. Qu'est-ce qui la retenait à Charleston ? Billy. Mais d'une part il était devenu un des officiers les plus affairés de Fort Beauregard et, en cette période de crise, elle le voyait peu, d'autre part il pouvait toujours la retrouver à Savannah, ce n'était pas loin et il l'avait si souvent fait. Par un sursaut d'honnêteté, elle tenta de s'analyser sans se mentir à elle-même. Les cadets dans les jardins de la Battery dans leurs charmants uniformes, ces boutons de cuivre et ce qu'il y avait derrière ces boutons de cuivre, oui, elle osait se l'avouer, enfin, elle les aimait tous, ces garçons... Et la milice avec ce léger débraillé si élégant, du reste, et qui laissait voir le cou... Le sang lui monta au visage. Elle se regarda dans la glace, elle était rouge et ce rouge la rendait toujours plus belle encore. Brusquement, dans le tumulte mental où elle se débattait, une parole lui revint qui la glaça, la voix brève de Miss Llewelyn lui disant un soir : « Vous vous perdez, Mrs. Hargrove. » De quel droit la Galloise osait-elle dire cela ? Mais les gens parlaient quelquefois à la place de quelqu'un d'autre qui se servait d'eux. Elle ferma les yeux et ne bougea pas.

Cette nuit-là, elle eut la visite de Billy, qui la calma. A lui seul, il était l'armée entière et ses brandebourgs valaient mieux que tous les boutons de cuivre des cadets. Elle garda ces réflexions pour elle, mais avec le flair particulier aux jaloux il parut en subodorer quelque chose. Elle lui annonça, en effet, qu'elle allait retourner à Savannah.

— Très bonne idée, fit-il, je trouverai toujours le moyen de te voir là-bas. Ici, l'atmosphère est malsaine pour une femme aussi nerveuse que toi. Tous ces gens qui agitent des drapeaux et n'ont que le mot de Sécession à la bouche, il ne faut pas que ça te trouble. Et puis, il y a ces jeunes miliciens tapageurs, de tous côtés... Pars demain.

Ainsi les choses s'arrangeaient d'elles-mêmes. Ses cousins lui firent des adieux touchants avec promesse formelle de revenir, et de revenir au plus tôt, mais ne la retinrent pas. Détail curieux qu'elle ne manqua pas de remarquer : on ne la retenait jamais, nulle part.

Le voyage de retour se fit sans incidents. Seule dans sa calèche, Elizabeth s'abandonna à tous les rêves qui formaient la trame de sa vie et, comme elle le prévoyait, elle fut reçue chez elle par la Galloise impassible qui l'attendait dans le vestibule.

— Contente de vous revoir chez vous, Mrs. Hargrove, fit-elle d'un air froid. Il y a un peu d'agitation à Savannah, mais rien de comparable aux manifestations endiablées de Charleston. Nous en avons eu des échos...

— Les enfants ?

— Les enfants vont à merveille. Mr. Jones désire vous voir.

— Faites-le prévenir que je suis là.

Ned arriva du jardin et se serra contre elle avec les protestations d'amour habituelles, mais elle le quitta vite pour monter à la chambre de Kit qu'elle trouva sur les genoux de *Black Mammy* comme si le temps se fût aboli et qu'elle eût quitté l'enfant cinq minutes plus tôt. Il la regarda de son grand œil bleu, la tête penchée de côté avec l'air de chercher qui elle pouvait bien être. Elle se jeta sur lui, le dévorant de baisers, tandis qu'il bafouillait des mots dans la langue inconnue qu'inventent les jeunes enfants avec les mots qu'ils entendent. Emportée par une vague de tendresse, son cœur se repaissait de lui, de sa fraîcheur et du parfum de sa chair laiteuse, retrouvant l'amour sous sa forme la plus innocente. Il fallut que *Black Mammy* lui prît doucement le petit garçon des bras. Pour la première fois depuis de longs jours, la mère se sentait en paix, réconciliée avec l'Elizabeth de Charleston, proie de tous les vertiges.

Charlie Jones lui rendit visite dans la soirée.

— Ta mère m'a écrit de Londres, lui dit-il presque aussitôt. Au début de décembre, elle sera à New York. Elle t'attend là-bas. Ne restons pas debout à nous regarder. J'ai beaucoup d'autres choses à te dire.

Ils s'assirent l'un en face de l'autre dans le salon écarlate. Il commença du ton froid d'un homme d'affaires.

« Ta mère a retenu pour toi une chambre, je dirais mieux un appartement, dans le plus récent et le plus luxueux hôtel de la ville.

— Mais qu'irais-je faire à New York, Oncle Charlie ?

— Elle se persuade que tu vas quitter l'Amérique et retourner avec elle en Angleterre. Je te dis ces choses tout à trac. A quoi bon les précautions oratoires ?

— Retourner en Angleterre ? fit Elizabeth.

Il la regarda d'un air glacial. Ce n'était pas le même Charlie Jones.

— Parfaitement. Tu auras à toi seule tout un étage d'une des plus belles maisons, les plus admirées, de Bath, d'abord. Cela ne te dit rien ? Tu commenceras dans cette ville très courue une vie nouvelle, tranquille, loin des rumeurs de guerre.

— Mais il n'y a pas la guerre.

— Ta mère la voit venir, elle veut t'arracher à un destin terrible. Ta cabine pour New York est retenue à bord d'un navire, un des miens, le *Queen Mab,* qui part de Savannah dans dix jours.

— Et Billy ?

Il poursuivit imperturbable :

— Ah ! oui, Billy. Elle y a songé. Tu le retrouveras après la guerre — qui sera courte, affirme-t-elle.

— Enfin, est-elle sérieuse ?

— Je ne me pose pas la question. Je transmets son message, son appel. Il y a un peu de délire dans sa lettre.

— Montrez-la-moi.

— Non.

— Vous ne m'avez jamais parlé ainsi.

— J'essaie d'être honnête, tu comprendras plus tard.

— Alors, je quitte Savannah, je quitte Billy. Et les enfants, Ned, le petit Kit ?

— Oui.

— Eh bien, c'est tout réfléchi, je reste.

— Mais tu n'as pas réfléchi.

Elizabeth se leva, les yeux pleins de colère, et frappa du pied.

— Je reste, je reste et je reste. Je ne quitte pas Billy.

Charlie Jones se leva à son tour et la prit dans ses bras.

— Elizabeth... Tu réponds comme je l'espérais, sans en être sûr. Elle a joué et elle a perdu. Elle pariait sur ta peur et sur ta nostalgie du vieux pays. Moi aussi, je pourrais partir avec tous les miens pour m'installer dans un manoir en Cornouailles, mais je dois tout au Sud et je ne bouge pas. De cœur, nous sommes devenus des gens du Sud et nos enfants sont d'ici... La lettre de ta mère est déchirante... C'est le cri déloyal d'un cœur de mère.

Elle baissa la tête et garda le silence. D'un geste affectueux, il lui prit la main :

« J'ai parlé durement tout à l'heure et cela ne me ressemble pas, mais il le fallait. Dis-toi bien ceci : la Sécession ne veut pas dire nécessairement la guerre. Et si jamais la guerre éclate, souviens-toi : tu viendras chez moi avec tes enfants. Là, en Virginie, vous serez à l'abri. Chez Charles Jones, vous êtes en terre britannique. Ne crains rien.

— Je n'ai pas peur.

— Autre chose. A Charleston, on me dit qu'il y a une fraternisation d'enthousiasme qui élimine les distinctions sociales ?

— J'ai vu cela, le grand monde et les ouvriers.

— La milice se recruterait chez les garçons du peuple et... ils accourent en masse...

La milice... Elle revit les jeunes hommes en charmant débraillé, le col ouvert.

— Oui, c'est ça. Et c'est très bien, dit-elle.

— A Savannah, les préjugés demeurent encore dans les hautes classes. Quand tu arrives de Dimwood, tu as dû remarquer les hommes et les femmes des faubourgs, en guenilles. Certains trouvent du travail et y gagnent à peine de quoi survivre. C'est la misère. En Amérique, il faut être riche !

— Je sais, je sais. Dès mon premier voyage à Savannah, j'ai vu ces gens au bord de la route, cela m'a indignée.

— Personne n'y pense. J'essaie de les aider un peu, mais c'est une goutte d'eau dans un fleuve. Il y en a trop. Tu te souviens des Schmick ? Ceux-là s'en sont tirés, à force de travail. J'avais envoyé Algernon chez eux dans une tentative pour l'intéresser à mes efforts. C'est là que tu l'as connu, non ?

— Algernon... mais oui.

— Il doit venir tout à l'heure te saluer, si tu veux bien le recevoir avec moi.

— Certainement.

— C'est un bon garçon, mais qui n'a jamais eu froid ou faim

et qui demeure rétif au problème des pauvres, sous cet angle.

— Moi, dit-elle, j'ai eu froid et faim à Londres avec Maman, quand j'avais quinze ans.

— J'ai connu ça tout jeune dans le Shropshire. Crois-moi, il n'y a pas de meilleure école. Algernon a un autre genre de cœur, il est tout feu tout flammes pour le Sud en armes.

— Nous voilà loin des préoccupations des pauvres !

— Détrompe-toi. On aura des surprises s'il y a la guerre. Qu'on leur donne du pain et des fusils et ils marcheront côte à côte avec nos Algernons et les fils de planteurs.

— Oncle Charlie, sérieusement, vous ne croyez pas à la guerre, mais sans le vouloir, vous semez l'alarme.

Il lui lança un regard droit dans les yeux.

— Désires-tu que j'envoie à ta mère un message par télégraphe pour lui dire que tu arrives ?

— Ne recommençons pas, fit-elle agacée. Je ne suis plus une petite fille, mais parlons d'autre chose, Seigneur !

Charlie Jones lui fit son regard le plus séduisant, avec un sourire qui le rajeunissait de dix années.

— Pardon, Elizabeth. La lettre de Lady Fidgety m'a un peu troublé, je l'avoue, mais j'ai l'impression que « non » de ta part lui fera de la peine et qu'en même temps elle sera fière de toi.

— J'aurais été heureuse de la voir.

— Alors qu'elle vienne ici. Si tu vas là-bas, tu risques d'être embobinée.

— Laissons cela, je lui écrirai moi-même.

— J'entends sonner. C'est sûrement Algernon.

— Voulez-vous que je fasse servir du champagne pour égayer un peu la sombre atmosphère ?

— On ne refuse jamais une flûte de champagne offerte par une ravissante jeune femme.

Algernon entra. Vêtu en habit noir, il portait sa jolie tête juchée sur un col où s'enroulait une cravate de soie blanche. Cette tenue un peu cérémonieuse convenait, pensait-il, à une visite tardive, mais ne favorisait pas le badinage. Il s'inclina devant Elizabeth dont il baisa la main.

— Eh bien, Algernon, tu as l'air de quelqu'un qui nous apporte une nouvelle ?

— Aucune, fit-il, sinon que mes dix mille fusils commandés à New York seront livrés dès les premiers jours de janvier.

Elizabeth tressaillit... Algernon et ses dix mille fusils... Elle crut avoir mal entendu et préféra se taire.

— Mes bureaux avaient reçu confirmation hier soir, mais ceci ne peut intéresser les dames, fit gracieusement Charlie Jones. Il s'agit, bien entendu, Elizabeth, de fusils de chasse pour... chasser la perdrix.

— De grosses perdrix !

Algernon éclata de rire et la jeune femme eut un air de reproche pour son beau-père.

« En fait de nouvelles, poursuivit Algernon, je brûle d'en avoir de Charleston par la bouche de Mrs. Hargrove.

— Oh ! appelez-moi Elizabeth, Algernon. Qu'est-ce qui vous prend aujourd'hui ?

Un serviteur apporta sur un plateau trois flûtes de champagne et se retira.

— Elizabeth, fit Charlie Jones, à qui portons-nous un toast ?

Sans hésiter elle répondit :

— A la paix et au bonheur de tous.

— Quel charmant toast, Elizabeth, fit Algernon en dirigeant vers elle le sourire d'adoration qu'elle attendait.

Depuis l'arrivée d'Algernon, elle se sentait particulièrement belle, avec ses cheveux relevés en couronne sur la tête, et sa conversation précédente avec son beau-père la disposait à s'affirmer, en brillant. Elle posa sa flûte de champagne, d'une main négligente ramena les plis de sa robe de taffetas isabelle et, imprudemment, se lança :

— Vous raconter les folies de Charleston... Comment m'y prendrais-je ? Des feux d'artifice à faire flamber les étoiles, les cris assourdissants de la foule, le délire, mille drapeaux dans les airs, celui qu'on nomme là-bas le *palmetto,* et dans toutes les mains et agités ; des soldats courant de tous les côtés dans les jardins de la Battery...

— Des soldats ? fit Algernon, les sourcils froncés.

— Oui, enfin des cadets, de jeunes cadets en uniforme aux innombrables boutons de cuivre, élégants, du reste, tous...

— Très normal, tout cela », coupa Charlie Jones, gêné par cet emballement, mais il l'entendit continuer avec la même chaleur.

— ... d'autres aussi, plus simplement vêtus, de gros pantalons...

— La milice, fit Charlie Jones impatienté, la milice. Elizabeth, mais que disait-on, que criait-on ?

— Sécession ! fit-elle en agitant un bras.

Son beau-père prit un ton raisonnable pour mettre fin à une situation qui devenait gênante, et, se tournant vers Algernon dont le teint s'avivait un peu :

— La Sécession, dit-il, ce cri que nous commençons à entendre à Savannah, le Massachusetts y a songé naguère. Elle serait possible sans violence si le Nord voulait jeter sur ce projet un regard plus attentif et plus calme. Des nations d'origines différentes, mais l'une à côté de l'autre, en paix.

Il s'étendit sur ce thème et parut ennuyeux à ses auditeurs, puis brusquement changea de voie :

« Quant au faux prétexte de l'esclavage dont le Nord se sert pour nous accabler, vous est-il jamais venu à l'esprit qu'un moyen très simple existerait pour en finir une fois pour toutes : au lieu de posséder des esclaves qui travaillent pour rien, les payer...

Algernon faillit verser son champagne.

— Les payer ?

— Et pourquoi pas ? Comme des ouvriers. L'appât de l'or les ferait rester en place, plutôt que de partir pour la fausse liberté du Nord. Là-bas, c'est le travail obligatoire ou la famine. Ils resteraient, j'en suis certain. Le Sud a très largement de quoi les retenir, et ceux qui sont nés ici sont ici chez eux.

— Enfin la voix du bon sens ! s'écria Algernon. Je l'entends pour la première fois.

Charlie Jones soupira :

— Je crains que ce ne soit aussi la dernière. Après les jappements des discours, nous risquons d'entendre le stupide aboiement du canon. Et à ce sujet, j'aurai des choses à te dire... mais nous ennuyons Elizabeth.

Se levant, il prit les deux mains d'Elizabeth et les tint dans les siennes.

« Excuse-nous, chère Elizabeth. Je dois me rendre à New York à la fin du mois pour une affaire de douanes. J'en profiterai pour rendre visite à ta mère, quand elle sera là, et lui communiquer ta réponse. Bien qu'anglaise, elle est humaine. Elle comprendra. Je peux t'embrasser ?

Sans répondre, elle tendit la joue et se sentit enveloppée d'une brise d'eau de Cologne.

— J'écrirai, moi, murmura-t-elle.

— Remets-t'en plutôt à mes soins. Je sais l'art de calmer les mères.

Ces paroles la rassurèrent, et, après un nouveau baisemain d'Algernon, les deux hommes se retirèrent.

Dans les grandes avenues redevenues tranquilles, ils bavardèrent en toute liberté.

« Je fais de mon mieux pour rendre la paix à cette jeune femme inquiète, dit Charlie Jones.

— Elle semble très résolue.

— Attitude courageuse. Son cœur tremble pour son Billy et n'a pas tort. On sent venir l'inévitable en espérant se tromper. Si tu veux la paix, prépare la guerre, dit la sagesse antique. C'est idiot. Si tu prépares la guerre, elle arrive.

— Vous êtes terrible, Oncle Charlie !

— Ne sois pas naïf, Algernon. Je n'ai aucune illusion, c'est tout, mais quand la guerre est là, il faut la faire, et je veux aider le Sud à se défendre. Je vais à New York mettre au point l'envoi des canons que j'ai commandés à Manchester. Mes bateaux attendent à Liverpool pour les transporter, comme nous avions dit, en pièces détachées, à Savannah directement.

— Vous ne craignez pas un arraisonnement ?

— En temps de paix — parce que nous sommes en paix — un bateau anglais arraisonné par les Américains ? Ce serait un acte de belligérance contre la Grande-Bretagne.

— Oh ! vous avez des termes...

— L'arrivée des bateaux à Savannah est prévue pour la fin de l'année. Il est encore temps de prévoir.

— De mon côté, j'aurai mes fusils en janvier.

— C'est bien. Nous allons vers une guerre absurde. Le Sud à un contre trois. Le Nord s'arme et s'exerce.

— Déjà ?

— Tu n'es pas au courant du détail ? Le Nord a sa milice, des éclaireurs républicains. Il y en a jusqu'à New York, et Dieu sait si, là-haut, on n'est pas chaud pour l'Union. Toute une mise en scène guerrière pour stimuler le peuple. Je te raconterai ce que j'ai vu quand je reviendrai.

— Comprenez-vous cette fureur du Nord contre nous ?

— Il y a ceci dont le Sud n'a pas saisi l'importance, Algernon : le désastre financier de 57. Le Nord s'en remet à peine. Pendant cette épreuve humiliante, il a eu à subir le spectacle de notre prospérité.

Le Roi Coton nous a sauvés, nous. C'est alors que s'est ancrée, là-bas, l'idée fixe de mettre la main sur tout.

— Tout ?

— Tous nos biens, oui. Je simplifie, mais tout est là, Algernon. Il y a eu ce moment psychologique décisif. Courte ou longue, la guerre sera atroce. Buchanan, encore président jusqu'en mars, ne peut rien pour empêcher la catastrophe. Seulement dormir à la Maison-Blanche et y donner des fêtes !

— Mais, Oncle Charlie, vous voyez déjà le Sud écrasé !

— Je n'ai pas dit cela et je ne le pense pas, mais je ne sais rien... Quittons-nous là, Algernon. La nuit est claire, les étoiles brillent. Dans un mois, c'est Noël. Profitons des belles heures qui nous sont offertes.

S'étant serré la main, ils s'éloignèrent l'un de l'autre dans une rue vide et leurs pas résonnèrent distinctement sur le pavé de brique, avec un bruit qu'ils ne devaient pas oublier.

CHAPITRE CXXVI

Les jours suivants se montrèrent difficiles pour Elizabeth. Son salon écarlate fut pris d'assaut par la *society* qui voulait avoir ce qu'elle appelait des nouvelles fraîches de Charleston. Avide de détails, elle ne se contentait pas de généralités, il lui fallait de la couleur et tout le bruit, toutes les explosions physiques et sentimentales de la grande rivale tapageuse. La malheureuse Elizabeth ne s'attendait à rien de tel. Mrs. Harrison Edwards et son oiseau de paradis à l'œil de diamant bleu la tenait dans un coin et s'efforçait de la faire répondre d'une manière intelligible. Derrière elle, les Steers, Lady Furnace, toutes les dames jeunes ou non, les demoiselles jeunes ou non lui lançaient des questions précises, indiscrètes parfois, accompagnées de rires en fusées. Jamais on n'avait vu tant de petits chapeaux impertinents comme ceux du Paris impérial, jamais tant de plumes ni de dentelles, tout cela dans le grand chuchotement des volants de tussor et de taffetas. On respirait à s'en évanouir l'ylang-ylang, l'héliotrope, l'eau « à la reine » et des parfums plus sournois, venus d'Arabie, inconnus de Lady Macbeth ! Les diamants luisaient.

Prise de panique, Elizabeth servait à cette foule exigeante ses cadets et sa milice, mais cela ne suffisait pas. D'une seule voix, les dames réclamaient une description de la soirée chez les Hampton. Le salon de Mrs. Hampton, renommé à Charleston pour son luxe et ses lustres, leur importait plus que la ville entière et elles furent soulagées d'apprendre qu'Elizabeth l'estimait aussi beau, mais pas plus grand que ceux de Savannah. Ce décor planté, elles réclamèrent ensuite ce qu'on y entendait, quels cris montaient de la rue, avec une imitation ou quelque chose d'approchant si possible, pour obtenir une idée de l'atmosphère. La narratrice exaspérée allait envoyer poliment promener tout son auditoire, lorsque, souffrant pour sa maîtresse, Miss Llewelyn parut soudain sur le seuil de la porte et annonça d'une voix autoritaire :

— Mesdames, le goûter vous attend.

Un goûter ! La Galloise avait improvisé un goûter. En une seconde, Elizabeth lui pardonna tout, ses trahisons, ses insolences et même, plus difficile que tout, ses bienfaits.

Dans la salle à manger des réceptions, les dames se réjouissaient déjà de remettre Elizabeth à la question tout en buvant leur thé, quand, sous l'œil froid et bleu de l'oiseau de paradis, Mrs. Harrison Edwards y mit bon ordre.

— Mesdames, dit-elle en se levant, nous savons à peu près tout ce que nous voulions savoir sur Charleston en effervescence. Nous sommes sûres que la mode chez les femmes est semblable à la nôtre et, quant à l'étrange confusion des classes sociales, laissons-la-leur pour le moment.

— Les distances ou la mort ! proclama une voix chevrotante surmontée d'un plumet agité de tremblements.

Il y eut un bref silence, puis, d'un commun accord, la conversation s'orienta vers les derniers scandales mondains. Elizabeth respirait.

CHAPITRE CXXVII

A New York, le 6 décembre, Charlie Jones courut chez Lady Fidgety qu'il trouva dans un somptueux appartement du Fifth Avenue Hotel. Allongée sur un large canapé vert d'eau, elle ne parut pas surprise de le voir, mais il remarqua que les plis de sa robe à volants bleu de nuit dissimulaient une canne. Son beau visage durci par l'âge conservait sa noblesse naturelle, le nez vainqueur défiait le temps. Elle ne se leva pas, mais sourit avec une grâce qui lui rendit un éclair de jeunesse.

— Tu m'excuseras de ne pas bouger, dit-elle. Un faux pas dans ma salle de bains et me voilà étendue pour deux jours. Mais ça va déjà mieux. Dis-moi vite la réponse de ma fille. Vient-elle ou ne vient-elle pas ?

Charlie Jones secoua la tête.

Elle garda le silence en détournant un peu le visage vers le mur. Charlie Jones resta debout, son chapeau haut de forme à la main, comme devant une morte.

« Je m'y attendais, dit-elle enfin d'une voix blanche, et pourtant je suis déçue. Les femmes ont de ces contradictions du cœur... Veux-tu t'asseoir ?

Il prit un fauteuil français aux accoudoirs un peu secs :

— Elle a souffert de sa décision, fit-il simplement.

— J'aurais été folle de joie de la voir et j'aurais eu honte de la ramener avec moi. Peux-tu me comprendre ?

— Très bien. Tu dis parfaitement ce qu'elle éprouve elle-même. Quitter son mari... Elle ne se serait jamais faite à l'idée d'avoir fui, elle ne se serait plus acceptée.

— Eh bien, voilà qui règle tout, mettons pour le mieux. Je repars dans trois jours.

Ces mots furent dits comme s'il se fût agi du problème le plus banal, et il admira le courage de cette femme qu'il avait aimée.

— Laura, dit-il doucement.

Elle le regarda d'un air étonné.

— Tu te souviens..., fit-elle, et dans ses prunelles grises passa un sourire de gaieté triste. Il vaut mieux ne pas jeter les yeux au fond de la jeunesse, c'est un abîme.

Changeant soudain de ton, elle désigna d'une main la vaste pièce :

« Admirez le luxe du Nord ! dit-elle avec ironie. Il n'a pas assez d'or à plaquer sur les moulures du plafond et le cadre des glaces, mais de goût dans tout cela, pas trace.

Charlie Jones la jugea sévère. Il y avait certainement un excès de splendeur dans cette chambre aux grandes croisées. Y manquait surtout l'intimité, mais le confort s'y trouvait partout, dans ces pesants fauteuils de cuir sombre, ces immenses commodes surchargées de ferrures et, dans la pièce à côté, le lit monumental sous un édredon pareil à un nuage de soie jaune dans son alcôve aux lourds rideaux.

« Voilà ce qu'ils ont de mieux à offrir, fit-elle avec un rire sarcastique. Enfin, il y a l'espace.

— Et il y a le calme, dit-il en se dirigeant vers une croisée. Que voit-on d'ici ?

— Attention au vertige, si tu ouvres ! Nous sommes au cinquième étage !

Il n'ouvrit pas, mais son regard plongea dans une place rectangulaire bordée de magasins élégants ; des calèches fermées passaient, des promeneurs en fourrure circulaient d'un pas rapide.

« J'ai choisi cet étage par horreur du bruit. L'appartement est surchauffé, mais je dois dire qu'on n'entend presque rien. Et pourtant, il y a de l'agitation en ville, on parle de Sécession.

— Ce n'est pas parce que Charleston la réclame à cor et à cri... L'ensemble du Sud ne suit pas...

— Charlie, je ne parle pas du Sud, mais de New York ! Qu'ai-je à faire dans cette chambre après mon léger accident sinon de lire leurs journaux ? On n'en croit pas ses yeux.

— C'est la propagande contre le Sud !

— Oh ! les abolitionnistes appellent la Sécession de tous leurs vœux, Charlie, et cela tous les jours, et sans se soucier de ce qu'on veut là-bas. Ils demandent au Ciel de les débarrasser des Etats esclavagistes. Et au plus vite. L'opinion prévoit une guerre et la redoute. On craint que le Sud n'écrase le Nord. Enfin, il n'y a qu'à voir là-dedans.

Elle désigna des journaux et revues en tas sur un guéridon.

— New York est hystérique, alors !

— Plus que tu ne sembles croire, Charlie. Le maire demande que la ville se sépare de l'Union en cas de conflit et devienne ville ouverte et internationale.

— Ça ne m'étonne pas de Fernando Wood, il doit avoir du sang italien.

— Oh ! ne plaisante pas, Charlie, les banquiers sont du même avis. Crois-moi, New York perd la tête. J'avais déjà lu ça dans le *London Times* avant de m'embarquer. Je croyais que Russell exagérait. Eh bien, non. A peine élu, le nouveau président ne plaît pas. On se moque de son allure, de sa façon de parler, de tout. Les peuples sont plus inconstants que les hommes... ou les femmes, selon le point de vue.

— Laura, il doit te tarder de rentrer à Bath.

— Sans Elizabeth ? Je vais mourir d'inquiétude là-bas, s'il y a une guerre.

— La guerre n'est pas sûre, même avec une sécession du Sud, et celle-ci n'est pas décidée, loin de là. Enfin, dis-toi bien ceci : en cas de conflit, je prends Elizabeth et ses enfants dans ma maison de Savannah ou dans ma propriété de Virginie que tu ne connais pas encore. L'une et l'autre constituent un refuge en terre anglaise.

— En Virginie ?

— Au Grand Pré, une maison de campagne bâtie au milieu de champs et de bois. Là, nous serons tranquilles. Cela fait deux refuges absolument sûrs ! Et puis, je peux compter aussi sur Lord Lyons.

— Grâce à Dieu, Charlie ! Tu me réconfortes. Ta visite me fait du bien, même avec la nouvelle que tu m'as apportée.

— Pourtant, Laura, je déteste en porter de mauvaises. Pharaon mettait à mort les porteurs de mauvaises nouvelles. Je le comprends.

Elle ne put s'empêcher d'éclater de rire.

— Faisait-il vraiment cela ? Moi, je te proposerai simplement de prendre une tasse de thé.

— Hélas, je ne puis rester. Je suis ici également pour affaires. Ma vie est d'une complication inouïe en ce moment. La banque, les exportations et le reste... Il va falloir que je te dise au revoir, mais nous nous reverrons.

— Après la guerre.

— Ne pense donc pas tant à cette guerre problématique. Laura, permets-tu que je t'embrasse ?

— En souvenir des belles années.

Il se pencha vers elle et leurs bouches s'effleurèrent.

Prenant son chapeau, il se dirigea vers la porte. Alors qu'il allait l'ouvrir, il se retourna et dit :

— Bien entendu, nous nous reverrons... tout à l'heure. Nous dînons ensemble.

— Ravie. A l'hôtel, si tu es d'accord. Tu viens me prendre à huit heures ?

— Huit heures juste. Quelle charmante et utile soirée en perspective, car nous ne nous sommes encore rien dit. Nous avons des affaires à régler, fit-il en ouvrant la porte.

— La flotte assyrienne ! s'écria-t-elle.

Il se mit à rire si fort qu'elle l'entendit s'esclaffer encore dans l'antichambre.

Ils descendirent ensemble les cinq étages, elle s'accrochant à son bras et ne faisant que frôler le sol de sa canne, à tel point que Charlie Jones se demanda si la canne était sincère et ne servait pas seulement une attitude, par exemple recevoir étendue sur un canapé. Il avait choisi une table isolée, devant une grande fenêtre. Des bougies éclairaient la nappe, comme toutes les autres dans cette salle à manger de somptueuses proportions. Ici et là, du gui et des branches de houx ornaient les murs, Noël était dans l'air.

Un doigt de champagne accompagnait le menu, que Laura jugeait passable, et la douce lumière des bougies rajeunissait un peu ces deux personnes assises l'une en face de l'autre, avec une tendance à se rapprocher au moment des confidences. Les voix baissaient alors, car il entrait beaucoup de monde et du plus élégant.

« Tu seras content du métal, murmura Lady Fidgety, dès le potage. Fais confiance à Manchester.

— J'ai affaire à eux depuis six mois (il chuchota) pour les grosses pièces. Je les connais. Pour les petites, les... (il baissa encore la voix) fusils, c'est Algernon.

— Algernon ?

— Steers, souffla-t-il.

— Oh ! c'est très sérieux.

— Très, ma chère Laura. L'Assyrie veille.

Leurs propos mystérieux se perdaient dans la rumeur des conversations. On parlait beaucoup politique, un peu théâtre (Sothern qu'il fallait avoir vu dans *Notre cousin américain*), énormément des derniers gros scandales financiers (les spéculations des requins, Jay Gould et Jim Fisk, les pots-de-vin de la municipalité, etc.), quand tout à coup l'attention générale se tourna vers les baies donnant sur Fifth Avenue où se faisait entendre une sonnerie guerrière.

— Oh ! Charlie, que tu as de la chance ! Regarde bien. Ce sont les républicains qui paradent.

En rangs serrés, chacun portant une lanterne au bout d'une pique, les *Wide Awakes** s'avançaient. Sur leurs longues capes de toile cirée noire, les lumières glissaient leurs reflets mouvants, à chaque pas, comme des flammes. Un képi à large visière abritait les regards farouches.

« Comment trouves-tu ça ? demanda-t-elle.

— Assez frappant, dit-il, l'effet n'est pas sans une certaine beauté infernale.

— Infernale est le mot. On veut intimider, faire peur. Je trouve un côté enfantin à cette manifestation.

— Chez tout Américain, il y a un enfant, ma chère Laura. Le message de Buchanan, il y a deux jours, en est la preuve. Il se prend pour le Père Noël. Il distribue les bons sentiments comme des cadeaux : « Tout va s'arranger. Tout va bien. »

— Mais c'est gentil ! s'exclama Laura.

— Et voilà exactement ce qu'a pensé la Caroline du Sud, et comme présent de Nouvel An, sais-tu ce qu'elle fait : elle lui envoie des commissaires pour réclamer ses forts et ses arsenaux.

— J'admire la spontanéité.

Tous deux se mirent à rire et burent à la santé de la spontanéité.

— Pour tout arranger, c'est-à-dire tout embrouiller, chère Laura, le commandant en chef de l'armée, une baderne, a pris sur lui d'écrire au président et de lui donner des conseils à la militaire, le tout dans un style pompeux et confidentiel.

— Charlie, tu es dans le secret des dieux !

— Attends, attends. *Grosso modo,* il recommandait de garder de force, s'il le fallait, des bastions dans le Sud, les forts à Charleston, à Savannah, en Floride, et d'y envoyer de nouvelles troupes. En somme, protéger les garnisons présentes trop faibles à ses yeux.

— Protéger les troupes ! Quelle drôle d'armée !

— Laura, laisse-moi finir. Le pauvre vieux Winfield Scott n'a pas eu de chance, Buchanan a transmis la lettre de son général à son secrétaire d'Etat à la Guerre. Or, John Floyd est virginien et sudiste convaincu : il a fait circuler la lettre parmi ses amis. Et voilà ton fameux secret des dieux.

— Mais c'est un roman !

— Surtout la suite. Floyd fait comme nous deux. Il en a profité pour laisser vendre à la Caroline du Sud ses réserves d'armes...

— Et après ?

* Les Eclaireurs.

— Pour le moment, mon roman s'arrête là. Cela ne te suffit pas ? Le reste est à inventer.

— Charlie, l'Histoire avec une majuscule prendra la plume à notre place, mais n'est-il pas étrange que nous parlions de guerre et de rumeurs de guerre dans un endroit réputé pour son goût du plaisir ?

— Oui, ce sont les petites ironies de la vie ! Regarde dehors, quelle image de l'avenir...

— Tiens, on dirait qu'il commence à neiger.

— Mais oui. Voilà qui va disperser nos vaillants éclaireurs.

— Entre nous, je les trouve affreux. C'est une vision de cauchemar que j'emporterai. Charlie, je ne me lasserais pas de parler avec toi, mais...

— Laura, tu es fatiguée.

Elle allait répondre quand un serveur vint s'incliner devant eux et leur proposer un dessert — *le dessert :* des crêpes Suzette. L'un et l'autre se regardèrent et dirent oui. Le serveur, d'âge respectable, avec des favoris blancs, eut un sourire de fatuité.

— On ne me refuse jamais mes crêpes. Vous permettez, il commence à faire un froid glacial.

Et, passant derrière Charlie Jones, il tira un épais rideau beige gansé de franges d'or, puis s'éloigna.

— Ce geste est une opinion. La ville n'aime pas les *Wide Awakes,* et puis il faut veiller sur le moral de la clientèle.

— Et comment le misérable veut-il que nous refusions les crêpes Suzette ? En Europe on n'en trouve qu'à Paris — et ici ?

— Pas ailleurs en Amérique, pas dans le Sud, en tout cas, dit tristement Charlie Jones.

Les crêpes Suzette firent leur apparition en temps voulu et furent flambées religieusement par un chef en haut bonnet tuyauté et immaculé. Une légère flamme bleue rampait encore sur elles dans leurs assiettes.

— Ravissant, fit Lady Fidgety.

Et sans façon ils se jetèrent dessus... Quelques minutes encore, ils bavardèrent.

— Tu pars après-demain, Laura, et je serai là, sur le port, mais ma journée de demain est prise par les affaires et je vais la passer enfermé dans les banques.

— Anglaises, j'espère.

— Comme ta réaction est intéressante, Laura ! Quoi qu'il arrive en Amérique, on ne touche pas à une banque anglaise. C'est ce que tu entends, n'est-ce pas ?

— Etant anglais, nous ne sommes ni l'un ni l'autre des rêveurs.

— Peut-être sommes-nous sur le point d'en dire plus que nous ne voudrions. Qu'en penses-tu ?

— Je pense que nous devons persévérer dans nos efforts. C'est tout, mais on sent dans le Nord une force énorme. Charlie, je monte me coucher.

— Tu ne montes pas à pied, Laura.

— Non, je confie ma personne à cette machine moderne qu'on appelle le *lift.*

— Désolé de te contredire, mais ici c'est l'*elevator.*

— Comme ça leur ressemble : fuir l'anglais pour baragouiner en latin. Partons, si tu veux bien.

Alors qu'ils se dirigeaient vers l'ascenseur, elle lui dit en riant :

« Tu ne m'as pas fait de compliments sur ma coiffure à la dernière mode de Londres...

Elle portait, en effet, un cabriolet de satin mauve, orné sur le côté d'une petite plume d'autruche qui s'arrondissait au-dessus de l'oreille.

« Vous étiez plus galant environ les années trente, ajouta-t-elle avec ironie.

— Chère Laura, c'est qu'alors je n'étais pas marié.

— Tu ne me gâtes pas, mais nous arrivons.

Devant la cage de l'ascenseur, un groom en livrée rouge à boutons dorés, en triangle des épaules à la taille, tenait la porte ouverte.

— Heureux de voir que tu prends le lift pour monter, Laura. Comment ne l'avoir pas pris pour descendre tes cinq étages ?

— Y songes-tu, Charlie ? Monter, passe encore. Je pense à autre chose pendant le voyage, mais me jeter dans le vide dans cette boîte ? Tu ne saisis pas la nuance ?

— Bien sûr.

— Et puis, poursuivit-elle avec un sourire qui eût jadis été ensorceleur, descendre à pied m'a permis de me pendre à ton bras. Bonne nuit, Charlie. Après-demain, je t'attendrai sur le quai dans un *cab* de l'hôtel.

— J'y serai dès dix heures.

Elle entra dans l'ascenseur et s'y enferma avec le groom. Charlie Jones la suivit des yeux dans la boîte d'acajou et de verre. L'ascenseur montait avec une lenteur prudente. Comme elle allait disparaître, il agita la main et eut le temps de la voir s'effleurer les lèvres du bout des doigts d'un geste rapide.

— Il était si beau à vingt-cinq ans, fit-elle tout haut.

— Please, M'am ? demanda le groom.

Elle ne répondit pas et lui donna cinquante cents quand ils furent arrivés. La porte ouverte, par le vide sous l'ascenseur, on entendait la rumeur étouffée du hall de l'hôtel.

Dans sa chambre, ôtant d'abord son cabriolet, elle alla se regarder attentivement dans la glace encadrée d'or qui montait jusqu'au plafond. Un long moment, elle resta immobile devant l'image d'une femme grisonnante, puis lui tira la langue, après quoi elle s'assit à son bureau où dans un sous-main elle trouva des feuilles de papier à lettres. Sans hésiter, sa main se mit à courir sur le papier.

New York, 6 décembre 1860.

Ma chère fille,

Comme je m'y attendais, tu n'es pas venue. Charlie Jones a essayé de m'expliquer pourquoi et ses raisons ne valent rien. Fuir le pays menacé de guerre te ferait honte ! C'est faux. Tu es anglaise et tu n'as jamais pensé au Sud comme à une nouvelle patrie. Jamais tu n'as cessé de languir après le pays natal, mais tu es avant tout une amoureuse et ta vraie patrie, en Amérique, porte un uniforme à brandebourgs, un hussard, Billy. Là, je te comprends. On n'abandonne pas l'homme qu'on aime. Il devient à lui seul villes, parcs, châteaux. Aimer un pays, c'est possible. Certains pays sont des personnes. Le Sud est une personne, mais tu ne lui appartiens pas, ou seulement un peu parce que tu es anglaise et que le Sud est fait d'Angleterre comme un vêtement est fait de drap. Ton Billy, c'est de l'Angleterre. Reste près de lui. Charlie Jones et moi, nous serons toujours pour le Sud qui est purement anglais, tandis que le Nord est fait de bouts de nations plus ou moins solidement collés ensemble. Vous n'êtes pas de cette Union-là.

Voilà, ma fille, la solution de tes problèmes de conscience. Je ne suis pas sentimentale. J'ai la tête froide et le regard précis. Cela dit, je t'embrasse et te dis au revoir. Je n'ai jamais bien cru à la valeur pratique des bénédictions, mais si tu te figures que la mienne puisse te servir à quelque chose, je te la donne, comme c'est l'usage, d'un cœur ferme et fidèle.

Ta mère,
Laura.

Cette lettre qu'elle ne relut pas fut glissée dans une longue enveloppe, et cachetée. Dehors, la ville retombait dans le silence et il ne neigeait presque plus. Elle se déshabilla et soudain se mit à genoux au pied de son lit. Pendant une demi-heure elle resta dans cette position, ses cheveux épandus en tresse de fer sur l'édredon vieil or. Quand elle se releva, larmes et sueur mêlées faisaient briller ses joues. On eût dit qu'un bol d'eau lui avait été jeté à la figure. Ouvrant sa Bible, elle lut deux ou trois psaumes, une page d'Evangile, et se coucha.

Le lendemain, elle alla s'étourdir dans les boutiques envahies par la foule des dames en proie à la surexcitation des achats de Noël. A Broadway, on pénétrait dans les halls de marbre des grands magasins qui, rivalisant avec ceux de Paris et de Londres, offraient sur six étages à un monde fou de sa propre richesse des masses de tout ce qu'on pouvait désirer, mais il y avait trop de tout dans les rayons surchauffés. Et sur l'avenue, le long des trottoirs où les vitrines brillaient de tous les feux du gaz, les passants moins favorisés pataugeaient dans la boue noire de la neige fondue. Le temps passa vite.

Le soir, dînant seule à l'hôtel, elle choisit la table qu'elle occupait la veille avec Charlie Jones. Elle mangeait en regardant devant elle, dans le vide. Au dessert, elle se commanda des crêpes Suzette.

Le lendemain matin, un peu avant dix heures, elle attendait immobile dans ses fourrures, au fond d'un *hansom cab* sur le dock de l'Europe. Les gens du Fifth Avenue Hotel, avec le respect dû à l'opulence, s'étaient chargés de porter ses bagages dans sa cabine à bord du *Neptune*. De temps en temps, les yeux de Laura se déplaçaient insensiblement, guettant l'arrivée de Charlie Jones. Depuis l'aube, la brume avait envahi le port et ne se dissipait qu'avec une lenteur extrême. Par ses effilochures on distinguait des hangars bas de l'autre côté des quais. Des gens allaient et venaient comme des ombres le long des docks, voyageurs en manteaux touchant presque le sol, porteurs chargés de valises, dans une apparence de confusion mêlée de cris. Et tous s'engouffraient dans le bâtiment de la douane, solide et noir comme une prison. Au loin, par-delà ces sortes de ténèbres blanches, mugissaient les trompes de brume, et dans cet appel triste Laura retrouvait quelque chose du désespoir qu'elle cachait au fond d'elle-même. La cabine luxueuse, pour deux personnes, qu'elle occuperait seule pendant toute la traversée, elle n'avait rien voulu changer à sa réservation, dans l'espoir fou d'un revirement miraculeux de la dernière minute, de l'impossible surprise d'une Elizabeth apparaissant là, sur le quai...

« Je l'aime trop, la vie me la prend », se disait-elle en se penchant en avant, cherchant toujours. Elle ne pouvait voir le cocher assis haut derrière elle et comme au sommet de la voiture, et elle se demanda s'il avait froid. Le cheval sous sa couverture de cuir ne bougeait presque pas. Par la grande vitre qui lui faisait face, elle voyait les guides par-dessus le *cab,* remuant de temps à autre quand le cheval faisait mine de se déplacer.

Tout à coup, elle vit Charlie Jones debout près de la voiture. Elle ouvrit la portière. Il monta, tout l'hiver montant avec lui dans une bouffée d'air glacial.

— Chère Laura, fit-il, nous avions encore tant de choses à nous dire.

— Accompagne-moi jusqu'à l'embarcadère.

Il ouvrit la petite fenêtre dans le plafond de la voiture et transmit l'ordre au cocher. Sans attendre, Laura plongea la main dans son sac et en tira sa lettre.

« Ceci pour ma fille, dit-elle. Qu'elle la lise quand elle sera seule.

Charlie Jones glissa la lettre dans la poche intérieure de son veston.

— Je m'embarque après-demain de mon côté. Je retourne là-bas. Elle aura sa lettre dans cinq jours.

— Ton pouvoir sur elle est immense. Tu lui feras accepter n'importe quoi.

— Si Billy lui reste...

Il écarta d'un geste la supposition terrible.

— Nous nous quittons ayant fait tout ce que nous pouvons pour le Sud. En tout cas pour le moment, dit-elle.

— A la banque de Lloyds, tout est en ordre.

— Et les bateaux ?

— En route pour Liverpool. Mais Laura, nous arrivons, le voyage est court.

Brusquement il la saisit à pleins bras et la serra contre lui en lui posant des baisers un peu partout sur son beau visage fatigué. Elle se laissa faire.

— Mon pauvre Charlie, dit-elle enfin en rajustant son cabriolet, ce voyage dans le temps, tu le fais avec trente ans de retard.

— Je t'aimais follement, Laura.

— Et moi... Tu ne devines rien ? Londres, en 30... le bal de Lady Jennifer... Aide-moi à descendre, dear, nous sommes arrivés.

L'air s'éclaircissait, de légers flocons de neige dansaient dans le ciel comme pour égayer un peu le départ après la petite flambée d'aveux tardifs dont le côté légèrement funèbre ne leur échappait pas. Des vœux de joyeux Noël furent échangés sans conviction, mais avec le sourire de circonstance, et ils se séparèrent. Il agita son chapeau. Sur la passerelle, elle ne se retourna pas.

CHAPITRE CXXVIII

Charlie Jones prit le bateau deux jours plus tard pour Savannah, où il arriva le 13 décembre. La tentation de s'arrêter en route à Charleston fut très forte, pour en cueillir les nouvelles toutes fraîches, mais il sut y résister, sa présence dans ses bureaux étant urgente. Là, il passa la matinée, après quoi il fut sonner à Oglethorpe House. Miss Llewelyn le reçut dans le vestibule, l'air encore plus grave qu'à l'ordinaire.

— Vous arrivez à temps, Mr. Jones, dit-elle. Mrs. Hargrove a reçu de Charleston une lettre qui l'a troublée. Si vous pouviez lui dire quelques mots pour la calmer…

Il n'eut pas à attendre, Elizabeth parut presque aussitôt dans l'escalier.

— Oncle Charlie ! s'écria-t-elle. Que je suis contente de vous voir… Ce matin même je reçois une lettre de Billy me disant de ne pas chercher à le voir à Charleston pour le moment. Il y a trop d'agitation, et puis il va y avoir des changements et il va porter un autre uniforme.

— Cela n'a rien d'extraordinaire, fit Charlie Jones d'un ton tranquille. La surexcitation est devenue l'état normal des Caroliniens. Billy est sans doute retenu à Beaufort.

— Il ajoute qu'il me fera signe quand il nous sera possible de nous retrouver là-bas.

— Alors, tu vois bien.

— Mais c'est si bizarre.

— Tout est bizarre à l'heure actuelle. Les choses vont s'arranger, parce qu'il le faut. N'aie aucune crainte. Voici, en attendant, une lettre que ta mère m'a remise pour toi.

Elizabeth saisit la lettre et commençait à en décacheter l'enveloppe du doigt, quand Charlie Jones l'arrêta :

« Elle a demandé que tu sois seule pour la lire.

Miss Llewelyn se retira.

— Excusez-moi de paraître aussi brusque, dit Elizabeth. C'est cette lettre de Billy... Je ne vous ai même pas embrassé.

— Tu es tellement sensible, Elizabeth. Crois-tu que je ne te comprenne pas ? Pendant que tu lis ta lettre, je vais voir Ned et faire un tour au jardin. Je reviendrai tout à l'heure.

Affectueusement il l'embrassa et s'en alla sans plus attendre. Elizabeth regagna sa chambre et, s'étant installée près de la fenêtre, ouvrit la lettre et la lut si précipitamment qu'elle dut la relire pour en mesurer tout le sens. Qu'attendait-elle ? Elle n'eût su le dire, mais elle eut l'impression étrange qu'une clef se tournait dans une porte. La lettre glissa de ses mains à ses pieds. Si forte était son émotion qu'elle se leva pour faire quelques pas dans la chambre. Dehors le soleil brillait sur les briques roses de l'avenue. Quelques promeneurs passaient en bavardant, sans hâte. L'air restait assez doux malgré la saison... Une fois de plus elle eut le sentiment fugitif que quelque chose dans le monde lui échappait. Sa mère lui disait que, mariée à Billy, celui-ci était sa patrie, son Angleterre. A partir de là, elle ne comprenait plus. Elle avait dit qu'elle ne le quitterait jamais et qu'elle resterait encore et encore... Nobles paroles, noble attitude. On l'admirait, mais prendre le Sud pour l'Angleterre, c'était une façon de parler. Voir sa patrie dans la personne de Billy était plus facile, mais il ne fallait pas le lui prendre. Il ne fallait pas qu'une guerre le lui prenne, mais, chaque fois qu'ils se voyaient, il lui affirmait qu'il n'y aurait pas de guerre. Dans ce cas, oui certes, elle resterait encore et encore — avec Billy. Qu'est-ce que sa mère supposait ? La Sécession ? On lui avait dit que la Sécession ne voulait pas dire la guerre. « On n'abandonne pas l'homme qu'on aime. » Bien sûr que non, mais il ne fallait pas non plus qu'il la quitte. A partir de là, elle ne voulait rien savoir.

De son côté, il parlait aussi de changements. Quels changements ? Un changement d'uniforme ! Il y en avait tant de toutes sortes dans l'armée... Pourvu que le nouveau fût aussi joli que l'autre, avec des brandebourgs ! Quelle coquetterie de m'en informer... Mais elle n'était pas contente de la lettre que sa mère s'était crue obligée de lui écrire. Elle flairait une sorte de piège dont elle ne voulait pas saisir le sens. Dès qu'on essayait de comprendre, on était pris, le piège se refermait. On pensait comme tout le monde. Il ne fallait pas. Là était le secret de tout.

Ramassant la lettre, elle la remit dans son enveloppe et la glissa dans un tiroir de son secrétaire. Loin des yeux, elle n'existait plus. Et elle se sentit étrangement rassurée.

Mais que Charlie Jones pouvait-il bien faire ? Il était parti depuis une demi-heure. Elle descendit l'attendre au salon.

Charlie Jones était allé au jardin où il pensait bien trouver Ned. En effet, celui-ci, en conversation avec Pat, courut aussitôt vers lui.

— Bonjour, grand-père, vous voilà enfin revenu. Avez-vous des nouvelles du Grand Pré ?

— Tu veux dire de Whitie. Eh bien non, mais j'ai trouvé dans mon courrier une lettre de Miss Charlotte qui m'en donnera peut-être. Je ne l'ai pas encore lue. Bonjour, Pat. De quoi parlez-vous donc avec mon petit-fils ?

Pat ne connaissait que de loin Charlie Jones, mais ce grand monsieur au teint frais en imposait, même à un Irlandais.

— Sir, de ce que racontent les gens qui passent dans l'avenue. Nous échangeons des idées, eux et moi. Ils sont bavards.

— Et de quoi parlent-ils ?

— De tous les bruits qui courent. A un moment, c'était de la guerre.

— Quelle guerre ? Il n'y aura pas de guerre.

— C'est justement ce qu'ils disent aujourd'hui, mais à un moment ils disaient autrement et j'étais prêt à partir avec l'armée. Je suis prêt à me battre, tout de suite, tout le temps.

— Eh bien, ce sera pour une autre fois. Il y a toujours une guerre qui mijote dans les cuisines du diable.

Pat secoua sa crinière rousse et esquissa devant son visage un furtif moulinet qui pouvait passer pour un signe de croix.

— Ne parlons pas de celui-là, grommela-t-il. L'anglais est sa langue préférée. C'est comme qui dirait sa langue naturelle.

Charlie Jones éclata de rire et prit Ned par la main. Comme il s'éloignait avec lui, il dit gaiement :

— Tu vas le revoir, ton cher Whitie. Dès les premiers jours de l'été prochain, quand ton école fermera, je t'emmène là-haut en Virginie. Tu galoperas toute la journée dans les prairies, mais cesse d'écouter les racontars de ton Irlandais sur la guerre. C'est à force de parler des guerres qu'on les fait arriver. Retiens cela.

— Mais j'irai à la guerre, un jour.

Charlie Jones lâcha sa main.

— Cher petit nigaud, fit-il. Tu ne sais pas ce que c'est. Mais je suis tranquille, tu ne verras jamais ça. Je te quitte pour aller voir ta maman. Qu'est-ce que tu comptes faire tout de suite ?

— J'ai rendez-vous avec un copain pour aller manger une glace chez Solomon's.

Oncle Charlie tira de son gilet une petite pièce d'or.

— Tiens, voilà pour transformer votre glace en *ice cream soda.*

— Oh ! merci, grand-père.

Ned s'en alla en gambadant, son chapeau en bataille.

Au salon, Charlie Jones trouva Elizabeth à moitié étendue sur une méridienne.

— Je t'ai fait attendre, pardon, dit-il. Je voulais voir de près qui était ce jardinier irlandais. Il bavarde peut-être un peu trop avec Ned, tu ne crois pas ?

— Oh ! ils bavardaient beaucoup plus autrefois. Ils vivaient dans le fantastique de l'Irlande, maintenant c'est fini. Ned n'est pas souvent là. Voici la lettre de ma mère. Dites-moi ce que vous en pensez.

Il l'ouvrit aussitôt et mit ses lunettes pour la lire. Ses sourcils se fronçaient de plus en plus à mesure qu'il avançait vers les dernières lignes. Finalement, avec un sourire aimable, il la rendit à Elizabeth.

— C'est une jolie lettre comme savent en écrire les femmes quand elles ne savent pas au juste ce qu'elles veulent dire.

D'un coup, Elizabeth se redressa.

— Une jolie lettre ! Mais il y a des sous-entendus épouvantables. Fuir un pays menacé par la guerre. Et Billy ?

— Chère Elizabeth, cessons de parler d'une guerre qui n'aura sans doute pas lieu. Qu'avez-vous donc tous ? Que te dit ta mère ? d'être fidèle à ton mari et de ne pas le quitter. Tu n'es pas d'accord ?

— Oh ! Oncle Charlie, quel bien vous me faites quand vous m'assurez qu'il n'y aura pas la guerre.

— J'ai dit *sans doute.*

— Alors c'est la même chose. Billy n'ira pas se battre, tout simplement.

— Tu n'as pas la lettre de Billy ?

— Elle est là-haut, mais je la sais par cœur. Elle est si courte. Cher Billy, il n'est pas homme à écrire de longues lettres — sauf une fois, une lettre énorme.

— Silence sur les secrets d'amour ! Mais dans la dernière, ne parle-t-il pas de changer d'uniforme ou quelque chose de ce genre ?

— Si. Croyez-vous, ça l'amuse. Je trouve ça très gentil.

— Très. Il n'a pas donné de précisions ?

— Non. Seulement : « Je porterai un autre uniforme. » Il y a un tas d'uniformes dans l'armée. J'espère que celui de Billy aura des brandebourgs comme le premier.

— Nous verrons bien. En tout cas, pas d'inquiétude. Aucune menace de guerre, je te le répète.

Ces paroles tombèrent sur l'âme d'Elizabeth comme une promesse de bonheur sans limites. Elle eût trouvé naturel de danser toute seule en chantant si le visage d'Oncle Charlie n'eût pris un air soucieux qu'elle n'aimait pas, mais elle se garda de poser la moindre question. Charlie Jones l'embrassa un peu plus affectueusement que de coutume et rentra chez lui.

Quelques jours passèrent. La vie continuait autour d'elle sans incident avec cette sorte de bonne volonté qu'ont les choses de reprendre leur aspect familier. Noël n'était plus loin. Elizabeth savait qu'il y aurait un bal chez les Steers après le Nouvel An. Malheureusement, Monsieur César ne serait plus là pour la coiffer ; des affaires de famille, disait-il, le rappelaient à Paris « inopinément ». Elle se coifferait toute seule. Peut-être Billy viendrait-il en permission de Noël, dans son nouvel uniforme...

CHAPITRE CXXIX

Le jeudi 21 décembre eut lieu un coup de théâtre. Alors qu'Elizabeth prenait son petit déjeuner avec Ned dans ce qu'on appelait la salle à manger du matin, Miss Llewelyn entra en silence, tenant déployé dans ses mains le *Charleston Mercury,* édition spéciale :

L'UNION
EST
DISSOUTE !

A ÉTÉ VOTÉE À L'UNANIMITÉ
À 1 HEURE 15 DE L'APRÈS-MIDI, LE 20 DÉCEMBRE 1860,
l'ORDONNANCE
DE DISSOUDRE L'UNION ENTRE L'ETAT DE LA CAROLINE DU SUD
ET LES AUTRES ETATS UNIS PAR LE CONTRAT APPELÉ
« LA CONSTITUTION DES ETATS-UNIS D'AMÉRIQUE ».

CHARLESTON

MERCURY

EXTRA:

Passed unanimously at 1.15 o'clock, P. M., December 20th, 1860.

AN ORDINANCE

To dissolve the Union between the State of South Carolina and other States united with her under the compact entitled "The Constitution of the United States of America."

We, the People of the State of South Carolina, in Convention assembled, do declare and ordain, and it is hereby declared and ordained,

That the Ordinance adopted by us in Convention, on the twenty-third day of May, in the year of our Lord one thousand seven hundred and eighty-eight, whereby the Constitution of the United States of America was ratified, and also, all Acts and parts of Acts of the General Assembly of this State, ratifying amendments of the said Constitution, are hereby repealed; and that the union now subsisting between South Carolina and other States, under the name of "The United States of America," is hereby dissolved.

THE

UNION

IS

DISSOLVED!

Nous, peuple de la Caroline du Sud, assemblé en convention, déclarons et ordonnons, par cet acte même,

que l'Ordonnance adoptée par nous en Convention, le 23 mai de l'année de grâce 1788, où fut ratifiée la Constitution des Etats-Unis d'Amérique, et aussi tous les Actes et parties de traités de l'Assemblée générale de cet Etat, contresignant les amendements de ladite Constitution, ont été annulés par cet acte ; et que l'union qui subsistait entre la Caroline du Sud et les autres Etats, sous le nom « Etats-Unis d'Amérique », est par ce fait dissoute.

Ned se leva d'un bond, lut tout haut l'en-tête en lettres énormes. Sa voix claire résonnait joyeuse comme un appel :

— C'est la guerre, Mom', je verrai la guerre.

Elizabeth, toute blanche, ne desserrait pas les lèvres. La Galloise, ayant réussi son effet comme jamais encore, fit un sourire énigmatique au jeune garçon, posa le journal et sortit. Les joues rouges et les yeux brillants, Ned se lança dans un discours :

— On ne parle que de ça à l'école. Les grands disent que si la Caroline du Sud quitte l'Union, tout le Sud suivra comme un seul homme. Et alors, le Nord...

— Ned, tais-toi ! fit Elizabeth d'un ton impérieux, tu ne sais pas ce que tu dis, tu ne comprends rien, tu...

Sa voix s'étranglait, elle saisit le journal et le tint de ses mains qui tremblaient si fort qu'elle ne put lire que les grosses lettres. L'en-tête brutal avait la force d'un cri.

A son tour, elle se leva et quitta la pièce.

— Mom', où vas-tu ? s'écria Ned.

Sans répondre, elle gagna l'escalier et monta péniblement, une main serrée sur la rampe. Quand elle fut dans sa chambre, elle résista au désir de s'étendre sur son lit et s'assit dans un fauteuil près de la fenêtre. Par un effort de sa volonté, elle se tenait droite, mais elle avait la sensation d'une main agrippée à sa gorge et le sang battait à ses tempes. Une seule pensée l'habitait. « On m'a menti. Tout le monde... Billy. Oncle Charlie... Tous. » Et elle les avait crus. Comme elle avait dû leur sembler sotte, pareille à une petite fille qui ne doit pas savoir certaines choses. Une voix lui répétait avec insistance le nom de Billy. Elle jeta un coup d'œil par la fenêtre et vit des dames qui passaient sans hâte, d'une allure tranquille, dans leurs robes de couleurs éteintes, grises ou beiges ou marron foncé avec de courtes vestes bordées de fourrure. C'était l'heure de la promenade matinale par un beau temps d'hiver. Elles ne savaient pas encore. La voix redisait « Billy », mais Elizabeth refusait d'aller plus loin. Rien ne pouvait arriver à Billy. Son esprit se figea autour de cette pensée qui devenait une certitude. Quittant sa place près de la fenêtre, elle se promena dans sa chambre et dans la chambre voisine, leurs chambres à eux deux, mari et femme. Le bruit de ses pas sur le parquet lui rendait la vie ordinaire, avec la surprise des permissions inattendues et Billy entrant tout à coup, les doigts déjà à son dolman pour le dégrafer, pour l'arracher.

Venu soudain d'en bas, l'écho d'une altercation lui fit tendre l'oreille. Les voix de Charlie Jones et de Ned se mêlaient, furieuses, puis un grand coup de poing frappa une table et le silence se rétablit. Presque aussitôt elle entendit un pas lourd dans l'escalier et la porte s'ouvrit brusquement. Sans même lui dire bonjour, Charlie Jones, le visage rouge, vint se planter devant elle :

— Elizabeth, fit-il, écoute-moi : il n'y a pas de guerre et personne au monde ne sait s'il y en aura jamais une. N'écoute pas ton étourneau de fils, il a l'esprit empoisonné par les garçons de l'école qu'on fanatise avec ce mot de Sécession. Je lui ai fait peur en le menaçant de ne pas l'emmener cet été. Pas de Whitie, il s'est tu.

— Oh ! merci, Oncle Charlie. J'avoue qu'il m'a troublée, ce matin, avec ses cris belliqueux, et vous me rendez la paix. Mais Billy...

— Billy est en service à Beaufort. C'est très normal. La situation a changé, sa présence est nécessaire, mais tout va rentrer dans l'ordre. S'il ne vient pas à Noël en permission, je t'emmène moi-même là-bas. Es-tu contente ?

— Oui, fit-elle sans conviction, oui.

— Confiance, lui dit Oncle Charlie, son sourire revenu sur son visage encore écarlate. Tu verras, sois patiente.

— Quand allons-nous à Charleston ?

— Eh bien, le lendemain de Noël.

Son sourire lui fut aussitôt rendu par la jeune femme qui se voyait déjà dans les bras de Billy. Quant à Charlie Jones, il se retira, nettement moins satisfait qu'elle de sa politique d'apaisement. Sa fureur s'expliquait par le fait qu'il n'y croyait pas, mais qu'il jugeait indispensable d'endiguer l'enthousiasme qui pouvait précipiter la Georgie dans la Sécession, elle aussi si mal préparée, si improvisée, et il rageait de voir Ned lui tenir tête pour la première fois, un Ned qui savait qu'il avait raison.

En effet, à peine Charlie Jones avait-il quitté Elizabeth que la rumeur de la ville lui parvint pour lui infliger le plus éclatant camouflet. On venait d'apprendre la nouvelle et le délire s'emparait de la population. Comme si elle sortait de terre, la foule fut partout, hurlant de joie et acclamant sa fougueuse voisine en révolte. Ned s'échappa de la maison et courut à toutes jambes jusque dans le square, où il disparut au milieu d'une bande de jeunes exaltés qui réclamaient avec des cris sauvages la séparation d'avec le Nord. Un mannequin figurant Lincoln fut brûlé dans des applaudissements frénétiques. Au loin, des canons tonnaient. Sans doute Fort Pulaski saluait-il à sa façon une ère nouvelle. Moins d'une heure avait suffi pour donner à Savannah l'aspect d'une ville au lendemain d'une victoire. Ned, bousculé par la foule, donnait des signes de fatigue et un homme du peuple à la large carrure le hissa sur ses épaules : le garçon se sentit hors de lui d'orgueil. Le hasard des allées et venues sans but le mena en vue de la maison Tudor, « sa » maison, qu'il salua en agitant la main d'un air vainqueur, et il s'écria :

— J'avais raison, grand-père !

Il attendit encore qu'on eût fait le tour de Madison Square et, se laissant glisser sur le sol, se faufila à travers la foule pour rentrer chez lui. Personne ne lui posa de questions, tout le monde était aux fenêtres.

Le long des avenues et dans tous les squares, la foule, toujours plus dense, continuait sa promenade dans un hourvari ininterrompu de cris, d'acclamations et de chants. Dès les premières ombres du crépuscule, des cortèges se formèrent. On alluma des torches, quelques-unes d'abord ici et là, puis de plus en plus nombreuses. La nuit venue, les flammes brillaient au-dessus des têtes comme des fleurs rouges, et dans ces lumières vives et vacillantes les rangées de maisons dansaient sur place.

Tout le Sud explosa d'une joie fracassante. A Atlanta, les canons tonnèrent de l'aube au crépuscule presque sans interruption, semant l'inquiétude dans l'esprit des officiers supérieurs qui déploraient sans trop le dire un gaspillage de munitions dont on aurait un jour besoin. De son côté, et après l'avoir exhibé dans ses rues aux vivats d'un peuple moqueur, Augusta brûla le futur président en effigie, tout en conspuant l'actuel locataire de la Maison-Blanche.

Washington avait aussi connu son moment curieux. Dans une des maisons les plus luxueuses de la capitale fédérale, se déroulait une réception que le président Buchanan honorait de sa présence. Il portait beau encore, et comme il aimait la compagnie des jolies filles, celles-ci étaient toujours nombreuses à l'entourer, jusqu'à faire volontiers pour lui le sacrifice de leurs flirts avec les jeunes gens de la *society*. Les salons voisins résonnaient du vieux quadrille des lanciers, le martèlement des talons scandant les accords de l'orchestre ; on entrevoyait les danseurs par les portes grandes ouvertes et Buchanan souriait aux demoiselles qui se disputaient les sièges les plus proches de son fauteuil. Tout à coup, il y eut un mouvement et du bruit dans le hall. Une des jeunes filles sortit voir ce qui se passait. Un des représentants de la Caroline du Sud agitait en l'air une dépêche :

— Je me sens comme un écolier renvoyé, criait-il autour de lui.

Il n'avait même pas ôté son macfarlane.

— Que vous arrive-t-il, Mr. Keitt ? demanda un homme tout en noir.

— La Caroline du Sud a fait sécession.

La jeune fille revint aussitôt informer le président : il devint blême et en une seconde, son visage tomba comme celui d'un vieillard.

— Quelqu'un pourrait-il m'appeler ma voiture ? demanda-t-il d'une voix faible. Je vais rentrer.

Et une fois chez lui, à la Maison-Blanche, il resta invisible et silencieux tout le lendemain.

Il réfléchit à l'étrange destin qui, les derniers mois de sa présidence, lui mettait en main la plume pour signer les actes décisifs, alors même que, l'encre à peine sèche, il ne serait plus en place. Dans une semaine, il devait recevoir les trois commissaires envoyés par la Caroline du Sud pour négocier la remise des forts fédéraux à la milice de cet Etat. Son successeur ne lui serait d'aucun secours, tout occupé qu'il était à composer son cabinet et perdu dans des arguties d'homme de loi, on eût dit pour se faire oublier par l'Histoire ! Dans son propre cabinet, les inimitiés ne se dissimulaient plus, chaque conseil était orageux : le secrétaire d'Etat à la Guerre et le secrétaire d'Etat au Trésor, tous deux ardents sudistes, ne supportaient ni la présence ni même l'aspect physique de l'attorney général. Cet Edwin Stanton, suffisant, insolent, mais lâche, voire rampant quand il avait affaire à forte partie, était un insupportable roquet. Cependant, Buchanan l'avait choisi dans son équipe et n'était pas responsable de ses yeux fureteurs ni de son agaçante barbe de prophète. Ainsi il lui faudrait affronter encore des réunions difficiles, alors qu'il y avait quatre ans bientôt que la présidence avait commencé pour lui au milieu des applaudissements et des embrassades, et qu'il aurait pu quitter maintenant la Maison-Blanche sous les regrets et les fleurs de rhétorique. Ces pensers semblaient lui porter un toast funèbre.

Dans la solitude de son bureau, à travers les dépêches confidentielles qu'on apportait sans cesse et les récits des journaux, il découvrit comment Charleston avait vécu heure par heure son mercredi fatidique : à 1 heure 15 de l'après-midi le vote de l'ordonnance de Sécession ; le *Mercury* composant et distribuant un tirage spécial en vingt minutes, ce qui en soi était un tour de force ; l'Institute Hall envahi par l'élégance et par le peuple venus voir signer leurs délégués communs ; le gouverneur Jamison à la tribune pour proclamer la rupture avec l'Union ; les hommes élevant leurs chapeaux hauts de forme à bout de bras, les profonds hourras entrecoupés de silences ; et partout dans les avenues, la cérémonie achevée, les musiques militaires, les défilés, pendant que les jeunes gens plantaient un arbre de la liberté et chantaient une *Marseillaise* « aussi vite que les Français », affirmaient les témoins.

Et puis tous les Etats du Sud pris de fièvre, et, dans le Nord, les abolitionnistes satisfaits, tandis que dans les magasins sur les guirlandes de papier d'argent ruisselaient les étoiles de Noël. A New York il neigeait, Chicago patinait sur son lac, mais à Charleston, à Savannah, à Mobile, les roses répandaient leur parfum comme se répand un murmure, dans ce Sud pourtant plein de cris... Il s'agissait de sauvegarder l'Union, et le président se sentait chargé d'une mission qui le dépassait. Attendre que tout rentrât dans le calme et l'ordre, temporiser, laisser pourrir l'enthousiasme, et il sauvait la fin de son mandat !

A Charleston, la vie quotidienne continuait : fêtes, danses, parades militaires et feux d'artifice qui promenaient leurs gerbes d'étoiles d'un bout du ciel à l'autre dans la nuit, comme pour narguer les constellations ordinaires.

Le jour de Noël fut gris et doux. A Savannah, Charlie Jones invita Elizabeth et Ned à déjeuner dans sa maison Tudor. La belle Anglaise se sentit chez elle dans cette demeure où les murs eux-mêmes lui parlaient du pays natal avec l'accent de là-bas. Son fils, que cette nostalgie ne pouvait tourmenter, promenait autour de lui des yeux de propriétaire tout en gardant son secret comme il l'avait promis. Ce fut dans la petite salle à manger toute en boiseries de palissandre que le repas fut servi. La conversation, à la fois joviale et tranquille, bannit les nouvelles du jour risquant de provoquer l'émotion ; Oncle Charlie demeurait fidèle à sa volonté d'apaisement, sans cesser de suivre par l'esprit le voyage de ses bateaux chargés de canons en pièces détachées. Ce détail psychologique expliquait sa présence à Savannah alors qu'on l'eût imaginé plutôt auprès de sa très chère Amelia, mais il se promettait d'aller la voir dès le Nouvel An, quand son artillerie serait parvenue à bon port, dans les entrepôts, devant ses bureaux. Des mets délicieux se succédèrent sur la table éclairée aux bougies, car le jour était sombre et la salle à manger plus encore. La paix était faite entre grand-père et petit-fils, aussi des toasts furent-ils échangés.

Au dessert, parurent des cadeaux. De la part de Lady Fidgety pour son petit-fils, un voilier de pirate avec sa voilure, ses gréements, ses canots d'abordage et ses bouches à feu, le tout long de plus d'un mètre, mais d'un luxe achevé. Elizabeth dut se contenter d'un bracelet de saphirs, que son beau-père lui passa lui-même au poignet. Et ce fut Noël. De Billy, une dépêche : « Plein d'amour et à bientôt. »

Le lendemain, Charlie Jones tint sa parole et, dès neuf heures, vint chercher Elizabeth pour l'emmener à Charleston. Le temps était superbe, le ciel d'un bleu royal. Le voyage ne parut pas long à la jeune femme qui goûtait la paix des champs après les heures d'agitation à Savannah. Les bois de pins recelaient dans leurs profondeurs à la fois l'ombre et le silence qui l'eussent réconfortée bien mieux que les petits discours optimistes de Charlie Jones ; malgré tout, elle se sentait heureuse chaque fois que son regard s'abaissait sur le bracelet de saphirs dont elle ne voulait pas se séparer. Billy en serait fou.

A deux heures, dès les faubourgs, Charleston leur sembla vide, vide comme un lendemain de fête. Quand ils traversèrent le cœur de la ville, ils reçurent la même impression de désert et ce Charleston calme était étrange. Personne dans les rues, mais un ciel d'un bleu éclatant triomphait sur cette solitude. La ville n'était pas morte, elle était vide ; pourtant la présence de sa population s'y sentait encore dans un certain désordre provisoire de tout. Ils se rendirent droit chez Hilda. Là, nouvelle surprise. Ils sonnèrent. Une voix tomba de la véranda, et un Noir un peu débraillé se pencha vers eux par-dessus la balustrade en essayant de passer en même temps sa jaquette dont les manches étaient à l'envers.

— Tous pa'tis, s'écria-t-il.

Mais il reconnut Elizabeth, et, sous sa chevelure grise frisée, son visage s'élargit dans un sourire.

« Oh ! Mrs. Ha'g'ove, fit-il en s'esclaffant. Bonne fête ! Tous à Fo't Moult'ie, tous. Avec vot' calèche, faut p'end' le bac et pas fai' le g'and tou'.

— Le bac ? fit Elizabeth interloquée.

— D'pêchez-vous, continua le Noir. Tout le monde ici là-bas. Bonne fête, bonne fête !

Remontant en voiture, Charlie Jones donna les indications au cocher et ils repartirent.

Lorsqu'ils traversèrent la baie, l'un et l'autre furent frappés par la tranquillité et le silence. Pas un oiseau de mer ne volait, pas un bateau en dehors de leur bac ne bougeait.

— Que diable sont-ils allés faire à Fort Moultrie ? C'est le bout du monde, murmura Charlie Jones. Il n'y a que des dunes face à la mer, des touffes d'herbe sèche et quelques arbres. On n'imagine pas que le commandant du fort donne un bal.

Le soleil de trois heures faisait miroiter le sable autour d'eux comme ils arrivaient devant Fort Moultrie. Le spectacle le plus imprévu était sous leurs yeux. Tout Charleston pique-niquait. Certains déjeunaient au pied même des murs du fort, à l'ombre ; d'autres avaient dressé des parasols plus loin, sur la plage ; les bosquets étaient envahis, il y avait des groupes jusqu'à l'horizon. On s'était installé partout, sur l'herbe rase, dans les dunes. Au point le plus élevé de celles-ci, des messieurs suivaient à la lorgnette, non pas le vol de hérons ou de mouettes au ras des vagues, mais ce qui se passait à l'intérieur du fort, centre muet de cette kermesse. Dans des creux abrités, des jeunes gens jouaient de la guitare, chants d'amour et chants guerriers. Des dames avaient planté leurs chevalets sur l'une des casemates avancées que le vent avait recouvertes de sable jusqu'au toit, et elles prenaient des croquis. Des enfants faisaient à vélocipède le tour du chemin de ronde, ou jouaient à la guerre en poussant des cris de Sioux dans l'entrée des fortifications qui résonnaient de ce tumulte. Et l'officier qui commandait le détachement dut les chasser, puis il fit fermer les portes et consigna ses hommes dans leur baraquement après avoir doublé les postes de sentinelle.

Elizabeth et son beau-père découvrirent enfin Hilda et ses invités sous des pins. Des pierres retenaient aux quatre coins une nappe, bien qu'il n'y eût aucune brise, et des malles de cuir et d'osier, à étages, offraient assiettes et couverts. Tout le monde s'amusait. Des bouteilles vides avaient l'air de cuver sur le sable leur vin évaporé. Charlie Jones, cependant, comprit en un éclair la tension qui se cachait dans cette *party* de toute une cité. Ni Billy ni Hampton ni Mike n'étaient présents...

Les nouveaux venus mouraient de faim et ils eurent droit à une couverture pour s'asseoir sans façon. Foie gras et champagne grisèrent moins Elizabeth que ne le firent le grand air, la lumière qui se réverbérait sur la plage et les conversations bondissant d'un groupe à l'autre.

Quand le soleil déclina, on entendit de nouveau le bruit des vagues. Soudain, en quelques minutes, chacun plia bagage, les cris des enfants s'éteignirent. Bateaux et voitures de ceux qui étaient venus par la terre ferme s'en repartirent... Charleston regagnait Charleston.

Alors commença l'histoire de Fort Moultrie.

Lorsque les dunes furent désertes, lorsque le dernier bateau eut quitté le rivage, que le crépuscule vint noyer l'ombre des fortifications, le capitaine Doubleday, qui commandait pour l'Union, fit monter ses hommes dans deux longues embarcations et, à la rame, silencieusement sur l'eau du soir, ils passèrent devant les garde-côtes et gagnèrent Fort Sumter. Là, c'était l'heure où les ouvriers finissaient leur journée ; ils rangeaient leurs outils quand ils furent poussés sans ménagement dans le bateau qui les ramenait en ville, et la nuit tomba sur la mer.

Mais, le bateau à peine à quai, ces ouvriers renvoyés *manu militari* ameutèrent la population et furent accompagnés chez le gouverneur. Aussitôt, la ville fut mise sur le pied de guerre. Dans le port, les sirènes mugirent longuement, des fusées lumineuses furent lancées pour surveiller Sumter silencieux et sombre dans la baie, et, à l'aube, la milice s'emparait de Fort Moultrie abandonné ; maçons et charpentiers, les mêmes qui avaient travaillé à mettre en état Fort Sumter pour l'armée fédérale, s'attelèrent avec zèle au dégagement des murs. Les canons furent désencloués. La côte et Fort Johnson occupés dans la matinée, les cadets installèrent des batteries face à la mer et transformèrent les dunes basses de l'île Morris en un bastion redoutable et invisible pour qui, venant du large, s'approcherait de Fort Sumter. L'Histoire mettait ses pions en place.

CHAPITRE CXXX

De retour avec Charlie Jones chez Hilda, Elizabeth regardait autour d'elle comme si elle voyait ces pièces pour la première fois et gardait un silence qui parut de mauvais augure à son beau-père. Il avait beau parler doucement, les tentatives de conversation normale n'aboutissaient pas, et la pensée l'effleura qu'elle perdait la raison. A ses questions, elle répondait par un sourire. En fait, elle ne l'écoutait pas. Dès que cela lui fut possible, elle monta dans sa chambre, prépara son laudanum et s'endormit. Toute réalité s'effaçait.

Le lendemain matin, elle prit son petit déjeuner avec Charlie Jones qui fut soulagé de la voir, sinon tout à fait sereine, du moins beaucoup plus présente. Mais elle restait sérieuse. Ils parlèrent un peu comme d'habitude, évitant l'actualité en bloc. Du coup, celle-ci était supprimée, n'existait plus.

— Je ne t'ai pas encore dit, lui expliqua Charlie Jones, que je pars demain pour la Virginie. J'arriverai là-bas juste pour le Nouvel An que je passe toujours avec ma chère Amelia. Elle doit être en ce moment emprisonnée par la neige. Du reste, comme elle ne sort jamais...

— J'aime la neige, fit rêveusement Elizabeth, se voyant tout à coup en Angleterre.

A ce moment, le domestique à cheveux gris vint poser des *buckwheat cakes* sur la table. Bavard, mais devenu presque un membre de la famille, on lui passait tout.

— Oh ! Miss Lisbeth a pas l'ai' heu'euse, fit-il. Avec la bonne ma'melade, tout i'a mieux. A la kisine on a eu peu', mais tout s'a'ange...

— C'est entendu, Tommie — Charlie Jones était agacé —, tout s'arrange, maintenant il faut nous laisser, je parle avec Miss Elizabeth.

— Bien, Massa Cha'lie, je vais di' à la kisine que Massa Cha'lie dit que tout i'a bien. Bonne ma'melade amè'e, ajouta-t-il pour Elizabeth.

Seul avec sa belle-fille, Charlie Jones poursuivit :

— Je serai de retour à Savannah vers le 15 janvier.

— Tant mieux.

La matinée fut étrange. Les habitués de la maison entraient, le temps d'avaler une tasse de thé, et ressortaient. Des journaux furent jetés sur la table, Charlie les faisait aussitôt disparaître. Vint l'heure du déjeuner qui fut rapide. Tout le monde semblait affairé et vouloir être dehors au plus vite.

Alors que Tommie servait le café, la porte s'ouvrit brusquement et Billy parut.

Elizabeth se leva en poussant un cri comme devant une apparition. C'était et ce n'était pas Billy. Il portait un uniforme gris avec des boutons de cuivre deux à deux, à droite et à gauche, sur la tunique. Même dans son trouble, elle remarquait les détails.

— Qu'est-ce qui te prend encore ? fit-il en riant. Je t'avais prévenue qu'on changeait d'uniforme, puisqu'on a quitté l'armée fédérale.

— L'armée fédérale, bafouilla-t-elle. Et les brandebourgs ?

— Si j'étais Billy, dit Charlie Jones gravement à Billy, j'emmènerais Elizabeth dans sa chambre se reposer avec moi. Tu as un peu de temps ?

— Deux heures, Oncle Charlie. Viens, Elizabeth. C'est un ordre.

Elle courut se jeter dans ses bras sans un mot. Avant de quitter la pièce, il lança :

« Nos batteries occupent toute la côte. On va en mettre jusqu'à la Caroline du Nord. Quant à Fort Sumter, il est entouré... chaleureusement ! Le colonel Beauregard viendrait ici. Un homme, celui-là, un terrible ! La chance est pour nous. On va s'emparer de l'arsenal pour commencer.

— Oh ! Billy, gémit Elizabeth pendue à son cou, vous n'allez pas vous battre ?

— Rassure-toi, ma chérie, les Fédéraux vont filer comme des lapins.

— Ouf ! s'exclama Charlie Jones lorsqu'ils eurent disparu.

Tous éclatèrent de rire.

Cette brève rencontre avec Billy ne rendit que plus difficiles pour Elizabeth les journées qui suivirent. Elle avait été trop fugitivement heureuse et se sentit délaissée comme jamais encore. Le départ de Charlie Jones pour la Virginie aggrava sa tristesse. Il était parti le 27 décembre, et avec qui bavarder maintenant, à qui se confier ?

Certes, Hilda et son petit cercle se déclaraient ravis de la voir parmi eux, mais, en dehors des repas, ils la laissaient seule. Tous avaient mystérieusement affaire en ville à toute heure et elle n'était tenue au courant de rien. Un mot rapide de Billy vint d'abord lui réchauffer le cœur, puis du même coup la consterna : « Mon adorée, je t'aime plus que jamais, mais pendant une quinzaine au moins, je ne pourrai te voir. Affaire de service. Je te retrouverai à Savannah. Ton Billy. »

Au bout de deux jours, n'en pouvant plus d'ennui, elle commanda sa calèche, et en route pour Savannah !

De retour chez elle à Oglethorpe Square, la présence de Miss Llewelyn lui fut presque agréable. La Galloise l'attendait comme d'habitude dans l'entrée.

— Contente de vous voir, Mrs. Hargrove, dit-elle. Toujours autant de vacarme à Charleston ?

— Non, le calme semble revenu.

— Calme avant la tempête. Ici, cela bouge.

— Les enfants, Miss Llewelyn ?

— Se portent à merveille.

Elizabeth monta voir son dernier-né et, dans un élan de toute sa personne, silencieusement le dévora. Celui-là au moins ne l'abandonnait pas.

— Oh ! M'am, dit *Black Mammy,* le bas du visage barré de son énorme sourire, faut pas tout mangé, Kit, un ange !

L'ange lui fit de côté son coup d'œil bleu d'ensorceleur, en y joignant un discours où elle distingua les mots : « Bonjou', Mom', Kit aim' Mom' bobocou. »

Le cœur plein et les larmes aux yeux, elle le quitta et monta dans sa chambre. L'heure du dîner approchait, mais elle n'avait pas faim. Son seul désir était de se mettre au lit et de dormir. Auparavant prenait place le rite habituel d'un moment d'admiration dans la glace. Comme le jour baissait, la lampe à huile placée sur la coiffeuse, elle se regarda d'un œil critique et très attentif. Pour elle, en effet, il s'agissait là d'une réalité indiscutable. Par une sorte de dédoublement voulu, elle s'examinait comme si elle eût été une personne qu'elle ne connaissait pas et elle exigeait d'elle-même une impitoyable rigueur dans le jugement. Tout d'abord, elle fut autant qu'à l'ordinaire enchantée, mais un regard plus nettement scrutateur l'inquiéta. Quelque chose avait changé dans son visage. Peut-être le galbe des joues n'était-il plus aussi pur, mais il y avait autre chose de plus simple : l'insolente fraîcheur de la seizième année qu'elle avait gardée si longtemps n'y était plus. « Tu vieillis », dit-elle avec horreur à l'image qui la fixait de ses yeux agrandis. « ... Vieillis... non, fit une voix intérieure, mais enfin... » Elle souffla la lampe et gagna son lit dans l'obscurité. Le sommeil lui offrait le seul vrai refuge, même sans laudanum.

CHAPITRE CXXXI

Le 4 janvier 1861, les Steers donnaient leur grand bal d'hiver. Elizabeth s'y rendit, non pas en blanc comme naguère, mais en taffetas vert amande et les cheveux relevés en couronne au sommet du crâne, à la dernière mode d'Europe. Belle assurément, mais plus tout à fait à tourner toutes les têtes. C'était indéfinissable, pourtant elle sentit tout de suite la nuance dans l'accueil. On s'inclina au passage devant la belle Anglaise, on ne courait plus vers elle. Du reste, on dansait. Elle était entrée au son d'une de ces valses, ralenties tout à coup, comme Vienne en exportait sans fin. Sous le cristal des gigantesques lustres à girandoles, les couples tournaient en bavardant, les dames plus éblouissantes que jamais, couvertes de bijoux étincelants. Un jeune homme aux yeux noirs se précipita vers Elizabeth qu'il voyait seule regardant autour d'elle et l'invita cérémonieusement à danser. Son visage, d'un rose brun, sentait sa Louisiane et elle le trouva charmant... le sourire, le nez, les cils, tout. N'importe quelle femme eût été flattée de l'avoir pour partenaire. Elle n'était pas encore la reine détrônée.

Tout en dansant, elle écoutait d'une oreille un peu distraite les agréables riens qu'il débitait, car autour d'eux s'échangeaient des propos qu'elle attrapait fugitivement aux hasards de la valse.

— John Floyd, Howell Cobb partis, il n'y a plus de ministres du Sud près de Buchanan, disait un jeune homme.

— Oh ! celui-là, répondait la jeune femme qui se renversait dans ses bras, il va tomber entièrement dans les mains de ces canailles du Nord.

Elizabeth ne comprenait pas, mais le ton ironique de ces propos la rassurait. Elle s'apercevait néanmoins que les danseurs ne parlaient que de politique. Où étaient les fadaises habituelles qu'on entendait dans les bals ?

— Le Nord ne peut venir que par la mer, disait un joli profil masculin.

— Ils n'oseront pas, affirmait sa cavalière aux joues roses. Nous avons installé des batteries partout.

— Nous ?

— Oui, nous, le Sud.

La même conversation semblait se poursuivre de l'autre côté d'Elizabeth. Elle avait l'impression de se trouver dans une caserne où se donnait un bal.

— L'appel de la Caroline du Sud à tous ses Etats frères est absolument admirable. Oh ! bonsoir, Mrs. Hargrove.

Elizabeth reconnut une des jeunes femmes qui étaient venues à Oglethorpe House à son retour de Charleston.

— Bonsoir, Mrs. Ryker.

— N'est-ce pas qu'ils étaient fabuleux à Charleston, Mrs. Hargrove ?

— Oh ! oui, fit Elizabeth avec un sourire.

Mais la valse l'entraînait. Elle eut juste le temps d'entendre Mrs. Ryker s'exclamer en s'adressant à son cavalier :

— Mrs. Hargrove y était. Elle nous a décrit tout cela. C'était étour...

Le reste se perdit dans un tourbillon subit d'*Acceleration* qui la rapprocha de Mrs. Harrison Edwards et d'Algernon. La curiosité l'emportant sur l'inquiétude, Elizabeth s'attarda un peu de leur côté et le dernier accord la sépara de son danseur.

— Vous n'avez pas de nouvelles, mais moi, j'en ai. Rien n'est arrivé de New York, si les bateaux de Liverpool sont là.

Ces paroles cryptiques émanaient de Mrs. Harrison Edwards, à quoi répondait Algernon :

— Les Conventions de chaque Etat dans le Sud doivent prendre position, on sait déjà les dates des réunions ? Ici ce sera pour...

Si absorbés étaient-ils l'un et l'autre qu'ils ne prêtèrent pas attention à la jeune femme. Elle croyait entendre deux conspirateurs, et se sentait elle-même comme prise dans un vaste complot dont elle ne connaissait ni le sens ni l'objet. Une intuition troublante lui vint tout à coup : depuis quelque temps elle vivait à la manière d'une somnambule au bord d'un toit, en bas c'était la guerre... c'était peut-être la folie. Elle eut peur et rentra.

Chez elle, comme elle montait l'escalier dans le chuchotement de sa robe de taffetas qu'elle portait pour la première fois, elle se figurait que plusieurs voix lui disaient des choses incompréhensibles. Une dose de laudanum la calma.

Le lendemain matin, elle eut le sentiment d'être allée au bout de sa peur, parce qu'elle en avait honte. L'orgueil la réveillait, une Anglaise ne pouvait vivre en tremblant, mais elle tremblait malgré tout, et, quand Miss Llewelyn lui apportait les journaux, elle les écartait instinctivement.

En ville, le mot de Sécession volait sur toutes les lèvres dans un bourdonnement perpétuel, il se cachait plus ou moins dans chaque phrase. Un matin, Ned parut devant elle curieusement déguisé. Une vieille casquette dénichée au grenier lui couvrait le crâne et il l'avait torturée de manière à lui donner un aspect qu'il jugeait militaire, tandis qu'il se serrait la taille dans une ceinture à boucle de métal.

— Je serai soldat, fit-il simplement.

Pour la première fois, elle trouva la force de rire.

— A ton âge, tu peux encore attendre.

— Mon tour viendra. Vite.

Elle eut envie de hurler, mais se contint. Déjà la guerre se respirait partout, elle était dans l'air. « Et Billy ? » se demandait-elle du matin au soir.

Au petit déjeuner, le 10 janvier, comme d'habitude Miss Llewelyn lui apporta les journaux qu'elle posa sur la table en disant :

— Aujourd'hui, Mrs. Hargrove, vous auriez tort de ne pas y jeter les yeux, car il s'est passé quelque chose de curieux, hier, où se trouve mêlé quelqu'un...

— Pas Billy ! s'écria Elizabeth.

— Mais non. Vous permettez que je m'assoie ?

Sans attendre la permission, elle s'assit et prit son attitude de prédilection, celle de raconteuse.

— *The Star of the West,* un navire marchand du Nord, passait innocemment, semblait-il, au large de l'île Morris, à l'aube du 9, en vue d'atteindre Fort Sumter et d'y faire, ô surprise, débarquer plus de deux cents soldats fédéraux et des munitions.

— Et alors ? Dépêchez-vous, s'il vous plaît.

— Non, je ne gâterai pas un beau récit... Malheureusement pour notre *Star of the West,* son commandant s'engagea dans un chenal que n'emprunte pas d'ordinaire la marine marchande, celui du sud qui passe près de l'île Morris, et cela pour ne pas s'exposer aux canons de Fort Moultrie, de l'autre côté. Or... ne soyez pas impatiente, Mrs. Hargrove, j'y arrive... or, l'île Morris avait été armée de batteries tenues par les cadets. Parmi eux, Mike.

— Oh ! non, cher Mike !

— Plus malins que des renards, vous ne trouvez pas ! Les cadets subodorèrent que le bon gros navire marchand était suspect. Ils tirèrent un coup de semonce. Le canon..

— C'est la guerre ! s'écria Ned.

— Chut, fit Miss Llewelyn, ce n'est pas fini. Le coup de canon passa trop haut. Alors les garçons ajustèrent leur tir et visèrent la ligne de flottaison. Au second boulet...

— Ils l'ont coulé ! hurla Ned.

— *The Star of the West* préféra faire demi-tour.

— Bravo ! applaudit Ned.

— Et Mike ? s'inquiéta Elizabeth.

— Vous pouvez être sûre qu'il a été superbe.

— C'est magnifique.

— Magnifique. Mrs. Hargrove, je suis heureuse de voir que vous vous réveillez, mais vous allez en entendre d'autres les jours qui vont suivre, et des nouvelles qui feront tinter les oreilles aux gens du Nord. Je le sens, je le sais. Vive le Sud, Mrs. Hargrove !

— Vive le Sud, vive le Sud ! cria Ned.

Ayant fait cette déclaration, Miss Llewelyn se leva et sortit, on ne peut plus satisfaite du tour que prenait l'Histoire.

Désormais, Elizabeth fut informée de tout. Devenue aussi avide de nouvelles que la ville entière, elle était tombée dans le piège, le piège du réel. Et le réel s'appelait Sécession ; chaque jour apportait la sienne dans une avalanche bien réglée : le Mississippi le 9, le 10 la Floride, le 11 l'Alabama, enfin le 19 la Georgie. L'exaltation générale emporta Elizabeth. Savannah devint un autre Charleston avec ses défilés, ses chants, ses feux d'artifice. Cinq étoiles, quatre rouges et une bleue sur fond blanc, surmontées par un œil, remplacèrent le drapeau fédéral. Une nouvelle aurore se levait sur le pays, « fraîche et joyeuse ».

Charlie Jones n'était toujours pas revenu à Savannah. Sans doute, à New York, ses affaires se compliquaient-elles ? Ne devait-il pas surveiller, de Virginie même, le voyage de ses bateaux sur les mers ?

CHAPITRE CXXXII

Depuis le début de l'année, Toombs s'était montré relativement discret. Alors qu'on agitait encore en Georgie la question de savoir s'il fallait rompre tous les liens avec l'Union et quelle forme donner à une association future, il prit un ton modéré qui inquiéta ; sa déclaration en parut d'autant plus fracassante. C'était là le meilleur moyen d'unifier dans le Sud les tenants de politiques différentes. Sa façon subtile et sans réplique de décortiquer les intentions adverses eut le don de rallier les unionistes, comme Jefferson Davis et Alexander Stephens, et d'emporter l'adhésion délirante de tous les hommes du Sud, gouverneurs, sénateurs, députés, militaires, planteurs, jeunes désœuvrés de la jeunesse dorée, ouvriers, adolescents, écoliers et, bien entendu, les femmes.

« Je recommanderais d'attendre le 4 mars, jour de l'installation du nouveau président. Alors nous pourrons connaître la *bonne* volonté des républicains d'agir *honnêtement* avec le Sud. » De sa voix la plus douce, il continuait : « Je ne voudrais pas craindre — mais je crains que les gens du Nord n'en soient à préparer de nouvelles lois chafouines contre les planteurs pour venir en aide à de futurs John Brown, payés par des personnages toujours heureux d'étaler leurs sentiments *chrétiens*. Non, non, personne ne me fera dire que je veux faire état de conversations et de correspondances criminelles. Je ne jetterai pas de ces papiers enflammés sur le feu qui couve. » Et avec une bonhomie inattendue de sa part, il posait cette question : « Y a-t-il un remède pour sauver l'Union malade ? » Après un silence, sa voix des grands jours concluait :

« Un remède, un seul : de nouvelles garanties constitutionnelles. Que les républicains les offrent en signe de bon esprit. S'ils refusent ? Eh bien, on verra que cet esprit n'est que l'esprit *malin* et il sera temps de l'exorciser. Donnons-leur donc une chance pour redresser cette Union chancelante. »

Et l'Union chancela.

CHAPITRE CXXXIII

Charlie Jones n'avait pas disparu. En quittant le Grand Pré, il avait fait un détour par Washington, car il voulait assister à une séance extraordinaire, et, le 21 janvier, il se trouvait au Sénat.

A neuf heures du matin, dans le Capitole toujours en travaux, la salle du Sénat est pleine. Les portes à peine ouvertes, la foule s'est ruée ; les escaliers, les passages sont noirs de monde.

Une rangée de très hautes colonnes corinthiennes donne au vaste hémicycle toute la majesté d'un monument voué aux périodes oratoires, et jusqu'aux chapiteaux elles semblent elles-mêmes une envolée d'éloquence. Les femmes se bousculent dans la galerie qui leur est réservée, les gens de la presse dans la leur. Sous le bureau du président se tiennent debout, prêts à porter les plis officiels, les « pages du Sénat », des garçons de quatorze ans, élégamment habillés, nez en l'air et plus assurés que de vieux politiciens. Au parquet, sur le côté, à gauche du *speaker,* les fauteuils de cuir capitonnés sont gardés pour quelques invités de marque : Charlie Jones et Lord Lyons restent silencieux, tandis que, sur leur gauche, le très suffisant comte de Paris pérore.

On parle beaucoup, mais bas, sauf les femmes, puis peu à peu cette rumeur même s'assagit et s'éteint à mesure qu'approche l'heure de la séance. Tous attendent cette heure où leur monde, ici, va changer. Les sénateurs des Etats qui ont fait sécession doivent prendre la parole une dernière fois et Jefferson Davis, sénateur du Mississippi, bien que souffrant, a fait savoir qu'il parlerait en dernier.

Lorsque enfin il paraît, un profond silence l'accueille. Il y a dans toute sa personne une dignité naturelle, aucun signe d'affectation familière à tant de personnages politiques ; élégant et mince, il frappe par le sérieux du regard dans un visage aux traits fins et accusés dont les joues maigres se creusent sous les pommettes. Par un geste assez fréquent, il essuie d'un mouchoir un œil malade, un œil presque perdu.

A présent debout à la tribune, appuyé au pupitre, il prononce les premières phrases de son discours d'une voix faible. Il est venu malgré la fièvre qui le tient et on l'écoute avec d'autant plus d'attention qu'on veut saisir toutes ses paroles. « Je suis ici, monsieur le Président, dans le but d'annoncer au Sénat que l'Etat du Mississippi, par un décret solennel de son peuple réuni en convention, a proclamé sa séparation d'avec les Etats-Unis. En de telles circonstances, naturellement, mes fonctions au Sénat prennent fin. Il m'a semblé, cependant, de mon devoir de venir moi-même en informer mes collègues et je n'ajouterai que peu de mots. Le moment n'invite guère à la discussion et, même s'il en était autrement, ma condition physique ne me le permettrait pas. »

D'une voix de plus en plus assurée, il explique qu'il se croyait solidaire de l'Etat qu'il représentait, bien qu'il eût toujours été désireux de sauver l'Union, mais dans les limites des droits de chaque Etat. « J'affirme, continue-t-il, que je n'éprouve aucune hostilité à votre égard, sénateurs du Nord ; à chacun d'entre vous, malgré les discussions qui ont pu nous opposer dans le passé, j'affirme, devant Dieu, que je lui veux du bien. Et tel est, j'en suis sûr, le sentiment du peuple que je représente à l'égard de ceux que vous représentez. J'espère que nos relations futures seront des relations de paix. Nous avons tout à y gagner, les uns comme les autres, mais cela dépend de vous. Le contraire conduirait au désastre. »

Il parle avec son cœur, sans hâte, et il achève dans un silence de mort. La lumière des lustres à gaz éclaire d'une façon théâtrale cette Amérique figée dans l'horreur de voir la nation se dissoudre.

« Au cours de ma carrière dans cette arène, j'ai connu à différentes époques maints et maints sénateurs. J'en vois aujourd'hui autour de moi quelques-uns qui m'ont accompagné tout au long des années. Nous avons connu bien des heures d'affrontement, voire de combat, mais quelles que soient les offenses qui m'ont été faites je les laisse ici et n'emporterai avec moi aucun souvenir d'amertume. Quant à mes torts personnels, messieurs les Sénateurs, au moment de vous quitter je vous demande de me pardonner toute blessure que dans la chaleur de la polémique j'ai pu vous infliger. Je veux partir le cœur libre de tout ressentiment. Et maintenant, monsieur le Président et messieurs les Sénateurs, il ne me reste plus qu'à vous dire adieu. »

Il descend de la tribune, quitte la salle, suivi par les sénateurs du Sud. Dans le grand escalier de marbre, puis dans le hall, le silence les accompagne, la foule s'écarte.

CHAPITRE CXXXIV

En peu de temps, les jours qui suivirent, Washington fut déserté par la société du Sud qui s'y trouvait en poste, et, dans l'armée, en grand nombre, les officiers donnèrent leur démission.

Charlie Jones revint à Savannah pour découvrir une Elizabeth transformée. La jeune femme lisait le journal dans son salon écarlate, en robe pourpre, les cheveux relevés en boucles sur le haut de la tête. Elle vint vivement à lui.

— Eh bien, Oncle Charlie, fit-elle gaiement, vous voilà enfin de retour. Où étiez-vous donc ?

Stupéfait de ce ton qu'il ne lui connaissait pas, il reprit la question, d'abord, avant de répondre :

— Où j'étais ?... Mais à Washington.

— A l'heure actuelle, cela devient intéressant, non ?

— Intéressant... oui. J'ai voulu assister à la séance d'adieu de notre ami Jefferson Davis.

— Au Sénat. Cela a dû être émouvant.

— Mais Elizabeth, tu as l'air d'être au courant ! Tu lis le journal maintenant !

— Comme tout le monde. Mais asseyons-nous.

Elle prit place sur le canapé et, d'un geste large, étala sa robe comme un drapeau.

— Aujourd'hui, c'est la Louisiane, dit-elle d'un air important.

— Et ce n'est pas fini. Mais je te vois bien moins inquiète du tour des événements, et je m'en réjouis.

— Que voulez-vous, on s'y fait au tour des événements ! Vous avez vu Miss Llewelyn ?

— Oui... Non... elle n'était pas debout près de la porte comme d'habitude, mais assise dans un coin du vestibule, et paraissait occupée. Nous nous sommes dit bonjour de loin.

— Cela vous amuserait de voir ce qu'elle fait ?

Sans hésiter, il se leva et sortit. Un peu de retrait, entre l'escalier et la porte du jardin, la Galloise cousait, une toile blanche sur les genoux.

— Vous m'excuserez de ne pas me lever, Mr. Jones, dit-elle. J'ajoute en ce moment une étoile aux cinq étoiles précédentes. La Louisiane, cette fois. Cela devient passionnant. Voulez-vous voir ?

Elle fixa son aiguille dans son ouvrage et déplia la toile, qu'elle tint à bout de bras. Des étoiles rouges, dessinées d'une main hardie, formaient un arc de cercle sur ce drapeau improvisé.

— Je vois, fit-il. Vous allez vite en besogne. La Louisiane a gagné son étoile hier soir.

— Il s'en faut d'une dizaine pour que le rond soit parfait, mais elles viendront.

Son visage, d'habitude sévère, s'animait d'un sourire.

« Content, Mr. Jones ? » demanda-t-elle en replaçant la toile sur ses genoux, et elle se pencha sur sa nouvelle étoile.

— Oui, en somme, dit-il. Si tout va bien.

— Si tout va bien, répéta-t-elle en tirant son aiguille. Mrs. Hargrove est persuadée que tout ira bien.

— Etonnant. Que s'est-il passé ?

— Nous l'avons arrachée de ses rêves, Mr. Ned et moi. Et puis, en ville, ces jours-ci, l'enthousiasme l'a gagnée. Rien n'est contagieux comme ces poussées d'émotion populaire. Votre belle-fille est anglaise, mais elle a du cœur, néanmoins.

Il éclata de rire.

— Toujours caustique, Miss Llewelyn, mais je vous suis reconnaissant de l'avoir replacée dans le monde réel. Quel soulagement pour nous tous.

La Galloise leva les yeux et le regarda d'un air rusé.

— Je ne veux pas gâter votre plaisir, fit-elle plus bas. Mrs. Hargrove est pour le Sud et toute prête à braver le Nord, mais elle n'arrive pas à croire à la guerre. Si par malheur...

— Ne parlons pas de malheur, Miss Llewelyn.

— ... le choc serait rude », acheva-t-elle. Et elle ajouta simplement : « Billy, Mr. Jones. »

Charlie Jones tourna les talons.

Cinq jours plus tard, Miss Llewelyn cousait sur son drapeau l'étoile du Texas qui avait fait sécession le 1er février.

La Confédération du Sud n'avait aucune frontière commune avec le Nord jusqu'ici, la Virginie, le Kentucky, la Caroline du Nord même faisant un bloc entre les adversaires. Les Etats sécessionnistes se proposaient d'élire Jefferson Davis comme président, et Alexander Stephens avait été choisi pour la vice-présidence. On pouvait espérer un *statu quo,* mais la confusion la plus totale régnait dans les états-majors politiques, chacun vaticinait, chacun avait la solution de l'avenir, lançait l'appel à l'Union ; cependant ce mot changeait de sens en changeant d'horizon. Lincoln, qui devait prêter serment au début de mars, se révélait aussi hésitant que Buchanan et, en public, se taisait, mais dans son entourage se propageait une idée fixe : l'Union à tout prix. Sur tout le reste, les intentions du futur président étaient flottantes ; sa préoccupation essentielle paraissait être un dosage subtil dans le choix des hommes politiques qu'il mettrait en place autour de lui. Avec un visage long et verdâtre, il ressemblait de plus en plus à un fantôme fagoté tout de noir, la barbe qu'il commençait à laisser pousser n'y changeant rien. Seul un psychologue attentif aurait pu deviner dans son regard une grandeur dont il n'avait pas encore conscience lui-même.

Le 4 février, John Letcher, gouverneur de la Virginie, appela à une conférence de la Paix tous les Etats de l'Union, sauf les six Etats de la Nouvelle-Angleterre dont il se méfiait. Ils avaient plusieurs fois dans le passé tenté eux-mêmes de se séparer et n'auraient apporté dans le débat que des sentiments de discorde. Un ancien président des Etats-Unis, le Virginien John Tyler, devait présider cette assemblée de vingt et un Etats, dans les salons privés de l'hôtel Willard à Washington. Tous, surtout les Etats frontières entre le Nord et le Sud, espéraient trouver une base d'accord. Le même jour, à Montgomery, Alabama, les sept Etats qui avaient fait sécession élisaient leur président : Jefferson Davis. L'homme et l'heure s'étaient rencontrés.

A Savannah, Mrs. Harrison Edwards et Algernon Steers se rencontraient chaque jour à Oglethorpe Square, chez Elizabeth qui se trouvait maintenant de tous les projets. Les discussions étaient longues, mais il en sortait des actes. Les canons anglais avaient été livrés et remis en cadeau au gouverneur Brown. Celui-ci, de son côté, avait fait main basse sur les arsenaux de l'Etat, et à Fort Pulaski, qui commandait l'entrée de la Savannah River, les hussards de Georgie montaient désormais la garde. Pourtant persistait un point noir : saisissant le prétexte de la Sécession, le gouverneur de New York avait mis l'embargo sur les cargaisons d'armes du *Monticello,* des caisses de fusils et de cartouches.

Pendant tout le mois de janvier, ce gouverneur négligea d'abord de répondre, puis répondit évasivement aux demandes renouvelées du gouverneur de Georgie. Et ce dernier, alléguant que les contrats avaient été passés en bonne et due forme et les marchandises réglées rubis sur l'ongle, fit saisir à son tour, en février, au large des côtes georgiennes, cinq bateaux des marchands de New York. New York cria « au pirate ». Une lutte s'engagea entre les deux gouverneurs. On se battit à coups de dépêches. Les autorités — le gouverneur, le maire, la police — de l'Etat du Nord se renvoyaient la responsabilité et usaient chacun son tour de la plus mauvaise foi.

— De quel droit, fulminait le gouverneur Brown, touchez-vous à nos biens ? C'est un acte d'ingérence dans les affaires privées d'un Etat souverain.

On lui promettait de jour en jour de laisser partir le *Monticello*. New York, soi-disant, cédait, mais, quand ses bateaux saisis étaient relâchés, reprenait sa parole au nom de la morale. Enfin, à chaque nouveau mensonge new-yorkais, Brown riposta par de nouveaux arraisonnements et la menace finale de vendre aux enchères, à Savannah, les cargaisons et les navires eux-mêmes pour se dédommager... Février se passa ainsi, l'Amérique captivée suivait les épisodes à rebondissements de ce roman maritime.

Algernon envisageait d'autres achats. Elizabeth étant anglaise comme Charlie Jones, les transactions pourraient être menées à son nom de jeune fille, et les comptoirs anglais de la Jamaïque seraient libres alors d'envoyer à Miss Escridge, sujet britannique, ce qu'Algernon, Mrs. Harrison Edwards, le gouverneur Brown et Julian Hartridge, délégué de la ville de Savannah, commanderaient pour le meilleur et pour le pire. Elizabeth se livrait à ce jeu dangereux sans savoir à quoi elle s'engageait.

Billy ne venait qu'en coup de vent, tout à son régiment et à l'instruction des milices. A chacune de ses courtes visites, il saisissait son bonheur comme une aubaine, sachant trop bien quelles menaces pesaient sur l'avenir. A Elizabeth, bien sûr, pas un mot qui ne fût d'amour. Les jours où il se trouvait à la maison, comme les jours où Mrs. Harrison Edwards et Algernon s'y rencontraient, Elizabeth éloignait Ned, à lui seul plus turbulent qu'une armée entière.

CHAPITRE CXXXV

Le capitaine Fred Hargrove commandait une brigade de cavalerie légère, le 4 mars, au petit jour. Washington avait pris l'aspect d'une ville en état de siège. Il courait une rumeur d'attentat et cela avait été le prétexte saisi par le général Winfield Scott pour rappeler les troupes stationnées près de Harper's Ferry et dans les comtés proches du Maryland. Les soldats surnommaient le vieux général « la vieille esbrouffeuse » et murmuraient qu'il faisait tout ce *cirque* à seule fin d'étaler son importance par ses vues pessimistes et, si vraiment il y avait un complot sudiste et que celui-ci réussissait son coup de main sur la capitale, de poser alors sur la table de chef d'Etat son bâton de commandement.

La ville, quadrillée par les soldats, était néanmoins envahie par une foule déversée, heure par heure dans la nuit, par des trains républicains. Sur tous les toits de Pennsylvania Avenue veillaient des hommes armés, et, jusqu'à l'estrade officielle drapée dans les couleurs nationales, tout était gardé.

Au fur et à mesure que le jour se levait, le Capitole surgissait aux yeux de Fred contre le ciel orageux ; des échafaudages grimpaient le long des colonnes de la coupole inachevée, rendant impossible l'accès de la salle où le président aurait dû prêter serment.

Image de l'Etat, le Capitole faisait illusion de loin, songeait Fred. Et tandis que ses hommes patientaient dans le froid, il se rappelait les dernières années : sa fuite loin d'Elizabeth, l'ordre qu'il avait fallu rétablir et imposer aux mormons, les années passées à l'Ouest sur les territoires indiens, Harper's Ferry sous les ordres du colonel Lee, et le procès de John Brown… Comme il l'avait aimé, le colonel Lee, et quel déchirement pour tous ceux qui l'entouraient quand il avait été nommé au Texas… Fred, promu capitaine à son tour, dut rejoindre un autre régiment. Lorsque la Georgie eut voté la Sécession, il avait hésité à quitter l'armée, ses yeux redoutant de revoir Elizabeth, s'il retournait à Savannah… Et maintenant qu'allait-il faire ? Il venait d'apprendre que le colonel Lee, rappelé par l'état-major à Washington, se trouvait chez lui à Arlington, de l'autre côté du Potomac. Qu'allait-il faire, lui, si la Virginie, son Etat natal, faisait à son tour sécession ?

La matinée passa. Sous les lourds nuages gris, le vaste décor officiel eût semblé morne si de brusques sautes de vent n'y eussent jeté une note dramatique. A midi, la cérémonie commença. Ce fut sous le portique de l'Est que le président prêta serment sur la Bible que lui présentait Roger Taney. Depuis vingt-cinq ans, celui-ci était *chief justice,* et, l'un après l'autre, les présidents des Etats-Unis avaient prêté serment entre les mains de ce catholique profondément religieux. Maintenant, fort maigre et malade, il tremblait en marchant, et le grand homme dégingandé, tout en noir en face de lui, montrait un visage aussi ravagé. La formalité accomplie, Lincoln s'avança vers l'estrade.

Les nuages chassaient au-dessus du Capitole, il y avait des trous subits de lumière violente et le vent faisait claquer les toiles sur les échafaudages. Lincoln tira des papiers de sa poche avec une gaucherie qui trahissait son émotion. D'une voix hésitante, il commença à lire son discours, le vent lui arrachait les paroles de la bouche et les dispersait au-dessus des têtes de la foule bruyante. Fred entendit des lambeaux de phrases. « Je n'ai aucune intention directement ou indirectement d'intervenir au sujet de l'esclavage dans les Etats où il existe. Je crois n'avoir aucun droit légal de le faire et n'en ai aucun désir... » Un de ses papiers lui fut alors subtilisé par le vent et le sénateur Douglas, son ancien adversaire démocrate de l'Illinois, qui s'était placé près de lui pour être vu, eut la chance de l'attraper au vol. La foule n'écoutait pas.

« J'utiliserai le pouvoir qui m'est confié pour tenir, occuper et conserver les propriétés et les places appartenant à notre gouvernement... »

« Voilà pour Sumter », se dit Fred.

L'orateur continua : « Physiquement nous ne pouvons nous séparer. Un mari et une femme le peuvent, mais non les différents Etats de notre pays. L'Union est indissoluble... »

Cette éloquence d'avocat pour défendre une fiction semblait dérisoire devant les fusils des soldats, la cohue du gros peuple et l'armée de nuages que le vent mettait en pièces au-dessus du monument inachevé. Dans l'esprit de Fred, une question revenait, lancinante : « Pourquoi ces républicains du Nord veulent-ils l'Union à tout prix ? » Et il se rappelait la visite de Toombs à Dimwood, le jour où Susanna avait disparu. « L'ambition du Nord, c'est d'accroître l'essor de ses usines avec l'argent du coton et de s'emparer des richesses du Sud en imposant légalement ses tarifs douaniers. Pour leur politique protectionniste, l'esclavage n'est qu'un prétexte. Il sera caduc dans quelques années, mais ces gens-là veulent en profiter, il faut toujours apaiser la conscience. »

Le discours du nouveau président était rempli de ces contradictions ; il disait aux Etats du Sud : « Le gouvernement ne vous attaquera pas. Il n'y aura de conflit que si vous êtes l'agresseur... », et en même temps il parlait d' « exécuter les lois de l'Union dans tous les Etats ».

Le pouvoir, dans toutes les contrées et à toutes les époques, la passion du pouvoir menait droit au mépris de la liberté individuelle ; or chaque Etat pouvait être considéré comme un individu. Fred décida de quitter l'armée.

Son escadron suivait maintenant la calèche découverte où Buchanan agitait la main pour répondre aux vivats de la foule adressés à Lincoln sur le chemin de la Maison-Blanche, tandis que le nouveau président restait calme et immobile. Tous les officiers furent invités à la réception officielle après la relève de leurs régiments. Fred se trouva poussé par la foule. Tout le monde entrait.

Dans les salons, les ambassadeurs étrangers côtoyaient des bûcherons en chemise de flanelle, des fermières endimanchées, mais pas un seul Noir en dehors des serviteurs. Une délégation d'ouvriers d'une usine de Chicago en habits de fête admirait béatement le décor, certains même caressaient les dorures dans l'encadrement des portes, contents de vérifier les réalités de leurs votes. Dans le flux et le reflux de la foule, Fred s'aperçut que des carrés avaient été découpés dans les rideaux de soie et dans les dossiers des canapés contre les murs, sans doute en guise de souvenir. Lincoln se tenait debout à l'entrée du salon bleu et avait l'air mal à l'aise. Des gants de peau blanche faisaient apparaître ses très grandes mains encore plus énormes. Fred voulut le voir de plus près.

A ce moment, un garçon très jeune s'approcha du président qui l'écouta une seconde, puis répondit par un sourire transformant son visage comme un rayon de soleil. Fred l'observait avec plus d'attention. « Pas plus que moi, pensa-t-il, pas plus que personne au monde, cet homme n'est tout d'une pièce. Il y a la tendresse humaine qui nous rapproche l'un de l'autre, mais ses idées m'éloignent de lui avec force. Je n'ai plus que faire ici. »

Sans attendre, il quitta le salon. Dehors, sa brigade était remplacée par d'autres cavaliers qui gardaient les abords de la Maison-Blanche. Traversant une foule bon enfant où beaucoup avaient beaucoup bu, il regagna son casernement et, là, rédigea sa lettre de démission.

Le 10, il revoyait Savannah.

CHAPITRE CXXXVI

Chez Mrs. Harrison Edwards, une réunion avait lieu pour discuter une fois de plus le problème du *Monticello* et chercher une solution rapide et définitive. Outre Charlie Jones et Algernon, avec Elizabeth, qui tenait beaucoup à manifester sa fidélité au Sud, était présent Joseph Brown, le gouverneur de Georgie. Agé d'un peu moins de quarante ans, ce qui étonnait aussitôt chez lui était le regard droit et résolu d'un combattant-né. Ses origines irlandaises, de Londonderry, donnaient la clef du personnage. On s'était beaucoup et vaillamment battu dans la famille. Son visage aux traits réguliers était beau, mais allongé par un front d'une hauteur exceptionnelle. Epaisse et noire, sa chevelure tombait droit de chaque côté sans aucune prétention à la coquetterie, un mince collier de barbe encadrait sa mâchoire de lutteur. Avec ce visage qu'on n'oubliait pas, il était souvent comparé, pour son goût de la dispute et l'énergie qu'il y apportait, à Toombs, un de ses meilleurs amis, avec qui il s'entendait à merveille, sauf quand ils étaient du même avis. Commençait alors le grand duel oratoire qui faisait la joie des auditeurs, de Charlie Jones en particulier qui les admirait tous deux.

Elizabeth, malgré elle, n'arrivait pas à détacher les yeux de cet homme qui lui présentait l'image qu'elle se formait d'un grand personnage.

D'une voix volontairement mesurée et rapide, il prit la parole.

— L'organisation de nos troupes, dit-il, avance considérablement. Des officiers nous rejoignent sans cesse, beaucoup de *West-Pointers*. Le dernier arrivé me paraît tout indiqué pour se charger de l'affaire des armes sur le plan militaire. Sa mission serait de les récupérer. Je l'ai prié d'attendre dans l'antichambre. Si vous êtes d'accord, il peut participer à notre entretien.

Tous étaient d'accord. On sonna le domestique, qui reçut l'ordre de faire entrer le jeune officier qui attendait.

Une minute passa et Fred parut.

D'un bond, Elizabeth fut debout.

— Fred ! s'écria-t-elle.

Sans hésiter une seconde, il alla droit vers elle et l'embrassa. Elle était toute rose.

Avec un sourire, Joseph Brown dit simplement :

— Capitaine Hargrove.

— C'est le frère de Billy, expliqua Elizabeth. Voilà huit ans que nous ne nous sommes vus.

Charlie Jones fit entendre son grand rire.

— Son beau-frère, Brown, le cœur, la famille, vous comprenez.

— Fort bien, dit le gouverneur de Georgie. A présent, capitaine, si Mrs. Harrison Edwards le veut bien, prenez place parmi nous.

— Si je le veux bien ! s'écria Mrs. Harrison Edwards. Fred, en face de moi.

Il lui obéit et elle narra, heureuse de son importance, les mésaventures du *Monticello*.

— Correct, fit le gouverneur. Maintenant à l'ouvrage. Les gens du Nord nous mènent littéralement en bateau. Heureusement ceux que j'ai saisis sont de bonnes prises. Je compte les vendre aux enchères à la fin du mois, cette fois sans tergiversation, et attirer ainsi des marchands qui font commerce avec les ports de Nouvelle-Angleterre. Nous investissons le capitaine Hargrove des pleins pouvoirs et il aura toute latitude pour perquisitionner à bord et saisir au nom de la Georgie les biens appartenant à ces gens de New York. Nous commencerons par le port de Savannah et nous poursuivrons sur tous les points de la côte comme Darien ou Brunswick où les navires font relâche. Je pense qu'il n'y a plus rien à se dire aujourd'hui et j'ai l'honneur de vous saluer.

Il se leva. Tous l'imitèrent. Après un dernier regard à Elizabeth, Fred suivit le gouverneur.

Sans doute les dispositions pratiques prises par les deux hommes furent-elles efficaces : dix jours plus tard, New York cédait et le *Monticello* quittait les docks enneigés et boueux de Manhattan pour les quais ensoleillés de Charlie Jones. On avait les armes, la guerre n'existait qu'en paroles, la conférence de la Paix poursuivait ses travaux obscurs à Washington sous l'égide de la Virginie, et les discours avaient ceci en commun : ils écartaient la réalité.

CHAPITRE CXXXVII

Assise de nouveau près de la fenêtre, dans sa chambre, Elizabeth se remettait tout en se demandant ce qu'elle pensait de Fred. Après ces nombreuses années, il faisait irruption dans sa vie. Quel sens cela pouvait-il avoir, car pour elle tout avait un sens. Son cœur négligeait ces spéculations et parlait plus simplement : elle aimait Fred. Le vertige de l'amour, elle ne le connaissait que trop, la première minute... Rien de tel quand il lui avait parlé à Dimwood. A ce moment, elle n'avait rien ressenti, et il fallait qu'aujourd'hui... Par quel caprice de l'âme... Ces questions restaient sans réponse parce qu'on ne discutait pas avec l'amour. Et puis, il y avait Billy. Elle adorait Billy. Avec le temps, Fred avait changé, le visage un peu plus plein et, dans les yeux, de la douceur, du charme dans toute sa personne, et cet élan qu'il avait eu... L'uniforme aussi, bien coupé, un peu sévère, mais seyant, tandis qu'à Dimwood, trop jeune, c'était autre chose...

« Misérable Elizabeth ! » Ainsi s'apostrophait-elle en quittant son fauteuil. L'uniforme comptait donc tellement ? On s'installait dans un monde d'uniformes. Ce n'était pas la guerre, grâce au Ciel, mais les uniformes, on en voyait partout. Les cadets, si vaillants, dont on lui parlait dès qu'il s'agissait de Charleston... Mais elle se promit d'être *a good girl,* à cause de Billy.

CHAPITRE CXXXVIII

Hilda venait de s'éveiller en sursaut. Le canon ! Tout le monde l'attendait depuis plusieurs jours et la ville entière s'était couchée à une heure du matin, déçue parce que les jours se succédaient et que rien n'arrivait. Elle regarda l'heure : quatre heures et demie.

Laurence, lui, s'était levé. L'un et l'autre s'habillèrent vite. Ils avaient eu la même idée : monter sur la terrasse d'où se voyait toute la baie. Le major Anderson avait dû refuser l'ultimatum de Pickens, le gouverneur de la ville, alors qu'on avait appris que le gouvernement fédéral envoyait une flotte armée pour forcer le blocus de Fort Sumter. Sous l'excuse que c'étaient des vivres, le président avait déclaré : « Ils n'oseront pas tirer sur du pain. » Alors pourquoi le faire livrer par des bateaux de guerre ?

Le major Anderson n'ayant que deux jours de réserves, il fallait agir devant la provocation du Nord. Ce coup de canon, c'était le signal de la guerre.

Sur leur terrasse, Hilda et son mari furent éblouis par les éclairs qui sillonnaient le ciel. Des fusées rouges partaient sans cesse de la côte comme pour éclairer la cible, puis des obus explosaient. Beauregard avait fait allumer des feux de camp sur toutes les îles qui entouraient Fort Sumter. Au-delà, c'était le noir profond de la nuit sur l'Océan où s'approchait l'expédition de secours venue de New York. Les canonniers l'attendaient, cachés dans les dunes de l'île Morris, et tenaient sous le feu croisé de leurs batteries avec celles des dunes au-delà de Fort Moultrie, sur l'île Sullivan, les passes vers la haute mer. Elles seraient désormais infranchissables.

Quand leurs yeux se furent habitués à ces alternatives d'éclairs et de nuit noire, Hilda et Laurence s'aperçurent que les terrasses des alentours étaient pleines de monde. Tout Charleston était sur les toits.

La journée entière du 12 avril fut secouée par les explosions. Les maisons tremblaient légèrement sous le roulement continu de la canonnade. De temps en temps, les mortiers aboyaient. Quand vint la nuit, on organisa des *parties* sur les terrasses. Le spectacle du combat devint aussi couru que les feux d'artifice. On sabla le champagne. Des méridiennes furent installées afin de pouvoir se reposer en contemplant le ciel en feu.

D'heure en heure, on était informé de tout ce qui se passait : les cadets de la citadelle avaient ouvert le feu et s'étaient solidement installés à l'île Morris ; c'étaient eux qui tiraient tout le temps, ils avaient les plus grosses pièces d'artillerie et des mortiers courts qui avaient fait des dégâts à Fort Sumter ; le fort ripostait seulement contre Fort Moultrie, à quoi servaient tous ses canons ? Il en avait, avait-on dit, plus que de canonniers ; la porte avait été fracassée, un magasin de poudre brûlait — cette torsade de fumée qui allait se perdre dans les nuages... Jusqu'à quand Anderson tiendrait-il ? Au large, les bateaux du Nord avaient tenté de s'approcher, mais, sans remorqueur, ils n'avaient aucune chance de franchir la barre... Et alors même il y aurait nos canons. Des officiers de la marine avaient fait monter des batteries flottantes pour fermer autour de Fort Sumter le cercle sur la mer.

Hilda dit à Minnie, qui les avait rejoints sur leur terrasse :

— Heureusement qu'Elizabeth n'est pas là. Il faudrait lui dire que Mike est à l'île Morris et que Billy commande les artilleurs à Fort Johnson. Elle serait intenable.

— Pauvre Elizabeth ! répondit Minnie. Mets-toi à sa place.

Hilda ne put s'empêcher de rire.

— Elle craint pour ses uniformes. Elle les aime frais !

La journée du 13 fut lumineuse. Une brume matinale se dissipa aux premiers rayons du soleil, et le ciel sur la baie était si clair qu'on voyait tout l'horizon jusqu'aux dunes lointaines avec une précision topographique. La fumée des canons stagnait comme de légers flocons de beau temps. On distinguait les toiles des camps volants et on pouvait suivre sur le rivage frangé d'écume le galop des jeunes officiers qui portaient les messages du quartier général. Dans l'air transparent, on aurait pu entendre le bruit sourd des sabots sur le sable et les appels des commandements, si toujours il n'y avait eu cette voix prédominante du canon.

L'après-midi se passa dans l'enthousiasme d'une partie de plaisir, comme si la guerre était un jeu sans danger. De nuit, de jour, les canons ne cessaient pas de gronder, à croire qu'ils n'avaient pour but que d'empêcher les défenseurs de Fort Sumter de fermer l'œil. Les jardins de la Battery, le bord de mer étaient envahis de spectateurs fougueux. On chantait, on hurlait plutôt :

Canons et mousquets,
Obus et pétards,
Saluons le Nord
Avec Beauregard.

Dans la foule circulaient les noms dont s'étaient dotés les jeunes régiments de la Caroline : *Tigres, Lions, Aigles du palmier, Les Sauvages*. Circulait aussi le texte du message envoyé au commandant de Fort Sumter, dans la nuit du 12, à 3 heures 30 du matin : « Nous avons l'honneur de vous informer que nos batteries ouvriront le feu dans une heure. » Beauregard avait été loyal, comme l'était Anderson en se défendant. Dans l'après-midi, d'ailleurs, les canons du major avaient soudain, pendant un moment, rendu salve pour salve, et la foule qui regardait applaudit à tout rompre. La guerre semblait joyeuse, il n'y avait de rouge que la trace des obus dans le ciel.

Une nouvelle soirée retentit de musique et de chants du Sud. Malgré le temps chaud et couvert, on s'installait sur les terrasses des toits pour voir le spectacle par-dessus les têtes des magnolias et des chênes et n'en pas manquer une seconde. Les trains amenaient de tout l'Etat et de la Georgie voisine des groupes de jeunes gens surexcités, venus respirer l'odeur de la poudre.

Le 14, Fort Sumter se rendit.

La garnison cédait la place avec les honneurs de la guerre, et les soldats fédéraux, devant être transportés à bord des bateaux de l'Union qui attendaient toujours au large, impuissants et rageurs, amenaient leur drapeau. Pendant cette cérémonie, un des soldats fut tué par l'explosion d'une caisse de munitions au moment même où ses camarades tiraient leur salve d'adieu. Il fut enterré dans l'enceinte du fort, un aumônier du Sud récita les prières. Cette mort acccidentelle démoralisa un peu plus les hommes qui partaient.

Des milliers d'obus tirés sans une égratignure, du bruit, des nuits enflammées, l'opération avait été facile ; les uniformes restaient flambant neufs comme l'enthousiasme, la jeunesse du Sud n'avait aucune idée de ce qu'allait être la guerre à venir, ce que dissimulaient des mots aussi simples que campagne, marche de nuit, escarmouches. La mort n'existait pas, on n'imaginait pas une agonie solitaire dans un fossé, on était tous ensemble pour la gloire.

Quand le drapeau aux sept étoiles apparut enfin au-dessus de Fort Sumter, sur les terrasses où elle suivait à la lorgnette les péripéties du combat, dans les jardins de la Battery, sur les quais du port et dans les barques de curieux qui sillonnaient la baie en tous sens, la ville entière debout chanta Dixie :

In Dixie land I'll take my stand
To live and die in Dixie!
Look away, look away!
Look away down South to Dixie!

Le fort rendu, le major Anderson, les yeux rouges, fut conduit au quartier général confédéré et retenu... à dîner. C'était lui qui avait appris à Beauregard, alors cadet à West Point, l'art de la balistique, et il se retrouvait l'invité de son ancien élève.

Une longue nuit commençait à Charleston, plus bruyante que jamais. Les orchestres parcouraient les rues sans se lasser ; dans les restaurants et les bars envahis, tout le monde invitait les uniformes gris à parements jaunes ; on dansait partout, dans les maisons et dans les rues ; on buvait de tout, les bouchons de champagne sautaient en l'honneur de Fort Sumter recouvré. Les visages respiraient un bonheur violent. La fête emportait tout dans une orgie de fraternisation.

Le lendemain, tandis que commençait la réparation du fort, le président Lincoln lança un appel à tous les Etats de l'Union, demandant 75 000 hommes de leurs milices pour l'armée fédérale, afin de ramener le Sud à la raison. Deux jours plus tard, considérant que c'était là un acte d'agression, la Virginie fit sécession. Les événements se précipitaient, comme si le canon de 4 heures 30 les avait libérés tous d'un coup, après des mois d'expectative et de discours. Les Virginiens s'emparèrent aussitôt à Harper's Ferry du symbole qu'était devenu l'arsenal depuis le coup de main raté de John Brown. Les Fédéraux y avaient mis le feu en partant, mais les Sudistes sauvèrent les machines à fabriquer des armes et les envoyèrent sur-le-champ en Caroline du Nord, sur le point de voter à son tour l'ordonnance de Sécession. Vingt-quatre heures plus tard, Lincoln décrétait le blocus des côtes du Sud. En réponse, les Virginiens s'emparaient des chantiers navals et saisissaient un nombre respectable de canons et le plus moderne des navires de guerre, le *Merrimac,* que les gens du Nord avaient sabordé maladroitement et qui fut aussitôt remis en chantier.

Les passions montaient, artificiellement exacerbées, et tous les garçons du Nord comme du Sud voyaient déjà des ennemis dans ceux que la veille ils considéraient comme leurs frères. Des ennemis, nom qui n'avait aucun sens...

CHAPITRE CXXXIX

Le 18 avril, le colonel Robert E. Lee, en congé dans sa propriété d'Arlington, fut convoqué dans la capitale fédérale. Depuis le début de mars, il attendait sa nouvelle affectation et se reposait dans la grande maison à colonnes qui dominait les rives du Potomac et d'où il pouvait apercevoir dans le lointain le Capitole inachevé et, de l'autre côté, ses chères collines de Virginie.

Ainsi, le jour même où l'Etat qui était le sien venait de faire sécession, il était reçu par Francis P. Blair, porte-parole officieux du président Lincoln et du secrétaire à la Guerre, Simon Cameron, qui lui offraient de cette manière le commandement de l'armée fédérale en campagne. Il refusa : il ne pouvait prendre part à une invasion du Sud ; bien qu'opposé à la Sécession, il était tout aussi hostile à une guerre. Sortant de cette entrevue, par déférence et amitié, il se rendit chez le vieux général Scott qui voyait en lui son successeur. Il lui communiqua et l'offre et le refus. Le général essaya en vain de le faire revenir sur sa décision.

Revenu chez lui sur les hauteurs d'Arlington, dans cette demeure qui avait appartenu aux Washington, dont sa femme était l'héritière, Lee réfléchissait à l'étrangeté de sa position actuelle : continuer à faire partie d'une armée dont il refusait le commandement dans la perspective d'une guerre civile, qu'il voulait, cependant, croire encore impossible.

Mais qui était Robert E. Lee ? Son beau visage au regard calme et droit séduisait. Homme de grande race, il se montrait d'une simplicité de manières et d'une courtoisie qui facilitaient ses rapports avec le monde. L'un de ses ancêtres, venu du Shropshire, à la frontière du Pays de Galles, avait construit au XVIIe siècle, dans le comté de Westmoreland en Virginie, le manoir de Stratford où Robert était né. Son père, le turbulent Light Horse Harry Lee, compagnon d'armes de George Washington, avait alors quarante-neuf ans. Par-delà les collines, la maison natale n'était pas loin à vol d'oiseau, mais en cette journée d'avril, sous les sycomores d'Arlington, Robert Lee avait autre chose en tête dans ces heures d'anxiété.

Il se retrouvait seul, face à lui-même. Quitter l'Union, c'était quitter l'armée, or l'armée représentait toute sa vie depuis l'adolescence. C'était West Point, les camarades, les souvenirs... même ceux de la guerre du Mexique, cette guerre de conquête qu'au fond du cœur il désapprouvait. Porter un uniforme, pourtant, obligeait à accepter certaines contraintes, mais dans ces servitudes la passion du devoir et de l'obéissance exaltait quelqu'un en lui. Il avait le plus grand respect pour ceux qu'il côtoyait depuis des années, les officiers subalternes comme les généraux. Briser d'un coup tant de liens de camaraderie l'écœurait. Dire adieu à l'armée, c'était un adieu à toute sa vie passée. Dieu voulait-il cela ?

Il démissionnerait pour retourner à la vie civile et jamais plus il ne porterait d'épée, sauf si la Virginie était attaquée. Du porche il voyait les collines déferlant comme des flots immobiles qui venaient mourir au bord de la vaste étendue des champs. Le vent creusait des sillons dans les blés. Tout ce paysage se striait de longs chemins couleur de rouille, la terre du Sud.

Il se réfugia dans sa chambre. En vrai chrétien, il demanda à Dieu ce qu'il devait faire.

Il savait que le Seigneur est un Dieu caché et que son langage est le silence. Demande et tu recevras. La promesse de l'Evangile est formelle, mais il faut attendre et attendre encore, des heures peut-être, dans la foi, dans la confiance de l'Amour. Pour l'homme à genoux au pied de son lit, Dieu seul compte ; car l'homme à genoux au pied de son lit aime Dieu. C'est même le fait capital de sa vie, mais il n'est pas de ceux qui parlent de ces choses.

La nuit achevée, il prit sa résolution, se persuadant que le Seigneur avait répondu. Avait-il bien compris le message ? Pour parler aux hommes, tout est bon, les inspirations subites ou les événements. Mais Lee était sûr de ce qu'il faisait.

Rédigeant sa lettre de démission, il l'envoya au secrétaire d'Etat à la Guerre et, par le même messager, fit parvenir au général Scott une lettre qui lui redisait son déchirement : il quittait l'armée fédérale qui pouvait un jour envahir la Virginie, or se battre contre la Virginie était pour lui une impossibilité majeure.

Maintenant, il songeait à se reposer à Kinloch chez ses cousins Turner, où deux de ses filles passaient des vacances, lorsque, le 23 avril, le gouverneur de la Virginie lui demanda de venir à Richmond : le Nord massait des troupes sur l'autre rive du Potomac et menaçait de le franchir. C'était donc là la bonne réponse à ses longues prières.

Il alla seller Traveller, son vieux compagnon gris pommelé à la crinière noire, et le voilà en route pour Richmond.

Déjà tout le Sud marchait derrière lui.

CHAPITRE CXL

Elizabeth se remettait peu à peu de sa rencontre avec Fred. Cette réunion chez Mrs. Harrison Edwards l'avait émue outre-mesure et lui avait ôté passagèrement le goût de voir du monde. Elle découvrait le charme d'une certaine solitude. L'idée d'aller se promener en ville, dans Bull Street, par exemple, elle l'écartait avec fermeté. On s'agitait trop à Savannah ; des cortèges se rassemblaient et les jeunes gens défilaient, hurlant une chanson qu'elle ne connaissait pas. S'il lui fallait absolument prendre l'air, n'avait-elle pas son jardin à elle avec la rangée de magnolias en fleur ? Elle s'y rendait de préférence aux heures où Ned se trouvait à l'école. Depuis quelque temps, en effet, il avait adopté des attitudes martiales et un ton qui l'agaçaient sans qu'elle voulût en convenir. Son Ned d'autrefois, elle ne le retrouvait plus tout à fait, mais il avait encore des élans de tendresse qui lui réchauffaient le cœur.

Un matin, elle descendit les marches du perron et fit quelques pas dans l'allée, sous les arbres où passait une brise parfumée par ces magnolias dont elle était amoureuse. Patrick n'était pas là. Cela valait mieux peut-être. Sans doute bavardait-il avec les passants, mais elle lui ferait la leçon une autre fois. Continuant son chemin vers la maison de l'Irlandais, elle s'arrêta tout à coup. Une rumeur de conversation sortait de chez lui ; on discutait, et elle reconnut avec stupeur la voix de Patrick et la voix de Ned.

Sans hésiter, elle entra dans la maison. Tout d'abord elle ne vit rien. Une cave n'eût pas été plus sombre, et dans cette obscurité un cri monta, moins un cri d'amour que d'alarme :

— Mom' !

— Ned ! Qu'est-ce que tu fais là ?

Maintenant elle distinguait son fils et le jardinier penchés sur quelque chose. Ils se redressèrent aussitôt.

— Nous ne faisons rien de mal, Mrs. Hargrove. Je lui apprends des choses qu'il doit savoir.

— Ecartez-vous, tous les deux, ordonna-t-elle.

Ils obéirent, et elle vit briller sur une table un tube de métal.

— Mon fusil, fit Patrick. Mass Ned n'a jamais encore touché à un fusil. Je lui explique.

— Un jour, j'aurai un fusil, Mom', dit Ned avec assurance.

A présent elle comprenait tout, dans la lumière qui venait du jardin, devant cette arme et ces deux complices qu'elle dérangeait. Un instant, muette d'horreur, elle garda le silence. La pensée lui traversa l'esprit qu'une sorte d'image lui était offerte dont elle ne devinait pas le sens.

— Patrick, dit-elle enfin, je veux que cette arme disparaisse de chez moi.

L'homme mit la main sur le fusil et déclara :

— M'am, je vais le serrer dans son coin et vous ne le verrez plus, mais il est là depuis le premier jour. C'est mon fusil.

Elle sentit le sang lui monter au visage, mais parvint à se dominer.

— Mon mari vous parlera, Patrick. Je vous défends de laisser mon fils entrer dans votre maison. Ned, suis-moi.

Il y avait dans sa voix une telle autorité que l'homme se tut et que Ned, sans un mot, sortit avec elle. Au bout de quelques pas, cependant, il eut son premier mouvement de révolte. Brusquement il s'arrêta avant d'arriver au perron :

— Mom', dit-il, on fait faire l'exercice aux grands de treize ans avec des fusils de bois. Moi aussi, je serai soldat.

— Tu ne m'aimes plus, Ned.

Il lui saisit la main.

— Oh ! Mom' !

Le regard d'amour la rassura. Elle ne céda pas pour autant.

— Si tu continues à jouer au soldat, on ne se parle plus.

Il ne répondit pas, mais il lui prit la main et tous deux en silence montèrent le perron. Près de l'entrée, Miss Llewelyn cousait une étoile à son drapeau.

— Une de plus, dit-elle. Le Tennessee. Hier, c'était l'Arkansas. Vous allez voir, j'aurai mes treize étoiles.

Elizabeth laissa tomber sur elle un regard distrait. Toutes ces étoiles... Cela ressemblait à un jeu un peu absurde, le drapeau qu'on fabriquait chez soi, comment prendre la chose au sérieux ? Elle lâcha la main de Ned.

— Va te promener à Forsythe Park, lui dit-elle, si ça t'amuse, mais ne te mêle pas à la foule.

Il promit et disparut ; Miss Llewelyn leva les épaules. Elizabeth demeurait indécise, ne sachant que faire de son temps jusqu'à l'heure du déjeuner. La maison l'ennuyait, le salon rouge surtout. Pour changer, elle monta à la véranda. Elle s'y tenait rarement, peut-être à cause de toutes ces marches à gravir, mais aujourd'hui, une fois là-haut, elle s'assit dans un des grands fauteuils d'osier et regarda les arbres à travers le treillage. La verdure en profusion semblait colorer la lumière, et, dans une cour voisine, un oiseau lançait une série de notes, s'arrêtait, reprenait comme pour perfectionner ses vocalises. Elle se sentit envahie soudain par le souvenir des minutes délicieuses qu'elle avait connues là dans les bras de Billy... Pourquoi de la tristesse se mêlait-elle toujours au rappel du passé ? Tout finissait toujours. Depuis trois semaines Billy ne venait plus et il avait beau lui envoyer de temps à autre quelques mots hâtifs, elle commençait à s'inquiéter. Pourquoi ? Il n'était pas en danger. Ce seul mot jetait le désordre dans son esprit ; des choses sans rapport avec le présent lui revenaient à la mémoire. Elle se voyait à Dimwood, le visage de Laura lui souriait. Pourquoi Laura ? Pourquoi maintenant ? Presque jamais elle ne pensait à elle.

Elle se leva et redescendit. La journée passa, semblable à toutes les autres, mais les bruits de la ville se rapprochaient, chaque jour, avec cette nouvelle chanson populaire, joyeuse, entraînante aussi comme une marche militaire. Ned la fredonnait quelquefois.

— *Dixie,* dit-il. Tu veux que je te le chante ?

Non, elle ne voulait pas.

« C'est beau pourtant. Tout le monde le chante, c'est l'air du Sud.

Ces derniers mots furent dits avec une fierté qu'elle trouva charmante, et elle dit avec un sourire indulgent :

— Eh bien, fais-moi entendre ta chanson.

Aussitôt, la voix claire et pure lança dans le salon écarlate cet appel d'une gaieté belliqueuse qui fit frémir Elizabeth d'émotion. Quelqu'un au fond d'elle-même était atteint. Quand le garçon fut au bout de la première strophe, elle lui dit :

« Apprends-moi les paroles.

Ravi de son succès, il lui fit répéter après lui ces phrases dont chacune était un cri passionné, et elle put bientôt les chanter elle-même.

Attirée par cet élan patriotique, Miss Llewelyn parut et fit mine d'applaudir.

— Quelle heureuse surprise, Mrs. Hargrove. Vous voilà tout à fait du Sud.

— N'allez pas trop vite, Miss Llewelyn. Ces élans populaires m'amusent, c'est tout. Allons, je ne veux pas vous retenir.

La Galloise inclina la tête et sortit, son drapeau terminé sous le bras.

Les distances ainsi rétablies, les monotones habitudes quotidiennes reprirent leur cours, mais Elizabeth se sentit entraînée un peu plus loin vers un avenir inconnu. La bonne humeur de *Dixie* n'avait rien de sauvage, au contraire ces paroles dissipaient les idées sombres ; elle les jugeait enfantines et, d'une voix fraîche et fragile, se plaisait à les promener dans la maison. Elle se promit d'en régaler Billy et de rire de son étonnement, mais il restait toujours absent et ses billets d'amour s'espaçaient. Par un réflexe qu'elle ne s'expliquait pas, lorsqu'elle sentait venir les crises d'angoisse passagères, le visage de Laura paraissait et disparaissait. Elle n'avait que de bons souvenirs de cette femme au sourire grave et amical dont la Galloise avait raconté la tragique histoire. Parfois venait à Elizabeth le regret de ne pas l'avoir un peu mieux connue ; elle se revoyait dans sa chambre vide, à Dimwood, pensant à elle... C'était loin, comme tout ce qui était arrivé à Dimwood...

L'absence de Billy la faisait souffrir de plus en plus.

Quelques jours plus tard, chez Mrs. Harrison Edwards, elle apprit incidemment, dans une conversation à bâtons rompus avec Algernon, que le capitaine Fred Hargrove était parti pour Richmond rejoindre le général Lee. Lee ? Elle avait entendu ce nom chez Hilda. On parlait d'une armée de Virginie. Elizabeth ne posa pas de questions. Autour d'elle dans le salon la conversation continuait. Elle entendit le nom du Missouri. Là-bas les troupes fédérales se battaient avec les milices. C'était la guerre. Elle songea que le Missouri était loin, donc la guerre était loin. Quelqu'un dit, près d'elle, que dans tous les Etats des régiments étaient levés. Pourquoi Fred avait-il quitté la Georgie ? Là encore, elle ne comprenait pas. L'idée subite lui vint d'aller demander à Charlie Jones ce qui s'était passé.

A six heures de l'après-midi, il était à son bureau, au-dessus de ses entrepôts de coton, dans le port. Elle se refusait toujours d'aller de ce côté-là, à cause du souvenir de Jonathan. Cette fois pourtant, elle n'hésita pas, monta dans sa voiture et donna l'ordre au cocher de se rendre sur les quais. Dès qu'elle arriva dans le port, elle s'étonna de tous les vaisseaux rassemblés. Jamais elle n'en avait vu autant, les mâts qui se balançaient à peine lui parurent innombrables dans la lumière du soleil descendant. Au bâtiment principal de la Compagnie maritime, on lui dit que Mr. Jones ne recevait absolument personne, mais elle fit passer sa carte et il la reçut aussitôt.

— Qu'y a-t-il ? Tu as l'air bouleversée, dit-il en lui offrant un siège.

— Fred est parti et Billy ne vient pas, dit-elle d'un trait.

— Fred est parti rejoindre le général Lee, qui commande désormais à Richmond les troupes de la Virginie. Fred voulait être sous ses ordres. Ce serait la seconde fois.

— ... Mais Billy... Billy ne vient plus depuis un mois...

— Billy ne peut pas quitter son poste à cause des événements. C'est l'armée, Elizabeth. Tu devrais savoir...

Dans un éclair de la mémoire, elle vit le regard de Laura.

— Oncle Charlie, je voudrais aller voir Laura.

Du coup, il se pencha en avant comme s'il avait mal entendu.

— Elizabeth, tu n'es donc au courant de rien ! Laura est en sécurité dans son monastère, mais on ne peut plus entrer dans le Maryland. Le président l'a fait occuper par les troupes fédérales pour prévenir la sécession. A Baltimore, on a jeté des pierres aux soldats venus de New York. La troupe a riposté. Il y a eu des émeutes et des morts. Lincoln est peut-être sincère, mais le pouvoir lui fait perdre la tête. Miss Llewelyn t'expliquera, mais sois rassurée, Laura n'a rien à craindre.

Elle se leva et s'appuya à sa chaise, comme prise d'un étourdissement.

— Laura..., fit-elle.

Charlie Jones se leva à son tour.

— Elizabeth, tu m'excuseras, mais je suis surmené, j'ai une foule de problèmes urgents à résoudre. Tu vois tous les bateaux à quai. Washington fait le blocus de toutes les côtes du Sud. Commences-tu à comprendre ? Je vais te faire raccompagner à ta voiture et tu vas rentrer chez toi. N'aie pas peur. Il n'y a aucun danger. Billy est là où il doit être. Ne te préoccupe pas. Bois une coupe de champagne, cela te remettra.

Il sonna, quelqu'un vint chercher Elizabeth. Elle refusa de se laisser conduire.

— J'irai seule, dit-elle avec un geste comme pour écarter l'importun.

Tout à coup la colère s'emparait d'elle ; on la traitait en enfant et elle avait affaire à un Oncle Charlie qu'elle ne connaissait pas. D'une voix brève, elle remercia Charlie Jones et sortit.

— Tu m'embrasseras une autre fois, lui cria-t-il comme elle passait la porte.

Elle fut tentée de revenir, mais ne répondit pas et disparut. Rentrée à Oglethorpe House, elle trouva Miss Llewelyn debout dans le vestibule, les mains jointes avec un faux air d'institutrice mécontente, pensa-t-elle.

— Miss Llewelyn, faites-moi une tasse de thé bien fort.

— Je vous aurais conseillé plutôt quelque chose de savoureux et de pétillant !

Elizabeth retint un cri de surprise.

— Pourquoi dites-vous cela ?

— Comme ça, j'ai des dons. Je vous ai suivie par la pensée. Ce n'est pas difficile, vous n'êtes pas une âme compliquée. Vous avez peur.

— Ce n'est pas vrai. Je n'ai pas peur.

— C'est ce que nous allons voir. A un moment vous vouliez vous tenir au courant des nouvelles. Puis vous avez cessé parce qu'elles vous faisaient peur.

— Non, elles m'assommaient !

— Si vous voulez. Aujourd'hui, nouveau changement. Vous êtes allée trouver Mr. Jones pour savoir où on en est. Et il recommande toujours le champagne comme tonique.

— Je voulais surtout aller rendre visite à Tante Laura. Il m'a parlé d'émeutes à Baltimore et m'a dit qu'on ne pouvait plus entrer dans le Maryland. C'est tout. Pourquoi ?

— Parce que les gens du Maryland sont presque tous pour le Sud et ont fait sauter les ponts de chemin de fer. Cela empêche les troupes du Nord de gagner Washington et sans doute d'envahir la Virginie.

— Mais nous ne sommes pas en guerre.

— Nous n'en sommes pas loin. Et la distance dans ces cas-là, c'est l'épaisseur d'une feuille de papier : un ultimatum. Vous vouliez voir Laura ?

— Mais oui.

— Voulez-vous que je vous dise pourquoi ?

— J'ai mes raisons.

— Asseyez-vous, je vous prie, Mrs. Hargrove.

Elizabeth s'assit.

« J'ai raconté chez Mrs. Harrison Edwards comment le jeune mari de Laura avait été tué dans un combat à Haïti. A cause de cela, vous vous figurez qu'elle vous comprendra mieux que personne.

Elizabeth tendit vers elle sa main ouverte comme pour l'empêcher d'aller plus loin. La Galloise continua sans faire attention à ce geste.

« Et vous voyez votre mari soumis au même sort que le sien.

Elizabeth ne répondit pas. Les couleurs quittaient d'un coup son visage qui se figea. Il y eut un silence, les deux femmes eurent l'une et l'autre le sentiment d'une présence inconnue dans la pièce et se regardèrent. D'une voix étrangement calme, Elizabeth déclara :

— Vous n'aviez pas le droit de me dire cela, Miss Llewelyn.

— Je vous ai dit ce que vous vous cachez à vous-même.

— Je ne me cache rien. Pensez-vous que je n'aie pas imaginé le pire dans cette maison où nous sommes ? Vous parliez de vos dons. Avez-vous celui de seconde vue ?

La Galloise laissa passer un instant en silence, puis elle murmura :

— Elizabeth, vous me détestez en ce moment, mais je vous ai toujours été fidèle, je serai près de vous quand il le faudra.

Sans un mot, Elizabeth la quitta et monta dans sa chambre.

CHAPITRE CXLI

Le 24 mai, le Nord commit son premier acte d'agression en franchissant le Potomac et en occupant le territoire virginien le long du fleuve, d'Arlington jusqu'à Alexandria. Les Etats sécessionnistes envoyèrent dans l'heure des troupes pour renforcer celles de la Virginie. L'armée du Sud existait.

Du Mississippi, d'Alabama, de Georgie, des deux Carolines, des régiments montèrent vers Richmond. Les chemins de fer réquisitionnés transportèrent jour et nuit les soldats de tout âge, jeunes surtout, impatients de repousser l'envahisseur. Les Blancs pauvres accoururent en masse, donnant ainsi une réponse à la question que s'étaient posée Charlie Jones et tout le Sud : « S'il y a la guerre, que feront les Blancs pauvres et que feront les Noirs ? » Les Noirs continuèrent de travailler à leur façon et, le long des côtes de la Georgie, surveillèrent les bateaux du blocus, empêchant certaines tentatives de débarquement des gens du Nord.

Dans tout le Sud, il y eut un élan : les garçons trichaient sur leur âge pour s'enrôler, mais on n'avait pas assez d'équipements et l'intendance ne pouvait leur fournir qu'une casquette militaire et un baudrier. Ils partaient dans leurs vêtements usagés, avec à leur fusil une baïonnette en guise de munitions. Cependant, ils arrivaient par vagues pour servir, comme n'importe quoi — quel que fût le milieu dont ils sortaient —, aide-canonnier, tambour..., avec la générosité enthousiaste de leur jeunesse.

Dans cette guerre en quelque sorte improvisée de part et d'autre, le Sud défendait son sol. La capitale fut transférée de Montgomery à Richmond, et le président Jefferson Davis appela le général Beauregard pour faire face à l'armée d'invasion à Alexandria.

CHAPITRE CXLII

Seule et debout, mais appuyée à une colonne du grand lit double, elle tentait de se remettre. Les paroles de Miss Llewelyn l'avaient secouée et elle tremblait comme si elle avait froid. Une expression toute faite lui revenait à l'esprit avec insistance, pareille à un refrain : « la mort en face ». La présence qu'elle avait sentie en bas, c'était cela. Pendant longtemps, elle demeura immobile, les yeux sur l'étendue blanche de ce lit qu'elle appelait le désert. On vint frapper à la porte ; le dîner était servi. Ned l'attendait en bas. Elle descendit. Comme d'habitude il l'embrassa et comme d'habitude se mit à lui raconter des histoires qu'elle n'écoutait pas. Tout continuait. Miss Llewelyn paraissait de temps à autre, comme elle faisait toujours, pour veiller au service. Il fallait que tout fût en ordre. Elizabeth l'observait avec étonnement. Etait-ce la même femme qui tout à l'heure lui tenait ces propos terribles ? Elle écarta l'idée qu'elle avait pu rêver. Elle dînait maintenant ou faisait semblant. Il fallait faire semblant pour retrouver l'équilibre.

Le lendemain matin, une lettre l'attendait sur la table au petit déjeuner. Un coup d'œil lui suffit pour reconnaître l'écriture de Billy, mais elle n'ouvrit l'enveloppe que seule dans sa chambre. Enfin, il allait lui annoncer une permission... Debout près de la fenêtre, elle lut ceci :

Mon adorée. Des nouvelles ! Je pars aujourd'hui même pour la Virginie avec les troupes du général Beauregard. Les Fédéraux occupent Alexandria. Il va falloir reconduire ces gens-là à coups de sabre ou la baïonnette dans... les reins. Trois régiments se mettent en route en chemin de fer. Tout le monde part, l'enthousiasme est indescriptible. Turner et Hampton partent avec nous, Mike avec les cadets. On a encore changé de couleur, on est en gris. Oncle Josh est venu, il rejoint les Indiens comme officier de liaison. Tous les Indiens sont pour le Sud, sauf une malheureuse tribu égarée, les gens du Nord ont dû les faire boire !

En chemin de fer, c'est trois grands jours de voyage. Il paraît qu'on va à Warrenton, pas loin de l'endroit sur la carte où se trouve la propriété d'Oncle Charlie. Peut-être se verra-t-on là-bas. Surtout pas d'inquiétude. Tout va très bien. A toi corps et âme pour la vie.

Ton Billy qui te couvre de baisers.

Elle eut dans un éclair la vision de ce qu'elle appelait le pire et s'évanouit. Des sels passés sous son nez la firent revenir à elle avec un haut-le-corps. Miss Llewelyn était penchée au-dessus d'elle et lui dit avec un sourire :

— J'en étais sûre, je suis montée derrière vous. Je vous avais bien dit que je serais là quand il le faudrait. Nous commençons aujourd'hui.

D'une seule main, elle remit sur pied sa maîtresse honteuse et très mécontente.

— Laissez-moi, dit-elle. Je vais redescendre finir mon déjeuner.

— Savez-vous qui vous attend au salon ? Mrs. Harrison Edwards. Elle a dû se lever à l'aube, mais tout est sens dessus dessous aujourd'hui.

Elizabeth se repeigna d'un geste hâtif et descendit sur les talons de la Galloise. Dans le salon écarlate, Mrs. Harrison Edwards marchait de long en large ; elle courut vers Elizabeth.

— Ma petite fille, quel coup ! Algernon est parti. Notre Algernon dans la cavalerie. Il rejoint Jeb Stuart. Vous imaginez Algernon, si raffiné, si élégant... Mais c'est très bien, fit-elle en s'essuyant les yeux. Et votre cher Billy ?

— Parti.

Ce mot fut prononcé avec toute la fermeté voulue, pour faire la leçon. L'Anglaise se trouvait là de nouveau. « Allons boire une tasse de thé bien fort. »

Ned avait disparu. Sans doute s'était-il sauvé en ville. Elizabeth ne le surveillait plus. Une tasse de souchong permit à Mrs. Harrison Edwards de maîtriser son émotion et elle annonça qu'elle allait prendre du service comme infirmière, infirmière-major, précisa-t-elle, et suivre les combats.

De son côté, Elizabeth résolut de partir. Les plans se formaient rapidement dans sa tête. Les enfants seraient envoyés à Dimwood avec Nounou noire et la petite Betty. Elle se rendrait au plus tôt en Virginie, avec Oncle Charlie qui partirait sûrement pour le Grand Pré si ses bateaux ne le retenaient plus à Savannah. Miss Llewelyn resterait à Oglethorpe Square pour garder la maison. Bon débarras ! La Galloise devenait insupportable. Tout s'arrangeait pour le mieux, sans affolement. Il fallait régler les gages du jardinier et lui faire part de ce qu'elle attendait de lui. Avec son fusil, il viendrait en aide à Miss Llewelyn pour défendre Oglethorpe House, s'il le fallait.

Avec l'argent nécessaire, elle courut au jardin jusqu'à la maison de Pat. La porte était ouverte. Elle appela. Pas de réponse. Sans doute était-il dehors, dans l'avenue, à bavarder avec les passants. De nouveau, elle appela, en vain. Très irritée, elle allait partir et referma la porte avec violence. Ce fut alors qu'elle vit, cloué au vantail, un papier, et elle lut ces mots : « Parti me battre. » Lui aussi… sans ses gages. Elle éclata de rire et, malgré elle, admira.

Retournant à la maison, elle se trouva face à Miss Llewelyn qui l'attendait, mais cette fois avec son drapeau qu'elle déploya gravement :

— Avec la Virginie et la Caroline du Nord, dit-elle, j'ai mes treize étoiles.

— Très bien, fit Elizabeth. Vous savez que le jardinier est parti.

— Comme tout le monde.

— Tout de même, le bonhomme n'est plus tout jeune.

— On ne refuse aucun volontaire — surtout un volontaire avec son fusil. Et puis Pat a trente-huit ans, c'est très bien. J'aime mieux vous dire tout de suite que je pars aussi.

— Mais Miss Llewelyn, vous ne pouvez pas. Vous m'aviez promis d'être là… Qui gardera la maison ?

— Les Noirs. Comptez sur eux. Ils ne bougeront pas. C'est la guerre, Mrs. Hargrove. Moi, j'organiserai des postes de secours en Virginie.

Trop étonnée pour répondre en détail, Elizabeth dit simplement :

— Je vais voir Mr. Charlie Jones. Faites atteler le cabriolet.

— A cette heure-ci, il est encore chez lui.
— Bien, dépêchez-vous.

Un moment plus tard, elle était chez Charlie Jones qui la reçut, à son grand soulagement, à bras ouverts.

— J'allais t'envoyer un mot pour te dire que je t'emmène avec moi au Grand Pré. C'est le plus joli moment de l'année pour la Virginie... Obéis. Je suis ton tuteur.

— Plus maintenant, Oncle Charlie.

— Si. Je le reste. Tu as besoin d'un tuteur. On réquisitionne tous les chemins de fer ; j'ai donné mes wagons. Je ne veux pas attendre, aussi nous irons en calèches. Moi, seul dans la mienne. Je voyage toujours seul. Toi et Ned dans une autre.

— Miss Llewelyn a déclaré son intention d'aller là-bas.

— Elle nous sera très utile. Je l'emmène.

— Pas avec moi, s'il vous plaît.

— Dans une voiture à part, avec... avec... Pat ?

— Il est parti se battre, avec son fusil.

— Bravo l'Irlande ! Combien de Noirs as-tu chez toi ?

— Cinq. Un des cuisiniers est un colosse.

— Parfait. Tes Noirs protégeront ta maison. Alors, vite, fais tes valises. Bien entendu, ton petit dernier à Dimwood avec sa *Black Mammy* et Betty. Ils partent aujourd'hui sans tarder. Dépêche-toi. Maintenant je te mets dehors. Et je passe vous prendre tous demain matin à sept heures avec mes voitures.

— Ce n'est pas un départ, s'écria-t-elle, c'est une fuite.

— Tu ne sais pas encore ce que c'est qu'une guerre. A tout à l'heure, je veux dire à demain, Elizabeth.

Elle partit en toute hâte. Maintenant le réel venait au-devant d'elle avec une autorité suffocante.

A la maison, la surexcitation gagnait jusqu'aux plus calmes. Seule, la Galloise gardait toute sa tête et donnait des ordres, le doigt tendu. Les bagages s'entassaient. Betty pleurait parce qu'elle n'allait pas en Virginie, mais fut mise en voiture avec Nounou noire et Kit qui riait de tout, même des gros baisers dévorants de sa mère. Il essayait de chanter comme Ned avec des paroles de son invention. En une seconde, ils eurent disparu ; Elizabeth ressentit un grand vide. Eberluée, mais ne pensant qu'à retrouver Billy à Warrenton, elle obéissait à toutes les injonctions de la Galloise qui prenait sa revanche sur des années de respect obligatoire. Ned sautait de joie, courait partout, aussi vif que son *Dixie* qu'il ne cessait de fredonner ou de chanter à pleine voix.

Et le lendemain matin à sept heures, les trois voyageurs grimpaient dans les calèches de Charlie Jones.

Le voyage fut inconfortable, sauf pour Mr. Jones : il emmenait avec lui son valet de chambre assis près du cocher. Elizabeth qui croyait n'avoir pas fermé l'œil de la nuit dormait profondément dans un coin de la voiture à côté de Ned, lui plus éveillé que jamais il ne le fut de sa vie. Il portait sa petite casquette militaire toujours soigneusement malmenée pour lui donner l'apparence d'avoir servi. Toute seule dans sa calèche, Miss Llewelyn s'était coiffée de son chapeau noir qui, pensait-elle, la faisait prendre pour une Lady. Autour d'elle, s'étalait un monceau de paquets contenant tous les médicaments qu'elle avait pu rassembler et qu'elle comptait réserver pour les soldats. Fermait la marche une dernière voiture, celle des bagages, à la fois simple et solide, tirée par un vigoureux *percheron norman.*

Le trajet fut d'abord rapide et sans incident. Les voitures ne se suivaient pas de trop près à cause de la poussière, d'autant plus qu'au fur et à mesure que le matin devenait plus chaud les capotes à soufflet avaient été relevées. Ils passèrent largement à l'ouest de Charleston et traversèrent d'interminables forêts de pins. Seules quelques habitations rompaient la monotonie du paysage. A la tombée du jour, enfin, ils atteignirent le lac Marion au bord duquel ils purent louer à une femme des bungalows qui leur parurent très primitifs : des lits de bois n'offraient rien d'autre que des matelas très aplatis et de minces couvertures de coton comme un défi à toute tentative de sommeil. Mais « à la guerre comme à la guerre », déclara Charlie Jones, et ils étaient si las qu'ils s'y endormirent tout habillés. Une armée de moustiques vint bourdonner autour d'eux. Heureusement, Miss Llewelyn avait emporté des citrons dont elle leur fit se frotter le visage, mais, malgré tout, ils avaient dans l'oreille le zézaiement obstiné de ces insectes.

Le lendemain avant de partir, ils se jetèrent sur les paniers à provisions. Oncle Charlie les fit tous remonter en voiture dès que les Noirs eurent réattelé.

Ned espérait une partie de plaisir, son enthousiasme tombait à plat. Le voyage devenait morne. Après une nouvelle halte, la Caroline du Sud traversée, la route qu'ils suivirent en Caroline du Nord était aussi déserte, dans les éternelles forêts. Par moments, ils coupaient des voies de chemin de fer fuyant vides vers l'horizon, et les roues des calèches résonnaient tout à coup sur les rails. Puis, par un caprice du parcours, ils furent forcés d'attendre près d'une gare retentissant de chants et de cris. Une foule agitait des drapeaux le long d'un convoi à l'arrêt et *Dixie* sortait avec une ardeur violente de toutes les poitrines. Profitant de cette halte, on apportait des fruits et des boissons fraîches aux soldats, qui se penchaient par les fenêtres sans vitres en clamant encore plus fort et agitaient leurs casquettes et les drapeaux qu'on leur donnait. Tous ces jeunes visages rieurs et roses de fièvre patriotique se tendaient par grappes vers la masse des civils en délire, et l'assourdissant hourvari montait dans un ciel serein.

Le train à peine disparu, Charlie Jones donna le signal de se remettre en route sans perdre de temps, et les étapes qui suivirent replongèrent les voyageurs dans le bruit agaçant des sabots et des roues. Ils dormirent plus ou moins confortablement dans de petites villes, mais sur la qualité de ce qu'on leur servait Charlie Jones se montrait intraitable.

Le cinquième jour après leur départ de Savannah ils entrèrent à Richmond, dans l'animation d'une cité devenue entièrement militaire. Le gouvernement, en effet, venait de s'y installer ainsi que l'état-major des armées du Sud. Ne se voyaient partout que des uniformes. Aucune place dans les hôtels. Pressé d'arriver chez lui, Charlie Jones ordonna de continuer le chemin sans plus s'arrêter, quitte à dormir en voiture. Plusieurs fois, ils croisèrent le long de la route des soldats qui marchaient en file indienne vers le Nord, dans le jour déclinant.

Maintenant, la fin de l'épreuve en vue ranima le courage défaillant des voyageurs excédés et, par une radieuse matinée de juin, la Vieille Maison surgit à leurs yeux au bout de l'avenue encerclant la prairie. Elizabeth porta les mains à sa poitrine et demeura muette... Ici habitait la paix dans l'indescriptible silence des champs.

CHAPITRE CXLIII

Après le tumulte des villes et les rumeurs de la guerre, la vie reprenait un sens. La jeune femme en fut si émue que sa vue se brouilla ; bons et mauvais, les souvenirs lui étaient rendus d'un coup et elle dut faire un effort pour revenir aux réalités du moment. Les chevaux s'étaient arrêtés devant le porche. Pendant quelques minutes, personne ne parut. Comme autrefois, comme toujours, la maison semblait dormir. Charlie Jones se chargea de la tirer de ses rêves. Ouvrant la porte, il entra dans le vestibule et appela d'une voix forte. La petite Miss Charlotte vint en trottinant vers lui et leva le bras en l'air.

— Quelle surprise ! s'écria-t-elle. Qu'y a-t-il, Charlie ?

Elle souriait d'un air aimable et son grand bonnet de travers semblait aussi étonné qu'elle.

— Vous ne savez rien ? Rien des nouvelles ?

— Non, on dit tant de choses... Je ne me mêle pas de tout cela. Ici on est tranquille.

Elizabeth entra et sans un mot se pencha vers Miss Charlotte et l'embrassa :

« Pourquoi pleures-tu ? Il y a un malheur ?

— Mais non, Miss Charlotte, je suis heureuse d'être ici, c'est tout.

La petite demoiselle éclata de rire.

— Toujours la même belle et folle Elizabeth. Tu vas boire un grand verre d'eau pour te remettre.

Dehors, les Noirs faisaient grand bruit en déchargeant la calèche des bagages et Charlie Jones dirigeait les opérations. Tout à coup Miss Charlotte se trouva devant Miss Llewelyn. Elles se regardèrent un instant comme deux animaux d'une espèce différente, chacun se demandant ce que l'autre va faire. La Galloise monumentale dans sa robe sombre et son chapeau noir plat produisait un effet de stupeur, mais la vieille demoiselle ne se laissait pas intimider et, rejetant la tête en arrière, défiait l'intruse. Elizabeth intervint et fit les présentations.

— Miss Llewelyn, ma gouvernante. Miss Charlotte. Miss Charlotte est la belle-sœur de Mr. Charles Jones.

Une rapide inclination. Les deux personnes s'étaient jugées.

A ce moment, un roux en colère traversa la pièce sans s'arrêter et bondit dehors, où il trouva Charlie Jones qui venait du vestibule.

— Papa ! cria-t-il. On va prendre les chevaux. Il faut cacher Agénor.

Au soleil, sa chevelure en désordre parut flamber.

— Qui est-ce qui dit ça ?

— Le bruit court... des gens de Warrenton. Je ne veux pas qu'on touche à mon Agénor.

— Calme-toi. Tu as oublié de me dire bonjour, Emmanuel.

— Bonjour, Papa. S'ils prennent Agénor, je prends Whitie.

— Je te l'interdis. Va te peigner et salue ta cousine Elizabeth qui vient passer les vacances avec nous.

Le garçon rentra et dit bonjour à Elizabeth.

— Comme tu as grandi ! fit-elle.

— Pas assez, répondit-il d'un air farouche. S'il y a la guerre, je m'enrôle.

— Va-t'en, cria Miss Charlotte. Il n'y a pas de guerre ici.

— Puis-je savoir où je vais dormir ce soir ? demanda Miss Llewelyn avec une affectation de politesse.

— Excusez-moi, répondit Elizabeth. Mon beau-père va nous le dire. Mais asseyez-vous.

— Non, merci.

Elle préférait rester debout et immobile, gênant tout le monde. Le Grand Pré ne lui plaisait guère et c'était là sa manière de protester.

— Miss Charlotte, fit Elizabeth, allons nous asseoir dans un coin du salon.

— Volontiers. Pour fêter votre arrivée au Grand Pré, je te propose de lire ensemble deux ou trois psaumes de remerciements. J'ai toujours mon petit livre dans ma poche.

Elizabeth poussa un soupir et la suivit au salon.

« Qui est cette femme ? demanda Miss Charlotte.

— Ma gouvernante ? Une Galloise. Un peu difficile, mais fidèle.

— Je connais ce genre de personne. Elle va essayer de mettre la main sur la maison, mais je suis là. A présent, les psaumes.

— Non, fit Elizabeth d'une voix ferme. Plus tard, ce soir, par exemple.

Charlie Jones entra en coup de vent.

— J'ai fait donner à Miss Llewelyn la belle chambre du premier étage dans le pignon. Un serviteur l'y mène. Maintenant, Charlotte, il est temps que tu sois mise au courant d'une situation qui, du reste, n'a rien d'alarmant ici. Le Nord a fait occuper Alexandria.

— Quelle impertinence ! fit Miss Charlotte.

— Peut-être, mais c'est ainsi. Les troupes des Etats du Sud sont sous les ordres du général Beauregard pour contenir les Fédéraux. Ils tiennent le terrain et toutes les routes qui mènent vers Washington.

— Et Billy ? demanda Elizabeth anxieuse.

— Je te l'ai déjà dit. Pour le moment il est à Warrenton. Ce n'est pas loin. Tu es en paix dans notre coin de Virginie. Pour vous rassurer, apprenez que le général Lee a envoyé sa femme de l'autre côté des collines, chez nos cousins à Kinloch. Vous pouvez être tranquilles.

— D'autant plus que le Seigneur nous protège, remarqua Charlotte.

— Bien entendu. Mais surtout nous savons nous défendre, dit Charlie Jones. A Alexandria, un petit colonel du Nord, un m'as-tu-vu de New York, avocat de profession et protégé de Lincoln, a voulu faire du zèle. Il commandait les zouaves qu'il avait déguisés « à la française », et les voilà défilant dans les rues vides. Un drapeau du Sud flottait sur le grand hôtel, le Marshall House. Intolérable, a pensé ce blanc-bec et, avec trois de ses zouaves, il monte sur le toit et coupe le drapeau. Au bas de l'escalier, il se trouve face au propriétaire de l'hôtel. « Que faites-vous avec mon drapeau ? — C'est ma prise de guerre. — Eh bien, vous aussi. » Coup de feu, le colonel Ellsworth finit ainsi sa brève carrière militaire sur...

— Bravo ! cria soudain Elizabeth.

— Ce n'est pas fini. Les zouaves d'opérette se jettent alors sur l'adversaire, le tuent et lui passent en plus leurs baïonnettes à travers le corps pour être bien vengés. Et à Washington, le président pleure et fait des funérailles nationales !

— Ridicule, fit Miss Charlotte. Donc, c'est la guerre.

— Oui, ces choses-là arrivent tout à coup. Rassurez-vous, ici nous sommes à l'écart de tout.

Un serviteur vint à ce moment le prévenir qu'un officier désirait lui parler.

« Je sais de quoi il s'agit, c'est résolu d'avance. Mesdames, vous m'excusez.

Il sortit d'un pas rapide et rejoignit un officier en uniforme gris. Tous deux s'éloignèrent et disparurent derrière la maison.

— Ma petite fille, dit Miss Charlotte, sois sûre que rien n'arrivera. Je pense que tu vas prendre ta vieille chambre au deuxième. Je vais faire monter tes bagages.

Un instant plus tard, Elizabeth retrouvait la chambre qu'elle avait jadis occupée avec Ned, son mari Edouard Jones, et les souvenirs arrivèrent en troupe. Son mari, oui, mais avant cela sa correspondance secrète avec la Galloise pour entrer en rapport avec Jonathan. Dix ans après, ce nom gardait sa magie, dans cette chambre qui lui redisait son histoire. A Savannah, cela s'était peu à peu effacé et là, entre ces murs, elle redevenait l'Elizabeth d'autrefois. Seul Billy pouvait lui faire oublier un passé inoubliable.

On frappait à la porte. Pendant une seconde, un espoir fou lui traversa l'esprit. Elle cria :

— Entrez.

Entra Miss Llewelyn. Avec son petit chapeau noir qu'Elizabeth ne pouvait souffrir, cette femme qu'elle voyait tous les jours présentait à cette minute un aspect insolite, inquiétant. La main tendue, elle alla droit vers sa maîtresse.

— Excusez-moi, dit-elle, je viens faire ma paix une fois de plus avec vous et vous offrir mon amitié, toute mon amitié.

Elizabeth prit malgré elle cette main qu'elle ne serrait jamais et dont elle sentit la force exceptionnelle.

« Je n'ai jamais parlé à la légère, continua Miss Llewelyn, aujourd'hui moins que jamais. Si je viens vous voir, c'est qu'ici même, dans cette maison, vous aurez besoin de moi.

Toutes deux se tenaient debout à peu de distance du grand lit double, et la Galloise essayait de sourire, mais Elizabeth restait immobile et sérieuse, ne sachant que répondre.

Avec un sourire plus appuyé et qu'elle voulait affable, Miss Llewelyn prit un ton presque familier :

« Me permettez-vous d'ôter ce chapeau qui me serre la tête ?

— Mais certainement.

La gouvernante ôta son chapeau et, ne sachant où poser cet austère couvre-chef, le jeta sur le lit. Elizabeth eut alors un regard d'horreur pour l'atroce chapeau noir aux bords plats qui faisait une tache sinistre sur l'étendue blanche du couvre-lit. Des superstitions anciennes lui surgirent à la mémoire. La voix de Miss Llewelyn lui semblait venir de très loin.

— Dans cette grande demeure, immense et où on se perd, vous devez vous sentir plus tranquille qu'à Savannah. Moi-même, je goûte le silence, la paix des champs. Nous allons vivre ici, paraît-il, tout l'été et je souhaite du fond du cœur que tout aille pour le mieux entre nous. Sommes-nous d'accord, vraiment d'accord ?

— Mais oui, fit la jeune femme, les yeux fixés sur le chapeau noir.

— Merci, Mrs. Hargrove. Quand je vous vois toujours aussi belle, je me souviens de nos timides efforts l'une vers l'autre alors que vous aviez seize ans et les charmantes illusions de cet âge. Les beaux jours reviendront, j'en suis sûre. En attendant, patience — et courage.

— Oui, mais oui, murmura Elizabeth.

Comme elle aimait peu ce discours où elle croyait flairer des intentions secrètes...

— Mais je vois que je vous fatigue, reprit la Galloise. Avec votre permission, je vais me retirer.

Elle fit un pas vers le lit et remit prestement son chapeau sur la tête.

« Souvenez-vous, dit-elle. Maisie Llewelyn sera toujours là pour vous servir et vous aider, fidèle et... loyale.

— Je vous remercie, Miss Llewelyn, je n'oublierai pas.

Un dernier sourire et la gouvernante quitta la pièce. Elizabeth attendit que cessât le bruit de ses souliers dans le couloir, puis dans l'escalier, et descendit à son tour.

En bas, dans le vestibule, des cris se faisaient entendre d'une pièce voisine, mais Charlie Jones courut à sa rencontre et la rassura.

— Ce n'est rien, dit-il en riant. Emmanuel se livre à son tempérament coléreux dans la bibliothèque. On est venu réquisitionner des chevaux pour l'armée. J'en ai offert vingt-cinq et gardé cinq pour mon usage personnel. Bien entendu, ceux qui servent le plus. Et ils ont pris Agénor, le cheval d'Emmanuel. De là, cette rage dont les échos frappent tes oreilles.

— J'espère qu'ils ont laissé Whitie.

— Un poney ! Ils ne l'ont même pas vu. Ned, à peine arrivé, a sauté sur Whitie et il est parti faire un tour avec son copain.

CHAPITRE CXLIV

La vie s'organisait très vite au Grand Pré et pour le mieux. Miss Charlotte veillait à tout avec zèle et cette espèce de ferveur qu'elle mettait à l'accomplissement du devoir. Entre elle et Miss Llewelyn les distances ne diminuaient jamais de longueur, d'autant plus que devant le refus courtois, mais ferme, d'une lecture de la Bible protestante, la vieille demoiselle avait subodoré une catholique chez la Galloise. Elles se saluaient malgré tout, rien d'autre.

Elizabeth se promenait seule dans la campagne, poussant jusqu'à l'orée du bois où jadis elle rêvait de voir glorieusement galoper vers elle un Jonathan vainqueur. Ce fantôme la consolait de l'absence de Billy.

Un soir, il fut là. Quelques heures lui étaient accordées, et, sans attendre une minute, il monta droit à la chambre d'Elizabeth qui faillit tomber de surprise. Les heures de tendresse et d'amour qui suivirent leur parurent volées au destin et n'en furent que plus intenses, mais ce n'était plus pour la jeune femme le délire de Savannah. Sans doute le souvenir de l'absurde petit chapeau noir sur le lit la tourmentait-elle. Elle n'en soufflait mot, mais Billy avait l'intuition de quelque chose. Pour la tirer de ses pensées, il dit gaiement :

— Tu n'as pas remarqué que j'ai un galon de plus. Je suis capitaine.

Et il ajouta sans lui laisser le temps de répondre :

« J'espère que ça ne te fait pas peur.

— Non. Il n'y a pas de batailles.

— Même s'il y en a, tu ne dois pas avoir peur. La femme d'un capitaine n'a pas peur.

Elle n'insista pas. Dès l'aube ils durent se séparer, mais elle le serrait contre elle comme pour l'empêcher de partir. Il détacha de force les mains qui se nouaient derrière sa nuque.

« Je n'ai que le temps de regagner Warrenton au galop, disait-il.

— Tu reviendras ?

— Mais bien sûr, mon amour. Je te le promets.

Quand il fut parti, elle se pencha par la fenêtre et le vit galoper sur la petite route le long de la prairie, puis disparaître au-delà de la grille. Elle fut alors prise d'une angoisse terrible. « Ce doit être comme ça quand on va mourir », pensa-t-elle.

Les jours suivants lui rendirent peu à peu son égalité d'âme. Elle ne cherchait pas, en effet, à savoir les nouvelles et on ne lui en donnait pas. Billy avait promis de revenir et cela suffisait.

Le jeune Ned ne paraissait qu'aux repas ; le reste du temps, il disparaissait dans la nature avec Whitie. Elizabeth le savait heureux et lui laissait toute sa liberté. C'étaient ses vacances.

Au Grand Pré, nul événement ne venait troubler la belle somnolence d'un été splendide. Miss Llewelyn seule et son homonyme Maisie de Witt s'occupaient activement à une tâche qui leur paraissait de grande importance. Dans l'épicerie du village, elles installaient un poste de secours en prévision de combats dans les environs. La Galloise était l'animatrice de cette œuvre dont elles ne parlaient pas à la maison de peur de semer l'alarme, l'une et l'autre se persuadant qu'il fallait tout prévoir, car les armées en présence n'allaient pas se contenter longtemps de parades, comme cela se passait chaque jour dans les deux camps.

Mais, au Bocage, Amelia demeurait à l'écart de tout avec ses enfants. Elle se distrayait en lisant des romans édifiants, et les visites de son mari lui faisaient goûter un bonheur parfait. Mise au courant d'une façon sommaire des événements déjà anciens de mai à Alexandria, elle constatait que depuis des semaines il ne se passait rien et ne s'inquiétait pas.

A la fin du mois, une nouvelle visite de Billy en coup de vent vint ravir de joie la personne tout entière d'Elizabeth. Pendant une nuit elle le tint dans ses bras et se sentit rendue à la vie heureuse d'autrefois. Il lui expliqua brièvement qu'il avait quitté Warrenton pour Fairfax, sur la route d'Alexandria. Des mouvements de troupes se faisaient pour assurer la défense du territoire virginien contre toute nouvelle agression du Nord. Elle pouvait donc dormir tranquille et il la quitta, comme la dernière fois, à l'aube, mais satisfaite de corps et de cœur.

Rien ne bougeait, pas même les beaux nuages. Le 2 juillet, Charlie Jones fit atteler sa calèche et se rendit à Richmond où il fut reçu sur-le-champ par ses amis, le président Jefferson Davis et Robert Toombs, secrétaire d'Etat du gouvernement du Sud. Revenu le lendemain, il eut un entretien avec Miss Llewelyn pour lui laisser ses instructions : il comptait se rendre en Angleterre sur un navire anglais pour chercher là-bas ni plus ni moins que des bateaux.

— Et vous comprenez ce que ce mot veut dire, si j'ajoute, dit-il, capables de forcer tous les blocus.

Elle comprenait à ravir et approuva. Charlie Jones partait sans inquiétude, l'échec des tentatives fédérales pour pénétrer plus avant en Virginie le rassurait complètement. Pour calmer les nerfs du bouillant Emmanuel, qui réclamait encore et à grands cris son Agénor, il lui parla en homme et lui confia le soin de la maison en son absence : il aurait à veiller sur la famille entière, sur le Bocage comme sur le Grand Pré.

— Sur Ned et sur Whitie aussi ?

Son père lui demanda d'être sérieux. Du coup, Emmanuel se sentit gonflé d'une importance nouvelle et donna sa parole qu'il obéirait.

Le 4 juillet, Charlie Jones fit des adieux rapides, monta dans sa calèche et partit à fond de train.

Cet été-là, une chaleur exceptionnelle pesait sur les blés, les prés et les bois ; toute la Virginie semblait s'assoupir dans la lumière. De gros nuages blancs restaient immobiles dans un ciel d'un bleu inexorable. On souffrait. Il y avait des accablements dans tous les coins des grandes pièces du rez-de-chaussée où persistait un reste de fraîcheur nocturne derrière les volets clos. Maisie Llewelyn tenait bon, prête à porter secours dans des cas hypothétiques d'insolation au-dehors. En quelques jours elle avait réussi à imposer une autorité de plus en plus massive sur toute la maison et les environs ; sans même s'en rendre compte, elle prenait l'habitude de marcher au pas comme un soldat.

Un matin, un vol d'oiseaux de tout plumage traversa longuement le ciel, tendu comme un écran multicolore. Cette fuite éperdue frappa Elizabeth qui essaya d'y lire un présage. Charlotte tenta de lui rendre la paix en lui proposant quelques minutes de prière, mais l'Anglaise renâclait devant les pieuses initiatives de la bonne demoiselle. D'ailleurs, les oiseaux disparurent. Puis, dans l'après-midi, il y eut au loin quelques coups de canon qui auraient pu passer pour une rumeur d'orage.

Billy vint ce soir-là. Sa voix joyeuse dissipa tous les sombres pressentiments et ils nagèrent de nouveau dans le bonheur. Alors qu'elle l'interrogeait sur les coups de canon de l'après-midi, il lui dit que ce n'était rien. D'un air blagueur il parla de tirs « pour empêcher les canons de rouiller ». Jamais elle ne l'avait vu plus gai ni plus effréné dans le plaisir. Au point du jour, juste avant de la quitter, il lui dit d'un ton tout à coup sérieux :

— Jamais personne ne t'aura aimée comme moi, mon amour.

Lorsqu'il repassa au galop sur le chemin devant la maison pour regagner la route, elle agita follement les deux mains et il répondit en portant les doigts à ses lèvres.

Dans le courant de la journée, Mrs. Harrison Edwards apparut. Venue de Sulphur Springs, où toute la *society* prenait les eaux, elle voulait faire à Charlie Jones la surprise de sa visite et se montra un instant désespérée de son départ. Elizabeth n'était pas mécontente de la voir, c'était une confidente et une amie inattendue ; aussi fut-elle bien accueillie au Grand Pré, qui semblait toujours vide, et discrètement s'y installa. La vraie raison de sa présence en ces lieux était celle d'Algernon dans la cavalerie de Jeb Stuart, qui devait rejoindre Beauregard, mais cela, elle ne le disait pas. D'instinct elle chercha à prendre en main le mode de vie du domaine, mais là elle se heurta à la poigne de fer de la Galloise et à l'obstination de Miss Charlotte, et elle se contenta de vivre comme Elizabeth.

Le petit Johnny, à qui personne ne pensait, s'échappait tout le temps du Bocage où il s'ennuyait pour se réfugier dans la Maison du tumulte. Maisie de Witt l'y recevait toujours avec un sourire. Elle était seule à présent dans cette maison que l'absence de son mari et de tous ses enfants avait rendue tout à coup énorme, car, dès les premières menaces d'invasion, le commodore était allé en uniforme reprendre du service dans la marine confédérée, à Norfolk. La pauvre femme regrettait son cher bourreau et la visite du gamin aux boucles d'or pâle lui semblait providentielle. Il parlait timidement, mais sans cesse, et elle entendait mal ses longues histoires. Elle feignait de le suivre avec un sourire qui éclairait son visage de martyre, et récompensait le narrateur d'une pastille de menthe ou deux. Sa gentillesse l'ensorcelait ; elle s'étonnait pourtant des questions qu'il lui posait sur son *neveu à lui,* Ned. Où était-il ? On ne le voyait jamais. Jadis Johnny s'asseyait près de lui aux repas, mais à présent sa mère voulait Johnny près d'elle au Bocage et Ned restait invisible au Grand Pré. Bref, il souffrait et les pastilles de menthe n'arrangeaient rien. Comme la plupart des adultes. Maisie de Witt ignorait tout de ces premières peines d'amour qui peuvent être si profondes dans un cœur de sept ans.

CHAPITRE CXLV

Le 18 au matin, une canonnade se fit entendre, une vraie, plus forte, plus méchante que la première, rugissement sourd et continu qui mit tout le monde aux fenêtres, à toutes les fenêtres dans cette partie de la Virginie, le *Prince William County.* Cette fois se reconnaissait la voix de la guerre, basse et menaçante. Au Grand Pré, on descendit sur la pelouse. Amelia elle-même avait quitté sa tour d'ivoire pour se joindre au groupe. Personne ne disait mot, le canon fermait la bouche aux plus bavards. Aux environs, d'autres groupes se réunissaient. Au-dessus des bois, dans les lointains, mince et droite montait une colonne de fumée grise. Le temps passait, à la fois lent et rapide. L'heure du déjeuner vint alors qu'on ne s'y attendait pas, car seuls les enfants avaient faim. Ils coururent à table dès qu'un serviteur parut sur le porche. Les grandes personnes s'assirent pour faire acte de présence et ne touchèrent à rien, se contentant de verres de thé froid, puis tout le monde retourna sur la pelouse. Le canon grondait toujours au loin. Dehors, près du grand cèdre, Elizabeth se tenait debout à côté de Mrs. Harrison Edwards, l'une et l'autre avec un nom dans la tête et la même pensée. Miss Charlotte, redressée de toute sa petite taille, semblait de pierre, mais Miss Llewelyn marchait de long en large en surveillant l'horizon, aguerrie déjà par ses souvenirs de feu et de sang à Haïti. Les enfants s'habituaient à tout, le bruit de la guerre ne dérangeait pas leurs jeux. Un garçon courait et son cerf-volant s'élevait derrière lui, puis se mit à planer sur la prairie, presque immobile dans l'air chaud au-dessus de toutes ces personnes anxieuses, pareilles à des groupes de statues.

Le canon finit par se taire, encore assez tôt dans l'après-midi ; enfin, au crépuscule, alors qu'une magnifique lumière envahissait le ciel et baignait le haut des arbres dans son or rougeâtre, des nouvelles arrivèrent. Les troupes du Nord, deux fois plus nombreuses que les nôtres, faisaient soudain mouvement sur la route d'Alexandria, dans le but de s'emparer de l'embranchement de chemin de fer qui, à Manassas, descendait d'une part vers le Sud et conduisait aussi vers les vallées de l'Ouest. Déjà Beauregard avait été obligé de se replier de l'autre côté du Bull Run, une rivière profonde, coulant au milieu de bois enchevêtrés, mais qu'une bonne dizaine de gués et un pont permettaient de franchir. Ce jour même, les Fédéraux l'avaient tenté. Les canons confédérés cachés sous les arbres — c'étaient eux qu'on avait entendus — avaient fait échouer l'attaque. Cependant, Beauregard appelait à l'aide l'armée de Johnston, qui se trouvait dans l'ouest de la Virginie, de l'autre côté des Blue Ridge, car à Washington on envoyait de nouveaux régiments au général McDowell avec l'injonction formelle de foncer sur Richmond.

Johnston essayait d'arriver à temps avant cette attaque en force qui se dessinait. Il avait chargé Jeb Stuart, dont tout le Sud connaissait l'intrépidité et l'exubérance, d'amuser avec ses cavaliers le général nordiste qui leur faisait face et avançait précautionneusement dans la vallée de la Schenandoah, comme s'il avait peur d'avoir deux fois plus d'hommes que ses adversaires.

Et comment transporter huit mille soldats au plus vite sur tant de *miles ?* Une initiative heureuse avait livré d'avance la clef du problème. Fin mai, lorsque les Virginiens, aussitôt la Sécession, s'étaient emparés de l'arsenal de Harper's Ferry sur leur territoire, le colonel Jackson, chef de leurs milices, n'avait pas hésité à saisir dans la même foulée locomotives et wagons du *Chesapeake and Ohio* dont les lignes passaient sur la rive sud du Potomac, à portée de ses troupes. Il piégea subtilement les responsables de la compagnie pour récupérer le plus de trains possible, si bien que, vers la fin de juin, devant abandonner les positions de Harper's Ferry qui pouvaient être tournées par des forces fédérales considérables, et ne voulant pas laisser derrière lui un matériel susceptible de servir à l'ennemi, il fit jeter dans le fleuve les locomotives et wagons en mauvais état et partir les autres pour Winchester, puis transporter de là par la route jusqu'aux rails « confédérés » les plus proches. Entre Winchester et Strasburg, quarante kilomètres plus loin, les fermiers virent ainsi passer les monstres de fer tirés par des chevaux. Et maintenant les soldats allaient les retrouver après une longue marche à travers la montagne sous une pluie qui paraissait jaune.

C'est ce qu'on apprit au Grand Pré : des trains de soldats venant de l'ouest passeraient sur la ligne de Manassas le lendemain, dans la soirée.

La nuit tombée, le 19, à la lueur de lanternes, en calèche, à pied, par les chemins creux et à travers bois et champs, toutes les femmes des environs s'étaient en quelque sorte donné rendez-vous à la gare de Gainesville. Ce n'était guère plus qu'une halte : un quai de brique, un auvent et quelques signaux qui dressaient leurs doigts de fer vers les étoiles. Déjà deux trains étaient passés l'après-midi, plus tôt qu'on ne s'y attendait, et personne n'avait été là. Maintenant, toutes ces femmes apportaient des fruits, des gâteaux, des boissons rafraîchissantes, des sourires, et des drapeaux qu'elles avaient faits elles-mêmes avec amour, n'épargnant rien, taillant dans leurs robes de soie, et, comme si elles avaient deviné les sueurs de ces marches sous la pluie et des heures d'attente en plein soleil, elles venaient avec des paniers pleins de chemises de rechange. Les effusions n'étaient pas bruyantes, sans doute parce qu'il faisait nuit, que la lueur des lanternes agrandissait dramatiquement toutes les silhouettes et qu'on approchait de ce qu'il fallait bien appeler un champ de bataille.

CHAPITRE CXLVI

Dès les premières heures, le matin du 20, le paysage s'estompait dans une brume d'un gris bleuâtre prometteuse de grosse chaleur. Pour Ned, cela ne comptait pas. Sa casquette en tête, la visière basculée un peu sur l'œil pour avoir l'air plus martial, il partit comme à l'ordinaire sur Whitie. Où allait-il ? Nulle part et partout, à l'aventure, heureux de se sentir libre. Comme tout semblait calme, il se risqua à galoper un peu plus loin que d'habitude et bientôt se rendit compte que dans la brume il s'égarait ; tout à coup il aperçut, pareilles à des fantômes, des silhouettes de cavaliers en uniforme bleu qui se dirigeaient droit de son côté. Tournant bride aussitôt, il reprit à vive allure le chemin du retour. Whitie devinait toujours la pensée de son maître et se mit à courir ventre à terre non vers la maison, mais vers un bois embroussaillé où tous deux jouaient quelquefois à se perdre. Jamais jambes de poney n'avaient volé aussi promptes à la surface du sol. Une minute ou deux, un cavalier bleu les poursuivit.

— Damné petit rebelle ! criait-il.

A l'orée du bois, voyant qu'il perdait son temps, il tira en l'air un coup de pistolet et fit demi-tour, d'autant plus vite que des cavaliers du Sud se profilaient à peu de distance dans la nuée vaporeuse qu'un premier rayon de soleil dissipait.

Exténués l'un et l'autre, Ned et son poney ne bougèrent plus pendant un moment sous les arbres, puis sortirent du bois par l'autre bout et au grand galop regagnèrent la maison. Trempé de sueur, le garçon fut expédié à la salle de bains par la Galloise.

— Vous empestez le cheval », déclara-t-elle, et d'autorité elle lui fit prendre un *tub* et changer de chemise.

Personne ne sut rien de son équipée.

Pendant ce temps-là, au Grand Pré, une fusillade attirait tout le monde près des fenêtres. On cherchait à voir à travers les contrevents fermés. C'étaient des cavaliers de la Caroline du Sud, reconnaissables à leur fanion, qui prenaient en chasse des éclaireurs du Nord. Quelques balles s'écrasèrent sur le porche et dans les murs du Grand Pré. Pendant près d'un quart d'heure le claquement des coups de feu déchira le silence, puis s'éloigna. On pouvait presque suivre le parcours des cavaliers dans leur fuite, et les habitants de la maison, réfugiés dans les pièces qui regardaient les bois, entendirent avec soulagement les dernières détonations lointaines.

Miss Llewelyn ouvrit la porte et fit quelques pas dehors. Le soleil à présent tombait à plein sur la prairie et elle aperçut, étendu sur la route, un homme en uniforme gris clair. Son cheval restait immobile sous les arbres de l'avenue. Elle appela les Noirs à son aide. Ils s'étaient accroupis sous les tables de la cuisine et parurent courbés par la peur. Elle en prit deux avec elle et courut porter secours au blessé.

A plat ventre dans la poussière, il gémissait faiblement, et elle reconnut le jeune sous-lieutenant anglais qui servait jadis de messager à Billy. Le sang coulait de son côté droit et elle le souleva elle-même, avant d'en charger les deux serviteurs qui le portèrent à la maison. On l'étendit sur le canapé de la bibliothèque. La Galloise envoya un Noir à cheval chercher le médecin de Gainesville qui était celui de la famille. Entre-temps, elle fit ce qu'elle put pour réconforter le blessé et le soigner avec les moyens dont elle disposait dans sa pharmacie. Il s'efforçait de ne pas se plaindre, mais elle lut dans ses yeux une détresse qui la bouleversa, et cette femme, d'ordinaire si rude, se révéla d'une tendresse maternelle pour le jeune soldat à qui la douleur rendait une âme d'enfant. Tout en lui lavant le visage maculé de poussière et de poudre noire, elle lui parlait avec douceur et il reprenait courage. De l'alcool et des masses de coton étanchaient plus ou moins bien le sang de la blessure.

Il fallut attendre près d'une heure avant que ne parût le médecin. C'était un homme aux cheveux blancs et qui, depuis de longues années, inspirait confiance et respect à toute la région. Miss Llewelyn se tint modestement près de lui toute prête à obéir. Elle l'aida à déshabiller en partie le blessé, puis s'écarta et attendit les ordres.

Dehors, dans les couloirs, rôdait Ned. Il avait vu l'arrivée du jeune officier porté par les Noirs, et, le cœur battant, il restait aussi près de la porte que possible, à la fois curieux et épouvanté parce qu'il avait vu des traces de sang sur le sol. A présent, il écoutait, mais le médecin et Miss Llewelyn parlaient presque à voix basse et Ned ne saisissait pas un mot. Cela dura un long moment. Il crut percevoir le bruit d'un linge qu'on trempait plusieurs fois dans de l'eau, puis un nouveau silence plus long que le premier, et enfin une voix s'éleva, jeune et suppliante :

— Docteur, s'il vous plaît, ne me laissez pas mourir.

— Mon ami, fit doucement le vieux médecin, il faut mourir.

Ned se sauva.

CHAPITRE CXLVII

Dans la nuit du 20, une partie de l'armée du Nord se mit en marche. Après l'attaque manquée d'une avant-garde à Blackburn's Ford, sachant que les troupes de Beauregard tenaient fortement les gués du Bull Run, le général McDowell avait projeté un mouvement tournant par le nord sur la gauche du front sudiste, pour bénéficier de l'effet de surprise et s'emparer de la route qui conduisait droit à l'embranchement des lignes de chemin de fer, à Manassas. Afin de créer une diversion, une de ses brigades se jetterait le matin, dès six heures, à l'assaut de Stone Bridge, le seul pont de pierre sur la rivière.

Les garçons du Nord avancèrent donc à la clarté de la pleine lune, une lune des moissons particulièrement brillante et large. Ils marchaient, sûrs qu'ils allaient bousculer les rebelles, les faire fuir jusqu'à Richmond et que la guerre serait finie. N'avaient-ils pas connu déjà l'ivresse de la victoire, à Washington, devant le président, quand ils avaient défilé dans Pennsylvania Avenue sous les acclamations, tandis que les fanfares militaires faisaient retentir le ciel ? Toutes les armes étaient éclatantes au soleil ! L'interminable pont sur le Potomac fut traversé dans la même euphorie, mais ensuite il avait fallu gravir les premières routes. Très vite, ils avaient marché à la débandade dans un paysage qui semblait rêver. Le silence des collines virginiennes rendait leur passage plus bruyant encore et la chaleur les altérait. On ne voyait que de rares maisons perdues dans les bocages et, comme elles étaient désertes, même les pauvres, on les pilla. Pendant deux jours entiers on s'était promené lentement dans ce pays qui évoquait les grandes vacances, et, pour finir, cette marche de nuit, pas trop longue heureusement, par une route encaissée, au clair de lune à travers les bois.

A l'aube, ils s'allongèrent sous les arbres, puis ils découvrirent des buissons couverts de mûres dont ils se gavèrent. Enfin, les officiers leur firent reprendre les rangs. Tant bien que mal les garçons se nettoyèrent les mains, mais les bouches restaient barbouillées.

A six heures, une canonnade violente éveilla soudain tout l'horizon. La terre semblait gronder. C'était le signal. On se remit en marche.

A cinq heures du matin, Billy, qui avait peu dormi, se promenait sous les pins et pensait à Elizabeth et à leur dernière rencontre. Jamais jusque-là, ils ne s'étaient sentis plus près l'un de l'autre et il avait encore dans l'oreille le son de sa voix un peu anxieuse quand elle lui avait dit au revoir, mais il écarta bientôt ce souvenir qui le troublait. Sa pensée se reporta vers le jeune sous-lieutenant anglais envoyé la veille en reconnaissance et qui, seul de ses compagnons, n'était pas revenu. Une escarmouche avec des éclaireurs du Nord avait eu lieu dans la campagne, c'était tout ce que Billy avait pu savoir et il était inquiet. Et puis, pensait-il aussi, comment en pleine bataille s'y reconnaître dans tous ces régiments dont certains étaient à peine équipés ? Dans la brigade du colonel Evans, par exemple, eux, les Caroliniens, se trouvaient avec des hommes du Mississippi et des hommes de la Louisiane... Les Tigres de la Louisiane aux uniformes divers, quand ils en avaient, portaient cependant le même foulard rouge autour du cou, ce qui avait donné l'idée au général Beauregard de demander aux dames de Richmond un signe de ralliement pour ses soldats : des *badges* — mouchoirs, foulards, ce qu'elles voulaient — et surtout des drapeaux. Elles avaient tout envoyé sur-le-champ, en soie, en voile, en coton, tout ce qu'elles avaient trouvé de rouge. On eût dit que c'était fait exprès. Et Billy se rappelait le mot d'un jeune tambour aux cheveux longs avec l'accent traînant du Sud : « Comme ça, ça se verra pas si on saigne. »

Sous les pins, dans la fraîcheur bleutée du petit jour, les soldats buvaient leur café et de rares plaisanteries s'échangeaient à mi-voix.

Brusquement, vers six heures, les Fédéraux ouvrirent le feu à Stone Bridge et leur artillerie concentrait son tir sur le pont. « C'est stupide, remarqua Billy, s'ils veulent franchir le pont, de le détruire ! » Et, accompagné d'un lieutenant, il descendit la pente boisée jusqu'au poste de commandement du colonel Evans pour aller aux ordres.

Audacieux, casse-cou, habillé n'importe comment et le fameux foulard rouge noué à la diable, le colonel Evans posait au « je m'en-fichiste », mais il avait un œil de lynx pour tout ce qui était tactique et combat. Bien avant le premier coup de canon, il avait installé ses propres batteries pour balayer le pont sous leur tir et surveillait avec acuité, à la jumelle, ce qui se passait de l'autre côté de la rivière, d'un horizon à l'autre. Il observa un épais nuage de poussière au-dessus des bois, à l'extrême gauche de la position qu'il tenait.

— Qu'est-ce que vous voyez là-bas ? demanda-t-il aux officiers qui l'entouraient.

Comme lui, ils voyaient tous la poussière s'élever dans le ciel limpide et l'attribuaient à la brume annonçant la chaleur. Billy survint à ce moment-là et dit qu'on l'apercevait encore mieux en haut du bois de pins.

« Ils nous tournent par le nord, c'est pas bête, leur dit Evans, et tout le boucan sur notre pont, c'est du bluff. Ils n'essaient même pas d'approcher de trop près. Flanquez-moi tous vos régiments sur les deux collines qui font face, ici.

Il montrait sur la carte, étalée sur une souche d'arbre, une hauteur appelée Matthews Hill et une autre derrière eux où se dressait une maison isolée au milieu des chênes et des pins, Henry House.

« Je laisse une batterie et la moitié d'un régiment pour tenir le pont coûte que coûte. Il y a deux ponts couverts sur le Young Branch, c'est le plus court. Allez-y *calme et vite.* Un officier de liaison pour prévenir Jackson de se rapprocher. Exécution. J'espère vous revoir tous, messieurs.

Alors même qu'ils saluaient, un jeune soldat accourait avec deux fanions. Il venait de recevoir des signaux envoyés du poste d'observation tout au sud, sur le plateau de Manassas. Le *wigwag* confirmait les soupçons d'Evans : ces petits drapeaux annonçaient que de l'artillerie montée avait été trahie par des reflets de jour sur le fût des canons et qu'une partie des troupes fédérales traversaient la rivière à Sudley Springs, là où il y avait trois gués larges et presque côte à côte. Il n'avait pas été prévu de les garder, car ils étaient trop au nord et on s'attendait surtout à une attaque directe sur les voies stratégiques : la route de Warrenton qui passait par Stone Bridge, et plus bas, au lieu-dit Union Mills, la ligne de chemin de fer d'Alexandria. Le gros de l'armée de Beauregard s'échelonnait là, le long du Bull Run, protégeant de toute surprise comme le fossé d'une forteresse.

A neuf heures, Evans était installé sur ses nouvelles positions et les batteries confédérées avaient l'air de regarder un paysage vide. Les cadets de Charleston faisaient partie des canonniers. Devant eux s'étendaient des prairies et des champs avec de rares clôtures, un terrain idéal pour des manœuvres ou un champ de bataille. Derrière eux, des haies couvertes de noisetiers et de mûres. A perte de vue, le paysage tremblait déjà de chaleur.

Assis le dos contre un arbre, Mike attendait. Le canon tonnait toujours au loin, en bas, vers la rivière, on finissait par s'y habituer comme à un bruit de la nature. Les vibrations de la chaleur faisaient onduler les champs et inclinaient au sommeil. Mike se sentait partagé entre le désir de se battre et un refus qu'il ne s'avouait pas de tuer. Tout au fond de lui-même il y avait la peur, il aurait à la vaincre. Sa pensée erra vers Elizabeth qu'il aimait sans se le dire, et aussi vers Billy qu'il admirait et dont le régiment se trouvait non loin de là, sur Henry Hill.

Les batteries occupaient une ligne juste en dessous de la crête de Matthews Hill, à la lisière des bois, et les collines d'en face dansaient légèrement comme dans un rêve. L'écorce rugueuse du pin contre lequel il appuyait la tête lui semblait la seule chose réelle dans sa torpeur. Ses regards se perdaient au loin, là-bas où brillait la rivière, puis sur les collines boisées, silencieuses, qui paraissaient bouger dans la lumière ardente. Comme elles étaient exaltantes les promenades à cheval sur la grève, à l'île Morris, après la prise de Fort Sumter... Les promenades, c'étaient des défis ! Les cadets lançaient leurs chevaux à toute allure sur le sable pour la simple ivresse de la vitesse et de gagner. On revenait haletant, alors que la brume qui montait de la mer brouillait la lumière sur les dunes et paraissait volatiliser à vingt pas chevaux et camarades dont il ne restait que les voix joyeuses...

Mais là-bas, son évocation ne faisait-elle pas surgir ces ombres du passé ? Des silhouettes vacillaient dans l'air chaud. Approchant de plus en plus, dans le soleil elles devinrent bleues. En une seconde, Mike fut debout.

— Alerte ! cria un garçon. V'là les gars du Nord.

Depuis des heures, Algernon galopait sur les routes de Virginie avec les cavaliers de Jeb Stuart. Derrière eux, de la terre rouge, montait dans l'air brûlant une poussière teintée de rose. Un soleil implacable tombait droit, dévorant tout. Si lourde était la chaleur qu'on ne sentait même pas le vent de la course et qu'on avait presque l'illusion d'avancer immobile. Algernon accueillait la soudaineté du changement dans sa vie avec une joie voisine de l'enthousiasme. D'un coup, le destin l'avait débarrassé d'un personnage qui maintenant lui semblait imaginaire : l'Algernon des bals et des fêtes, à la fois audacieux et timide, d'une timidité de salon. Aujourd'hui, dans son uniforme que la sueur lui collait aux aisselles, il se sentait libéré d'un monde de préoccupations futiles. La guerre effaçait sa timidité. Seuls du passé demeuraient deux visages, deux noms qui ne le quittaient pas : Elizabeth et Lucile, à la fois proches et lointaines, la seconde toute prête à le prendre amoureusement au sérieux, alors que l'autre, cruelle sans le savoir, se laissait adorer comme une divinité taquine. Il n'oubliait pas la baguette étoilée qu'elle lui avait fait tenir dans une soirée au son d'une valse viennoise, et il entendait de nouveau la musique qui soulevait le joyeux bavardage des couples, les lumières douces des lustres... Il les aimait comme des sœurs. Et soudain, une voix d'homme le rendait à lui.

— Halte ! On se repose cinq minutes. La fatigue, ça n'existe pas. Il faut qu'on soit vite à Manassas ! Et maintenant, musique !

Jeb Stuart lançait ses ordres.

On eut à peine le temps d'attacher les chevaux aux arbres. Sweeney pinçait déjà son banjo. En deux secondes, tous ces cavaliers furent ailleurs. Jeb Stuart marchait de long en large, en rythmant les airs des doigts. Il n'avait plus rien d'un homme de guerre et l'on comprenait pourquoi on se serait fait hacher menu pour ce grand garçon roux. Il portait sa veste d'uniforme le col ouvert, débraillé, élégant comme personne. La plume à son chapeau était changée tous les matins et sa cape doublée d'écarlate était légendaire. Trois autres Noirs se mirent à accompagner Sweeney avec un violon et des cliquettes. On se serait cru tour à tour dans un champ de coton ou dans un bouge à La Nouvelle-Orléans.

Jeb Stuart chantait chaque chanson. Soudain il dit à Sweeney :

« Va, allez va, chauffe maintenant !

La musique devint guerrière. En une minute, tout le monde fut à cheval.

« A Manassas ! cria Jeb Stuart. On va les chasser au galop, ces gens du Nord !

Toute la troupe partit au galop. En selle, Algernon continua à rêver. Elizabeth devait être à Savannah dans sa maison fraîche sous les magnolias, et Lucile Harrison Edwards lui avait écrit qu'elle prenait les eaux à Sulphur Springs... Elle espérait qu'une permission lui permettrait de venir...

Ils passèrent devant une gare : Gainesville. Au loin le canon tonnait. N'était-ce pas près de Gainesville que Charlie Jones avait des terres ? Manassas était au bout de l'horizon. Et Billy ? pensa Algernon. Les troupes de la Caroline du Sud n'étaient-elles pas avec Beauregard ? En somme, si Jeb Stuart accourait à l'aide de Beauregard, lui, Algernon, ne volait-il pas au secours de Billy ?

Devant lui, des chevaux roses galopaient, la poussière soulevée collant à leur robe. L'horizon s'approchait.

CHAPITRE CXLVIII

Pas une voiture, pas un cheval, personne dans les rues silencieuses de Washington. Tout le monde était parti sur la route de la bataille *pour voir courir les rebelles.* C'était l'occasion rêvée d'un pique-nique par un si beau dimanche de juillet.

A onze heures du matin, sur les hauteurs de Centerville arrivaient, dans la confusion, des voitures de toutes sortes, calèches, tilburys et cabriolets ; de très nombreux cavaliers ajoutaient au désordre de cette cohue en attachant leur cheval n'importe où. La bousculade enfin s'immobilisa, il ne restait qu'à attendre, comme au spectacle. On cherchait en vain un espace libre sur la vaste prairie en pente d'où l'on avait une vue superbe, mais tout était prévu. Des plaids s'étalaient par terre et les paniers regorgeant de victuailles s'alignaient tant bien que mal, tandis que des Noirs plaçaient à l'ombre les caisses de glace pour le champagne. Le Tout-Washington des grands jours s'installait confortablement, hommes et femmes armés de longues-vues. N'oubliant pas leurs petits profits, des commerçants avaient disposé pour le commun leurs éventaires en vue d'une journée torride : jus de fruits, glaces et sorbets, et, bienvenues à tout moment, les saucisses pour attiser la soif.

Parmi tous les spectateurs impatients de voir commencer le

divertissement, des officiers se pavanaient dans leurs beaux uniformes neufs, brillant de tous leurs boutons. Certains expliquaient avec des termes techniques le moindre feu, la moindre fumée, en indiquant des points du paysage de leur badine ou même de leurs jumelles qu'ils braquaient indifféremment sur l'horizon ou sur la société.

— Et là ? demandait une dame en rose vif, là où ça jette des éclairs ?

— Des baïonnettes, madame. On les charge.

— Aaah !

Malgré ces explications suaves et savantes, ce n'étaient pourtant que des reflets de soleil sur le courant du Cub Run, qui se glissait à travers les champs pour se mêler au Bull Run coulant de l'autre côté de la vallée.

« A la déroute des rebelles ! cria la dame en rose en levant sa flûte de champagne qui moussait sur ses doigts.

— Hurray ! répondirent les brillants officiers de l'arrière.

Des dames et des messieurs qui se voulaient martiaux propagèrent les acclamations.

Plus loin, à l'ombre d'un sycomore, on disposait des fauteuils pour des membres du Sénat et autres personnages officiels frais arrivés de Washington. Ces messieurs dans leurs sièges à capitons parurent miraculeusement transportés de leur bureau sur l'herbe. La foule impatiente restait bon enfant : on s'amusait, le jour devenait plus chaud, et à midi, comme on ne voyait, en somme, qu'avec les oreilles « la canonnade », tout le monde s'assit. Il fallait se nourrir avant les sensations fortes. Quelques jeunes civils s'étaient allongés à l'ombre, le chapeau sur le nez, avec leurs demoiselles ; ils se reposaient pour mieux crier victoire tout à l'heure.

La dame en rose, rejointe par plusieurs dames de ses amies, ne cessait d'interroger l'horizon, sans voir la beauté de la nature au bout des lorgnettes : l'immensité de l'espace et, dans les lointains, les collines pourpres au soleil.

— Monsieur l'officier, monsieur l'officier ! Expliquez-nous un peu ces petits flocons d'ouate qui apparaissent tout à coup.

— C'est l'haleine de nos canons, mesdames !

C'était bien l'haleine des canons, mais des canons du Sud à Stone Bridge.

CHAPITRE CXLIX

Par trois fois déjà les soldats d'Evans avaient repoussé l'assaut des troupes du Nord. La confusion était totale, mais les Fédéraux avaient fini par submerger la colline et Matthews Hill était perdu. Plus bas, sur le Bull Run, Sherman avait réussi à passer un gué avec son régiment, au-dessus de Stone Bridge, et attaquait de flanc les Sudistes d'Evans qui se repliaient. Leurs batteries ne pouvaient même plus les couvrir. Les artilleurs ennemis possédaient des canons plus rapides et leurs obus tombaient dans des gerbes de poussière rouge. Sur la route de Warrenton, on ne savait plus si on était amis ou adversaires, la même poussière enveloppant tout. Les jeunes soldats du Sud se mirent à fuir. Il était onze heures et demie passées. Tout semblait perdu.

Seul, le colonel Evans tenait encore avec une poignée d'hommes — mais pour combien de temps — la Robinson House, une grande baraque de bois appartenant à un Noir libre de Virginie, et qui sur la crête rocheuse dominait les creux descendant vers la rivière, tandis que, de son côté, le général Bee tentait d'arrêter et de rallier les fuyards. Il galopa jusqu'à la Henry House chercher des renforts. Là, Jackson attendait, calme au milieu de ses hommes.

Sans descendre de cheval, Bee, couvert de poudre noire et de sueur, s'écria :

— Général, ils nous battent !

— Eh bien, Sir, nous allons leur donner de la baïonnette.

Aussitôt, il fit former une ligne à la lisière d'un jeune bois de pins où les soldats pouvaient s'abriter des tirs adverses en attendant l'attaque. Bee retrouva tout son enthousiasme. Tournant bride, il reparut au milieu de ses régiments démoralisés qui fuyaient le combat.

— Regardez, hurla-t-il. Jackson debout comme un mur de pierre. Rallions-nous aux Virginiens !

Ce cri arrêta la fuite, les hommes se regroupèrent.

Beauregard arrivait en renfort avec de jeunes soldats qui

n'avaient jamais vu le feu, mais qui venaient presque au pas de course au rythme de leur cœur. Les Fédéraux avançaient de tous côtés dans une vague de poussière jaunâtre. Maintenant il y avait quatre heures qu'on se battait, les canons crachaient leur feu, soulevant de nouveaux nuages, sans relâche.

Algernon regardait ses mains : elles étaient rouges comme la terre. Autour de lui, tous les autres cavaliers de Jeb Stuart viraient à la même couleur. Un des garçons qui avait vu son geste lui lança :

— Eh bien quoi ? Nous sommes de vrais Américains : des Peaux-Rouges maintenant !

Et il éclata de rire.

Algernon se sentait heureux, le cœur léger. Il n'y avait plus ni riches ni pauvres, comme dans un monde idéal... La guerre ! Jusqu'ici, ça n'était que du vacarme... Malgré l'impatience de Jeb Stuart de les mener se battre depuis qu'ils avaient rejoint l'armée à dix heures du matin, on les tenait en réserve, et trois heures et demie d'inaction, ç'avait été trois heures et demie de banjo tranquille, une musique pour attendre. « Mon Dieu, pensa Algernon, et si c'était simplement pour rire, une bataille comme au collège. On se donnait des coups de poing et après on se serrait la main. Mais... »

Une estafette arrivait à travers bois, un chiffon rouge noué à une épaulette.

— A nous maintenant ! cria Jeb Stuart. C'est à nous. En avant, Sweeney ! En avant, boys !

Algernon se souleva, emporté avec les autres, tous comme un seul corps. Sur la pente, un obus le jeta à bas de son cheval.

La charge de Jeb Stuart débarrassa le flanc gauche de Jackson des batteries ennemies ; les régiments du Nord s'enfuirent, courant sur les pentes de Henry Hill, se laissant entraîner les uns les autres par un courant irrésistible de panique, et leurs canons demeurèrent au milieu du champ de bataille, dérisoires, silencieux, environnés de chevaux morts.

Cependant, malgré ce revers, les Fédéraux ne cessaient d'engager des troupes fraîches et repartaient à l'assaut. Jackson ne cédait pas un pouce de terrain.

Partout ailleurs, les soldats du Sud flanchaient.

Par moments, sur le fond sourd de la canonnade il y avait une fraction de silence, une rupture entre deux tirs, et c'était plus terrible que tout, car la mort volait à cet instant dans l'espace, avant de tomber aveuglément.

Mike avait peur. Avec les autres cadets, ses copains, il avait couru jusqu'au bois de broussailles couvertes de mûres derrière leur batterie. Les chevaux qui tiraient leurs canons au moment où ils changeaient de position avaient été sabrés et les Fédéraux étaient passés dans un tourbillon. Maintenant, les jeunes Sudistes cherchaient à s'orienter pour se sauver de l'enfer. L'odeur de la bataille, l'odeur de poudre s'insinuait partout, même sous les pins, elle desséchait la gorge. Ils avaient peur d'être découverts et emmenés par ceux du Nord. Leurs tuniques sales, leurs cols trempés de sueur, le foulard rouge qui leur collait au cou, où aller sans qu'ils se fussent trahis ? Heureusement les couleurs ne se distinguaient plus à trois pas, la poussière recouvrant tout d'un voile. Sur l'espace dégagé devant eux, des uniformes semblaient dormir à terre et des chevaux étaient renversés comme des maisons. Une odeur plus subtile que celle de la poudre rampait sur le paysage.

Un officier en gris passa au galop.

— Henry Hill tient ! leur cria-t-il. Amenez les pièces ici et faites feu sur les bois d'en face.

Ils redescendirent jusqu'aux canons et dételèrent les chevaux morts. Depuis, ils tiraient sans cesse dans l'ivresse de l'action, la gorge toujours en feu, les oreilles bouchées. Il n'y avait pas de bruit, ils étaient devenus le bruit.

— Une première fois, un quart d'heure avant trois heures, Jackson lança ses Virginiens sur les masses bleu sombre qui montaient vers Henry House de toutes parts.

— Attendez qu'ils soient bien en vue, et tirez ! Allez-y alors à la baïonnette. Et en chargeant, hurlez comme des furies * !

Sur sa gauche, avec les restes de la brigade d'Evans — Caroli-

* Le fameux *rebell yell.*

niens et jeunes recrues du Mississippi —, le capitaine Hargrove prit la tête de la charge. En se jetant en avant, Billy se rappela ce que le commandant de Fort Beauregard leur avait dit : « ... la tête haute, droit sur votre cheval, les épaules en arrière. » Il s'agissait de la gloire du Sud.

Tout était noyé dans la poussière.

— En avant pour le Sud ! cria-t-il.

Et il entendit le cri sauvage * de ses hommes qui sembla le porter à l'ennemi encore plus vite. Alors il hurla : « Pour Elizabeth ! » sans plus savoir ce qu'il disait et il fonça à travers le nuage couleur de feu.

Il fallait en finir. Au plus chaud du jour, à trois heures passées, une longue ligne grise apparut à la lisière des bois. Tout à coup, les collines résonnèrent d'un terrible cri de chasse *, puis les soldats gris chargèrent. Les baïonnettes étincelaient. Les garçons du Nord prirent peur et lâchèrent pied. Ils dégringolaient Henry Hill à la débandade, protégés de la débâcle par quelques régiments qui se repliaient en ordre pour le moment.

Au-delà des gués de Sudley Springs, les jeunes soldats ralentirent à travers bois, se croyant à l'abri, mais des obus éclatèrent dans les buissons autour d'eux et ce fut une fuite éperdue ; la panique courait avec eux, arrachait armes et havresacs de leurs mains poisseuses de mûres, il n'y avait plus de régiment. Dans la poussière qui flottait sur eux depuis l'aube, la déroute planait. Il était quatre heures.

Les civils, eux, ne distinguaient rien. On avait beaucoup bu, bien mangé. Les sénateurs dans leur coin avaient fait aux journalistes à l'affût des déclarations fracassantes, et les fameux officiers de l'arrière continuaient à démontrer que les fumées couvrant l'horizon cachaient aux yeux des dames la fuite des rebelles, mais on les rattraperait pour elles et elles verraient enfin *leurs* prisonniers de guerre.

Soudain, des soldats du Nord passèrent en criant : « Sauve qui

* Voir note page précédente.

peut ! Ils arrivent. » L'incertitude fut courte. Abandonnant tout sur l'herbe, ce beau monde se bouscula pour arriver plus vite aux calèches. L'encombrement était prodigieux. Comme il paraissait trop difficile de se sauver en voiture, on se mit à courir avec le peuple qui avait abandonné ses carrioles sur le bord des chemins. Réticules, gants, chapeaux, longues-vues, redingotes, gilets et cannes rejoignirent les fusils dans les fossés : il n'y avait plus civils ni militaires, hommes ni femmes, officiers ni soldats, il n'y avait qu'une masse de fuyards en proie à la peur de la cavalerie ennemie qu'ils croyaient sur leurs talons. Hagards et à moitié dévêtus, ils ne s'arrêtèrent qu'en vue de Washington. Le soir était tombé. Une pluie diluvienne traversa avec eux le pont sur le Potomac.

CHAPITRE CL

Dans l'après-midi, Ned partit en cachette sur son poney et cette fois encore tous deux allaient plus loin qu'on ne leur aurait sans doute permis, mais le garçon était curieux, tout semblait se calmer après le grand fracas de la bataille qui avait fait s'enfermer chez eux tous les habitants du Grand Pré. Maintenant on n'entendait qu'une canonnade de plus en plus lointaine, pareille à un rugissement doux.

La chaleur était encore oppressante, mais la lumière s'adoucissait imperceptiblement comme pour ramener tout le silence. A mesure qu'il avançait, Ned vit que certains arbres avaient perdu leurs feuilles comme au cœur de l'hiver, d'autres encore avaient été brisés et le branchage gisait en tas énormes. Sans avoir peur, il avait la sensation étrange de pénétrer dans un pays inconnu, hier familier, où la mort était passée, mais qu'est-ce que c'était, la mort ? Il n'en savait rien. Le mot prononcé parfois devant lui, toujours sur le même ton, faisait l'effet de quelque chose de très noir. Il n'avait plus entendu le blessé, dans la bibliothèque...

La rivière, le Young Branch, n'était pas loin. Il en percevait déjà le bruit tranquille, on eût dit heureux, parmi ces arbres devenus inquiétants. L'eau chantait au fond d'un val qu'enjambait un pont couvert, avec un toit comme une petite maison et des murs de bois peints en rouge. Ned s'amusait toujours du bruit des sabots de son poney sur les planches au-dessus de la fraîcheur ; et plus loin, à cent pas de là, se dressait une de ces granges énormes, toutes rouges, longues et hautes. Celle-ci semblait à l'écart de tout, debout dans sa solitude comme une personne. Ses portes grandes ouvertes laissaient voir un large espace sombre.

Tout près, un soldat était assis sur un tronc d'arbre dans son uniforme déchiré. Il était jeune avec d'épais cheveux bruns qui retombaient sur le haut du visage taché de gris par la poudre. Ses yeux noirs souriaient.

— Qu'est-ce que tu fais par ici, *kid?* demanda-t-il.

— Je me promène sur Whitie, je viens du Grand Pré.

— Ça n'est pas tout près. Tu serais mieux là-bas. Quel âge as-tu ?

— Neuf ans.

Ned sauta à bas du poney.

« Je peux le laisser là ? Il ne se sauvera pas, c'est mon copain.

Le soldat lui fit un sourire découvrant de belles dents blanches.

Ned s'approcha de la porte par où la lumière de l'après-midi entrait. D'un seul coup d'œil il vit tout. Au fond de la grange, deux soldats en uniformes gris déchirés étaient étendus, côte à côte, les bras le long du corps. Plus près, à la limite de l'ombre, dans la clarté douce de cinq heures, un autre gisait, une main effleurant des tiges de paille sur le sol, un grand morceau d'étoffe rouge sur le visage.

A ce moment, le soldat qui lui avait parlé vint le saisir par la main et l'entraîna loin de la porte.

— Ça, je l'ai pas permis. Tu vas t'en aller.

— Qu'est-ce que c'est, le rouge sur la figure du soldat ?

— A cause des mouches. Il dort.

— Les autres aussi ?

— Bien sûr. Mais tu n'as rien vu. Compris ?

— Rien vu, répéta Ned.

Il tremblait légèrement.

— Tu ne parles à personne de la grange. Promis.

— Oui, promis.

— J'ai ta parole.

Cette phrase dite d'un air sérieux rendit son calme au garçon.

« Comment tu t'appelles ? demanda le soldat.

— Ned Hargrove.

— Tu n'es pas d'ici. Tu es d'où ?

— Savannah.

— Ah ! oui, ça s'entend.

— Mon père est officier.

— Tu sais quel régiment ?

— Avec le général Beauregard.

— Beauregard. Il n'y a personne de mieux. Alors écoute maintenant. Tu remontes sur ton copain et tu rentres chez toi. Et tu ne dis rien, t'oublies pas.

— Rien, fit Ned.

Le soldat lui serra la main.

— On a gagné, Ned. Le Sud a gagné.

Les yeux de Ned se mirent à briller et à son tour il sourit.

— On a gagné ! s'écria-t-il.

Il sauta sur son poney et dit en riant :

« Whitie, on a gagné.

Il caressait la tête du poney qui s'ébroua.

— Rentre vite, *kid,* lui dit le soldat en levant la main.

Ned partit au galop. Très loin, le canon se faisait encore entendre, des coups sourds, espacés.

— On a gagné, Whitie, redisait Ned.

En arrivant au Grand Pré, il reconduisit le poney à l'écurie et rentra par les cuisines. Les Noirs, complices, lui souriaient.

CHAPITRE CLI

Au crépuscule, Mrs. Harrison Edwards et Maisie de Witt montèrent en calèche avec des lanternes. Elles venaient d'apprendre que des trains de blessés devaient passer par la gare de Gainesville. D'autorité Maisie Llewelyn prit place auprès d'elles sans provoquer la moindre objection. Derrière la calèche, un Noir suivait dans un chariot avec des paniers de fruits et des boissons rafraîchissantes, et Miss Llewelyn y avait ajouté du linge et des pansements.

Elizabeth préférait rester à la maison, attendant que Billy lui fît la surprise d'un retour à cheval, et elle s'était installée près de la fenêtre de sa chambre d'où elle voyait le chemin qui encerclait la prairie. De chaque côté de la porte d'entrée brillaient les lanternes qu'elle avait fait allumer avant la nuit, ce qu'on ne faisait jamais, sauf quand une visite était prévue. Sans être trop inquiète, elle luttait contre son impatience. « Peut-être ne viendra-t-il que demain matin, pensait-elle. Manassas est assez près, et je le connais, Billy, même s'il est fatigué, il ne voudra pas attendre. »

Les derniers canons s'étaient tus bien avant le coucher du soleil, et, dans la nuit qui venait, une brise dispersait la chaleur. Les premières étoiles paraissaient une à une, ici et là, dans un ciel d'un bleu profond. Tout était en paix, mais aucun chant d'oiseau n'avait salué la fin du jour.

Miss Charlotte était restée au Grand Pré pour surveiller la maison. Elle rencontra Ned à l'office. Tenaillé par la faim, il cherchait à savoir ce qu'il y aurait à dîner. Quand il vit la vieille demoiselle, il brûla de lui dire qu'on avait gagné la bataille, mais s'arrêta net à la pensée qu'elle voudrait savoir de qui il tenait la nouvelle... Il devait garder son secret. De son pas affairé, elle vint vers lui.

— On a faim, dit-elle en riant, mais ce soir le dîner attendra le retour des dames qui sont à Gainesville. Veux-tu prendre patience avec moi en écoutant une bonne lecture ?

Et comme il ne répondait rien, elle ajouta d'un air gourmand :

« Tous les deux au salon, bien tranquilles, dans un coin...

Il fit non de la tête.

— Il faut que je me lave un peu, dit-il en se sauvant, je dois sentir le cheval.

Elle rajusta son bonnet qui risquait toujours de basculer en avant, et soupira.

— L'odeur d'un poney, qu'est-ce que cela aurait pu faire ? Mais j'irai seule, comme d'habitude.

A Gainesville, on se bousculait dans la salle d'attente et autour de la petite gare. De tous les côtés, des villages, des fermes des environs et des propriétés, on venait porter secours aux blessés en route vers l'hôpital improvisé dans les collines, avant de les descendre à Culpeper, plus loin dans le sud. Le train était juste en gare quand la calèche du Grand Pré arriva, et Miss Llewelyn se précipita au tout premier rang. Mrs. Harrison Edwards tenait une lanterne et Maisie de Witt un panier à provisions.

Ceux des blessés qui pouvaient tenir debout se serraient aux fenêtres et réclamaient à boire. Dans les lumières vacillantes sur le quai, de tout jeunes visages apparaissaient barrés de pansements, essayaient de sourire, mais derrière, du fond des wagons, des gémissements s'élevaient. La foule qui s'attendait à une célébration d'héroïsme se trouvait face à la souffrance et demeura un instant silencieuse. Quelqu'un entonna *Dixie,* puis se tut presque aussitôt. Libre aux civils de chanter victoire chez eux ! La guerre, ce n'était pas les fanfares, les drapeaux claquant au vent, les hauts faits, l'héroïsme en peinture, non, c'était une jeunesse mutilée qui avait mal, secouée dans les compartiments d'un chemin de fer.

La Galloise le comprenait mieux que ses compagnes atterrées, et, hissée sur une marche du train, ses discours se bornaient à demander ce qu'elle pouvait faire dans l'immédiat — changer un pansement, mettre de l'eau sur un front. Elle fit passer des fruits qui furent sur-le-champ dévorés, les bouches brûlaient de fièvre. Les soldats la comprenaient parce qu'elle était de plain-pied avec eux. Mrs. Harrison Edwards l'imitait avec zèle, se multipliant, distribuant des gobelets de jus de fruits qui lui étaient presque arrachés des mains. Les gens du pays apportaient tout ce qu'ils avaient, du jambon même. Il faisait sombre dans les wagons, on ne distinguait plus que les pansements tachés de sang et les yeux brillant dans la nuit. On allait aussi vite que possible d'un compartiment à l'autre pendant cet arrêt prolongé, et partout c'étaient les mêmes garçons portant sur leur visage la stupeur horrifiée d'avoir été atteints. Un cadet, un bandeau sur les yeux, se lamentait doucement comme un enfant : « Je ne vois plus rien, plus rien... » Maisie Llewelyn se pencha sur lui et l'embrassa.

Au bout d'une grande demi-heure, le chef de train agita le drapeau du départ. La foule cria :

— Vive les soldats ! Vive le Sud !

Quand le train eut disparu, le silence qui suivit fut terrible. On comprenait mal, on ne croyait pas à ce qu'on avait vu ; le train emportait un cauchemar ; les uns et les autres se regardaient comme si la nuit était peuplée de plaintes autour d'eux. Quelqu'un, un officier, avait cloué un papier sur le mur près de la porte : c'était une première liste des manquants et de ceux qu'on avait pu identifier. Il y eut une ruée.

Mrs. Harrison Edwards n'osait pas aller voir, mais la Galloise, comme d'habitude, réussit à se poster tout près de la longue feuille de papier à côté de laquelle on avait accroché une lanterne. Maisie de Witt n'en pouvait plus d'émotion, elle s'était assise à l'écart sur un banc. La Galloise parcourut la liste et resta immobile, plantée là où elle pouvait le mieux voir. Elle lut le nom de Steers, hésita, puis continua sa lecture pour arriver enfin au nom qu'elle redoutait le plus d'y trouver : le capitaine Hargrove. Quittant le groupe des hommes et des femmes d'où partaient des cris et des exclamations, elle rejoignit Mrs. Harrison Edwards et lui murmura :

— Madame, je sais que vous l'aimiez beaucoup.

Elles s'écartèrent de la foule, trouvèrent Mrs. de Witt et toutes trois montèrent dans la calèche qui les emporta.

Mrs. Harrison Edwards baissait la tête et ne disait rien. Quelques minutes passèrent dans le bruit des roues et des sabots sur la route, puis elles entendirent la voix de la Galloise qui dit tout à coup :

« Il y a Billy aussi. C'est fini.

— Billy ! gémit Mrs. Harrison Edwards. Pauvre Elizabeth !

— Nous ne lui en parlerons pas tout de suite, fit Maisie Llewelyn. Plus tard. Il y aura un moment.

Dans la chambre qui avait été celle d'Elizabeth au Grand Pré, dix ans plus tôt, Ned avait du mal à s'endormir. Miss Charlotte lui avait fait manger des beignets de maïs, tout seul, tard, sans quoi il n'aurait pu fermer l'œil, mais, sa faim apaisée et la tête sur l'oreiller, il se rappelait sa visite à la grange où paraissaient dormir les trois soldats. Le souvenir du foulard rouge sur le visage de l'un d'eux le poursuivait sans relâche. « A cause des mouches », avait dit le jeune soldat qui se tenait sur la route et l'avait empêché d'entrer plus avant. De la paille brillait, et les mouches, il les entendait bourdonner dans l'air chaud, mais pourquoi les deux autres soldats au fond de la grange n'avaient-ils pas ce foulard rouge sur le visage, eux aussi ? Il ne savait qu'imaginer, et ce morceau d'étoffe lui faisait peur.

D'abord et surtout la couleur : pourquoi rouge ? Un grand mouchoir blanc lui eût paru terrible, mais moins, un peu moins. Une étoffe rouge lui faisait ramener sa couverture par-dessus sa tête comme pour se protéger de fantômes. A qui demander une explication ? Il avait donné sa parole de ne pas parler de la grange et, dans son esprit, le secret s'étendait à ce que le soldat lui avait dit : « On a gagné. » Cela formait un tout. Il n'arrivait pas à chasser les images : les branches et les feuilles partout sur le chemin, le pont de bois résonnant et frais, la grange où se perdait la lumière, ceux qui dormaient, la voix jeune du soldat... Enfin Ned s'endormit, emportant le foulard rouge dans ses rêves.

CHAPITRE CLII

Elizabeth n'avait pas quitté sa chambre et de temps à autre allait reprendre sa place dans son fauteuil près de la fenêtre, mais elle n'avait cessé inconsciemment de tendre l'oreille pour surprendre sur la route le galop du seul cavalier qu'elle attendait. L'air fraîchissait et la nuit était claire. Elizabeth ne se lassait pas de regarder le ciel merveilleusement étoilé qui l'aidait à rester patiente. L'inépuisable mystère de la voûte lumineuse la réconfortait parce qu'elle croyait y lire des promesses de bonheur et de paix. A vrai dire, le grand langage de toutes les constellations demeurait intraduisible en paroles humaines et là était le secret de la fascination qu'il exerçait, il rassurait l'âme en proie aux inquiétudes.

Les heures passaient. Vers minuit, elle entendit le bruit d'une voiture qui remontait l'avenue et s'arrêtait devant la maison. Elle se pencha et vit Mrs. Harrison Edwards et Maisie de Witt qui revenaient de la gare avec la Galloise. Toutes trois entrèrent. Elle reconnut le choc de la barre de fer qui refermait la porte d'entrée de l'intérieur. Si Billy revenait cette nuit, il serait obligé de frapper au vantail et elle entendrait. Elle pouvait se coucher tranquille et dormir jusqu'au matin, et elle se glissa sous ses couvertures, mais ne dormit pas.

Le jour se leva et le soleil triompha dans un ciel sans nuages. Elizabeth quitta son lit pour courir à la fenêtre. Il n'était pas huit heures, mais ce matin Billy pouvait arriver à tout moment et elle voulait le voir galoper dans l'avenue. Elle descendrait alors très vite pour se jeter dans ses bras, mais combien de temps encore fallait-il attendre ? Qu'importait ? L'attente du bonheur, c'était déjà du bonheur, un bonheur dérobé à l'avenir. Elle se mit à rire toute seule sans raison.

Soudain elle prêta l'oreille. Oui, sans aucun doute, quelqu'un venait, il y eut le trot d'un cheval sur la route, puis sous les arbres de l'avenue. Son cœur battit et sans hésiter elle se précipita vers la porte de sa chambre, vêtue de son peignoir blanc. Deux secondes plus tard elle descendait l'escalier en frôlant à peine les marches, et souriant encore ouvrit la porte d'entrée. Un cavalier sauta de cheval devant elle. C'était Mike.

Il arracha son shako qu'il laissa tomber par terre. Son visage, d'ordinaire tout rose, était d'une blancheur de plâtre.

— Elizabeth, murmura-t-il.

— Oui, Mike. Qu'y a-t-il, Mike ?

Descendant deux marches, elle fut tout près de lui. Tout à coup, il laissa aller sa tête sur l'épaule de la jeune femme. Elle eut l'impression qu'il suffoquait.

— Billy…, dit-il à mi-voix. Billy.

— Non, fit Elizabeth. Ce n'est pas vrai.

Elle l'entoura de ses bras, étrangement calme et maîtresse d'elle-même, mais ses jambes faiblissaient.

« Aide-moi à monter, supplia-t-elle. Il m'a promis qu'il reviendrait.

Comme ils rentraient dans la maison, ils virent Miss Llewelyn qui les attendait.

— Laissez-moi avec elle, fit-elle tout bas à Mike.

Dans une stupeur douloureuse, il vit cette femme prendre Elizabeth et la soulever comme une enfant, puis la porter vers l'escalier dont elle gravit lentement les marches. Lorsqu'elle eut atteint la chambre d'Elizabeth, elle coucha celle-ci sur son lit et la gifla pour la faire revenir à elle. Elizabeth ouvrit enfin les yeux et regarda la Galloise.

— Vous ici ? fit-elle. J'étais à la fenêtre…

— Je vais vous aider à vous asseoir dans votre fauteuil. Vous pouvez vous lever ?

— Mais oui.

Elle fit un léger effort et retomba.

— C'est la chaleur, dit la Galloise. Je vais vous porter là-bas.

De nouveau, elle la prit dans ses bras et, traversant la pièce avec elle, la fit asseoir dans le fauteuil.

— Mike n'est pas venu tout à l'heure ? Il m'a semblé.

— C'est possible. Regardez les enfants qui jouent dans la prairie, ce n'est pas amusant ?

Ned faisait semblant de se laisser poursuivre par le petit Johnny autour du cèdre. Puis, se retournant, il l'attrapa et se roula avec lui dans l'herbe en riant. Tout à coup ils levèrent tous les deux la tête vers le ciel. Très haut, si haut qu'on pouvait à peine la voir, une alouette chantait. Sa voix emplissait l'espace.

« Elizabeth, fit doucement Miss Llewelyn, vous voyez comme la vie est belle. Les enfants sont heureux parce que le Sud est vainqueur.

Elizabeth la regarda longuement.

« Souvenez-vous, continua la Galloise, de ce que je vous ai dit à Savannah : je serai toujours près de vous dans les moments difficiles... Voici le plus difficile.

— Pourquoi ne me parlez-vous pas franchement ? Je n'ai pas peur.

Elle se leva et se tint droite en appuyant une main sur le fauteuil.

« Je savais depuis longtemps... même quand je ne voulais pas.

Dehors, de l'autre côté de la pelouse, Ned criait quelque chose d'une voix joyeuse. La Galloise regarda près d'Elizabeth : le soleil brillait sur l'herbe, le chant de l'alouette ne cessait de monter, de plus en plus lointain dans le ciel limpide.

Mike était sorti sur le porche. Une partie de lui-même restait à Manassas au milieu des camarades morts. Il avait eu peur pour Elizabeth ; devant ses yeux les arbres, les champs se brouillaient... Tout à coup il entendit une voix claire qui criait son nom.

— Mike !

Ned l'avait aperçu de loin et du fond de la prairie se mit à bondir. Son secret, il allait pouvoir le dire enfin.

« Mike, criait Ned, Mike, on a gagné, on a ga-gné !

Une petite voix plus claire encore répétait comme un écho :

— On a gagné.

Et Mike vit les enfants courir vers lui dans le soleil.

Principaux événements aux États-Unis pendant *Les Étoiles du Sud*

1856		Situation volcanique au Texas.
	25 mai	A Pottawatomie, Texas, l'assassin John Brown tue de sang-froid 5 colons et 4 Indiens.
	novembre	Election du démocrate Buchanan à la présidence ; John Breckinridge, vice-président. Les démocrates ont 1 840 000 voix contre 1 340 000 aux républicains.
1857	mars	Installation de Buchanan dans le Capitole en construction.
	mars	Condamnation de Dred Scott. Décision finale du procès qui a duré plusieurs années.
	mai	*The Impending Crisis,* de Hinton Rowan Helper.
1858	juin	Débats entre le démocrate Douglas et le républicain Lincoln pour le poste de sénateur de l'Illinois.
	septembre	Remous au Texas après la Convention de Lecompton.
	novembre	Douglas est élu sénateur de l'Illinois.
1859	17 octobre	Coup de main de John Brown, subventionné par les agitateurs du Nord — Gerrit Smith, Wendell Phillips, etc. — contre l'arsenal fédéral de Harper's Ferry. Le colonel Lee délivre les otages.
	2 décembre	John Brown condamné et pendu.
1860		Année de l'élection présidentielle.
	février	Jefferson Davis fait voter au Sénat des résolutions sur les droits des Etats.
	23 avril	A Charleston, Caroline du Sud, rupture à la

		Convention démocrate pour le choix du candidat à la présidence.
	16 mai	Chicago. Convention républicaine. Lincoln candidat.
	19 mai	Baltimore. Parti constitutionnel whig : John Bell candidat.
	18 juin	Convention démocrate à Baltimore : Douglas candidat pour les démocrates du Nord.
	28 juin	Richmond : Breckinridge candidat des démocrates du Sud.
	novembre	Lincoln est élu président des Etats-Unis. Il reçoit 1 850 000 votes contre 2 820 000 à ses trois concurrents (Douglas : 1 380 000 ; Bell : 590 000 ; et Breckinridge : 850 000).
	20 décembre	Sécession de la Caroline du Sud.
1861	9 janvier	Le *Star of the West,* qui essaie d'amener des troupes à Fort Sumter, est repoussé par les batteries de la Caroline du Sud, à Charleston.
	9 janvier	Sécession du Mississippi.
	10 janvier	Sécession de la Floride.
	11 janvier	Sécession de l'Alabama.
	19 janvier	Sécession de la Georgie.
	26 janvier	Sécession de la Louisiane.
	1er février	Sécession du Texas.
	4 février	Le gouvernement des Etats de la Sécession à Montgomery, Alabama.
	4 février	Conférence de la Paix appelée par la Virginie.
	9 février	Jefferson Davis élu président des Etats du Sud, Alexander Stephens est vice-président.
	4 mars	Installation de Lincoln à la Maison-Blanche.
	14 avril	Reddition de Fort Sumter au général Beauregard.
	15 avril	Appel de Lincoln demandant aux Etats de l'Union 75 000 hommes.
	17 avril	Sécession de la Virginie.
	18 avril	Lee refuse le commandement des armées de l'Union.
	19 avril	Lincoln déclare le blocus des côtes du Sud.
	24 avril	La Virginie crée une armée. Lee nommé commandant des troupes de l'Etat.
	6 mai	Sécession de l'Arkansas.

7 mai	Sécession du Tennessee.
10 mai	Hostilités ouvertes au Missouri, l'Union essaie de mettre la main sur le pays.
13 mai	Emeutes à Baltimore. Le Maryland occupé par les troupes du Nord. Loi martiale proclamée. Arrestation des opposants ordonnée par Lincoln.
20 mai	Sécession de la Caroline du Nord. (Elle était *de fait* depuis janvier.)
24 mai	Les troupes fédérales envahissent la Virginie et occupent Alexandria. Le Kentucky décide de rester neutre.
29 mai	Richmond, Virginie, capitale du Sud.
juin	Des avant-postes confédérés sont pris par l'Union à Philippi, dans l'Ouest de la Virginie.
10 juin	Des troupes de l'Union sont défaites à Big Bethel, dans la presqu'île de Virginie. Elles étaient commandées par le général Butler qui avait fait régner « l'ordre » à Baltimore, un mois plus tôt.
17 juin	Défaite de l'Union à Vienna, Virginie.
15 juillet	Les troupes du Nord occupent Fairfax et Centerville.
18 juillet	Défaite de l'avant-garde du Nord à Blackburn's Ford, sur le Bull Run.
21 juillet	L'armée du Nord battue à Manassas.
29 juillet	McDowell repasse le Potomac, Beauregard reprend tout le territoire virginien.

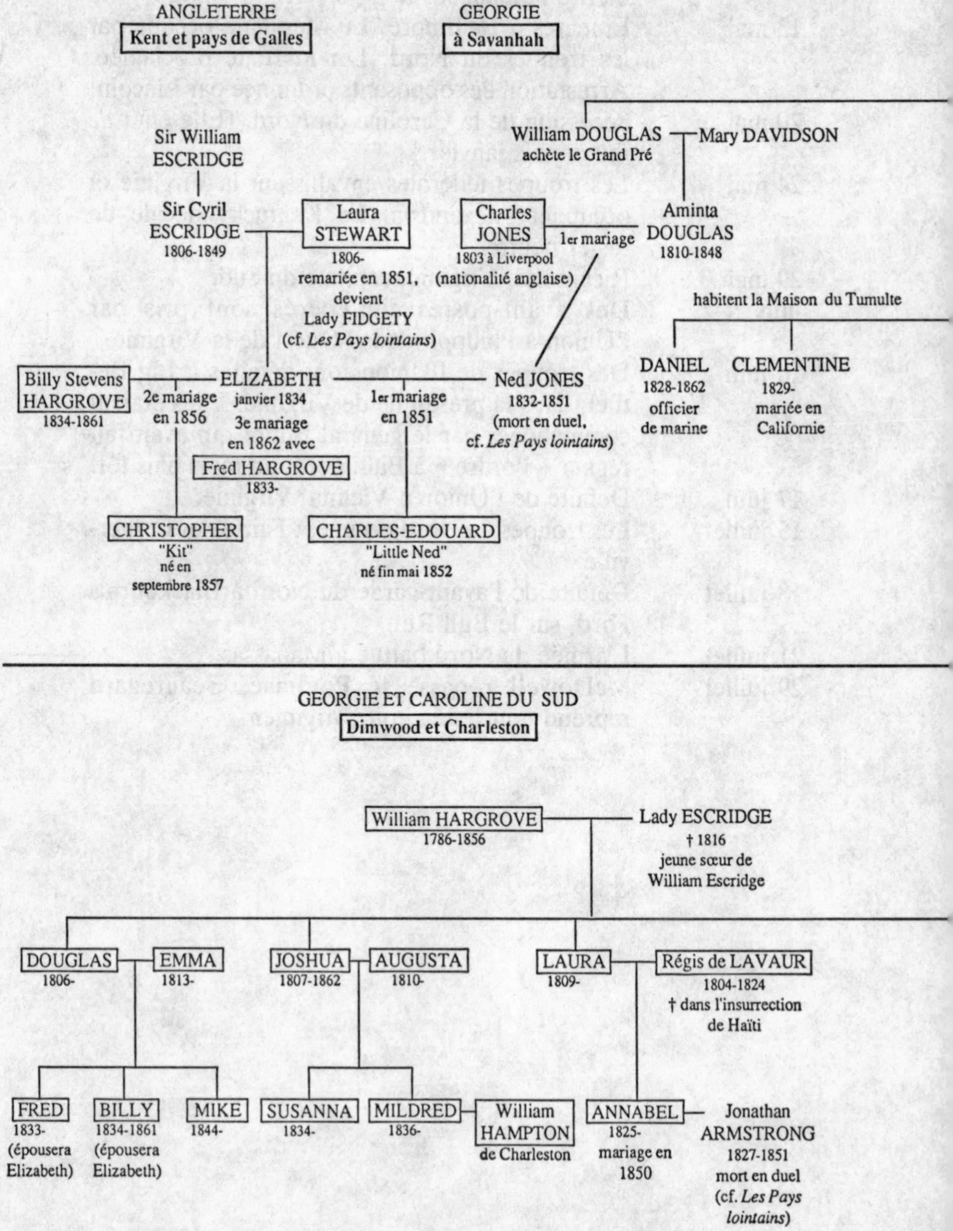

ANGLETERRE

Kent et pays de Galles

GEORGIE

à Savanhah

William DOUGLAS — Mary DAVIDSON
achète le Grand Pré

Sir William ESCRIDGE

Sir Cyril ESCRIDGE
1806-1849

Laura STEWART
1806-
remariée en 1851,
devient
Lady FIDGETY
(cf. *Les Pays lointains*)

Charles JONES
1803 à Liverpool
(nationalité anglaise)

1er mariage

Aminta DOUGLAS
1810-1848

habitent la Maison du Tumulte

DANIEL
1828-1862
officier
de marine

CLEMENTINE
1829-
mariée en
Californie

Billy Stevens HARGROVE
1834-1861

2e mariage
en 1856

ELIZABETH
janvier 1834
3e mariage
en 1862 avec

Fred HARGROVE
1833-

1er mariage
en 1851

Ned JONES
1832-1851
(mort en duel,
cf. *Les Pays lointains*)

CHRISTOPHER
"Kit"
né en
septembre 1857

CHARLES-EDOUARD
"Little Ned"
né fin mai 1852

GEORGIE ET CAROLINE DU SUD

Dimwood et Charleston

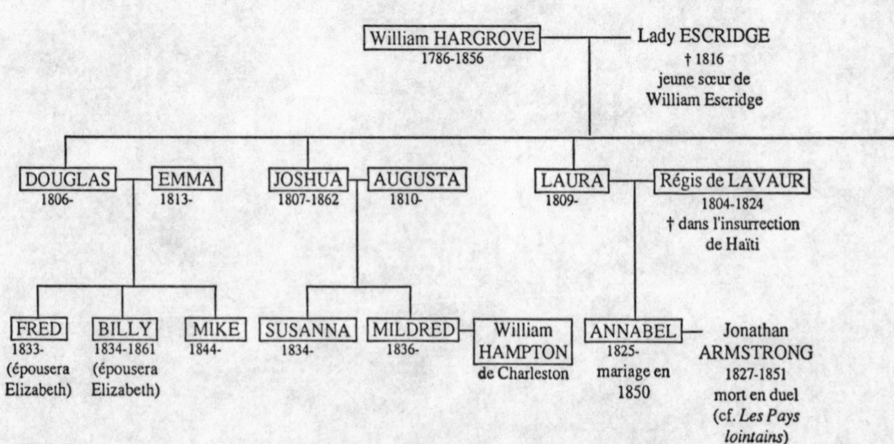

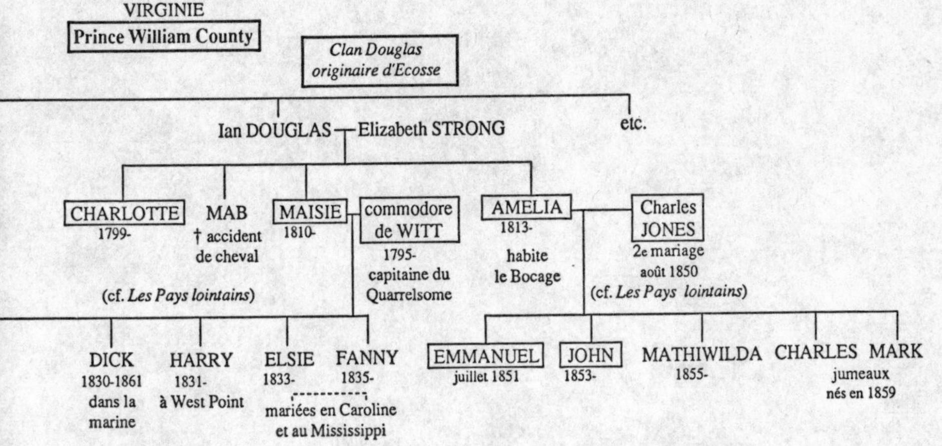
VIRGINIE
Prince William County
Clan Douglas originaire d'Ecosse
Ian DOUGLAS — Elizabeth STRONG
etc.
CHARLOTTE 1799-
MAB † accident de cheval
MAISIE 1810-
commodore de WITT 1795- capitaine du Quarrelsome
AMELIA 1813- habite le Bocage
Charles JONES 2e mariage août 1850
(cf. Les Pays lointains)
(cf. Les Pays lointains)
DICK 1830-1861 dans la marine
HARRY 1831- à West Point
ELSIE 1833-
FANNY 1835-
mariées en Caroline et au Mississippi
EMMANUEL juillet 1851
JOHN 1853-
MATHIWILDA 1855-
CHARLES
MARK
jumeaux nés en 1859

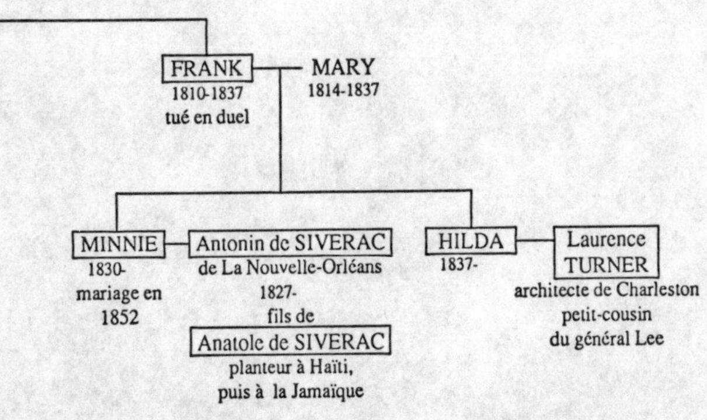
FRANK 1810-1837 tué en duel
MARY 1814-1837
MINNIE 1830- mariage en 1852
Antonin de SIVERAC de La Nouvelle-Orléans 1827- fils de
Anatole de SIVERAC planteur à Haïti, puis à la Jamaïque
HILDA 1837-
Laurence TURNER architecte de Charleston petit-cousin du général Lee

TABLE

Achevé d'imprimer en janvier 1990
sur presse CAMERON
dans les ateliers de la S.E.P.C.
à Saint-Amand-Montrond (Cher)
pour le compte de France Loisirs

— N° d'édition : 16091. — N° d'impression : 2515.
Dépôt légal : janvier 1990.

Imprimé en France

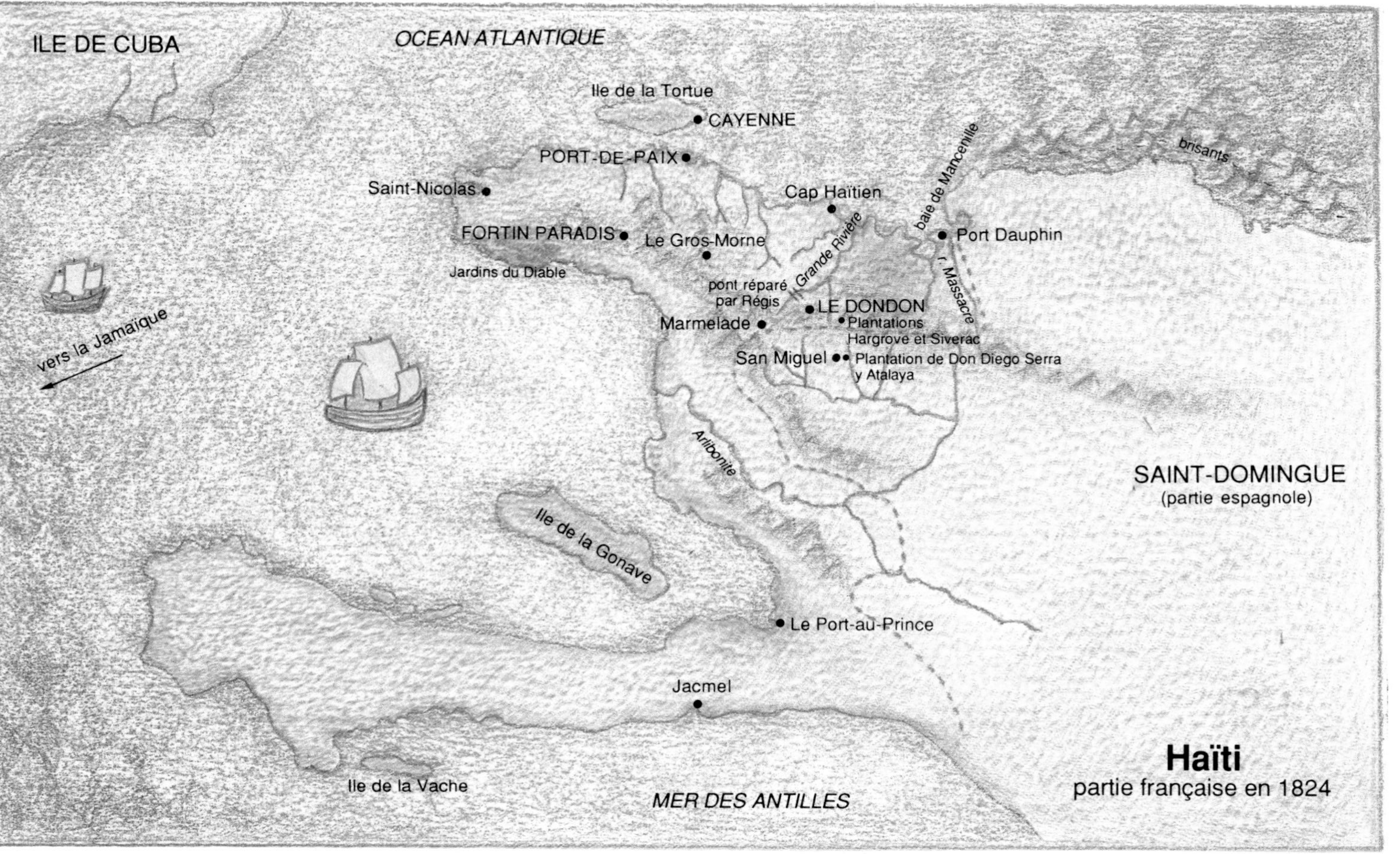
ILE DE CUBA
OCEAN ATLANTIQUE
Ile de la Tortue
CAYENNE
PORT-DE-PAIX
Saint-Nicolas
FORTIN PARADIS
Le Gros-Morne
Jardins du Diable
Cap Haïtien
Grande Rivière
baie de Mancenille
brisants
Port Dauphin
r. Massacre
pont réparé
par Régis
LE DONDON
Marmelade
Plantations
Hargrove et Siverac
San Miguel
Plantation de Don Diego Serra
y Atalaya
vers la Jamaïque
Artibonite
Ile de la Gonave
Le Port-au-Prince
SAINT-DOMINGUE
(partie espagnole)
Jacmel
Ile de la Vache
MER DES ANTILLES
Haïti
partie française en 1824

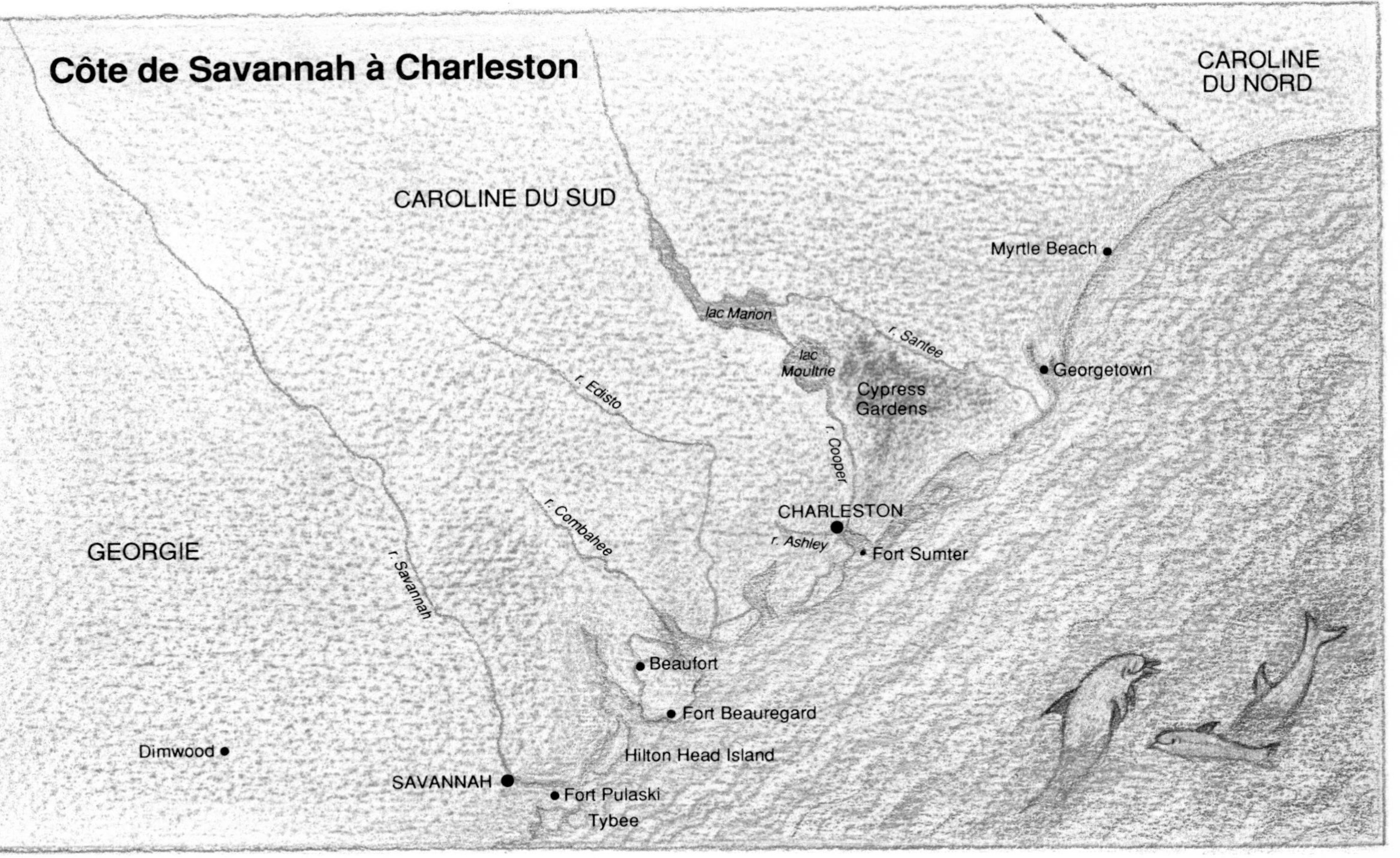
Côte de Savannah à Charleston
CAROLINE DU NORD
CAROLINE DU SUD
GEORGIE
Myrtle Beach
Georgetown
lac Marion
r. Santee
lac Moultrie
Cypress Gardens
r. Edisto
r. Cooper
CHARLESTON
r. Ashley
Fort Sumter
r. Combahee
r. Savannah
Beaufort
Fort Beauregard
Hilton Head Island
Dimwood
SAVANNAH
Fort Pulaski
Tybee

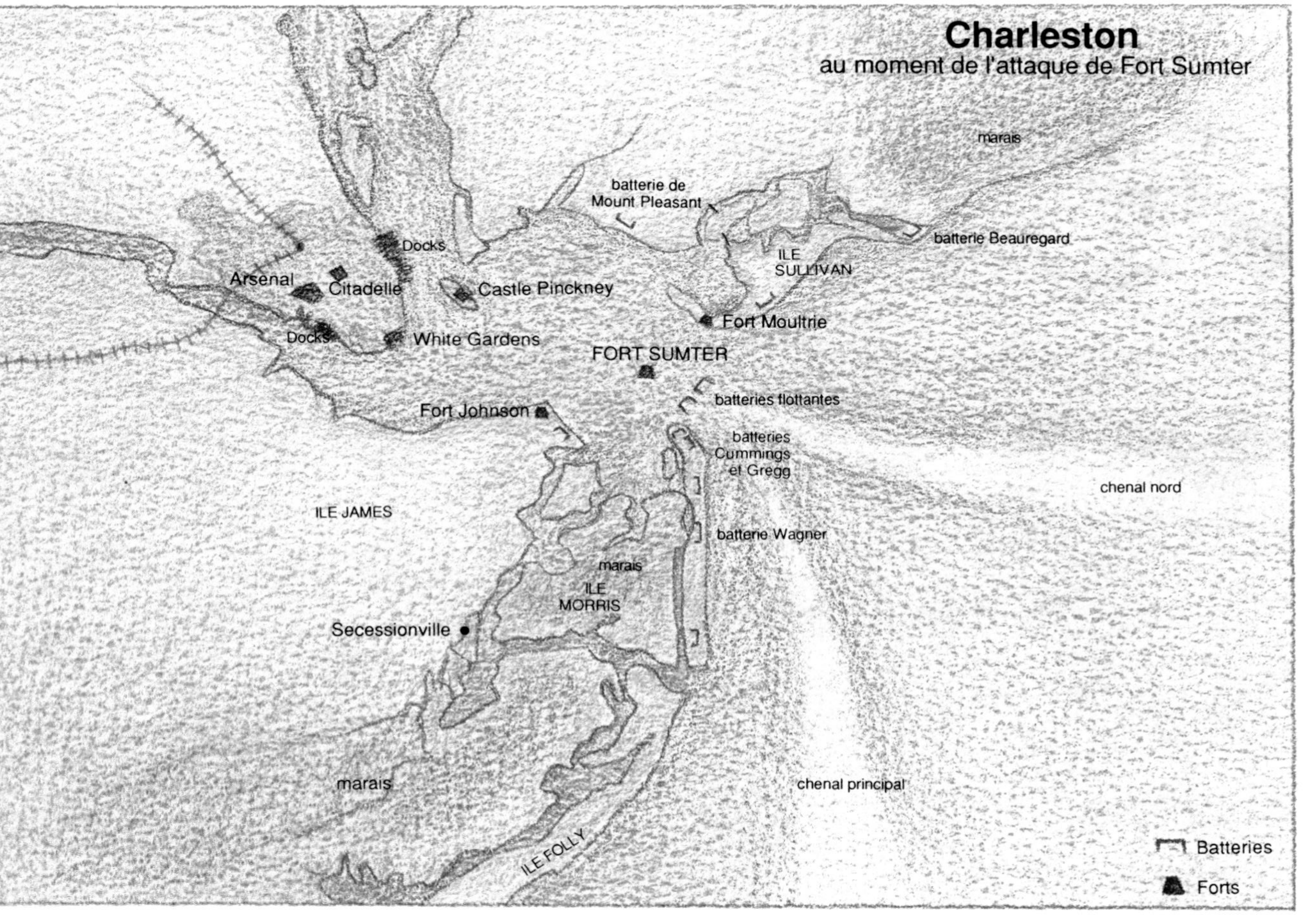
Charleston
au moment de l'attaque de Fort Sumter
marais
batterie de
Mount Pleasant
batterie Beauregard
ILE
SULLIVAN
Docks
Arsenal
Citadelle
Castle Pinckney
Fort Moultrie
Docks
White Gardens
FORT SUMTER
batteries flottantes
Fort Johnson
batteries
Cummings
et Gregg
chenal nord
ILE JAMES
batterie Wagner
marais
ILE
MORRIS
Secessionville
marais
chenal principal
ILE FOLLY
Batteries
Forts

Bombardement de Fort Sumter du 12 au 14 avril 1861

Des milliers d'obus, pas un blessé, la guerre commençait *(d'après un dessin de l'époque)*.

Fuite des Nordistes à Manassas

Les civils de tous milieux, venus de Washington pour "voir courir les rebelles", ont dû finir leur pique-nique par un marathon; avec pour entraîneurs les soldats et officiers de leur armée (*d'après un dessin de l'époque*).

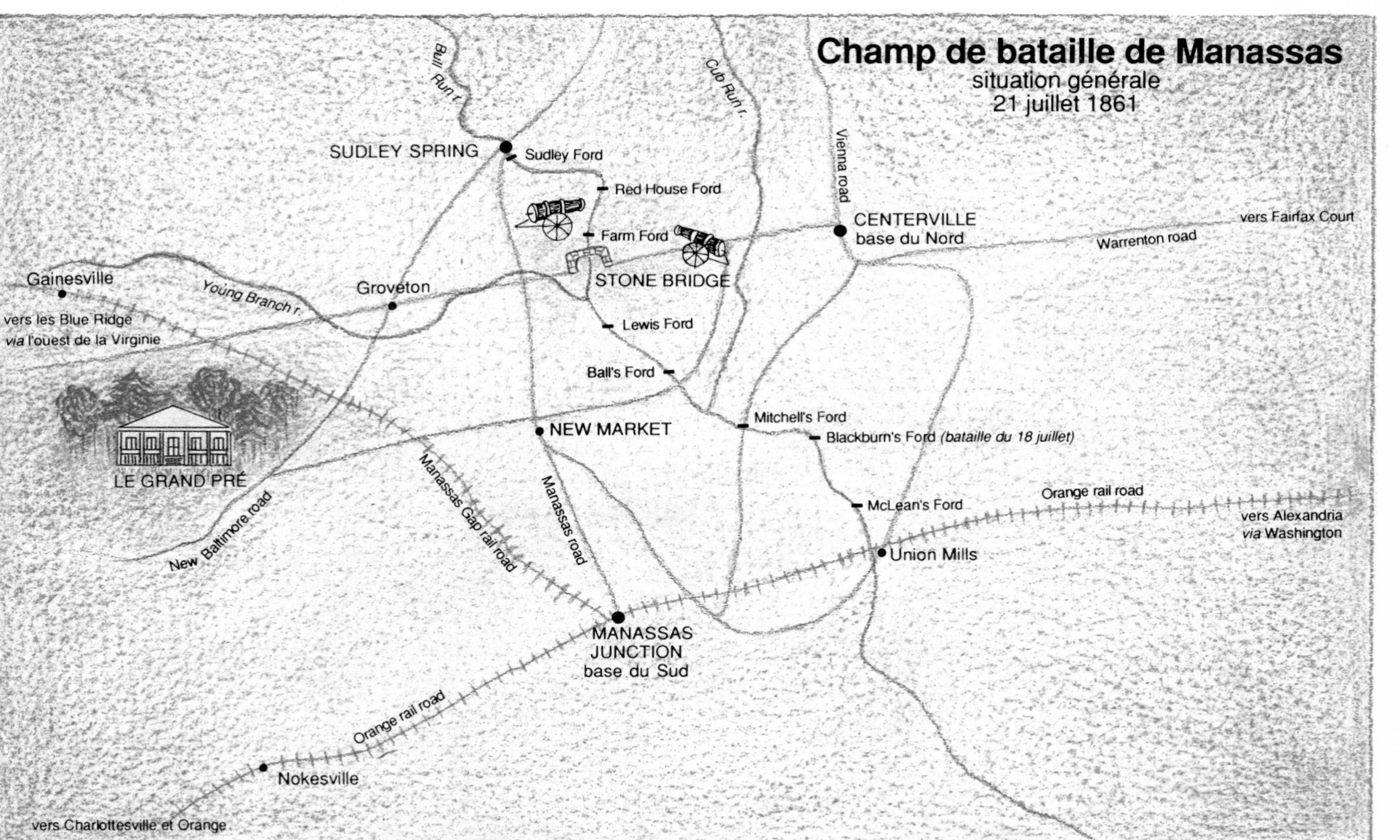

Champ de bataille de Manassas
situation générale
21 juillet 1861
Bull Run r.
Cub Run r.
SUDLEY SPRING
Sudley Ford
Red House Ford
Farm Ford
STONE BRIDGE
Lewis Ford
Ball's Ford
Vienna road
CENTERVILLE
base du Nord
vers Fairfax Court
Warrenton road
Gainesville
Groveton
Young Branch r.
vers les Blue Ridge
via l'ouest de la Virginie
LE GRAND PRÉ
NEW MARKET
Mitchell's Ford
Blackburn's Ford (bataille du 18 juillet)
McLean's Ford
Orange rail road
vers Alexandria
via Washington
Union Mills
New Baltimore road
Manassas Gap rail road
Manassas road
MANASSAS
JUNCTION
base du Sud
Orange rail road
Nokesville
vers Charlottesville et Orange